中國國家圖書館編

國家圖書館藏敦煌遺書

第二十八册　北敦〇二〇〇一號——北敦〇二〇六七號

北京圖書館出版社

圖書在版編目(CIP)數據

國家圖書館藏敦煌遺書・第二十八册/中國國家圖書館編;任繼愈主編.—北京:北京圖書館出版社,2006.4

ISBN 7-5013-2970-2

Ⅰ.國… Ⅱ.①中…②任… Ⅲ.敦煌學-文獻 Ⅳ.K870.6

中國版本圖書館CIP數據核字(2006)第017844號

書　　名　國家圖書館藏敦煌遺書・第二十八册
著　　者　中國國家圖書館編　任繼愈主編
責任編輯　徐　蜀　孫　彦
封面設計　李　璀

出　　版　北京圖書館出版社　(100034　北京西城區文津街7號)
發　　行　010-66139745　66151313　66175620　66126153
66174391(傳真)　66126156(門市部)
E-mail　cbs@nlc.gov.cn(投稿)　btsfxb@nlc.gov.cn(郵購)
Website　www.nlcpress.com
經　　銷　新華書店
印　　刷　北京文津閣印務有限責任公司

開　　本　八開
印　　張　56.5
版　　次　2006年4月第1版第1次印刷
印　　數　1-150册(套)

書　　號　ISBN 7-5013-2970-2/K・1253
定　　價　990.00圓

編輯委員會

主　　編　任繼愈
常務副主編　方廣錩
副 主 編　李際寧　張志清
編委（按姓氏筆畫排列）　王克芬　王姿怡　吳玉梅　胡新英　陳　穎　黄　霞（常務）　劉玉芬

出版委員會

主　任　詹福瑞
副主任　陳　力
委　員（按姓氏筆畫排列）　李　健　姜　紅　郭又陵　徐　蜀　孫　彦

攝製人員（按姓氏筆畫排列）

于向洋　王富生　王遂新　谷韶軍　張　軍　張紅兵　張　陽　曹　宏　郭春紅　楊　勇　嚴　平

目錄

一切諸法 空无所有 无有常住 亦无起滅
是名智者 所親近處
顛倒分別 諸法有无 是實非實 是生非生
在於閑處 脩攝其心 安住不動 如須弥山
觀一切法 皆无所有 猶如虛空 无有堅固
不生不出 不動不退 常住一相 是名近處
若有比丘 於我滅後 入是行處 及親近處
說斯經時 无有怯弱
菩薩有時 入於靜室 以正憶念
從禪定起 爲諸國王 王子臣民
開化演暢 說斯經典
文殊師利 是名菩薩
說法華經
又文殊師利 如來滅後 於末法中 欲說是經
應住安樂行 若口宣說 若讀經時 不樂說人
及經典過 亦不輕慢諸餘法師 不說他人好
惡長短 於聲聞人 亦不稱名說其過惡 亦不
稱名讚歎其美 又亦不生怨嫌之心 善脩如
是安樂心故 諸有聽者 不逆其意 有所難問
不以小乘法荅 但以大乘而爲解說 令得一
切種智 尒時世尊欲重
菩薩常樂 安隱說法
以油塗身 澡浴塵穢 著新淨衣 內外俱淨
安處法座 隨問爲說

BD02001號 妙法蓮華經卷五

(14–1)

菩薩常樂 安隱說法
以油塗身 澡浴塵穢 著新淨衣 內外俱淨
安處法座 隨問爲說
若有比丘 及比丘尼 諸優婆塞 及優婆夷
國王王子 群臣士民 以微妙義 和顏爲說
若有難問 隨義而荅 因緣譬喻 敷演分別
以是方便 皆使發心 漸漸增益 入於佛道
除嬾墯意 及懈怠想 離諸憂惱 慈心說法
晝夜常說 无上道教 以諸因緣 无量譬喻
開示衆生 咸令歡喜
衣服臥具 飲食醫藥 希望
但一心念 說法因緣 願成佛道 令衆亦尒
是則大利 安樂供養
我滅度後 若有比丘 能演說斯 妙法華經
心无嫉恚 諸惱障閡 亦无憂愁 及罵詈者
又无怖畏 加刀杖等 亦无擯出 安住忍故
智者如是 善脩其心 能住安樂 如我上說
其人功德 千万億劫 筭數譬喻 說不能盡
又文殊師利菩薩摩訶薩 於後末世 法欲滅
時受持讀誦斯經典者 无懷嫉妬諂誑之心
亦勿輕罵學佛道者 求其長短 若比丘比丘
尼優婆塞優婆夷 求聲聞者 求辟支佛者 求
菩薩道者 无得惱之 令其疑悔 語其人言 汝
等去道甚遠 終不能得一切種智 所以者何
汝是放逸之人 於道懈怠故 又亦不應戲論
諸法 有所諍競 當於一切衆生起大悲想 於
諸如來起慈父想 於諸菩薩起大師想 於十
方諸大菩薩常應深心恭敬禮拜 於一切衆

BD02001號 妙法蓮華經卷五

(14–2)

等去道甚遠終不能得一切種智所以者何
汝是放逸之人於道懈怠故又亦不應戲論
諸法有所諍競當於一切衆生起大悲想於
諸如来起慈父想於諸菩薩起大師想於十
方諸大菩薩常應深心恭敬礼拜於一切衆
生平等說法以順法故不多不少乃至深愛
法者亦不為多說文殊師利是菩薩摩訶薩
於後末世法欲滅時有成就是第三安樂行
者說是法時无能惱亂得好同學共讀誦是
經亦得大衆而来聽受聽已能持持已能誦
誦已能說說已能書若使人書供養經卷恭
敬尊重讚嘆尒時世尊欲重宣此義而說偈
言

若欲說是經　當捨嫉恚慢　諂誑耶偽心　常脩質直行
不輕蔑於人　亦不戲論法　不令他疑悔　云汝不得佛
是佛子說法　常柔和能忍　慈悲於一切　不生懈怠心
十方大菩薩　愍衆故行道　應生恭敬心　是則我大師
於諸佛世尊　生无上父想　破於憍慢心　說法无障㝵
第三法如是　智者應守護　一心安樂行　无量衆所敬

又文殊師利菩薩摩訶薩於後末世法欲滅時
有持是法華經者於在家出家人中生大慈
心於非菩薩人中生大悲心應作是念如是
之人則為大失如来方便隨宜說法不聞不
知不覺不問不信不解其人雖不問不信
不解是經我得阿耨多羅三藐三菩提時隨
在何地以神通力智慧力引之令得住是法
中文殊師利是菩薩摩訶薩於如来滅後有
成就此第四法者說是法時无有過失常為

BD02001號　妙法蓮華經卷五　（14–3）

在何地以神通力智慧力引之令得住是法
中文殊師利是菩薩摩訶薩於如来滅後有
成就此第四法者說是法時无有過失常為
比丘比丘尼優婆塞優婆夷國王王子大臣
人民婆羅門居士等供養恭敬尊重讚嘆虛
空諸天為聽法故亦常隨侍若在聚落城邑
空閑林中有人来欲難問者諸天晝夜常為
法故而衛護之能令聽者皆得歡喜所以者
何此經是一切過去未来現在諸佛神力所
護故文殊師利是法華經於无量國中乃至
名字不可得聞何況得見受持讀誦文殊師
利譬如強力轉輪聖王欲以威勢降伏諸國
而諸小王不順其命時轉輪王起種種兵而
往討罰王見兵衆戰有功者即大歡喜隨功
賞賜或與田宅聚落城邑或與衣服嚴身之
具或與種種珎寶金銀瑠璃車𤦲馬瑙珊瑚
琥珀象馬車乘奴婢人民唯髻中明珠不以
與之所以者何獨王頂上有此一珠若以與
之王諸眷屬必大驚怪文殊師利如来亦復
如是以禪定智慧力得法國土王於三界而諸
魔王不肯順伏如来賢聖諸將與之共戰其
有功者心亦歡喜於四衆中為說諸經令其
心悅賜以禪定解脫无漏根力諸法之財又
復賜與涅槃之城言得滅度引導其心令
皆歡喜而不為說是法華經文殊師利如轉
輪王見諸兵衆有大功者心甚歡喜以此難
信之珠久在髻中不妄與人而今與之如来
亦復如是於三界中為大法王以法教化一

BD02001號　妙法蓮華經卷五　（14–4）

皆歡喜而不為說是法華經文殊師利如轉
輪王見諸兵衆有大功者心甚歡喜以此難
信之珠久在髻中不妄與人而今與之如來
亦復如是於三界中為大法王以法教化一
切衆生見賢聖軍與五陰魔煩惱魔死魔
共戰有大功勳滅三毒出三界破魔網尒時如
來亦大歡喜此法華經能令衆生至一切智
一切世間多怨難信先所未說而今說之文
殊師利此法華經是諸如來第一之說於諸
說中最為甚深末後賜與如彼強力之王久
護明珠今乃與之文殊師利此法華經諸佛
如來秘密之藏於諸經中最在其上長夜守
護不妄宣說始於今日乃與汝等而敷演之
尒時世尊欲重宣此義而說偈言
常行忍辱 哀愍一切 乃能演說 佛所讚經
後末世時 持此經者 於家出家 及非菩薩
應生慈悲 斯等不聞 不信是經 則為大失
我得佛道 以諸方便 為說此法 令住其中
譬如強力 轉輪之王 兵戰有功 賞賜諸物
象馬車乘 嚴身之具 及諸田宅 聚落城邑
或與衣服 種種珍寶 奴婢財物 歡喜賜與
如有勇健 能為難事 王解髻中 明珠賜之
如來亦尒 為諸法王 忍辱大力 智慧寶藏
以大慈悲 如法化世 見一切人 受諸苦惱
欲求解脫 與諸魔戰 為是衆生 說種種法
以大方便 說此諸經 既知衆生 得其力已
末後乃為 說是法華 如王解髻 明珠與之
此經為尊 衆經中上 我常守護 不妄開示

BD02001號　妙法蓮華經卷五　（14–5）

以大慈悲 如法化世 見一切人 受諸苦惱
欲求解脫 與諸魔戰 為是衆生 說種種法
以大方便 說此諸經 既知衆生 得其力已
末後乃為 說是法華 如王解髻 明珠與之
此經為尊 衆經中上 我常守護 不妄開示
今正是時 為汝等說
我滅度後 求佛道者 欲得安隱 演說斯經
應當親近 如是四法 讀是經者 常无憂惱
又无病痛 顏色鮮白 不生貧窮 卑賤醜陋
衆生樂見 如慕賢聖 天諸童子 以為給使
刀杖不加 毒不能害 若人惡罵 口則閉塞
遊行无畏 如師子王 智慧光明 如日之照
若於夢中 但見妙事 見諸如來 坐師子座
諸比丘衆 圍遶說法 又見龍神 阿脩羅等
數如恒沙 恭敬合掌 自見其身 而為說法
又見諸佛 身相金色 放无量光 照於一切
以梵音聲 演說諸法 佛為四衆 說无上法
見身處中 合掌讚佛 聞法歡喜 而為供養
得陁羅尼 證不退智 佛知其心 深入佛道
即為授記 成最正覺 汝善男子 當於來世
得无量智 佛之大道 國土嚴淨 廣大无比
亦有四衆 合掌聽法 又見自身 在山林中
脩習善法 證諸實相 深入禪定 見十方佛
諸佛身金色 百福相莊嚴 聞法為人說 常有是好夢
又夢作國王 捨宮殿眷屬 及上妙五欲 行詣於道場
在菩提樹下 而處師子座 求道過七日 得諸佛之智
成无上道已 起而轉法輪 為四衆說法 經千万億劫
說无漏妙法 度无量衆生 後當入涅槃 如烟盡燈滅

BD02001號　妙法蓮華經卷五　（14–6）

諸佛身金色　百福相莊嚴　聞法為人說　常有是好夢
又夢作國王　捨宮殿眷屬　及上妙五欲　行詣於道場
在菩提樹下　而處師子座　求道過七日　得諸佛之智
成无上道已　起而轉法輪　為四衆說法　逕千万億劫
說无漏妙法　度无量衆生　後當入涅槃　如烟盡燈滅
若後惡世中　說是第一法　是人得大利　如上諸功德

妙法蓮華經從地踊出品第十五

尒時他方國土諸來菩薩摩訶薩過八恒河沙
數於大衆中起立合掌作礼而白佛言世
尊若聽我等於佛滅後在此娑婆世界勤加
精進護持讀誦書寫供養是經典者當於此
土而廣說之尒時佛告諸菩薩摩訶薩衆止善
男子不須汝等護持此經所以者何我娑婆
世界自有六万恒河沙等菩薩摩訶薩一
一菩薩各有六万恒河沙眷屬是諸人等能
於我滅後護持讀誦廣說此經佛說是時娑
婆世界三千大千國土地　震裂而於其中
有无量千万億菩薩摩訶薩同時踊出是諸
菩薩身皆金色三十二相无量光明先盡在
此娑婆世界之下此界虛空中住是諸菩薩
聞釋迦牟尼佛所說音聲從下發来一一菩
薩皆是大衆唱導之首各將六万恒河沙眷
屬況將五万四万三万二万一万恒河沙等
眷屬者況復乃至一恒河沙半恒河沙四分
之一乃至千万億那由他分之一況復千万億
那由他眷屬況復億万眷屬況復千万百万
乃至一万況復一千一百乃至一十況復將五
四三二一弟子者況復單巳樂遠離行

那由他眷屬況復億万眷屬況復千万百万
乃至一万況復一千一百乃至一十況復將五
四三二一弟子者況復單巳樂遠離行
如是等比无量无邊筭數譬喻所不能知是
諸菩薩從地出已各詣虛空七寶妙塔多寶
如来釋迦牟尼佛所到已向二世尊頭面礼
足及至諸寶樹下師子座上佛所亦皆作礼
右遶三帀合掌恭敬以諸菩薩種種讚法而以
讚嘆住在一面欣樂瞻仰於二世尊是諸菩
薩摩訶薩從初踊出以諸菩薩種種讚法而
讚於佛如是時間逕五十小劫是時釋迦牟
尼佛默然而坐及諸四衆亦皆默然五十
小劫佛神力故令諸大衆謂如半日尒時四
衆亦以佛神力故見諸菩薩遍滿无量百千
万億國土虛空是菩薩衆中有四導師一名
上行二名无邊行三名淨行四名安立行是
四菩薩於其衆中最為上首唱導之師在大
衆前各共合掌觀釋迦牟尼佛而問訊言世
尊少病少惱安樂行不所應度者受教易不
不令世尊生疲勞耶尒時四大菩薩而說偈
言
世尊安樂　少病少惱　教化衆生　得无疲惓
又諸衆生　受化易不　不令世尊　生疲勞耶
尒時世尊於菩薩大衆中而作是言如是如
是諸善男子如来安樂少病少惱諸衆生等
易可化度无有勞疲所以者何是諸衆生世
世已来常受我化亦於過去諸佛供養尊重

爾時世尊於菩薩大衆中而作是言如是如是
是諸善男子如來安樂少病少惱諸衆生等
易可化度无有勞疲所以者何是諸衆生世
世已來常受我化亦於過去諸佛供養尊重
種諸善根此諸衆生始見我身聞我所說即
皆信受入如來慧除先脩習學小乘者如是
之人我今亦令得聞是經入於佛慧爾時諸
大菩薩而說偈言
善哉善哉 大雄世尊 諸衆生等 易可化度
能問諸佛 甚深智慧 聞已信行 我等隨喜
於時世尊讚歎上首諸大菩薩善哉善哉善
男子汝等能於如來發隨喜心爾時彌勒菩
薩及八千恒河沙諸菩薩衆皆作是念我等
從昔已來不見不聞如是大菩薩摩訶薩
衆從地踊出住世尊前合掌供養問訊如
來時彌勒菩薩摩訶薩知八千恒河沙諸
菩薩等心之所念并欲自決所疑合掌向
佛以偈問言
无量千万億 大衆諸菩薩 昔所未曾見 願兩足尊說
是從何所來 以何因緣集 巨身大神通 智慧叵思議
其志念堅固 有大忍辱力 衆生所樂見 為從何所來
一一諸菩薩 所將諸眷屬 其數无有量 如恒河沙等
或有大菩薩 將六万恒沙 如是諸大衆 一心求佛道
是諸大師等 六万恒河沙 俱來供養佛 及護持是經
將五万恒沙 其數過於是 四万及三万 二万至一万
一千一百等 乃至一恒沙 半及三四分 億万分之一
千万那由他 万億諸弟子 乃至於半億 其數復過上
百千至一万 一千及一百 五十與一十 乃至三二一
單己无眷屬 樂於獨處者 俱來至佛所 其數轉過上

一千一百等 乃至一恒沙 半及三四分 億万分之一
千万那由他 万億諸弟子 乃至於半億 其數復過上
百千至一万 一千及一百 五十與一十 乃至三二一
單己无眷屬 樂於獨處者 俱來至佛所 其數轉過上
如是諸大衆 若人行籌數 過於恒沙劫 猶不能盡知
是諸大威德 精進菩薩衆 誰為其說法 教化而成就
從誰初發心 稱揚何佛法 受持行誰經 脩習何佛道
如是諸菩薩 神通大智力 四方地震裂 皆從中踊出
世尊我昔來 未曾見是事 願說其所從 國土之名号
我常遊諸國 未曾見是衆
我於此衆中 乃不識一人 忽然從地出 願說其因緣
今此之大會 无量百千億 是諸菩薩等 皆欲知此事
是諸菩薩衆 本末之因緣 无量德世尊 唯願決衆疑
爾時釋迦牟尼分身諸佛從无量千万億他
方國土來者在於八方諸寶樹下師子座上
結跏趺坐其佛侍者各各見是菩薩大衆於
三千大千世界四方從地踊出住於虛空各
白其佛言世尊此諸无量无邊阿僧祇菩薩
大衆從何所來爾時諸佛各告侍者諸善男
子且待須臾有菩薩摩訶薩名曰彌勒釋迦
牟尼佛之所授記次後作佛已問斯事佛今
答之汝等自當因是得聞爾時釋迦牟尼佛
告彌勒菩薩善哉善哉阿逸多乃能問佛如
是大事汝等當共一心被精進鎧發堅固意
如來今欲顯發宣示諸佛智慧諸佛自在神
通之力諸佛師子奮迅之力諸佛威猛大勢
之力爾時世尊欲重宣此義而說偈言
當精進一心 我欲說此事 勿得有疑悔 佛智叵思議

如来今欲顯發宣示諸佛智慧諸佛自在神
通之力諸佛師子奮迅之力諸佛威猛大勢
之力尒時世尊欲重宣此義而說偈言
當精進一心　我欲說此事　勿得有疑悔　佛智叵思議
汝今出信力　住於忍善中　昔所未聞法　今皆當得聞
我今安慰汝　勿得懷疑懼　佛无不實語　智慧不可量
所得第一法　甚深叵分別　如是今當說　汝等一心聽
尒時世尊說此偈已告弥勒菩薩我今於此
大衆宣告汝等阿逸多是諸大菩薩摩訶薩
无量无數阿僧祇從地踊出汝等昔所未見
者我於是娑婆世界得阿耨多羅三藐三菩
提已教化示導是諸菩薩調伏其心令發道
意此諸菩薩皆於是娑婆世界之下此界虛
空中住於諸經典讀誦通利思惟分別正憶
念阿逸多是諸善男子等不樂在衆多有所
說常樂靜處勤行精進未曾休息亦不依止
人天而住常樂深智无有障礙亦常樂於諸
佛之法一心精進求无上慧尒時世尊欲重
宣此義而說偈言
阿逸汝當知　是諸大菩薩　從无數劫来　脩習佛智慧
悉是我所化　令發大道心　此等是我子　依止是世界
常行頭陁事　志樂於靜處　捨大衆憒閙　不樂多所說
如是諸子等　學習我道法　晝夜常精進　為求佛道故
在娑婆世界　下方空中住　志念力堅固　常勤求智慧
說種種妙法　其心无所畏　我於伽耶城　菩提樹下坐
得成最正覺　轉无上法輪　尒乃教化之　令初發道心
今皆住不退　悉當得成佛　我今說實語　汝等一心信
我從久遠来　教化是等衆

BD02001號　妙法蓮華經卷五　（14–11）

今皆住不退　悉當得成佛　我今說實語　汝等一心信
我從久遠来　教化是等衆
尒時弥勒菩薩摩訶薩及无數諸菩薩等心
生疑惑怪未曾有而作是念云何世尊於少
時閒教化如是无量无邊阿僧祇諸大菩薩
令住阿耨多羅三藐三菩提即白佛言世尊
如来為太子時出於釋宮去伽耶城不遠坐
於道場得成阿耨多羅三藐三菩提從是以来
始過四十餘年世尊云何於此少時大作佛
事以佛勢力以佛功德教化如是无量大菩
薩衆當成阿耨多羅三藐三菩提世尊此
大菩薩衆假使有人於千万億劫數不能盡
不得其邊斯等久遠以来於无量无邊諸佛
所殖諸善根成就菩薩道常脩梵行世尊如
此之事世所難信譬如有人色美髮黑年二
十五指百歲人言是我子其百歲人亦指年
少言是我父生育我等是事難信佛亦如是
得道已来其實未久而此大衆諸菩薩等已
於无量千万億劫為佛道故勤行精進善入
出住无量百千万億三昧得大神通久脩梵
行善能次第集諸善法巧於問荅人中之寶
一切世間甚為希有今日世尊方云得佛道
時初令發心教化示導令向阿耨多羅三藐
三菩提世尊得佛未久乃能作此大功德事
我等雖復信佛隨宜所說佛所出言未曾虛
妄佛所知者皆悉通達然諸新發意菩薩於
佛滅後若聞是語或不信受而起破法罪業

BD02001號　妙法蓮華經卷五　（14–12）

我等雖復信佛隨冝所說佛所出言未曾虛
妄佛所知者皆悉通達然諸新發意菩薩於
佛滅後若聞是語或不信受而起破法罪業
因緣唯然世尊願為解說除我等疑及未來
世諸善男子聞此事已亦不生疑尔時弥勒
菩薩欲重宣此義而說偈言
佛昔從釋種　出家近伽耶　坐於菩提樹　尔來尚未久
此諸佛子等　其數不可量　久已行佛道　住神通智力
善學菩薩道　不染世間法　如蓮華在水　從地而踊出
皆起恭敬心　住於世尊前　是事難思議　云何而可信
佛得道甚近　所成就甚多　願為除衆疑　如實分別說
譬如少壯人　年始二十五　示人百歲子　髮白而面皺
是等我所生　子亦說是父　父少而子老　舉世所不信
世尊亦如是　得道來甚近　是諸菩薩等　志固无怯弱
從无量劫來　而行菩薩道　巧於難問荅　其心无所畏
忍辱心決定　端政有威德　十方佛所讚　善能分別說
不樂在人衆　常好在禪定　為求佛道故　於下空中住
我等從佛聞　於此事无疑　願佛為未來　演說令開解
若有於此經　生疑不信者　即當墮惡道　願今為解說
是无量菩薩　云何於少時　教化令發心　而住不退地

妙法蓮華經如來壽量品第十六

尔時佛告諸菩薩及一切大衆諸善男子汝
等當信解如來誠諦之語復告大衆汝等當
信解如來誠諦之語又復告諸大衆汝等當
信解如來誠諦之語是時菩薩大衆弥勒為
首合掌白佛言世尊唯願說之我等當信受
佛語如是三白已復言唯願說之我等當信

BD02001 號　妙法蓮華經卷五　（14–13）

首合掌白佛言世尊唯願說之我等當信受
佛語如是三白已復言唯願說之我等當信
受佛語尔時世尊知諸菩薩三請不止而告
之言汝等諦聽如來秘密神通之力一切世
間天人及阿脩羅皆謂今釋迦牟尼佛出釋
氏宮去伽耶城不遠坐於道場得阿耨多羅
三藐三菩提然善男子我實成佛已來无量
无邊百千万億那由他劫譬如五百千万億
那由他阿僧祇三千大千世界假使有人末
為微塵過於東方五百千万億那由他阿僧
祇國乃下一塵如是東行盡是微塵諸善男
子於意云何是諸世界可得思惟校計知其
數不弥勒菩薩等俱白佛言世尊是諸世界
无量无邊非筭數所知亦非心力所及一切
聲聞辟支佛以无漏智不能思惟知其限數
我等住阿惟越致地於是事中亦所不達世
尊如是諸世界无量无邊尔時佛告大菩薩衆
諸善男子今當分明宣語汝等是諸世界若
著微塵及不著者盡以為塵一塵一劫我
成佛已來復過於此百千万億那由他阿僧
祇劫自從是來我常在此娑婆世界說法教
化亦於餘處百千万億那由他阿僧祇國導
利衆生諸善男子於是中間我說然燈佛等
又復言其入於涅槃如是皆以方便分別諸
善男

BD02001 號　妙法蓮華經卷五　（14–14）

菩信相菩薩无勝菩薩祢勒菩薩如是等菩
薩摩訶薩三万六千人復有八十万億威力
諸天及諸比丘比丘尼優婆塞優婆夷天龍
夜叉人非人等釋提桓因與无量天人在於
空中雨寶天華无量音樂自然而作梵摩三
鉢天燒妙天香供養如来香烟遍至十方无
量世界願皆同供養十方一切諸佛供養十
方一切諸法供養十方諸大菩薩是諸天等
爲利如是供養諸佛爲求大乘无上之道
尒時世尊與如是等无量无邊大衆前後圍
遶發向娑羅二月十五日臨欲涅槃以佛神
力大悲普覆欲攝衆生出大音聲其聲遍滿
乃至十方随其類音普告衆生今日如来應
正遍知憐愍衆生覆護衆生等視
衆生如見一子无歸依者爲作歸依未見佛
性者令見佛性未離煩惱者令離煩惱无安
隱者爲作安隱未解脱者爲作解脱未安樂
者令得安樂未離疑惑者令離疑惑未懺悔
者令得懺悔未涅槃者令得涅槃尒時道邊
清淨平正吉祥福地縱廣正等十千由旬佛
見此地平正清淨即便心住告諸比丘今
於是中可以説法尒時阿難比丘白佛言世
尊如来世尊昔常住好山林清淨流水華藥

BD02002號　大通方廣懺悔滅罪莊嚴成佛經卷上　（8–1）

清淨平正吉祥福地縱廣正等十千由旬佛
見此地平正清淨即便心住告諸比丘今
於是中可以説法尒時阿難比丘白佛言世
尊如来世尊昔常住好山林清淨流水華藥
園林今於是中亦无流水亦无林樹亦无聚
落國土人民今日如来安居説法遠来者衆
飢勞疲乏性命不濟有食有命有身有
身有道无食无命无身无道今於
是中无有如是可憶之事云何世尊於中
説法
尒時大智舍利弗以智力告阿難言先應爲
法不須餘念如来世尊不但十力四无所畏
如来世尊有无量力一切无畏智慧无量威
神无量无歸依者爲作歸依未見佛性者
令見佛性未離煩惱者令離煩惱未安隱者
爲作安隱未解脱者令得解脱未安樂者令
得安樂未涅槃者令得涅槃如来世尊有如
是等无量神力何憂如来而无自然我念往
昔維摩大士爲衆説法他方菩薩聲聞緣覺
威力諸天龍神大衆集在方室未曾有食
我時念言此諸大衆云何得食大事維摩即
語我言聲聞少智應念正法云何先觀耶命
衣食及以床坐維摩大士説是語時天人道
我懷慚愧汝今所念亦復如是
尒時如来即告阿難實如大智舍利弗語應
念大乘莫念安身作是語已即入三昧以威

BD02002號　大通方廣懺悔滅罪莊嚴成佛經卷上　（8–2）

我懷慚愧汝今所念亦復如是
尒時如来即告阿難實如大智舍利弗語應
念大乘莫念安身作是語已即入三昧以威
神力即時其地有一念華從地踊出其華出
高卌万由旬遍覆三千大千世界流璃羅網
弥覆金華其金華下有寶浴池與華正等名
爲八功德水弥滿其池四埏有種種名華所
謂憂鉢羅華句物頭華波頭摩華分陁利
華有如是等種種无量名華莊嚴寶池若
見如是金華寶池得法眼淨何況入中而
得洗浴若入洗浴即得清淨无生法忍其金華
下有寶師子坐其師子坐高百由旬尒時如
来坐於寶坐身諸毛孔上下枝節放大光明
如来光明與金華同色從華四面金光流出
普照十方一切佛土佛光金華所照之處山谷
國土高下平正皆作金色无有穢惡地獄休
息餓鬼解脫除一闡提謗方等經以佛神力
他方國土及此中國悉皆一等无有殊十方
諸佛覩此光已異口同音俱歎釋迦善哉善
哉大慈世尊今放光明異於常明昔日放光
光照東方今日放光四面一時普照十方當知
此光欲度苦惱一切衆生使出三界到大
涅槃尒時他方十方諸佛異口同音告其侍
者大菩薩衆諸善男子汝等當知今日中國
娑婆世界釋迦如来放大光明必說妙法度
苦衆生汝等今者應往彼土供養彼佛請決

涅槃尒時他方十方諸佛異口同音告其侍
者大菩薩衆諸善男子汝等當知今日中國
娑婆世界釋迦如来放大光明必說妙法度
苦衆生汝等今者應往彼土供養彼佛請決
所疑聽受經法彼土衆生昔来剛惡虛僞不
實不信一乘釋迦大慈方善方便爲開三乘
度脫三有雖說三乘上語亦善中語亦善下
語亦善義味甚深純備具足彼佛世尊百千
万劫不可值見所說經法不可得聞彼諸大
衆不可時會釋迦所坐殊妙金華不可得見
是故汝等今往彼土得見彼佛請問所疑自
得利益復利衆生作是語已十方佛土一一
各有十億菩薩即從坐起爲佛作礼俱同發
来一一菩薩各有百千音樂雨寶妙華来到
佛所到佛所已遶佛七帀爲佛作礼却坐一
面俱共發聲異口同音而白佛言世尊我等
今者欲有所問唯願世尊當爲說之利益衆
生尒時佛告諸来菩薩摩訶薩衆諸善男子
若有所疑今悉可問吾當爲汝決定說之尒
時諸菩薩白佛言世尊我土如来唯說一乘
云何如来今說三乘尒時世尊以无㝵智告
諸菩薩汝等今者爲利衆生諮問是義諦聽
諦聽諸善男子辟如有人一人三名小時名
小二十名中年過八十名爲耆耆者我今三乘
亦復如是爲初小心聲聞之人說於小乘爲
於中心緣覺之人說於中乘爲大菩薩大

小二十名中年過八十名爲耆耆者我今三乘
亦復如是爲初小心聲聞之人說於小乘爲
於中心緣覺之人說於中乘爲大菩薩大
道心人說於大乘諸善男子汝今須聽理无
二極趣必同歸解雖殊津終爲一觀理是一
乘分之爲三聲聞緣覺乘皆入大乘大乘者
即是佛乘是故三乘即是一乘說是法時會
中十千菩薩得无生法忍八百比丘得阿羅
漢果二万天人得法眼淨百千万人即發阿
耨多羅三藐三菩提心
尒時十方諸來菩薩俱共合掌而白佛言我
等今者以彼佛力來到此土得見世尊復聞
大乘願聽我等受持是經於佛滅後在此國
土及餘他方山林樹下神仙居處城邑聚落
曠野墓間樹下路地塔寺僧坊講法衆會俗
人住處家家人人廣宣流布常使不斷何以故
是經久住惡道永息所以尒者曾聞佛說
地獄不閉若誦經一句諸天歡喜常來親近
自然修善若人聞是方廣經典歡喜信敬書
寫讀誦受持礼拜稱是經中一佛一菩薩名
者是人現世安隱不見諸惡若其命終我等
菩薩前導是人迴向我國共生一處何以故
受持是經故受持是經者即持佛身持佛身
者當知是人即是菩薩是故是人即我同學
以是因緣受持是經願生一處不相捨離
尒時復有諸鬼神王大梵天王三十三天護

BD02002 號　大通方廣懺悔滅罪莊嚴成佛經卷上　（8–5）

以是因緣受持是經願生一處不相捨離
尒時復有諸鬼神王大梵天王三十三天護
世四天王金剛密迹諸鬼神王散脂大將那羅
王等難陁龍王婆難陁龍王阿修羅王迦樓
羅王大辯天王九子母天山神王樹神王河
神王海神王地神王水神王火神王風神王
如是无量无邊諸神王等及大諸天即從坐
起頭面礼佛合掌恭敬而白佛言世尊我
等今者常當護持世尊所說方廣經典有是
經處我等神王常於在前爲作清淨若在塔
中若在坊中若在白衣舍若在空處或復有
人以不淨手杵捉是經或不恭敬讀誦是經我
使是人行住坐卧身心不安處處怖畏橫羅
惡事現世不安死入地獄若人恭敬清淨捉
持此經洗浴燒香讀誦受持或復書寫憶念
不忘憶是經典不行惡事若能如是我等神
王爲是經故守護是人是人若卧立其人前不
使見惡亦復不爲惡人惡鬼橫害其人若
其住處護其舍宅若欲行來我等神王於
其人前爲作開導須者給與四方行來无所
鄣㝵常見善事命終生天因是值佛不失大
乘尒時世尊告諸大菩薩鬼神王等如是如
是如汝所說如是經典不可得聞何況可見
若欲受持讀誦是經當淨洗浴著淨衣服淨持
坊舍以繒幡蓋莊嚴室內燒種種妙香栴檀
香末香種種塗香礼拜如是六時從初一日

BD02002 號　大通方廣懺悔滅罪莊嚴成佛經卷上　（8–6）

是如汝所說如是經典不可得聞何况可見
若欲受持讀誦是經當淨洗浴着淨衣服淨持
坊舍以繒幡蓋莊嚴室内燒種種妙香栴檀
香末香種種塗香礼拜如是六時從初一日
乃至七日日日中間讀誦是經正心正憶正
念正觀正思惟正思議正受持正用行正教
化日夜六時礼是經中諸佛菩薩十二部經若
能如是礼拜讀誦信敬之者如是經中所說
重罪悉皆除滅无有疑也何以故是大方廣
經典十方諸佛之所修行之所護持諸佛之
母諸經之王妙義之藏菩薩之道今是方廣
深妙經藏亦如世間所有六大不可思議何
等為六一者大地二者大水三者大火四
者大風五者大日六者大空是經亦如大地
普載一切淨穢好惡是經亦如大水洗除一
切穢惡不淨是經亦如大火普燒一切煩惱
穢惡不淨惡物是經亦如大風普吹一切不淨
穢惡是經亦如大日普照一切所有黑闇是
經亦如大空悉能容受所有如惡今是大
乘方廣經典廣大无對上至菩薩中至聲聞
下至有形悉能容受是故汝等受持是經流
布是經信敬是經常使汝等諸大菩薩入佛
智慧明見佛性當令汝等諸天神王及受持
經者常得見我及見未來一切諸佛轉大法
輪坐於道場
尒時大衆中有一菩薩名曰信相於大衆中

BD02002號　大通方廣懺悔滅罪莊嚴成佛經卷上　（8–7）

經者常得見我及見未來一切諸佛轉大法
輪坐於道場
尒時大衆中有一菩薩名曰信相於大衆中
即從坐起正理衣儀頂礼佛足而白佛言世
尊我等今者欲有所問唯願世尊當為說
之世尊所說能大利益无量衆生尒時佛告
信相菩薩善哉善哉善男子若有所問隨
意問之吾當為汝分別解說汝所問者亦大
利益无量衆生信相菩薩白佛言世尊我念
往昔久遠過去无量世時有佛世尊名曰寶
勝一聞名者皆得生天於後不久天自在光
王國内曠野澤中有一大池其水枯涸於彼
池中有十千大魚為日所暴欲入死門有一天
士名曰流水見是大魚心生慈悲施水飲食少
日得活知命不久即為三稱寶勝佛名是魚
聞已即便受終生忉利天以是因緣今願世
尊為是大衆及未來衆生說諸佛名及聞
世尊釋迦名号亦得无量无邊利益无邊功
德常處富樂見了佛性以是因緣故求此願
唯願說之度脫重禁迷惑衆生
尒時佛告信相菩薩摩訶薩善男子我若廣
說十方諸佛所有名号百千万劫說不能盡
一切諸水可知渧數无有能知諸佛名字諸
須弥山可知斤兩无有能知諸佛名字一切
大[illegible]塵數无有能知諸佛名字虚空分

BD02002號　大通方廣懺悔滅罪莊嚴成佛經卷上　（8–8）

如是……
常无病二者……
衣食受用无盡四者能伏怨敵……
者令諸尊貴恭敬先言六者蠱毒鬼魅不
能中傷七者一切刀杖所不能害八者水不能
溺九者火不能燒十者終不橫死復得四種功
德勝利一者臨命終時得見十方諸佛二者終
不墮諸惡趣三者不因嶮厄而死四者得生極
樂世界世尊我憶過去過十殑伽沙等劫復
過於此有佛出世名美音香如來應正等覺尒
時我身作大居士於彼佛所受得此呪得此呪
時便於生死超四萬劫誦持此呪復得諸佛大
悲智藏一切菩薩解脫法門由此威力能救一
切牢獄繫閉杻械枷鎖臨當刑戮水火風賊蠱
毒厭禱人非人等種種苦難由此我於一切有情
能作歸依救護安慰洲渚室宅以此呪力攝取
一切兇惡藥叉邏刹娑等先令發起慈心悲心
然後安立於阿耨多羅三藐三菩提世尊我此
神呪有大威力若誦一遍即能除滅四根本罪

BD02003號　十一面神咒心經　　（11–1）

能作歸依救護安慰洲渚室宅以此呪力攝取
一切兇惡藥叉邏刹娑等先令發起慈心悲心
然後安立於阿耨多羅三藐三菩提世尊我此
神呪有大威力若誦一遍即能除滅四根本罪
及五无間令无有餘況能如說而脩行者若有
曾於百千俱胝那庾多佛所種諸善根乃於
今時得聞此呪況能受持如說行者若能晝
夜讀誦受持此神呪者我當令彼所有願求
悉得如意若有能於半月半月或苐十四日
或苐十五日受持齋戒如法清淨繫心於我誦
此神呪便生死超四萬劫世尊我由此呪名号
尊貴難可得聞若有稱念百千俱胝那庾
多諸佛名号復有暫時於我名号至心稱念
彼一切德平等平等諸有稱念我名号者一切
皆得不退轉地離一切病脫一切鄣一切怖畏
及能滅除身語意惡況能於我所說神呪受
持讀誦如說脩行當知是人於无上菩提則
為領受如在掌中
尒時世尊讚觀自在菩薩言善哉善哉善
男子汝乃能於一切有情發起如是大慈悲意
而欲開示此大神呪善男子汝由此方便能救
一切有情所有病苦鄣難怖畏身語意惡乃
至安立一切有情於阿耨多羅三藐三菩提善
男子我亦隨喜受汝神呪汝當說之時觀自在
菩薩摩訶薩即從座起偏袒一肩右膝著地

BD02003號　十一面神咒心經　　（11–2）

至安立一切有情於阿耨多羅三藐三菩提善
男子我亦隨喜受汝神呪汝當說之時觀自在
菩薩摩訶薩即從座起偏袒一肩右膝著地
而白佛言誦此呪者應作是說敬礼三寶敬
礼聖智海遍照莊嚴王如來敬礼一切如來應
正等覺敬礼聖觀自在菩薩摩訶薩大悲者
怛経他闍一達囉達囉二地履地履三柱嚕柱
嚕四壹䥈去聲呼下同代䥈五折鵌折鵌六鉢囉折
鵌鉢囉折鵌七俱素謎八俱蘇摩代蜒九壹履
須履十止履止徵知里反十一柱時賀反羅摩波捺耶
羨何反十二式輸聿反隨薩埵十三莫訶迦嚧屋上聲呼十四迦
莎訶十五去聲呼下皆同
世尊此是根本神呪若有念誦獲如上說功
德勝利敬礼三寶敬礼聖智海遍照莊嚴
王如來敬礼一切如來應正等覺敬礼聖
觀自在菩薩摩訶薩大悲者
怛経他呵呵呵呵一壹鵌須鵌二上鵌㘃鵌棄
上聲呼鵌四上聲呼下同鵌四莎訶五
世尊此是呪水及衣呪若欲入道場先當
洗浴後以此呪呪水七遍灑身結淨復以
此呪呪衣七遍然後取著敬礼三寶敬礼
聖智海遍照莊嚴王如來敬礼一切如來應
正等覺敬礼聖觀自在菩薩摩訶薩大
悲者

BD02003號　十一面神咒心經　(11–3)

聖智海遍照莊嚴王如來敬礼一切如來應
正等覺敬礼聖觀自在菩薩摩訶薩大
悲者
怛経他柱吒古反嚕柱嚕一呵呵呵呵二莎訶三
世尊此是嚕香燈呪若入道場欲燒香供
養時先以此呪呪香七遍然後燒之欲燃燈
時先以此呪呪油七遍然後燃燈敬礼三寶
敬礼聖智海遍照莊嚴王如來敬礼一切如
來應正等覺敬礼聖觀自在菩薩摩訶
薩大悲者
怛経他死履一地履地履二死履死履三莎訶四
世尊此是呪花香鴝呪若入道場欲以花香
鴝供養時先以此呪呪花七遍用散尊像復
以此呪呪香七遍以塗尊像復以此呪呪鴝
七遍以嚴尊像敬礼三寶敬礼聖智海遍
照莊嚴王如來敬礼一切如來應正等覺敬
礼聖自在菩薩摩訶薩大悲者
怛経他婆睇婆睇一死地死地二耆上聲呼下同柱耆柱
三莎訶四世尊此是呪獻佛供呪若欲以飲
食花菓等供養佛時先誦此呪呪之廿一遍
然後奉獻敬礼三寶敬礼聖智海遍照莊
嚴王如來敬礼一切如來應正等覺敬礼聖
觀自在菩薩摩訶薩大悲者
怛姪他[illegible]履二[illegible]嚕[illegible]嚕三[illegible]嚕

BD02003號　十一面神咒心經　(11–4)

然後奉獻敬礼三寶敬礼聖智海遍照莊
嚴王如来敬礼一切如来應正等覺敬礼聖
觀自在菩薩摩訶薩大悲者
怛經他末死達死一析囉二虎嚕虎嚕三主嚕
主嚕四素上聲呼下同嚕素嚕五毋嚕毋嚕六莎訶七
世尊此是呪薪呪若欲以上根本神呪隨事
有所作時先以此呪呪閼底華木一遍擬用
然火復別取閼底華木寸截以爲卌一段用
略蘇蜜漬之經宿每取一段呪之一遍擲
火中乃至皆盡然後隨事作所應作敬礼三
寶敬礼聖智海遍照莊嚴王如来敬礼一切
如来應正等覺敬礼聖觀自在菩薩摩訶
薩大悲者
怛經他晝履羽履一比履底丁里反下皆同履二止履四履
三莎訶四世尊此是結界呪欲結界時先以
此呪呪水七遍散灑四方或呪芥子或呪淨
灰皆至七遍散四方面隨心遠近即成界畔
而爲防護 敬礼三寶敬礼聖智海遍照莊
嚴王如来敬礼一切如来應等正覺敬礼聖
觀自在菩薩摩訶薩大悲者
怛經他比胝比胝一底胝底胝二止胝止胝三費房匪
反下同胝費胝四羯車羯車五薄伽梵六阿唎耶婆
肥何反盧枳伍濕代羅七颯縛婆縛去聲呼南八莎訶九
世尊此是請……

BD02003 號　十一面神咒心經　（11-5）

怛經他比胝比胝一底胝底胝二止胝止胝三費房匪
反下同胝費胝四羯車羯車五薄伽梵六阿唎耶婆
肥何反盧枳伍濕代羅七颯縛婆縛去聲呼南八莎訶九
世尊此是請我還自宮呪若所作事竟請我
還自宮時應以此呪呪水七遍散灑四方我便
還去 世尊如是神呪雖不立成而亦能作
種種事業至心念无不獲願若患瘧病或
一日一發或二日發或三日一發或四日一發若患鬼
病或部多鬼所作或茶者上聲呼尼所作或畢舍
遮所作或羯吒平聲呼布怛那所作或癲鬼所作
或癲鬼所作或餘種種惡鬼所作皆以此呪呪
彼患者一百八遍即得除愈若鄣重者用五色
縷誦呪作結一遍一結凡一百八結以繫病人頸
上或繫髀上罪鄣消滅病即除愈若患丁腫
癰腫病瘡疱瘡疽瘍癬等種種惡病若被
刀箭牟稍等傷蚰蜒蚣毒蜂等螫皆以此呪
呪之七遍即得除愈若鄣重者呪黃土泥至
一七遍用塗病處所苦得除若患緩風偏風癧
風耳聾鼻塞癩風等病皆應至心念誦此呪
呪彼患者一百八遍病即除愈若鄣重者以油
或蘇煎樺皮及青木香每呪七遍即用塗身
或滴耳鼻或令服之所患便愈若有所餘種
種疾病皆應至心以此呪呪之或自念誦即得
除差 世尊若欲成立此神呪皆應先以

BD02003 號　十一面神咒心經　（11-6）

或蘇煎樺皮及青木香每呪七遍即用塗身
或滴耳鼻或令服之所患便愈若有所餘種
種疾病皆應至心以此呪呪之或自念誦即得
除差　世尊若欲成立此神呪者應當先以
堅好无隙白栴檀香刻作觀自在菩薩像長
一磔手半左手執紅蓮華軍持展右臂以掛數
珠及作施无畏手其像作十一面當前三面作
慈悲相左邊三面作瞋怒相右邊三面作狗牙
上出相當後一面作暴惡大咲相頂上一面作佛
面像諸頭冠中皆作佛身其觀自在菩薩身
上具瓔珞等種種莊嚴造此像已欲求願者
著新淨衣受持齋戒從白月一日至第八日
每日三時念誦此呪一百八遍或无量遍從此
以後於一靜處敷清淨座安置所造觀自在
菩薩像面向西方隨力所辦獻諸飲食唯燒
沉水及蘇合香行者當食大麥乳食如前念
誦至第十三日從此以後所設供具須倍勝前
行者唯應食三白食謂乳酪飯取菩提樹木
像前燃火復取彼木寸截以為一千八段用觀
嚕色迦香油漬之每取一段誦呪一遍擲置火
中乃至皆盡尒時大地岌然搖震由此像身
亦即運動從像上面口中出聲讚言善哉善
哉善男子汝能如是勤苦求願我當令汝所

BD02003號　十一面神咒心經　（11–7）

中乃至皆盡尒時大地岌然搖震由此像身
亦即運動從像上面口中出聲讚言善哉善
哉善男子汝能如是勤苦求願我當令汝所
願滿足令汝於此騰空而去或復令汝所遊无
礙或作持呪仙人中尊或使如我自在无鄣
復次行者或於白月第十五日以十一面觀自在
菩薩像　前置有佛馱都制多中著新淨衣
受持齋戒或經一日一夜不飲不食取蘇末
那花一千八枚每取一花呪之一遍擲置像上
乃至皆盡尒時其像當前一面口中出聲猶
如雷吼由此便令大地震動行者尒時應自
安心勿生恐怖但念神呪九所期願作如是言
敬礼聖觀自在菩薩摩訶薩大悲者我於何
時能与一切有情作大依怙能滿一切有情心
之所願時觀自在便與其願當與願時諸天龍
等无有能與作鄣礙者
復次行者於月蝕時取蘇一兩銀器盛之置
此像前念誦此呪乃至是月還生如故便取
食之身中諸病无不除愈
復次行者應等分取雄黃雌黃置此像前念
誦此呪一千八遍以水和之點置眉三事民就如
前所說若和暖水洗浴其身則一切鄣礙一切
惡夢一切疫病皆得除愈
復次若他方惡賊欲來侵境應取燕文一顆

BD02003號　十一面神咒心經　（11–8）

[illegible]
惡夢一切疫病皆得除愈
復次若他方惡賊欲來侵境應取燕丈一顆
誦此呪呪之一百八遍粧點此像左邊瞋面㠯
向彼方令惡賊軍不得前進
復次若國土中人畜疫起此像前燃佉婆木
火復別取彼木寸截以為一千八段每取一段
塗芥子油呪之一遍擲置火中乃至皆盡復取
緋縷作七呪結一呪一結繫置家上佛面頂上
能令疫病一切消除疾疫除已解去呪索
復次若有卒為荼耆上聲尼部多鬼等魅著
成病應取白縷作二十一呪結一呪一結繫著
當前慈悲面頂上經一宿已解取以繫病人
頸上病即除愈若業鄣重不除愈者應取
此索更呪一百八遍繫前像頂上經一宿已
解取以繫病人頸上必得除愈
復次若有長病困苦不差惡神鬼來入宅
中應取薰陸香一百八顆在此像前顆呪一
遍擲置火中乃至皆盡復取白縷作二十一
呪一呪一結繫置當前慈悲面頂上經一宿已解
取以繫病者頸上所患除愈惡鬼退散
復次若為怨酬伺求其便鬪諍厭禱欲作
衰害應以種種香花等物供養此像以婆
鑠迦木像前燃火取芸薹子一百八顆各呪
一遍擲置大中復取白縷結作一百八結一呪

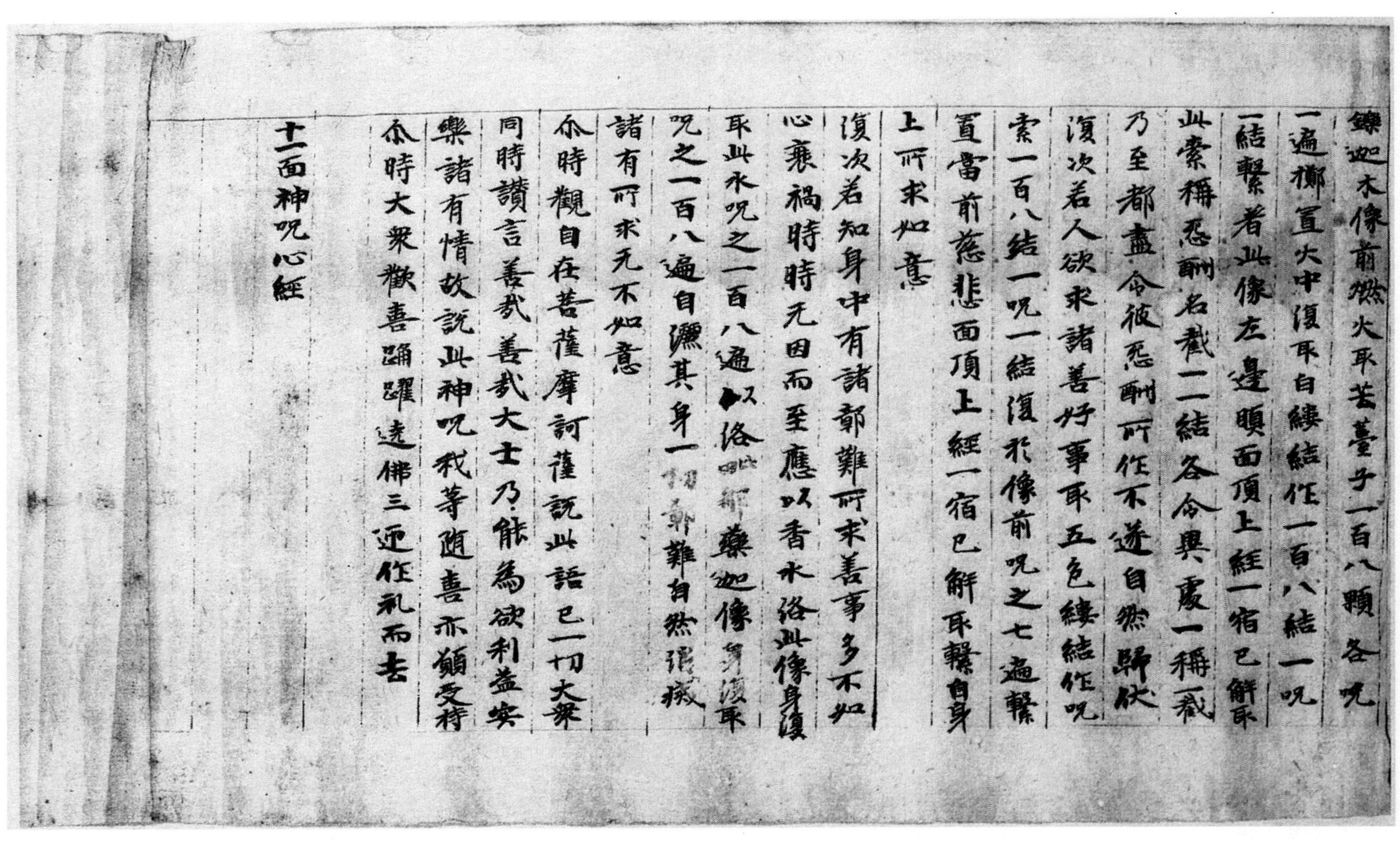
鑠迦木像前燃火取芸薹子一百八顆各呪
一遍擲置火中復取白縷結作一百八結一呪
一結繫著此像左邊瞋面頂上經一宿已解取
此索稱怨酬名截二一結各令異處一稱一截
乃至都盡令彼怨酬所作不遂自然歸伏
復次若人欲求諸善好事取五色縷結作呪
索一百八結一呪一結復於像前呪之七遍繫
置當前慈悲面頂上經一宿已解取繫自身
上所求如意
復次若知身中有諸鄣難所求善事多不如
心褁禍時時无因而至應以香水洛此像身復
取此水呪之一百八遍以洛鑠迦像身復取
呪之一百八遍自灑其身一切鄣難自然殄滅
諸有所求无不如意
尒時觀自在菩薩摩訶薩說此語已一切大衆
同時讚言善哉善哉大士乃能為欲利益安
樂諸有情故說此神呪我等隨喜亦願受持
尒時大衆歡喜踊躍遶佛三匝作礼而去
十一面神呪心經

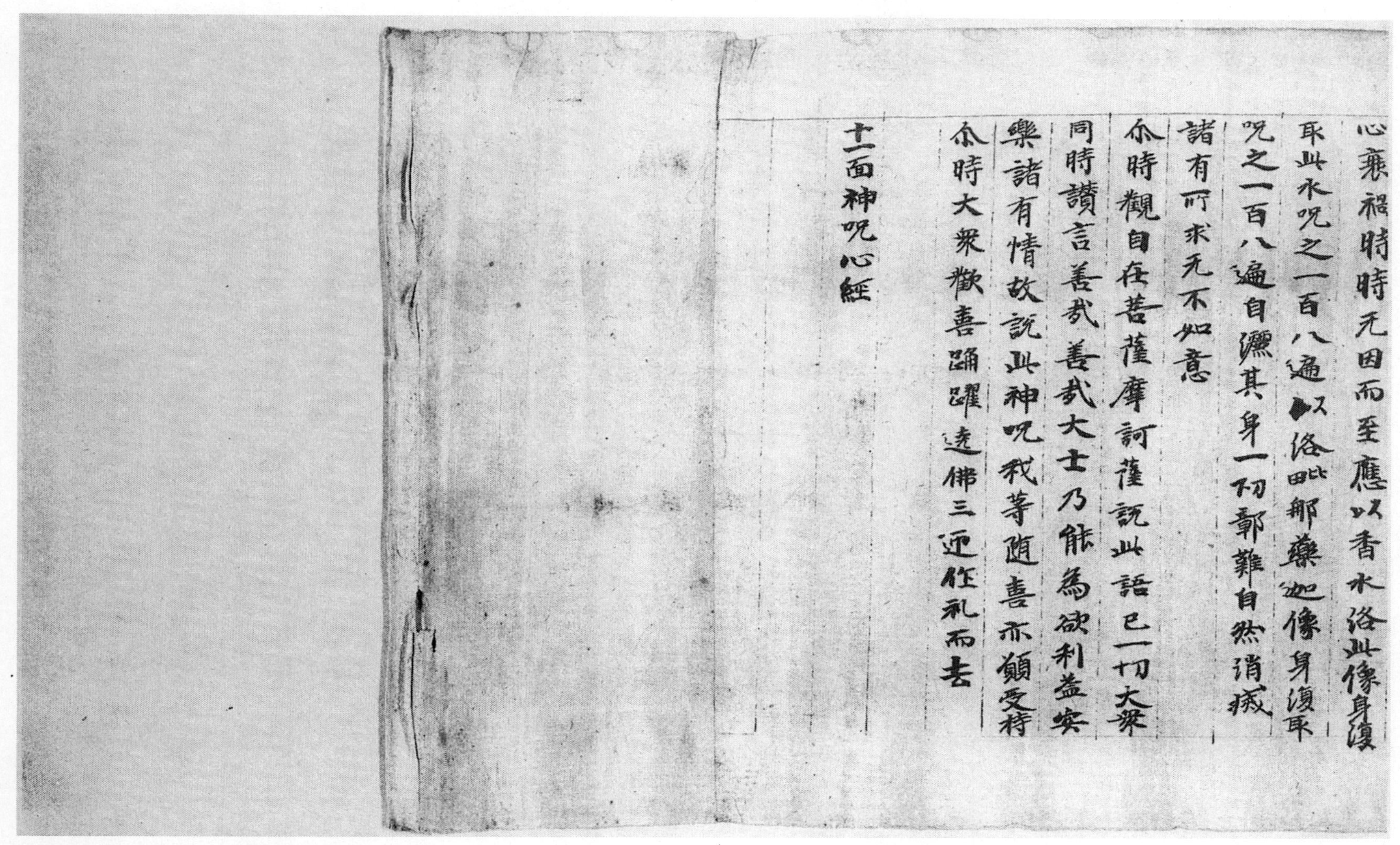

心藏裙時時无因而至應以香水洛此像身復
取此水咒之一百八遍以洛此郁藥迦像身復取
咒之一百八遍自灑其身一切鄣難自然消滅
諸有所求无不如意
尒時觀自在菩薩摩訶薩說此語已一切大衆
同時讚言善哉善哉大士乃能為欲利益安
樂諸有情故說此神咒我等隨喜亦願受持
尒時大衆歡喜踊躍遶佛三匝作礼而去
十一面神咒心經

BD02003 號　十一面神咒心經　（11–11）

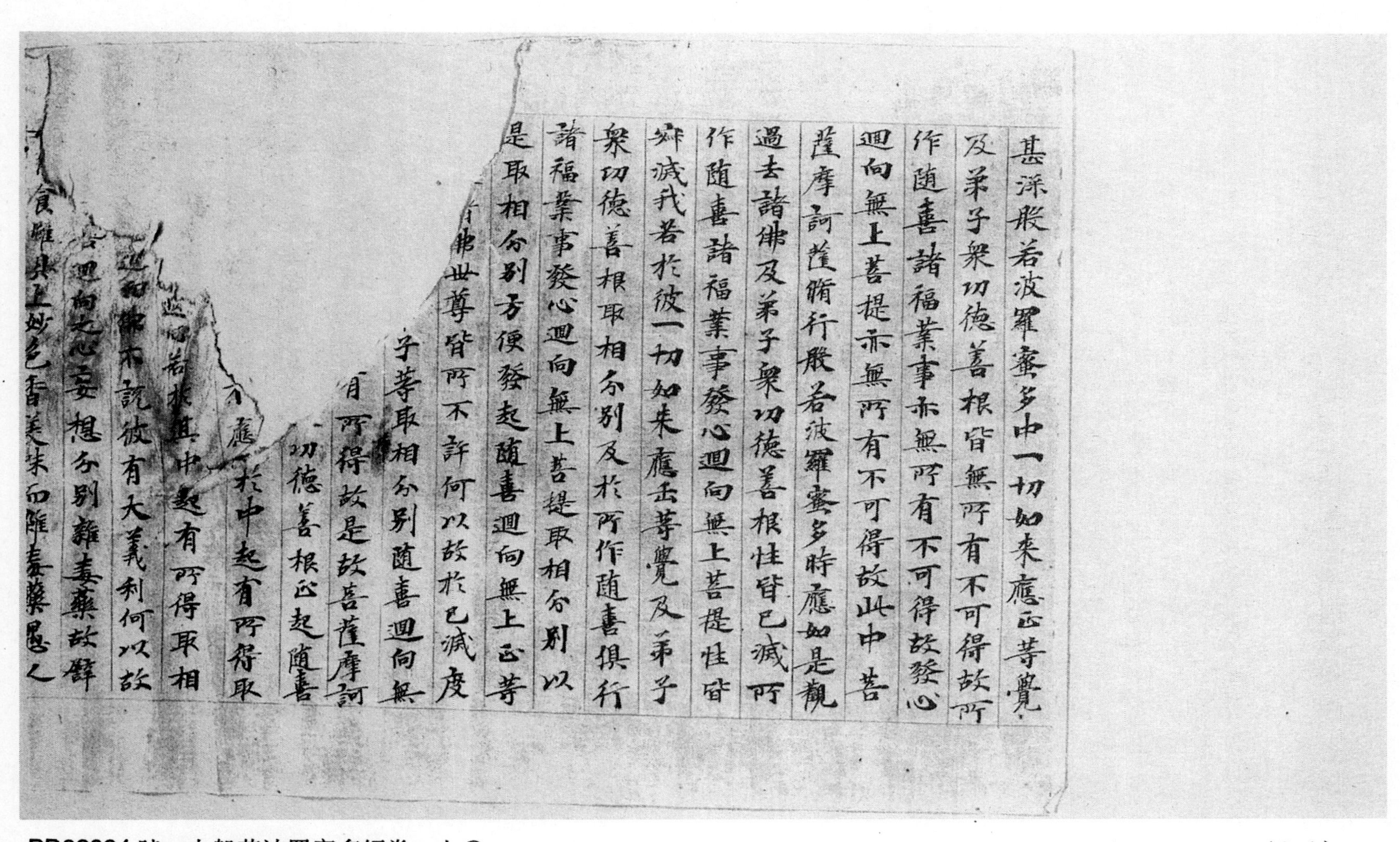

甚深般若波羅蜜多中一切如來應正等覺
及弟子衆切德善根皆無所有不可得故所
作隨喜諸福業事亦無所有不可得故發心
迴向無上菩提亦無所有不可得故此中菩
薩摩訶薩脩行般若波羅蜜多時應如是觀
過去諸佛及弟子衆切德善根性皆已滅所
作隨喜諸福業事發心迴向無上菩提性皆
辨滅我若於彼一切如來應正等覺及弟子
衆切德善根取相分別及於所作隨喜俱行
諸福業事發心迴向無上菩提取相分別以
是取相分別方便發起隨喜迴向無上正等
[illegible]有佛世尊皆所不許何以故於已滅度
[illegible]子等取相分別隨喜迴向無
[illegible]有所得故是故菩薩摩訶
[illegible]切德善根正起隨喜
[illegible]有應[illegible]於中起有所得取
[illegible]若於其中起有所得取相
[illegible]佛不說彼有大義利何以故
[illegible]迴向之心妄想分別雜毒藥故譬
[illegible]食雖具上妙色香美味而雜毒藥愚人

BD02004 號　大般若波羅蜜多經卷一七〇　（3–1）

有佛世尊皆所不許何以故於已滅度
子等取相分別隨喜迴向無
有所得故是故菩薩摩訶
功德善根正起隨喜
不應於中起有所得取
迴向若於其中起有所得取相
迴向諸佛不許彼有大義利何以故
若迴向之心妄想分別雜毒藥故譬
食雖具上妙色香美味而雜毒藥愚人
淺識貪取噉之雖初適意歡喜快樂而後食
消備受衆苦或便致死若等失命如是一類
補特伽羅不善受持不善觀察不善誦讀不
了知義而告大乘種姓者曰來善男子汝於
過去未來現在一切如來應正等覺從初發
心至得無上正等菩提轉妙法輪度無量衆
入無餘依般涅槃已乃至法滅於其中間若
有脩若波羅蜜多已集當集現集善根若脩
淨戒布施波羅蜜多已集當
若住內空已集當集現集善根
外空空空大空勝義空有為空
竟空無際散空無變異空本性
共相空一切法空不可得空無性
空無性自性空已集當集現集善根
住真如已集當集現集善根若住法界法
性不虛妄性不變異性平等性離生性法定
法住實際虛空界不思議界已集當集現集
善根若住苦聖諦已集當集現集善根若住

BD02004號　大般若波羅蜜多經卷一七〇　（3–2）

若住內空已集當集現集善根
外空空空大空勝義空有為空
竟空無際散空無變異空本性
共相空一切法空不可得空無性
空無性自性空已集當集現集善根
住真如已集當集現集善根若住法界法
性不虛妄性不變異性平等性離生性法定
法住實際虛空界不思議界已集當集現集
善根若住苦聖諦已集當集現集善根若住
集滅道聖諦已集當集現集善根若脩四靜
慮已集當集現集善根若脩四無量四無色
定已集當集現集善根若脩八解脫已集當
集現集善根若脩八勝處九次第定十遍處
已集當集現集善根若脩四念住已集當集
現集善根若脩四正斷四神足五根五力七
等覺支八聖道支已集當集現集善根若
脩空解脫門已集當集現集善根若脩無相無
願解脫門已集當集現集善根若脩五眼已

BD02004號　大般若波羅蜜多經卷一七〇　（3–3）

佛即記之日當生彼國時妙喜世界於此國
土所應饒益其事訖已還復本處舉衆皆見
佛告舍利弗汝見此妙喜世界及无動佛不
唯然已見世尊願使一切衆生得清淨土如无
動佛獲神通力如維摩詰世尊我等快得
善利得見是人親近供養其諸衆生若今現
在若佛滅後聞此經者亦得善利况復聞已信
解受持讀誦解說如法脩行若有手得是
經典者便爲已得法寶之藏若有讀誦解說
其義如說脩行則爲諸佛之所護念其有供
養如是人者當知則爲供養於佛其有書持
此經卷者當知其室則有如來若聞是經能
隨喜者斯人則爲取一切智若能信解此經
乃至一四句偈爲他說者當知此人即是受
阿耨多羅三藐三菩提記
法供養品第十三
尒時釋提桓因於大衆中白佛言世尊我雖
從佛及文殊師利聞百千經未曾聞此不可思
議自在神通决定實相經典我解佛所
說義趣若有衆生聞是經法信解受持讀誦
之者必得是法不疑何况如說脩行斯人則
爲閉衆惡趣開諸善門常爲諸佛之所護念

BD02005號　維摩詰所說經卷下　(7–1)

尒時釋提桓因於大衆中白佛言世尊我雖
從佛及文殊師利聞百千經未曾聞此不可思
議自在神通决定實相經典我解佛所
說義趣若有衆生聞是經法信解受持讀誦
之者必得是法不疑何况如說脩行斯人則
爲閉衆惡趣開諸善門常爲諸佛之所護念
降伏外學摧滅魔怨脩治菩提安處道場履
踐如來所行之跡世尊若有受持讀誦如說
脩行者我當與諸眷屬供養給事所在聚落
城邑山林曠野有是經處我亦與諸眷屬聽
受法故共到其所其未信者當令生信其已
信者當爲作護佛言善哉善哉天帝如汝所
說吾助尒喜此經廣說過去未來現在諸佛
不可思議阿耨多羅三藐三菩提是故天帝
若善男子善女人受持讀誦供養是經者則
爲供養去來今佛天帝正使三千大千世界
如來滿中譬如甘蔗竹葦稻麻叢林若有善
男子善女人或一劫或減一劫恭敬尊重讚
歎供養奉諸所安至諸佛滅後以一一全身
舍利起七寶塔縱廣一四天下高至梵天表
刹莊嚴以一切華香瓔珞幢幡伎樂微妙第
一若一劫若減一劫而供養之於天帝意云
何其人殖福寧爲多不釋提桓因言多矣世
尊彼之福德若以百千億劫說不能盡佛告
天帝當知是善男子善女人聞是不可思議
解脫經典信解受持讀誦脩行福多於彼所
以者何佛菩提皆從是生菩提之相不可

BD02005號　維摩詰所說經卷下　(7–2)

尊彼之福德若以百千億劫說不能盡佛告
天帝當知是善男子善女人聞是不可思議
解脫經典信解受持讀誦脩行福多於彼所
以者何諸佛菩提皆從是生菩提之相不可
限量以是因緣福不可量佛告天帝過去无
量阿僧祇劫時世有佛号曰藥王如来應供正
遍知明行足善逝世間解无上士調御丈
夫天人師佛世尊世界曰大莊嚴劫曰莊嚴
佛壽二十小劫其聲聞僧三十六億那由他
菩薩僧有十二億天帝是時有轉輪聖王名
曰寶蓋七寶具足主四天下王有千子端正
勇健能伏怨敵尒時寶蓋與其眷屬供養藥
王如来施諸所安至滿五劫過五劫已告其
千子汝等亦當如我以深心供養於佛於是
千子受父王命供養藥王如来復滿五劫一
切施安其王一子名曰月蓋獨坐思惟寧有
供養殊過此者以佛神力空中有天曰善男
子法之供養勝諸供養即問何謂法之供養
天曰汝可往問藥王如来當廣為汝說法之
供養即時月蓋王子行詣藥王如来稽首佛
足却住一面白佛言世尊諸供養中法供養
勝云何為法供養佛言善男子法供養者諸
諸佛所說深經一切世間難信難受微妙難
見清淨无染非但分別思惟之所能得菩薩
法藏所攝陁羅尼印印之至不退轉成就六
度善分別義順菩提法衆經之上入大慈悲
離衆魔事及諸邪見順因緣法无我无衆生

BD02005號　維摩詰所說經卷下　（7–3）

諸佛所說深經一切世間難信難受微妙難
見清淨无染非但分別思惟之所能得菩薩
法藏所攝陁羅尼印印之至不退轉成就六
度善分別義順菩提法衆經之上入大慈悲
離衆魔事及諸邪見順因緣法无我无衆生
无壽命空无相无作无起能令衆生坐於道
場而轉法輪諸天龍神乾闥婆等所共嘆譽
能令衆生入佛法藏攝諸賢聖一切智慧說衆
菩薩所行之道依於諸法實相之義明宣无常
苦空无我寂滅能救一切毀禁衆生諸魔
外道及貪著者能使怖畏諸佛賢聖所共稱
嘆背生死苦示涅槃樂十方三世諸佛所說
若聞如是等經信解受持讀誦以方便力為
諸衆生分別解說顯示分明守護法故是名
法之供養又於諸法如說脩行隨順十二因
緣離諸邪見得无生忍決定无我无有衆生
而於因緣果報无違无諍離諸我所依於義
不依語依於智不依識依了義經不依不了
義經依於法不依人隨順法相无所入无所
歸无明畢竟滅故諸行亦畢竟滅乃至生畢
竟滅故老死亦畢竟滅作如是觀十二因緣
无有盡相不復起見是名最上法之供養佛
告天帝王子月蓋從藥王佛聞如是法得柔
順忍即解寶衣嚴身之具以供養佛白佛言
世尊如来滅後我當行法供養守護正法願
以威神加哀建立令我得降魔怨脩菩薩行
佛知其深心所念而記之曰汝於末後護持

BD02005號　維摩詰所說經卷下　（7–4）

順忍即解寶衣嚴身之具以供養佛白佛言
世尊如来滅後我當行法供養守護正法願
以威神加哀建立令我得降魔怨脩菩薩行
佛知其深心所念而記之曰汝於末後護持
法城天帝時王子月蓋見法清淨聞佛授記
以信出家脩集善法精進不久得五神通成菩
薩道得陁羅尼无斷辯才於佛滅後以其所
得神通揔持辯才之力滿十小劫藥王如来
所轉法輪隨而分布月蓋比丘以護持法勤
行精進即於此身化百万億人於阿耨多羅三
藐三菩提立不退轉十四那由他人深發
聲聞辟支佛心无量衆生得生天上天帝時
王寶蓋豈異人乎今現得佛号寶焰如来其
王千子即賢劫中千佛是也從迦羅鳩村馱
為始得佛最後如来号曰樓至月蓋比丘則
我身是也如是天帝當知此要以法供養於
諸供養為上為最第一无比是故天帝當以
法之供養供養於佛

囑累品第十四

於是佛告弥勒菩薩言弥勒我今以是无量
億阿僧祇劫所集阿耨多羅三藐三菩提付
囑於汝如是輩經於佛滅後末世之中汝等
當以神力廣宣流布於閻浮提无令斷絶所
以者何未来世中當有善男子善女人及天
龍鬼神乹闥婆羅刹等發阿耨多羅三藐三
菩提心樂于大法若使不聞如是等經則失

BD02005號　維摩詰所說經卷下

（7–5）

龍鬼神乹闥婆羅刹等發阿耨多羅三藐三
菩提心樂于大法若使不聞如是等經則失
善利如此輩人聞是等經必多信樂發希有
心當以頂受隨諸衆生所應得利而為廣說
弥勒當知菩薩有二相何謂為二一者好於
雜句文飾之事二者不畏深義如實能入若
好雜句文飾事者當知是為新學菩薩若於
如是无染无著甚深經典无有恐畏能入其
中聞已心淨受持讀誦如說脩行當知是為
久脩道行弥勒復有二法名新學者不能决
定於甚深法何等為二一者所未聞深經聞
之驚怖生疑不能隨順毀謗不信而作是言
我初不聞從何所来二者若有護持解說如
是深經者不肯親近供養恭敬或時於中說
其過惡有此二法當知是新學菩薩為自毀
傷不能於深法中調伏其心弥勒復有二法
菩薩雖信解深法猶自毀傷而不能得无生
法忍何等為二一者輕慢新學菩薩而不教
誨二者雖解深法而取相分別是為二法弥
勒菩薩聞說是已白佛言世尊未曾有也如
佛所說我當遠離如斯之惡奉持如来无數
阿僧祇劫所集阿耨多羅三藐三菩提法若
未来世善男子善女人求大乘者當令手得
如是等經與其念力使受持讀誦為他廣說
世尊若後末世有能受持讀誦為他說者當
知是弥勒神力之所建立佛言善哉善哉弥

BD02005號　維摩詰所說經卷下

（7–6）

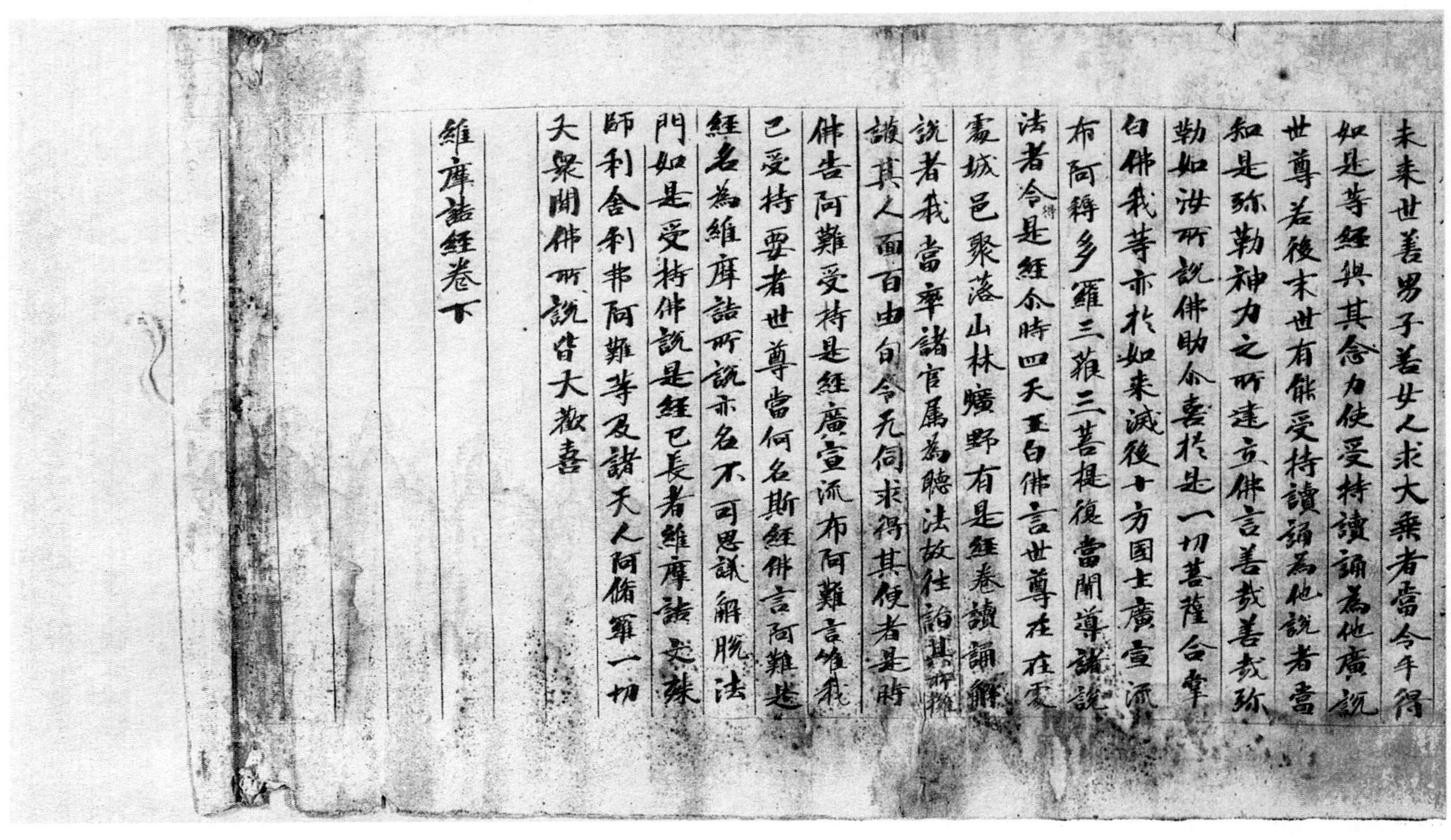

未来世善男子善女人求大乘者當令手得
如是等經與其念力使受持讀誦為他廣說
世尊若後末世有能受持讀誦為他說者當
知是弥勒神力之所建立佛言善哉善哉弥
勒如汝所說佛助汝喜於是一切菩薩合掌
白佛我等亦於如来滅後十方国土廣宣流
布阿耨多羅三藐三菩提復當開導諸說
法者令得是經尒時四天王白佛言世尊在在處
處城邑聚落山林曠野有是經卷讀誦解
說者我當率諸官屬為聽法故往詣其所擁
護其人面百由旬令无伺求得其便者是時
佛告阿難受持是經廣宣流布阿難言唯我
已受持要者世尊當何名斯經佛言阿難是
經名為維摩詰所說亦名不可思議解脫法
門如是受持佛說是經已長者維摩詰文殊
師利舍利弗阿難等及諸天人阿脩羅一切
大衆聞佛所說皆大歡喜

維摩詰經卷下

BD02005 號　維摩詰所說經卷下　（7–7）

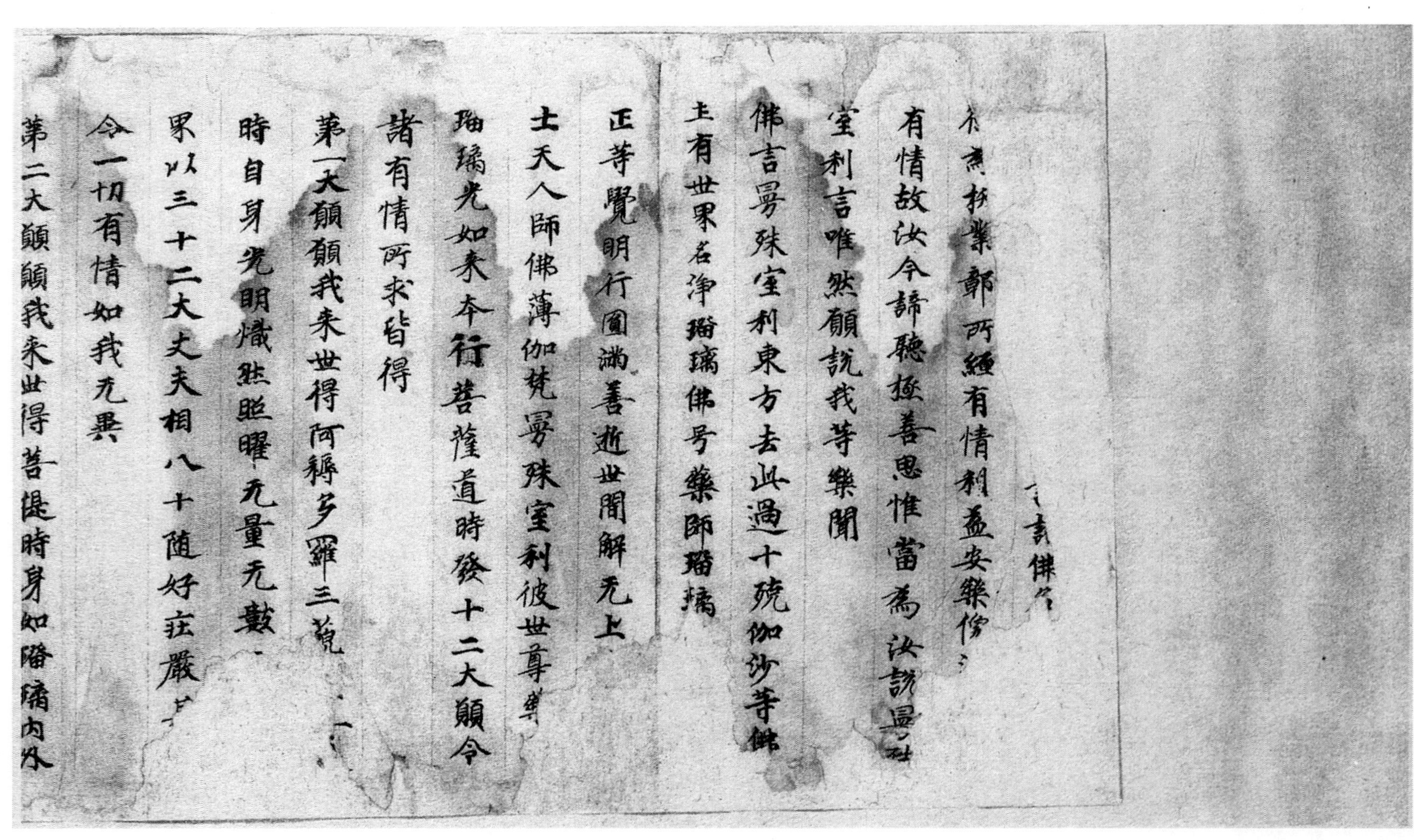

言佛
為拔業鄣所纏有情利益安樂像
有情故汝今諦聽極善思惟當為汝說曼殊
室利言唯然願說我等樂聞
佛言曼殊室利東方去此過十殑伽沙等佛
土有世界名淨瑠璃佛号藥師瑠璃
正等覺明行圓滿善逝世間解无上
士天人師佛薄伽梵曼殊室利彼世尊藥
瑠璃光如來本行菩薩道時發十二大願令
諸有情所求皆得
第一大願願我來世得阿耨多羅三藐
時自身光明熾然照曜无量无數
界以三十二大丈夫相八十隨好莊嚴
令一切有情如我无異
第二大願願我來世得菩提時身如瑠璃內外

BD02006 號　藥師瑠璃光如來本願功德經　（16–1）

時自身光明熾然照曜无量无數
界以三十二大丈夫相八十隨好莊嚴
令一切有情如我无異
第二大願願我來世得菩提時身如瑠璃內外
明徹淨无瑕穢光明廣大功德巍巍身善安住
燄網莊嚴過於日月幽冥衆生悉蒙
隨意所趣作諸事業
第三大願願我來世得菩提時以无量无邊
智慧方便令諸有情皆得无盡所受用物莫
令衆生有所乏少
第四大願願我來世得菩提時若諸有情
邪道者悉令安住菩提中若行聲聞獨
乘者皆以大乘而安立之
第五大願願我來世得菩提時若有无量无邊
有情於我法中脩行梵行一切皆令得不缺戒
具三聚戒設有毀犯聞我名已還得清
不墮惡趣
第六大願願我來世得菩提時若諸有情其身
下劣諸根不具醜陋頑愚盲聾瘖瘂攣躄

BD02006號　藥師瑠璃光如來本願功德經　（16–2）

具三聚戒設有毀犯聞我名已還得清
不墮惡趣
第六大願願我來世得菩提時若諸有情其身
下劣諸根不具醜陋頑愚盲聾瘖瘂攣躄
背僂白癩癲狂種種病苦聞我名已一切皆
得端政黠慧諸根完具无諸疾苦
第七大願願我來世得菩提時若諸有情衆病
逼切无救无歸无醫无藥无親无家貧窮多
苦我之名号一經其耳衆病悉除身心安樂家
屬資具悉皆豐足乃至證得无上菩提
第八大願願我來世得菩提時若有女人
人為女百惡之所逼惱極生厭離願捨女身聞
我名已一切皆得轉女成男具丈夫相乃至證得
无上菩提
第九大願願我來世得菩提時令諸有情出魔
羂網解脫一切外道纏縛若墮種種惡見稠林
皆當引攝置於正見漸令脩習諸菩薩行
速證无上正等菩提
第十大願願我來世得菩提時若諸有情王法

BD02006號　藥師瑠璃光如來本願功德經　（16–3）

皆當引攝置於正見漸令脩習諸菩薩行
速證无上正等菩提
第十大願願我來世得菩提時若諸有情王法
所縛錄鞭撻繫閉牢獄或當刑戮及餘无量
災難淩辱悲愁煎迫身心受苦若聞我名以
我福德威神力故皆得解脫一切憂苦
第十一大願願我來世得菩提時若諸有情飢渴
所惱為求食故造諸惡業得聞我名專念受
持我當先以上妙飲食飽足其身後以法味
畢竟安樂而建立之
第十二大願願我來世得菩提時若諸有情貧无
衣服蚊虻寒熱晝夜逼惱若聞我名專念受
持如其所好即得種種上妙衣服亦得一切寶
莊嚴具華鬘塗香鼓樂衆伎隨心所翫皆令
滿足
曼殊室利是為彼世尊藥師瑠璃光如來應正
等覺行菩薩道時所發十二微妙上願
復次曼殊室利彼世尊藥師瑠璃光如來行
菩薩道時所發大願及彼佛土功德莊嚴我若

BD02006號　藥師瑠璃光如來本願功德經　（16–4）

復次曼殊室利彼世尊藥師瑠璃光如來行
菩薩道時所發大願及彼佛土功德莊嚴我若
一劫若一劫餘說不能盡然彼佛土一向清
淨无有女人亦无惡趣及苦音聲瑠璃為
地金繩界道城闕宮閣軒窓羅網皆七寶成
亦如西方極樂世界功德莊嚴等无差別於其
國中有二菩薩摩訶薩一名日光遍照二名月
光遍照是彼无量无數菩薩衆之上首悉能
持彼世尊藥師瑠璃光如來正法寶藏是故曼
殊室利諸有信心善男子善女人等應當願生
彼佛世界
尒時世尊復告曼殊室利童子言曼殊室利有
諸衆生不識善惡唯懷貪悋不知布施及施果
報愚癡无智闕於信根多聚財寶勤加守護見
乞者來其心不憙設不獲已而行施時如割身
肉深生痛惜復有无量慳貪有情積集資財
於其自身尚不受用何況能與父母妻子奴婢
作使及來乞者彼諸有情從此命終生餓鬼
界或傍生趣由昔人間曾得暫聞藥師瑠璃光

BD02006號　藥師瑠璃光如來本願功德經　（16–5）

作使及來乞者彼諸有情從此命終生餓鬼
界或傍生趣由昔人間曾得蹔聞藥師瑠璃光
如來名故今在惡趣蹔得憶念彼如來名即於
念時從彼處沒還生人中得宿命念畏惡趣
苦不樂欲樂好行惠施讚歎施者一切所有悉
无貪惜漸次尚能以頭目手足血肉身分施來
施求者況餘財物
復次曼殊室利若諸有情雖於如來受諸學處
而破尸羅有雖不破尸羅而破軌則有於尸羅
軌則雖得不壞然毀正見有雖不毀正見而棄
多聞於佛所說契經深義不能解了有雖
多聞而增上慢由增上慢覆蔽心故自是非
他嫌謗正法為魔伴黨如是愚人自行邪見
復令无量俱胝有情墮大險坑此諸有情應
於地獄傍生鬼趣流轉无窮若得聞此藥師
瑠璃光如來名号便捨惡行脩諸善法不墮
惡趣設有不能捨諸惡行脩行善法墮惡
趣者以彼如來本願威力令其現前蹔聞名
号從彼命終還生人趣得正見精進善調意

BD02006號　藥師瑠璃光如來本願功德經　（16–6）

趣者以彼如來本願威力令其現前蹔聞名
号從彼命終還生人趣得正見精進善調意
樂便能捨家趣於非家如來法中受持學處
无有毀犯正見多聞解甚深義離增上慢不
謗正法不為魔伴漸次脩行諸菩薩行速
得圓滿
復次曼殊室利若諸有情慳貪嫉妬自讚毀
他當墮三惡趣中无量千歲受諸劇苦受劇
苦已從彼命終來生人間作牛馬駝驢恒被
鞭撻飢渴逼惱又常負重隨路而行或得為
人生居下賤作人奴婢受他駈役恒不自在若
昔人中曾聞世尊藥師瑠璃光如來名号由
此善因今復憶念至心歸依以佛神力衆苦
解脫諸根聰利智慧多聞恒求勝法常遇
善友永斷魔羂破无明鷇竭煩惱河解脫一
切生老病死憂悲苦惱
復次曼殊室利若諸有情好憙乖離更相鬪
訟惱亂自他以身語意造作增長種種惡業
展轉常為不饒益事互相謀害告召山林樹

BD02006號　藥師瑠璃光如來本願功德經　（16–7）

復次曼殊室利若諸有情好憙乖離更相鬪
訟惱亂自他以身語意造作增長種種惡業
展轉常為不饒益事互相謀害告召山林樹
塚等神殺諸衆生取其血肉祭祀藥叉邏刹
娑等書怨人名作其形像以惡呪術而呪咀之
厭媚蠱道呪起屍鬼令斷彼命及壞其身是
諸有情若得聞此藥師瑠璃光如來名号彼
諸惡事悉不能害一切展轉皆起慈心利益
安樂无損惱意及嫌恨心各各歡悅於自所
受生於喜足不相侵陵互為饒益
復次曼殊室利若有四衆苾芻苾芻尼鄔波索
迦鄔波斯迦及餘浄信善男子善女人等有能
受持八分齋戒或經一年或復三月受持學處
以此善根願生西方極樂世界无量壽佛所
聽聞正法而未定者若聞世尊藥師瑠璃光
如來名号臨命終時有八菩薩乘神通來
示其道路即於彼界種種雜色衆寶華中
自然化生或有因此生於天上雖生天中而本
善根亦未窮盡不復更生諸餘惡趣天上
壽盡還生人間或為輪王統攝四洲威德自

BD02006 號　藥師瑠璃光如來本願功德經　（16–8）

善根亦未窮盡不復更生諸餘惡趣天上
壽盡還生人間或為輪王統攝四洲威德自
在安立无量百千有情於十善道或生刹
帝利婆羅門居士大家多饒財寶倉庫盈溢
形相端嚴眷屬具足聰明智慧勇健威猛如
大力士若是女人得聞世尊藥師瑠璃光如來
名号悉受持於後不復更受女身
尒時曼殊室利童子白佛言世尊我當誓於像
法轉時以種種方便令諸浄信善男子善女人
等得聞世尊藥師瑠璃光如來名号乃至睡中
亦以佛名覺悟其耳世尊若於此經受持讀誦
或復為他演說開示若自書若教人書恭敬尊
重以種種華香塗香末香燒香花鬘瓔珞幡
蓋伎樂而為供養以五色綵作囊盛之掃灑
浄處敷設高座而用安處尒時四天王與其
眷屬及餘无量百千天衆皆詣其所供養守
護世尊若此經寶流行之處有能受持以彼
世尊藥師瑠璃光如來本願功德及聞名号
當知是處无復橫死亦復不為諸惡鬼神奪

BD02006 號　藥師瑠璃光如來本願功德經　（16–9）

誦世尊若此經寶流行之處有能受持以彼
世尊藥師瑠璃光如來本願功德及聞名号
當知是處无復橫死亦復不為諸惡鬼神奪
其精氣設已奪者還復如故身心安樂
佛告曼殊室利如是如是如汝所說曼殊室
利若有淨信善男子善女人等欲供養彼世
尊藥師瑠璃光如來者應先造立彼佛形像
敷清淨座而安處之散種種花燒種種香以
種種幢幡莊嚴其處七日七夜受八分齋戒
食清淨食澡浴香潔著鮮淨衣應生无垢濁
心无怒害心於一切有情起利益安樂慈悲喜
捨平等之心鼓樂歌讚右遶佛像復應念
彼如來本願功德讀誦此經思惟其義演說開
示隨所樂願一切皆遂求長壽得長壽求富饒
得富饒求官位得官位求男女得男女若
復有人忽得惡夢見諸惡相或怪鳥來集或
於住處百怪出現此人若以眾妙資具恭敬
供養彼世尊藥師瑠璃光如來者惡夢惡相
諸不吉祥皆悉隱沒不能為患或有水火刀
毒懸嶮惡象師子虎狼熊羆毒蛇惡蝎蜈蚣

BD02006號　藥師瑠璃光如來本願功德經　（16–10）

供養彼世尊藥師瑠璃光如來者惡夢惡相
諸不吉祥皆悉隱沒不能為患或有水火刀
毒懸嶮惡象師子虎狼熊羆毒蛇惡蝎蜈蚣
蚰蜒蚊虻等怖若能至心憶念彼佛恭敬供養
一切怖畏皆得解脫若他國侵擾盜賊反亂
憶念恭敬彼如來者亦皆解脫
復次曼殊室利若有淨信善男子善女人等
乃至盡形不事餘天唯當一心歸佛法僧受
持禁戒若五戒十戒菩薩四百戒苾芻二百
五十戒苾芻尼五百戒於所受中或有毀犯
怖墮惡趣若能專念彼佛名号恭敬供養
者必定不受三惡趣生或有女人臨當產時
受於極苦若能至心稱名禮讚恭敬供養彼如
來者眾苦皆除所生之子身分具足形色端
正見者歡喜利根聰明安隱少病无有非人
奪其精氣
尒時世尊告阿難言如我稱揚彼佛世尊藥
師瑠璃光如來所有功德此是諸佛甚深行
處難可解了汝為信不阿難白言大德世尊
我於如來所說契經不生疑惑所以者何一
切如來身語意業无不清淨世尊此日月輪
可令墮落妙高山王可使傾動諸佛所言无
有異也世尊有諸眾生信根不具聞說諸佛
甚深行處作是思惟云何但念藥師瑠璃光
如來一佛名号便獲尒所功德勝利由此不

BD02006號　藥師瑠璃光如來本願功德經　（16–11）

甚深行處作是思惟云何但念藥師瑠璃光
如來一佛名号便獲介所功德勝利由此不
信返生誹謗彼於長夜失大利樂墮諸惡趣
流轉无窮佛告阿難是諸有情若聞世尊藥
師瑠璃光如來名号至心受持不生疑惑墮
惡趣者无有是處阿難此是諸佛甚深所行
難可信解汝今能受當知皆是如來威力阿
難一切聲聞獨覺及未登地諸菩薩等皆悉
不能如實信解唯除一生所繫菩薩阿難人
身難得於三寶中信敬尊重亦難可得得
聞世尊藥師瑠璃光如來名号復難於是阿難
彼藥師瑠璃光如來无量菩薩行无量巧方
便无量廣大願我若一劫若一劫餘而廣說
者劫可速盡彼佛行願善巧方便无有盡也
介時衆中有一菩薩摩訶薩名曰救脫即從
座起偏袒一肩右膝著地曲躬合掌而白佛
言大德世尊像法轉時有諸衆生為種種患
之所困厄長病羸瘦不能飲食唯脣乾燥見
諸方暗死相現前父母親屬朋友知識啼泣
圍遶然彼自身卧在本處見琰魔使引其神
識至于琰魔法王之前然諸有情有俱生神
隨其所作若罪若福皆具書之盡持授與琰
魔法王介時彼王推問其人筭計所作隨其
罪福而處斷之時彼病人親屬知識若能為
彼歸依世尊藥師瑠璃光如來請諸衆僧轉
讀此經燃七層之燈懸五色續命神幡或有
是處彼識得還如在夢中明了自見或經七
日或二十一日或三十五日或四十九日彼識

BD02006 號　藥師瑠璃光如來本願功德經　（16–12）

讀此經燃七層之燈懸五色續命神幡或有
是處彼識得還如在夢中明了自見或經七
日或二十一日或三十五日或四十九日彼識
還時如從夢覺皆自憶知善不善業所得
果報由自證見業果報故乃至命難亦不造
作諸惡之業是故淨信善男子善女人等皆
應受持藥師瑠璃光如來名号隨力所能恭
敬供養
介時阿難問救脫菩薩曰善男子應云何恭
敬供養彼世尊藥師瑠璃光如來續命幡燈
復云何造救脫菩薩言大德若有病人欲脫
病苦當為其人七日七夜受持八分齋戒應
以飲食及餘資具隨力所辦供養苾蒭僧晝
夜六時礼拜供養彼世尊藥師瑠璃光如來
讀誦此經四十九遍燃四十九燈造彼如來
形像七軀一一像前各置七燈一一燈量大
如車輪乃至四十九日光明不絶造五色綵
幡長四十九搩手應放雜類衆生至四十九
可得過度危厄之難不為諸橫惡鬼所持
復次阿難若剎帝利灌頂王等災難起時所
謂人衆疾疫難他國侵逼難自界叛逆難星
宿變怪難日月薄蝕難非時風雨難過時不
雨難彼剎帝利灌頂王等介時應於一切有
情起慈悲心赦諸繫閉依前所說供養之法
供養彼世尊藥師瑠璃光如來由此善根及
彼如來本願力故令其國界即得安隱風雨
順時穀稼成熟一切有情无病歡樂於其國
中无有暴惡藥叉等神惱有情者一切惡相
皆即隱沒而剎帝利灌頂王等壽命色力无

BD02006 號　藥師瑠璃光如來本願功德經　（16–13）

順時穀稼成熟一切有情无病歡樂於其國
中无有暴惡藥叉等神惱有情者一切惡相
皆即隱沒而刹帝利灌頂王等壽命色力无
病自在皆得增益阿難若帝后妃主儲君王
子大臣輔相中宮綵女百官黎庶為病所苦
及餘厄難亦應造立五色神幡然燈續明放
諸生命散雜色花燒衆名香病得除愈衆難
解脫
尒時阿難問救脫菩薩言善男子云何已盡
之命而可增益救脫菩薩言大德汝豈不聞
如來說有九橫死耶是故勸造續命幡燈脩
諸福德以脩福故盡其壽命不經苦患阿難
問言九橫云何救脫菩薩言有諸有情得病
雖輕然无醫藥及看病者設復遇醫授以
非藥實不應死而便橫死又信世間邪魔外道
妖蠥之師妄說禍福便生恐動心不自正卜
問覓禍殺種種衆生解奏神明呼諸魍魎請
乞福祐欲冀延年終不能得愚癡迷惑信邪
倒見遂令橫死入於地獄无有出期是名初
橫二者橫被王法之所誅戮三者畋獵嬉戲
耽婬嗜酒放逸无度橫為非人奪其精氣
四者橫為火焚五者橫為水溺六者橫為種種
惡獸所噉七者橫墮山崖八者橫為毒藥厭
禱呪咀起屍鬼等之所中害九者飢渴所困
不得飲食而便橫死是為如來略說橫死有
此九種其餘復有无量諸橫難可具說
復次阿難彼琰魔王主領世間名籍之記若
諸有情不孝五逆破辱三寶壞君臣法毀於
信戒琰魔法王隨罪輕重考而罰之是故我

BD02006號　藥師瑠璃光如來本願功德經　（16–14）

惡獸所噉七者橫墮山崖八者橫為毒藥厭
禱呪咀起屍鬼等之所中害九者飢渴所困
不得飲食而便橫死是為如來略說橫死有
此九種其餘復有无量諸橫難可具說
復次阿難彼琰魔王主領世間名籍之記若
諸有情不孝五逆破辱三寶壞君臣法毀於
信戒琰魔法王隨罪輕重考而罰之是故我
今勸請有情然燈造幡放生脩福令度苦厄
不遭衆難
尒時衆中有十二藥叉大將俱在會坐所謂
宮毗羅大將　伐折羅大將　迷企羅大將　安底羅大將
頞你羅大將　珊底羅大將　因達羅大將　波夷羅大將
摩虎羅大將　真達羅大將　招杜羅大將　毗羯羅大將
此十二藥叉大將一一各有七千藥叉以為
眷屬同時舉聲白佛言世尊我等今者蒙
佛威力得聞世尊藥師瑠璃光如來名号不
復更有惡趣之怖我等相率皆同一心乃至盡
形歸佛法僧誓當荷負一切有情為作義利
饒益安樂於何等村城國邑空閑林中若有
流布此經或復受持藥師瑠璃光如來名号
恭敬供養者我等眷屬衛護是人皆使解脫
一切苦難諸有願求悉令滿足或有疾厄求
度脫者亦應讀誦此經以五色縷結我名字
得如願已然後解結尒時世尊讚諸藥叉
將言善哉善哉大藥叉將汝等念報世尊藥
師瑠璃光如來恩德者常應如是利益安樂
一切有情
尒時阿難白佛言世尊當何名此法門我等
云何奉持佛告阿難此法門名說藥師瑠璃
光如來本願功德亦名說十二神將饒益有

BD02006號　藥師瑠璃光如來本願功德經　（16–15）

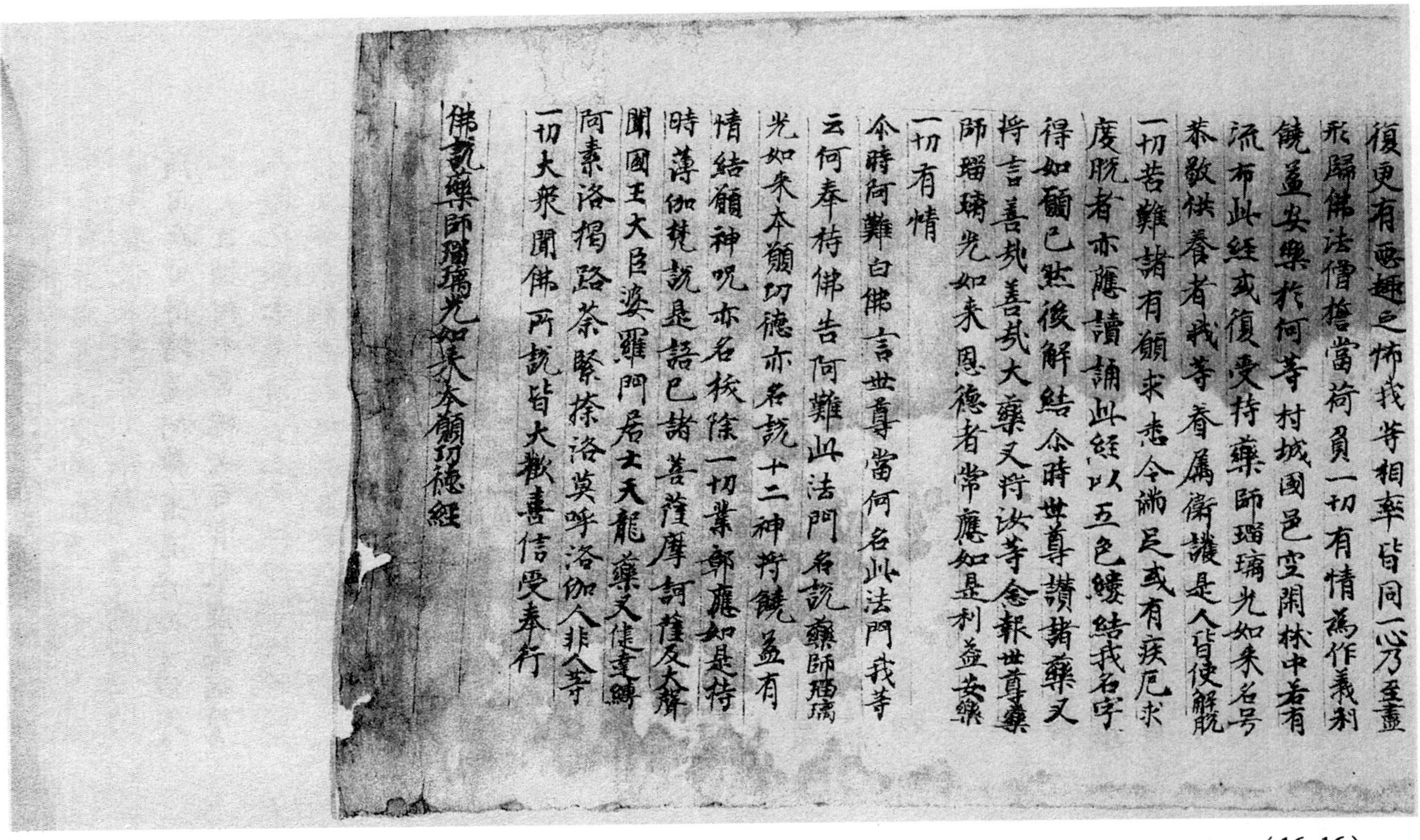
復更有惡趣之怖我等相率皆同一心乃至盡
形歸佛法僧誓當荷負一切有情為作義利
饒益安樂於何等村城國邑空閑林中若有
流布此經或復受持藥師瑠璃光如來名号
恭敬供養者我等眷屬衛護是人皆使解脫
一切苦難諸有願求悉令滿足或有疾厄求
度脫者亦應讀誦此經以五色縷結我名字
得如願已然後解結 尒時世尊讚諸藥叉
將言善哉善哉大藥叉將汝等念報世尊藥
師瑠璃光如來恩德者常應如是利益安樂
一切有情
尒時阿難白佛言世尊當何名此法門我等
云何奉持佛告阿難此法門名說藥師瑠璃
光如來本願功德亦名說十二神將饒益有
情結願神呪亦名拔除一切業鄣應如是持
時薄伽梵說是語已諸菩薩摩訶薩及大聲
聞國王大臣婆羅門居士天龍藥叉健達縛
阿素洛揭路荼緊捺洛莫呼洛伽人非人等
一切大衆聞佛所說皆大歡喜信受奉行
佛說藥師瑠璃光如來本願功德經

BD02006號 藥師瑠璃光如來本願功德經 （16–16）

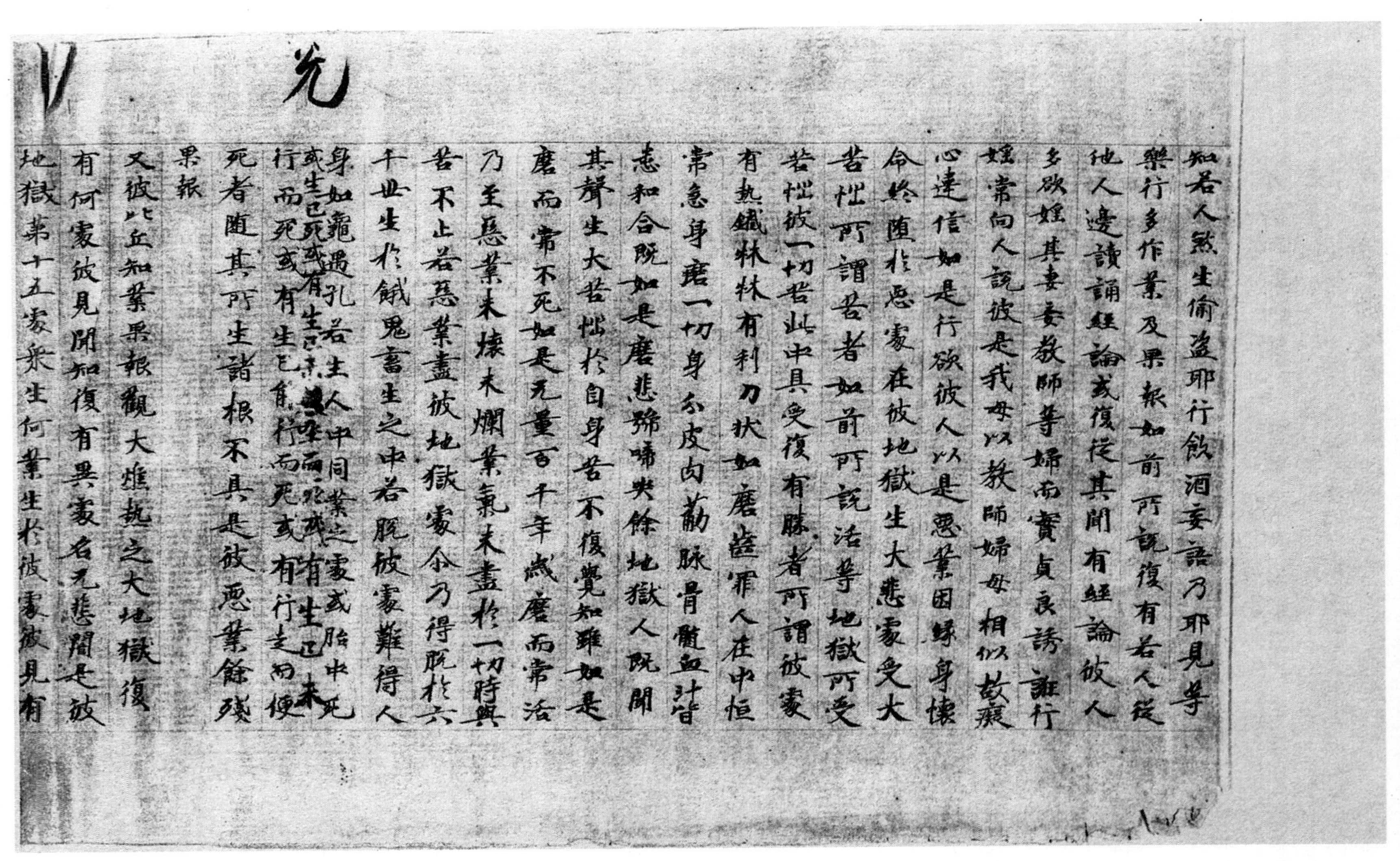
光
如若人煞生偷盜邪行飲酒妄語乃邪見等
樂行多作業及果報如前所說復有若人從
他人邊讀誦經論或復從其聞有經論彼人
多欲婬其妻教師等婦而實貞良誘誑行
婬常向人說彼是我母以教師婦母相似故癡
心違信如是行欲彼人以是惡業因緣身懷
命終隨於惡處在彼地獄生大悲處受大
苦惱所謂苦者如前所說活等地獄所受
苦惱彼一切苦此中具受復有脉者所謂彼處
有熱鐵林林有利刀狀如磨鎚罪人在中恒
常急身磨一切身分皮肉筋脉骨髓血汁皆
悉和合既如是磨悲號啼哭餘地獄人既聞
其聲生大苦惱於自身苦不復覺知雖如是
磨而常不死如是无量百千年歲磨而常活
乃至惡業未壞未爛業氣未盡於一切時與
苦不止若惡業盡彼地獄處尒乃得脫於六
十世生於餓鬼畜生之中若脫彼處難得人
身如龜遇孔若生人中同業之處或胎中死
或生已死或有生已未
行而死或有生已能行而死或有行走而便
死者隨其所生諸根不具是彼惡業餘殘
果報
又彼比丘知業果報觀大焦熱之大地獄復
有何處彼見聞知復有異處名无悲闇是彼
地獄第十五處衆生何業生於彼處彼見有

BD02007號 正法念處經（兌廢稿）卷一三 （2–1）

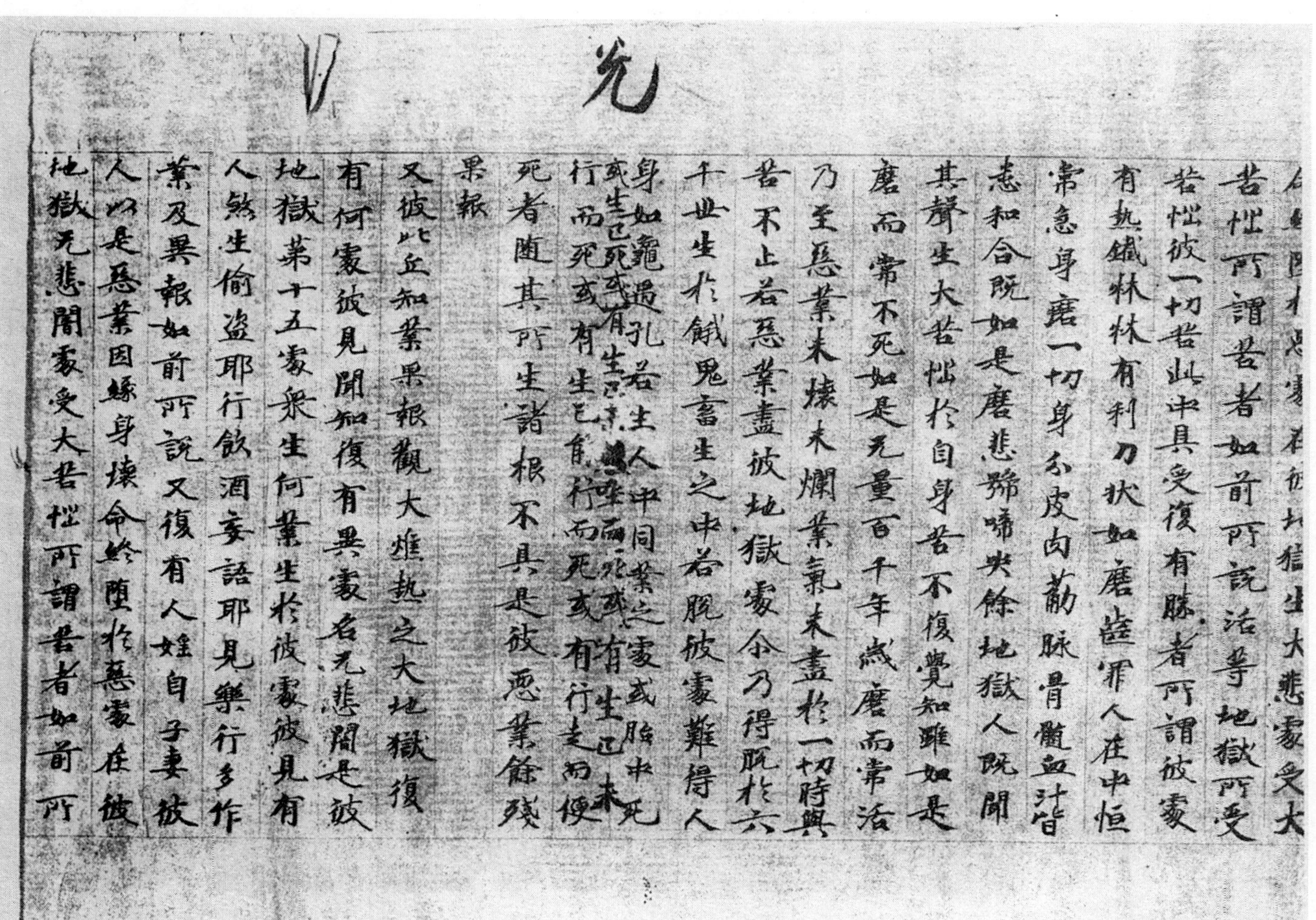

BD02007號　正法念處經（兌廢稿）卷一三　　（2–2）

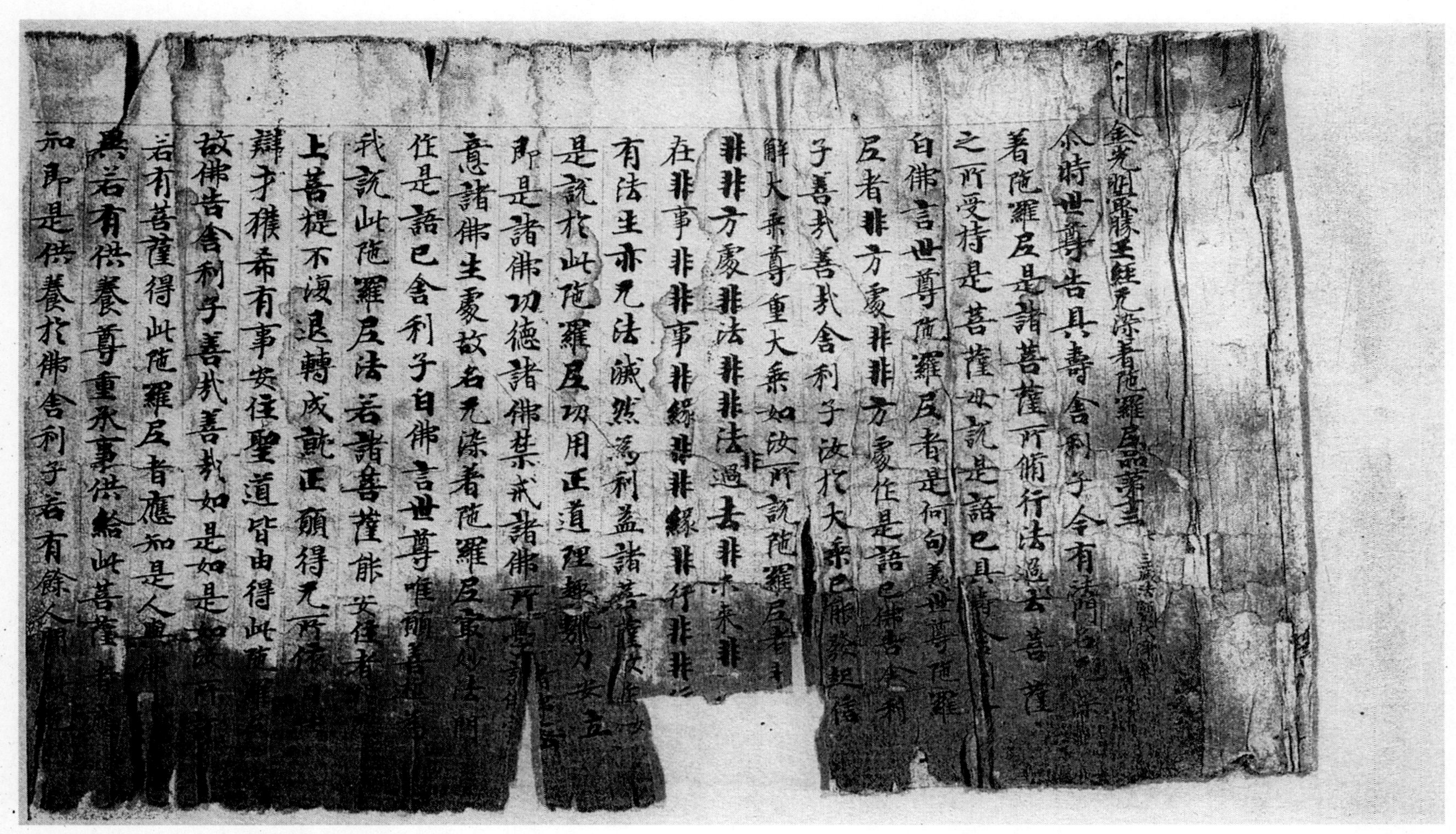

BD02008號　金光明最勝王經卷七　　（2–1）

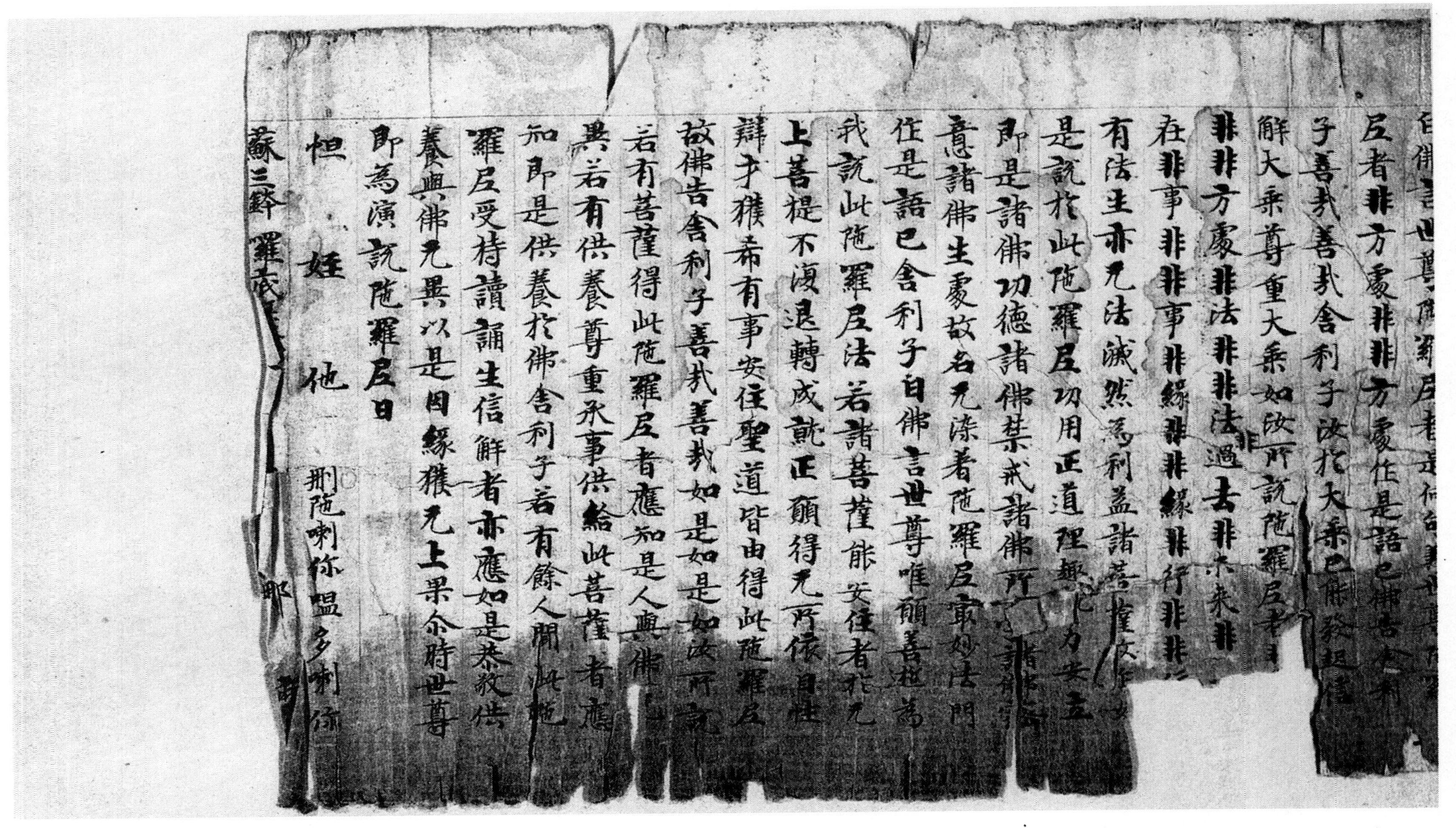

BD02008號　金光明最勝王經卷七　（2–2）

BD02008號背　勘記、雜寫　（1–1）

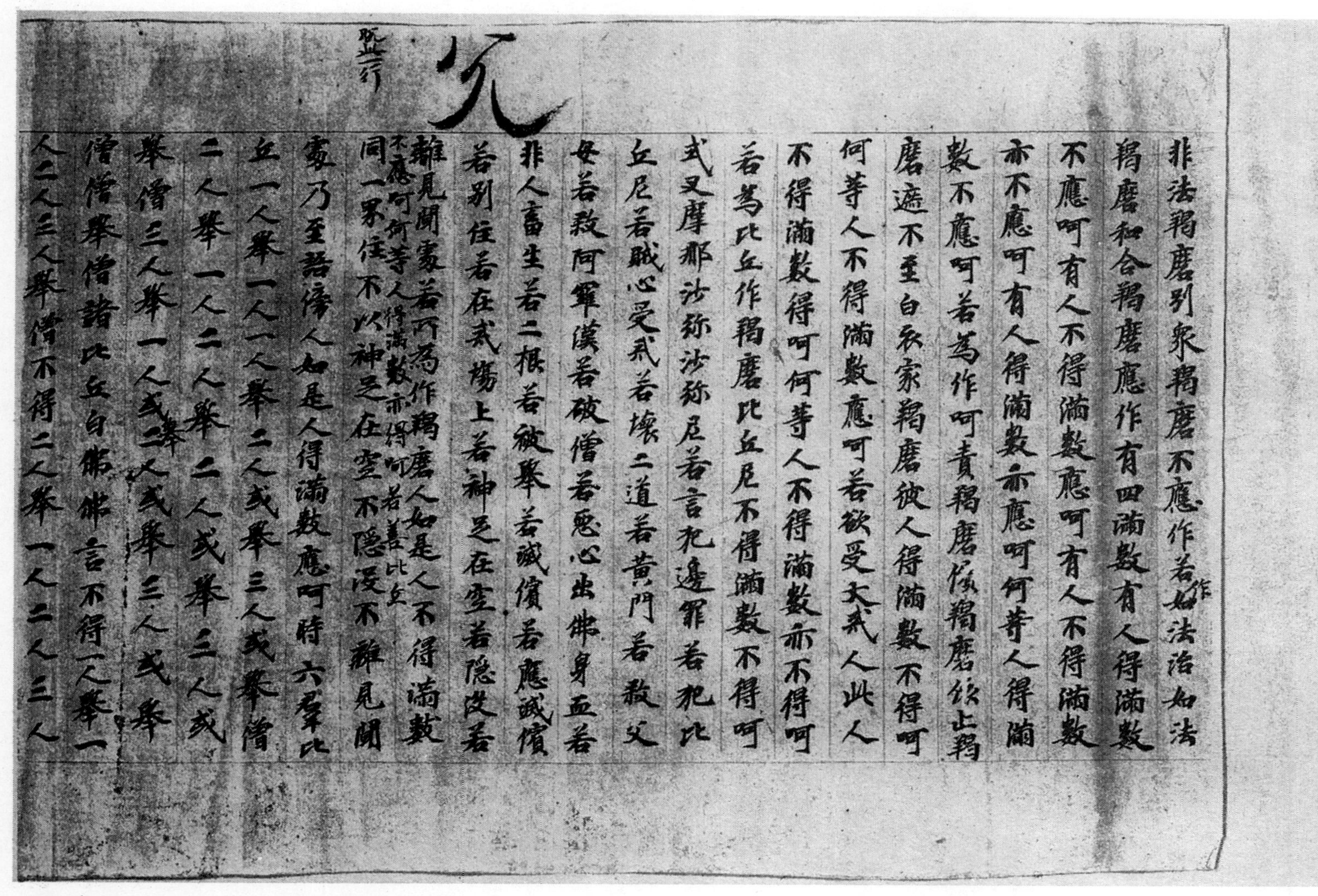

既廿行 兑

非法羯磨別衆羯磨不應作若作如法治如法
羯磨和合羯磨應作有四滿數有人得滿數
不應呵有人不得滿數亦應呵有人不得滿數
亦不應呵有人得滿數亦應呵何等人得滿
數不應呵若為作呵責羯磨擯羯磨依止羯
磨遮不至白衣家羯磨彼人得滿數不得呵
何等人不得滿數應呵若欲受大戒人此人
不得滿數得呵何等人不得滿數亦不得呵
若為比丘作羯磨比丘尼不得滿數不得呵
式叉摩那沙弥沙弥尼若言犯邊罪若犯比
丘尼若賊心受戒若壞二道若黄門若殺父
母若殺阿羅漢若破僧若惡心出佛身血若
非人畜生若二根若被舉若滅擯若應滅擯
若別住若在戒場上若神足在空若隱沒若
離見聞處若所為作羯磨人如是人不得滿數
不應呵何等人得滿數亦得呵若善比丘
同一界住不以神足在空不隱沒不離見聞
處乃至語傍人如是人得滿數應呵時六羣比
丘一人舉一人一人舉二人或舉三人或舉僧
二人舉一人二人舉二人或舉三人或
舉僧三人舉一人或二人或舉三人或舉
僧僧舉僧諸比丘白佛佛言不得一人舉一
人二人三人舉僧不得二人舉一人二人三人

BD02009號　四分律（兑廢稿）卷四四　（2–1）

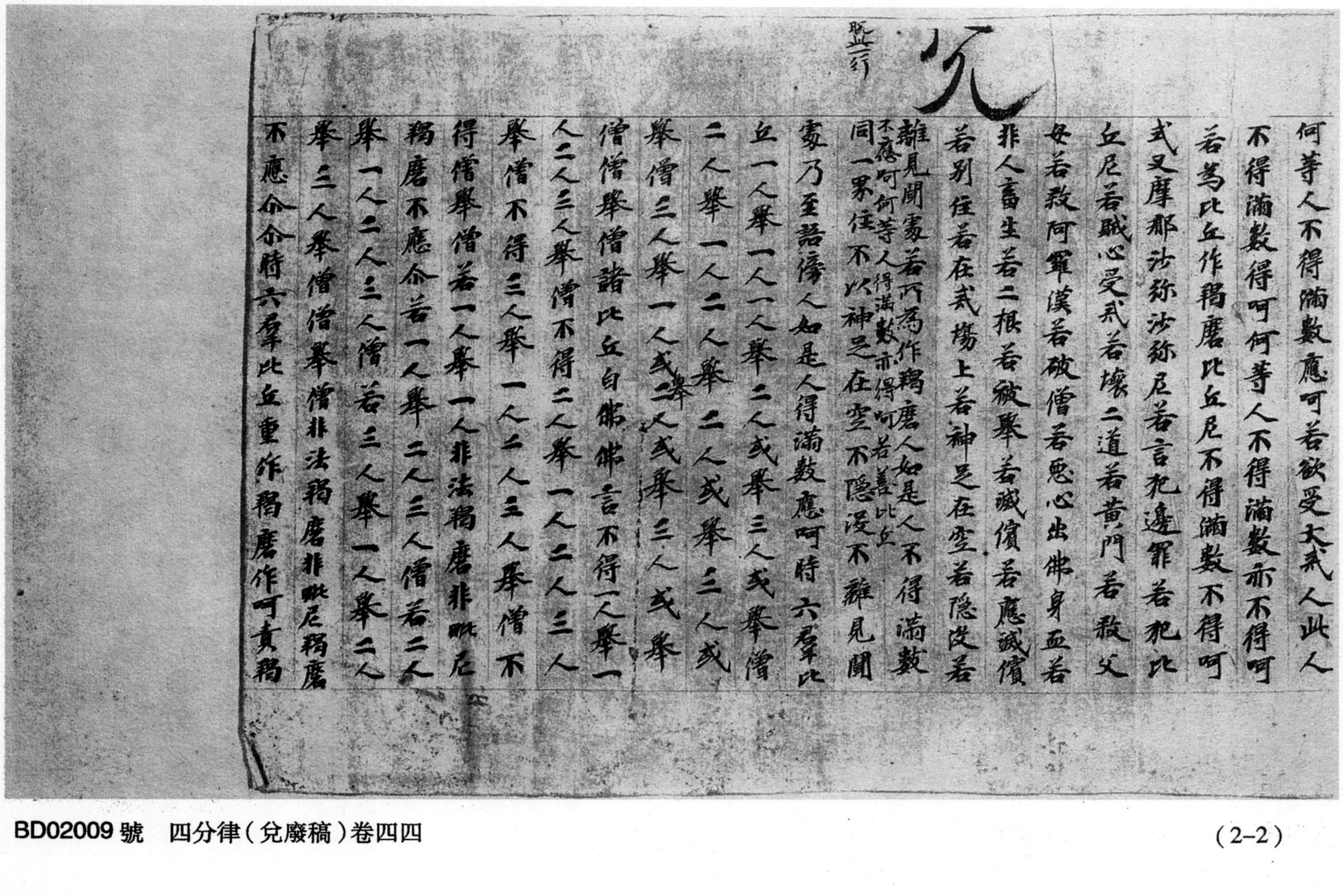

既廿行 兑

何等人不得滿數應呵若欲受大戒人此人
不得滿數得呵何等人不得滿數亦不得呵
若為比丘作羯磨比丘尼不得滿數不得呵
式叉摩那沙弥沙弥尼若言犯邊罪若犯比
丘尼若賊心受戒若壞二道若黄門若殺父
母若殺阿羅漢若破僧若惡心出佛身血若
非人畜生若二根若被舉若滅擯若應滅擯
若別住若在戒場上若神足在空若隱沒若
離見聞處若所為作羯磨人如是人不得滿數
不應呵何等人得滿數亦得呵若善比丘
同一界住不以神足在空不隱沒不離見聞
處乃至語傍人如是人得滿數應呵時六羣比
丘一人舉一人一人舉二人或舉三人或舉僧
二人舉一人二人舉二人或舉三人或
舉僧三人舉一人或二人或舉三人或舉
僧僧舉僧諸比丘白佛佛言不得一人舉一
人二人三人舉僧不得二人舉一人二人三人
舉僧不得三人舉一人二人三人舉僧不
得僧舉僧若一人舉一人非法羯磨非毗尼
羯磨不應介若一人舉二人三人僧若二人
舉一人二人三人僧若三人舉一人舉二人
舉三人舉僧僧舉僧非法羯磨非毗尼羯磨
不應介介時六羣比丘重作羯磨作呵責羯

BD02009號　四分律（兑廢稿）卷四四　（2–2）

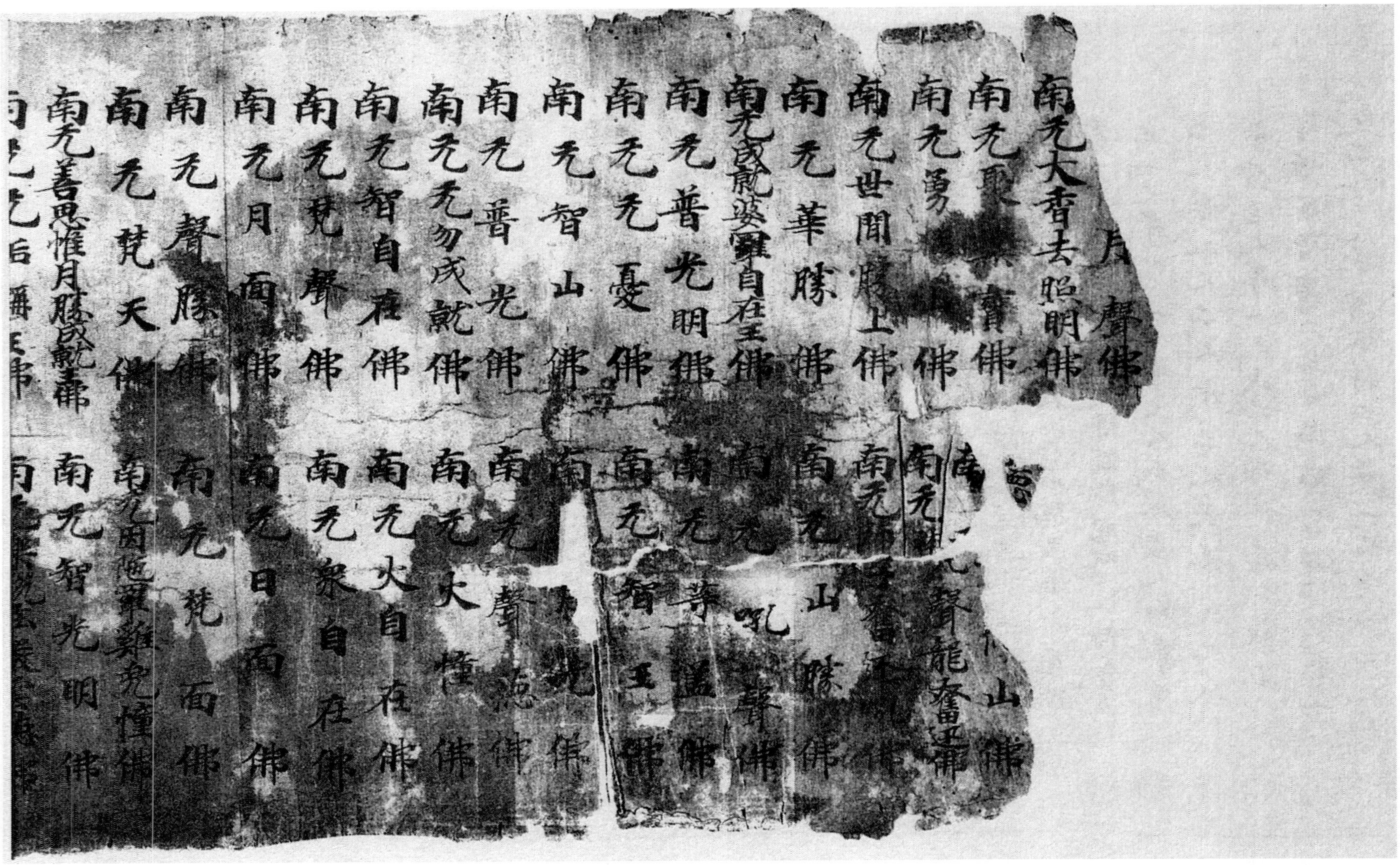
月　聲佛
南无大香去照明佛　南无…山佛
南无聚□寶佛　南无□聲能奮迅佛
南无勇□佛　南无…佛
南无世間勝上佛　南无…佛
南无華勝佛　南无山勝佛
南无成就婆羅自在王佛　南无吼聲佛
南无普光明佛　南无善蓋佛
南无无憂佛　南无智王佛
南无智山佛　南…佛
南无普光佛　南无聲德佛
南无无勿成就佛　南无大憧佛
南无智自在佛　南无火自在佛
南无梵聲佛　南无衆自在佛
南无月面佛　南无日面佛
南无聲勝佛　南无梵面佛
南无梵天佛　南无因陁羅雞兜憧佛
南无善思惟月勝成就王佛　南无智光明佛
南无…王佛　南…

BD02010 號　佛名經（二十卷本）卷一八　（26–1）

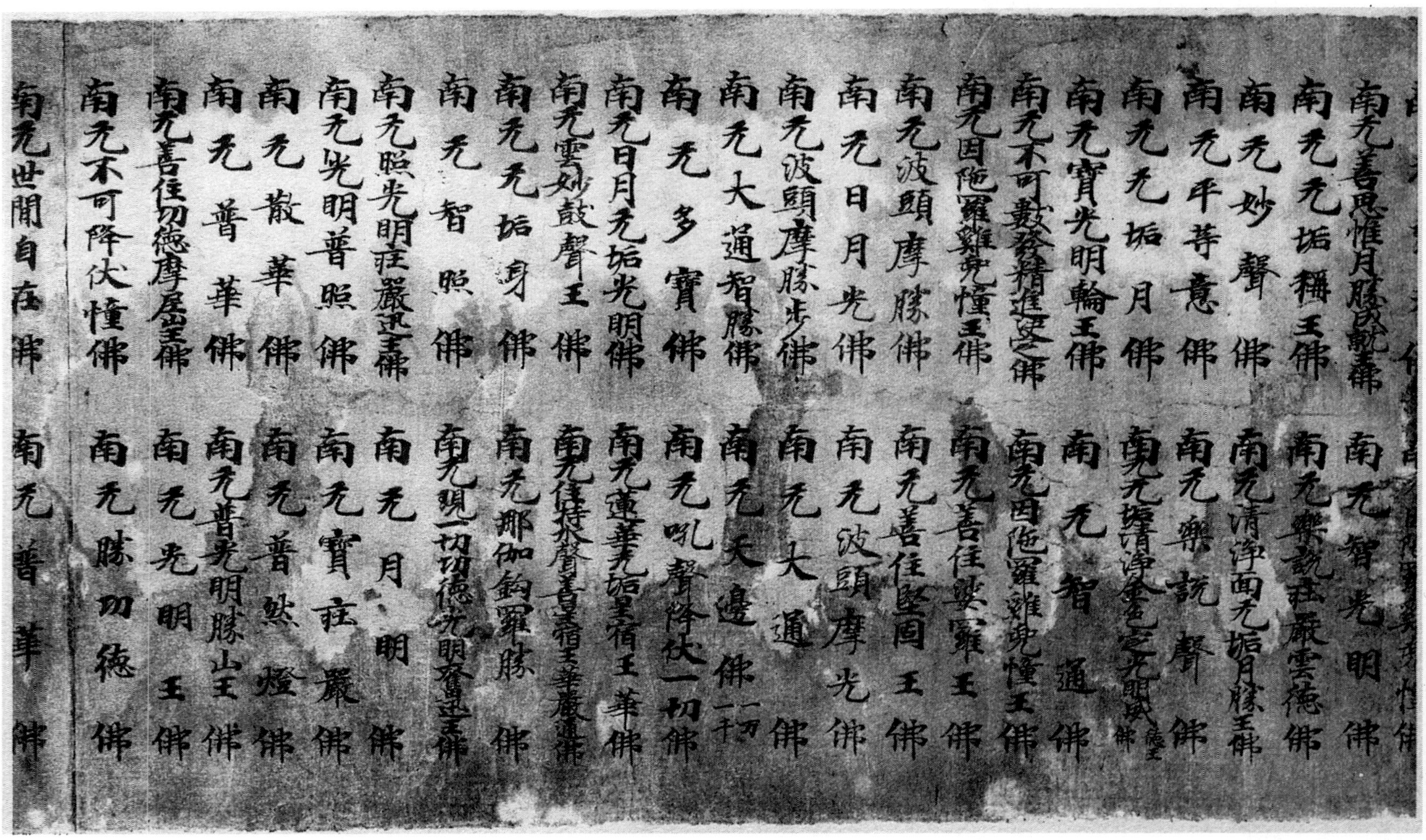
南无善思惟月勝成就王佛　南无智光明佛
南无无垢稱王佛　南无樂說莊嚴雲德佛
南无妙聲佛　南无清淨面无垢月勝王佛
南无平等意佛　南无樂說聲佛
南无无垢月佛　南无□清淨金色光明威德王佛
南无寶光明輪王佛　南无智通佛
南无不可數發精進堅佛　南无因陁羅雞兜憧王佛
南无因陁羅雞兜憧王佛　南无善住婆羅王佛
南无波頭摩勝佛　南无善住堅固王佛
南无日月光佛　南无波頭摩光佛
南无波頭摩勝步佛　南无大通佛
南无大通智勝佛　南无无邊佛　一万一千
南无多寶佛　南无吼聲降伏一切佛
南无日月无垢光明佛　南无蓮華无垢星宿王華佛
南无雲妙鼓聲王佛　南无住持聲善香星宿王華嚴通佛
南无无垢身佛　南无那伽鉤羅勝佛
南无智照佛　南无現一切功德光明奮迅王佛
南无照光明莊嚴迅王佛　南无月明佛
南无光明普照佛　南无寶莊嚴佛
南无散華佛　南无普然燈佛
南无普華佛　南无普光明勝山王佛
南无善住功德摩尼王佛　南无光明王佛
南无不可降伏憧佛　南无勝功德佛
南无世間自在佛　南无普華佛

BD02010 號　佛名經（二十卷本）卷一八　（26–2）

南无普華佛　南无普光明勝山王佛
南无善住功德摩尼王佛　南无光明王佛
南无不可降伏幢佛　南无勝功德佛
南无世間自在佛　南无普華佛
南无舌根佛　南无虛空輪清淨王佛
南无勝光明波頭摩佛　南无須彌山波頭摩勝王佛
南无一切寶摩尼王佛　南无寶光明日月輪智佛
南无威德頻頭聲王佛　南无大導師佛
南无普光明奮迅王光明佛　南无善行佛
南无樂說山佛　南无住佛
南无師子鳥奮迅佛　南无功德王光明佛
南无功德幢佛　南无功德作佛
南无瞿天佛　南无寶幢佛
南无金剛合佛　南无一切勝佛
南无安隱色佛　南无妙行佛
南无波羅婆伽羅佛　南无弗波難兜佛
南无妙色佛　南无脩盧遮那佛
南无梨師掘多佛　南无破煩惱佛
南无妙佛　南无敷華佛
南无弗加羅佛　南无善光佛
南无吉佛　南无師子威德佛

BD02010 號　佛名經（二十卷本）卷一八　（26–3）

南无吉佛　南无師子威德佛
南无住智德佛　南无波耶多香佛
南无寶法廣稱佛　南无諦沙佛
南无世間喜佛　南无廣光明佛
南无寶稱佛　南无寶威德佛
南无梵威德佛　南无善聲佛
南无善華佛　南无真聲佛
南无善行色佛　南无徽暖眼佛
南无功德山佛　南无雲聲佛
南无妙色佛　南无命威德佛
南无勝步行佛　南无世間求佛
南无降伏怨佛　南无供養佛
南无善莊嚴佛　南无舍尸難兜佛
南无若功德光佛　南无大威德佛
南无等寶蓋佛　南无耶羅延佛
南无成就行佛　南无難憂佛
南无无垢喜行佛　南无无垢光明佛
南无厚堅固佛　南无无垢雲王佛
南无无垢辟佛　南无義成就佛
南无勝讓佛　南无梵功德天王佛
南无虛空步佛　南无妙智佛
南无法寶佛　南无不空見佛　一万一千一百

BD02010 號　佛名經（二十卷本）卷一八　（26–4）

南无虚空步佛　南无妙智佛
南无法寶佛　南无不空見佛一万一千一百
南无難降伏光佛　南无月光佛
南无月佛　南无普光明佛
南无寶勝佛　南无普觀佛
南无不可數見佛　南无通佛
南无清淨光明寶佛　南无善清淨无垢威德无邊功德王佛
南无寶勝无垢王劫佛　南无第一然燈佛
南无功德寶勝佛　南无无垢光明佛
南无樂說莊嚴佛　南无无垢月難免佛
南无拘蘇摩莊嚴佛　南无大步佛
南无寶上佛　南无无畏觀佛
南无師子奮迅佛　南无離怖畏佛
南无不怯弱離驚怖佛　南无金王威德佛
南无梵勝天王佛　南无善月佛
南无光明王佛　南无難免稱佛
南无閻浮光明佛　南无多摩羅跋栴檀香佛
南无師子聲佛　南无師子幢佛
南无不動佛　南无弥留山佛
南无住虛空佛　南无常入涅槃佛
南无因陁羅幢佛　南无甘露佛
南无降伏一切世間怨佛　南无得度佛
南无弥留劫佛　南无多摩羅跋栴檀香佛

BD02010號　佛名經（二十卷本）卷一八　（26–5）

南无弥留劫佛　南无多摩羅跋栴檀香佛
南无雲自在王佛　南无能破一切世間驚怖畏佛
南无普光明佛　南无法光明佛
南无海住持奮迅通佛　南无法虛空勝王佛
南无七寶波頭摩步佛　南无寶難免佛
南无一切衆生愛見佛　南无滿足百千光明幢佛
南无娑羅自在王佛　南无法莊嚴王佛
南无普一寶蓋佛　南无星宿佛
南无普光明奮迅王佛　南无法莊嚴王佛
南无山燈佛　南无堅精進佛
南无法照光佛　南无住清淨眼佛
南无善住淨境界佛　南无月山佛
南无畢竟莊嚴无邊功德佛　南无離諸煩惱佛
南无不空見佛　南无威德无垢无邊清淨功德勝王佛
南无智上光明佛　南无寶勝智威德莊嚴自在佛
南无清淨光佛　南无數華娑羅自在王佛
南无大華敷王佛　南无月輪清淨佛
南无寂靜月聲王佛　南无无邊慶精進住勝佛
南无波頭摩勝佛　南无法難免佛
南无然燈佛　南无功德難免佛
南无功德成佛　南无聖天佛
南无寶山佛　南无金剛合佛

BD02010號　佛名經（二十卷本）卷一八　（26–6）

南无功德成佛　南无毗天佛
南无寶山佛　南无金剛合佛
南无一切勝佛　南无普香佛
南无善華佛　南无普善勝佛
南无功德山佛　南无勝成就佛
南无拘隣佛　南无善眼佛
南无頭陁羅吒佛　南无善生佛
南无梵勝佛　南无寂靜佛
南无梵德佛　南无因陁羅幢佛
南无月色佛　南无无垢色佛一万二千二百
南无无染佛　南无勝龍佛
南无龍天佛　南无金光明佛
南无勝聲因陁羅王佛　南无善須弥山佛
南无善色藏佛　南无火光佛
南无威德因陁羅佛　南无地迦佛
南无琉璃華佛　南无勝琉璃金光明佛
南无月勝佛　南无日吼佛
南无散華莊嚴光明佛　南无婆伽羅勝智奮迅通佛
南无水光明佛　南无大香行光明佛
南无離一切瞋恨意佛　南无寶勝佛
南无勝積佛　南无勝山佛
南无住持多功德通法佛　南无日月琉璃光佛

BD02010號　佛名經（二十卷本）卷一八　（26–7）

南无住持多功德通法佛　南无日月琉璃光佛
南无心菩提華勝佛　南无日月佛
南无日光佛　南无華鵰色王佛
南无鈞脩弥多通佛　南无水月光明佛
南无破无明闇佛　南无普盖寶佛
南无增長法樂佛　南无種師子聲增長吼佛
南无梵自在龍吼佛　南无世間自在佛
南无世間自在王佛　南无難勝佛
南无寶作佛　南无甘露聲佛
南无勝光佛　南无龍天佛
南无增上力佛　南无无垢光佛
南无師子佛　南无世間增上佛
南无德山佛　南无人王佛
南无華勝佛　南无德无畏佛
南无平等作佛　南无初發離諸畏一切煩惱勝德佛
南无金剛步佛　南无寶光明步烏佛
南无離諸魔疑佛　南无初發成就不退輪勝佛
南无寶盖勝光明佛　南无能教化諸菩薩佛
南无初發念斷一切煩惱深佛　南无降伏煩惱佛
南无勝光明王佛　南无三昧手勝佛
南无波頭摩上勝佛　南无日輪光明佛
南无日輪光明勝佛　南无均寶盖佛

BD02010號　佛名經（二十卷本）卷一八　（26–8）

南无波頭摩上勝佛　南无日輪光明佛
南无日輪光明勝佛　南无均寶蓋佛
南无增上三昧奮迅佛　南无寶華照勝佛
南无寶藏佛　南无寶勝佛
南无寶燈王佛　南无堅精進思惟成就義佛
南无普光明觀稱佛　南无慈莊嚴功德稱佛
南无稱一切衆生念勝功德佛　南无吉稱功德佛
南无畢竟慚愧稱勝佛　南无廣光明佛
南无樂莊嚴思惟佛　南无无垢月雞兜勝佛
南无鈎脩摩莊嚴光明作佛　南无寶稱佛
南无无畏觀佛　南无師子力奮迅佛
南无伽耶歌王光明佛　南无賢作佛
南无无垢光明佛　南无功德寶光明佛
南无精進力成就佛　南无善清淨光佛
南无得奮盡一切縛佛　南无无垢波頭摩藏勝佛
南无得无鄣导力解脫佛　南无千方稱名无畏佛
南无金剛勢佛　南无大寶聚佛
南无无邊功德莊嚴德威王劫佛　南无功德寶山佛
南无說一切莊嚴勝佛　南无无邊樂說莊嚴成就智佛　一万千三百
南无无千雲吼聲王佛　南无妙金色光明威德勝照佛
南无種種威德王劫佛　南无阿僧祇僧劫成就智佛
南无清淨金虛空吼光明佛　南无普光明佛
南无功德多寶海王佛　南无不空功德佛

BD02010號　佛名經（二十卷本）卷一八　（26–9）

南无功德多寶海王佛　南无不空功德佛
南无照一切處佛　南无妙鼓聲佛
南无法自在佛　南无普見佛
南无大炎聚佛　南无光明幢佛
南无智雞兜佛　南无婆羅胎佛
南无寶尸棄佛　南无波頭摩藏佛
南无一切勝佛　南无婆伽羅佛
南无波頭摩藏佛　南无婆羅自在王佛
南无華勝佛　南无勝稱佛
南无見寶佛　南无智弥留佛
南无龍德佛　南无勝行佛
南无星宿佛　南无大莊嚴佛
南无光明王佛　南无能人佛
南无自在山佛　南无日面佛
南无善意佛　南无龍勝佛
南无弗沙佛　南无藥王佛
南无師子山佛　南无住持功德佛
南无飲甘露佛　南无放炎佛
南无智山佛　南无護世間供養佛
南无多伽羅尸棄佛　南无難勝佛
南无大燈佛　南无波頭摩上佛
南无幢佛　南无能然燈佛

BD02010號　佛名經（二十卷本）卷一八　（26–10）

南无大燈佛　南无波頭摩上佛
南无幢佛　南无能然燈佛
南无難勝佛　南无難可意佛
南无真聲佛　南无妙聲佛
南无娑羅步佛　南无寶炎佛
南无愛見佛　南无須弥劫佛
南无旃陁光佛　南无日光佛
南无藥樹勝佛　南无覺佛
南无无記佛　南无愛作佛
南无作无畏佛　南无波頭摩寶香佛
南无勝德佛　南无无垢佛
南无照佛　南无无煩惱佛
南无善來佛　南无善光佛
南无金色佛　南无能作光明佛
南无清淨佛　南无得脫佛
南无迦陵伽聲佛　南无能與法佛
南无善讓諸門佛　南无得意佛
南无離愛佛　南无未生寶佛
南无善讓諸根佛　南无梵聲佛
南无勝聲佛　南无妙聲佛
南无大慧佛　南无无諸濁佛
南无不可動佛　南无樂解脫佛
南无勝二足佛　南无具足一切德莊嚴佛

BD02010號　佛名經(二十卷本)卷一八　(26-11)

南无不可動佛　南无樂解脫佛
南无勝二足佛　南无具足一切德莊嚴佛
南无相莊嚴佛　南无拘牟陁語佛
南无不可降伏語佛　南无常相應語佛
南无梵聲安隱衆生佛　南无娑羅華佛
南无金枝華佛　南无拘牟陁相佛 一万一千四百
南无妙頂佛　南无大牟尼佛
南无一切法到彼圻佛　南无无涂佛
南无不散心佛　南无荷吒伽色佛
南无善寂成就佛　南无睺頭羅步佛
南无清淨手佛　南无常來佛
南无畢竟成就大悲佛　南无成就堅佛
南无常行成佛　南无離諍濁佛
南无清淨功德相佛　南无不淨手尼羅佛
南无勝藏佛　南无般若齋佛
南无般若寶畢竟佛　南无满足意佛
南无世間自在王佛　南无无量命佛
南无大炎積佛　南无无邊寶佛
南无淨勝天佛　南无內外淨佛
南无寂諸根佛　南无最燈佛
南无成就不思惟頻婆羅王佛　南无師子意佛
南无降伏力佛　南无任持速行佛
南无放光明王佛　南无毗頭[illegible]几佛

BD02010號　佛名經(二十卷本)卷一八　(26-12)

南无降伏力佛　南无住持速行佛
南无放光明王佛　南无毗頭奚吼佛
南无念覺法王佛　南无國土莊嚴身佛
南无智根本華幢佛　南无化稱佛
南无一切色摩尼藏佛　南无法藏自在佛
南无法獻法娑羅佛　南无无邊寶功德藏佛
南无淨華聲佛　南无大法王劒脩摩勝佛
南无一切无盡藏佛　南无功德山藏佛
南无星宿山藏佛　南无虛空縮山佛
南无智力天王佛　南无无鄣导海隨順智佛
南无无邊覺海藏佛　南无智王无盡稱佛
南无心意奮迅王佛　南无自性清淨智佛
南无智自在法王佛　南无善別去佛
南无自在見佛　南无隨順香見法渦佛
南无龍月佛　南无因陁羅婆羅无导导王佛
南无智雞兜佛　南无智燈佛
南无光明照佛　南无不可勝佛
南无照佛　南无銀雞兜幢蓋佛
南无德自在主佛　南无覺王佛
南无寶藏佛　南无大婆伽羅佛
南无十力善佛　南无降伏魔佛
南无降伏貪佛　南无降伏瞋佛
南无降大癡佛　南无降大高慢佛

BD02010號　佛名經（二十卷本）卷一八　（26–13）

南无降伏貪佛　南无降伏瞋佛
南无降伏癡佛　南无降伏憍慢佛
南无降伏瞋恨嫉佛　南无法清淨佛
南无業勝得名佛　南无如意清淨得名佛
南无得施超名佛　南无得清淨戒名佛
南无超忍辱成就佛　南无得超精進名佛
南无得超禪名佛　南无得超般若佛
南无成就施不可思議名佛　南无成就戒不可思議佛
南无成就忍辱不可思議佛　南无成就精進不可思議佛
南无成就禪不可思議佛　南无成就波若不思議佛
南无行成就得名佛　南无成就陁羅尼清淨得名佛
南无陁羅尼色清淨得名佛　南无陁羅尼施清淨得名佛
南无空无我自在得名佛　南无眼陁羅尼自在佛
南无耳陁羅尼自在佛　南无鼻陁羅尼自在佛一万千五百
南无舌陁羅尼自在佛　南无身陁羅尼自在佛
南无意陁羅尼自在佛　南无色陁羅尼自在佛
南无聲陁羅尼自在佛　南无香陁羅尼自在佛
南无味陁羅尼自在佛　南无觸陁羅尼自在佛
南无法陁羅尼自在佛　南无地陁羅尼自在佛
南无水陁羅尼自在佛　南无火陁羅尼自在佛
南无風陁羅尼自在佛　南无苦自在佛
南无集自在佛　南无滅自在佛
南无道自在佛　南无[illegible]自在佛

BD02010號　佛名經（二十卷本）卷一八　（26–14）

南无集自在佛　南无滅自在佛
南无道自在佛　南无陰自在佛
南无界自在佛　南无入自在佛
南无三世自在佛　南无陁羅尼華自在佛
南无吉光明佛　南无香燈衣自在光明佛
南无法幢佛　南无師子聲佛
南无照藏佛　南无法明敷身佛
南无一切通光佛　南无月智佛
南无妙勝佛　南无賢勝佛
南无普滿佛　南无普賢佛
南无那羅延王佛　南无成就一切義佛
南无住持威德佛　南无无畏觀佛
南无如是等現在過去未來无量无邊佛
南无十千同名滿足滿佛　南无三万同名能眭佛
南无二千同名拘隣佛　南无十八億同名寶體式佛
南无十八億同名日月燈佛　南无千五百同名大威德佛
南无一万五千同名歡喜佛　南无八万四千百同名龍王佛
南无一万五千同名日佛　南无一万八千同名娑羅王佛
南无一万八千同名陁羅幢佛　南无八千同名善光佛
南无八百同名寂滅佛　南无廿六億十二万九千五百同名佛
此諸佛名百千万劫不可得聞如憂曇鉢華
若人受持讀誦此諸佛名畢竟遠煩惱

BD02010號　佛名經（二十卷本）卷一八　（26–15）

若人受持讀誦此諸佛名畢竟遠煩惱
舍利弗應當敬礼波頭勝如來佛
南无寂王佛　南无燈作佛
南无天光佛　南无德山佛
南无勝上佛　南无娑羅王佛
南无淨王佛　南无大慧梁佛
南无須弥佛　南无大智慧須弥佛
南无寶作佛　南无寶藏佛
南无破金剛佛　南无賢智不動佛
南无香普佛　南无甘露命佛
南无難勝佛　南无月光佛
南无日照佛　南无智難免佛
南无大師子佛　南无弥留山佛
南无香光佛　南无德山佛
南无大通佛　南无阿摩羅藏佛
南无寶國佛　南无金剛藏佛
南无憂波羅藏佛　南无大日佛
南无橋梁載佛　南无月勝佛
南无樂堅固佛　南无不可思議法身佛
南无勝藏佛　南无不空王佛
南无金剛无导智佛　南无寶炎佛

BD02010號　佛名經（二十卷本）卷一八　（26–16）

佛

南无金剛无导智佛　南无寶炎佛
南无睒施燈佛　南无降伏一切怨佛
南无自在佛　南无大智真聲佛
南无般若香象佛　南无大王佛
舍利弗若善男子善女人聞此諸佛名受
持讀誦不生疑者是人八千億劫不入地獄不
入畜生不入鬼道不生邊地不生貧窮家不
生下賤家常生天人豪貴之處常得歡喜適
樂无导常得一切世間尊重供養乃至得大
涅槃
舍利弗汝等應當敬礼不可燃身佛
南无稱聲佛　南无稱威德佛一万千六百
南无稱名佛　南无葉隨佛
南无聲炎佛　南无聲亦象猛佛
南无智勝佛　南无智善知佛
南无智聚佛　南无智勇猛佛
南无梵勝佛　南无淨娑藪佛
南无淨聲佛　南无梵自在佛
南无威德佛　南无毗摩勝佛
南无毗摩意佛　南无毗摩面佛
南无毗摩上佛　南无无邊聲佛
南无寶見佛　南无善眼月佛

BD02010號　佛名經（二十卷本）卷一八　（26–17）

南无毗摩上佛　南无无邊聲佛
南无寶見佛　南无善眼月佛
南无深聲佛　南无放聲佛
南无驚怖魔力聲佛　南无淨眼佛
南无邊眼佛　南无普眼佛
南无勝眼佛　南无不可行佛
南无寂勝佛　南无善寂心佛
南无淨佛　南无淨天佛
南无善寂根佛　南无善寂意佛
南无善寂德佛　南无善住佛
南无衆自在王佛　南无大衆自在佛
南无衆解脫佛　南无法幢佛
南无法山佛　南无法勝佛
南无法體佛　南无法力佛
南无法勇猛佛　南无法體決定佛
南无第二劫八十億同名法體決定佛
舍利弗若善男子善女人受持是佛名畢
竟不入地獄速得三昧
舍利弗過是佛名无量无邊阿僧祇劫有
佛名人自在聲汝當歸命
彼人自在聲佛壽命七十千万劫住世初會
三億聲聞衆集八十那由他千万菩薩衆集
皆得諸神通具四无导通達一切空到彼岸

BD02010號　佛名經（二十卷本）卷一八　（26–18）

彼人自在聲佛壽命七十千万劫住世初會
三億聲聞衆集八十那由他千万菩薩衆集
皆得諸神通具四无㝵通達一切空到彼岸
我若无量劫住世説彼佛大會國土莊嚴如
大海水中一滴之分
舍利弗若有善男子善女人比丘比丘尼優
婆塞優婆夷能受持讀誦此諸佛菩薩名
者終不墮惡道遠離諸煩惱乃至得大菩薩
佛説此佛名經已慧命舍利弗及摩訶男比
丘及諸比丘比丘尼優婆塞優婆夷天龍夜
叉乾闥婆阿脩羅迦樓羅緊那羅摩睺羅伽
人非人及諸菩薩摩訶薩皆大歡喜頂受奉行
南无十二部經般若海藏
南无太子本起瑞應經　南无脩行本起經
南无樓炭經　南无佛般涅洹經
南无十報法經　南无普法義經
南无尸迦羅越六向拜經　南无梵網六十二見經
南无七佛父母姓字經　南无梵志頞羅延問種尊經
南无寂志果經　南无梵志阿跋經
南无本相倚致經　南无緣本致經
南无阿難問事佛吉凶經　南无佛説阿難分別經
南无罪福報應經　南无業報差別經

BD02010號　佛名經（二十卷本）卷一八　（26–19）

南无罪福報應經　南无業報差別經
南无五母子經　南无沙弥羅經
南无諸大菩薩摩訶薩衆
南无寶印首菩薩　南无常舉手菩薩
南无常下手菩薩　南无慈氏菩薩
南无讃諸繫菩薩　南无寶來菩薩
南无導師菩薩　南无能施菩薩
南无所受則能説菩薩　南无雨天菩薩
南无天王菩薩　南无賢護菩薩
南无妙意菩薩　南无有持意菩薩
南无增益意菩薩　南无現无疑菩薩
南无善發菩薩　南无過步菩薩
南无常應菩薩　南无不置遠菩薩
南无聲聞緣覺一切辟支佛
南无輸那辟支佛　南无留闍辟支佛
南无憂波留闍辟支佛　南无弗沙辟支佛
南无牛齒辟支佛　南无聲聞緣覺一切賢聖
南无過現未來十方三世一切諸佛歸命懺悔
弟子等已懺悔三業竟所除報鄣令當懺
悔經中説言業報至時非空非海中非入山石間
无有地方所脱之不受報唯有懺悔力乃能
得除滅何以知然釋提桓因五衰相現恐懼

BD02010號　佛名經（二十卷本）卷一八　（26–20）

得除滅何以知然釋提桓因五衰相現恐懼
切心歸誠三寶五相即滅得延天年如是等
比經教所明其事非一故知懺悔實能滅禍
但凡夫之人若不遇善友萛道則靡惡而不造
致使大命將盡臨窮之際地獄惡相皆現在
前當尒之時悔懼交至不預順善臨窮方悔
悔之於後將何及乎殃禍異處宿預嚴持當
獨趣趣入遠到地獄但得前行入於大鑊身
心摧碎精神痛苦如此之時欲求一礼一懺豈
復可得衆生等莫自恃盛年財寶勢力嬾惰
懈怠放逸自恣死苦一至无問老少貧富貴
賤皆悉摩滅奄忽而至不令人知夫人命无
常喻如朝露出息雖存入息難保云何以此而
不懺悔且五天使者既來无常殺鬼卒至盛
年壯色无得勉者當尒之時華堂遂宇何關
人事高車大馬豈得自隨妻子眷屬非復我親
七珎寶饒乃為他玩以此而言世間果報皆為
幻化上天雖樂會歸敗壞壽盡魂逝墮落三
塗是故佛語須跋陀言汝師鬱頭藍弗利
根聰明能伏煩惱至於非非想處命終還
作畜生道中飛狸之身況復餘者故知未登聖
果已還皆應流轉備經惡趣如不謹慎忽尒

BD02010號　佛名經（二十卷本）卷一八　（26-21）

果已還皆應流轉備經惡趣如不謹慎忽尒
一朝覩嬰其事或將不悔如今被罪行詣公門
已是小造情地慞惶眷屬恐懼求救百端地獄
衆苦比於此者百千万倍不得為喻衆等相
與歷劫以來罪若須彌云何聞此晏然不畏不
驚不恐今此精神復嬰新苦寶為可痛是
故弟子等真誠懺悔歸依十方諸佛
南无東方調御佛　南无南方金剛藏佛
南无西方燈法界佛　南无北方邊眼佛
南无東南方无憂佛　南无西南方壞諸怖畏佛
南无西北方勇猛伏佛　南无東北方大力光明佛
南无上方香上王佛　南无下方歡喜路佛
如是十方盡虛空界一切三寶
弟子等從无始以來至於今日所有鄣
然其重者第一唯有阿鼻地獄如經所明今
當略說其相此獄周迊七重鐵城復有七重
鐵網羅覆其上下有七重刀林无量猛火縱廣
八万四千由旬罪人之身遍滿其中罪業因緣不
相妨㝵上火徹下下火徹上東西南北通徹交
過如魚在熬脂膏皆盡此中罪苦亦復如是
其城四門有四大銅狗其身縱廣四十由旬牙
錚釖眼如掣電復有无量鐵嘴諸鳥奮翼飛

BD02010號　佛名經（二十卷本）卷一八　（26-22）

鉾鉾肝如雷電漢有无量鐵嘴乃諸鳥奮翼飛
騰噉罪人與牛頭獄卒形如羅剎尾如鐵釵復
有八頭頭上有八角有六十四眼一一眼中皆悉流
迸出諸鑊丸燒罪人與然其一瞋一怒哮吼之時
如霹靂須有无量自然刀輪空中而下從罪人
頂入從足而出於是罪人痛徹骨髓苦肝心如
是經无量歲求生不得求死不得如是等報今
日皆悉稽顙慚愧懺悔
又有无量地獄罪報懺悔刀山劒樹身首
脫落罪報懺悔鑊湯爐炭地獄燒煮罪報
懺悔鐵床銅柱地獄燋然罪報懺悔刀輪火
車地獄攊轢罪報懺悔拔舌耕犁地獄楚痛
罪報懺悔吞噉鐵丸洋銅灌口地獄五內消爛
罪報懺悔鐵碓地獄鐵磨地獄骨與灰粉罪報
懺悔黑繩鐵網地獄支節分離罪報懺悔灰河
沸屎地獄惱悶罪報懺悔醎水寒冰地獄皮膚
圻裂裸凍罪報懺悔虎狼鷹犬地獄更相殘
害罪報懺悔刀兵折距地獄更相搏攫斫刺罪
報懺悔火坑地獄炮炙罪報懺悔雨石相磕
地獄形骸破碎罪報懺悔衆合黑耳地獄解
剔罪報懺悔闇冥與山地獄斬剉罪報懺悔
鋸解釘身地獄斷截罪報懺悔鐵棒倒懸

BD02010號　佛名經（二十卷本）卷一八　（26–23）

[illegible]
地獄屠割罪報懺悔燋熱叫喚地獄煩寃罪
罪報懺悔大小鐵圍山間長夜冥冥不識三光
罪報懺悔阿波波地獄阿婆婆地獄阿吒吒地
獄阿羅羅地獄如是八寒八熱一切諸地獄二獄
中復有八万四千鬲子地獄以爲眷屬此中
罪苦炮炙楚痛剝皮旃與削骨打髓抽腸拔肺
无量諸苦不可聞不可說
南无佛今日在此中者或是我等无始以來
所生父母一切眷屬我等今者命終之後或
如此獄中今日洗心貞誠叩頭稽顙向十方
佛大地菩薩求哀懺悔令此一切報鄣畢竟
消滅普同懺悔
願釆子等承是懺悔地獄等報所生功德
即時破壞阿鼻鐵城悉與淨土无惡道名其
餘地獄一切苦具轉爲樂緣刀山劒樹變成寶
林鑊湯爐炭蓮花化生牛頭獄卒除捨暴
虐皆起慈悲无有惡念地獄衆生得離苦
果更不造因等受安樂如第三禪一時俱發
无上道心
大乘蓮華寶達菩薩問答報應沙門經
寶達菩薩復前入飲火珠地獄云何名曰飲

BD02010號　佛名經（二十卷本）卷一八　（26–24）

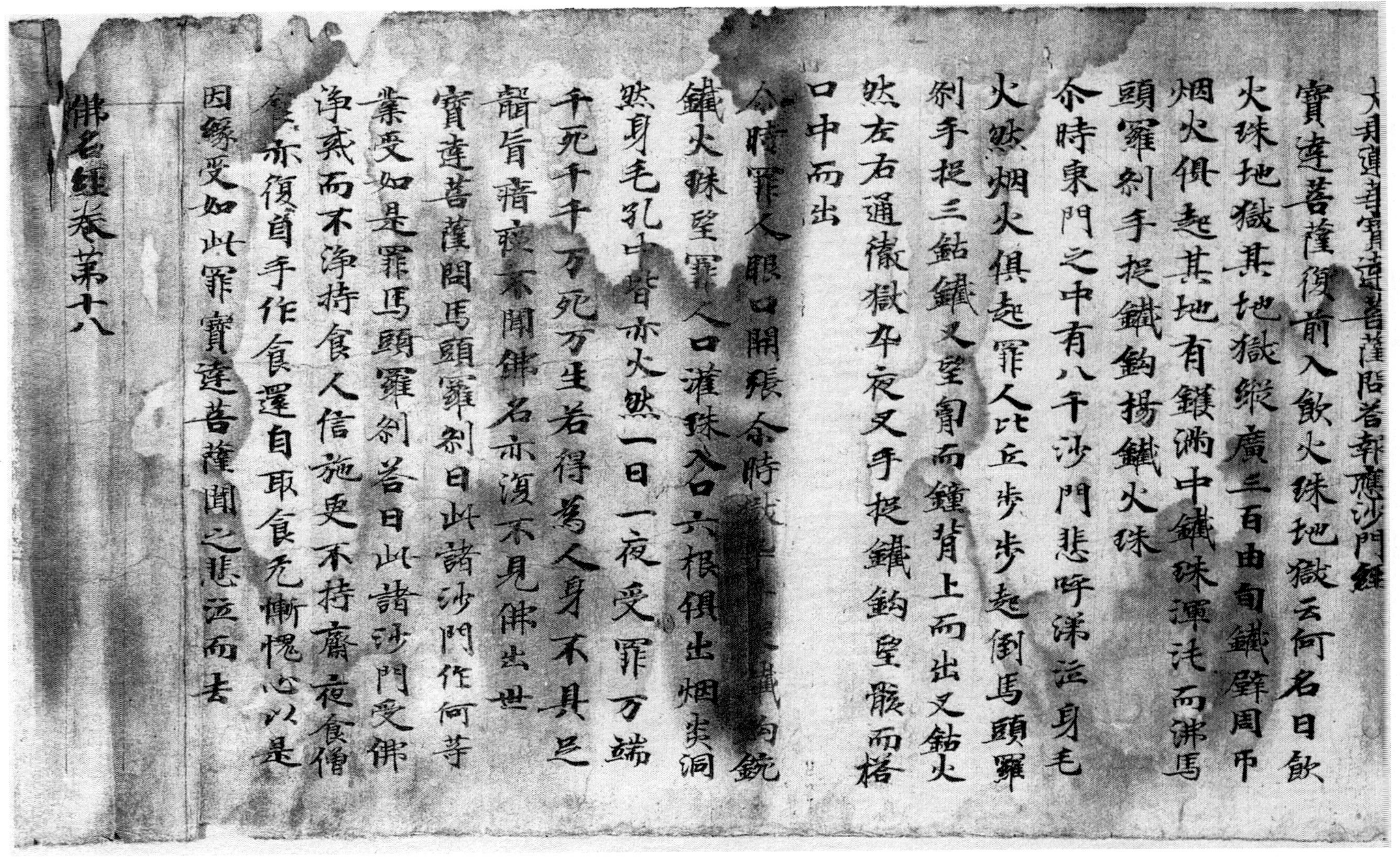

大乘蓮華寶達菩薩問答報應沙門經

寶達菩薩復前入飲火珠地獄云何名曰飲
火珠地獄其地獄縱廣三百由旬鐵壁周帀
烟火俱起其地有鑊湯中鐵珠渾沌而沸馬
頭羅剎手捉鐵鉤揚鐵火珠
尒時東門之中有八千沙門悲呼涕泣身毛
火然烟火俱起罪人比丘步步起倒馬頭羅
剎手捉三鈷鐵叉望胷而鐘背上而出叉鈷火
然左右通徹獄卒夜叉手捉鐵鉤望齦而搭
口中而出
尒時罪人眼口開張尒時獄卒以鐵鉤銃
鐵火珠望罪人口灌珠入口六根俱出烟炎洞
然身毛孔中皆亦火然一日一夜受罪万端
千死千生万死万生若得為人身不具足
聾盲瘖瘂不聞佛名亦復不見佛出世
寶達菩薩問馬頭羅剎曰此諸沙門作何等
業受如是罪馬頭羅剎答曰此諸沙門受佛
淨戒而不淨持食人信施更不持齋夜食僧
食亦復自手作食還自取食无慚愧心以是
因緣受如此罪寶達菩薩聞之悲泣而去

佛名經卷第十八

BD02010 號　佛名經（二十卷本）卷一八　（26–25）

業受如是罪馬頭羅剎答曰此諸沙門受佛
淨戒而不淨持食人信施更不持齋夜食僧
食亦復自手作食還自取食无慚愧心以是
因緣受如此罪寶達菩薩聞之悲泣而去

佛名經卷第十八

BD02010 號　佛名經（二十卷本）卷一八　（26–26）

BD02010 號背　白畫菩薩手臂（擬）　（1–1）

隨時菩薩問佛何汝學者有上中下不悉普
著至大乘手佛言[illegible]者心見遠近解有深淺
志有優劣故示三乘本無三假引爲喻譬
如有人爲國大臣聰明智慧王之所重參詛
國事一以委託不懷疑慮又斯大臣有三親
友一日太子二日尊者三日凡人大臣舉國
之政頗有漏失衆人譖入白之於王謂當辟
逆王聞懷疑問諸臣曰當罪之諸臣得便各
重罪之或言斫頭或言截手斷足或言割耳
及鼻挑眼去舌王察衆臣所議甚重告曰不
然此人明達今雖有小失不宜乃尒當從閑
著獄諸臣唯從不敢復言告邊臣曰速下丈
書令收勑臣閑在刑獄時凡親友聞之悲念
欲使出獄力劣不任唯以衣被飲食所乏日
日供之亦不能令不見考世尊者友聞心用
辛酸往至其所解喻獄吏不令榜治痛苦休
息不堪出獄
王太子聞以爲同然是吾親親無有重罪衆
臣憎之譏之於王不宜取尒往詣王所具陳
本末謂無逆肆當用我故願赦其殃王用
愛子即赦使出獄與王相見令僕如故其國王
者謂如來其太子者智慧度無極善權方便

BD02011 號　演道俗業經　（2–1）

及身挑眼去舌王察衆臣所議甚重告曰不
然此人明達今雖有小失不宜乃尒當抂閉
著獄諸臣唯從不敢復言告邊臣曰速下文
書令收勑臣閉在刑獄時凡親友聞之悲念
欲使出獄力劣不任唯以衣被飲食所乏日
日供之亦不能令不見考世尊者友聞心用
辛酸往至其所解喻獄吏不令榜治痛苦休
息不堪出獄
王太子聞以爲內然是吾親親無有重罪衆
臣憎之讒之於王不宜取尒往詣王所具陳
本末謂無逆肆當用我故願赦其殃王用
愛子即赦使出獄與王相見令僕如故其國王
者謂如來其太子者智慧度無極善權方便
菩薩還得無所從生法忍權慧之宜乃能得
出於三界獄得成爲佛廣濟衆生尊者親友
謂行淨戒免三惡趣不肋三界可受天上人
間福不得至道凡知友者謂布施業此適能
脫餓鬼之界不免地獄畜生之尼所以者何
如其所種各得其類發無上正真道意奉於

BD02011號　演道俗業經　（2–2）

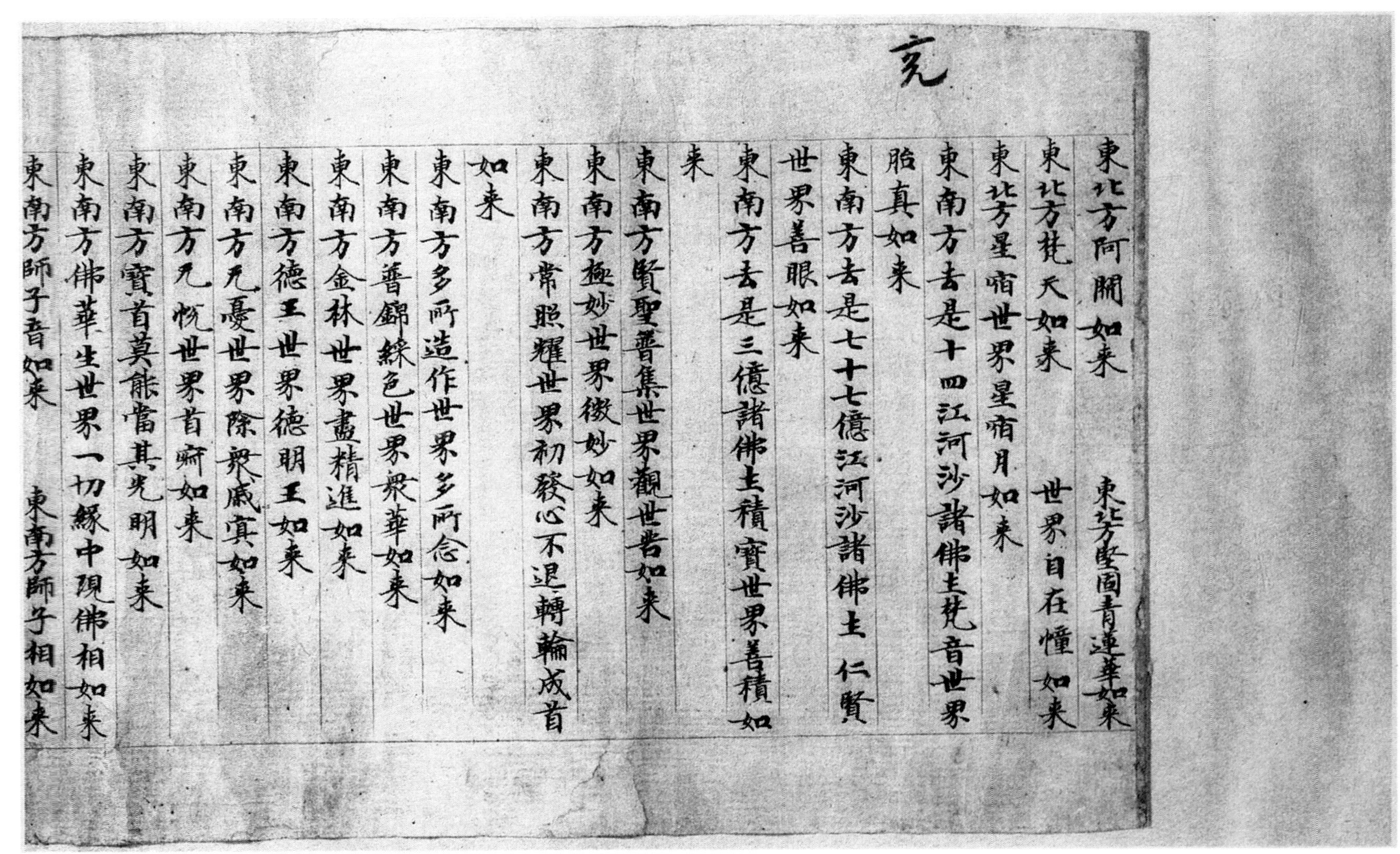
兗

東北方阿閦如來　　東北方堅固青蓮華如來
東北方梵天如來　　世界自在幢如來
東北方星宿世界星宿月如來
東南方去是十四江河沙諸佛土梵音世界
胎真如來
東南方去是七十七億江河沙諸佛土　仁賢
世界善眼如來
東南方去是三億諸佛土積寶世界善積如
來
東南方賢聖普集世界觀世音如來
東南方極妙世界微妙如來
東南方常照耀世界初發心不退轉輪成首
如來
東南方多所造作世界多所念如來
東南方普錦綵色世界衆華如來
東南方金林世界盡精進如來
東南方德王世界德明王如來
東南方无憂世界除衆感冥如來
東南方无惱世界首癬如來
東南方寶首莫能當其光明如來
東南方佛華生世界一切緣中現佛相如來
東南方師子音如來　　東南方師子相如來

BD02012號　不思議功德諸佛所護念經（兗廢稿）卷下　（2–1）

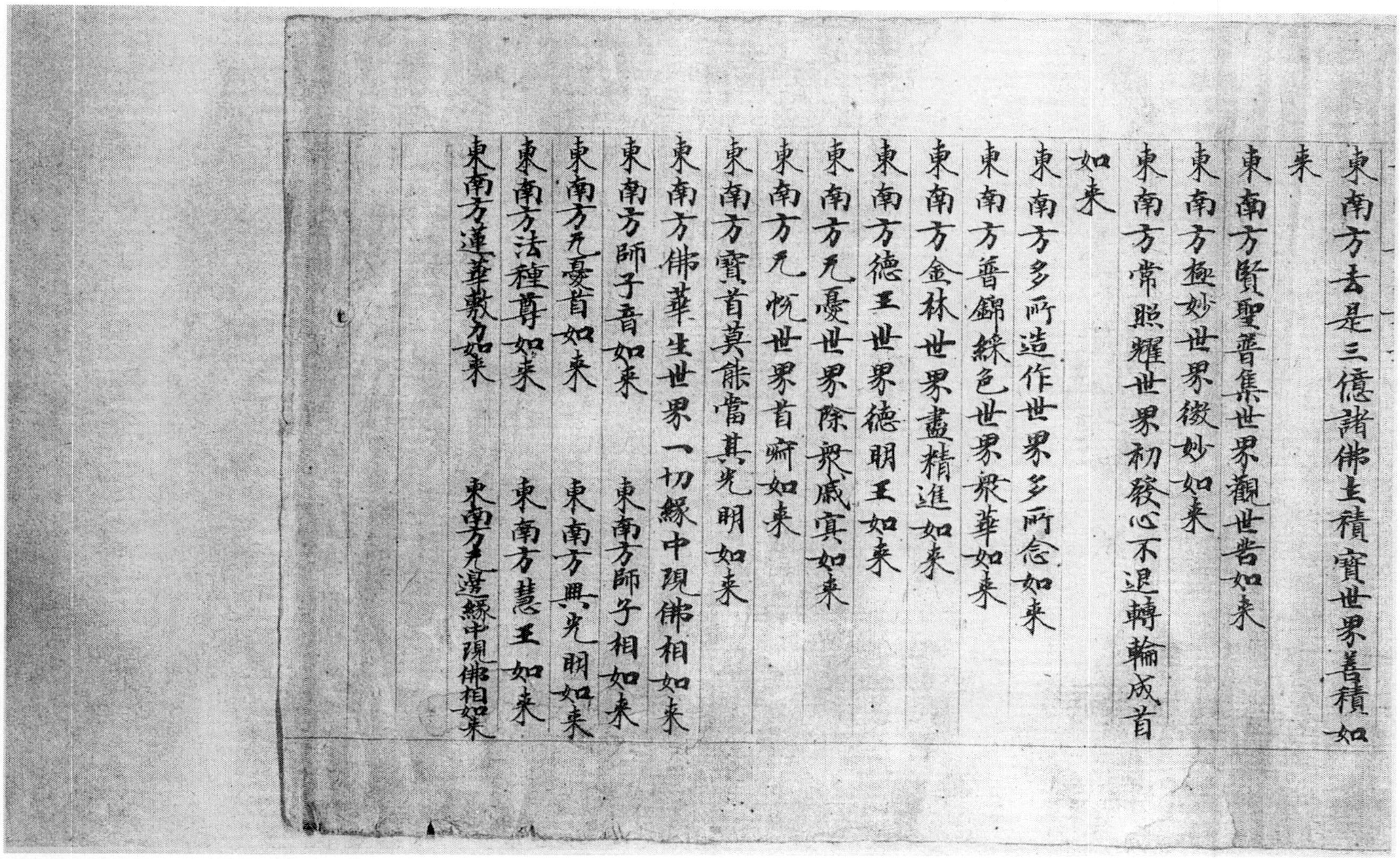

東南方去是三億諸佛土積實世界善積如
來
東南方賢聖普集世界觀世音如來
東南方極妙世界微妙如來
東南方常照耀世界初發心不退轉輪成首
如來
東南方多所造作世界多所念如來
東南方普鄣綵色世界衆華如來
東南方金林世界盡精進如來
東南方德王世界德明王如來
東南方无憂世界除衆戚冥如來
東南方无恍世界首嚮如來
東南方寶首莫能當其光明如來
東南方佛華生世界一切緣中現佛相如來
東南方師子音如來　東南方師子相如來
東南方无憂首如來　東南方興光明如來
東南方法種尊如來　東南方慧王如來
東南方蓮華敷力如來　東南方无邊緣中現佛相如來

BD02012 號　不思議功德諸佛所護念經（兌廢稿）卷下　（2–2）

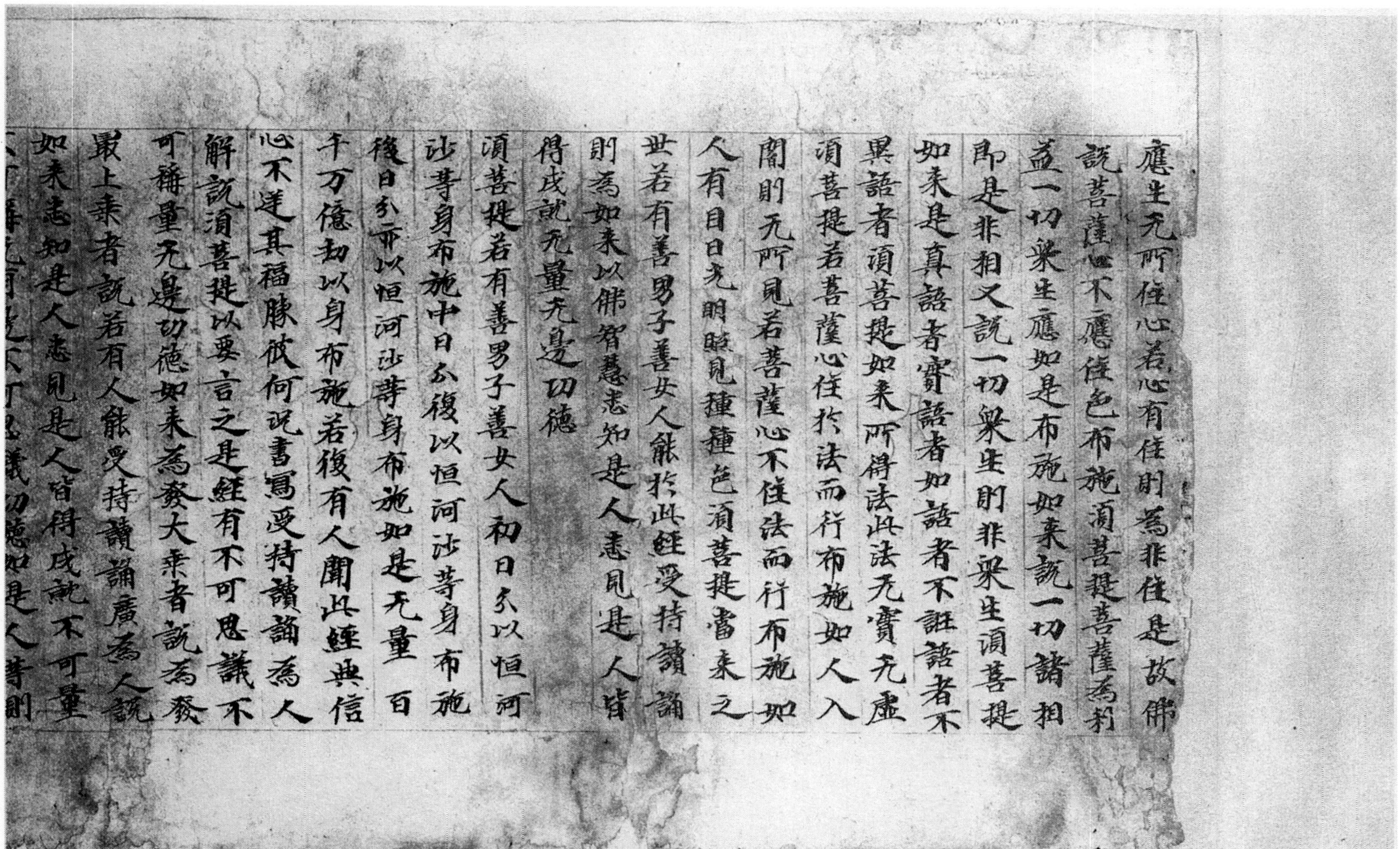

應生无所住心若心有住則為非住是故佛
說菩薩心不應住色布施須菩提菩薩為利
益一切衆生應如是布施如來說一切諸相
即是非相又說一切衆生則非衆生須菩提
如來是真語者實語者如語者不誑語者不
異語者須菩提如來所得法此法无實无虛
須菩提若菩薩心住於法而行布施如人入
闇則无所見若菩薩心不住法而行布施如
人有目日光明照見種種色須菩提當來之
世若有善男子善女人能於此經受持讀誦
則為如來以佛智慧悉知是人悉見是人皆
得成就无量无邊功德
須菩提若有善男子善女人初日分以恒河
沙等身布施中日分復以恒河沙等身布施
後日分亦以恒河沙等身布施如是无量百
千万億劫以身布施若復有人聞此經典信
心不逆其福勝彼何況書寫受持讀誦為人
解說須菩提以要言之是經有不可思議不
可稱量无邊功德如來為發大乘者說為發
最上乘者說若有人能受持讀誦廣為人說
如來悉知是人悉見是人皆得成就不可量
[illegible]稱无有邊不可思議功德如是人等則

BD02013 號　金剛般若波羅蜜經　（4–1）

解說須菩提

可稱量无邊功德如來為發大乘者說為發
最上乘者說若有人能受持讀誦廣為人說
如來悉知是人悉見是人皆得成就不可量
不可稱无有邊不可思議功德如是人等則
為荷擔如來阿耨多羅三藐三菩提何以故
須菩提若樂小法者著我見人見眾生見壽
者見則於此經不能聽受讀誦為人解說須
菩提在在處處若有此經一切世間天人阿
脩羅所應供養當知此處則為是塔皆應恭
敬作禮圍繞以諸華香而散其處
復次須菩提若善男子善女人受持讀誦此
經若為人輕賤是人先世罪業應墮惡道以
今世人輕賤故先世罪業則為消滅當得阿
耨多羅三藐三菩提須菩提我念過去无量
阿僧祇劫於然燈佛前得值八百四千万億
那由他諸佛悉皆供養承事无空過者若復
有人於後末世能受持讀誦此經所得功德
於我所供養諸佛功德百分不及一千万億
分乃至算數譬喻所不能及須菩提若善男
子善女人於後末世有受持讀誦此經所得
功德我若具說者或有人聞心則狂亂狐疑
不信須菩提當知是經義不可思議果報亦
不可思議
尒時須菩提白佛言世尊善男子善女人發
阿耨多羅三藐三菩提心云何應住云何降

BD02013號　金剛般若波羅蜜經　（4–2）

不可思議
尒時須菩提白佛言世尊善男子善女人發
阿耨多羅三藐三菩提心云何應住云何降
伏其心佛告須菩提善男子善女人發阿耨
多羅三藐三菩提者當生如是心我應滅度
一切眾生滅度一切眾生已而无有一眾生
實滅度者何以故若菩薩有我相人相眾生
相壽者相則非菩薩所以者何須菩提實无
有法發阿耨多羅三藐三菩提者須菩提於
意云何如來於然燈佛所有法得阿耨多羅
三藐三菩提不不也世尊如我解佛所說義
佛於然燈佛所无有法得阿耨多羅三藐三
菩提佛言如是如是須菩提實无有法如來
得阿耨多羅三藐三菩提
須菩提若有法如來得阿耨多羅三藐三菩
提者然燈佛則不與我受記汝於來世當得
作佛号釋迦牟尼以實无有法得阿耨多
羅三藐三菩提是故然燈佛與我受記作是
言汝於來世當得作佛号釋迦牟尼何以故
如來者即諸法如義若有人言如來得阿耨
多羅三藐三菩提須菩提實无有法佛得阿
耨多羅三藐三菩提須菩提如來所得阿耨
多羅三藐三菩提於是中无實无虛是故如
來說一切法皆是佛法須菩提所言一切法
者即非一切法是故名一切法須菩提譬如

BD02013號　金剛般若波羅蜜經　（4–3）

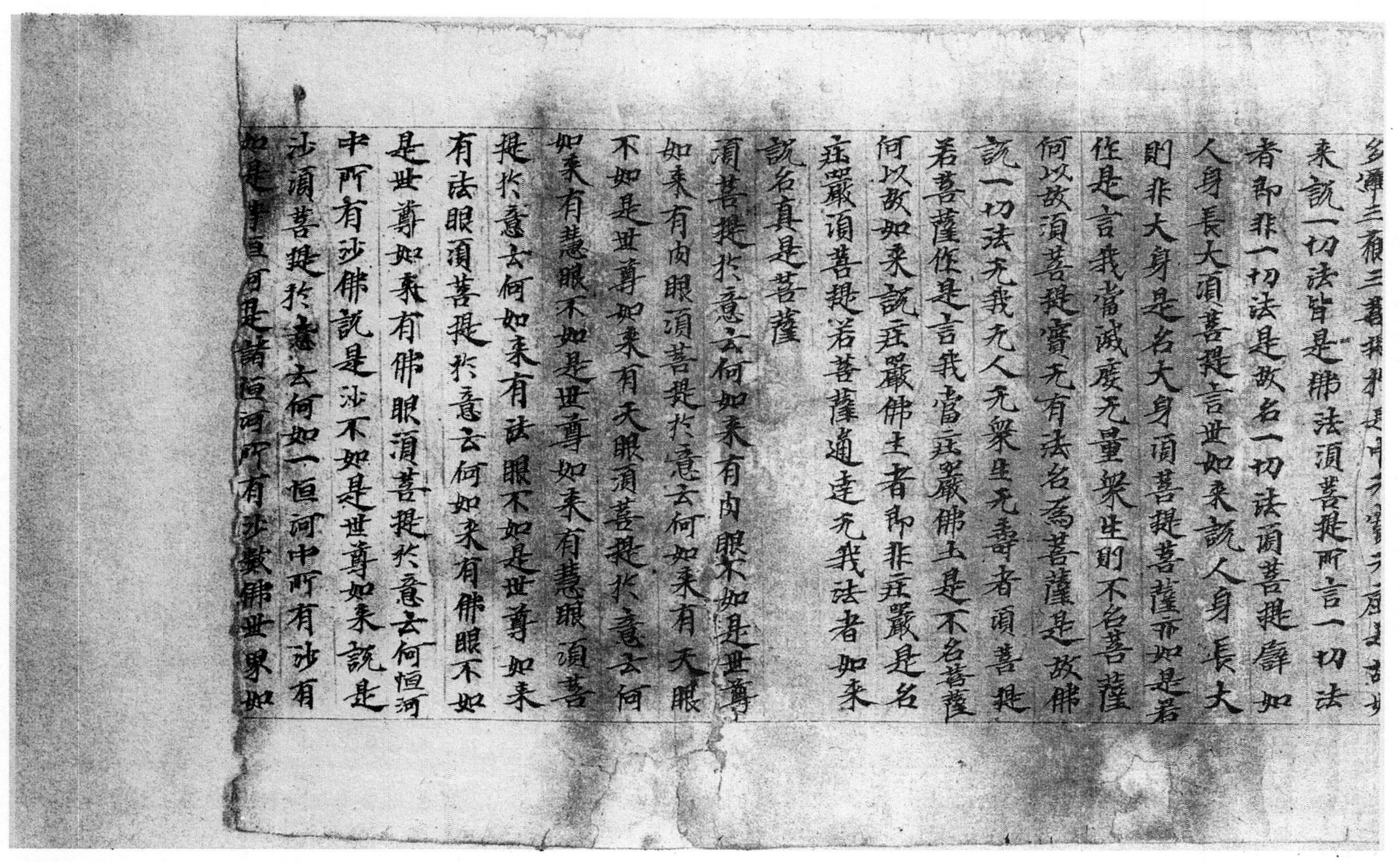

多羅三藐三菩提於是中无實无虛是故如
來說一切法皆是佛法須菩提所言一切法
者即非一切法是故名一切法須菩提譬如
人身長大須菩提言世尊如來說人身長大
則非大身是名大身須菩提菩薩亦如是若
作是言我當滅度无量衆生則不名菩薩
何以故須菩提實无有法名為菩薩是故佛
說一切法无我无人无衆生无壽者須菩提
若菩薩作是言我當莊嚴佛土是不名菩薩
何以故如來說莊嚴佛土者即非莊嚴是名
莊嚴須菩提若菩薩通達无我法者如來
說名真是菩薩
須菩提於意云何如來有肉眼不如是世尊
如來有肉眼須菩提於意云何如來有天眼
不如是世尊如來有天眼須菩提於意云何
如來有慧眼不如是世尊如來有慧眼須菩
提於意云何如來有法眼不如是世尊如來
有法眼須菩提於意云何如來有佛眼不如
是世尊如來有佛眼須菩提於意云何恒河
中所有沙佛說是沙不如是世尊如來說是
沙須菩提於意云何如一恒河中所有沙有
如是沙等恒河是諸恒河所有沙數佛世界如

BD02013號 金剛般若波羅蜜經 （4–4）

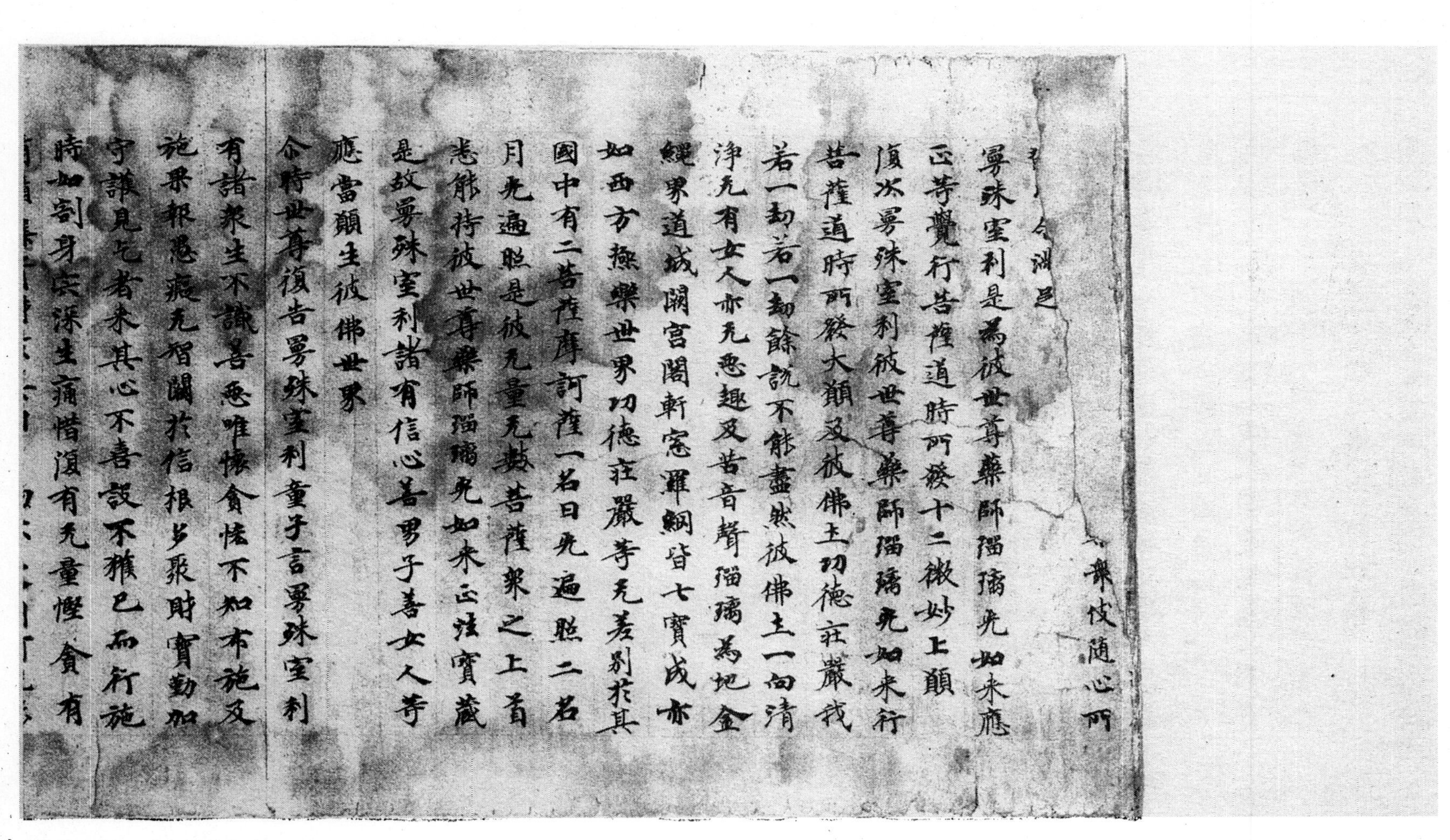

衆伎隨心所
令滿足
曼殊室利是為彼世尊藥師瑠璃光如來應
正等覺行菩薩道時所發十二微妙上願
復次曼殊室利彼世尊藥師瑠璃光如來行
菩薩道時所發大願及彼佛土功德莊嚴我
若一劫若一劫餘說不能盡然彼佛土一向清
淨无有女人亦无惡趣及苦音聲瑠璃為地金
繩界道城闕宮閣軒窓羅網皆七寶成亦
如西方極樂世界功德莊嚴等无差別於其
國中有二菩薩摩訶薩一名日光遍照二名
月光遍照是彼无量无數菩薩衆之上首
悉能持彼世尊藥師瑠璃光如來正法寶藏
是故曼殊室利諸有信心善男子善女人等
應當願生彼佛世界
尒時世尊復告曼殊室利童子言曼殊室利
有諸衆生不識善惡唯懷貪悋不知布施及
施果報愚癡无智闕於信根多聚財寶勤加
守護見乞者來其心不喜設不獲已而行施
時如割身肉深生痛惜復有无量慳貪有

BD02014號 藥師瑠璃光如來本願功德經 （11–1）

不識善惡唯懷貪悋不知布施及
施果報愚癡无智闕於信根多聚財寶勤加
守護見乞者来其心不喜設不獲已而行施
時如割身完深生痛惜復有无量慳貪有
情積集資財於其自身尚不受用何況能
與父母妻子奴婢作使及来乞者彼諸有情
從此命終生餓鬼界或傍生趣由昔人間
曾得暫聞藥師瑠璃光如来名故今在惡趣
暫得憶念彼如来名即於念時從彼處沒
還生人中得宿命念畏惡趣苦不樂欲樂好行
惠施讚歎施者一切所有悉无貪惜漸次尚
能以頭目手足血完身分施来求者況餘財物
復次曼殊室利若諸有情雖於如来受諸學
處而破尸羅有雖不破尸羅而破軌則有於
尸羅軌則雖得不壞然毀正見有雖不毀正
見而棄多聞於佛所說契經深義不能解
了有雖多聞而增上慢由增上慢覆蔽心故
自是非他嫌謗正法為魔伴黨如是愚人自
行邪見復令无量俱胝有情墮大險坑此諸
有情應於地獄傍生鬼趣流轉无窮若得聞
此藥師瑠璃光如来名号便捨惡行脩諸善法
不墮惡趣設有不能捨諸惡行脩行善法墮
惡趣者以彼如来本願威力令其現前暫聞
名号從彼命終還生人趣得正見精進善調
意樂便能捨家趣於非家如来法中受持學
處无有毀犯正見多聞解甚深義離增上慢
不謗正法不為魔伴漸次脩行諸菩薩行速

BD02014號　藥師瑠璃光如來本願功德經　（11–2）

名号從彼命終還生人趣得正見精進善調
意樂便能捨家趣於非家如来法中受持學
處无有毀犯正見多聞解甚深義離增上慢
不謗正法不為魔伴漸次脩行諸菩薩行速
得圓滿
復次曼殊室利若諸有情慳貪嫉妬自讚毀
他當墮三惡趣中无量千歲受諸劇苦受劇
苦已從彼命終還生人間作牛馬駝驢恒被
鞭撻飢渴逼惱又常負重隨路而行或得為
人生居下賤作人奴婢受他驅役恒不自在
若昔人中曾聞世尊藥師瑠璃光如来名号
由此善因今復憶念至心歸依以佛神力衆
苦解脫諸根聰利智慧多聞恒求勝法常遇
善友永斷魔羂破无明㲉竭煩惱河解脫一
切生老病死憂悲苦惱
復次曼殊室利若諸有情好喜乖離更相鬪
訟惱亂自他以身語意造作增長種種惡
業展轉常為不饒益事互相謀害告召山林
樹冢等神煞諸衆生取其血完祭祀藥叉羅刹
婆等書怨人名作其形像以惡呪術而呪咀之
厭媚蠱道呪起屍鬼令斷彼命及壞其身是
諸有情若得聞此藥師瑠璃光如来名号彼
諸惡事悉不能害一切展轉皆起慈心利益
安樂无損惱意及嫌恨心各各歡悅於自所
受生於喜足不相侵淩互為饒益
復次曼殊室利若有四衆苾芻苾芻尼鄔波

BD02014號　藥師瑠璃光如來本願功德經　（11–3）

諸惡事悉不能害一切展轉皆起慈心利益
安樂无損惱意及嫌恨心各各歡悅於自所
受生於喜足不相侵淩互為饒益
復次曼殊室利若有四眾苾芻苾芻尼鄔波
索迦鄔波斯迦及餘淨信善男子善女人等
有能受持八分齋戒或經一年或復三月受
持學處以此善根願生西方極樂世界无量
壽佛所聽聞正法而未定者若聞世尊藥師
瑠璃光如來名號臨命終時有八菩薩乘神
通來示其道路即於彼界種種雜色眾寶華
中自然化生或有因此生於天上雖生天中
而本善根亦未窮盡不復更生諸餘惡趣天
上壽盡還生人間或為輪王統攝四洲威德
自在安立无量百千有情於十善道或生剎
帝利婆羅門居士大家多饒財寶倉庫盈溢
形相端嚴眷屬具足聰明智慧勇健威猛如
大力士若是女人得聞世尊藥師瑠璃光如來
名號至心受持於後不復更受女身
尒時曼殊室利童子白佛言世尊我當誓於
像法轉時以種種方便令諸淨信善男子善
女人等得聞世尊藥師琉璃光如來名號乃
至睡中亦以佛名覺悟其耳世尊若於此經
受持讀誦或復為他演說開示若自書若使
人書恭敬尊重以種種華香塗香末香燒香
花鬘瓔珞幡蓋伎樂而為供養以五色綵作
囊盛之掃灑淨處敷設高座而用安處尒時

BD02014 號　藥師瑠璃光如來本願功德經　（11–4）

人書恭敬尊重以種種華香塗香末香燒香
花鬘瓔珞幡蓋伎樂而為供養以五色綵作
囊盛之掃灑淨處敷設高座而用安處尒時
四大天王與其眷屬及餘无量百千天眾皆
詣其所供養守護世尊若此經寶流行之處
有能受持以彼世尊藥師瑠璃光如來本願
功德及聞名號當知是處无復橫死亦復不
為諸惡鬼神奪其精氣設已奪者還得如故
身心安樂
佛告曼殊室利如是如是如汝所說曼殊室
利若有淨信善男子善女人等欲供養彼世
尊藥師瑠璃光如來者應先造立彼佛形像
敷清淨座而安處之散種種華燒種種香
以種種幢幡莊嚴其處七日七夜受八分齋
戒食清淨食澡浴香潔著新淨衣應生无垢
濁心无怒害心於一切有情起利益安樂慈
悲喜捨平等之心鼓樂歌讚右遶佛像復應
念彼如來本願功德讀誦此經思惟其義演
說開示隨所樂願一切皆遂求長壽得長
壽求富饒得富饒求官位得官位求男女
得男女若復有人忽得惡夢見諸惡相或怪
鳥來集或於住處百怪出現此人若以眾妙
資具恭敬供養彼世尊藥師琉璃光如來者
惡夢惡相諸不吉祥皆悉隱沒不能為患或有
水火刀毒懸嶮惡象師子虎狼熊羆毒蛇惡
蝎蜈蚣蚰蜒蚊虻等怖若能至心憶念彼佛

BD02014 號　藥師瑠璃光如來本願功德經　（11–5）

為來集或於住處百怪出現此人若以衆妙
資具恭敬供養彼世尊藥師琉璃光如來者
惡夢惡相諸不吉祥皆悉隱沒不能為患或有
水火刀毒懸嶮惡象師子虎狼熊羆毒蛇惡
蝎蜈蚣蚰蜒蚊虻等怖若能至心憶念彼佛
恭敬供養一切怖畏皆得解脫若他國侵擾盜
賊反亂憶念恭敬彼如來者亦皆解脫
復次曼殊室利若有淨信善男子善女人等
乃至盡形不事餘天唯當一心歸佛法僧受
持禁戒若五戒十戒菩薩四百戒苾芻二百
五十戒苾芻尼五百戒於所受中或有毀犯
怖墮惡趣若能專念彼佛名号恭敬供養者
必定不受三惡趣生或有女人臨當產時受
於極苦若能至心稱名禮讚恭敬供養彼如
來者衆苦皆除所生之子身分具足形色端
正見者歡喜利根聰明安隱少病无有非人
奪其精氣
尒時世尊告阿難言如我稱揚彼佛世尊藥
師琉璃光如來所有功德此是諸佛甚深行
處難可解了汝為信不阿難白言大德世尊
我於如來所說契經不生疑惑所以者何一切
如來身語意業无不清淨世尊此日月輪可
令墮落妙高山王可使傾動諸佛所言无有
異也世尊有諸衆生信根不具聞說諸佛
甚深行處作是思惟云何但念藥師琉璃光
如來一佛名号便獲尒所功德勝利由此不信

BD02014號　藥師瑠璃光如來本願功德經　（11–6）

異也世尊有諸衆生信根不具聞說諸佛
甚深行處作是思惟云何但念藥師琉璃光
如來一佛名号便獲尒所功德勝利由此不信
返生誹謗彼於長夜失大利樂墮諸惡趣流
轉无窮佛告阿難是諸有情若聞世尊藥
師琉璃光如來名号至心受持不生疑惑墮惡
趣者无有是處阿難此是諸佛甚深所行
難可信解汝今能受當知皆是如來威力阿
難一切聲聞獨覺及未登地諸菩薩等皆悉
不能如實信解唯除一生所繫菩薩阿難人
身難得於三寶中信敬尊重亦難可得得聞
世尊藥師琉璃光如來名号復難於是阿難
彼藥師琉璃光如來无量菩薩行无量巧方
便无量廣大願我若一劫若一劫餘而廣說
者劫可速盡彼佛行願善巧方便无有盡
也尒時衆中有一菩薩摩訶薩名曰救脫即
從座起偏袒一肩右膝著地曲躬合掌而白
佛言大德世尊像法轉時有諸衆生為種種
患之所困厄長病羸瘦不能飲食喉脣乾燥
見諸方暗死相現前父母親屬朋友知識啼泣
圍遶然彼自身臥在本處見琰魔使引其神
識至于琰魔法王之前然諸有情有俱生神
隨其所作若罪若福皆具書之盡持授與琰
魔法王尒時彼王推問其人筭計所作隨其
罪福而處斷之時彼病人親屬知識若能為
彼歸依世尊藥師琉璃光如來請諸衆僧轉

BD02014號　藥師瑠璃光如來本願功德經　（11–7）

魔法王尒時彼王推問其人筭計所作隨其
罪福而處斷之時彼病人親屬知識若能為
彼歸依世尊藥師瑠璃光如來請諸衆僧轉
讀此經然七層之燈懸五色續命神幡或有
是處神識得還如在夢中明了自見或經七
日或二十一日或三十五日或四十九日彼識
還時如從夢覺皆自憶知善不善業所得
得果報由自證見業果報故乃至命難亦不
造作諸惡之業是故淨信善男子善女人等
皆應受持藥師琉璃光如來名号隨力所能恭
敬供養
尒時阿難問救脫菩薩曰善男子應云何恭
敬供養彼世尊藥師瑠璃光如來續命幡燈
復云何造救脫菩薩言大德若有病人欲
脫病苦當為其人七日七夜受持八分齋戒
應以飲食及餘資具隨力所辦供養苾芻僧
晝夜六時礼拜供養彼世尊藥師瑠璃光
如來讀誦此經四十九遍然四十九燈造彼如
來形像七軀一一像前各置七燈一一燈量大
如車輪乃至四十九日光明不絕造五色綵幡
長四十九搩手應放雜類衆生至四十九
可得過度危厄之難不為諸橫惡鬼所持復
次阿難若剎帝利灌頂王等灾難起時所
謂人衆疾疫難他國侵逼難自界叛逆難
星宿變怪難日月薄蝕難非時風雨難過

BD02014號　藥師瑠璃光如來本願功德經

（11-8）

次阿難若剎帝利灌頂王等灾難起時所
謂人衆疾疫難他國侵逼難自界叛逆難
星宿變怪難日月薄蝕難非時風雨難過
時不雨難彼剎帝利灌頂王等尒時應於一切
有情起慈悲心赦諸繫閉依前所說供養之
法供養彼世尊藥師瑠璃光如來由此善根
及彼如來本願力故令其國界即得安隱風
雨順時穀稼成熟一切有情无病歡樂於其
國中无有暴惡藥叉等神惱有情者一切惡
相皆即隱沒而剎帝利灌頂王等壽命色
力无病自在皆得增益阿難若帝后妃主
儲君王子大臣輔相中宮綵女百官黎庶
為病所苦及餘厄難亦應造立五色神幡然
燈續明放諸生命散雜色華燒衆名香病
得除愈衆難解脫
尒時阿難問救脫菩薩言善男子云何已盡
之命而可增益救脫菩薩言大德汝豈不聞
如來說有九橫死邪是故勸造續命幡燈脩
諸福德以脩福故盡其壽命不經苦患阿難
問言九橫云何救脫菩薩言若諸有情得病
雖輕然无醫藥及看病者設得遇醫授以
非藥實不應死而便橫死又信世間邪魔
外道妖孽之師妄說禍福便生恐動心不自
正卜問覓禍殺種種衆生解奏神明呼諸魍
魎請乞福祐欲兾延年終不能得愚癡迷惑
言邪倒見遂令橫死入於地獄无有出期

BD02014號　藥師瑠璃光如來本願功德經

（11-9）

外道妖孽之師妄説禍福便生恐動心不自
正卜問覓禍殺種種衆生解奏神明呼諸魍
魎請乞福祐欲冀延年終不能得愚癡迷惑
信邪倒見遂令横死入於地獄无有出期
是名初横二者横被王法之所誅戮三者畋
獵嬉戲耽婬嗜酒放逸无度横為非人奪其
精氣四者横為火焚五者横為水溺六者横
為種種惡獸所噉七者横墮山崖八者横為
毒藥厭禱呪咀起屍鬼等之所中害九者飢
渴所困不得飲食而便横死是為如來略説
横死有此九種其餘復有无量諸横難可
具説
復次阿難彼琰魔王主領世間名籍之記若
諸有情不孝五逆破辱三寶壊君臣法毀於
信戒琰魔法王隨罪輕重考而罰之是故
我今勸諸有情然燈造幡放生脩福令度
苦厄不遭衆難
尒時衆中有十二藥叉大將俱在會坐所謂
宮毗羅大將　伐折羅大將　迷企羅大將　安底羅大將
頞你羅大將　珊底羅大將　因達羅大將　波夷羅大將
摩虎羅大將　真達羅大將　招杜羅大將　毗羯羅大將
此十二藥叉大將一一各有七千藥叉以為眷
屬同時舉聲白佛言世尊我等今者蒙佛
威力得聞世尊藥師瑠璃光如來名号不復
更有惡趣之怖我等相率皆同一心乃至盡
形歸佛法僧誓當荷負一切有情為作義

BD02014號　藥師瑠璃光如來本願功德經　（11–10）

威力得聞世尊藥師瑠璃光如來名号不復
更有惡趣之怖我等相率皆同一心乃至盡
形歸佛法僧誓當荷負一切有情為作義
利饒益安樂隨於何等村城國邑空閑林
中若有流布此經或復受持藥師瑠璃光如
來名号恭敬供養者我等眷屬衛護是人
皆使解脱一切苦難諸有願求悉令滿足或
有疾厄求度脱者亦應讀誦此經以五色縷
結我名字得如願已然後解結
尒時世尊讚諸藥叉大將言善哉善哉大
藥叉將汝等念報世尊藥師瑠璃光如來恩
德者常應如是利益安樂一切有情
尒時阿難白佛言世尊當何名此法門我等
云何奉持佛告阿難此法門名説藥師瑠璃
光如來本願功德亦名説十二神將饒益有
情結願神呪亦名拔除一切業鄣應如是持
時薄伽梵説是説已諸菩薩摩訶薩及大
聲聞國王大臣婆羅門居士天龍藥叉揵達
縛阿素洛掲路荼緊捺洛莫呼洛伽人非人等
一切大衆聞佛所説皆大歡喜信受奉行
藥師琉璃光佛本願功德經

BD02014號　藥師瑠璃光如來本願功德經　（11–11）

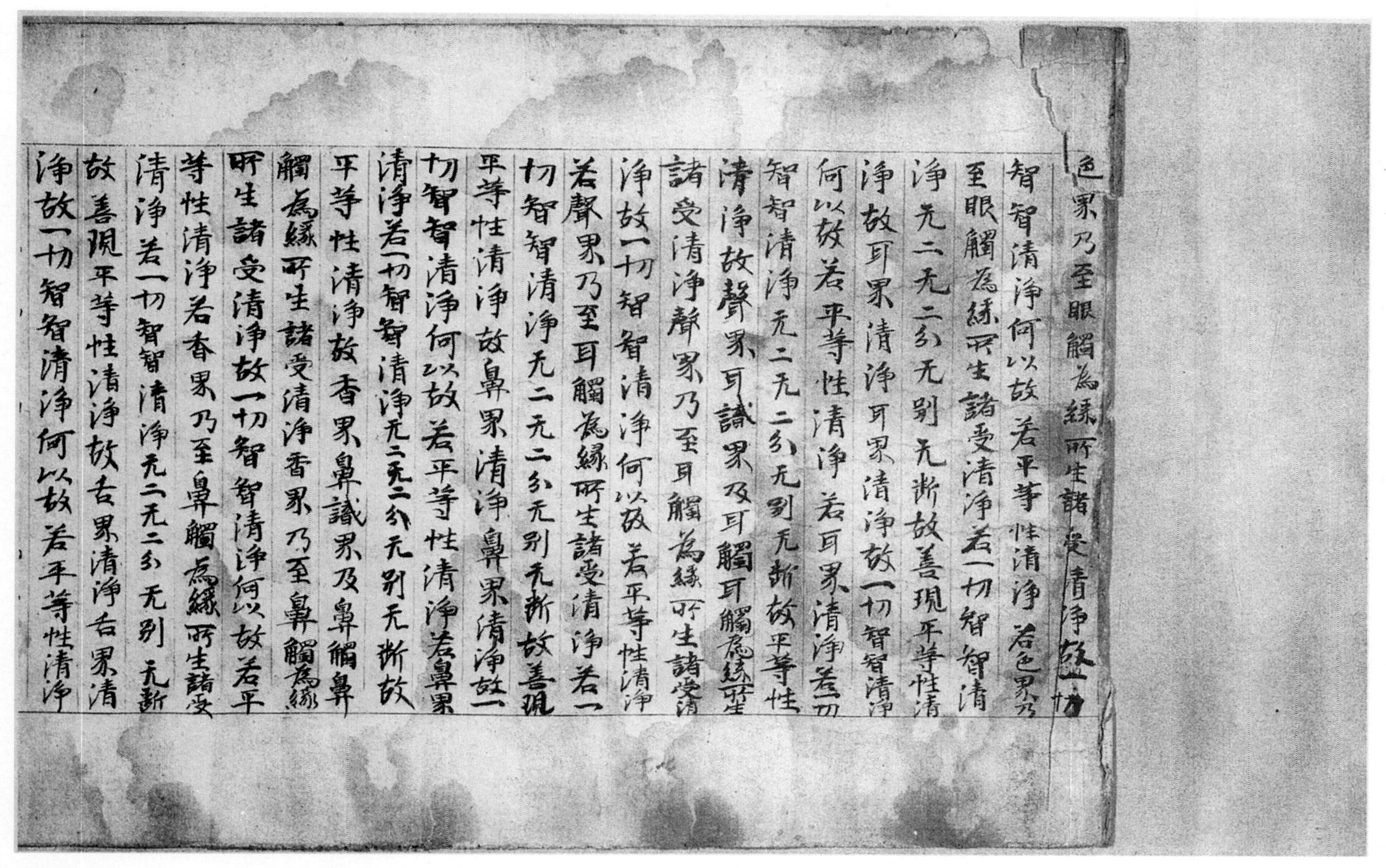
色界乃至眼觸為緣所生諸受清淨故一切
智智清淨何以故若平等性清淨若色界乃
至眼觸為緣所生諸受清淨若一切智智清
淨无二无二分无別无斷故善現平等性清
淨故耳界清淨耳界清淨故一切智智清淨
何以故若平等性清淨若耳界清淨若一切
智智清淨无二无二分无別无斷故平等性
清淨故聲界耳識界及耳觸耳觸為緣所生
諸受清淨聲界乃至耳觸為緣所生諸受清
淨故一切智智清淨何以故若平等性清淨
若聲界乃至耳觸為緣所生諸受清淨若一
切智智清淨无二无二分无別无斷故善現
平等性清淨故鼻界清淨鼻界清淨故一
切智智清淨何以故若平等性清淨若鼻界
清淨若一切智智清淨无二无二分无別无斷故
平等性清淨故香界鼻識界及鼻觸鼻
觸為緣所生諸受清淨香界乃至鼻觸為緣
所生諸受清淨故一切智智清淨何以故若平
等性清淨若香界乃至鼻觸為緣所生諸受
清淨若一切智智清淨无二无二分无別无斷
故善現平等性清淨故舌界清淨舌界清
淨故一切智智清淨何以故若平等性清淨

BD02015 號 A　大般若波羅蜜多經卷二一九　（6–1）

等性清淨若香界乃至鼻觸為緣所生諸受
清淨若一切智智清淨无二无二分无別无斷
故善現平等性清淨故舌界清淨舌界清
淨故一切智智清淨何以故若平等性清淨
若舌界清淨若一切智智清淨无二无二分
无別无斷故平等性清淨故味界舌識界及
舌觸舌觸為緣所生諸受清淨味界乃至舌
觸為緣所生諸受清淨故一切智智清淨何
以故若平等性清淨若味界乃至舌觸為緣
所生諸受清淨若一切智智清淨无二无二分
无別无斷故善現平等性清淨故身界清
淨身界清淨故一切智智清淨何以故若平
等性清淨若身界清淨若一切智智清淨无
二无二分无別无斷故平等性清淨故觸界
身識界及身觸身觸為緣所生諸受清淨觸
界乃至身觸為緣所生諸受清淨故一切智
智清淨何以故若平等性清淨若觸界乃至
身觸為緣所生諸受清淨若一切智智清淨
无二无二分无別无斷故善現平等性清淨
故意界清淨意界清淨故一切智智清淨何
以故若平等性清淨若意界清淨若一切智
智清淨无二无二分无別无斷故平等性清
淨故法界意識界及意觸意觸為緣所生
諸受清淨法界乃至意觸為緣所生諸受清
淨故一切智智清淨何以故若平等性清淨若
法界乃至意觸為緣所生諸受清淨若一切
智智清淨无二无二分无別无斷故善現平

BD02015 號 A　大般若波羅蜜多經卷二一九　（6–2）

諸受清淨法界乃至意觸為緣所生諸受清
淨故一切智智清淨何以故若平等性清淨若
法界乃至意觸為緣所生諸受清淨若一切
智智清淨无二无二分无別无斷故善現平
等性清淨故地界清淨地界清淨故一切智
智清淨何以故若平等性清淨若地界清淨
若一切智智清淨无二无二分无別无斷故
平等性清淨故水火風空識界清淨水火風
空識界清淨故一切智智清淨何以故若等
等性清淨若水火風空識界清淨若一切智
智清淨无二无二分无別无斷故善現平等
性清淨故无明清淨无明清淨故一切智智
清淨何以故若平等性清淨若无明清淨若
一切智智清淨无二无二分无別无斷故平
等性清淨故行識名色六處觸受愛取有生
老死愁歎苦憂惱清淨行乃至老死愁歎苦
憂惱清淨故一切智智清淨何以故若平等
性清淨若行乃至老死愁歎苦憂惱清淨
若一切智智清淨无二无二分无別无斷故
善現平等性清淨故布施波羅蜜多清淨布
施波羅蜜多清淨故一切智智清淨何以故若
平等性清淨若施波羅蜜多清淨若一切
智智清淨无二无二分无別无斷故平等性清
淨故淨戒安忍精進靜慮般若波羅蜜多
清淨淨戒乃至般若波羅蜜多清淨故一
切智智清淨何以故若平等性清淨若淨戒
乃至般若波羅蜜多清淨若一切智智清淨

BD02015號A　大般若波羅蜜多經卷二一九　（6–3）

清淨淨戒乃至般若波羅蜜多清淨故一
切智智清淨何以故若平等性清淨若淨戒
乃至般若波羅蜜多清淨若一切智智清淨
无二无二分无別无斷故善現平等性清淨
故內空清淨內空清淨故一切智智清淨何以
故若平等性清淨若內空清淨若一切智智
清淨无二无二分无別无斷故平等性清淨
故外空內外空空空大空勝義空有為空无
為空畢竟空无際空散空无變異空本性
空自相空共相空一切法空不可得空无性空
自性空无性自性空清淨外空乃至无性自
性空清淨故一切智智清淨何以故若平
等性清淨若外空乃至无性自性空清淨若
一切智智清淨无二无二分无別无斷故善
現平等性清淨故真如清淨真如清淨故一
切智智清淨何以故若平等性清淨若真如
清淨若一切智智清淨无二无二分无別无斷
故平等性清淨故法界法性不虛妄性不
變異性離生性法定法住實際虛空界不思
議界清淨法界乃至不思議界清淨故一切
智智清淨何以故若平等性清淨若法界乃
至不思議界清淨若一切智智清淨无二无
二分无別无斷故善現平等性清淨故苦聖
諦清淨苦聖諦清淨故一切智智清淨何以
故若平等性清淨若苦聖諦清淨若一切智
智清淨无二无二分无別无斷故平等性清
淨故集滅道聖諦清淨集滅道聖諦清淨

BD02015號A　大般若波羅蜜多經卷二一九　（6–4）

諦清淨若聖諦清淨故一切智智清淨何以
故若平等性清淨若苦聖諦清淨若一切智
智清淨无二无二分无別无斷故平等性清
淨故集滅道聖諦清淨集滅道聖諦清淨
故一切智智清淨何以故若平等性清淨若集
滅道聖諦清淨若一切智智清淨无二无二
分无別无斷故善現平等性清淨故四靜慮
清淨四靜慮清淨故一切智智清淨何以故
若平等性清淨若四靜慮清淨若一切智
智清淨无二无二分无別无斷故平等性清
淨故四无量四无色定清淨四无量四无色
定清淨故一切智智清淨何以故若平等性
清淨若四无量四无色定清淨若一切智智
清淨无二无二分无別无斷故善現平等性
清淨故八解脫清淨八解脫清淨故一切智
智清淨何以故若平等性清淨若八解脫清
淨若一切智智清淨无二无二分无別无斷故
平等性清淨故八勝處九次第定十遍處
清淨八勝處九次第定十遍處清淨故一切
智智清淨何以故若平等性清淨若八勝處
九次第定十遍處清淨若一切智智清淨无
二无二分无別无斷故善現平等性清淨故
四念住清淨四念住清淨故一切智智清淨何
以故若平等性清淨若四念住清淨若一
切智智清淨无二无二分无別无斷故平等
性清淨故四正斷四神足五根五力七等覺支
八聖道支清淨四正斷乃至八聖道支清淨
故一切智智清淨何以故若平等性清淨若四

BD02015號A　大般若波羅蜜多經卷二一九　（6–5）

以故若平等性清淨若四念住清淨若一
切智智清淨无二无二分无別无斷故平等
性清淨故四正斷四神足五根五力七等覺支
八聖道支清淨四正斷乃至八聖道支清淨
故一切智智清淨何以故若平等性清淨若四
正斷乃至八聖道支清淨若一切智智
清淨无二无二分无別无斷故善現平等性
清淨故空解脫門清淨空解脫門清淨故一
切智智清淨何以故若平等性清淨若空解
脫門清淨若一切智智清淨无二无二分无別
无斷故平等性清淨故无相无願解脫門
清淨无相无願解脫門清淨故一切智智清
淨何以故若平等性清淨若无相无願解脫
門清淨若一切智智清淨无二无二分无別
无斷故善現平等性清淨故菩薩十地清淨
菩薩十地清淨故一切智智清淨何以故若平
等性清淨若菩薩十地清淨若一切智智
清淨无二无二分无別无斷故
善現平等性清淨故五眼清淨五眼清淨故
一切智智清淨何以故若平等性清淨若五
眼清淨若一切智智清淨无二无二分无別

BD02015號A　大般若波羅蜜多經卷二一九　（6–6）

BD02015號 B　大般若波羅蜜多經卷二三九　　(1–1)

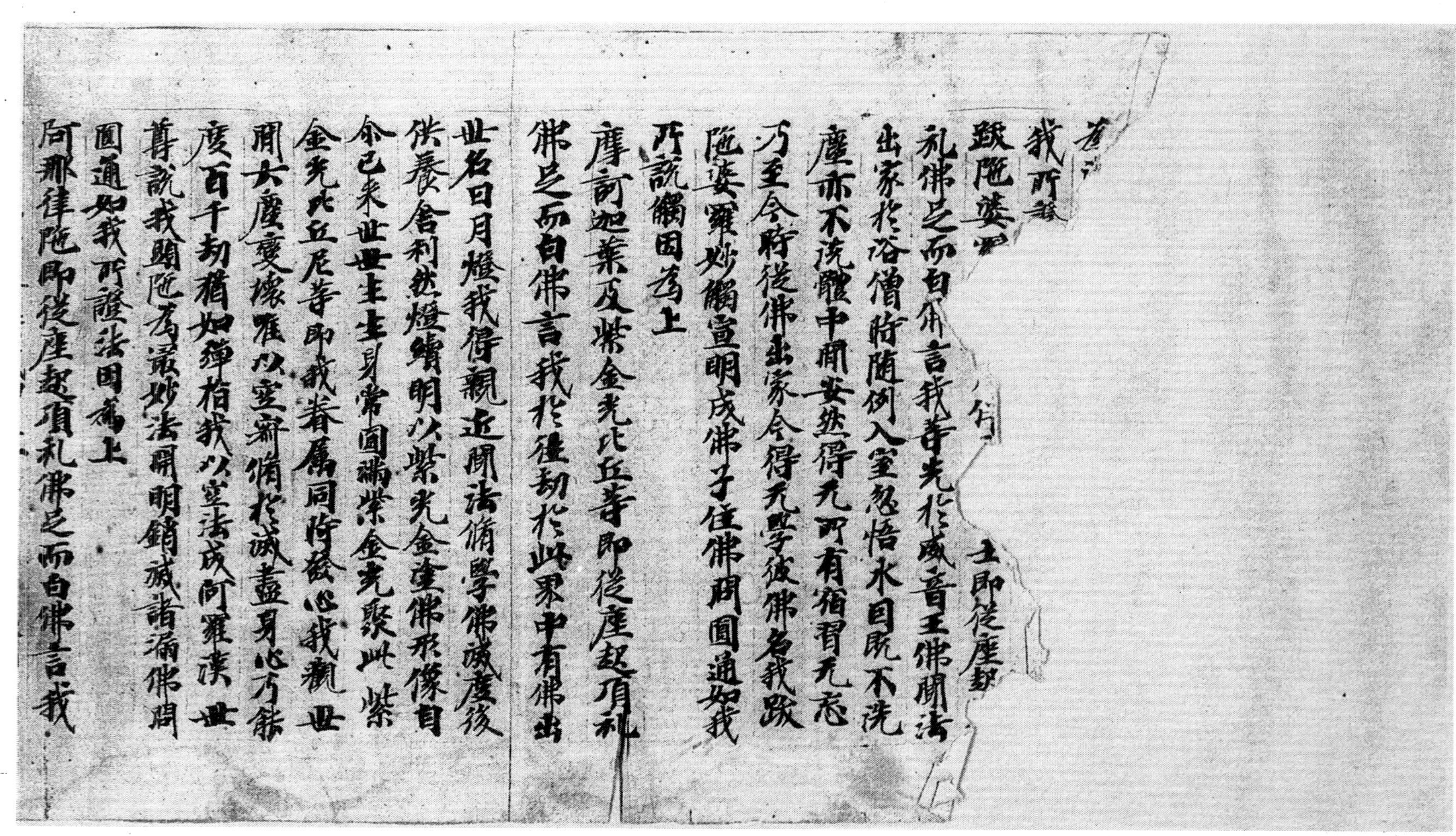

BD02016號　大佛頂如來密因修證了義諸菩薩萬行首楞嚴經卷五　　(10–1)

塵百千劫猶如彈指我以空法成阿羅漢
尊說我頭陀為最妙法開明銷滅諸漏佛問
圓通如我所證法因為上
阿那律陁即從座起頂礼佛足而白佛言我
初出家常樂睡眠如來訶我為畜生類我聞
佛訶啼泣自責七日不眠失其雙目世尊示
我樂見照明金剛三昧我不因眼觀見十方
精真洞然如觀掌果如來印我成阿羅漢佛
問圓通如我所證旋見循元斯為第一
周利槃特迦即從座起頂礼佛足而白佛言
我闕誦持无多聞性最初值佛聞法出家憶
持如來一句伽陁於一百日得前遺後得後
遺前佛愍我愚教我安居調出入息我時觀
息微細窮盡生住異滅諸行剎那其心豁然
得大无礙乃至漏盡成阿羅漢住佛座下印
成无學佛問圓通如我所證返息循空斯為
第一
驕梵鉢提即從座起頂礼佛足而白佛言我
有口業於過去劫輕弄沙門世世生生有牛呞
病如來示我一味清淨心地法門我得滅
心入三摩地觀味之知非體非物應念得超
世間諸漏內脫身心外遺世界遠離三有如
鳥出籠離垢銷塵法眼清淨成阿羅漢如來
親印登无學道佛問圓通如我所證還味旋
知斯為第一
畢陵伽婆蹉即從座起頂礼佛足而白佛言

BD02016號　大佛頂如來密因修證了義諸菩薩萬行首楞嚴經卷五　（10–2）

知斯為第一
畢陵伽婆蹉即從座起頂礼佛足而白佛言
我初發心從佛入道數聞如來說諸世間不
可樂事乞食城中心思法門不覺路中毒刺
傷足舉身疼痛我念有知知此深痛雖覺覺
痛覺清淨心无痛痛覺我又思惟如是一身
寧有雙覺攝念未久身心忽空三七日中諸
漏虛盡成阿羅漢得親印記發明无學佛問
圓通如我所證純覺遺身斯為第一
須菩提即從座起頂礼佛足而白佛言我曠
劫來心得无礙自憶受生如恒河沙初在母
胎即知空寂如是乃至十方成空亦令眾生
證得空性蒙如來發性覺真空空性圓明得
阿羅漢頓入如來寶明空海同佛知見印成
无學解脫性空我為无上佛問圓通如我所
證諸相入非非所非盡旋法歸无斯為第一
舍利弗即從座起頂礼佛足而白佛言我曠劫
來心見清淨如是受生如恒河沙世出世間種
種變化一見則通獲无障㝵我於路中逢
迦葉波兄弟相逐宣說因緣悟心无際從佛
出家見覺明圓得大无畏成阿羅漢為佛長
子從佛口生從法化生佛問圓通如我所證
心見發光光極知見斯為第一
普賢菩薩即從座起頂礼佛足而白佛言我
已曾與恒沙如來為法王子十方如來教其
弟子菩薩根者脩普賢行從我立名世尊我

BD02016號　大佛頂如來密因修證了義諸菩薩萬行首楞嚴經卷五　（10–3）

心見發光光極知見斯為第一
普賢菩薩即從座起頂礼佛足而白佛言我
已曾與恒沙如来為法王子十方如来教其
弟子菩薩根者脩普賢行從我立名世尊我
用心聞分別衆生所有知見若於他方恒沙
界外有一衆生心中發明普賢行者我於尒
時乘六牙象分身百千皆至其處縱彼障深
未合見我我與其人闇中摩頂擁護安慰
令其成就佛問圓通我說本因心聞發明分
別自在斯為第一
孫陁羅難陁即從座起頂礼佛足而白佛言
我初出家從佛入道雖具戒律於三摩提心
常散動未獲无漏世尊教我及俱絺羅觀鼻
端白我初諦觀經三七日見鼻中氣出入如
煙身心內明圓洞世界遍成虛淨猶如瑠璃
煙相漸銷鼻息成白心開漏盡諸出入息化
為光明照十方界得阿羅漢世尊記我當得
菩提佛問圓通我以銷息息久發明明圓滅
漏斯為第一
富樓那彌多羅尼即從座起頂礼佛足而
白佛言我曠劫来辯才无礙宣說苦空深達
實相如是乃至恒沙如来秘密法門我於衆中
微妙開示得无所畏世尊知我有大辯才
以音聲輪教我發揚我於佛前助佛轉輪因
師子吼成阿羅漢世尊印我說法无上佛問
圓通我以法音降伏魔怨銷滅諸漏斯為
第一

BD02016號　大佛頂如來密因修證了義諸菩薩萬行首楞嚴經卷五　（10–4）

師子吼成阿羅漢世尊印我說法无上佛問
圓通我以法音降伏魔怨銷滅諸漏斯為
第一
優波離即從座起頂礼佛足而白佛言我親
隨佛踰城出家親觀如来六年懃苦親見如
来降伏諸魔制諸外道解脫世間貪欲諸漏
承佛教戒如是乃至三千威儀八万微細性
業遮業悉皆清淨身心寂滅成阿羅漢我是
如来衆中綱紀親印我心持戒脩身衆推无
上佛問圓通我以執身身得自在次第執心
心得通達然後身心一切通利斯為第一
大目揵連即從座起頂礼佛足而白佛言我
初於路乞食逢遇優樓頻螺伽耶那提三迦
葉波宣說如来因緣深義我頓發心得大通
達如来惠我袈裟著身鬚髮自落我遊十方
得无罣礙神通發明推為无上阿羅漢寧唯
世尊十方如来歎我神力圓明清淨自在无
畏佛問圓通我以旋湛心光發宣如澄濁流
久成清瑩斯為第一
烏芻瑟摩於如来前合掌頂礼佛之雙足而
白佛言我常先憶久遠劫前性多貪欲有佛
出世名曰空王說多婬人成猛火聚教我遍
觀百骸四肢諸冷煖氣神光內凝化多婬心
成智慧火從是諸佛皆呼召我名為火頭我
以火光三昧力故成阿羅漢心發大願諸佛
成道我為力士親伏魔怨佛問圓通我以諦

BD02016號　大佛頂如來密因修證了義諸菩薩萬行首楞嚴經卷五　（10–5）

出世名曰空王說多婬人成猛火聚教我遍
觀百骸四肢諸冷煖氣神光內凝化多婬心
成智慧火從是諸佛皆呼召我名為火頭我
以火光三昧力故成阿羅漢心發大願諸佛
成道我為力士親伏魔怨佛問圓通我以諦
觀身心煖觸无礙流通諸漏既銷生大寶燄
登无上覺斯為苐一
持地菩薩即從座起頂礼佛足而白佛言我
念往昔普光如來出現於世我為比丘常於
一切要路津口田地險隘有不如法妨損車
馬我皆平填或作橋梁或負沙土如是勤苦
經无量佛出現於世或有眾生於闤闠處要
人擎物我先為擎至其所詣放物即從不取
其直毗舍浮佛現在世時世多飢荒我為負
人无問遠近唯取一錢或有車牛被於泥溺
我有神力為其推輪拔其苦惱時國大王延
佛設齋我於爾時平地待佛毗舍如來摩頂
謂我當平心地則世界地一切皆平我即心
開見身微塵造世界所有微塵等无差別微
塵自性不相觸摩乃至刀兵亦无所觸我於
法性悟无生忍成阿羅漢迴心今入菩薩位
中聞諸如來宣妙蓮花佛知見地我先證明
而為上首佛問圓通我以諦觀身界二塵等
无差別本如來藏虛妄發塵塵銷智圓成无
上道斯為苐一
月光童子即從座起頂礼佛足而白佛言我

BD02016號　大佛頂如來密因修證了義諸菩薩萬行首楞嚴經卷五　（10–6）

无差別本如來藏虛妄發塵塵銷智圓成无
上道斯為苐一
月光童子即從座起頂礼佛足而白佛言我
憶往昔恒河沙劫有佛出世名為水天教諸
菩薩修習水精入三摩地觀於身中水性无
奪初從涕唾如是窮盡津液精血大小便利
身中旋復水性一同見水身中與世界外浮
幢王剎諸香水海等无差別我於是時初成
此觀但見其水未得无身當為比丘室中安
禪我有弟子窺窗觀室唯見清水遍在屋
中了无所見童稚无知取一瓦礫投於水內
激水作聲顧盻而去我出定後頓覺心痛如
舍利弗遭違害鬼我自思惟今我已得阿羅
漢道久離病緣云何今日忽生心痛將无退
失爾時童子捷來我前說如上事我則告言
汝更見水可即開門入此水中除去瓦礫童子
奉教後入定時還復見水瓦礫宛然開門
除出我後出定身質如初逢无量佛如是至
於山海自在通王如來方得亡身與十方界
諸香水海性合真空无二无別今於如來得
童真名預菩薩會佛問圓通我以水性一味
流通得无生忍圓滿菩提斯為苐一
瑠璃光法王子即從座起頂礼佛足而白佛
言我憶往昔經恒沙劫有佛出世名无量聲
開示菩薩本覺妙明觀此世界及眾生身皆
是妄緣風力所轉

BD02016號　大佛頂如來密因修證了義諸菩薩萬行首楞嚴經卷五　（10–7）

言我憶往昔經恒沙劫有佛出世名无量壽
開示菩薩本覺妙明觀此世界及衆生身皆
是妄緣風力所轉我於尒時觀界安立觀世
動時觀身動止觀心動念諸動无二等无差
別成時了覺此羣動性来无所從去无所至
十方微塵顛倒衆生同一虛妄如是乃至三
千大千一世界內所有衆生如一器中貯百蚊
蚋啾啾亂鳴於分寸中鼓發狂鬧逢佛未幾
得无生忍尒時心開乃見東方不動佛
國為法王子事十方佛身心發光洞徹无礙
佛問圓通我以觀察風力无依悟菩提心入
三摩地合十方佛傳一妙心斯為第一
虛空藏菩薩即從座起頂礼佛足而白佛言
我与如来定光佛所得无邊身尒時手執四
大寶珠照明十方微塵佛剎化成虛空又於
自心現大圓鏡內放十種微妙寶光流灌十
方盡虛空際諸幢王剎来入鏡內涉入我身身
同虛空不相妨礙身能善入微塵國土廣
行佛事得大隨順此大神力由我諦觀四大
无依妄想生滅虛空无二佛國本同於同發明
得无生忍佛問圓通我以觀察虛空无邊
入三摩地妙力圓明斯為第一
弥勒菩薩即從座起頂礼佛足而白佛言我
憶往昔經微塵劫有佛出世名日月燈明我
從彼佛而得出家心重世名好遊族姓尒時

弥勒菩薩即從座起頂礼佛足而白佛言我
憶往昔經微塵劫有佛出世名日月燈明我
從彼佛而得出家心重世名好遊族姓尒時
世尊教我修習唯心識定入三摩地歷劫已
来以此三昧事恒沙佛求世名心歇滅无有
至然燈佛出現於世我乃得成无上妙圓識
心三昧乃至盡空如来國土淨穢有无皆是
我心變化所現世尊我了如是唯心識故識
性流出无量如来今得授記次補佛處佛問
圓通我以諦觀十方唯識識心圓明入圓成
實遠離依他及遍計執得无生忍斯為第一
大勢至法王子与其同倫五十二菩薩即從座
起頂礼佛足而白佛言我憶往昔恒河沙
劫有佛出世名无量光十二如来相繼一劫
其最後佛名超日月光彼佛教我念佛三
昧譬如有人一專為憶一人專忘如是二人
若逢不逢或見非見二人相憶二憶念深如
是乃至從生至生同於形影不相乖異十方
如来憐念衆生如母憶子若子逃逝雖憶何
為子若憶母如母憶時母子歷生不相違遠
若衆生心憶佛念佛現前當来必定見佛去
佛不遠不假方便自得心開如染香人身有
香氣此則名曰香光莊嚴我本因地以念佛
心入无生忍今於此界攝念佛人歸於淨土
佛問圓通我无選擇都攝六根淨念相繼得
三摩提斯為第一

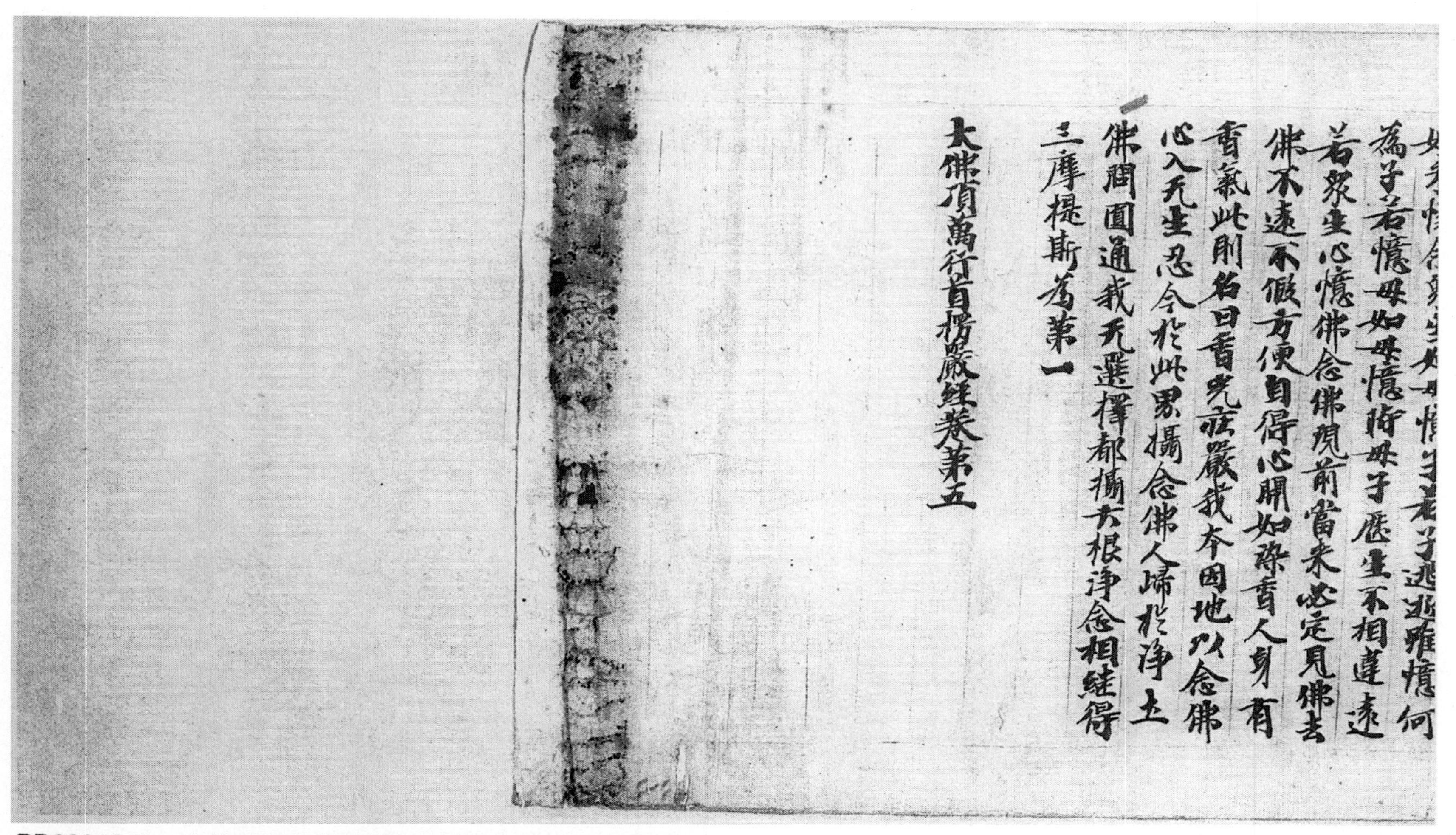

BD02016 號　大佛頂如來密因修證了義諸菩薩萬行首楞嚴經卷五　（10–10）

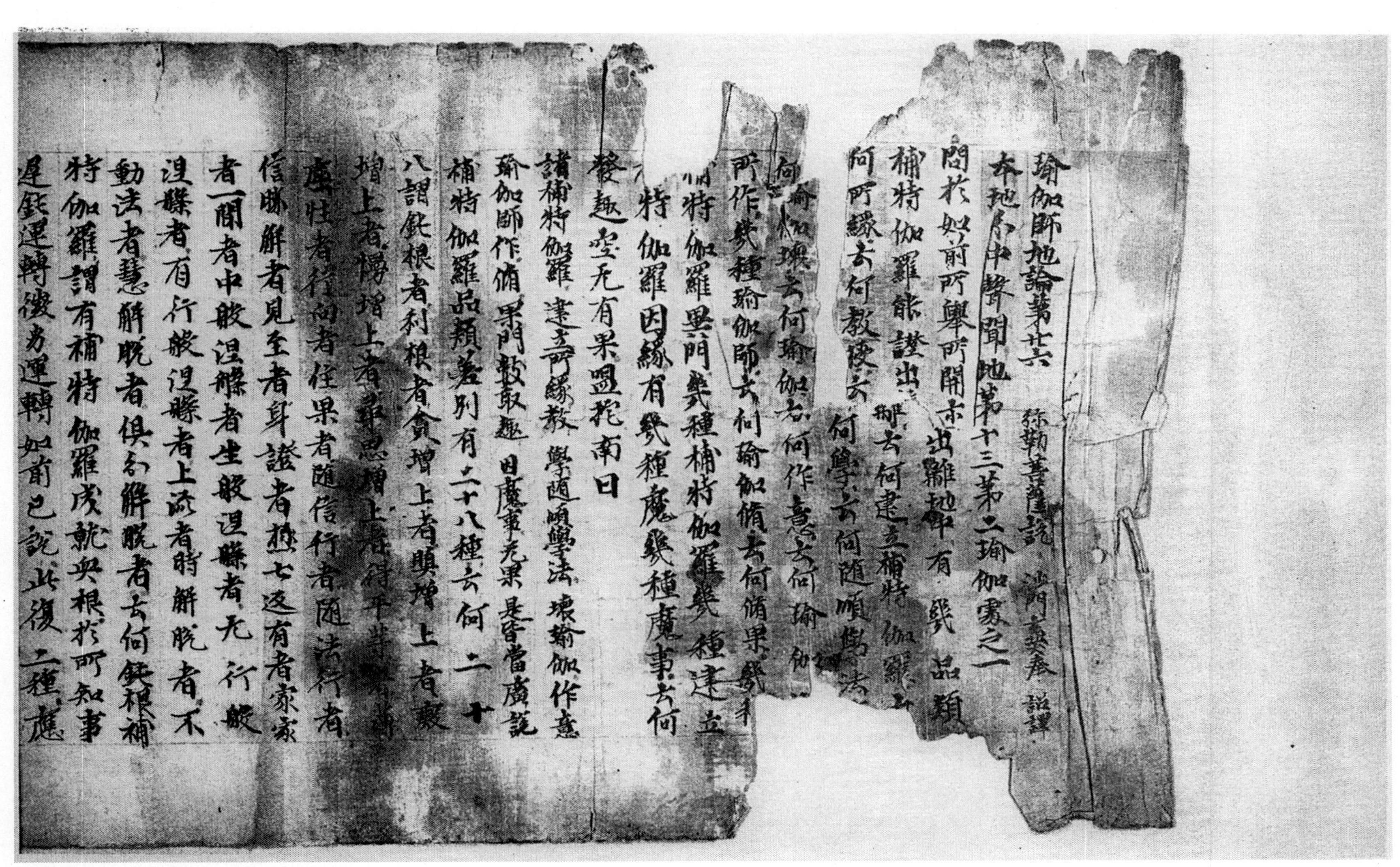

BD02017 號　瑜伽師地論卷二六　（21–1）

信勝解者見至者身證者極七返有者家家
者一間者中般涅槃者生般涅槃者无行般
涅槃者有行般涅槃者上流者時解脫者不
動法者慧解脫者俱分解脫者云何鈍根補
特伽羅謂有補特伽羅成就鈍根於所知事
遲鈍運轉微劣運轉如前已說此復二種應
知其相一者本來鈍根種姓二者未善脩習
諸根云何利根補特伽羅謂有補特伽羅成
就利根於所知事不遲鈍運轉不微劣運轉
如前已說此亦二種應知其相一者本來利
根種姓二者已善脩習諸根云何貪增上補
特伽羅謂有補特伽羅先餘生中於貪煩
惱已脩已習已多脩習由是因緣今此生中於
所愛事有猛利貪有長時貪是名貪增上
補特伽羅云何瞋增上補特伽羅謂有補特
伽羅先餘生中於瞋煩惱已脩已習已多脩
習由是因緣今此生中於所所憎事有猛利瞋
有長時瞋是名瞋增上補特伽羅云何癡增上
補特伽羅謂有補特伽羅先餘生中於癡煩
惱已脩已習已多脩習由是因緣今此生中
於所愚事有猛利癡有長時癡是名癡增上
補特伽羅云何慢增上補特伽羅謂有補特
伽羅先餘生中於慢煩惱已脩已習已多脩
習由是因緣今此生中於所慢事有猛利慢
有長時慢是名慢增上補特伽羅云何尋思
增上補特伽羅謂有補特伽羅先餘生中於
其尋思已脩已習已多脩習由是因緣今此
生中於所尋思事有猛利尋思有長時尋

BD02017號　瑜伽師地論卷二六　（21–2）

有長時慢是名慢增上補特伽羅云何尋思
增上補特伽羅謂有補特伽羅先餘生中於
其尋思已脩已習已多脩習由是因緣今此
生中於所尋思事有猛利尋思有長時尋
思是名尋思增上補特伽羅云何得平等補特
伽羅謂有補特伽羅先餘生中雖於貪瞋癡
慢尋思不脩不習不多脩習而於彼法未見
過患未能猒壞未善推求由是因緣於所愛
所憎所愚所慢所尋思事无猛利貪无長時
貪恐如彼事貪得現行如貪瞋癡慢尋思
亦尒是名得平等補特伽羅云何薄塵性補
特伽羅謂有補特伽羅先餘生中於貪煩惱
不脩不習不多脩習已能於彼多見過患已能
猒壞已善推求由是因緣今此生中於所愛
會
事會遇現前衆多義妙上品境中起微妙貪
於其中品下品境中貪全不起如貪瞋癡慢
尋思應知亦尒是名薄塵性補特伽羅云何
行向補特伽羅謂行四向補特伽羅何等為
四一預流果向二一來果向三不還果向四阿
羅漢果向是名行向補特伽羅云何住果
補特伽羅謂住四果補特伽羅何等為四一預
流果二一來果三不還果四阿羅漢果是名
住果補特伽羅云何隨信行補特伽羅謂有
補特伽羅從他求請教授教誡由此力故脩
證果行非如所聞所受所究竟所思所量所
觀察法自有功德自有勢力隨法脩行唯由
隨他補特伽羅信而脩行是名隨信行補特
伽羅云何隨法行補特伽羅謂有補特伽羅

BD02017號　瑜伽師地論卷二六　（21–3）

補特伽羅從他求請教授教誡由此力故脩
證果行非如所聞所受所究竟所思所量所
觀察法自有功德自有勢力隨法脩行唯由
隨他補特伽羅信而脩行是名隨信行補特
伽羅云何隨法行補特伽羅謂有補特伽羅
如其所聞所受所究竟所思所量所觀察法
自有功能自有勢力隨法脩行不從他求教
授教試脩證果行是名隨法行補特伽羅云何
信勝解補特伽羅謂即隨信行補特伽羅因
他教授教誡於沙門果得觸證時名信勝解
補特伽羅云何見至補特伽羅謂即隨法
行補特伽羅不由他教授教誡於沙門果得觸證時說名見至
補特伽羅云何身證補特伽羅謂有補特伽
羅於八解脫順逆入出身作證多安住而未
能得諸漏永盡是名身證補特伽羅云何名
為極七返有補特伽羅謂有補特伽羅已能
永斷薩迦耶見戒禁取疑三種結故得預流
果成无墮法定趣菩提極七返有天人往來
極至七返證苦邊際如是名為極七返有補
特伽羅云何家家補特伽羅謂有二種家家
一天家家二人家家天家家者謂於天上從
家至家若往若來證苦邊際人家家者謂
於人間從家至家若往若來證苦邊際當知
此二俱是預流補特伽羅云何一間補特伽羅
謂即一來補特伽羅行不還果向已能永斷
欲界煩惱上品中品唯餘下品唯更受一欲
界天有即於彼處得般涅槃不復還來生此
世間是名一間補特伽羅云何中般涅槃補特

BD02017號　瑜伽師地論卷二六

(21-4)

謂即一來補特伽羅行不還果向已能永斷
欲界煩惱上品中品唯餘下品唯更受一欲
界天有即於彼處得般涅槃不復還來生此
世間是名一間補特伽羅云何中般涅槃補特
伽羅謂有三種中般涅槃補特伽羅一有
一種中般涅槃補特伽羅從此沒已中有續
生中有生已便般涅槃如小札火纔星纔學 札
即便謝滅二有一種中般涅槃補特伽羅從
此沒已中有續生中有生已少時經停未趣
生有便般涅槃如鐵搏鎚炎熾赫然鎚鍛星
流未下便滅三有一種中般涅槃補特伽羅
從此沒已中有續生中有生已往趣生有未
得生有便般涅槃如彼熱鐵鎚鍛星流下未
至地即便謝滅如是三種中般涅槃補特伽
羅總說為中般涅槃補特伽羅云何生般
涅槃補特伽羅謂纔生彼已便般涅槃是名
生般涅槃補特伽羅云何无行般涅槃補特
伽羅謂生彼已不起加行不作功用不由劬
勞道現在前而般涅槃是名无行般涅槃補
特伽羅云何有行般涅槃補特伽羅謂彼生
已發起加行作大功用由極劬勞道現在前
而般涅槃是名有行般涅槃補特伽羅云何
上流補特伽羅謂有不還補特伽羅從此上生
初靜慮已住於彼處不般涅槃從彼沒已展
轉上生諸所生處乃至或到色究竟天或到
非想非非想處是名上流補特伽羅云何時解
脫補特伽羅謂有補特伽羅鈍根種性於諸
諸世間現法樂住容有退失或思自害或寺

BD02017號　瑜伽師地論卷二六

(21-5)

非想非非想處是名上流補特伽羅云何時解
脫補特伽羅謂有補特伽羅鈍根種姓於諸
諸世間現法樂住容有退失或思自害或守
解脫勵力勤脩不放逸行謂防退失增上力
故或唯安住自分善品或經彼彼日夜剎那
瞬息須臾勵力外進乃至未證最極猛利
是名時解脫補特伽羅云何不動法補特伽
羅謂有補特伽羅與上相違當知是名不動
法補特伽羅云何慧解脫補特伽羅謂有補
特伽羅已能證得諸漏永盡於八解脫未能
身證具足安住是名慧解脫補特伽羅云何
俱分解脫補特伽羅謂有補特伽羅已能證
得諸漏永盡於八解脫身已作證具足安住
於煩惱障分及解脫障分心俱解脫是名俱
分解脫補特伽羅

云何建立補特伽羅謂由十一差別道理應
知建立補特伽羅云何十一差別道理一根
差別故二眾差別故三行差別故四願差別
故五行迹差別故六道果差別故七加行差
別故八定差別故九生差別故十退不退差
別故十一障差別故云何由根差別建立補
特伽羅謂根差別故建立二種補特伽羅一
者鈍根二者利根云何由眾差別建立補特
伽羅謂眾差別故建立七種補特伽羅謂苾
芻苾芻尼式叉摩那勞策男勞策女近事男
近事女云何由行差別建立補特伽羅謂行差
別故建立七種補特伽羅謂若貪增上補特

苾芻苾芻尼式叉摩那勞策男勞策女近事男
近事女云何由行差別建立補特伽羅謂行差
別故建立七種補特伽羅謂若貪增上補特
伽羅名貪行者若瞋增上補特伽羅名瞋行
者若癡增上補特伽羅名癡行者若慢增上
補特伽羅名慢行者若尋思增上補特伽羅
名尋思行者若得平等補特伽羅名等分行
者若薄塵性補特伽羅名薄塵行者云何貪行
補特伽羅應知何相答貪行補特伽羅於諸
微劣所愛事中尚能生起最極厚重上品貪
纏何況中品上品境界又此貪纏住在身中經
久相續長時隨轉由貪纏故為可愛法之
所制伏不能制伏彼可愛法諸根憺濘諸根
不彊諸根不躁不麁為性不好以惡身
語損惱於他難使遠離難使猒患下劣勝解
事業堅牢事業久固禁式堅牢禁式久固能
忍能受於資生具為性耽染深生愛重多喜
多悅遠離嚬蹙舒顏平視含笑先言如是等
類應知是名貪行者相問瞋行補特伽羅應
知何相答瞋行補特伽羅於諸微劣所增事
中尚能生起最極厚重上品瞋纏何況中品上
品境界又此瞋纏住在身中經久相續長
時隨縛由此瞋纏為可憎法之所制伏不能
制伏彼可憎法諸根枯槁諸根剛彊諸根躁
擾諸根麁燥為性好樂以惡身語損惱於他
易令遠離易令猒患凶暴彊口形相皺眉先
多勝解事業不堅事業不固禁式不堅禁式
不固不忍不受多憂多惱性好違背所求不

躁諸根麁礫為性好樂以惡身語積惱於他
易令遠離易令猒患凶暴強口形相攰層无
多勝解事業不堅事業不固禁戒不堅禁戒
不固不忍不受多憂多惱性好違背所取不
順性多愁慼性好麁言多懷嫉恨意樂憋烈
悖惡无狙好相乖對得少語言多恚多憤燋
悴而住喜生忿怒眉面頻蹙恒不舒顏邪精
下視於他榮利多憎多嫉如是等類應知是
名瞋行者相閒癡行補特伽羅應知何相答
癡行補特伽羅於諸微劣所愚事中尚能生
起最極厚重上品癡纏何況中品上品境界
又此癡纏住在身中經久相續長時隨縛由此
癡纏為可癡法之所制伏不能制伏彼可癡
法諸根闇鈍諸根愚昧諸根羸劣身業慢
緩語業慢緩惡思所思惡說所說惡作所作
嬾墯懈怠起不圓滿詞辯薄弱性不聰慜念
多忘失不正知住所取左僻難使遠離難使
猒患下劣勝解頑騃瘖瘂以手代言无有力
能領解善說惡說法義緣所牽纏他所引奪
他所策使如是等類應知是名癡行者相閒慢
行補特伽羅應知何相答慢行補特伽羅於
諸微劣所慢事中尚能生起最極厚重上品
慢纏何況中品上品境界又此慢纏住在身
中經久相續長時隨縛由慢纏故為可慢法
之所制伏不能制伏彼可慢法諸根掉動諸
根高舉諸根散亂勤樂嚴身言語高大不樂
謙下於其父母眷屬師長不能時時如法承
事多懷憍傲不能以身礼敬問合掌迎送

BD02017號　瑜伽師地論卷二六

(21–8)

根高舉諸根散亂勤樂嚴身言語高大不樂
謙下於其父母眷屬師長不能時時如法承
事多懷憍傲不能以身礼敬問合掌迎送
脩和敬業自高自舉陵蔑他人樂著利養
樂著恭敬樂著世間稱譽聲頌所為輕舉喜
作嘲調難使遠離難使猒患廣大勝解微劣
慈悲詐戒有情命者養者補特伽羅生者等
見多分上品多惡多恨如是等類應知是名
慢行者相閒尋思行補特伽羅應知何相答
尋思行補特伽羅於諸微劣所思思事尚能
發起最極厚重上品尋思纏何況中品上品
境界此尋思纏住在身中經久相續長時隨
縛由此纏故為可尋思法之所制伏不能制
伏可尋思法諸根不住諸根飄舉諸根掉動
諸根散亂身業誤失語業誤失難使遠離難
使猒患善為戲論樂著戲論多或多疑多壞
樂欲禁戒不堅禁戒不定事業不堅事業不定
多懷恐慮念多忘失不樂遠離多樂散動於
諸世間種種妙事貪欲隨流翹勤无墮起發
圓滿如是等類應知是名尋思行者相如是
名為由行差別建立補特伽羅云何由願差
別建立補特伽羅謂或有補特伽羅於聲聞
乘已發正願或有補特伽羅於獨覺乘已發
正願或有補特伽羅於其大乘已發正願當
知此中若補特伽羅於聲聞乘已發正願彼
或聲聞種姓或獨覺種姓或大乘種姓若補
特伽羅於獨覺菩提已發正願彼或獨覺種
姓或聲聞種姓或大乘種姓若補特伽羅

BD02017號　瑜伽師地論卷二六

(21–9)

或聲聞種姓或獨覺種姓或大乘種姓若補
特伽羅於獨覺菩提已發正願彼或獨覺種
姓或聲聞種姓或大乘種姓若補特伽羅
於其大乘已發正願彼或大乘種姓或獨覺
種姓或聲聞種姓若聲聞種姓補特伽羅於
獨覺菩提或於无上正等菩提已發正願彼
是聲聞種姓故後時決定還捨彼願必唯安
住聲聞乘願獨覺乘種姓大乘種姓補特伽
羅應知亦尒此中所有補特伽羅願可移轉
願可捨離決定不可移轉種姓捨離種姓今
此義中當知唯說聲聞乘願聲聞種姓補特
伽羅如是名為由願差別建立補特伽羅云
何由行迹差別建立補特伽羅謂如所舉如
所聞亦補特伽羅依四行迹而得出離苦等
為四謂或有行迹是苦遲通或有行迹是苦
速通或有行迹是樂遲通或有行迹是樂
速通當知此中若鈍根性補特伽羅未得根
本靜慮所有得迹名苦遲通若利根性補特
伽羅未得根本靜慮所有行迹名苦速通若
鈍根性補特伽羅已得根本靜慮所有行迹名
樂遲通若利根性補特伽羅已得根本靜慮
所有行迹名樂速通如是名為由行迹差別
建立補特伽羅云何由道果差別建立補特
伽羅謂行四向及住四果行四向者一預流果
向補特伽羅二一來果向補特伽羅三不還
果向補特伽羅四阿羅漢果向補特伽羅住
四果者一預流果二一來果三不還果四阿
羅漢果若於向道轉彼名行向者由向道故

BD02017號　瑜伽師地論卷二六　（21–10）

果向補特伽羅四阿羅漢果向補特伽羅住
四果者一預流果二一來果三不還果四阿
羅漢果若於向道轉彼名行向者由向道故
建立四種補特伽羅若得沙門果彼名住果
者由道果故建立四種補特伽羅如是名為
由道果差別建立補特伽羅云何由加行差
別建立補特伽羅謂隨信行及隨法行補
特伽羅若隨補特伽羅信勤脩正行名隨信
行補特伽羅若於諸法不待他緣隨毗奈耶勤
脩正行名隨法行補特伽羅如是名為由加行
差別建立補特伽羅云何由定差別建立
補特伽羅謂身證補特伽羅於八解脫身已
作證具足安住而未獲得諸漏永盡當知如
是補特伽羅於有色觀諸色解脫內无色
想觀外諸色解脫淨解脫身作證具足住空
无邊處解脫識无邊處解脫无所有處解脫
非想非非想處解脫想受滅解脫已能順逆
入出自在如是名為由定差別建立補特伽
羅云何由生差別建立補特伽羅謂極七返
有家家一間中般涅槃生般涅槃无行般涅
槃有行般涅槃及以上流補特伽羅如是名
為由生差別建立補特伽羅云何由退不退
差別建立補特伽羅謂由退故建立時解脫
阿羅漢彼於現法樂住容有退失由不退故
建立不動法阿羅漢彼於現法樂住定无退
失如是名為由退不退差別建立補特伽羅
云何由障差別建立補特伽羅謂慧解脫及
俱分解脫阿羅漢慧解脫阿羅漢皆已

BD02017號　瑜伽師地論卷二六　（21–11）

逮至不動法阿羅漢從於現法樂住乃至退
失如是名為由退不退差別建立補特伽羅
云何由障差別建立補特伽羅謂慧解脫及
俱分解脫阿羅漢慧解脫阿羅漢者謂已
解脫煩惱障未解脫定障俱分解脫阿羅
漢者謂已解脫煩惱障及已解脫定障是故
說名俱分解脫如是名為由障差別建立補伽
特羅由此所舉及所開示差別道理如其次第
應知建立補特伽羅
云何所緣謂有四種所緣境事何等為四一
者遍滿所緣境事二者淨行所緣境事三者
善巧所緣境事四者淨惑所緣境事
云何遍滿所緣境事謂復四種一有分別影
像二无分別影像三事邊際性四所作成辦
云何有分別影像謂如有一或聽聞正法或
教授教誡為所依止或見或聞或分別故於所
知事同分影像由三摩呬多地毗鉢舍那行觀
察簡擇極簡擇遍尋思遍伺察所知事者謂
或不淨或慈愍或緣性緣起或界差別或阿
那波那念或蘊善巧或界善巧或處善巧或
緣起善巧或處非處善巧或下地麁性上
地靜性或苦諦集諦滅諦道諦是名所知事
此所知事或依教授教誡或聽聞正法為所
依止令三摩呬多地作意現前即於彼法而
起勝解即於彼所知事而起勝解彼於爾時
於所知事如現領受勝解而轉雖彼所知事
非現領受和合現前亦非所餘彼種類物然由
三摩呬多地勝解領受相似作意領受彼所知

起勝解即於彼所知事而起勝解彼於爾時
於所知事如現領受勝解而轉雖彼所知事
非現領受和合現前亦非所餘彼種類物然由
三摩呬多地勝解領受相似作意領受彼所知
事相似顯現由此道理名所知事同分影像
脩觀行者推求此故於彼本性所知事中觀
察審定功德過失是名有分別影像云何无
分別影像謂脩觀行者受取如是影像相
已不復觀察簡擇極簡擇遍尋思遍伺察
然即於此所緣影像以奢摩他行寂靜其心
即是九種行相令心安住謂令心內住等住
安住近住調伏寂靜最極寂靜一趣等持彼於
爾時成无分別影像所緣即於如是所緣影像
一向一趣安住其念不復觀察簡擇極簡擇
遍尋思遍伺察是名无分別影像即此影
像亦名影像亦名三摩地相亦名三摩地所行
境界亦名三摩地口亦名三摩地門亦名作意
處亦名內分別體亦名光影如是等類當知
名為所知事同分影像諸名差別云何事邊
際性謂若所緣盡所有性如所有性云何名
為盡所有性謂色蘊外更无餘色受想行識
蘊外更无有餘受想行識一切有為事皆五
法所攝一切諸法界處所攝一切所知事四
聖諦攝如是名為盡所有性云何名為
如所有性謂若所緣是真實性是真如性由
四道理具道理性謂觀待道理作用道理證
道理具道理性謂觀法爾道理如是若所緣
境盡所有性如所有性總說為一事邊際性云何

聖諦稱如此名為盡所有性[illegible]
如所有性謂若所緣是真實性是真如性由
四道理具道理性謂觀待道理作用道理證
道理具道理性謂觀法尒道理如是若所緣
境盡所有性如所有性總說為事邊際性云何
所作成辦謂脩觀行者於奢摩他毗鉢舍那若
習若多脩習為因緣故諸緣影像所有作意皆
得圓滿此圓滿故便得轉依一切麁重悉皆息滅
得轉依故超過影像即於所知事有无分
別現量智見生入初靜慮者得初靜慮時
初靜慮所行境界入第二第三第四靜慮
者得第二第三第四靜慮時於第二第三第
四靜慮所行境界入空无邊處識无邊處无
所有處非想非非想處者得彼定時即於彼
定所行境界如是名為所作成辦如是四種
所緣境事遍行一切隨入一切所緣境中去
來今世正等覺者共所宣說是故說名遍
滿所緣此所緣境遍毗鉢舍那品遍奢摩
他品遍一切事遍真實事遍因果相屬事故
名遍滿謂若說有分別影像即是毗鉢舍
那品若說无分別影像即是此中奢摩他品若
說事邊際性即是此中一切事真實事若說
所作成辦即是此中因果相屬事如佛世尊
曾為長老頡隸伐多說如是義曾聞長老
頡隸伐多問世尊言大德諸有苾芻勤脩觀
行是瑜伽師能於所緣安住其心為何於緣安
住其心云何於緣安住其心齊何名為心善
安住佛告長老頡隸伐多善哉善哉汝今善

BD02017號　瑜伽師地論卷二六　（21–14）

頡隸伐多問世尊言大德諸有苾芻勤脩觀
行是瑜伽師能於所緣安住其心為何於緣安
住其心云何於緣安住其心齊何名為心善
安住佛告長老頡隸伐多善哉善哉汝今善
能問如是義汝今諦聽極善思惟吾當為汝
宣說頡隸伐多諸有苾芻勤脩觀行是
瑜伽師能於所緣安住其心或樂淨行或樂
善巧或樂令心解脫諸漏於相稱緣安住其心
相於似緣安住其心於緣无倒安住其心能
於其中不捨靜慮云何苾芻勤脩觀行是
瑜伽師於相稱緣安住其心謂彼苾芻若唯
有貪行應於不淨緣安住其心如是名為於
相稱緣安住其心若唯有瞋行應於慈愍安
住其心若唯有癡行應於緣性緣起安住其
心若唯有憍行應於界差別安住其心若唯
有尋思行應於阿那波那念安住其心
如是名為於相稱緣安住其心頡隸伐多又
彼苾芻若愚諸行自相愚我有情命者生
者能養育者補特伽羅事應於蘊善巧
安住其心若愚其因應於界善巧安住其心
若愚其緣應於處善巧安住其心若愚
无常苦空无我應於緣起處非處善巧安住
住其心若樂離欲界欲應於諸欲麁性諸
色靜性安住其心若樂離色界欲應於
諸色麁性无色靜性安住其心若樂通
達及樂解脫遍一切處薩迦耶事應於
苦諦集諦滅諦道諦安住其心是名
苾芻勤脩觀行是瑜伽師於相稱緣安

BD02017號　瑜伽師地論卷二六　（21–15）

諸色麁性无色性静安住其心若樂通
達及樂解脫遍一切處薩迦耶事應於
苦諦集諦滅諦道諦安住其心是名
苾芻勤修觀行是瑜伽師於相稱緣安
住其心頡隸伐多云何苾芻勤修觀行是
瑜伽師於相似緣安住其心謂彼苾芻於彼彼
所知事為欲簡擇極簡擇遍尋思伺遍察故於
先所見所聞所覺所知事由見聞覺知增上力
故以三摩呬多地作意思惟分別而起勝解
彼雖於其本所知事不能和合現前觀察然
與本事相似而生於彼所緣有彼相似唯智
唯見唯正憶念又彼苾芻於時時間令心寂
靜於時時間依增上慧法毗鉢舍那勤修觀
行是名苾芻勤修觀行是瑜伽師於相似緣
安住其心頡隸伐多云何苾芻勤修觀行是
瑜伽師於緣无倒安住其心謂若苾芻勤修
觀行是瑜伽師於所緣境安住其心隨應解
了所知境界如實无倒能遍了知是名苾芻
勤修觀行是瑜伽師於緣无倒安住其心頡
隸伐多云何苾芻勤修觀行是瑜伽師能於
其中不捨靜處謂若苾芻勤修觀行是瑜伽
師如是於緣正修行時无間加行殷重加行
於時時間修習心相舉相捨相由修由習由多
修習為因緣故一切麁重悉皆息滅隨得
觸證所依清淨於所知事由現見故隨得觸
證所緣清淨由離貪故隨得觸證心遍清淨
離无明故隨得證智遍清淨是名苾芻勤
修觀行是瑜伽師能於其中不捨靜處頡隸

修習為因緣故一切麁重悉皆息滅隨得
觸證所依清淨於所知事由現見故隨得觸
證所緣清淨由離貪故隨得觸證心遍清淨
離无明故隨得證智遍清淨是名苾芻勤
修觀行是瑜伽師能於其中不捨靜處頡隸
伐多為此苾芻於所緣境安住其心如是於緣
安住其心如是於緣安住心已名善安住世尊
此中重說頌曰
行者行諸相　知一切實義　常於影靜慮　得證遍清淨
此中說言行者行諸相者由此宣說修觀行
者於心舉捨相无間修行殷重修行若復說
言知一切實義者由此宣說事邊際性若復
說言常於影靜慮者由此宣說有分別影
像无分別影像若復說言得證遍清淨者由此
宣說所作成辦此中世尊復說頌曰
於心相遍知　能受遠離味　靜慮常委念　受喜樂離染
此中說言於心相遍知者謂有分別影像无分
別影像以心相名說事邊際性以遍知名說
若復說言能受遠離味者由此宣說於其
所緣正修行者樂斷樂修若復說言靜慮常
委念者由此宣說於奢摩他毗鉢舍那常勤
修習委悉修習若復說言受喜樂離染者
此宣說所作成辦當知如是遍滿所緣隨順淨
教契合正理如是名為遍滿所緣
云何名為淨行所緣謂不淨慈愍緣性緣起
界差別阿那波那念等所緣差別云何不淨
所緣謂略說有六種不淨一朽穢不淨二苦惱
不淨三下劣不淨四觀待不淨五煩惱不淨六

果差別阿那波那念等所緣差別云何不淨
所緣謂略說有六種不淨一朽穢不淨二苦惱
不淨三下劣不淨四觀待不淨五煩惱不淨六
速壞不淨云何名為朽穢不淨謂此不淨略
依二種一者依內二者依外云何依內朽穢
不淨謂內身中髮毛爪齒塵垢皮肉骸骨筋
脉心膽肝肺大腸小腸生藏熟藏肚胃腎膿
血熱痰肪膏肌髓腦膜洟唾淚汗屎尿如是
等類名為依內朽穢不淨云何依外朽穢不
淨謂或青瘀或復膿爛或復變壞或復膖
脹或復食噉或復變赤或復散壞或骨或鏁
或復骨鏁或屎所作或尿所作或唾所作或洟
所作或血所塗或膿所塗或便穢處如是等
等類名為依外朽穢不淨如是依內朽穢不淨
及依外穢不淨總說為一朽穢不淨云何
名為苦惱不淨謂順苦受觸為緣所生若身
若心不平等受受所攝如是名為苦惱不
淨云何名為下劣不淨謂最下劣事最下劣
界所謂欲界除此更無極下極劣最極鄙穢餘
界可得如是名為下劣不淨云何名為觀待
不淨謂如有一劣清淨事觀待其餘勝清淨
事便似不淨如待無色勝清淨事色界諸法
便似不淨待薩迦耶寂滅涅槃乃至有頂皆
似不淨如是等類一切名為觀待不淨云何名
為煩惱不淨謂三界中所有一切結縛隨眠隨
煩惱纏一切名為煩惱不淨云何名為速壞
不淨謂五取蘊無常無恒不可保信變壞

似不淨如是等類一切名為觀待不淨云何名
為煩惱不淨謂三界中所有一切結縛隨眠隨
煩惱纏一切名為煩惱不淨云何名為速壞
不淨謂五取蘊無常無恒不可保信變壞
法性如是名為速壞不淨如是不淨是能
清淨貪行所緣貪有五種一於內身欲欲
貪二於外身婬欲婬貪三境欲境貪四色欲
色貪五薩迦耶欲薩迦耶貪是名五貪為
欲令此五種欲貪斷滅除遣不現行故建立
六種不淨所緣謂由依內朽穢不淨所緣故令
於內身欲欲貪心得清淨由依外朽穢不
淨所緣故令於外身婬欲婬貪心得清淨婬
相應貪復有四種一顯色貪二形色貪三妙
觸貪四承事貪由依四外不淨所緣於此四
種相應婬貪心得清淨若於青瘀或於膿
爛或於變壞或於膖脹或於食噉作意思
惟於顯色貪令心清淨若於變赤作意思惟於
形色貪令心清淨若於其骨若於其鏁若於骨
鏁作意思惟於妙觸貪令心清淨若於散壞
作意思惟於承事貪令心清淨如是四種名
於婬貪令心清淨是故世尊乃至所有依外
朽穢不淨差別皆依四種憶怕路而建立
謂若說言由憶怕路見彼彼屍死經一日或
經二日或經七日烏鵲餓狗鵄鷲狐狼野干
食噉之所食噉便取其相以辟彼身亦如是
性亦如是類不能超過如是法性此即顯示
始從青瘀乃至食噉若復說言由憶怕路

舍獸之所食噉便取其相以辟彼身亦如是
性亦如是類不能超過如是法性此即顯示
始從青瘀乃至食噉若復說言由膿怕路
見彼彼屍離皮宍血筋脈纏裹此即顯示所
有變赤若復說言由膿洎路見彼彼骨或骨
鎖此即顯示或骨或鎖或復骨鎖若復說言
由膿怕路見彼彼骨手骨異處足骨異處踠
骨異處膝骨異處髀骨異處肘骨骨異處
脊異處髆骨異處肋骨異處頷輪齒鬘頂
髑髏等各各分散或經一年或二或三乃至
七年其色白猶如螺貝或如鴿色或見彼骨和
雜塵土此即顯示所有散壞如是依外 所有
朽穢不淨所緣令於四種婬相應貪心得清
淨由若惱不淨所緣及下劣不淨所緣故令
於境相應若欲若貪心得清淨由觀待不淨
所緣故令於色相應若欲若貪心得清淨由
煩惱不淨所緣及速壞不淨所緣故令於後
欲界乃至有頂諸薩迦耶若欲若貪心得清
淨是名貪行淨行所緣如是且約能淨貪行
總說一切通治所攝不淨所緣令此義中本
意唯取朽穢不淨所餘不淨亦是其餘淨行
所緣云何慈愍所緣謂或於親品或於怨品
或於中品平等安住利益意樂能引下中上
品快樂定地勝解當知此中親品怨品及以
中品是為所緣利益意樂能引快樂定地勝
解是為能緣所緣能緣總略為一說名慈愍
所緣若經說言慈俱心者此即顯示於親怨
中三品所緣利益意樂若復說言无怨无敵

BD02017號　瑜伽師地論卷二六　（21–20）

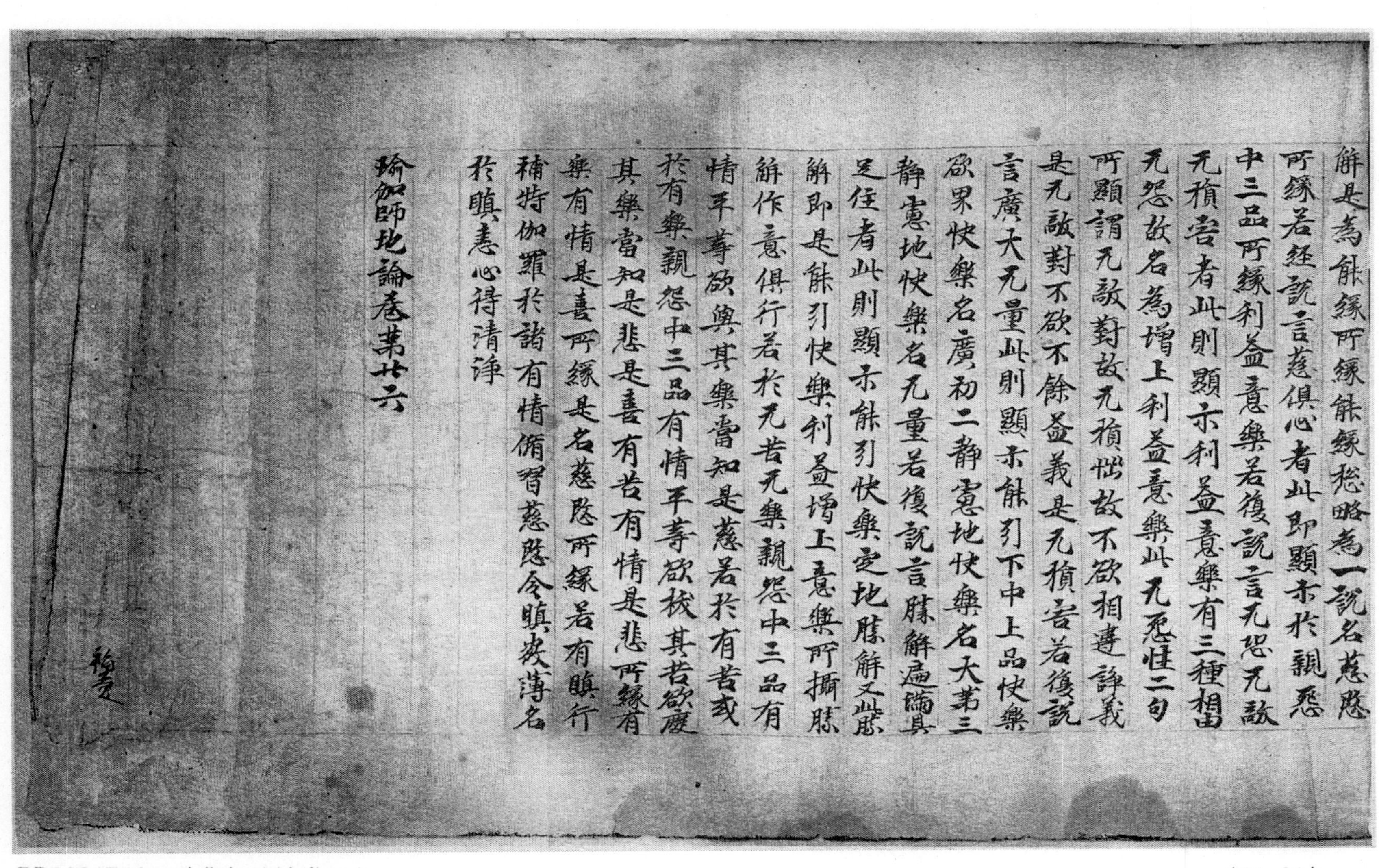
解是為能緣所緣能緣總略為一說名慈愍
所緣若經說言慈俱心者此即顯示於親怨
中三品所緣利益意樂若復說言无怨无敵
无損害者此則顯示利益意樂有三種相當
无怨故名為增上利益意樂此无恚性二句
所顯謂无敵對故无損惱故不欲相違諍義
是无敵對不欲不饒益義是无損害若復說
言廣大无量此則顯示能引下中上品快樂
欲界快樂名廣初二靜慮地快樂名大第三
靜慮地快樂名无量若復說言勝解遍滿具
足住者此則顯示能引快樂定地勝解又此勝
解即是能引快樂利益增上意樂所攝勝
解作意俱行若於无苦无樂親怨中三品有
情平等欲與其樂當知是慈若於有苦或
於有樂親怨中三品有情平等欲拔其苦欲慶
其樂當知是悲是喜有苦有情是悲所緣有
樂有情是喜所緣是名慈愍所緣若有瞋行
補特伽羅於諸有情脩習慈愍令瞋微薄名
於瞋恚心得清淨

瑜伽師地論卷第廿六

BD02017號　瑜伽師地論卷二六　（21–21）

菩提法皆從此經出
即非佛法
須菩提於意云何須陁洹
陁洹果不須菩提言不也
洹名為入流而无所入不
是名須陁洹須菩提於意云何
是念我得斯陁含果不須菩提言
何以故斯陁含名一往來而實无往來是名
斯陁含須菩提於意云何阿那含能作是念
我得阿那含果不須菩提言不也世尊何以
故阿那含名為不來而實无來是故名阿那
含須菩提於意云何阿羅漢能作是念我得
阿羅漢道不須菩提言不也世尊何以故實
无有法名阿羅漢世尊若阿羅漢作是念我
得阿羅漢道即為著我人衆生壽者世尊佛
說我得无諍三昧人中最為第一是第一離
欲阿羅漢我不作是念我是離欲阿羅漢世
尊我若作是念我得阿羅漢道世尊則不說
須菩提是樂阿蘭那行者以須菩提實无所
行而名須菩提是樂阿蘭那行
佛告須菩提於意云何如來昔在然燈佛所
於法有所得不不也世尊如來昔在然燈佛
所於法實无所得須菩提於意云何菩薩莊

BD02018 號　金剛般若波羅蜜經　（11–1）

須菩提是樂阿蘭那行者以須菩提實无所
行而名須菩提是樂阿蘭那行
佛告須菩提於意云何如來昔在然燈佛所
於法有所得不不也世尊如來昔在然燈佛
所於法實无所得須菩提於意云何菩薩莊
嚴佛土不不也世尊何以故莊嚴佛土者則
非莊嚴是名莊嚴是故須菩提諸菩薩摩訶
薩應如是生清淨心不應住色生心不應住
聲香味觸法生心應无所住而生其心須菩
提譬如有人身如須弥山王於意云何是身
為大不須菩提言甚大世尊何以故佛說非
身是名大身
須菩提如恒河中所有沙數如是沙等恒河
於意云何是諸恒河沙寧為多不須菩提言
甚多世尊但諸恒河尚多无數何況其沙須
菩提我今實言告汝若有善男子善女人以
七寶滿尒所恒河沙數三千大千世界以用
布施得福多不須菩提言甚多世尊佛告須
菩提若有善男子善女人於此經中乃至受
持四句偈等為他人說而此福德勝前福德
復次須菩提隨說是經乃至四句偈等當知
此處一切世間天人阿脩羅皆應供養如佛
塔廟何況有人盡能受持讀誦須菩提當知
是人成就最上第一希有之法若是經典所
在之處則為有佛若尊重弟子
尒時須菩提白佛言世尊當何名此經我等
云何奉持佛告須菩提是經名為金剛般若

BD02018 號　金剛般若波羅蜜經　（11–2）

在之處則為有佛若尊重弟子
尒時須菩提白佛言世尊當何名此經我等
云何奉持佛告須菩提是經名為金剛般若
波羅蜜以是名字汝當奉持所以者何須菩
提佛說般若波羅蜜則非般若波羅蜜須菩
提於意云何如來有所說法不須菩提白佛
言世尊如來无所說須菩提於意云何三千
大千世界所有微塵是為多不須菩提言甚
多世尊須菩提諸微塵如來說非微塵是名
微塵如來說世界非世界是名世界須菩提
於意云何可以三十二相見如來不不也世
尊何以故如來說三十二相即是非相是名
三十二相須菩提若有善男子善女人以恒
河沙等身命布施若復有人於此經中乃至
受持四句偈等為他人說其福甚多
尒時須菩提聞說是經深解義趣涕淚悲泣
而白佛言希有世尊佛說如是甚深經典我
從昔來所得慧眼未曾得聞如是之經世尊
若復有人得聞是經信心清淨則生實相當
知是人成就第一希有功德世尊是實相者
則是非相是故如來說名實相世尊我今得
聞如是經典信解受持不足為難若當來世
後五百歲其有眾生得聞是經信解受持是
人則為第一希有何以故此人无我相人相
眾生相壽者相所以者何我相即是非相人
相眾生相壽者相即是非相何以故離一切
諸相則名諸佛

BD02018 號　金剛般若波羅蜜經　（11–3）

人則為第一希有何以故此人无我相人相
眾生相壽者相所以者何我相即是非相人
相眾生相壽者相即是非相何以故離一切
諸相則名諸佛
佛告須菩提如是如是若復有人得聞是經
不驚不怖不畏當知是人甚為希有何以故
須菩提如來說第一波羅蜜非第一波羅蜜
是名第一波羅蜜
須菩提忍辱波羅蜜如來說非忍辱波羅蜜
何以故須菩提如我昔為歌利王割截身體
我於尒時无我相无人相无眾生相无壽者
相何以故我於往昔節節支解時若有我相
人相眾生相壽者相應生瞋恨須菩提又念
過去於五百世作忍辱仙人於尒所世无我
相无人相无眾生相无壽者相是故須菩提
菩薩應離一切相發阿耨多羅三藐三菩提
心不應住色生心不應住聲香味觸法生心
應生无所住心若心有住則為非住是故佛
說菩薩心不應住色布施須菩提菩薩為利
益一切眾生應如是布施如來說一切諸相
即是非相又說一切眾生則非眾生須菩提
如來是真語者實語者如語者不誑語者不
異語者須菩提如來所得法此法无實无虛
須菩提若菩薩心住於法而行布施如人入
闇則无所見若菩薩心不住法而行布施如
人有目日光明照見種種色須菩提當來之
世若有善男子善女人能於此經受持讀誦

BD02018 號　金剛般若波羅蜜經　（11–4）

須菩提若菩薩心住於法而行布施如人入
闇則无所見若菩薩心不住法而行布施如
人有目日光明照見種種色須菩提當來之
世若有善男子善女人能於此經受持讀誦
則為如來以佛智慧悉知是人悉見是人皆
得成就无量无邊功德
須菩提若有善男子善女人初日分以恒河
沙等身布施中日分復以恒河沙等身布施
後日分亦以恒河沙等身布施如是无量百
千万億劫以身布施若復有人聞此經典信
心不逆其福勝彼何況書寫受持讀誦為人
解說須菩提以要言之是經有不可思議不
可稱量无邊功德如來為發大乘者說為發
最上乘者說若有人能受持讀誦廣為人說
如來悉知是人悉見是人皆成就不可量不
可稱无有邊不可思議功德如是人等則為
荷擔如來阿耨多羅三藐三菩提何以故須
菩提若樂小法者著我見人見衆生見壽者
見則於此經不能聽受讀誦為人解說須菩
提在在處處若有此經一切世間天人阿脩
羅所應供養當知此處則為是塔皆應恭敬
作礼圍遶以諸華香而散其處
復次須菩提善男子善女人受持讀誦此經
若為人輕賤是人先世罪業應墮惡道以今
世人輕賤故先世罪業則為消滅當得阿耨
多羅三藐三菩提須菩提我念過去无量阿
僧祇劫於然燈佛前得值八百四千万億那

BD02018號　金剛般若波羅蜜經　（11–5）

若為人輕賤是人先世罪業應墮惡道以今
世人輕賤故先世罪業則為消滅當得阿耨
多羅三藐三菩提須菩提我念過去无量阿
僧祇劫於然燈佛前得值八百四千万億那
由他諸佛悉皆供養承事无空過者若復有
人於後末世能受持讀誦此經所得功德於
我所供養諸佛功德百分不及一千万億分
乃至筭數譬喻所不能及須菩提若善男子
善女人於後末世有受持讀誦此經所得功
德我若具說者或有人聞心則狂亂狐疑不
信須菩提當知是經義不可思議果報亦不
可思議
尒時須菩提白佛言世尊善男子善女人發
阿耨多羅三藐三菩提心云何應住云何降
伏其心佛告須菩提善男子善女人發阿耨
多羅三藐三菩提者當生如是心我應滅度
一切衆生滅度一切衆生已而无有一衆生
實滅度者何以故若菩薩有我相人相衆生
相壽者相則非菩薩所以者何須菩提實无
有法發阿耨多羅三藐三菩提者須菩提於
意云何如來於然燈佛所有法得阿耨多羅
三藐三菩提不不也世尊如我解佛所說義
佛於然燈佛所无有法得阿耨多羅三藐三
菩提佛言如是如是須菩提實无有法如來
得阿耨多羅三藐三菩提須菩提若有法如
來得阿耨多羅三藐三菩提者然燈佛則不
與我授記汝於來世當得作佛号釋迦牟尼

BD02018號　金剛般若波羅蜜經　（11–6）

得阿耨多羅三藐三菩提須菩提若有法如
來得阿耨多羅三藐三菩提者然燈佛則不
與我授記汝於來世當得作佛号釋迦牟尼
以實无有法得阿耨多羅三藐三菩提是故
然燈佛與我授記作是言汝於來世當得作
佛号釋迦牟尼何以故如來者即諸法如義
若有人言如來得阿耨多羅三藐三菩提
須菩提實无有法佛得阿耨多羅三藐三菩
提須菩提如來所得阿耨多羅三藐三菩提
於是中无實无虛是故如來說一切法皆是
佛法須菩提所言一切法者即非一切法是
故名一切法須菩提譬如人身長大須菩提
言世尊如來說人身長大則為非大身是名
大身須菩提菩薩亦如是若作是言我當滅
度无量衆生則不名菩薩何以故須菩提實
无有法名為菩薩是故佛說一切法无我无
人无衆生无壽者須菩提若菩薩作是言我
當莊嚴佛土是不名菩薩何以故如來說莊
嚴佛土者即非莊嚴是名莊嚴須菩提若菩
薩通達无我法者如來說名真是菩薩
須菩提於意云何如來有肉眼不如是世尊
如來有肉眼須菩提於意云何如來有天眼
不如是世尊如來有天眼須菩提於意云何
如來有慧眼不如是世尊如來有慧眼須菩
提於意云何如來有法眼不如是世尊如來
有法眼須菩提於意云何如來有佛眼不如
是世尊如來有佛眼須菩提於意云何如恒

BD02018號　金剛般若波羅蜜經　（11–7）

如來有慧眼不如是世尊如來有慧眼須菩
提於意云何如來有法眼不如是世尊如來
有法眼須菩提於意云何如來有佛眼不如
是世尊如來有佛眼須菩提於意云何如恒
河中所有沙佛說是沙不如是世尊如來說
是沙須菩提於意云何如一恒河中所有沙
有如是等恒河是諸恒河所有沙數佛世界如
是寧為多不甚多世尊佛告須菩提介所國
土中所有衆生若干種心如來悉知何以故
如來說諸心皆為非心是名為心所以者何
須菩提過去心不可得現在心不可得未來
心不可得須菩提於意云何若有人滿三千
大千世界七寶以用布施是人以是因緣得
福多不如是世尊此人以是因緣得福甚多
須菩提若福德有實如來不說德福德多以
福德无故如來說得福德多
須菩提於意云何佛可以具足色身見不不
也世尊如來不應以具足色身見何以故如
來說具足色身即非具足色身是名具足色
身須菩提於意云何如來可以具足諸相見
不不也世尊如來不應以具足諸相見何以
故如來說諸相具足即非具足是名諸相具
足須菩提汝勿謂如來作是念我當有所說
法莫作是念何以故若人言如來有所說法
即為謗佛不能解我所說故須菩提說法者
无法可說是名說法須菩提白佛言世尊佛
得阿耨多羅三藐三菩提為无所得耶如是

BD02018號　金剛般若波羅蜜經　（11–8）

即為謗佛不能解我所說故須菩提說法者
无法可說是名說法須菩提白佛言世尊佛
得阿耨多羅三藐三菩提為无所得耶如是
如是須菩提我於意耨多羅三藐三菩提乃
至无有少法可得是名阿耨多羅三藐三菩
提復次須菩提是法平等无有高下是名阿
耨多羅三藐三菩提以无我无人无衆生无
壽者脩一切善法則得阿耨多羅三藐三菩
提須菩提所言善法者如来說非善法是名
善法須菩提若三千大千世界中所有諸須
弥山王如是等七寶聚有人持用布施若人
以此般若波羅蜜經乃至四句偈等受持為
他人說於前福德百分不及一百千萬億分
乃至筭數譬喻所不能及
須菩提於意云何汝等勿謂如来作是念我
當度衆生須菩提莫作是念何以故實无有
衆生如来度者若有衆生如来度者如来則
有我人衆生壽者須菩提如来說有我者則
非有我而凡夫之人以為有我須菩提凡夫
者如来說則非凡夫須菩提於意云何可以
三十二相觀如来不須菩提言如是如是以
三十二相觀如来佛言須菩提若以三十二
相觀如来者轉輪聖王則是如来須菩提白
佛言世尊如我解佛所說義不應以三十二
相觀如来尒時世尊而說偈言
若以色見我　以音聲求我　是人行邪道　不能見如来

BD02018號　金剛般若波羅蜜經　（11–9）

佛言世尊如我解佛所說義不應以三十二
相觀如来尒時世尊而說偈言
若以色見我　以音聲求我　是人行邪道　不能見如来
須菩提汝若作是念如来不以具足相故得
阿耨多羅三藐三菩提須菩提莫作是念如
来不以具足相故得阿耨多羅三藐三菩提
須菩提汝若作是念發阿耨多羅三藐三菩
提者說諸法斷滅莫作是念何以故發阿耨
多羅三藐三菩提者於法不說斷滅相須菩
提若菩薩以滿恒河沙等世界七寶布施若
復有人知一切法无我得成於忍此菩薩勝
前菩薩所得功德何以故須菩提以諸菩薩
不受福德故須菩提白佛言世尊云何菩薩
不受福德須菩提菩薩所作福德不應貪着
是故佛說不受福德須菩提若有人言如来
若来若去若坐若卧是人不解我所說義何
以故如来者无所從来亦无所去故名如来
須菩提若善男子善女人以三千大千世界
碎為微塵於意云何是微塵衆寧為多不甚
多世尊何以故若是微塵衆實有者佛則不
說是微塵衆所以者何佛說微塵衆則非微
塵衆是名微塵衆世尊如来所說三千大千
世界則非世界是名世界何以故若世界實
有者則是一合相如来說一合相則非一合
相是名一合相須菩提一合相者則是不可
說但凡夫之人貪著其事須菩提若人言佛
說我見人見衆生見壽者見須菩提於意云

BD02018號　金剛般若波羅蜜經　（11–10）

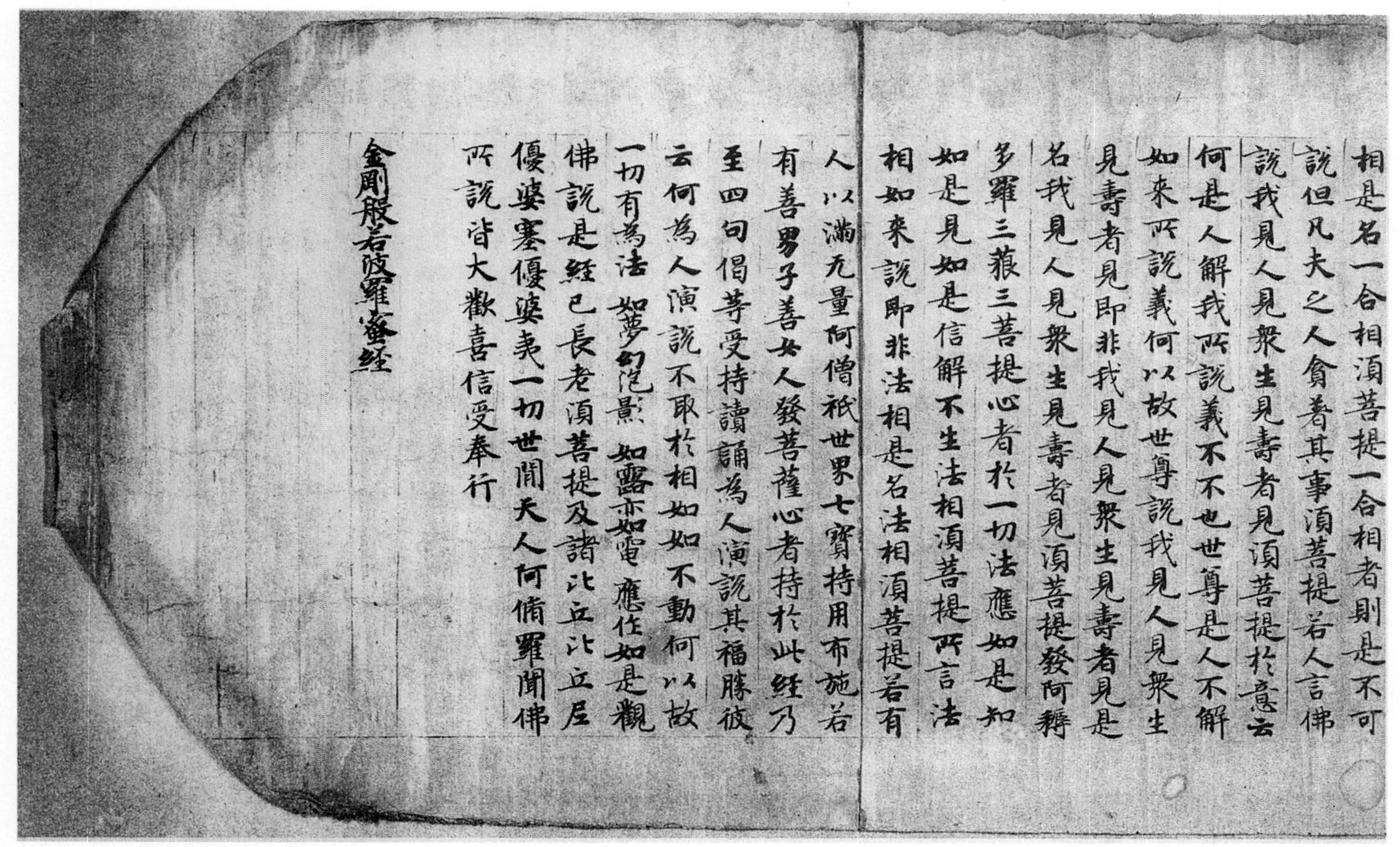

相是名一合相須菩提一合相者則是不可
說但凡夫之人貪著其事須菩提若人言佛
說我見人見衆生見壽者見須菩提於意云
何是人解我所說義不不也世尊是人不解
如來所說義何以故世尊說我見人見衆生
見壽者見即非我見人見衆生見壽者見是
名我見人見衆生見壽者見須菩提發阿耨
多羅三藐三菩提心者於一切法應如是知
如是見如是信解不生法相須菩提所言法
相如來說即非法相是名法相須菩提若有
人以滿无量阿僧祇世界七寶持用布施若
有善男子善女人發菩薩心者持於此經乃
至四句偈等受持讀誦為人演說其福勝彼
云何為人演說不取於相如如不動何以故
一切有為法 如夢幻泡影 如露亦如電 應作如是觀
佛說是經已長老須菩提及諸比丘比丘尼
優婆塞優婆夷一切世間天人阿脩羅聞佛
所說皆大歡喜信受奉行

金剛般若波羅蜜經

BD02018 號　金剛般若波羅蜜經　（11–11）

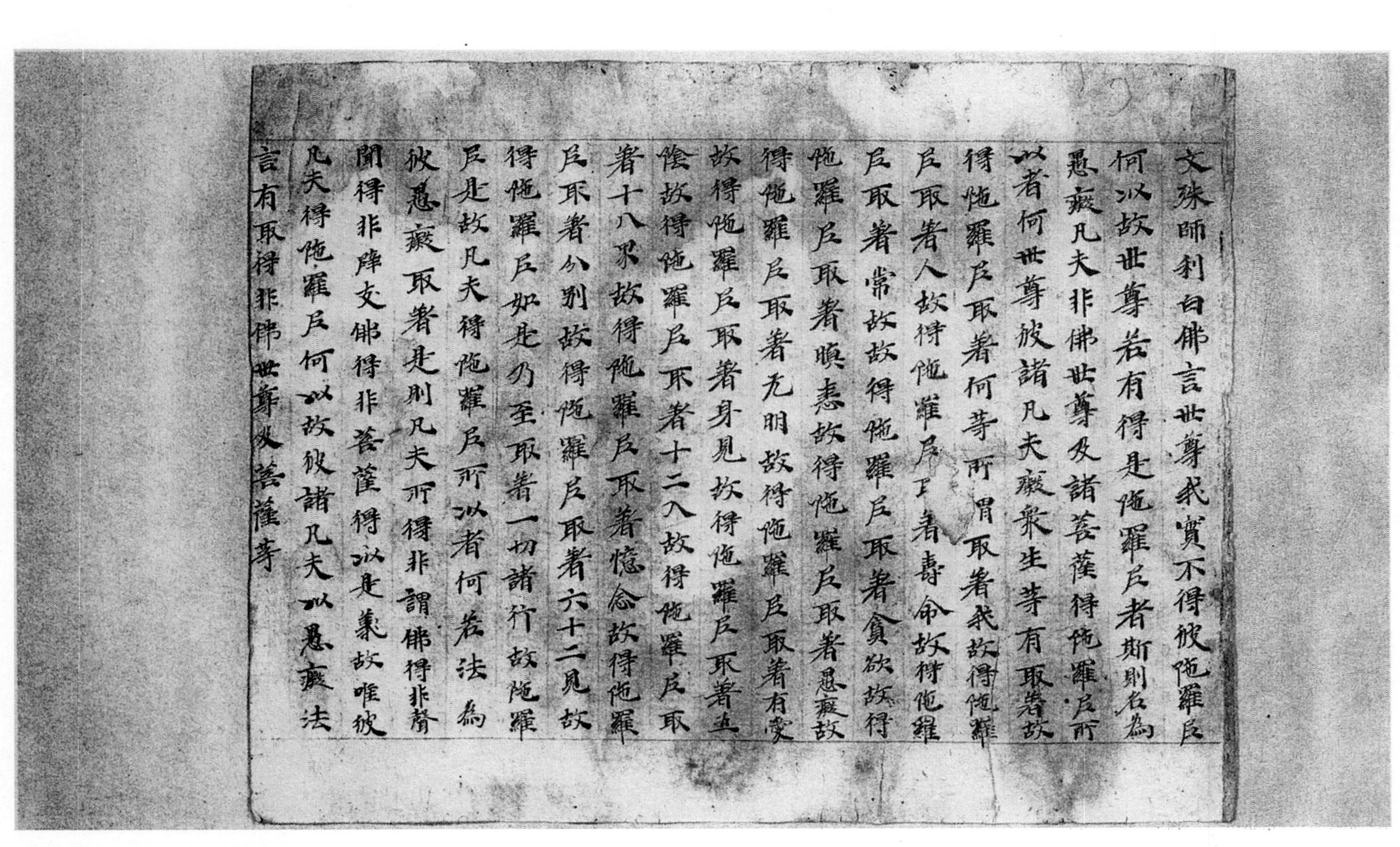

文殊師利白佛言世尊我實不得彼陁羅尼
何以故世尊若有得是陁羅尼者斯則名為
愚癡凡夫非佛世尊及諸菩薩得陁羅尼所
以者何世尊彼諸凡夫癡衆生等有取著故
得陁羅尼取著何等所謂取著我故得陁羅
尼取著人故得陁羅尼取著壽命故得陁羅
尼取著常故得陁羅尼取著貪欲故得
陁羅尼取著瞋恚故得陁羅尼取著愚癡故
得陁羅尼取著无明故得陁羅尼取著有愛
故得陁羅尼取著身見故得陁羅尼取著五
陰故得陁羅尼取著十二入故得陁羅尼取
著十八界故得陁羅尼取著憶念故得陁羅
尼取著分別故得陁羅尼取著六十二見故
得陁羅尼如是乃至取著一切諸行故陁羅
尼是故凡夫得陁羅尼所以者何若法為
彼愚癡取著是則凡夫所得非謂佛得非聲
聞得非辟支佛得非菩薩得以是義故唯彼
凡夫得陁羅尼何以故彼諸凡夫以愚癡法
言有取得非佛世尊及菩薩等

BD02019 號　大寶積經卷一〇五　（1–1）

於此
麃車牛車令在門外……尒時諸
宅宜速出来随汝所
子聞父所說珎玩之物適其願故心各勇鋭
互相推排竟共馳走争出火宅是時長者見
諸子等安隱得出皆於四衢道中露地而坐
无復障礙其心泰然歡喜踊躍時諸子等各
白父言父先所許玩好之具羊車麃車牛車
願時賜與舍利弗尒時長者各賜諸子等一
大車其車高廣衆寶莊校周帀欄楯四面懸鈴
又於其上張設幰蓋亦以珎奇雜寶而嚴飾
之寶繩交絡垂諸華瓔重敷綩綖安置丹
枕駕以白牛膚色充潔形體姝好有大筋力行
步平正其疾如風又多僕從而侍衛之所以者
何是大長者財富无量種種諸藏悉皆充
溢而作是念我財物无極不應以下劣小
車與諸子等今此幼童皆是吾子愛无偏黨
我有如是七寶大車其數无量應當等心各
各與之不宜差別所以者何以我此物周給
一國猶尚不匱何況諸子是時諸子各乘大
車得未曾有非本所望舍利弗於汝意云
何是長者等與諸子珎寶大車寧有虛妄不
舍利弗言不也世尊是長者但令諸子得免火

BD02020 號　妙法蓮華經卷二　（22–1）

車得未曾有非本所望舍利弗於汝意云
何是長者等與諸子珎寶大車寧有虛妄不
舍利弗言不也世尊是長者但令諸子得免火
難全其軀命非為虛妄何以故若全身命便為
已得玩好之具況復方便於彼火宅而拔濟
之世尊若是長者乃至不與冣小一車猶
不虛妄何以故是長者先作是念我以方便
令子得出以是因緣无虛妄也何況長者自
知財富无量欲饒益諸子等與大車佛告舍
利弗善哉善哉如汝所言舍利弗如来亦復
如是則為一切世間之父於諸怖畏衰惱憂患
无明暗蔽永盡无餘而悉成就无量知見
力无所畏有大神力及智慧力具足方便智
慧波羅蜜大慈大悲常无懈惓恒求善事利
益一切而生三界朽故火宅為度衆生生老病
死憂悲苦惱愚癡暗蔽三毒之火教化令得
阿耨多羅三藐三菩提見諸衆生為生老
病死憂悲苦惱之所燒煑亦以五欲財利故受
種種苦又以貪著追求故現受衆苦後受
地獄畜生餓鬼之苦若生天上及在人間貧
窮困苦愛別離苦怨憎會苦如是等種種諸
苦衆生没在其中歡喜遊戲不覺不知不驚
不怖亦不生猒不求解脫於此三界火宅東
西馳走雖遭大苦不以為患舍利弗佛見此已
便作是念我為衆生之父應拔其苦難與
无量无邊佛智慧樂令其遊戲舍利弗如来
復作是念若我但以神力及智慧力捨於方
便為諸衆生讚如来知見力无所……

BD02020 號　妙法蓮華經卷二　（22–2）

便作是念我為衆生之父應拔其苦難與
无量无邊佛智慧樂令其遊戲舍利弗如來
復作是念若我但以神力及智慧力捨於方
便為諸衆生讚如來知見力无所畏者衆生
不能以是得度所以者何是諸衆生未免生
老病死憂悲苦惱而為三界火宅所燒何由能
解佛之智慧舍利弗如彼長者雖復身手
有力而不用之但以慇懃方便免濟諸子火
宅之難然後各與珎寶大車如來亦復如是
雖有力无所畏而不用之但以智慧方便於
三界火宅拔濟衆生為說三乘聲聞辟支佛
佛乘而作是言汝等莫得樂住三界火宅勿
貪麁弊色聲香味觸也若貪着生愛則為所
燒汝等速出三界當得三乘聲聞辟支佛佛
乘我今為汝保任此事終不虛也汝等但當
勤脩精進如來以是方便誘進衆生復作是言
汝等當知此三乘法皆是聖所稱歎自在无繫
无所依求乘是三乘以无漏根力覺道禪
定解脫三昧等而自娯樂便得无量安隱
快樂舍利弗若有衆生內有智性從佛世
尊聞法信受慇懃精進欲速出三界自求涅槃是
名聲聞乘如彼諸子為求羊車出於火宅若
有衆生從佛世尊聞法信受慇懃精進求自
然慧樂獨善寂深知諸法因緣是名辟支佛
乘如彼諸子為求鹿車出於火宅若有衆生
從佛世尊聞法信受勤脩精進求一切智佛
智自然智无師智如來知見力无所畏愍念

BD02020號　妙法蓮華經卷二　（22–3）

然慧樂獨善寂深知諸法因緣是名辟支佛
乘如彼諸子為求鹿車出於火宅若有衆生
從佛世尊聞法信受勤脩精進求一切智佛
智自然智无師智如來知見力无所畏愍念
安樂无量衆生利益天人度脫一切是名大
乘菩薩求此乘故名為摩訶薩如彼諸子為
求牛車出於火宅舍利弗如彼長者見諸子
等安隱得出火宅到无畏處自惟財富无量
等以大車而賜諸子如來亦復如是為一切
衆生之父若見无量億千衆生以佛教門出
三界苦怖畏險道得涅槃樂如來尒時便作
是念我有无量无邊智慧力无畏等諸佛法
藏是諸衆生皆是我子等與大乘不令有人
獨得滅度皆以如來滅度而滅度之是諸衆
生脫三界者悉與諸佛禪定解脫等娯樂之
具皆是一相一種聖所稱歎能生淨妙第一之
樂舍利弗如彼長者初以三車誘引諸子
然後但與大車寶物莊嚴安隱第一然彼長
者无虛妄之咎如來亦復如是无有虛妄初
說三乘引導衆生然後但以大乘而度脫之
何以故如來有无量智慧力无所畏諸法之
藏能與一切衆生大乘之法但不盡能受舍
利弗以是因緣當知諸佛方便力故於一佛
乘分別說三佛欲重宣此義而說偈言

BD02020號　妙法蓮華經卷二　（22–4）

藏能與一切衆生大乘之法但不盡能受舍
利弗以是因緣當知諸佛方便力故於一佛
乘分別說三佛欲重宣此義而說偈言
譬如長者 有一大宅 其宅久故 而復頓弊
堂舍高危 柱根摧朽 梁棟傾斜 基陛頹毀
牆壁圮坼 泥塗褫落 覆苫亂墜 椽梠差脫
周障屈曲 雜穢充遍 有五百人 止住其中
鵄梟鵰鷲 烏鵲鳩鴿 蚖蛇蝮蠍 蜈蚣蚰蜒
守宮百足 鼬貍鼷鼠 諸惡虫輩 交橫馳走
屎尿臭處 不淨流溢 蜣蜋諸虫 而集其上
狐狼野干 咀嚼踐蹋 嚌齧死屍 骨肉狼藉
由是群狗 競來搏撮 飢羸慞惶 處處求食
鬪諍齟掣 啀喍嗥吠 其舍恐怖 變狀如是
處處皆有 魑魅魍魎 夜叉惡鬼 食噉人肉
毒虫之屬 諸惡禽獸 孚乳產生 各自藏護
夜叉競來 爭取食之 食之既飽 惡心轉熾
鬪諍之聲 甚可怖畏 鳩槃茶鬼 蹲踞土埵
或時離地 一尺二尺 往返遊行 縱逸嬉戲
捉狗兩足 撲令失聲 以腳加頸 怖狗自樂
復有諸鬼 其身長大 裸形黑瘦 常住其中
發大惡聲 叫呼求食 復有諸鬼 其咽如針
復有諸鬼 首如牛頭 或食人肉 或復噉狗
頭髮蓬亂 殘害凶險 飢渴所逼 叫喚馳走
夜叉餓鬼 諸惡鳥獸 飢急四向 窺看窗牖
如是諸難 恐畏无量 是朽故宅 屬于一人

BD02020號　妙法蓮華經卷二　（22-5）

頭髮蓬亂 殘害凶險 飢渴所逼 叫喚馳走
夜叉餓鬼 諸惡鳥獸 飢急四向 窺看窗牖
如是諸難 恐畏无量 是朽故宅 屬于一人
其人近出 未久之間 於後舍宅 欻然火起
四面一時 其焰俱熾 棟梁椽柱 爆聲震裂
摧折墮落 牆壁崩倒 諸鬼神等 揚聲大叫
鵰鷲諸鳥 鳩槃茶等 周慞惶怖 不能自出
惡獸毒虫 藏竄孔穴 毗舍闍鬼 亦住其中
薄福德故 為火所逼 共相殘害 飲血噉肉
野干之屬 並已前死 諸大惡獸 競來食噉
臭烟熢㶿 四面充塞 蜈蚣蚰蜒 毒蛇之類
為火所燒 爭走出穴 鳩槃茶鬼 隨取而食
又諸餓鬼 頭上火燃 飢渴熱惱 周慞悶走
其宅如是 甚可怖畏 毒害火災 衆難非一
是時宅主 在門外立 聞有人言 汝諸子等
先因遊戲 來入此宅 稚小无知 歡娛樂著
長者聞已 驚入火宅 方宜救濟 令无燒害
告喻諸子 說衆患難 惡鬼毒虫 災火蔓莚
衆苦次第 相續不絕 毒蛇蚖蝮 及諸夜叉
鳩槃茶鬼 野干狐狗 鵰鷲鵄梟 百足之屬
飢渴惱急 甚可怖畏 此苦難處 況復大火
諸子无知 雖聞父誨 猶故樂著 嬉戲不已
是時長者 而作是念 諸子如此 益我愁惱
今此舍宅 无一可樂 而諸子等 耽湎嬉戲
不受我教 將為火害 即便思惟 設諸方便

BD02020號　妙法蓮華經卷二　（22-6）

諸子无知　雖聞父誨　猶故樂著　嬉戲不已
是時長者　而作是念　諸子如此　益我愁惱
今此舍宅　无一可樂　而諸子等　耽湎嬉戲
不受我教　將為火害　即便思惟　設諸方便
告諸子等　我有種種　珍玩之具　妙寶好車
羊車鹿車　大牛之車　今在門外　汝等出來
吾為汝等　造作此車　隨意所樂　可以遊戲
諸子聞說　如此諸車　即時奔競　馳走而出
到於空地　離諸苦難　長者見子　得出火宅
住於四衢　坐師子座　而自慶言　我今快樂
此諸子等　生育甚難　愚小无知　而入險宅
多諸毒虫　魑魅可畏　大火猛焰　四面俱起
而此諸子　貪樂嬉戲　我已救之　令得脫難
是故諸人　我今快樂　尒時諸子　知父安坐
皆詣父所　而白父言　願賜我等　三種寶車
如前所許　諸子出來　當以三車　隨汝所欲
今正是時　唯垂給與　長者大富　庫藏衆多
金銀琉璃　車𤦲馬瑙　以衆寶物　造諸大車
莊校嚴飾　周帀欄楯　四面懸鈴　金繩交絡
真珠羅網　張施其上　金華諸瓔　處處垂下
衆綵雜飾　周帀圍繞　柔軟繒纊　以為茵蓐
上妙細疊　價直千億　鮮白淨潔　以覆其上
有大白牛　肥壯多力　形體姝好　以駕寶車
多諸儐從　而侍衛之　以是妙車　等賜諸子
諸子是時　歡喜踊躍　乘是寶車　遊於四方

BD02020號　妙法蓮華經卷二　（22–7）

有大白牛　肥壯多力　形體姝好　以駕寶車
多諸儐從　而侍衛之　以是妙車　等賜諸子
諸子是時　歡喜踊躍　乘是寶車　遊於四方
嬉戲快樂　自在无礙　告舍利弗　我亦如是
衆聖中尊　世間之父　一切衆生　皆是吾子
深著世樂　无有慧心　三界无安　猶如火宅
衆苦充滿　甚可怖畏　常有生老　病死憂患
如是等火　熾然不息　如來已離　三界火宅
寂然閑居　安處林野　今此三界　皆是我有
其中衆生　悉是吾子　而今此處　多諸患難
唯我一人　能為救護　雖復教詔　而不信受
於諸欲染　貪著深故　以是方便　為說三乘
令諸衆生　知三界苦　開示演說　出世間道
是諸子等　若心決定　具足三明　及六神通
有得緣覺　不退菩薩　汝舍利弗　我為衆生
以此譬喻　說一佛乘　汝等若能　信受是語
一切皆當　得成佛道　是乘微妙　清淨第一
於諸世間　為无有上　佛所悅可　一切衆生
所應稱讚　供養礼拜　无量億千　諸力解脫
禪定智慧　及佛餘法　得如是乘　令諸子等
日夜劫數　常得遊戲　與諸菩薩　及聲聞衆
乘此寶乘　直至道場　以是因緣　十方諦求
更无餘乘　除佛方便　告舍利弗　汝諸人等
皆是吾子　我則是父　汝等累劫　衆苦所燒
我皆濟拔　令出三界　我雖先說　汝等滅度

BD02020號　妙法蓮華經卷二　（22–8）

乘此寶乘　直至道場　以是因緣　十方諦求
更无餘乘　除佛方便　告舍利弗　汝諸人等
皆是吾子　我則是父　汝等累劫　衆苦所燒
我皆濟拔　令出三界　我雖先說　汝等滅度
但盡生死　而實不滅　今所應作　唯佛智慧
若有菩薩　於是衆中　能一心聽　諸佛實法
諸佛世尊　雖以方便　所化衆生　皆是菩薩
若人小智　深著愛欲　為此等故　說於苦諦
衆生心喜　得未曾有　佛說苦諦　真實无異
若有衆生　不知苦本　深著苦因　不能暫捨
為是等故　方便說道　諸苦所因　貪欲為本
若滅貪欲　无所依止　滅盡諸苦　名第三諦
為滅諦故　脩行於道　離諸苦縛　名得解脫
是人於何　而得解脫　但離虛妄　名為解脫
其實未得　一切解脫　佛說是人　未實滅度
斯人未得　无上道故　我意不欲　令至滅度
我為法王　於法自在　安隱衆生　故現於世
汝舍利弗　我此法印　為欲利益　世間故說
在所遊方　勿妄宣傳　若有聞者　隨喜頂受
當知是人　阿鞞跋致　若有信受　此經法者
是人已曾　見過去佛　恭敬供養　亦聞是法
若人有能　信汝所說　則為見我　亦見於汝
及比丘僧　并諸菩薩　斯法華經　為深智說
淺識聞之　迷惑不解　一切聲聞　及辟支佛
於此經中　力所不及　汝舍利弗　尚於此經

BD02020號　妙法蓮華經卷二　（22–9）

及比丘僧　并諸菩薩　斯法華經　為深智說
淺識聞之　迷惑不解　一切聲聞　及辟支佛
於此經中　力所不及　汝舍利弗　尚於此經
以信得入　況餘聲聞　其餘聲聞　信佛語故
隨順此經　非己智分　又舍利弗　憍慢懈怠
計我見者　莫說此經　凡夫淺識　深著五欲
聞不能解　亦勿為說　若人不信　毀謗此經
則斷一切　世間佛種　或復顰蹙　而懷疑惑
汝當聽說　此人罪報　若佛在世　若滅度後
其有誹謗　如斯經典　見有讀誦　書持經者
輕賤憎嫉　而懷結恨　此人罪報　汝今復聽
其人命終　入阿鼻獄　具足一劫　劫盡更生
如是展轉　至无數劫　從地獄出　當墮畜生
若狗野干　其形領瘦　黧黮疥癩　人所觸嬈
又復為人　之所惡賤　常困飢渴　骨肉枯竭
生受楚毒　死被瓦石　斷佛種故　受斯罪報
若作駱駝　或生驢中　身常負重　加諸杖捶
但念水草　餘无所知　謗斯經故　獲罪如是
有作野干　來入聚落　身體疥癩　又无一目
為諸童子　之所打擲　受諸苦痛　或時致死
於此死已　更受蟒身　其形長大　五百由旬
聾騃无足　宛轉腹行　為諸小虫　之所唼食
晝夜受苦　无有休息　謗斯經故　獲罪如是
若得為人　諸根闇鈍　矬陋攣躄　盲聾背傴

BD02020號　妙法蓮華經卷二　（22–10）

於此死已　更受蟒身　其形長大　五百由旬
聾騃无足　宛轉腹行　為諸小虫　之所唼食
晝夜受苦　无有休息　謗斯經故　獲罪如是
若得為人　諸根暗鈍　矬陋攣躄　盲聾背傴
有所言說　人不信受　口氣常臭　鬼魅所著
貧窮下賤　為人所使　多病痟瘦　无所依怙
雖親附人　人不在意　若有所得　尋復忘失
若脩醫道　順方治病　更增他疾　或復致死
若自有病　无人救療　設服良藥　而復增劇
若他反逆　抄劫竊盜　□是□□　橫羅其殃
如斯罪人　永不見佛　□□之王　說法教化
如斯罪人　常生難處　狂□□亂　永不聞法
於无數劫　如恒河沙　生輒聾瘂　諸根不具
常處地獄　如遊園觀　在餘惡道　如己舍宅
駝驢猪狗　是其行處　謗斯經故　獲罪如是
若得為人　聾盲瘖瘂　貧窮諸衰　以自莊嚴
水腫乾消　疥癩癰疽　如是等病　以為衣服
身常臭處　垢穢不淨　深著我見　增益瞋恚
婬欲熾盛　不擇禽獸　謗斯經故　獲罪如是
告舍利弗　謗斯經者　若說其罪　窮劫不盡
以是因緣　我故語汝　无智人中　莫說此經
若有利根　智慧明了　多聞強識　求佛道者
如是之人　乃可為說　若人曾見　億百千佛
殖諸善本　深心堅固　如是之人　乃可為說
若人精進　常脩慈心　不惜身命　乃可為說

BD02020號　妙法蓮華經卷二　（22–11）

若有利□　智慧明了　多聞強識　求佛道者
如是之人　乃可為說　若人曾見　億百千佛
殖諸善本　深心堅固　如是之人　乃可為說
若人精進　常脩慈心　不惜身命　乃可為說
若人恭敬　无有異心　離諸凡夫　獨處山澤
如是之人　乃可為說　又舍利弗　若見有人
捨惡知識　親近善友　如是之人　乃可為說
若見佛子　持戒清潔　如淨明珠　求大乘經
如是之人　乃可為說
若人无瞋　質直柔濡　常愍一切　恭敬諸佛
如是之人　乃可為說
復有佛子　於大眾中　以清淨心　種種因緣
譬喻言辭　說法无导　如是之人　乃可為說
若有比丘　為一切智　四方求法　合掌頂受
但樂受持　大乘經典　乃至不受　餘經一偈
如是之人　乃可為說
如人至心　求佛舍利　如是求經　得已頂受
其人不復　志求餘經　亦未曾念　外道典籍
如是之人　乃可為說
告舍利弗　我說是相　求佛道者　窮劫不盡
如是等人　則能信解　汝當為說　妙法華經
妙法蓮華經信解品第四
爾時慧命須菩提　摩訶迦旃延　摩訶迦葉
摩訶目揵連從佛所聞未曾有法　世尊授舍
利弗阿耨多羅三藐三菩提記　發希有心　歡喜
踊躍　即從座起　整衣服　偏袒右肩　右膝著地

BD02020號　妙法蓮華經卷二　（22–12）

尒時慧命須菩提摩訶迦旃延摩訶迦葉
摩訶目揵連從佛所聞未曾有法世尊授舍
利弗阿耨多羅三藐三菩提記發希有心歡喜
踊躍即從坐起整衣服偏袒右肩右膝著地
一心合掌曲躬恭敬瞻仰尊顏而白佛言我
等居僧之首年並朽[illegible]自[illegible]已得涅槃无所
堪任不復進求阿耨[illegible]羅[illegible]藐三菩提世尊
往昔說法既久我時在坐身體疲懈但念空
无相无作於菩薩法遊戲神通淨佛國土成
就衆生心不喜樂所以者何世尊令我等出
於三界得涅槃證又今我等年已朽邁於佛
教化菩薩阿耨多羅三藐三菩提不生一念
好樂之心我等今於佛前聞授聲聞阿耨多
羅三藐三菩提記心甚歡喜得未曾有不謂
於今忽然得聞希有之法深自慶幸獲大善
利无量珍寶不求自得世尊我等今者樂說
譬喻以明斯義譬若有人年既幼稚捨父逃
逝久住他國或十二十至五十歲年既長大加
復窮困馳騁四方以求衣食漸漸遊行遇
向本國其父先來求子不得中止一城其家
大富財寶无量金銀琉璃珊瑚虎珀頗梨珠
等其諸倉庫悉皆盈溢多有僮僕臣佐吏民
象馬車乘牛羊无數出入息利乃遍他國商
估賈客亦甚衆多時貧窮子遊諸聚落逕
歷國邑遂到其父所止之城父每念子與子離

BD02020號　妙法蓮華經卷二　（22–13）

象馬車乘牛羊无數出入息利乃遍他國商
估賈客亦甚衆多時貧窮子遊諸聚落逕
歷國邑遂到其父所止之城父每念子與子離
別五十餘年而未曾向人說如此事但自思
惟心懷悔恨自念老朽多有財物金銀珍寶
倉庫盈溢无有子息一旦終沒財物散失无
所委付是以慇懃每憶其子復作是念我若
得子委付財物坦然快樂无復憂慮世尊尒
時窮子傭賃展轉遇到父舍住立門側遙見
其父踞師子牀寶机承足諸婆羅門剎利居
士皆恭敬圍遶以真珠瓔珞價直千万莊嚴
其身吏民僮僕手執白拂侍立左右覆以寶
帳垂諸華幡香水灑地散衆名華羅列寶物
出內取與有如是等種種嚴飾威德特尊窮
子見父有大勢力即懷恐怖悔來至此竊作是
念此或是王或是王等非我傭力得物之處
不如往至貧里肆力有地衣食易得若久
住此或見逼迫強使我作作是念已疾走而
去時富長者於師子坐見子便識心大歡喜
即作是念我財物庫藏今有所付我常思念
此子无由見之而忽自來甚適我願我雖年
朽猶故貪惜即遣傍人急追將還尒時使者
疾走往捉窮子驚愕稱怨大喚我不相犯何
為見捉使者執之逾急強牽將還于時窮子
自念无罪而被囚執此必定死轉更惶怖

BD02020號　妙法蓮華經卷二　（22–14）

疾走往捉窮子驚愕稱怨大喚我不相犯何
為見捉使者執之愈急强牽將還于時窮子
自念无罪而被囚執此必定死轉更惶怖悶
絶躄地父遥見之而語使言不須此人勿强
將來以冷水灑面令得醒悟莫復與語所以
者何父知其子志意下劣自知豪貴為子所
難審知是子而以方便不語他人云是我子
使者語之我今放汝隨意所趣窮子歡喜得
未曾有從地而起往至貧里以求衣食尒時
長者將欲誘引其子而設方便密遣二人形
色憔悴无威德者汝可詣彼徐語窮子此有
作處倍與汝直窮子若許將來使作若言欲
何所作便可語之雇汝除糞我等二人亦共
汝作時二使人即求窮子既已得之具陳上
事尒時窮子先取其價尋與除糞其父見子
愍而怪之又於他日於窓牖中遥見子身羸
瘦憔悴糞土塵坌汙穢不淨即脫瓔珞細濡
上服嚴餝之具更著麁弊垢膩之衣塵土坌
身右手執持除糞之器狀有所畏語諸作人
汝等懃作勿得懈息以方便故得近其子後
復告言咄男子汝常此作勿復餘去當加汝
價諸有所須瓫器米麵鹽酢之屬莫自疑難
亦有老弊使人須者相給好自安意我如汝
父勿復憂慮所以者何我年老大而汝少壯
汝常作時无有欺怠瞋恨怨言都不見汝有

BD02020號　妙法蓮華經卷二　（22–15）

價諸有所須瓫器米麵鹽酢之屬莫自疑難
亦有老弊使人須者相給好自安意我如汝
父勿復憂慮所以者何我年老大而汝少壯
汝常作時无有欺怠瞋恨怨言都不見汝有
此諸惡如餘作人自今以後如所生子即時
長者更與作字名之為兒尒時窮子雖欣此遇
猶故自謂客作賤人由是之故於二十年
中常令除糞過是已後心相體信入出无難
然其所止猶在本處世尊尒時長者有疾自
知將死不久語窮子言我今多有金銀珍寶
倉庫盈溢其中多少所應取與汝悉知之我
心如是當體此意所以者何今我与汝便為
不異宜加用心无令漏失尒時窮子即受教
勑領知衆物金銀珍寶及諸庫藏而无悕取
一飡之意然其所止故在本處下劣之心亦
未能捨復經少時父知子意漸已通泰成就
大志自鄙先心臨欲終時而命其子并會親
族國王大臣剎利居士皆悉已集即自宣言
諸君當知此是我子我之所生於某城中捨
吾逃走竛竮辛苦五十餘年其本字某我名
某甲昔在本城懷憂推覓忽於此間遇會得
之此實我子我實其父吾今所有一切財寶
皆是子有先所出內是子所知世尊是時窮
子聞父此言即大歡喜得未曾有而作是念
我本无心有所悕求今此寶藏自然而至世

BD02020號　妙法蓮華經卷二　（22–16）

皆是子有先所出内是子所知世尊是時窮
子聞父此言即大歡喜得未曾有而作是念
我本无心有所悕求今此寶藏自然而至世
尊大富長者則是如来我等皆似佛子如来
常說我等為子世尊我等以三苦故於生死
中受諸熱惱迷惑无知樂著小法今日世尊
令我等思惟蠲除諸法戲論之糞我等於中
懃加精進得至涅槃一日之價既得此已心大
歡喜自以為足便自謂於佛法中懃精進
故所得弘多然世尊先知我等心著弊欲
樂於小法便見縱捨不為分別汝等當有如
来知見寶藏之分世尊以方便力說如来智慧
我等從佛得涅槃一日之價以為大得於此
大乘无有志求我等又因如来智慧為諸菩
薩開示演說而自於此无有志願所以者何
佛知我等心樂小法以方便力隨我等說而
我等不知真是佛子今我等方知世尊於佛
智慧无所悋惜所以者何我等昔来真是佛
子而但樂小法若我等有樂大之心佛則為
我說大乘法於此經中唯說一乘而昔於菩薩
前毀呰聲聞樂小法者然佛實以大乘教化
是故我等說本无有心有所悕求今法王大
寶自然而至如佛子所應得者皆已得之尒
時摩訶迦葉欲重宣此義而說偈言

是故我等說本无有心有所悕求今法王大
寶自然而至如佛子所應得者皆已得之尒
時摩訶迦葉欲重宣此義而說偈言
我等今日　聞佛音教　歡喜踊躍　得未曾有
佛說聲聞　當得作佛　无上寶聚　不求自得
譬如童子　幼稚无識　捨父逃逝　遠到他土
周流諸國　五十餘年　其父憂念　四方推求
求之既疲　頓止一城　造立舍宅　五欲自娛
其家巨富　多諸金銀　車𤦲馬瑙　真珠瑠璃
象馬牛羊　輦輿車乘　田業僮僕　人民衆多
出入息利　乃遍他國　商估賈人　无處不有
千万億衆　圍遶恭敬　常為王者　之所愛念
羣臣豪族　皆共宗重　以諸緣故　往来者衆
豪富如是　有大力勢　而年朽邁　益憂念子
夙夜惟念　死時將至　癡子捨我　五十餘年
庫藏諸物　當如之何
尒時窮子　求索衣食　從邑至邑　從國至國
或有所得　或无所得　飢餓羸瘦　體生瘡癬
漸次經歷　到父住城　傭賃展轉　遂至父舍
尒時長者　於其門内　施大寶帳　處師子坐
眷屬圍遶　諸人侍衛
或有計筭　金銀寶物　出内財産　注記券疏
窮子見父　豪貴尊嚴　謂是國王　若是王等
驚怖自怪　何故至此
覆自念言　我若久住　或見逼迫　強使我作

窮子見父　豪貴尊嚴　謂是國王　若是王等
驚怖自恠　何故至此
覆自念言　我若久住　或見逼迫　強使我作
思惟是已　馳走而去　借問貧里　欲往傭作
長者是時　在師子坐　遥見其子　嘿而識之
即勑使者　追捉將來　窮子驚喚　迷悶躄地
是人執我　必當見殺　何用衣食　使我至此
長者知子　愚癡狹劣　不信我言　不信是父
即以方便　更遣餘人　眇目痤陋　无威德者
汝可語之　云當相雇　除諸糞穢　倍與汝價
窮子聞之　歡喜隨來　為除糞穢　淨諸房舍
長者於牖　常見其子　念子愚劣　樂為鄙事
於是長者　著弊垢衣　執除糞器　往到子所
方便附近　語令懃作
既益汝價　并塗足油　飲食充足　薦席厚煖
如是苦言　汝當懃作　又以濡語　若如我子
長者有智　漸令出入　逕二十年　執作家事
示其金銀　真珠頗梨　諸物出入　皆使令知
猶處門外　止宿草菴　自念貧事　我无此物
父知子心　漸已曠大　欲與財物　即聚親族
國王大臣　剎利居士　於此大衆　說是我子
捨我他行　逕五十歲　自見子來　已二十年
昔於某城　而失是子　周行求索　遂來至此
凡我所有　舍宅人民　悉以付之　恣其取用
子念昔貧　志意下劣　今於父所　大獲珍寶

昔於某城　而失是子　周行求索　遂來至此
凡我所有　舍宅人民　悉以付之　恣其取用
子念昔貧　志意下劣　今於父所　大獲珍寶
并及舍宅　一切財物　甚大歡喜　得未曾有
佛亦如是　知我樂小　未曾說言　汝等作佛
而說我等　得諸无漏　成就小乘　聲聞弟子
佛勑我等　說最上道　脩習此者　當得成佛
我承佛教　為大菩薩　以諸因緣　種種譬喻
若干言辭　說无上道
諸佛子等　從我聞法　日夜思惟　精懃脩習
是時諸佛　即授其記　汝於來世　當得作佛
一切諸佛　秘藏之法　但為菩薩　演其實事
而不為我　說斯真要
如彼窮子　得近其父　雖知諸物　心不悕取
我等雖說　佛法寶藏　自无志願　亦復如是
我等內滅　自謂為足　唯了此事　更无餘事
我等若聞　淨佛國土　教化衆生　都无欣樂
所以者何　一切諸法　皆悉空寂　无生无滅
无大无小　无漏无為　如是思惟　不生喜樂
我等長夜　於佛智慧　无貪无著　无復志願
而自於法　謂是究竟
我等長夜　脩習空法　得脫三界　苦惱之患
住最後身　有餘涅槃　佛所教化　得道不虛
則為已得　報佛之恩　我等雖為　諸佛子等
說菩薩法　以求佛道　而於是法　永无願樂
導師見捨　觀我心故　初不勸進　說有實利

我等長夜 脩習空法 得脫三界 苦惱之患
住最後身 有餘涅槃 佛所教化 得道不虛
則為已得 報佛之恩 我等雖為 諸佛子等
說菩薩法 以求佛道 而於是法 永无願樂
導師見捨 觀我心故 初不勸進 說有實利
如富長者 知子志劣 以方便力 柔伏其心
然後乃付 一切財物 佛亦如是 現希有事
知樂小者 以方便力 調伏其心 乃教大智
我等今日 得未曾有 非先所望 而今自得
如彼窮子 得无量寶
世尊我今 得道得果 於无漏法 得清淨眼
我等長夜 持佛淨戒 始於今日 得其果報
法王法中 久脩梵行 今得无漏 无上大果
我等今日 真是聲聞 以佛道聲 令一切聞
我等今者 真阿羅漢 於諸世間 天人魔梵
普於其中 應受供養 世尊大恩 以希有事
憐愍教化 利益我等 无量億劫 誰能報者
手足供給 頭頂禮敬 一切供養 皆不能報
若以頂戴 兩肩荷負 於恒沙劫 盡心恭敬
又以美饍 无量寶衣 及諸臥具 種種湯藥
牛頭栴檀 及諸珍寶 以起塔廟 寶衣布地
如斯等事 以用供養 於恒沙劫 亦不能報
諸佛希有 无量无邊 不可思議 大神通力
无漏无為 諸法之王
能為下劣 忍于斯事 取相凡夫 隨宜為說

BD02020號　妙法蓮華經卷二　（22–21）

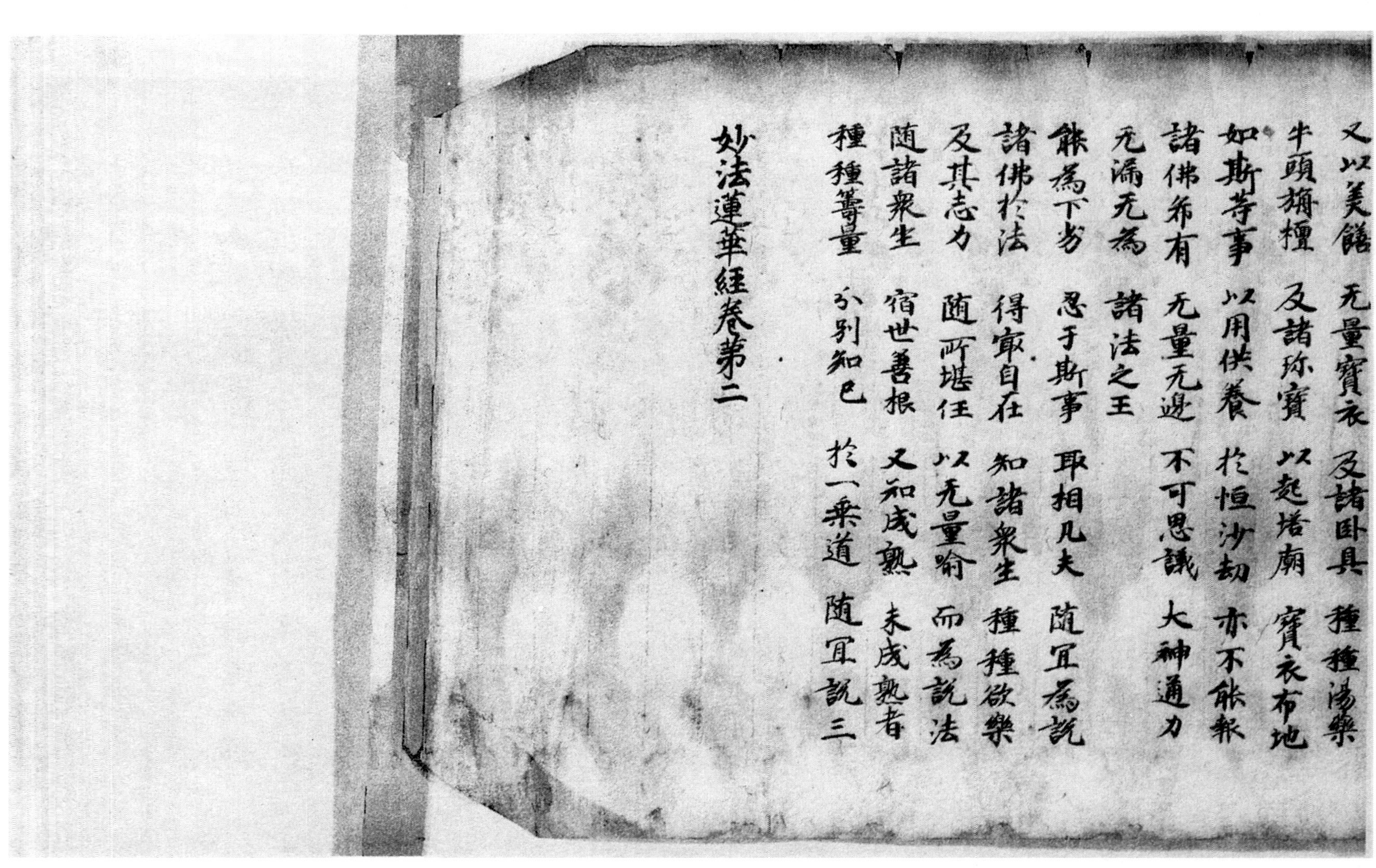

又以美饍 无量寶衣 及諸臥具 種種湯藥
牛頭栴檀 及諸珍寶 以起塔廟 寶衣布地
如斯等事 以用供養 於恒沙劫 亦不能報
諸佛希有 无量无邊 不可思議 大神通力
无漏无為 諸法之王
能為下劣 忍于斯事 取相凡夫 隨宜為說
諸佛於法 得最自在 知諸眾生 種種欲樂
及其志力 隨所堪任 以无量喻 而為說法
隨諸眾生 宿世善根 又知成熟 未成熟者
種種籌量 分別知已 於一乘道 隨宜說三

妙法蓮華經卷第二

BD02020號　妙法蓮華經卷二　（22–22）

薩行處若菩薩摩訶薩住忍辱地柔
而不卒暴心亦不驚又復於法无所行而
諸法如實相亦不行不分別是名菩薩摩訶
薩行處云何名菩薩摩訶薩親近處菩薩摩
訶薩不親近國王王子大臣官長不親近諸
外道梵志尼揵子等及造世俗文筆讚詠外
書及路伽耶陀逆路伽耶陀者亦不親近諸
有兇戲相扠相撲及那羅等種種變現之戲
又不親近旃陀羅及畜猪羊雞狗田獵魚捕
諸惡律儀如是人等或時來者則為說法无
所悕望又不親近求聲聞比丘比丘尼優婆
塞優婆夷亦不問訊若於房中若經行處若
在講堂中不共住止或時來者隨宜說法无
所悕求文殊師利又菩薩摩訶薩不應於女
人身取能生欲想相而為說法亦不樂見若入
他家不與小女處女寡女等共語亦復不
近五種不男之人以為親厚不獨入他家若
有因緣須獨入時但一心念佛若為女人說
法不露齒咲不現胷臆乃至為法猶不親厚
況復餘事不樂畜年少弟子沙弥小兒亦不

BD02021 號　妙法蓮華經卷五　（9–1）

有因緣須獨入時但一心念佛若為女人說
法不露齒咲不現胷臆乃至為法猶不親厚
況復餘事不樂畜年少弟子沙弥小兒亦不
樂與同師常好坐禪在於閑處脩攝其心文
殊師利是名初親近處復次菩薩摩訶薩觀
一切法空如實相不顛倒不動不退不轉如
虛空无所有性一切語言道斷不生不出不
起无名无相實无所有无量无邊无礙无障
但以因緣有從顛倒生故說常樂觀如是法
相是名菩薩摩訶薩第二親近處尒時世尊
欲重宣此義而說偈言
若有菩薩　於後惡世　无怖畏心　欲說是經
應入行處　及親近處　常離國王　及國王子
大臣官長　兇險戲者　及旃陀羅　外道梵志
亦不親近　增上慢人　貪著小乘　三藏學者
破戒比丘　名字羅漢　及比丘尼　好戲咲者
深著五欲　求現滅度　諸優婆夷　皆勿親近
若是人等　以好心來　到菩薩所　為聞佛道
菩薩則以　无所畏心　不懷悕望　而為說法
寡女處女　及諸不男　皆勿親近　以為親厚
亦莫親近　屠兒魁膾　田獵魚捕　為利殺害
販肉自活　衒賣女色　如是之人　皆勿親近
兇險相撲　種種嬉戲　諸婬女等　盡勿親近
莫獨屏處　為女說法　若說法時　无得戲咲
入里乞食　將一比丘　若无比丘　一心念佛
是則名為　行處近處　以此二處　能安隱說

BD02021 號　妙法蓮華經卷五　（9–2）

莫獨屏處　為女說法　若說法時　无得戲咲
入里乞食　將一比丘　若无比丘　一心念佛
是則名為　行處近處　以此二處　能安隱說
又復不行　上中下法　有為无為　實不實法
亦不分別　是男是女　不得諸法　不知不見
是則名為　菩薩行處　一切諸法　空无所有
无有常住　亦无起滅　是名智者　所親近處
顛倒分別　諸法有无　是實非實　是生非生
在於閑處　脩攝其心　安住不動　如須弥山
觀一切法　皆无所有　猶如虛空　无有堅固
不生不出　不動不退　常住一相　是名近處
若有比丘　於我滅後　入是行處　及親近處
說斯經時　无有怯弱　菩薩有時　入於靜室
以正憶念　隨義觀法　從禪定起　為諸國王
王子臣民　婆羅門等　開化演暢　說斯經典
其心安隱　无有怯弱　文殊師利　是名菩薩
安住初法　能於後世　說法華經
又文殊師利如來滅後於末法中欲說是
經應住安樂行若口宣說若讀經時不樂說
人及經典過亦不輕慢諸餘法師不說他人
好惡長短於聲聞人亦不稱名說其過惡亦不
稱名讚歎其美又亦不生怨嫌之心善脩如
是安樂心故諸有聽者不逆其意有所難問
不以小乘法荅但以大乘而為解說令得一
切種智尒時世尊欲重宣此義而說偈言
菩薩常樂　安隱說法　於清淨地　而施牀座

BD02021號　妙法蓮華經卷五　（9–3）

是安樂心故諸有聽者不逆其意有所難問
不以小乘法荅但以大乘而為解說令得一
切種智尒時世尊欲重宣此義而說偈言
菩薩常樂　安隱說法　於清淨地　而施牀座
以油塗身　澡浴塵穢　著新淨衣　內外俱淨
安處法座　隨問為說　若有比丘　及比丘尼
諸優婆塞　及優婆夷　國王王子　群臣士民
以微妙義　和顏為說　若有難問　隨義而荅
因緣譬喻　敷演分別　以是方便　皆使發心
漸漸增益　入於佛道　除嬾墮意　及懈怠想
離諸憂惱　慈心說法　晝夜常說　无上道教
以諸因緣　无量譬喻　開示衆生　咸令歡喜
衣服臥具　飲食醫藥　而於其中　无所悕望
但一心念　說法因緣　願成佛道　令衆亦尒
是則大利　安樂供養　我滅度後　若有比丘
能演說斯　妙法華經　心无嫉恚　諸惱障礙
亦无憂愁　及罵詈者　又无怖畏　加刀杖等
亦无擯出　安住忍故　智者如是　善脩其心
能住安樂　如我上說　其人功德　千万億劫
筭數譬喻　說不能盡
又文殊師利菩薩摩訶薩於後末世法欲滅
時受持讀誦斯經典者无懷嫉妒諂誑之心
亦勿輕罵學佛道者求其長短若比丘比丘
尼優婆塞優婆夷求聲聞者求辟支佛者求
菩薩道者无得惱之令其疑悔語其人言汝

BD02021號　妙法蓮華經卷五　（9–4）

又文殊師利菩薩摩訶薩於後末世法欲滅
時受持讀誦斯經典者无懷嫉妬諂誑之心
亦勿輕罵學佛道者求其長短若比丘比丘
尼優婆塞優婆夷求聲聞者求辟支佛者求
菩薩道者无得惱之令其疑悔語其人言汝
等去道甚遠終不能得一切種智所以者何
汝是放逸之人於道懈怠故又亦不應戲論
諸法有所諍競當於一切衆生起大悲想於
諸如來起慈父想於諸菩薩起大師想於十
方諸大菩薩常應深心恭敬礼拜於一切衆
生平等說法以順法故不多不少乃至深愛
法者亦不為多說文殊師利是菩薩摩訶薩
於後末世法欲滅時有成就是第三安樂行
者說是法時无能惱亂得好同學共讀誦是
經亦得大衆而來聽受聽已能持持已能誦
誦已能說說已能書若使人書供養經卷恭
敬尊重讚歎尒時世尊欲重宣此義而說偈言
若欲說是經 當捨嫉恚慢 諂誑邪偽心 常脩質直行
不輕蔑於人 亦不戲論法 不令他疑悔 云汝不得佛
是佛子說法 常柔和能忍 慈悲於一切 不生懈怠心
十方大菩薩 愍衆故行道 應生恭敬心 是則我大師
於諸佛世尊 生无上父想 破於憍慢心 說法无障礙
第三法如是 智者應守護 一心安樂行 无量衆所敬
又文殊師利菩薩摩訶薩於後末世法欲滅
時有持是法華經者於在家出家人中生大

BD02021號　妙法蓮華經卷五　（9–5）

第三法如是 智者應守護 一心安樂行 无量衆所敬
又文殊師利菩薩摩訶薩於後末世法欲滅
時有持是法華經者於在家出家人中生大
慈心於非菩薩人中生大悲心應作是念如
是之人則為大失如來方便隨宜說法不聞
不知不覺不問不信不解其人雖不問不信
不解是經我得阿耨多羅三藐三菩提時隨在
何地以神通力智慧力引之令得住是法中
文殊師利是菩薩摩訶薩於如來滅後有成
就此第四法者說是法時无有過失常為比
丘比丘尼優婆塞優婆夷國王王子大臣人
民婆羅門居士等供養恭敬尊重讚歎虛空
諸天為聽法故亦常隨侍若在聚落城邑空
閑林中有人來欲難問者諸天晝夜常為法
故而衛護之能令聽者皆得歡喜所以者何
此經是一切過去未來現在諸佛神力所護
故文殊師利是法華經於无量國中乃至名
字不可得聞何況得見受持讀誦文殊師利
譬如強力轉輪聖王欲以威勢降伏諸國而
諸小王不順其命時轉輪王起種種兵而往
討伐王見兵衆戰有功者即大歡喜隨功賞
賜或与田宅聚落城邑或与衣服嚴身之具
或与種種珎寶金銀瑠璃車𤦲馬瑙珊瑚虎
珀象馬車乘奴婢人民唯髻中明珠不以与
之所以者何獨王頂上有此一珠若以与之

BD02021號　妙法蓮華經卷五　（9–6）

或與種種珍寶金銀瑠璃車𤦲馬瑙珊瑚虎
珀象馬車乘奴婢人民唯髻中明珠不以與
之所以者何獨王頂上有此一珠若以與之
王諸眷屬必大驚怪文殊師利如來亦復如
是以禪定智慧力得法國土王於三界而諸
魔王不肯順伏如來賢聖諸將與之共戰其
有功者心亦歡喜於四衆中為說諸經令其
心悅賜以禪定解脫无漏根力諸法之財又
復賜與涅槃之城言得滅度引導其心令皆
歡喜而不為說是法華經文殊師利如轉輪
王見諸兵衆有大功者心甚歡喜以此難信
之珠久在髻中不妄與人而今與之如來亦
復如是於三界中為大法王以法教化一切
衆生見賢聖軍與五陰魔煩惱魔死魔天
魔共戰有大功勳滅三毒出三界破魔網尒時
如來亦大歡喜此法華經能令衆生至一切
智一切世間多怨難信先所未說而今說之
文殊師利此法華經是諸如來第一之說於
諸說中最為甚深末後賜與如彼強力之王
久護明珠今乃與之文殊師利此法華經諸
佛如來祕密藏於諸經中最在其上長夜
守護不妄宣說始於今日乃與汝等而敷演
之尒時世尊欲重宣此義而說偈言
常行忍辱　哀愍一切　乃能演說　佛所讚經
後末世時　持此經者　於家出家　乃非菩薩

之尒時世尊欲重宣此義而說偈言
常行忍辱　哀愍一切　乃能演說　佛所讚經
後末世時　持此經者　於家出家　乃非菩薩
應生慈悲　斯等不聞　不信是經　則為大失
我得佛道　以諸方便　為說此法　令住其中
譬如強力　轉輪之王　兵戰有功　賞賜諸物
象馬車乘　嚴身之具　及諸田宅　聚落城邑
或與衣服　種種珍寶　奴婢財物　歡喜賜與
如有勇健　能為難事　王解髻中　明珠賜之
如來亦尒　為諸法王　忍辱大力　智慧寶藏
以大慈悲　如法化世　見一切人　受諸苦惱
欲求解脫　與諸魔戰　為是衆生　說種種法
以大方便　說此諸經　既知衆生　得其力已
末後乃為　說是法華　如王解髻　明珠與之
此經為尊　衆經中上　我常守護　不妄開示
今正是時　為汝等說　我滅度後　求佛道者
欲得安隱　演說斯經　應當親近　如是四法
讀是經者　常无憂惱　又无病痛　顏色鮮白
不生貧窮　卑賤醜陋　衆生樂見　如慕賢聖
天諸童子　以為給使　刀杖不加　毒不能害
若人惡罵　口則閉塞　遊行无畏　如師子王
智慧光明　如日之照　若於夢中　但見妙事
見諸如來　坐師子座　諸比丘衆　圍繞說法
又見龍神　阿修羅等　數如恒沙　恭敬合掌
自見其身　而為說法　又見諸佛　身相金色

若人惡罵 口則閉塞 遊行无畏 如師子王
智慧光明 如日之照 若於夢中 但見妙事
見諸如來 坐師子座 諸比丘衆 圍繞說法
又見龍神 阿脩羅等 數如恒沙 恭敬合掌
自見其身 而為說法 又見諸佛 身相金色
放无量光 照於一切 以梵音聲 演說諸法
佛為四衆 說无上法 見身處中 合掌讚佛
聞法歡喜 而為供養 得陁羅尼 證不退智
佛知其心 深入佛道 即為授記 成最正覺
汝善男子 當於來世 得无量智 佛之大道
國土嚴淨 廣大无比 亦有四衆 合掌聽法
又見自身 在山林中 脩習善法 證諸實相
深入禪定 見十方佛
諸佛身金色 百福相莊嚴 聞法為人說 常有是好夢
又夢作國王 捨宮殿眷屬 及上妙五欲 行詣於道場
在菩提樹下 而處師子座 求道過七日 得諸佛之智
成无上道已 起而轉法輪 為四衆說法 經千万億劫
說无漏妙法 度无量衆生 後當入涅槃 如烟盡燈滅

BD02021 號　妙法蓮華經卷五　　（9–9）

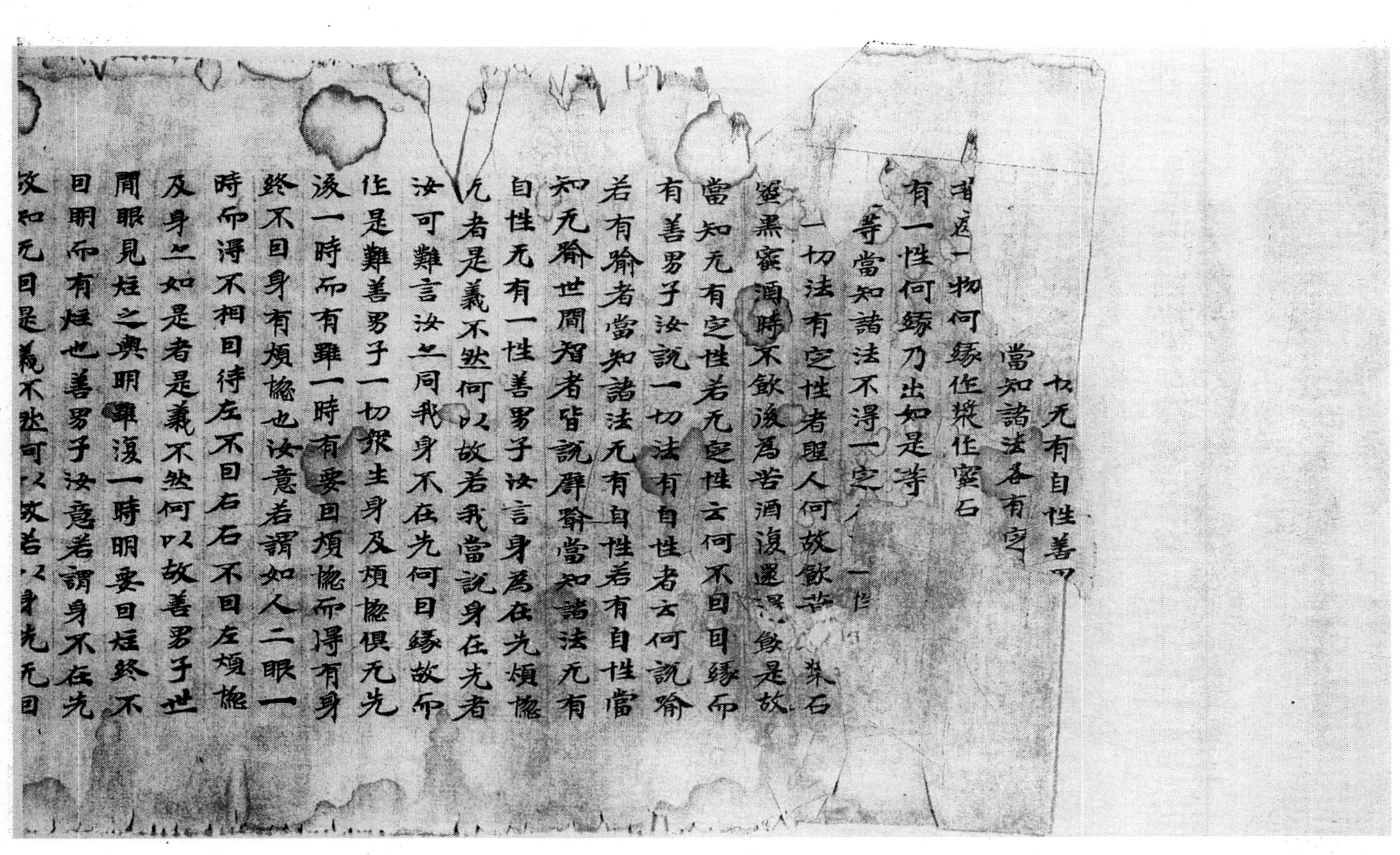
切无有自性善男
當知諸法各有定
者若一物何緣作瓶作窟石
有一性何緣乃出如是等
等當知諸法不得一定
一切法有定性者聖人何故飲苦……柒石
蜜黑蜜酒時不飲後為苦酒復還得像是故
當知无有定性若无定性云何不因因緣而
有善男子汝說一切法有自性者云何說喻
若有喻者當知諸法无有自性若有自性當
知无喻世間智者皆說譬喻當知諸法无有
自性无有一性善男子汝言身為在先煩惱
无者是義不然何以故若我當說身在先者
汝可難言汝之同我身不在先何因緣故而
作是難善男子一切衆生身及煩惱俱无先
後一時而有雖一時有要因煩惱而得有身
終不因身有煩惱也汝意若謂如人二眼一
時而得不相因待左不因右右不因左煩惱
及身亦如是者是義不然何以故善男子世
間眼見炷之與明雖復一時明要因炷終不
因明而有炷也善男子汝意若謂身不在先
故知无因是義不然何以故若以身先无因

BD02022 號　大般涅槃經（北本）卷四〇　　（17–1）

及身亦如是者是義不然何以故善男子世
間眼見短之與明雖復一時明要因短終不
因明而有短也善男子汝意若謂身不在先
故知无因是義不然何以故若以身先无因
緣故名爲无者汝不應說一切諸法而有因
緣若言不見故不說者今見瓶等從因緣出
何故不說如瓶身先因緣亦復如是善男子
若見不見一切諸法皆從因緣无有自性善
男子若言一切法悉有自性无因緣者汝何
因緣說於五大是五大性即是因緣善男子
五大因緣雖復如是亦不應說諸法皆同五
大因緣如世人說一切出家精懃持戒旃陀
羅等亦應如是精進持戒善男子汝言五大
有定堅性我觀是性轉故不定善男子蘇臘
胡膠於汝法中名之爲地是地不定或同於
水或同於地故不得說自性故堅善男子白
臘鈆錫銅鐵金銀於汝法中名之爲火是火
四性流時水性動時風性熱時火性堅是地
性云何說言定名火性
善男子水性名流若水凍時不名爲地故名
水者何因緣故波動之時不名爲風若動不
名風凍時亦應不名爲水若是二義從因緣
者何故說言一切諸法不從因緣善男子若
言五根性能見聞覺知皁故皆是自性不從
因緣是義不然何以故善男子自性之性性
不可轉若言眼性見者常應能見不應有見
有不見時是故當知從因緣見非无因緣汝

不可轉若言眼性見者常應能見不應有見
有不見時是故當知從因緣見非无因緣汝
言非因五塵生貪解脫是義不然何以故善
男子生貪解脫雖復不因五塵因緣要覺觀
故則生貪欲善覺觀故則得解脫善男子內
因緣故生貪解脫外因緣故則能增長是故
汝言一切諸法各有自性不因五塵生貪解
脫无有是處善男子汝言具足諸根多於財
物不得自在諸根殘缺多饒財寶得大自在
因此以明有自性故不從因緣者是義不然
何以故善男子衆生從業而有果報如是果
報則有三種一者現報二者生報三者後報
貧窮巨富根具不具是業各異若有自性具
諸根者應饒財寶饒財寶者應具諸根今則
不尒是故定知无有自性皆從因緣如汝所
言世間小兒未能分別五塵因緣亦啼亦咲
是故一切有自性者是義不然何以故若自
性者咲應常咲啼應常啼不應一咲一啼若
一咲一啼當知一切悉從因緣是故不應說
一切法有自性故不從因緣梵志言世尊若
一切法從因緣有如是身者從何因緣佛言
善男子是身因緣煩惱與業梵志言世尊如
其是身從煩惱業是煩惱業可斷不也佛言
如是如是梵志復言世尊唯願爲我分別解
說令我聞已不移是處悉得斷之佛言善男
子若知二邊中間无㝵是人則能斷煩惱業
世尊我以知解得正法眼佛言汝云何知世

如是如是梵志復言世尊唯願爲我分別解
說令我聞已不移是處悉得斷之佛言善男
子若知二邊中間无导是人則能斷煩惱業
世尊我以知解得正法眼佛言汝云何知世
尊二邊即色及色解脫中間即是八正道也
受想行識亦復如是佛言善哉善哉善男子
善知二邊斷煩惱業世尊唯願聽我出家受
戒佛言善來比丘即時斷除三界煩惱得阿
羅漢果尒時復有一婆羅門名曰犢子復作
是言瞿曇知我今所念不佛言善男子涅槃
是常有爲无常曲即耶見直即聖道婆羅門
言瞿曇何因緣故作如是說善男子汝意每
謂乞食是常別請无常曲即户鑰直是帝幢
是故我說涅槃是常有爲无常曲謂耶見直
謂八正非如汝先所思惟也婆羅門言瞿曇
實知我心是八正道悉令衆生得盡滅不尒
時世尊嘿然不荅婆羅門言瞿曇已知我心
我今所問何故嘿然而不見荅時憍陳如即
作是言大婆羅門若有問世有邊无邊如来
常尒嘿然不荅八聖道是直涅槃是常若脩
八聖即得滅盡若不脩集則不能得大婆羅
門辟如大城其城四壁都无孔竅唯有一門
其守門者聦明有智能善分別可放則放可
遮則遮雖不能知出入多少定知一切有入
出者皆由此門善男子如来亦尒城喻涅槃
門喻八正守門之人喻於如来善男子如来
今者雖不荅汝盡與不盡其有盡者要當脩

BD02022號　大般涅槃經（北本）卷四〇　（17-4）

出者皆由此門善男子如来亦尒城喻涅槃
門喻八正守門之人喻於如来善男子如来
今者雖不荅汝盡與不盡其有盡者要當脩
集具八聖道婆羅門言善哉善哉大德憍陳
如如来善能說微妙法我今實欲知城知道
自作守門憍陳如言善哉善哉汝婆羅門能
發无上廣大之心佛言止止憍陳如是婆羅
門非適今日發是心也憍陳如乃往過去過
无量劫有佛世尊名普光明如来應正遍知
明行足善逝世間解无上士調御丈夫天人
師佛世尊是人先已於彼佛所發阿耨多羅
三藐三菩提心此賢劫中當得作佛久已通
達了知法相爲衆生故現處外道亦无所知
已是因緣汝憍陳如不應讀言善哉善哉汝
今能發如是大心尒時世尊知已即告憍陳
如言阿難比丘今爲所在憍陳如言世間阿
難比丘在娑羅林外去此大會十二由旬而
爲六万四千億魔之所嬈亂是諸魔衆悉自
變身爲如来像或有宣說一切諸法從因緣
生或有說言一切諸法不從因生或有說言
一切因緣皆是常法從緣生者悉是无常或
有說言五陰是實或說虛假入界亦尒或有
說言十二因緣或有說言正有四緣或說諸
法如幻如化如熱時炎或有說言因聞得法
或有說言因思得法或有說言因脩得法或
復有說不淨觀法或復有說出息入息或有
說言四念處觀或復有說三種觀義七種方
更或復有說煖法頂法忍法世第一法學无

BD02022號　大般涅槃經（北本）卷四〇　（17-5）

復有說不淨觀法或復有說出息入息或有
說言四念處觀或復有說三種觀義七種方
便或復有說煗法頂法忍法世第一法學无
學地菩薩初住乃至十住或有說空无相无
作或復有說脩多羅祇夜毗伽羅那伽陀憂
陀那毗陀那阿波陀那伊帝目多伽闍陀伽
毗佛略阿浮陀達摩憂婆提舍或說四念處
四正懃四如意足五根五力七覺八聖道或
說內空外空內外空有為空无為空无始空
性空遠離空散空自相空无相空陰空入空
界空善空不善空无記空菩提空道空涅槃
空行空得空第一義空空空大空或有示現
神通變化身出水火或身上出水身下出火
身下出水身上出火左脇在下右脇出水右
脇在下左脇出水一脇震雷一脇降雨或有
示現諸佛世界或復示現菩薩初生行至七
步處在深宮受五欲時初始出家脩苦行時
往菩提樹坐三昧時壞魔軍衆轉法輪時示
大神通入涅槃時世尊阿難比丘見是事已
作是念言如是神變昔来未見誰之所作將
非世尊釋迦作耶欲起欲語都不從意阿難
比丘入魔羂故復作是念諸佛所說各各不
同我於今者當受誰語世尊阿難今者極受
大苦雖念如来无能救者以是因緣不来至
此大衆之中尒時文殊師利菩薩摩訶薩白
佛言世尊此大衆中有諸菩薩已於一生裁
阿耨多羅三藐三菩提心至无量生裁菩提
[illegible]

[illegible]
此大衆之中尒時文殊師利菩薩摩訶薩白
佛言世尊此大衆中有諸菩薩已於一生裁
阿耨多羅三藐三菩提心至无量生裁菩提
心已能供養无量諸佛其心堅固具足脩行
檀波羅蜜乃至般若波羅蜜成就功德久已
親近无量諸佛淨脩梵行得不退轉菩提之
心得不退忍不退轉持得如法忍首楞嚴等
无量三昧如是等輩聞大乘經終不生疑善
能分別宣說三寶同一性相常住不變聞不
思議不生驚怪聞種種空心不怖懅了了通
達一切法性能持一切十二部經廣解其義
亦能受持无量諸佛十二部經何憂不能受
持如是大涅槃典何因緣故問憍陳如阿難
所在
尒時世尊告文殊師利諦聽諦聽善男子我
成佛已過三十年住王舍城尒時我告諸比
丘言諸比丘今此衆中誰能為我受持如来
十二部經供給左右所須之事亦使不失自
身善利時憍陳如在彼衆中来白我言我能
受持十二部經供給左右不失所作自利益
事我言憍陳如汝已朽邁當須使人云何方
欲為我給使時舍利弗復作是言我能受持
佛一切語供給所須不失所作自利益事我
言舍利弗汝已朽邁當須使人云何方欲為
我給使乃至五百阿羅漢皆亦如是佛悉不
受尒時目連在大衆中作是思惟如来今者
不受五百比丘給使佛意為欲令誰作耶思

我給使乃至五百阿羅漢皆亦如是佛悉不
受尒時目連在大衆中作是思惟如來今者
不受五百比丘給使佛意為欲令誰作耶思
惟是已即便入定見如來心在阿難許如日
初出光照西壁見是事已即從定起語憍陳
如大德我觀如來欲令阿難給事左右尒時
憍陳如與五百阿羅漢往阿難所作如是言
阿難汝今當為如來給使請受是事阿難言
諸大德我實不堪給使如來何以故如來尊
重如師子王如龍如火我今穢弱云何能辦
諸比丘言阿難汝受我語給事如來得大利
益第二第三亦復如是阿難言諸大德我亦
不求大利益事實不堪任奉給左右時目連
捷復作是言阿難汝今未知阿難言大德唯
願說之目揵連言如來先日僧中求使五百
羅漢皆求為之如來不聽我即入定見如來
意欲令汝為汝今云何反更不受阿難聞已
合掌長跪作如是言諸大德若有是事如來
世尊與我三願當順僧命給事左右目揵連
言何等三願阿難言一者如來設以故衣賜
我聽我不受二者設受檀越別請聽我不往
三者聽我出入无有時節如是三事佛若聽
者當順僧命時憍陳如五百比丘還來我所
作如是言我等已勸阿難比丘唯求三願若
佛聽者當順僧命
文殊師利我於尒時讚阿難言善哉善哉阿
難比丘具足智慧豫見譏嫌何以故當有人

BD02022號　大般涅槃經（北本）卷四〇　（17–8）

作如是言我等已勸阿難比丘唯求三願若
佛聽者當順僧命
文殊師利我於尒時讚阿難言善哉善哉阿
難比丘具足智慧豫見譏嫌何以故當有人
言汝為衣食奉給如來是故先求不受故衣
不隨別請憍陳如阿難比丘具足智慧入出
有時則不能得廣作利益四部之衆是故求
欲出入无時憍陳如我為阿難開是三事隨
其意願時目揵連還阿難所語阿難言吾已
為汝啟請三事如來大慈皆已聽許阿難言
大德若佛聽者請往給侍文殊師利阿難事
我廿餘年具足八種不可思議何等為八一
者事我以來廿餘年初不隨我受別請食二
者事我以來初不受我陳故衣服三者自事
我以來至我所時終不非時四者自事我來
具足煩惱隨我入出諸王剎利豪貴大姓見
諸女人及天龍女不生欲心五者自事我來
持我所說十二部經一逕於耳曾不再問如
寫瓶水置之一瓶唯除一問善男子流瑠太
子煞諸釋氏壞迦毗羅城阿難尒時心懷愁
惱發聲大哭來至我所作如是言我與如來
俱生此城同一釋種云何如來光顏如常我
則憔悴我時答言阿難我脩空定故不同汝
過三年已還來問我世尊我往於彼迦毗羅
城曾聞如來脩空三昧是事虛實我言阿難
如是如是如汝所說六者自事我來雖未獲
得知他心智常知如來所入諸定七者自事
我來未得願智而能了知如是衆生到如來

BD02022號　大般涅槃經（北本）卷四〇　（17–9）

城曾聞如来脩空三昧是事虚實我言阿難
如是如是如汝所說六者自事我来雖未獲
得知他心智常知如来所入諸定七者自事
我来未得願智而能了知如是衆生到如来
所現在能得四沙門果有後得者有得人身
有得天身八者自事我来如来所有秘密之
言悉能了知善男子阿難比丘具足如是八
不思議是故我稱阿難比丘為多聞藏善男
子阿難比丘具足八法能具足持十二部經
何等為八一者信根堅固二者其心質直三
者身无病苦四者常懃精進五者具足念心
六者心无憍慢七者成就定慧八者具足從
聞生智文殊師利毗婆尸佛侍者弟子名阿
叔迦亦復具足如是八法尸棄如来侍者弟
子名差摩迦羅毗舍浮佛侍者弟子名憂波
扇陀迦羅鳩村大佛侍者弟子名曰跋提迦
那牟尼佛侍者弟子名曰蘇坻迦葉佛侍者
弟子名葉波蜜多皆亦具足如是八法我今
阿難亦復如是具足八法是故我稱阿難比
丘為多聞藏善男子如汝所說此大衆中雖
有无量无邊菩薩是諸菩薩皆有重任所謂
大慈大悲如是慈悲之因緣故各各忩務調
伏眷屬莊嚴自身以是因緣我涅槃後不能
宣通十二部經若有菩薩或時說能人不信
受文殊師利阿難比丘是吾之弟給事我来
廿餘年所可聞法具足受持喻如寫水置之
一器是故我今顧問阿難為何所在欲令受

受文殊師利阿難比丘是吾之弟給事我来
廿餘年所可聞法具足受持喻如寫水置之
一器是故我今顧問阿難為何所在欲令受
持大涅槃經善男子我涅槃後阿難比丘所
未聞者弘廣菩薩當能流布阿難所聞自能
宣通文殊師利阿難比丘今在他處去此會
外十二由旬而為六万四千億魔之所惱乱
汝可往彼發大聲言一切諸魔諦聽諦聽如
来今說大陀羅尼一切天龍乾闥婆阿脩羅
迦樓羅緊那羅摩睺羅伽人與非人山神樹
神河神海神舍宅等神聞是持名无不恭敬
受持之者是陀羅尼十恒河沙諸佛世尊所
共宣說能轉女身自識宿命若受五事一者
梵行二者斷肉三者斷酒四者斷辛五者樂
在寂靜受五事已至心信受讀誦書寫是陀
羅尼當知是人則得超越七十七億弊惡之
身介時世尊即便說之
阿磨䅲　毗磨䅲　涅磨䅲　曹伽䅲醖　摩
羅若竭鞞　三旁那㧞提　婆娑陀　沙檀尼　波
羅磨他沙檀尼　摩那斯　阿拙啼　比羅祇菴
羅賴坻　婆嵐弥　婆嵐摩沙䅲　富涅富那摩
奴賴絲
介時文殊師利從佛受是陀羅尼已至阿難
所在魔衆中作如是言諸魔眷屬諦聽我說
所從佛受陀羅尼呪魔王聞是陀羅尼已悉
發阿耨多羅三藐三菩提心捨於魔業即放
阿難文殊師利與阿難俱来至佛所阿難見
佛至心礼敬却住一面佛告阿難是娑羅林

所從佛受陁羅尼呪魔王聞是陁羅尼已悉
發阿耨多羅三藐三菩提心捨於魔業即放
阿難文殊師利與阿難俱来至佛所阿難見
佛至心礼敬却住一面佛告阿難是娑羅林
外有一梵志名須䟦陁其年極老已百廿歲
得五通未捨憍慢獲得非想非非想定生一
切智起涅槃想汝可往彼語須䟦陁言如来
出世如優曇華於今中夜當般涅槃若有所
作可及時作莫於後日而生悔心阿難汝之
所說彼定信受何以故汝曾往昔五百世中
作須䟦陁子其人愛心習猶未盡以是因緣
信受汝語尒時阿難受佛勑已往須䟦所作
如是言仁者當知如来出世如優曇華於今
中夜當般涅槃欲有所作可及時作莫於後
日生悔心也須䟦言善哉阿難我今當往至
如来所尒時阿難與須䟦陁還至佛所時須
䟦陁到已問訊作如是言瞿曇我今欲問隨
我意荅佛言須䟦今正是時隨汝所問我當
方便隨汝意荅瞿曇有諸沙門婆羅門等作
如是言一切衆生受苦樂報皆隨往日本業
因緣是故若有持戒精進受身心苦能壞本
業本業既盡衆苦盡滅衆苦盡滅即得涅槃
是義云何佛言善男子若有沙門婆羅門等
作是說者我為憐愍常當往来如是人所既
至彼已我當問之仁者實作如是說不彼若
見荅我如是說何以故瞿曇我見衆生習行
諸惡多饒財寶身得自在又見脩善貧窮多

至彼已我當問之仁者實作如是說不彼若
見荅我如是說何以故瞿曇我見衆生習行
諸惡多饒財寶身得自在又見脩善貧窮多
之不得自在又見有人多役力用求財不得
又見不求自然得之又見有人慈心不煞反
更中夭又見憙煞終保年壽又見有人淨脩
梵行精進持戒有得解脫有不得者是故我
說一切衆生受苦樂報皆由往日本業因緣
須䟦我復當問仁者實見過去業不若有是
業為多少耶現在苦行能破多少耶能知是
業已盡不盡耶是業既盡一切盡耶彼若見
荅我實不知我便當為彼人引喻譬如有人
身被毒箭其家眷属為請醫師令䟦是箭既
䟦箭已身得安隱其後十年是人猶憶了了
分明是醫為我䟦出毒箭以藥塗拊令我得
差安隱受樂仁既不知過去本業云何能知
現在苦行定能破壞過去業耶彼若復言瞿
曇汝今亦有過去本業何故獨責我過去業
瞿曇經中亦作是說若見有人豪富自在當
知是人先世好施如是不名過去業耶我復
荅言仁者如是知者名為比知不名真智我
佛法中或有因因知果或有從果知因我佛
法中有過去業有現在業汝則不尒唯有過
業无現在業汝法不從方便斷業我法不尒
從方便斷汝業盡已則得苦盡我則不尒煩
惱盡已業苦則盡是故我今責汝過業彼人
若言瞿曇我實不知從師受之師作是說我

業无現在業[illegible]法不從方便[illegible]業[illegible]
從方便斷汝業盡已則得苦盡我則不尒煩
惚盡已業苦則盡是故我今嘖汝過業彼人
若言瞿曇我實不知從師受之師作是説我
實无咎我言仁者汝師是誰彼若見荅是冨
蘭那我復言曰汝昔何不一一諮啓大師實
知過去業不汝師若言我不知者汝復云何
受是師語若言我知復應問言下苦因緣受
中上苦不中苦因緣受下上苦不上苦因緣
受中下苦不若言不者復應問言師云何説
苦樂之報唯過去業非現在耶復應問言是
現在苦過去有不若過去有過去之業悉已
都盡若都盡者云何復受今日之身若過去
无[illegible]現在有云何復言衆生苦樂皆過去業
仁者若知現在苦行能壞過去業現在苦行
復以何破如其不破苦即是常苦若是常云
何説言得苦解脫若更有行壞苦行者過去
已盡云何有苦仁者如是苦行能令樂業受
苦果不復令苦業受樂果不能令无苦无樂
業作不受果不能令現報作生報不能令生
報作現報不令是二報作无報不能令定報
作无報不能令无報作定之報不彼若復言瞿
曇不能我復當言仁者如其不能何因緣故
受是苦行仁者當知定有過業現在因緣是
故我言因煩惱生業因業受報仁者當知一
切衆生有過去業有現在因衆生雖有過去
壽業要賴現在飲食因緣仁者若説衆生受
苦受樂定由過去本業因緣是事不然何以

BD02022號　大般涅槃經（北本）卷四〇　（17-14）

切衆生有過去業有現在因衆生雖有過去
壽業要賴現在飲食因緣仁者若説衆生受
苦受樂定由過去本業因緣是事不然何以
故仁者譬如有人爲王除怨以是因緣多得
財寶因是財寶受現在樂如是之人現作樂
因現受樂報譬如有人煞王愛子以是因緣
並失身命如是之人現作苦因現在苦報仁
者一切衆生現在因於四大時節土地人民
受苦受樂是故我説一切衆生不必盡因過
去本業受苦樂也仁者若以斷業因緣力故
得解脫者一切聖人不得解脫何以故一切
衆生過去本業无始終故是故我説脩聖道
時是道能遮无始終業仁者若受苦行便得
道者一切畜生悉應得道是故先當調伏其
心不調伏身以是因緣我經中説斫伐此林
莫斫伐樹何以故從林生怖不從樹生欲調
伏身先當調心心喻於林身喻於樹須拔陀
言世尊我以先調伏心佛言善男子汝今云
何能先調心須拔陀言世尊我先思惟欲是
无常无樂无淨觀色即是常樂清淨作是觀
已欲界結斷獲得色處是故名爲先調伏心
次復觀色色是无常如瘫如創如毒如箭見
无色常清淨寂靜如是觀已色界結盡得无
色處是故名爲先調伏心次復觀想即是无
常瘫創毒箭如是觀已獲得非想非非想處
是非非想處即一切智寂靜清淨无有墮墜
常恒不變是故我能調伏其心佛言善男子
[illegible]

BD02022號　大般涅槃經（北本）卷四〇　（17-15）

色處是故名為先調伏心次復觀想是无
常麁劍毒箭如是觀已獲得非想非非想處
是非非想處即一切智寂靜清淨无有墮墜
常恒不變是故我能調伏其心佛言善男子
汝云何能調伏心耶汝今所得非想非非想
定猶名為想涅槃无想汝云何言獲得涅槃
善男子汝已先能呵嘖麁想今者云何愛著
細想不知呵責如是非想非非想處故名為
想如癰如瘡如毒如箭善男子汝師鬱頭藍
弗利根聰明尚不能斷如是非想非非想處
受於惡身況其餘者世尊云何能斷一切諸
有佛言善男子若觀實相是人能斷一切諸
有須跋陀言世尊云何名為實相善男子无
相之相名為實相世尊云何名為无想之相
善男子一切法无自相他相及自他相无无
因想无作想无受相无作者想无受者想无
法非法相无男女相无士夫相无微塵相无
時節相无為自相无為他相无為自他相无
有相无无相无生相无生者相无因相无因
因相无果相无果果相无晝夜相无明闇相
无見相无見者相无聞相无聞者相无覺知
相无覺知者相无菩提相无得菩提者相无
業相无業主相无煩惱相无煩惱主相善男
子如是等相隨所滅處名真實相善男子一
切諸法皆是虛假隨其滅處是名為實是名
實相是名法界名畢竟智名第一義諦第一
義空善男子是相法界畢竟智第一義諦第

BD02022號　大般涅槃經（北本）卷四〇　（17-16）

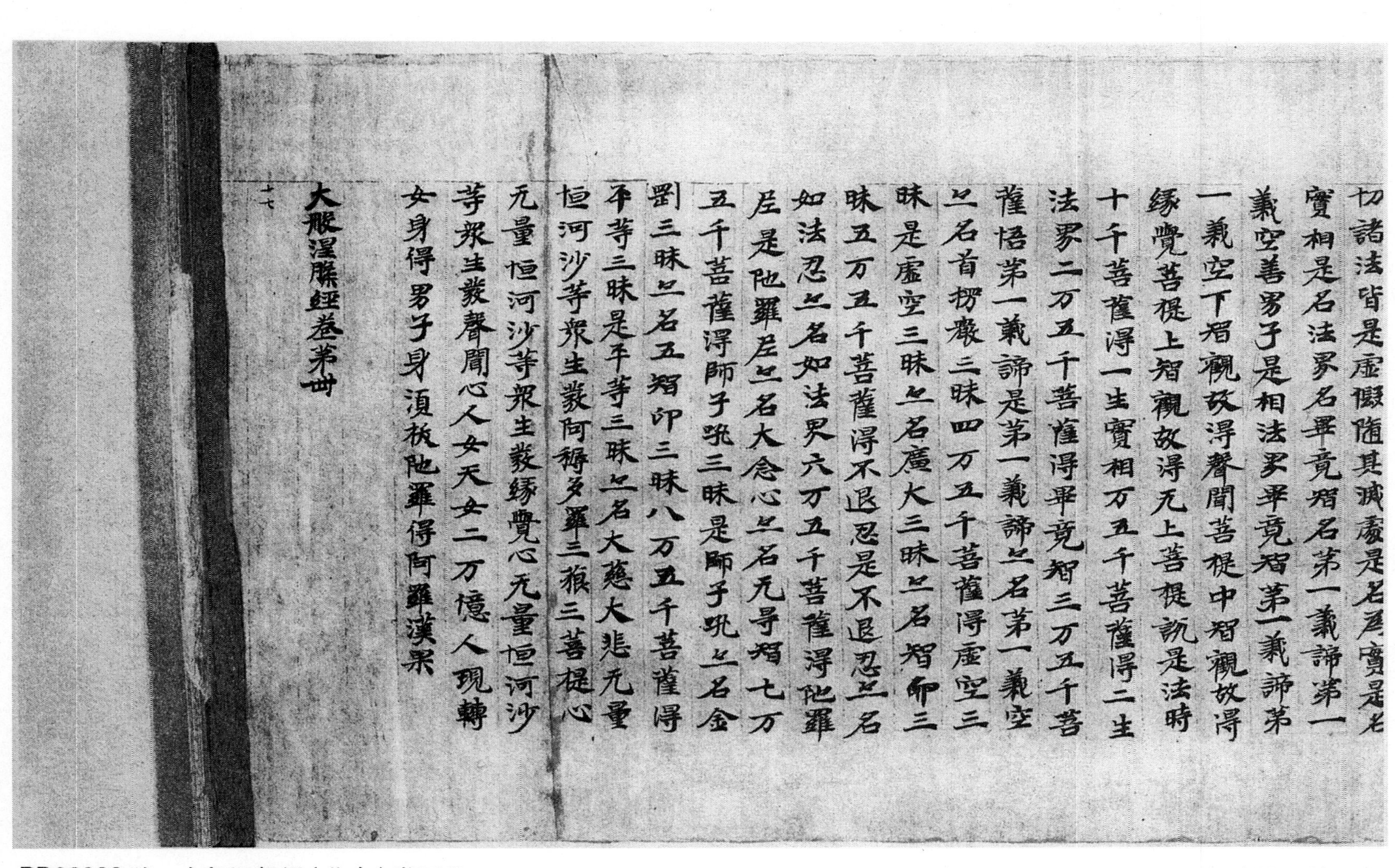
切諸法皆是虛假隨其滅處是名為實是名
實相是名法界名畢竟智名第一義諦第一
義空善男子是相法界畢竟智第一義諦第
一義空下智觀故得聲聞菩提中智觀故得
緣覺菩提上智觀故得无上菩提說是法時
十千菩薩得一生實相万五千菩薩得二生
法界二万五千菩薩得畢竟智三万五千菩
薩悟第一義諦是第一義諦亦名第一義空
亦名首楞嚴三昧四万五千菩薩得虛空三
昧是虛空三昧亦名廣大三昧亦名智印三
昧五万五千菩薩得不退忍是不退忍亦名
如法忍亦名如法界六万五千菩薩得陀羅
尼是陀羅尼亦名大念心亦名无导智七万
五千菩薩得師子吼三昧是師子吼亦名金
剛三昧亦名五智印三昧八万五千菩薩得
平等三昧是平等三昧亦名大慈大悲无量
恒河沙等眾生發阿耨多羅三藐三菩提心
无量恒河沙等眾生發緣覺心无量恒河沙
等眾生發聲聞心人女天女二万億人現轉
女身得男子身須跋陀羅得阿羅漢果

十七

大般涅槃經卷第卌

BD02022號　大般涅槃經（北本）卷四〇　（17-17）

妙法蓮華經安樂行品第十四　五

尒時文殊師利法王子菩薩摩訶薩白佛言
世尊是諸菩薩甚為難有敬順佛故發大誓
願於後惡世護持讀誦說是法華經世尊菩薩
摩訶薩於後惡世云何能說是經佛告文殊
師利若菩薩摩訶薩於後惡世欲說是經當
安住四法一者安住菩薩行處親近處能為
衆生演說是經文殊師利云何名菩薩摩訶
薩行處若菩薩摩訶薩住忍辱地柔和善順
而不卒暴心亦不驚又復於法无所行而觀
諸法如實相亦不行不分別是名菩薩摩訶
薩行處云何名菩薩摩訶薩親近處菩薩
摩訶薩不親近國王王子大臣官長不親近諸
外道梵志尼揵子等及造世俗文筆讃詠外
書及路伽耶陁逆路伽耶陁者亦不親近諸
有凶戲相扠相撲及那羅等種種變現之戲
又不親近旃陁羅及畜猪羊雞狗田獵魚捕
諸惡律儀如是人等或時來者則為說法无
所悕望又不親近求聲聞比丘比丘尼優婆
塞優婆夷亦不問訊若於房中若經行處若

BD02023號　妙法蓮華經卷五　（29–1）

又不親近旃陁羅及畜猪羊雞狗田獵魚捕
諸惡律儀如是人等或時來者則為說法无
所悕望又不親近求聲聞比丘比丘尼優婆
塞優婆夷亦不問訊若於房中若經行處若
在講堂中不共住止或時來者隨宜說法无
所悕求文殊師利又菩薩摩訶薩不應於女
人身取能生欲想相而為說法亦不樂見若
入他家不與小女處女寡女等共語亦復不
近五種不男之人以為親厚不獨入他家若有
因緣須獨入時但一心念佛若為女人說法
不露齒咲不現胷臆乃至為法猶不親厚
況復餘事不樂畜年少弟子沙弥小兒亦不
樂與同師常好坐禪在於閑處修攝其心文
殊師利是名初親近處復次菩薩摩訶薩觀
一切法空如實相不顛倒不動不退不轉如
虛空无所有性一切語言道斷不生不出不
起无名无相實无所有无量无邊无礙无障
但以因緣有從顛倒生故說常樂觀如是法
相是名菩薩摩訶薩第二親近處尒時世
尊欲重宣此義而說偈言

若有菩薩　於後惡世　无怖畏心　欲說是經
應入行處　及親近處　常離國王　及國王子
大臣官長　凶險戲者　及旃陁羅　外道梵志
亦不親近　增上慢人　貪著小乘　三藏學者
破戒比丘　名字羅漢　及比丘尼　好戲咲者
深著五欲　求現滅度　諸優婆夷　皆勿親近

BD02023號　妙法蓮華經卷五　（29–2）

亦不親近　增上慢人　貪著小乘　三藏學者
破戒比丘　名字羅漢　及比丘尼　好戲笑者
深著五欲　求現滅度　諸優婆夷　皆勿親近
若是人等　以好心來　到菩薩所　為聞佛道
菩薩則以　无所畏心　不懷悕望　而為說法
寡女處女　及諸不男　皆勿親近　以為親厚
亦莫親近　屠兒魁膾　畋獵漁捕　為利殺害
販肉自活　衒賣女色　如是之人　皆勿親近
凶險相撲　種種嬉戲　諸婬女等　盡勿親近
莫獨屏處　為女說法　若說法時　无得戲笑
入里乞食　將一比丘　若无比丘　一心念佛
是則名為　行處近處　以此二處　能安樂說
又復不行　上中下法　有為无為　實不實法
亦不分別　是男是女　不得諸法　不知不見
是則名為　菩薩行處　一切諸法　空无所有
无有常住　亦无起滅　是名智者　所親近處
顛倒分別　諸法有无　是實非實　是生非生
在於閑處　脩攝其心　安住不動　如須弥山
觀一切法　皆无所有　猶如虛空　无有堅固
不生不出　不動不退　常住一相　是名近處
若有比丘　於我滅後　入是行處　及親近處
說斯經時　无有怯弱　菩薩有時　入於靜室
以正憶念　隨宜觀法　從禪定起　為諸國王
王子臣民　婆羅門等　開化演暢　說斯經典
其心安隱　无有怯弱　文殊師利　是名菩薩
安住初法　能於後世　說法華經

以正憶念　隨宜觀法　從禪定起　為諸國王
王子臣民　婆羅門等　開化演暢　說斯經典
其心安隱　无有怯弱　文殊師利　是名菩薩
安住初法　能於後世　說法華經
又文殊師利　如來滅後　於末法中　欲說是經
應住安樂行　若口宣說　若讀經時　不樂說
人及經典過　亦不輕慢　諸餘法師　不說他人好
惡長短　於聲聞人　亦不稱名　說其過惡　亦不
稱名讚歎其美　又亦不生　怨嫌之心　善脩如
是安樂心故　諸有聽者　不逆其意　有所難問
不以小乘法答　但以大乘　而為解說　令得一
切種智　尒時世尊　欲重宣此義　而說偈言
菩薩常樂　安隱說法　於清淨地　而施床座
以油塗身　澡浴塵穢　著新淨衣　內外俱淨
安處法座　隨問為說　若有比丘　及比丘尼
諸優婆塞　及優婆夷　國王王子　羣臣士民
以微妙義　和顏為說　若有難問　隨宜而答
因緣譬喻　敷演分別　以是方便　皆使發心
漸漸增益　入於佛道　除嬾惰意　及懈怠想
離諸憂惱　慈心說法　晝夜常說　无上道教
以諸因緣　无量譬喻　開示眾生　咸令歡喜
衣服臥具　飲食醫藥　而於其中　无所悕望
但一心念　說法因緣　願成佛道　令眾亦尒
是則大利　安樂供養　我滅度後　若有比丘
能演說斯　妙法華經　心无嫉恚　諸惱障礙

但一心念　說法因緣　願成佛道　令衆亦尒
是則大利　安樂供養　我滅度後　若有比丘
能演說斯　妙法華經　心无嫉恚　諸惱障礙
亦无憂愁　及罵詈者　又无怖畏　加刀杖等
亦无擯出　安住忍故　智者如是　善脩其心
能住安樂　如我上說　其人功德　千萬億劫
筭數譬喻　說不能盡
又文殊師利菩薩摩訶薩於後末世法欲滅
時受持讀誦斯經典者无懷嫉妬諂誑之心
亦勿輕罵學佛道者求其長短若比丘比丘
尼優婆塞優婆夷求聲聞者求辟支佛者求
菩薩道者无得惱之令其疑悔語其人言汝
等去道甚遠終不能得一切種智所以者何
汝是放逸之人於道懈怠故又亦不應戲論
諸法有所諍競當於一切衆生起大悲想於
諸如來起慈父想於諸菩薩起大師想於十
方諸大菩薩常應深心恭敬礼拜於一切衆
生平等說法以順法故不多不少乃至深愛
法者亦不爲多說文殊師利是菩薩摩訶薩
於後末世法欲滅時有成就是第三安樂行
者說是法時无能惱亂得好同學共讀誦是
經亦得大衆而來聽受聽已能持持已能誦
誦已能說說已能書若使人書供養經卷
恭敬尊重讚歎尒時世尊欲重宣此義而說
偈言
若欲說是經　當捨嫉恚慢　諂誑邪僞心　常脩質直行

BD02023 號　妙法蓮華經卷五　（29–5）

經亦得大衆而來聽受聽已能持持已能誦
誦已能說說已能書若使人書供養經卷
恭敬尊重讚歎尒時世尊欲重宣此義而說
偈言
若欲說是經　當捨嫉恚慢　諂誑邪僞心　常脩質直行
不輕蔑於人　亦不戲論法　不令他疑悔　云汝不得佛
是佛子說法　常柔和能忍　慈悲於一切　不生懈怠心
十方大菩薩　愍衆故行道　應生恭敬心　是則我大師
於諸佛世尊　生无上父想　破於憍慢心　說法无障礙
第三法如是　智者應守護　一心安樂行　无量衆所敬
又文殊師利菩薩摩訶薩於後末世法欲滅
時有持法華經者於在家出家人中生大慈
心於非菩薩人中生大悲心應作是念如是
之人則爲大失如來方便隨宜說法不聞不
知不覺不問不信不解其人雖不問不信不解
是經我得阿耨多羅三藐三菩提時隨在
何地以神通力智慧力引之令得住是法中
文殊師利是菩薩摩訶薩於如來滅後有
成就此第四法者說是法時无有過失常爲比
丘比丘尼優婆塞優婆夷國王王子大臣人民
婆羅門居士等供養恭敬尊重讚歎虛空
諸天爲聽法故亦常隨侍若在聚落城邑空
閑林中有人來欲難問者諸天晝夜常爲法
故而衛護之能令聽者皆得歡喜所以者何
此經是一切過去未來現在諸佛神力所護
故文殊師利是法華經於无量國中乃至名

BD02023 號　妙法蓮華經卷五　（29–6）

閑林中有人来欲難問者諸天晝夜常為法
故而衛護之能令聽者皆得歡喜所以者何
此經是一切過去未来現在諸佛神力所護
故文殊師利是法華經於无量國中乃至名
字不可得聞何況得見受持讀誦文殊師利
譬如強力轉輪聖王欲以威勢降伏諸國而
諸小王不順其命時轉輪王起種種兵而往
討伐王見兵衆戰有功者即大歡喜隨功賞
賜或與田宅聚落城邑或與衣服嚴身之具
或與種種珍寶金銀瑠璃車渠馬瑙珊瑚
虎魄象馬車乘奴婢人民唯髻中明珠不以
與之所以者何獨王頂上有此一珠若以與之
王諸眷屬必大驚怪文殊師利如来亦復如是
以禪定智慧力得法國土王於三界而諸魔
王不肯順伏如来賢聖諸將與之共戰其
有功者心亦歡喜於四衆中為說諸經令其
心悅賜以禪定解脫无漏根力諸法之財又復
賜與涅槃之城言得滅度引導其心令皆
歡喜而不為說是法華經文殊師利如轉輪
王見諸兵衆有大功者心甚歡喜以此難信
之珠久在髻中不妄與人而今與之如来亦
復如是於三界中為大法王以法教化一切衆
生見賢聖軍與五陰魔煩惱魔死魔共戰
有大功勳滅三毒出三界破魔網尒時如来
亦大歡喜此法華經能令衆生至一切智一
切世間多怨難信先所未說而今說之文

BD02023號　妙法蓮華經卷五　（29-7）

生見賢聖軍與五陰魔煩惱魔死魔共戰
有大功勳滅三毒出三界破魔網尒時如来
亦大歡喜此法華經能令衆生至一切智一
切世間多怨難信先所未說而今說之文
殊師利此法華經是諸如来第一之說於諸
說中最為甚深末後賜與如彼強力之王久
護明珠今乃與之文殊師利此法華經諸佛如
来秘密之藏於諸經中最在其上長夜守護
不妄宣說始於今日乃與汝等而敷演之
尒時世尊欲重宣此義而說偈言
常行忍辱　哀愍一切　乃能演說　佛所讚經
後末世時　持此經者　於家出家　及非菩薩
應生慈悲　斯等不聞　不信是經　則為大失
我得佛道　以諸方便　為說此法　令住其中
譬如強力　轉輪之王　兵戰有功　賞賜諸物
象馬車乘　嚴身之具　及諸田宅　聚落城邑
或與衣服　種種珍寶　奴婢財物　歡喜賜與
如有勇健　能為難事　王解髻中　明珠賜之
如来亦尒　為諸法王　忍辱大力　智慧寶藏
以大慈悲　如法化世　見一切人　受諸苦惱
欲求解脫　與諸魔戰　為是衆生　說種種法
以大方便　說此諸經　既知衆生　得其力已
末後乃為　說是法華　如王解髻　明珠與之
此經為尊　衆經中上　我常守護　不妄開示
今正是時　為汝等說　我滅度後　求佛道者
欲得安隱　演說斯經　應當親近　如是四法

BD02023號　妙法蓮華經卷五　（29-8）

末後乃為　說是法華　如王解髻　明珠與之
此經為尊　衆經中上　我常守護　不妄開示
今正是時　為汝等說　我滅度後　求佛道者
欲得安隱　演說斯經　應當親近　如是四法
讀是經者　常无憂惱　又无病痛　顏色鮮白
不生貧窮　卑賤醜陋　衆生樂見　如慕賢聖
天諸童子　以為給使　刀杖不加　毒不能害
若人惡罵　口則閉塞　遊行无畏　如師子王
智慧光明　如日之照　若於夢中　但見妙事
見諸如來　坐師子座　諸比丘衆　圍繞說法
又見龍神　阿脩羅等　數如恒沙　恭敬合掌
自見其身　而為說法　又見諸佛　身相金色
放无量光　照於一切　以梵音聲　演說諸法
佛為四衆　說无上法　見身處中　合掌讚佛
聞法歡喜　而為供養　得陁羅尼　證不退轉
佛知其心　深入佛道　即為授記　成最正覺
汝善男子　當於來世　得无量智　佛之大道
國土嚴淨　廣大无比　亦有四衆　合掌聽法
又見自身　在山林中　脩習善法　證諸實相
深入禪定　見十方佛
諸佛身金色　百福相莊嚴　聞法為人說　常有是好學
又夢作國王　捨宮殿眷屬　及上妙五欲　行詣於道場
在菩提樹下　而處師子座　求道過七日　得諸佛之智
成无上道已　起而轉法輪　為四衆說法　經千万億劫
說无漏妙法　度无量衆生　後當入涅槃　如烟盡燈滅
若後惡世中　說是第一法　是人得大利　如上諸功德

成无上道已　起而轉法輪　為四衆說法　經千万億劫
說无漏妙法　度无量衆生　後當入涅槃　如烟盡燈滅
若後惡世中　說是第一法　是人得大利　如上諸功德
妙法蓮華經從地踊出品第十五
尒時他方國土諸來菩薩摩訶薩過八恒河
沙數於大衆中起合掌作礼而白佛言世尊
若聽我等於佛滅後在此娑婆世界勤加精
進護持讀誦書寫供養是經典者當於此土
而廣說之尒時佛告諸菩薩摩訶薩衆止善
男子不須汝等護持此經所以者何我娑婆
世界自有六萬恒河沙等菩薩摩訶薩一一
菩薩各有六萬恒河沙眷屬是諸人等能於
我滅後護持讀誦廣說此經佛說是時娑婆
世界三千大千國土地皆震裂而於其中有
无量千萬億菩薩摩訶薩同時踊出是諸菩
薩身皆金色三十二相无量光明先盡在此
娑婆世界之下此界虛空中住是諸菩薩聞
釋迦牟尼佛所說音聲從下發來一一菩薩
皆是大衆唱導之首各將六萬恒河沙眷屬
況將五萬四萬三萬二萬一萬恒河沙等眷
屬者況復乃至一恒河沙半恒河沙四分之一
乃至千萬億那由他分之一況復千萬億
那由他眷屬況復億萬眷屬況復千萬百
萬乃至一萬況復一千一百乃至一十況復將
五四三二一弟子者況復單己樂遠離行

乃至千萬億那由他分之一况復千萬億
那由他眷屬况復億萬眷屬况復千萬百
萬乃至一萬况復一千一百乃至一十况復將
五四三二一弟子者况復單己樂遠離行
如是等比无量无邊筭數譬喻所不能知
是諸菩薩從地出已各詣虛空七寶妙塔多
寶如來釋迦牟尼佛所到向二世尊頭面礼足
及至諸寶樹下師子座上佛所亦皆作礼右
繞三帀合掌恭敬以諸菩薩種種讚法而以
讚歎住在一面欣樂瞻仰於二世尊是諸菩
薩摩訶薩從初踊出以諸菩薩種種讚法
而讚於佛如是時間經五十小劫是時釋迦牟
尼佛嘿然而坐及諸四衆亦皆嘿然五十小
劫佛神力故令諸大衆謂如半日尒時四衆
亦以佛神力故見諸菩薩遍滿无量百千萬
億國土虛空是菩薩衆中有四尊師一名上
行二名无邊行三名淨行四名安立行是四
菩薩於其衆中最為上首唱導之師在大
衆前各共合掌觀釋迦牟尼佛而問訊言世
尊少病少惱安樂行不所應度者受教易不
不令世尊生疲勞耶尒時四大菩薩而說偈言
世尊安樂　少病少惱　教化衆生　得无疲惓
又諸衆生　受化易不　不令世尊　生疲勞耶
尒時世尊於菩薩大衆中而作是言如是如
是諸善男子如來安樂少病少惱諸衆生等
易可化度无有疲勞所以者何是諸衆生世

BD02023號　妙法蓮華經卷五　（29–11）

尒時世尊於菩薩大衆中而作是言如是如
是諸善男子如來安樂少病少惱諸衆生等
易可化度无有疲勞所以者何是諸衆生世
世已來常受我化亦於過去諸佛供養尊
重種諸善根此諸衆生始見我身聞我所說即
皆信受入如來慧除先脩習學小乘者如是
之人我今亦令得聞是經入於佛慧尒時諸
大菩薩而說偈言
善哉善哉　大雄世尊　諸衆生等　易可化度
能問諸佛　甚深智慧　聞已信行　我等隨喜
於時世尊讚歎上首諸大菩薩善哉善哉善
男子汝等能於如來發隨喜心尒時弥勒
菩薩及八千恒河沙諸菩薩衆皆作是念我
等從昔已來不見不聞如是大菩薩摩訶薩
衆從地踊出住世尊前合掌供養問訊如
來時弥勒菩薩摩訶薩知八千恒河沙諸菩
薩等心之所念并欲自決所疑合掌向佛以
偈問曰
无量千萬億　大衆諸菩薩　昔所未曾見　願兩足尊說
是從何所來　以何因緣集　巨身大神通　智慧叵思議
其志念堅固　有大忍辱力　衆生所樂見　為從何所來
一一諸菩薩　所將諸眷屬　其數无有量　如恒河沙等
或有大菩薩　將六萬恒沙　如是諸大衆　一心求佛道
是諸大師等　六萬恒河沙　俱來供養佛　及護持此經
將五萬恒沙　其數過於是　四萬及三萬　二萬至一萬
一千一百等　乃至一恒沙　半及三四分　億萬分之一

BD02023號　妙法蓮華經卷五　（29–12）

是諸大師等　六萬恒河沙　俱來供養佛　及護持此經
將五萬恒沙　其數過於是　四萬及三萬　二萬至一萬
一千一百等　乃至一恒沙　半及三四分　億萬分之一
千萬那由他　萬億諸弟子　乃至於半億　其數復過上
百萬至一萬　一千及一百　五十與一十　乃至三二一
單己无眷屬　樂於獨處者　俱來至佛所　其數轉過上
如是諸大衆　若人行籌數　過於恒沙劫　猶不能盡知
是諸大威德　精進菩薩衆　誰為其說法　教化而成就
從誰初發心　稱揚何佛法　受持行誰經　修習何佛道
如是諸菩薩　神通大智力　四方地震裂　皆從中踊出
世尊我昔來　未曾見是事　願說其所從　國土之名號
我常遊諸國　未曾見是衆　我於此衆中　乃不識一人
忽然從地出　願說其因緣　今此之大會　无量百千億
是諸菩薩等　皆欲知此事　是諸菩薩衆　本末之因緣
无量德世尊　唯願決衆疑
尒時釋迦牟尼分身諸佛從无量千萬億
他方國土來者在於八方諸寶樹下師子座
上結加趺坐其佛侍者各各見是菩薩大
衆於三千大千世界四方從地踊出住於虛空
各白其佛言世尊此諸无量无邊阿僧祇菩
薩大衆從何所來尒時諸佛各告侍者諸善
男子且待須臾有菩薩摩訶薩名曰弥勒釋
迦牟尼佛之所授記次後作佛已問斯事佛今
答之汝等自當因是得聞尒時釋迦牟尼佛
告弥勒菩薩善哉善哉阿逸多乃能問佛
如是大事汝等當共一心被精進鎧發堅固

迦牟尼佛之所授記次後作佛已問斯事佛今
答之汝等自當因是得聞尒時釋迦牟尼佛
告弥勒菩薩善哉善哉阿逸多乃能問佛
如是大事汝等當共一心被精進鎧發堅固
意如來今欲顯發宣示諸佛智慧諸佛自在
神通之力諸佛師子奮迅之力諸佛威猛大
勢之力尒時世尊欲重宣此義而說偈言
當精進一心　我欲說此事　勿得有疑悔　佛智叵思議
汝今出信力　住於忍善中　昔所未聞法　今皆當得聞
我今安慰汝　勿得懷疑懼　佛无不實語　智慧不可量
所得第一法　甚深叵分別　如是今當說　汝等一心聽
尒時世尊說此偈已告弥勒菩薩我今於此
大衆宣告汝等阿逸多是諸大菩薩摩訶
薩无量无數阿僧祇從地踊出汝等昔所未見
者我於是娑婆世界得阿耨多羅三藐三菩
提已教化示導是諸菩薩調伏其心令發道
意此諸菩薩皆於是娑婆世界之下此界虛
空中住於諸經典讀誦通利思惟分別正憶
念阿逸多是諸善男子等不樂在衆多有所
說常樂靜處勤行精進未曾休息亦不依止
人天而住常樂深智无有障礙亦常樂於諸
佛之法一心精進求无上慧尒時世尊欲重宣
此義而說偈言
阿逸多當知　是諸大菩薩　從无數劫來　修習佛智慧
悉是我所化　令發大道心　此等是我子　依止是世界
常行頭陀事　志樂於靜處　捨大衆憒鬧　不樂多所說

[illegible]
阿逸多當知　是諸大菩薩　從无數劫來　脩習佛智慧
悉是我所化　令發大道心　此等是我子　依止是世界
常行頭陁事　志樂於靜處　捨大眾憒閙　不樂多所說
如是諸子等　學習我道法　晝夜常精進　為求佛道故
在娑婆世界　下方空中住　志念力堅固　常勤求智慧
說種種妙法　其心无所畏　我於伽耶城　菩提樹下坐
得成最正覺　轉无上法輪　尒乃教化之　令初發道心
今皆住不退　悉當得成佛　我今說實語　汝等一心信
我從久遠來　教化是等眾
尒時弥勒菩薩摩訶薩及无數諸菩薩等心
生疑惑怪未曾有而作是念云何世尊於少
時間教化如是无量无邊阿僧祇諸大菩薩
令住阿耨多羅三藐三菩提即白佛言世尊
如來為太子時出於釋宮去伽耶城不遠坐
於道場得成阿耨多羅三藐三菩提從是已
來始過四十餘年世尊云何於此少時大作
佛事以佛勢力以佛功德教化如是无量大
菩薩眾當成阿耨多羅三藐三菩提世尊此
大菩薩眾假使有人於千萬億劫數不能盡
不得其邊斯等久遠已來於无量无邊諸佛
所植諸善根成就菩薩道常脩梵行世尊如
此之事世所難信譬如有人色美髮黑年二
十五指百歲人言是我子其百歲人亦指年
少言是我父生育我等是事難信佛亦如是
得道已來其實未久而此大眾諸菩薩等已
[illegible]

BD02023號　妙法蓮華經卷五　（29–15）

十五指百歲人言是我子其百歲人亦指年
少言是我父生育我等是事難信佛亦如是
得道已來其實未久而此大眾諸菩薩等已
於无量千萬億劫為佛道故勤行精進善入
出住无量百千萬億三昧得大神通久脩梵
行善能次第習諸善法巧於問荅人中之寶
一切世間甚為希有今日世尊方云得佛道
時初令發心教化示道令向阿耨多羅三
藐三菩提世尊得佛未久乃能作此大功德
事我等雖復信佛隨宜所說佛所出言未曾
虛妄佛所知者皆悉通達然諸新發意菩
薩於佛滅後若聞是語或不信受而起破法
罪業因緣唯然世尊願為解說除我等疑及
未來世諸善男子聞此事已亦不生疑尒時
弥勒菩薩欲重宣此義而說偈言
佛昔從釋種　出家近伽耶　坐於菩提樹　尒來尚未久
此諸佛子等　其數不可量　久已行佛道　住神通智力
善學菩薩道　不染世間法　如蓮華在水　從地而踊出
皆起恭敬心　住於世尊前　是事難思議　云何而可信
佛得道甚近　所成就甚多　願為除眾疑　如實分別說
譬如少壯人　年始二十五　示人百歲子　髮白而面皺
是等我所生　子亦說是父　父少而子老　舉世所不信
世尊亦如是　得道來甚近　是諸菩薩等　志固无怯弱
從无量劫來　而行菩薩道　巧於難問荅　其心无所畏
忍辱心決定　端正有威德　十方佛所讚　善能分別說
不樂在人眾　常好在禪定　為求佛道故　於下空中住

BD02023號　妙法蓮華經卷五　（29–16）

世尊亦如是　得道來甚近　是諸菩薩等　志固无怯弱
從无量劫來　而行菩薩道　巧於難問荅　其心无所畏
忍辱心決定　端正有威德　十方佛所讚　善能分別說
不樂在人衆　常好在禪定　為求佛道故　於下空中住
我等從佛聞　於此事无疑　願佛為未來　演說令開解
若有於此經　生疑不信者　即當墮惡道　願今為解說
是无量菩薩　云何於少時　教化令發心　而住不退地

妙法蓮華經如來壽量品第十六

尒時佛告諸菩薩及一切大衆諸善男子汝
等當信解如來誠諦之語復告大衆汝等當
信解如來誠諦之語又復告諸大衆汝等當
信解如來誠諦之語是時菩薩大衆彌勒為
首合掌白佛言世尊唯願說之我等當信受
佛語如是三白已復言唯願說之我等當信
受佛語尒時世尊知諸菩薩三請不止而告
之言汝等諦聽如來秘密神通之力一切世
間天人及阿脩羅皆謂今釋迦牟尼佛出釋
氏宮去伽耶城不遠坐於道場得阿耨多羅
三藐三菩提然善男子我實成佛已來无量
无邊百千萬億那由他劫譬如五百千萬億那
由他阿僧祇三千大千世界假使有人抹為
微塵過於東方五百千萬億那由他阿僧
祇國乃下一塵如是東行盡是微塵諸善男
子於意云何是諸世界可得思惟校計知其
數不彌勒菩薩等俱白佛言世尊是諸世界

子於意云何是諸世界可得思惟校計知其
數不彌勒菩薩等俱白佛言世尊是諸世界
无量无邊非算數所知亦非心力所及一切
聲聞辟支佛以无漏智不能思惟知其限數
我等住阿惟越致地於是事中亦所不達世
尊如是諸世界无量无邊尒時佛告大菩薩
衆諸善男子今當分明宣語汝等諸世界
若著微塵及不著者盡以為塵一塵一劫我
成佛已來復過於此百千萬億那由他阿僧
祇劫自從是來我常在此娑婆世界說法教
化亦於餘處百千萬億那由他阿僧祇國導
利衆生諸善男子於是中間我說然燈佛等
又復言其入於涅槃如是皆以方便分別諸
善男子若有衆生來至我所我以佛眼觀其
信等諸根利鈍隨所應度處處自說名字不
同年紀大小亦復現言當入涅槃又以種種
方便說微妙法能令衆生發歡喜心諸善
男子如來見諸衆生樂於小法德薄垢重者
為是人說我少出家得阿耨多羅三藐三菩提
然我實成佛已來久遠若斯但以方便教化
衆生令入佛道作如是說諸善男子如來所
演經典皆為度脫衆生或說己身或說他身
或示己身或示他身或示己事或示他事諸
所言說皆實不虛所以者何如來實知見
三界之相无有生死若退若出亦无在世及滅

演經典皆爲度脫衆生或說己身或說他身或示己身或示他身或示己事或示他事諸所言說皆實不虛所以者何如來如實知見三界之相无有生死若退若出亦无在世及滅度者非實非虛非如非異不如三界見於三界如斯之事如來明見无有錯謬以諸衆生有種種性種種欲種種行種種憶想分別故欲令生諸善根以若干因緣譬喻言辭種種說法所作佛事未曾暫廢如是我成佛已來甚大久遠壽命无量阿僧祇劫常住不滅諸善男子我本行菩薩道所成壽命今猶未盡復倍上數然今非實滅度而便唱言當取滅度如來以是方便教化衆生所以者何若佛久住於世薄德之人不種善根貧窮下賤貪著五欲入於憶想妄見網中若見如來常在不滅便起憍恣而懷猒怠不能生難遭之想恭敬之心是故如來以方便說比丘當知諸佛出世難可值遇所以者何諸薄德人過无量百千萬億劫或有見佛或不見者以此事故我作是言諸比丘如來難可得見斯衆生等聞如是語必當生於難遭之想心懷戀慕渴仰於佛便種善根是故如來雖不實滅而言滅度又善男子諸佛如來法皆如是爲度衆生皆實不虛譬如良醫智慧聰達明練方藥善治衆病其人多諸子息若十二十乃至百數以有事緣遠至餘國諸子於後飲他

BD02023號　妙法蓮華經卷五　（29–19）

而言滅度又善男子諸佛如來法皆如是爲度衆生皆實不虛譬如良醫智慧聰達明練方藥善治衆病其人多諸子息若十二十乃至百數以有事緣遠至餘國諸子於後飲他毒藥藥發悶亂宛轉于地是時其父還來歸家諸子飲毒或失本心或不失者遙見其父皆大歡喜拜跪問訊善安隱歸我等愚癡誤服毒藥願見救療更賜壽命父見子等苦惱如是依諸經方求好藥草色香美味皆悉具足擣篩和合與子令服而作是言此大良藥色香美味皆悉具足汝等可服速除苦惱无復衆患其諸子中不失心者見此良藥色香俱好即便服之病盡除愈餘失心者見其父來雖亦歡喜問訊求索治病然與其藥而不肯服所以者何毒氣深入失本心故於此好色香藥而謂不美父作是念此子可愍爲毒所中心皆顛倒雖見我喜求索救療如是好藥而不肯服我今當設方便令服此藥即作是言汝等當知我今衰老死時已至是好良藥今留在此汝可取服勿憂不差作是教已復至他國遣使還告汝父已死是時諸子聞父背喪心大憂惱而作是念若父在者慈愍我等能見救護今者捨我遠喪他國自惟孤露无復恃怙常懷悲感心遂醒悟乃知此藥色味香美即取服之毒病皆愈其父聞子悉已得差尋便來歸咸使見之諸善男子於意

BD02023號　妙法蓮華經卷五　（29–20）

我等能見救護今者捨我遠喪他國自惟孤
露无復恃怙常懷悲感心遂醒悟乃知此藥
色味香美即取服之毒病皆愈其父聞子悉
已得差尋便來歸咸使見之諸善男子於意
云何頗有人能說此良醫虛妄罪不不也世
尊佛言我亦如是成佛已來无量无邊百千
萬億那由他阿僧祇劫為眾生故以方便力
言當滅度亦无有能如法說我虛妄過者尒
時世尊欲重宣此義而說偈言
自我得佛來　所經諸劫數　无量百千萬　億載阿僧祇
常說法教化　无數億眾生　令入於佛道　尒來无量劫
為度眾生故　方便現涅槃　而實不滅度　常住此說法
我常住於此　以諸神通力　令顛倒眾生　雖近而不見
眾見我滅度　廣供養舍利　咸皆懷戀慕　而生渴仰心
眾生既信伏　質直意柔軟　一心欲見佛　不自惜身命
時我及眾僧　俱出靈鷲山　我時語眾生　常在此不滅
以方便力故　現有滅不滅　餘國有眾生　恭敬信樂者
我復於彼中　為說无上法　汝等不聞此　但謂我滅度
我見諸眾生　沒在於苦惱　故不為現身　令其生渴仰
因其心戀慕　乃出為說法　神通力如是　於阿僧祇劫
常在靈鷲山　及餘諸住處　眾生見劫盡　大火所燒時
我此土安隱　天人常充滿　園林諸堂閣　種種寶莊嚴
寶樹多華菓　眾生所遊樂　諸天擊天鼓　常作眾伎樂
雨曼陀羅華　散佛及大眾　我淨土不毀　而眾見燒盡
憂怖諸苦惱　如是悉充滿　是諸罪眾生　以惡業因緣
過阿僧祇劫　不聞三寶名　諸有修功德　柔和質直者

BD02023號　妙法蓮華經卷五　（29–21）

我此土安隱　天人常充滿　園林諸堂閣　種種寶莊嚴
寶樹多華菓　眾生所遊樂　諸天擊天鼓　常作眾伎樂
雨曼陀羅華　散佛及大眾　我淨土不毀　而眾見燒盡
憂怖諸苦惱　如是悉充滿　是諸罪眾生　以惡業因緣
過阿僧祇劫　不聞三寶名　諸有修功德　柔和質直者
則皆見我身　在此而說法　或時為此眾　說佛壽无量
久乃見佛者　為說佛難值　我智力如是　慧光照无量
壽命无數劫　久修業所得　汝等有智者　勿於此生疑
當斷令永盡　佛語實不虛　如醫善方便　為治狂子故
實在而言死　无能說虛妄　我亦為世父　救諸苦患者
為凡夫顛倒　實在而言滅　以常見我故　而生憍恣心
放逸著五欲　墮於惡道中　我常知眾生　行道不行道
隨應所可度　為說種種法　每自作是意　以何令眾生
得入无上道　速成就佛身
妙法蓮華經分別功德品第十七
尒時大會聞佛說壽命劫數長遠如是无量
无邊阿僧祇眾生得大饒益於時世尊告
弥勒菩薩摩訶薩阿逸多我說是如來壽
命長遠時六百八十萬億那由他恒河沙眾生
得无生法忍復有千倍菩薩摩訶薩得聞持
陀羅尼門復有一世界微塵數菩薩摩訶薩
得樂說无礙辯才復有一世界微塵數菩薩摩
訶薩得百萬億无量旋陀羅尼復有三千大
千世界微塵數菩薩摩訶薩能轉不退法輪
復有二千中國土微塵數菩薩摩訶薩能轉
清淨法輪復有小千國土微塵數菩薩摩訶

BD02023號　妙法蓮華經卷五　（29–22）

千世界微塵數菩薩摩訶薩能轉不退法輪
復有二千中國土微塵數菩薩摩訶薩能轉
清淨法輪復有小千國土微塵數菩薩摩訶
薩八生當得阿耨多羅三藐三菩提復有四
四天下微塵數菩薩摩訶薩四生當得阿耨
多羅三藐三菩提復有三四天下微塵數菩
薩摩訶薩三生當得阿耨多羅三藐三菩提
復有二四天下微塵數菩薩摩訶薩二生當
得阿耨多羅三藐三菩提復有一四天下微
塵數菩薩摩訶薩一生當得阿耨多羅三藐
三菩提復有八世界微塵數衆生皆發阿耨
多羅三藐三菩提心佛說是諸菩薩摩訶薩
得大法利時於虛空中雨曼陁羅華摩訶曼
陁羅華以散无量百千萬億寶樹下師子座
上諸佛并散七寶塔中師子座上釋迦牟尼佛
及久滅度多寶如來亦散一切諸大菩薩及
四部衆又雨細末栴檀沉水香等於虛空中
天鼓自鳴妙聲深遠又雨千種天衣垂諸瓔
珞真珠瓔珞摩尼珠瓔珞如意珠瓔珞遍於
九方衆寶香爐燒无價香自然周至供養大
會一一佛上有諸菩薩執持幡蓋次第而上
至于梵天是諸菩薩以妙音聲歌无量頌讚
歎諸佛尒時弥勒菩薩從座而起偏袒右
肩合掌向佛而說偈言
佛說希有法　昔所未曾聞　世尊有大力　壽命不可量

至于梵天是諸菩薩以妙音聲歌无量頌讚
歎諸佛尒時弥勒菩薩從座而起偏袒右
肩合掌向佛而說偈言
佛說希有法　昔所未曾聞　世尊有大力　壽命不可量
无數諸佛子　聞世尊分別　說得法利者　歡喜充遍身
或住不退地　或得陁羅尼　或无礙樂說　萬億旋捴持
或有大千界　微塵數菩薩　各各皆能轉　不退之法輪
或有中千界　微塵數菩薩　各各皆能轉　清淨之法輪
復有小千界　微塵數菩薩　餘各八生在　當得成佛道
復有四三二　如是四天下　微塵數菩薩　隨數生成佛
或一四天下　微塵數菩薩　餘有一生在　當成一切智
如是等衆生　聞佛壽長遠　得无量无漏　清淨之果報
復有八世界　微塵數衆生　聞佛說壽命　皆發无上心
世尊說无量　不可思議法　多有所饒益　如虛空无邊
雨天曼陁羅　摩訶曼陁羅　釋梵如恒沙　无數佛土來
雨栴檀沉水　繽紛而亂墜　如鳥飛空下　供散於諸佛
天鼓虛空中　自然出妙聲　天衣千萬種　旋轉而來下
衆寶妙香爐　燒无價之香　自然悉周遍　供養諸世尊
其大菩薩衆　執七寶幡蓋　高妙萬億種　次第至梵天
一一諸佛前　寶幢懸勝幡　亦以千萬偈　歌詠諸如來
如是種種事　昔所未曾有　聞佛壽无量　一切皆歡喜
佛名聞十方　廣饒益衆生　一切具善根　以助无上心
尒時佛告弥勒菩薩摩訶薩阿逸多其有衆
生聞佛壽命長遠如是乃至能生一念信解所
得功德无有限量若有善男子善女人為阿
耨多羅三藐三菩提故於八十萬億那由他劫

生聞佛壽命長遠如是乃至能生一念信解
得功德无有限量若有善男子善女人為阿
耨多羅三藐三菩提故於八十萬億那由他劫
行五波羅蜜檀波羅蜜尸波羅蜜羼提波
羅蜜毗梨耶波羅蜜禪波羅蜜除般若
波羅蜜以是功德比前功德百分千分百千万
億分不及其一乃至筭數譬喻所不能知
若善男子有如是功德於阿耨多羅三藐三
菩提退者无有是處尒時世尊欲重宣此
義而說偈言
若人求佛慧　於八十万億　那由他劫數　行五波羅蜜
於是諸劫中　布施供養佛　及緣覺弟子　并諸菩薩衆
於是諸劫中　布施供養佛
珍異之飲食　上服与臥具　栴檀立精舍　以園林莊嚴
如是等布施　種種皆微妙　盡此諸劫數　以迴向佛道
若復持禁戒　清淨无缺漏　求於无上道　諸佛之所嘆
若復行忍辱　住於調柔地　設衆惡來加　其心不傾動
諸有得法者　懷於增上慢　為此所輕惱　如是亦能忍
若復勤精進　志念常堅固　於无量億劫　一心不懈息
又於无數劫　住於空閑處　若坐若經行　除睡常攝心
以是因緣故　能生諸禪定　八十億万劫　安住心不乱
持此一心福　願求无上道　我得一切智　盡諸禪定際
是人於百千　万億劫數中　行此諸功德　如上之所說
有善男女等　聞我說壽命　乃至一念信　其福過於彼
若人悉无有　一切諸疑悔　深心須臾信　其福為如此
其有諸菩薩　无量劫行道　聞我說壽命　是則能信受

有善男女等　聞我說壽命　乃至一念信　其福過於彼
若人悉无有　一切諸疑悔　深心須臾信　其福為如此
其有諸菩薩　无量劫行道　聞我說壽命　是則能信受
如是諸人等　頂受此經典　願我於未來　長壽度衆生
如今日世尊　諸釋中之王　道場師子吼　說法无所畏
我等未來世　一切所尊敬　坐於道場時　說壽亦如是
若有深心者　清淨而質直　多聞能總持　隨義解佛語
如是之人等　於此无有疑
又阿逸多若有聞佛壽命長遠解其言趣是
人所得功德无有限量能起如来无上之慧
何況廣聞是經若教人聞若自持若教人持
若自書若教人書若以華香瓔珞幢幡繒蓋
香油蘇燈供養經卷是人功德无量无邊能生
一切種智阿逸多若善男子善女人聞我說
壽命長遠深心信解則為見佛常在耆闍
崛山共大菩薩諸聲聞衆圍繞說法又見此
娑婆世界其地瑠璃坦然平正閻浮檀金以
界八道寶樹行列諸臺樓觀皆悉寶成其
菩薩衆咸處其中若有能如是觀者當知是
為深信解相又復如来滅後若聞是經而不
毀呰起隨喜心當知已為深信解相何況讀
誦受持之者斯人則為頂戴如来阿逸多是
善男子善女人不須為我復起塔寺及作僧
坊以四事供養衆僧所以者何是善男子善
女人受持讀誦是經典者為已起塔造立僧

誦受持之者斯人則為頂戴如來阿逸多
善男子善女人不須為我復起塔寺及作僧
坊以四事供養衆僧所以者何是善男子善
女人受持讀誦是經典者為已起塔造立僧
坊供養衆僧則為以佛舍利起七寶塔高廣
漸小至于梵天懸諸幡蓋及衆寶鈴華香
瓔珞末香塗香燒香衆鼓伎樂簫笛箜篌
種種儛戲以妙音聲歌唄讚頌則為於无量
千万億劫作是供養已阿逸多若我滅後聞
是經典有能受持若自書若教人書則為起
立僧坊以赤栴檀作諸殿堂三十有二高八
多羅樹高廣嚴好百千比丘於其中止園林
浴池經行禪窟衣服飲食牀褥湯藥一切樂
具充滿其中如是僧坊堂閣若干百千万億
其數无量以此現前供養於我及比丘僧是
故我說如來滅後若有受持讀誦為他人說
若自書若教人書供養經卷不須復起塔寺
及造僧坊供養衆僧況復有人能持是經兼
行布施持戒忍辱精進一心智慧其德最勝
无量无邊譬如虛空東西南北四維上下无
量无邊是人功德亦復如是无量无邊疾至
一切種智若人讀誦受持是經為他人說若自
書若教人書復能起塔及造僧坊供養讚歎聲
聞衆僧亦以百千万億讚歎之法讚歎菩薩
功德又為他人種種因緣隨義解說此法華
經復能清淨持戒與柔和者而共同止忍辱

BD02023號　妙法蓮華經卷五　（29–27）

聞衆僧亦以百千万億讚歎之法讚歎菩薩
功德又為他人種種因緣隨義解說此法華
經復能清淨持戒與柔和者而共同止忍辱
无瞋志念堅固常貴坐禪得諸深定精進勇
猛攝諸善法利根智慧善荅問難阿逸多若
我滅後諸善男子善女人受持讀誦是經典
者復有如是諸善功德當知是人已趣道場
近阿耨多羅三藐三菩提坐道樹下阿逸多
是善男子善女人若坐若立若行處此中便
應起塔一切天人皆應供養如佛之塔尒時
世尊欲重宣此義而說偈言
若我滅度後　能奉持此經　斯人福无量　如上之所說
是則為具足　一切諸供養　以舍利起塔　七寶而莊嚴
表剎甚高廣　漸小至梵天　寶鈴千万億　風動出妙音
又於无量劫　而供養此塔　華香諸瓔珞　天衣衆伎樂
然香油蘇燈　周帀常照明　惡世法末時　能持是經者
則為已如上　具足諸供養　若能持此經　則如佛現在
以牛頭栴檀　起僧坊供養　堂有三十二　高八多羅樹
上饌妙衣服　牀臥皆具足　百千衆住處　園林諸浴池
經行及禪窟　種種皆嚴好　若有信解心　受持讀誦書
若復教人書　及供養經卷　散華香末香　以須曼瞻蔔
阿提目多伽　薰油常然之　如是供養者　得无量功德
如虛空无邊　其福亦如是　況復持此經　兼布施持戒
忍辱樂禪定　不瞋不惡口　恭敬於塔廟　謙下諸比丘
遠離自高心　常思惟智慧　有問難不瞋　隨順為解說

BD02023號　妙法蓮華經卷五　（29–28）

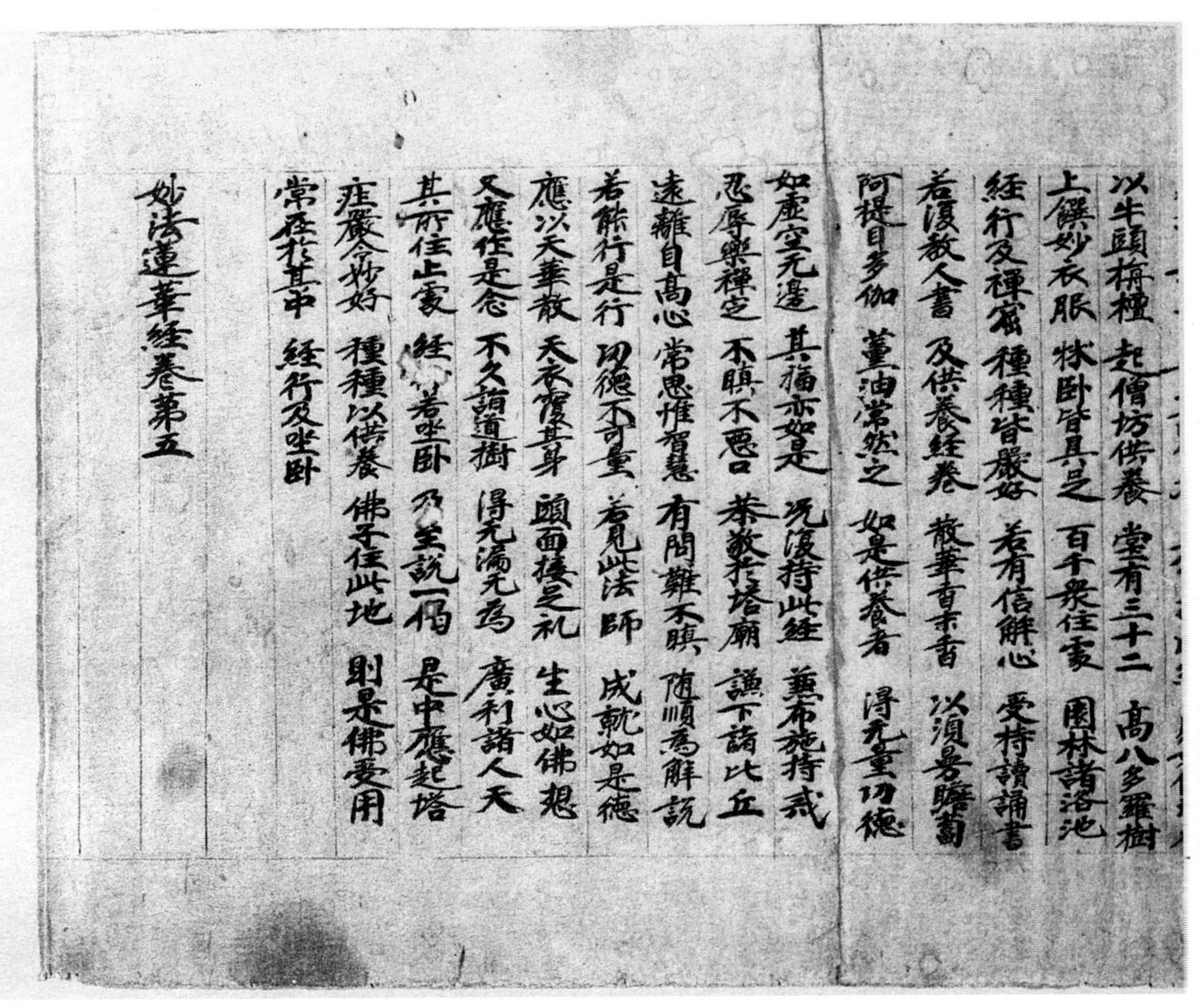

BD02023 號　妙法蓮華經卷五　（29–29）

BD02024 號 1　七階佛名經　（4–1）

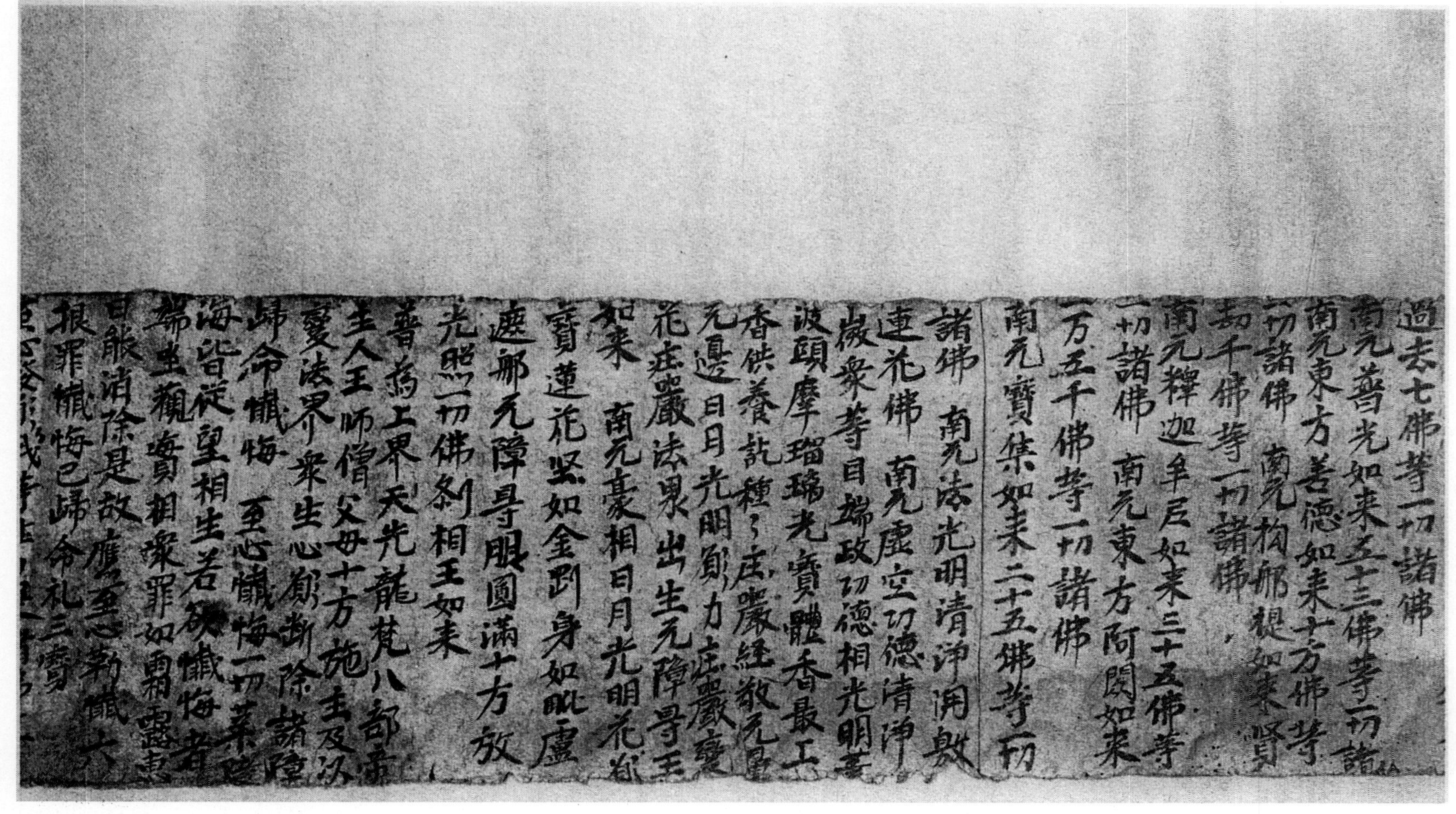

過去七佛等一切諸佛
南无普光如来五十三佛等一切諸
南无東方善德如来十方佛等
一切諸佛　南无拘那提如来賢
劫千佛等一切諸佛
南无釋迦牟尼如来三十五佛等
一切諸佛　南无東方阿閦如来
一万五千佛等一切諸佛
南无寶集如来二十五佛等一切
諸佛　南无法光明清淨開敷
蓮花佛　南无虛空功德清淨
微塵等目端政功德相光明華
波頭摩瑠璃光寶體香最上
香供養訖種種莊嚴頂髻无量
无邊日月光明願力莊嚴變
花莊嚴法界出生无障㝵王
如来　南无豪相日月光明焰
寶蓮花堅如金剛身如毗盧
遮那无障㝵眼圓滿十方放
光照一切佛剎相王如来
普為上界天先龍梵八部帝
主人王師僧父母十方施主及以
受法界眾生心願斷除諸障
歸命懺悔　至心懺悔一切業障
海皆從望相生若欲懺悔者
端坐觀實相眾罪如霜露惠
日能消除是故應至心勤懺六
根罪懺悔已歸命礼三寶

BD02024 號 1　七階佛名經　（4–2）

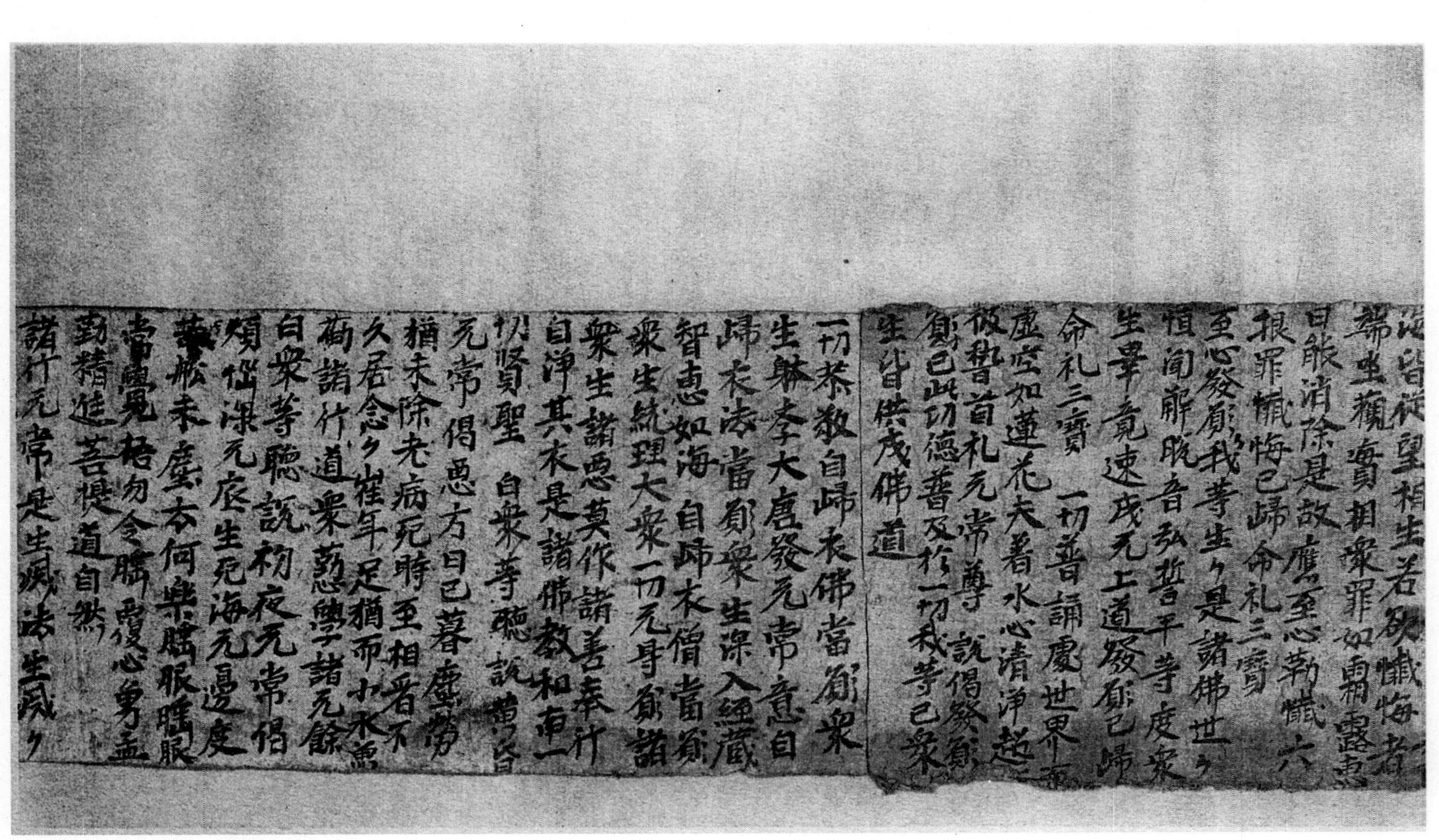

海皆從望相生若欲懺悔者
端坐觀實相眾罪如霜露惠
日能消除是故應至心勤懺六
根罪懺悔已歸命礼三寶
至心發願我等生生是諸佛世世
恒聞解脫音弘誓平等度眾
生畢竟速成无上道發願已歸
命礼三寶　一切普誦處世界如
虛空如蓮花不著水心清淨超
於彼稽首礼无上尊說偈發願
願已此功德普及於一切我等已眾
生皆供成佛道
一切恭敬自歸依佛當願眾
生體解大道發无上意自
歸依法當願眾生深入經藏
智慧如海　自歸依僧當願
眾生統理大眾一切无㝵願諸
眾生諸惡莫作諸善奉行
自淨其意是諸佛教和南一
切賢聖　白眾等聽說黃昏
无常偈　惡方日已暮塵勞
猶未除老病死時至相看不
久居念念催年足猶如少水魚
勸諸行道眾懃學諸无餘
白眾等聽說初夜无常偈
煩惱深无底生死海无邊度
苦船未立何樂睡眠眠
當覺起勿令睡覆心勇猛
勤精進菩提道自然
諸行无常是生滅法生滅滅

BD02024 號 1　七階佛名經　（4–3）

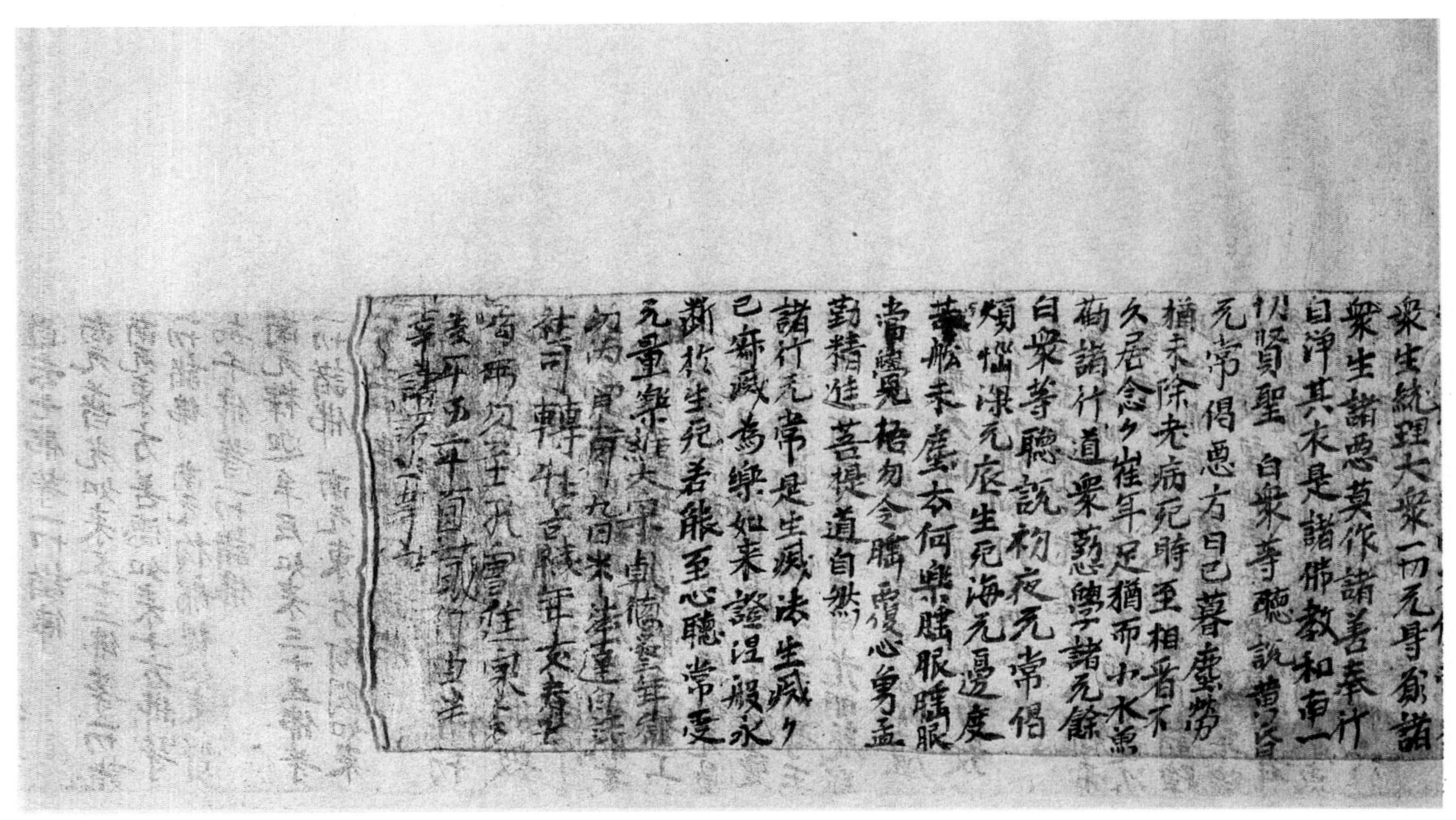

BD02024 號 1　七階佛名經　　　　（4–4）

BD02024 號 2　社司轉帖

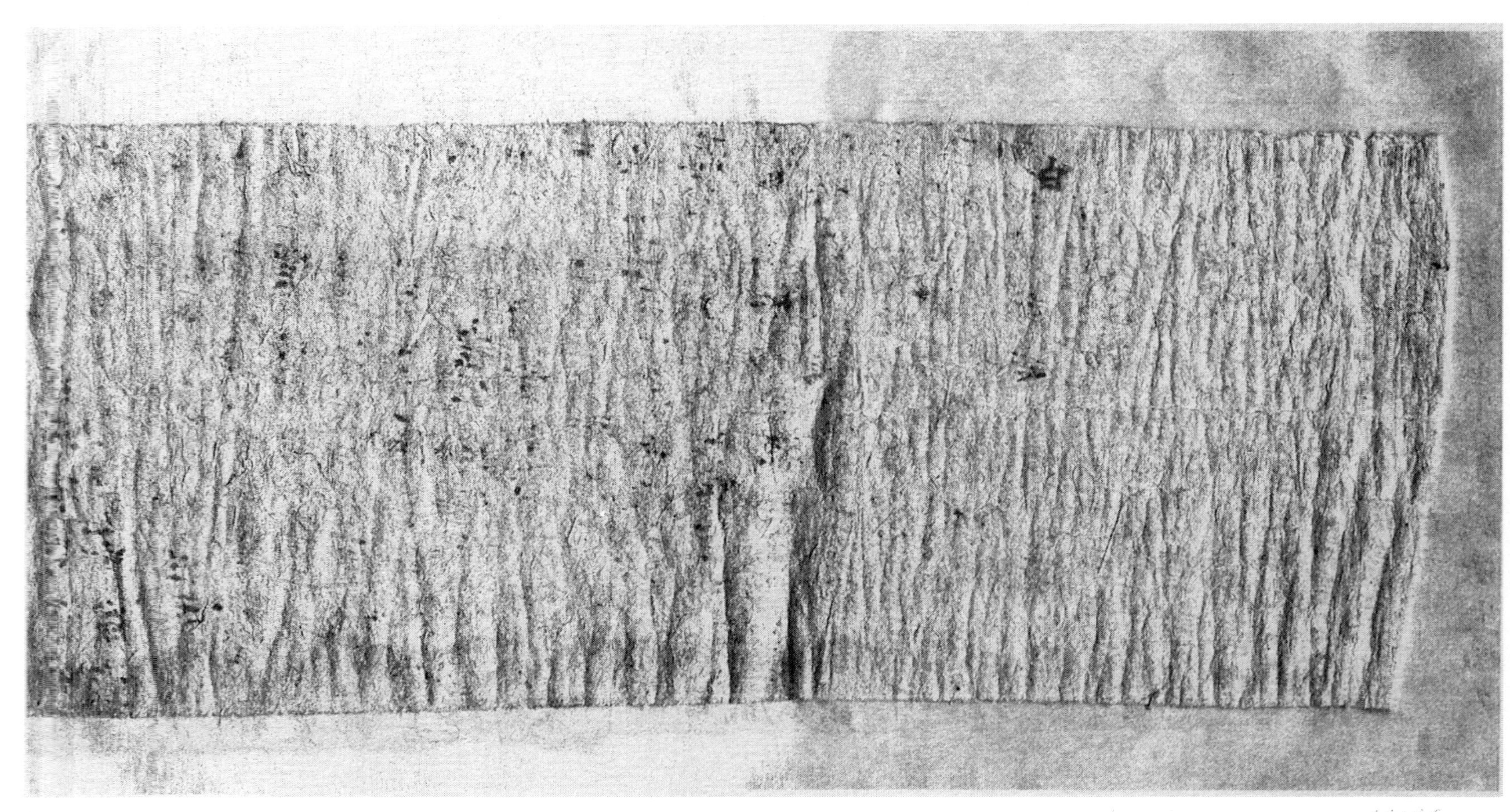

BD02024 號背　雜寫　　　　（2–1）

BD02024 號背　雜寫　　　　（2–2）

空照故有淨擬嶷在口究內旋環而住如卷樺皮數々於此聲至能聞是故
梵語云戍路多々者此云能聞傍義別翻以之為耳以此有能聞用故有
淨擬嶷居鼻頞內背上向下如雙爪甲數由此故能嗅於香由是梵
語云羯羅拏々者此云能嗅從傍別翻以之為鼻以鼻有此嗅功能故
有淨擬嶷布在舌上形如半月能嘗於味能除飢羸數發言論表
彰々呼召由是梵語云時訖縛々者此云能嘗傍語義別翻以之為舌以有
[illegible]用故有淨擬嶷遍諸身分諸根所隨周遍積聚能取諸觸是故
梵語曰為迦耶々此云翻為積聚是之身者即是聚義就義別翻名為
身也數有未現在其方所質量可增別名為色此色別名稱復廿五碧
綠之儔曰青紅赤赫之流曰黃朱丹之類名赤素纁之黨曰白舒
焰照物名光障光發像稱影發光自顯為明體昧无明日闇薪火氣
騰名烟歊吟氣運名雲輕土颺空為塵地水氣昇為霧物形循
直為長物傍高促名短質相上舉名高事頹沉委稱下六面平正
名方四角訛丸謂圓邊傍廣闊為麁上下纖長名或約好惡以分麁細
端平居直為正偏斜斜曲云不正遊空隙塵名迥色屈身等業名表
色太空所見名空一顯色前四種色當體自顯不假他成故是實有
餘廿一是前四色分位而有皆是假立俱舍所立二及廿无麁細色長短
攝故无後三種法處攝故大小經論无黑色者或青所攝与青近故
或隨蓮花但四色故或与闇色无別體故數諠數謝隨增異論表彰
名句故名為聲此聲別名又十一種一曰執受大種聲謂從有情身所
起者有情大種識執受故二曰不執受大種聲謂從非情之所起者非
情不為識執受故三曰具聲謂情非情共所起者執非執受大種起故四

攝故无後三種法處攝故大小經論无異色者或青所攝与青近故
或隨蓮花但四色故或与闇色无別體故數諠數謝隨增異論素彰
名句故名為聲此聲別名又十一種一曰執受大種聲謂從有情身所
起者有情大種識執受故二曰不執受大種聲謂從非情之所起者非
情不爲識執受故三曰俱聲謂情非情共所起者執非執受大種起故四
可意聲謂從所樂悅心故五者有聞音樂不悅意故五不可意聲謂
隨所惡不悅意者縱罵辱等有悅故意六俱相違聲謂所聞聲非好
非惡於聞者識但平等故七世共所成聲謂世間共立言教之所起者
如車舍等八成所引聲謂諸聖等者成就无漏之所起者依此聲上建
立三藏聖教體故九遍計所起聲謂諸外道所起言教從計所執
虛妄起故十聖言所攝謂依見聞覺知四種而起八種真實語故十
一非聖言所攝聲亦依見聞覺知四種而起八種虛妄語故前三種聲
可是實有依實體聲而建立故餘八種聲皆假建立於前三聲
分位說故俱舍論中說有八種但約執受及无執受情非情名可不
可意而建立故但有尔所雜質潛形屢隨風轉是鼻所嗅別名為香
此則薰嗅之得此名非唯[illegible]獨名香也由是此香別名有六一者好香
順情鼻所樂取並名好香以沉檀等非諸有情皆順益故二者惡香
違情非鼻樂取並名為惡以葷穢等非諸有情同違損故三平等香非
損非益无順无違非可愛憎名平等故四俱生香謂有本質俱時而生如
是沉等香質俱有故五和合香謂離諸物共成一香由此香氣与餘
異故六變異香謂隨物質所和合時而香氣有變異故前三是實香
本體故後三是假轉變立故若俱舍論唯說四種所謂好惡平不平等
二依根損益而立既非[illegible]故不別說隨質有无根於損益屢招廣苦別名
為味此味別名又十二種一苦二酢三甘四辛五鹹六淡此之六味是其實體世所
共知更無別釋七可意味謂隨所好適其故八不可意味謂隨所惡不適意
故九相違味謂非好惡但平等故十俱生味謂菓中味質俱有故十一和合味
諸物和雜而別生故十二[illegible]異味隨質生熟味轉變故此六是假上分
位立故俱舍論中唯說六種即是前六味實體故隨損所生爲身所依

共知更無別釋七可意味謂隨所好適其故八不可意味謂隨所惡不適意
故九相違味謂非好惡但平等故十俱生味謂菓中味質俱有故十一和合味
諸物和雜而別生故十二[illegible]異味隨質生熟味轉變故此六是假上六
位立故俱舍論中唯說六種即是前六味實體故隨物所生為身所依
命根損益別名為觸此觸別名有廿四滑輕重緩急冷煖飢渴飽悶强
弱痛癢病老死疲息黏勇對法與此次第不同而於强弱改名力劣
若依俱舍更加四種謂即四大堅濕煖動皆能於身有所觸故是前諸
觸所依體故諸觸依此分位立故兼說輕重澁滑飢渴冷共成十一觸不
說餘者義不具故无質可對非五根取唯意根所緣名法處所攝色
法謂軌持自共相[illegible]故謂處所意所緣處此色是此法處收故別名
法處所攝色也此色別名復有五種一極略色亦名極微亦名隣虛或名
微塵略彼麁色極至微塵隣次虛空名極略色此非眼見但意所緣謂
瑜伽師以假想慧於麁色相漸次除析至不可析隣次虛空說謂極微
若更析之便似空現[illegible]名色極微略故名極微色二極逈色謂即極微
是色邊際既无方分離餘𣟄觸極孤逈故名極逈色此與極略體雖无
別而義有異是故別分三受所引色從惡友所教惡思願誓受故惡不律
儀事及從善友教善思願所受別別解脫律儀此二所生无表之色
雖依思願善惡種[illegible]色生又防色故是故名為受所引色四遍計
所起色謂遍計心所執實有我法之色此无本質獨有影像似色相
現若與五識同時意識緣本質色所起相分是性境故非此色攝獨頭
意識影像色相故名遍計所起色也五自在所生色自在并大聲聞未
及諸凡夫定自[illegible]處定作青等觀所變青黃赤等色相或
變第八五塵相分以為金銀蘇酪等相色從自在力所生故名為自在
所生色前四是假唯觀心等假建立故後一通實之第八識所緣境故
小乘有部皆說是實然法處色唯說一種謂即善惡所生无表
即當此中受所引[illegible]餘者義不具故如是所說十一種色俱舍論
中極微所成離心別有而唯識說皆是本識隨量大小頓現一相
非由極微合成一物皆五蘊中色蘊所攝並有積聚變𥘉性故十二處中
十一處攝通實有故上門義文作意根如者作心識故十八界中十一界攝

小乘有部皆說是實然彼處色唯說一種謂即善惡所生无表
即當此中受所引[illegible]餘者義不俱故如是所說十一種色俱舍論
中極微所成離心別有而唯識說皆是本識隨量大小頓現一相
非由極微合成一物皆五蘊中色蘊所攝並有積聚變異性故十二處中
十一處攝隨應有彼生門義故非意根故者非心識故十八界中十一界攝
是能生本種類[illegible]无漏蘊處界通因果位由此三通仏果位有說仏
具有色根境故說无漏蘊等非了義故若在果位性唯无漏仏身蘊
蘊等皆妙淨故能變淨故識非有漏故說有漏者隨小乘故若
在因位唯有漏攝以是異熟識相分故其能變識是有漏故由
見相分性類同故[illegible]性唯是善皆是真實順益法故若有
漏色性皆无記由能變識性无記故論說色聲非善惡故若法處
色有无不定若在仏身无遍計色諸仏已斷計執心故極略迥色雖
無實无隨俗亦有假想惠故諸仏遍緣假實法故仏常發起諸
善思願或[illegible]斷滅故得大自在悲能轉變其自
在色決定有故若[illegible]三乘聖者隨其所應五種皆有漏
心時起計執故有四色相如應准知若諸異生得定心者亦有五
種未得定者容有遍計變所行色以計執心常不斷故善惡思願隨
五起故其前二色唯是善又唯從定心心所起故變所行色通善惡性善惡
思願所引起[illegible]通其三性是獨影境從見分故自在生
色性是无記變本識相是通果故界地等義如理應思
論第四心不相應行法有廿四種　問曰此釋第四不相應行於
中有二初總標舉數後依數并列此初也若小乘宗說有十四也
更加隨眠[illegible]廿四若唯識論廣破小乘但顯十四不相
應行若瑜伽等[illegible]廿四不相應義故瑜伽等具彼分別今依
瑜伽顯揚五蘊及唯識等諸論說也　論一得二命根三衆同分四異生
性五无想定六滅盡定七无想事八名身九句身十文身十一生十二
老十三住十四无常十五流轉十六定異十七相應十八勢速十九次第廿方
一時廿二數廿[illegible]　問曰此依數并列也所言得者即

性五无想定六滅盡定七无相事八名身九句身十文身十一生十二
老十三住十四无常十五流轉十六定異十七相應十八勢速十九次弟廿方廿
一時廿二數廿[illegible]句曰此依數并列世所言得者即
成就義依瑜伽[illegible]依有情諸可成法先獲不失說名
為得此得成就有其三種一種子成就若染汙法諸无記法生得善
法不由功用而現行者染汙未為奢摩地伏无記未為聖道永害
生得未為耶見所損行与无行皆名成就未被損伏用可有故二自
在成就謂若加行所生[illegible]无記增盛種子加行善者謂聞脩思世
出世間一切[illegible]成就此善名自在者故加行善等名
自在成就三現[illegible]善不善无記現行若斷損伏故
皆得現行即此現[illegible]三約種子說現行故得成就有其三
種言命根者[illegible]識為趣生體是遍恒續異熟果故此
能執持根依[illegible]不壞斷名為有情即異熟識未捨執受未斷
壞位名為命根此識親從自種而生即依親生此識種子由業所引功能
差別住時決定假立命根離此命根无可得故持業依主二釋皆通
衆同分者依唯識論衆謂衆多同謂相似分者因也依諸有情身類
相似起同智言名衆同分或復分者即是類義謂人天等衆類同故
衆同即分持業釋也異生性者謂諸聖者皆名同生而諸凡愚名曰
異生由見所斷二鄣[illegible]凡愚異見而生異趣而生異類而生
即二障種未永[illegible]位能[illegible]道名異生性是異之生異生之性皆依主
釋由此性故不得聖[illegible]法故小乘中別名非得无想定者唯識釋云有厭
外道執无想天以為真解脫患此想為癰瘡等是生死因以出離想作意
為先脩習此定由脩定時於定加行厭患想故令此心想漸細漸微ゝゝ心
時重異熟識成極增上厭心等種由此損伏心想種故令不恒行心想
不起依此分位假立[illegible]之想識滅為首名无想定滅盡定者唯識論
云謂二乘者見廢動心起[illegible]息厭患廢動心ゝ所故以止息想作意為先
依有頂地遊觀[illegible]為加行入遊心ゝ所令心所漸細漸微ゝゝ心時重異

BD02025號　大乘百法明門論開宗義記　（6–5）

皆得現行即此現分[illegible]二約種子說現行故得成就有其三
種言命根者[illegible]論云謂[illegible]識為趣生體是遍恒續異熟果故此
能執持根依[illegible]不壞斷名為有情即異熟識未捨執受未斷
壞位名為命根此識親從自種而生即依親生此識種子由業所引功能
差別住時決定假立命根離此命根无可得故持業依主二釋皆通
衆同分者依唯識論衆謂衆多同謂相似分者因也依諸有情身類
相似起同智言名衆同分或復分者即是類義謂人天等衆類同故
衆同即分持業釋也異生性者謂諸聖者皆名同生而諸凡愚名曰
異生由見所斷二部[illegible]凡愚異見而生異趣而生異類而生
即二障種未永[illegible]故位能[illegible]通名異生性是異之生異生之性皆依主
釋由此性故不得[illegible]法故小乘中別名非得无想定者唯識釋云有故
外道執无想天以為涅槃猒患此想為癰瘡等是生死因以出離想作意
為先修習此定由修定之時於定加行猒患想故令此心想漸細漸微微心
時重異熟識成極增上猒心等種由此損伏心想種故令不恒行心想
不起依此分位假立[illegible]識滅為首名无想定滅盡定者唯識論
云謂二乘者見麁動心起[illegible]息猒患麁動心心所故以止息想作意為先
依有頂地遊觀[illegible]為加行入滅心心所令心所漸細漸微微心時重異
熟識成極增上猒心等種此種勢力而能損伏恒不恒行心心所法依
此分依假立此定由定能令恒不恒行心等皆滅名滅盡定无想事者

說无量壽觀經一卷
如是我聞一時佛在王舍城耆闍崛山中與大
比丘衆千二百五十人俱菩薩三万二千文殊師
利法王子而爲上首
尒時王舍大城有一太子名阿闍世隨順調達
惡友之教收執父王頻婆娑羅幽閉置於七
重室內制諸群臣一不得往國大夫人名韋提
敬恭大王澡浴清淨以酥蜜和麨用塗其
諸瓔珞中盛蒲桃漿密以上王尒時大王
食麨飲漿求水漱口漱口畢已合掌恭敬向
耆闍崛山遥礼世尊而作是言大目揵連是
吾親友願興慈悲授我八戒時目揵連如鷹

BD02026號　觀無量壽佛經　(22–1)

食麨飲漿求水漱口漱口畢已合掌恭敬向
耆闍崛山遥礼世尊而作是言大目揵連是
吾親友願興慈悲授我八戒時目揵連如鷹
隼飛疾至王所日日如是授王八戒世尊亦遣
尊者富樓那爲王說法如是時間逕三七
王食麨蜜得聞法故顔色和悦
阿闍世問守門者父王今者猶存在耶時
門人白言大王國大夫人身塗麨蜜瓔珞盛
漿持用上王沙門目連及富樓那從空而來
爲王說法不可禁制
時阿闍世聞此語已怒其母曰我母是賊與賊
爲伴沙門惡人幻惑呪術令此惡王多日不死
即執利劍欲害其母時有一臣名曰月光聰明
智及與耆婆爲王作礼白言大王臣聞毗
誦經說劫初已來有諸惡王貪國位故煞
害其父一万八千未曾聞有无道害母王今爲
此煞逆之事汙刹利種臣不忍聞是栴陀羅
不宜住此時二大臣說此語竟以手按劍却行
而退時阿闍世驚怖惶懼告耆婆言汝不爲
我耶耆婆白言大王慎莫害母王聞此語懺悔
救即便利劍心不害母勅語內官閉置深宮
復出時韋提希被幽閉已愁憂憔悴遥
向耆闍崛山爲佛作礼而作是言如來世尊在

BD02026號　觀無量壽佛經　(22–2)

復出時韋提希被幽閉已愁憂憔悴遙
向耆闍崛山為佛作礼而作是言如來世尊在
昔之時恒遣阿難來慰問我我今愁憂世尊
威重无由得見願遣目連尊者阿難與我相
見作是語已悲泣雨淚遙向佛礼未舉頭頃
尒時世尊在耆闍崛山知韋提希心之所念勅
目連及以阿難從空而來佛從耆闍崛山沒
宮出時韋提希礼已舉頭見世尊釋迦
牟尼佛身紫金色坐百寶蓮華目連侍左阿
難侍右釋梵護世諸天在虛空中普雨天華
持用供養時韋提希見佛世尊自絕瓔珞
舉身投地號泣向佛白言世尊我宿何罪生
此惡子世尊復有何等因緣與提婆達多共
眷屬唯願世尊為我廣說无憂惱處我
往生不樂閻浮提濁惡世也此濁惡處地
獄餓鬼畜生盈滿多不善聚願我未來不
惡聲不見惡人今向世尊五體投地求哀懺
悔唯願佛日教我觀於清淨業處
尒時世尊放眉間光其光金色遍照十方无量
世界還住佛頂化為金臺如須弥山十方諸佛
淨妙國土皆於中現或有國土七寶合成復有
土純是蓮華復有國土如自在天宮復有
國土如頗梨鏡十方國土皆於中現有如是等无

BD02026號　觀無量壽佛經　（22-3）

世界還住佛頂化為金臺如須弥山十方諸佛
淨妙國土皆於中現或有國土七寶合成復有
土純是蓮華復有國土如自在天宮復有
國土如頗梨鏡十方國土皆於中現有如是等无
諸佛國土嚴顯可觀令韋提希見
時韋提希白佛言世尊是諸佛土雖復清淨
皆有光明我今樂生極樂世界阿弥陀佛所唯
願世尊教我思惟教我正受尒時世尊即便
微咲有五色光從佛口出一一光照頻婆娑頂
時大王雖在幽閉心眼无鄣遙見世尊頭
面作礼自然增進成阿那含
尒時世尊告韋提希汝今知不阿弥陀佛去此
不遠汝當繫念諦觀彼國淨業成者我今為
汝廣說衆譬亦令未來世一切凡夫欲脩淨業者
得生西方極樂國土欲生彼國者當脩三福一者
孝養父母奉事師長慈心不煞脩十善業二
者受持三歸具足衆戒不犯威儀三者發菩
提心深信因果讀誦大乘勸進行者如此三事
名為淨業佛告韋提希汝今知不此三種業
過去未來現在三世諸佛淨業正因
佛告阿難及韋提希諦聽諦聽善思念之
如來今者為未來世一切衆生為煩惱賊之所
害者說清淨業善哉韋提希快問此事阿
難汝當受持廣為多衆宣說佛語如來今

BD02026號　觀無量壽佛經　（22-4）

佛告阿難及韋提希諦聽諦聽善思念之
如来今者為未来世一切衆生為煩惱賊之所
害者說清淨業善哉韋提希快問此事阿
難汝當受持廣為多衆宣說佛語如来今
者教韋提希及未来世一切衆生觀於西方極
樂世界以佛力故當得見彼清淨國土如執
明鏡自見面像見彼國土極妙樂事心歡喜
故應時即得无生法忍佛告韋提希汝是
凡夫心想羸劣未得天眼不能遠觀諸佛如
来有異方便令汝得見
時韋提希白佛言世尊如我今者以佛力故見
彼國土若佛滅後諸衆生等濁惡不善五苦
所逼云何當見阿弥陁佛極樂世界
佛告韋提希汝及衆生應當專心繫念一處
想於西方云何作想凡作想者一切衆生自
非生盲有目之徒皆見日没當起想念正坐
西向諦觀於日令心堅住專想不移見日欲
没狀如懸鼓既見日已閉目開目皆令明了
是為日想名曰初觀
次作水想見水澄清亦令明了无分散意既
見水已當起冰想見冰映徹作琉璃想此想
成已見琉璃地內外映徹下有金剛七寶金
幢擎琉璃地其幢八方八楞具足一一方面百
寶所成一一寶珠有千光明一一光明八万四

BD02026 號　觀無量壽佛經　（22–5）

成已見琉璃地內外映徹下有金剛七寶金
幢擎琉璃地其幢八方八楞具足一一方面百
寶所成一一寶珠有千光明一一光明八万四
千色映琉璃地如億千日不可具見琉璃地
上以黃金繩雜廁間錯以七寶界分齊分
明一一寶中有五百色光其光如華又似星月
懸處虛空成光明臺樓閣千万百寶合成
於臺兩邊各有百億華幢无量樂器以為
莊嚴八種清風從光明出鼓此樂器演說苦
空无常无我之音是為水想名第二觀
此想成時一一觀之極令了了閉目開目不
令散失唯除食時恒憶此事如此想者名為
粗見極樂國地若得三昧見彼國地了了分
明不可具說是為地想名第三觀
佛告阿難汝持佛語為未来世一切大衆欲
脫苦者說是觀地法若觀是地者除八十億
劫生死之罪捨身他世必生淨國心得无疑
作是觀者名為正觀若他觀者名為邪觀
佛告阿難及韋提希地想成已次觀寶樹觀
寶樹者一一觀之作七重行樹想一一樹高八
千由旬其諸寶樹七寶華葉无不具足一一
華葉作異寶色琉璃色中出金色光頗梨
色中出紅色光馬瑙色中出車渠光車渠色
中出綠真珠光珊瑚虎珀一切衆寶以為映飾

BD02026 號　觀無量壽佛經　（22–6）

華葉作異寶色瑠璃色中出金色光頗梨
色中出紅色光馬瑙色中出車𤦲光車𤦲色
中出緑真珠光珊瑚虎珀一切衆寶以為暎飾
妙真珠網弥覆樹上一一樹上有七重網一一
網間有五百億妙華宮殿如梵王宮諸天童
子自然在中一一童子五百億釋迦毗楞伽摩
尼珠以為瓔珞其摩尼光照百由旬如和合
百億日月不可具名衆寶間錯色中上者此
諸寶樹行行相當葉葉相次於衆葉間生
諸妙華華上自然有寶菓一一樹葉縱廣正
等廿五由旬其葉千色有百千種畫如天瓔
珞有衆妙華作閻浮檀金色如旋火輪婉轉
葉間踊生諸菓如帝釋瓶有大光明化成幢幡
无量寶蓋是寶蓋中映現三千大千世界一切
佛事十方佛国亦於中現見此樹已亦當次
苐一一觀之觀見樹茎枝葉華菓皆令分明
是名樹想名苐四觀
次當想水想水者極樂国土有八池水一一池
水七寶所成其寶柔濡從如意珠王分為十
四支一一支作七寶色黄金為渠渠下皆以雜
色金剛以為底沙一一水中有六十億七寶蓮
華一一蓮華團圓正等十二由旬其摩尼水流
注華間尋樹上下其聲微妙演說苦空无常
无我諸波羅蜜復有讃嘆諸佛相好者如

BD02026 號　觀無量壽佛經　（22–7）

華一一蓮華團圓正等十二由旬其摩尼水流
注華間尋樹上下其聲微妙演說苦空无常
无我諸波羅蜜復有讃嘆諸佛相好者如
意珠王踊出金色微妙光明其光化為百寶
色鳥和鳴哀雅常讃念佛念法念僧是為
八功德水想名苐五觀
衆寶国土一一界上有五百億寶樓其樓閣中
有无量諸天作天伎樂又有樂器懸處虚空
如天寶幢不鼓自鳴此衆音中皆說念佛念
法念比丘僧此想成已名為粗見極樂世界
寶樹寶地寶池是為揔觀想名苐六觀若見
此者除无量億劫極重悪業命終之後必生
彼国作是觀者名為正觀若他觀者名為耶觀
佛告阿難及韋提希諦聽諦聽善思念之佛
當為汝分別解說除苦悩法汝等憶持廣為
大衆分別解說說是語時无量壽佛住立空
中觀世音大勢至是二大士侍立左右光明
熾盛不可具見百千閻浮檀金色不得為比
時韋提希見无量壽佛已接足作礼白佛言
世尊我今因佛力故得見无量壽佛及二菩
薩未來衆生當云何觀无量壽佛及二菩薩
佛告韋提希欲觀彼佛者當起想念於七寶
地上作蓮華想令其蓮華一一葉作百寶色

BD02026 號　觀無量壽佛經　（22–8）

佛告韋提希欲觀彼佛者當起想於七寶
地上作蓮華想令其蓮華一一葉作百寶色
有八万四千脉猶如天畫脉八万四千光了
了分明皆令得見華葉小者縱廣二百五十
由旬如是華有八万四千葉一一葉間有百
億摩尼珠王以為映餝一一摩尼放千光明
其光如盖七寶合成遍覆地上釋迦毗楞伽
寶以為其臺此蓮華臺八万金剛甄叔迦寶
梵摩尼寶妙真珠網以為交餝於其臺上
自然而有四柱寶幢一一寶幢如百千万億須
弥山幢上寶縵如夜摩天宮有五百億微妙
寶珠以為映餝一一寶珠八万四千光一一光
作八万四千異種金色一一金光遍其寶土
處處變化各作異相或為金剛臺或作真
珠網或作雜華雲於十方面隨意變現施作
佛事是為華座想名第七觀
此妙華是本法藏比丘願力所成若欲念彼
佛者當先作此華座想作此想時不得雜
觀皆應一一觀之一一葉一一珠一一光一一臺
一一幢皆令分明如於鏡中自見面像此想
成者滅除五万億劫生死之罪必定當生
極樂世界作此觀者名為正觀若他觀者名為
邪觀
佛告阿難及韋提希見此事已次當想佛所
以者何諸佛如来是法界身入一切衆生心想

耶觀
佛告阿難及韋提希見此事已次當想佛所
以者何諸佛如来是法界身入一切衆生心想
中是故汝等心想佛時是心即是卅二相八十
隨形好是心作佛是心是佛諸佛正遍知海
從心想生是故應當一心繫念諦觀彼佛多
陁阿伽度阿羅呵三藐三佛陁想彼佛者
先當想像閉目開目見一寶像如閻浮檀金
色坐彼華上既見坐已心眼得開了了分明
見極樂國七寶莊嚴寶地寶池寶樹行列
諸天寶縵弥覆其上衆寶羅網滿虚空中
見如此事極令明了如觀掌中見此事已復
當更作一大蓮華在佛左邊如前蓮華等
无有異復作一大蓮華在佛右邊想一觀世音
菩薩像坐左華坐亦放金光如前无異想一
大勢至菩薩像坐右華坐此想成時佛菩薩像
皆放金光其光金色照諸寶樹一一樹下亦
有三蓮華諸蓮華上各有一佛二菩薩像遍
滿彼國此想成時行者當聞水流光明及諸
寶樹鳧鴈鴛鴦皆說妙法出定入定恒聞妙
法行者所聞出定之時憶持不捨令與脩多羅
合若不合者名為妄想若與合者名為麁
想見極樂世界是為像想名第八觀作是觀
皆除无量億劫生死之罪於現身中得念佛三昧

合若不合者名為妄想若與合者名為麁
想見極樂世界是為像想名第八觀作是觀
者除无量億劫生死之罪於現身中得念佛三昧
佛告阿難此想成已次當更觀无量壽佛身
相光明阿難當知无量壽佛身如百千万億
夜魔天閻浮檀金色佛身高六十万億那由
他恒河沙由旬眉間白豪右旋婉轉如五須弥
山佛眼如四大海水清白分明身諸毛孔演
出光明如須弥山彼佛圓光如百億三千大
千世界於圓光中有百万億那由他恒河沙化
佛一一化佛有衆多无數化菩薩以為侍者
无量壽佛有八万四千相一一相各有八万四
千隨形好一一好復有八万四千光明一一光
明遍照十方世界念佛衆生攝取不捨
其光相好及與化佛不可具說但當憶想令
心眼見見此事者即見十方一切諸佛以見諸
佛故名念佛三昧作是觀者名觀一切佛身
以觀佛身故亦見佛心佛心者大慈悲是以
无緣慈攝諸衆生作此觀者捨身他世生諸
佛前得无生忍是故智者應當繫心諦觀
无量壽佛觀无量壽佛者從一相好入但觀
眉間白豪極令明了見眉間白豪者八万四
千相好自然當見見无量壽佛者即見十方无
量諸佛得見无量諸佛故諸佛現前授記是

BD02026號　觀無量壽佛經　（22–11）

无量壽佛觀无量壽佛者從一相好入但觀
眉間白豪極令明了見眉間白豪者八万四
千相好自然當見見无量壽佛者即見十方无
量諸佛得見无量諸佛故諸佛現前授記是
為遍觀一切色想名第九觀作此觀者名
為正觀若他觀者名為耶觀
佛告阿難及韋提希見无量壽佛了了分明
已次應觀觀世音菩薩此菩薩身長八十億那
由他恒河沙由旬身紫金色頂肉髻項有圓光
面各百千由旬其圓光中有五百化佛如釋
迦牟尼佛一一化佛有五百菩薩无量諸天
以為侍者舉身光中五道衆生一切色相皆於
中現頂上毗楞摩尼寶以為天冠其天冠中有一
立化佛高廿五由旬觀世音菩薩面如閻浮檀
金色眉間豪相備七寶色流出八万四千種光
明一一光明有无量无數百千化佛一一化佛无
數菩薩以為侍者變現自在滿十方世界譬
如紅蓮華色有八十億光明以為瓔珞其瓔珞
中普現一切諸莊嚴事手掌作五百億雜蓮華
色手十指端一一指端有八万四千畫猶如印文一
一畫有八万四千色一一色有八万四千光其光柔
濡普照一切以此寶手接引衆生舉足時足
下有千輻輪相自然化成五百億光明臺下
足時有金剛摩尼華布散一切莫不弥滿
其餘身相衆好具足如佛无異唯頂上肉髻

BD02026號　觀無量壽佛經　（22–12）

流普照一切以此寶手接引衆生舉足時足
下有千輻輪相自然化成五百億光明臺下
足時有金剛摩尼華布散一切莫不彌滿
其餘身相衆好具足如佛无異唯頂上肉髻
及无見頂相不及世尊是為觀觀世音菩
薩真實色身想名第十觀
佛告阿難若欲觀觀世音菩薩當作是觀
作是觀者不遇諸禍淨除業鄣除却无數劫
生死之罪如此菩薩但聞其名獲无量福何
況諦觀若有欲觀觀世音菩薩者應先觀
頂上肉髻次觀天冠其餘衆相亦次第觀之亦
令明了如觀掌中作是觀者名為正觀若他
觀者名為耶觀
次觀大勢至菩薩此菩薩身量大小亦如觀
世音光面各百廿五由旬照二百五十由旬舉
身光明照十方國作紫金色有緣衆生皆悉
得見但見此菩薩一毛孔光即見十方无量
諸佛淨妙光明是故号此菩薩名无邊光
以智慧光普照一切令離三塗得无上力是
故号此菩薩名大勢至此菩薩天冠有五百
寶華一一華有五百寶臺一一臺中十方諸佛
國土廣長之相皆於中現頂上肉髻如鉢頭
摩華於肉髻上有一寶瓶盛諸光明普現佛
事餘諸身相如觀世音等无有異此菩薩行

BD02026號　觀無量壽佛經　(22–13)

國土廣長之相皆於中現頂上肉髻如鉢頭
摩華於肉髻上有一寶瓶盛諸光明普現佛
事餘諸身相如觀世音等无有異此菩薩行
時十方世界一切震動當地動處有五百億寶
華一一寶華莊嚴高顯如極樂世界此菩
薩坐時七寶國土一時動搖從下方金光佛
剎乃至上方光明王佛剎於其中間无量塵
數分身无量壽佛分身觀世音大勢至皆悉
雲集極樂國土側塞空中蓮華坐演說妙
法度苦衆生作此觀者名為正觀若他觀者
名為耶觀見大勢至菩薩是為觀大勢至色
身想此菩薩者名第十一觀除无量阿僧
祇生死之罪作是觀者不處胞胎常遊諸佛
淨妙國土此觀成已名為具足觀觀世音大勢至
見此事時當起自心生於西方極樂世界於蓮
華中結跏趺坐作蓮華合想作蓮華開想蓮
華開時有五百色光來照身想眼目開想見
佛菩薩滿虛空中水鳥樹林及與諸佛所出
音聲皆演妙法與十二部經合出定時憶持
不失見此事已名見无量壽佛極樂世界是
為普觀想名第十二觀无量壽佛化身无數與
觀世音大勢至常來至此行人之所
佛告阿難及韋提希若欲至心生西方者先當
觀於一丈六像在池水上如先所說无量壽身佛

BD02026號　觀無量壽佛經　(22–14)

觀世音大勢至常來至此行人之所
佛告阿難及韋提希若欲至心生西方者先當
觀於一丈六像在池水上如先所說无量壽身佛
量无邊非是凡夫心力所及然彼如來宿願力故
有憶想者必得成就但想佛像得无量福況復
觀佛具足身相彌阿佛神通如意於十方國變
現自在或現大身滿虛空中或現小身丈六八
尺所現之形皆真金色圓光化佛及寶蓮華
如上所說觀世音菩薩及大勢至於一切處身
同眾生但觀首相知是觀世音知是大勢至此
二菩薩助阿彌陀佛普化一切是為雜想觀名
十三觀佛告阿難及韋提希上品上生者若有
眾生願生彼國者發三種心即便往生何等為
三一者至誠心二者深心三者迴向發願心具三
心者必生彼國復有三種眾生當得往生何
等為三一者慈心不殺具諸戒行二者讀誦
大乘方等經典三者脩行六念迴向發願願
生彼國具此功德一日乃至七日即得往生生
彼國時此人精進勇猛故阿彌陀如來與觀
世音大勢至无數化佛百千比丘聲聞大眾
无量諸天七寶宮殿觀世音菩薩金剛臺
與大勢至菩薩至行者前阿彌陀佛放大
光明照行者身與諸菩薩授手迎接觀世音
大勢至與无數菩薩讚嘆行者勸進其心行

无量諸天七寶宮殿觀世音菩薩金剛臺
與大勢至菩薩至行者前阿彌陀佛放大
光明照行者身與諸菩薩授手迎接觀世音
大勢至與无數菩薩讚嘆行者勸進其心行
者見已歡喜踊躍自見其身乘金剛臺隨從
佛後如彈指頃往生彼國生彼國已見佛色
身眾相具足見諸菩薩色相具足光明寶林
演說妙法聞已即悟无生法忍逕須臾間歷
事諸佛遍十方界於諸佛前次第受記還至本
國得无量百千陀羅尼門是名上品上生者
上品中生者不必受持讀誦方等經典善解
義趣於第一義心不驚動深信因果不謗大
乘以此功德迴向願求生極樂國行此行者命
欲終時阿彌陀佛與觀世音大勢至无量大眾
眷屬圍遶持紫金臺至行者前讚言法子汝
行大乘解第一義是故我今來迎接汝與千化佛
一時授手行者自見坐紫金臺合掌叉手讚
歎諸佛如一念頃即生彼國七寶池中此紫金
臺如大寶華經宿則開行者身作紫磨金色
足下亦有七寶蓮華佛及菩薩俱時放光照
行者身目即開明因前宿習普聞眾聲純說
甚深第一義諦即下金臺礼佛合掌讚嘆世
尊逕於七日應時即於阿耨多羅三藐三菩提
得不退轉應時即能飛至十方歷事諸佛於諸

尊迎於七日應時即於阿耨多羅三藐三菩提
得不退轉應時即能飛至十方歷事諸佛於諸
佛所脩諸三昧經一小劫得无生忍現前受記
是名上品中生者
上品下生者亦信因果不謗大乘但發无上道
心以此功德迴向願求生極樂國行者命欲終時
阿弥陀佛及觀世音大勢至與諸眷屬持金蓮
華化作五百化佛來迎此人五百化佛一時授
手讚言法子汝今清淨發无上道心我來迎
汝見此事時即自見身坐金蓮華坐已華合
隨世尊後即得往生七寶池中一日一夜蓮華
乃開七日之中乃得見佛雖見佛身於衆相好心
不明了於三七日後乃了了見聞衆音聲皆演
妙法遊歷十方供養諸佛於諸佛前聞甚深
法經三小劫得百法明門住歡喜地是名上品
下生者是名上輩生想名第十四觀
復次阿難及韋提希中品上生者若有衆生
受持五戒持八戒齋脩行諸戒不造五逆无
諸過惡以此善根迴向願求生於西方極樂
世界臨命終時阿弥陀佛與諸比丘眷屬圍
遶放金色光至其人所演說苦空无常无
我讚嘆出家得離衆苦行者見已心大歡喜
自見已身坐蓮華臺長跪合掌為佛作礼未

我讚嘆出家得離衆苦行者見已心大歡喜
自見已身坐蓮華臺長跪合掌為佛作礼未
舉頭頃即得往生極樂世界蓮華尋開當華
敷時聞衆音聲讚歎四諦應時即得阿羅漢
道三明六通具八解脫是名中品上生者
中品中生者若有衆生若一日一夜受持八戒齋
若一日一夜持沙弥戒若一日一夜持具足戒威儀无
缺以此功德迴向願求生極樂國戒香熏脩如此
行者命欲終時見阿弥陀佛與諸眷屬放金
色光持七寶蓮華至行者前行者自見空中
有聲讚言善男子如汝善人隨順三世諸佛教
故我來迎汝行者自見坐蓮華上蓮華即合
生於西方極樂世界在寶池中經於七日蓮華
開敷華既敷已開目合掌讚歎世尊聞法歡
喜得須陀洹經半劫已成阿羅漢是名中品中生者
中品下生者若有善男子善女人孝養父母行世
仁慈此人命欲終時遇善知識為其廣說阿弥
陀佛國土樂事亦說法藏比丘卌八大願聞此
事已尋即命終譬如壯士屈申臂頃即生西方
極樂世界生經七日遇觀世音及大勢至聞
法歡喜過一小劫成阿羅漢是名中品下生者是
名中輩生想名第十五觀
復次阿難及韋提希下品上生者或有衆生
作衆惡業雖不誹謗方等經典如此愚人多

名中華生想名第十五觀
復次阿難及韋提希下品上生者或有衆生
作衆惡業雖不誹謗方等經典如此愚人多
造衆惡无有慙愧命欲終時遇善知識爲讚
大乘十二部經首題名字以聞如是諸經名故
除却千劫極重惡業智者復教合掌叉手稱
南无阿弥陁佛稱佛名故除五十億劫生死之
罪尒時彼佛即遣化佛化觀世音化大勢至
行者前讚言善男子以汝稱佛名故諸罪消滅
我來迎汝作是語已行者即見化佛光明遍滿
其室見已歡喜即便命終乘寶蓮華隨化佛
後生寶池中經七七日蓮華乃敷當華敷時
大悲觀世音菩薩放大光明住其人前爲說甚深
十二部經聞已信解發无上道心經十小劫具百
法明門得入初地是名下品上生者得聞佛名
及聞僧名聞三寶名即得往生
復次阿難及韋提希下品中生者或有衆生
毀犯五戒八戒及具足戒如此愚人偷僧祇物
盜現前僧物不淨說法无有慙愧以諸惡業
而自莊嚴如此罪人以惡業故應墮地獄命
欲終時地獄衆火一時俱至遇善知識以大慈
悲爲說阿弥陁佛十力威德廣說彼佛光明神
力亦讚戒定慧解脫解脫知見此人聞已除
八十億劫生死之罪地獄猛火化爲清涼風吹

BD02026號　觀無量壽佛經　(22-19)

欲終時地獄衆火一時俱至遇善知識以大慈
悲爲說阿弥陁佛十力威德廣說彼佛光明神
力亦讚戒定慧解脫解脫知見此人聞已除
八十億劫生死之罪地獄猛火化爲清涼風吹
諸天華華上皆有化佛菩薩迎接此人如一念
頃即得往生七寶池中蓮華之內經於六劫蓮華
乃敷觀世音大勢至以梵音聲安慰彼人爲說大
乘甚深經典聞此法已應時即發无上道心是名
下品中生者
佛告阿難及韋提希下品下生者或有衆生作
不善業五逆十惡具諸不善如此愚人以惡業故
應墮惡道經歷多劫受苦无窮如此愚人臨命
終時遇善知識種種安慰爲說妙法教令念佛
彼人苦逼不遑念佛善友告言汝若不能念佛
者應稱无量壽佛如是至心令聲不絕具足十念
稱南无阿弥陁佛稱佛名故於念念中除八十億
劫生死之罪命終之時見金蓮華猶如日輪住其人
前如一念頃即得往生極樂世界於蓮華中滿十二大
劫蓮華方開觀世音大勢至以大悲音聲爲其廣
說諸法實相除滅罪法聞已歡喜應時發菩提之
心是名下品下生者是名下輩生想名第十六觀
說是語時韋提希與五百侍女聞佛所說應時即
見極樂世界廣長之相得見佛身及二菩薩心生
歡喜歎未曾有廓然大悟逮无生忍五百侍女發
阿耨多羅三藐三菩提心願生彼國世尊悉記皆

BD02026號　觀無量壽佛經　(22-20)

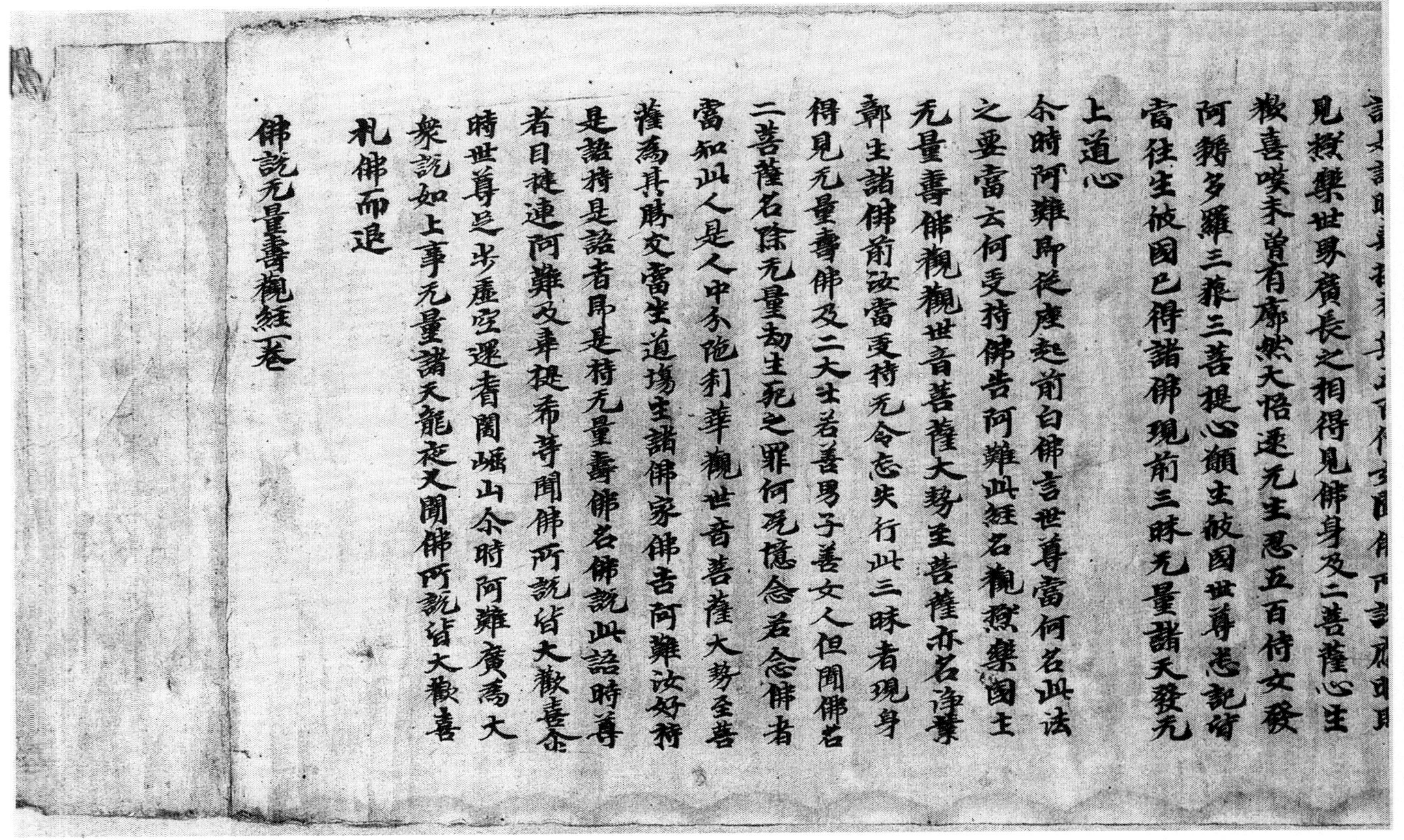
見極樂世界廣長之相得見佛身及二菩薩心生
歡喜嘆未曾有廓然大悟逮无生忍五百侍女發
阿耨多羅三藐三菩提心願生彼國世尊悉記皆
當往生彼國已得諸佛現前三昧无量諸天發无
上道心
尒時阿難即從座起前白佛言世尊當何名此法
之要當云何受持佛告阿難此經名觀極樂國土
无量壽佛觀觀世音菩薩大勢至菩薩亦名淨業
鄣生諸佛前汝當受持无令忘失行此三昧者現身
得見无量壽佛及二大士若善男子善女人但聞佛名
二菩薩名除无量劫生死之罪何況憶念若念佛者
當知此人是人中分陁利華觀世音菩薩大勢至菩
薩為其勝友當坐道場生諸佛家佛告阿難汝好持
是語持是語者即是持无量壽佛名佛說此語時尊
者目揵連阿難及韋提希等聞佛所說皆大歡喜尒
時世尊足步虛空還耆闍崛山尒時阿難廣為大
衆說如上事无量諸天龍夜叉聞佛所說皆大歡喜
礼佛而退
佛說无量壽觀經一卷

BD02026 號　觀無量壽佛經　　（22–21）

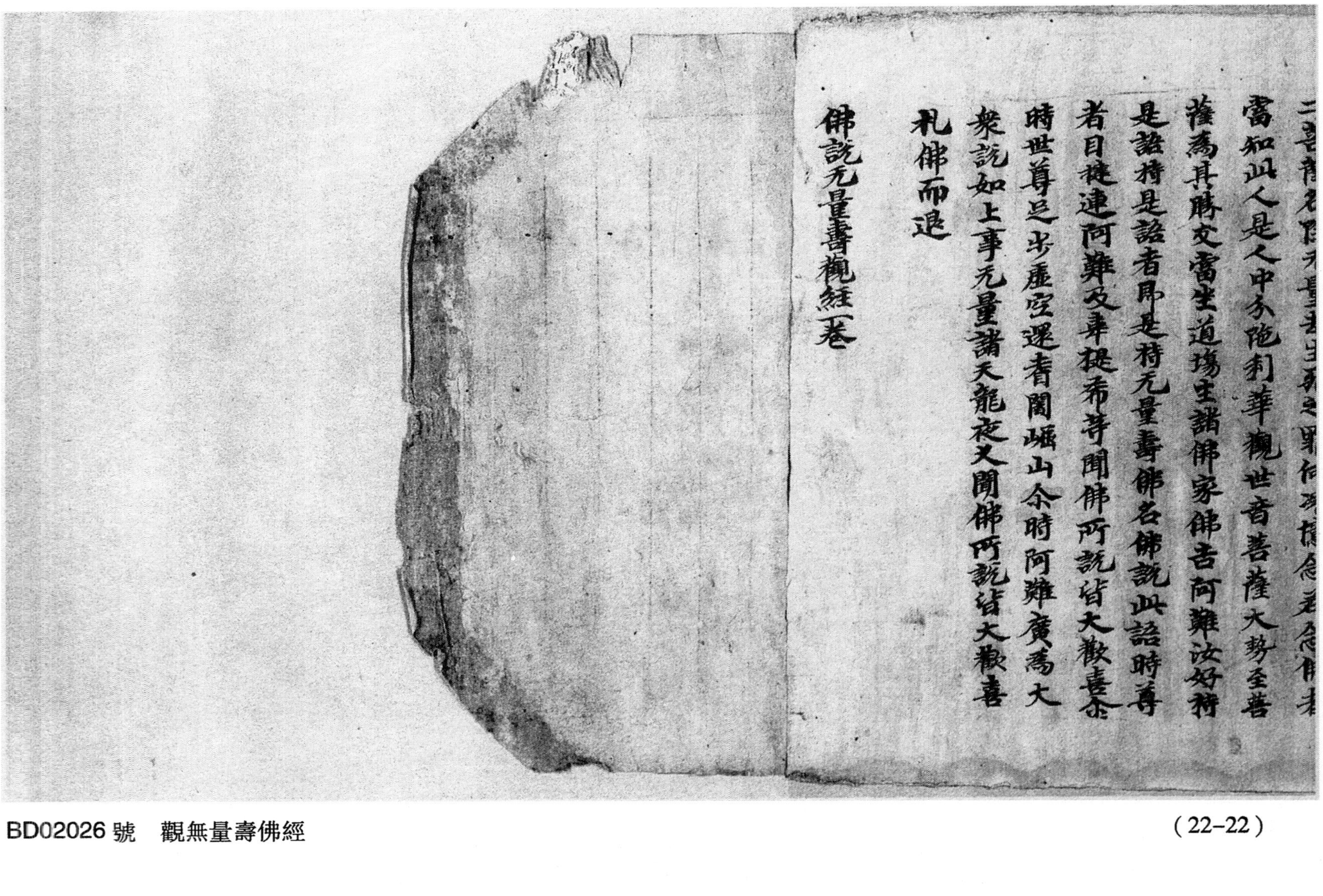

當知此人是人中分陁利華觀世音菩薩大勢至菩
薩為其勝友當坐道場生諸佛家佛告阿難汝好持
是語持是語者即是持无量壽佛名佛說此語時尊
者目揵連阿難及韋提希等聞佛所說皆大歡喜尒
時世尊足步虛空還耆闍崛山尒時阿難廣為大
衆說如上事无量諸天龍夜叉聞佛所說皆大歡喜
礼佛而退
佛說无量壽觀經一卷

BD02026 號　觀無量壽佛經　　（22–22）

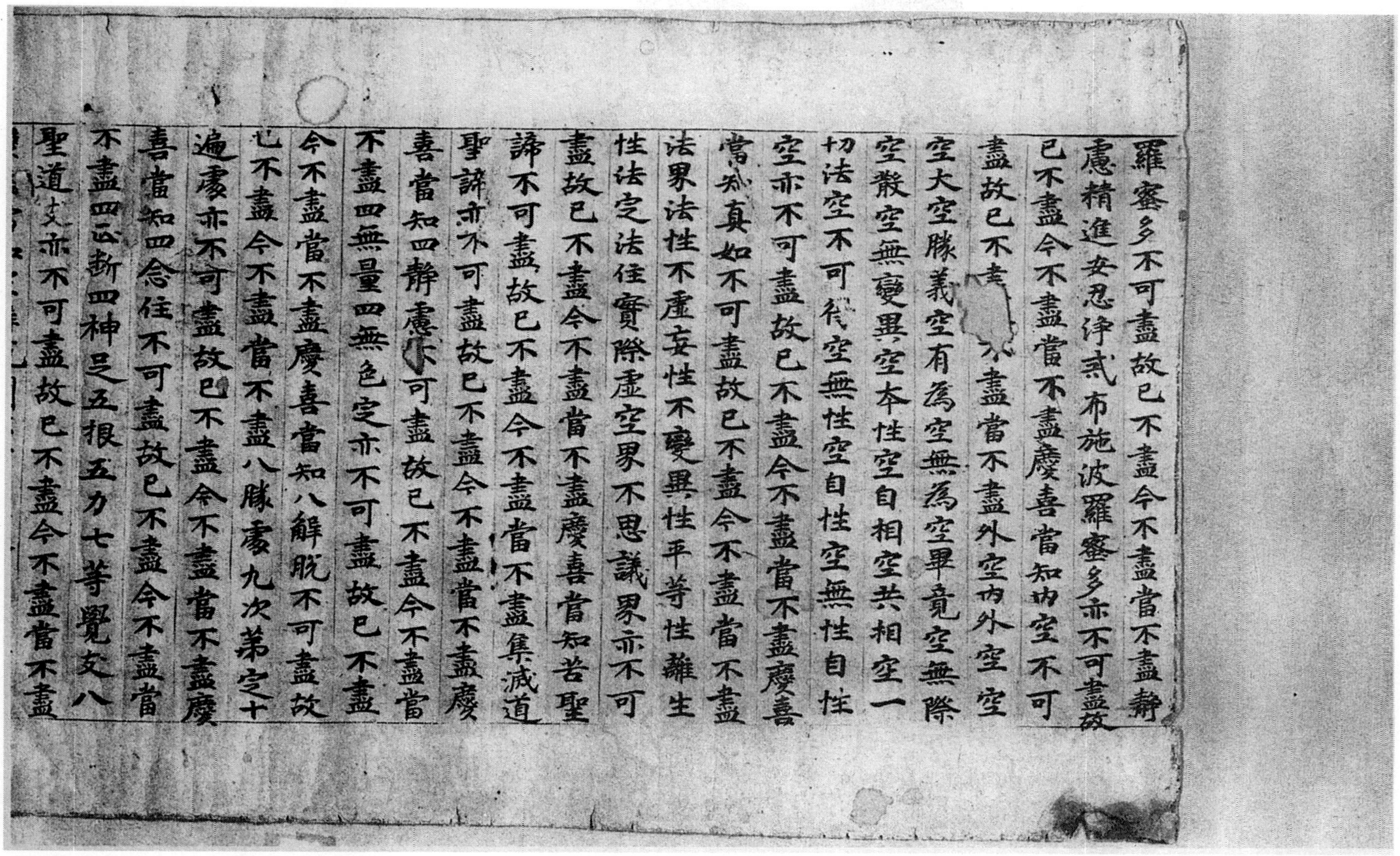

羅蜜多不可盡故已不盡今不盡當不盡静
慮精進安忍淨戒布施波羅蜜多亦不可盡故
已不盡今不盡當不盡慶喜當知内空不可
盡故已不盡今不盡當不盡外空内外空空
空大空勝義空有為空無為空畢竟空無際
空散空無變異空本性空自相空共相空一
切法空不可得空無性空自性空無性自性
空亦不可盡故已不盡今不盡當不盡慶喜
當知真如不可盡故已不盡今不盡當不盡
法界法性不虚妄性不變異性平等性離生
性法定法住實際虚空界不思議界亦不可
盡故已不盡今不盡當不盡慶喜當知苦聖
諦不可盡故已不盡今不盡當不盡集滅道
聖諦亦不可盡故已不盡今不盡當不盡慶
喜當知四静慮不可盡故已不盡今不盡當
不盡四無量四無色定亦不可盡故已不盡
今不盡當不盡慶喜當知八解脫不可盡故
已不盡今不盡當不盡八勝處九次第定十
遍處亦不可盡故已不盡今不盡當不盡慶
喜當知四念住不可盡故已不盡今不盡當
不盡四正斷四神足五根五力七等覺支八
聖道支亦不可盡故已不盡今不盡當不盡

BD02027號 大般若波羅蜜多經卷三四七 （2–1）

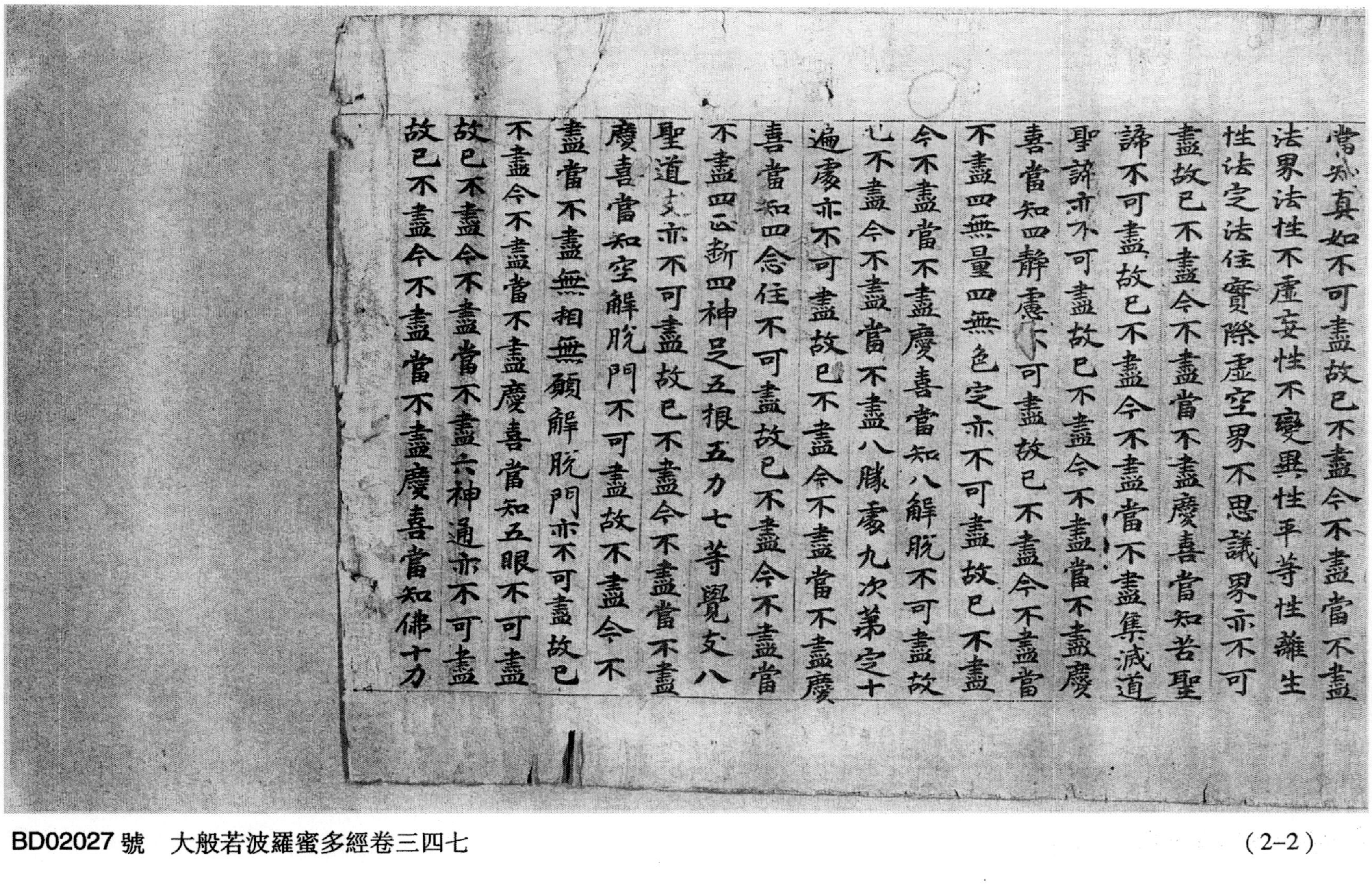

當知真如不可盡故已不盡今不盡當不盡
法界法性不虚妄性不變異性平等性離生
性法定法住實際虚空界不思議界亦不可
盡故已不盡今不盡當不盡慶喜當知苦聖
諦不可盡故已不盡今不盡當不盡集滅道
聖諦亦不可盡故已不盡今不盡當不盡慶
喜當知四静慮不可盡故已不盡今不盡當
不盡四無量四無色定亦不可盡故已不盡
今不盡當不盡慶喜當知八解脫不可盡故
已不盡今不盡當不盡八勝處九次第定十
遍處亦不可盡故已不盡今不盡當不盡慶
喜當知四念住不可盡故已不盡今不盡當
不盡四正斷四神足五根五力七等覺支八
聖道支亦不可盡故已不盡今不盡當不盡
慶喜當知空解脫門不可盡故已不盡今不
盡當不盡無相無願解脫門亦不可盡故已
不盡今不盡當不盡慶喜當知五眼不可盡
故已不盡今不盡當不盡六神通亦不可盡
故已不盡今不盡當不盡慶喜當知佛十力

BD02027號 大般若波羅蜜多經卷三四七 （2–2）

BD02027 號背　雜寫　（1–1）

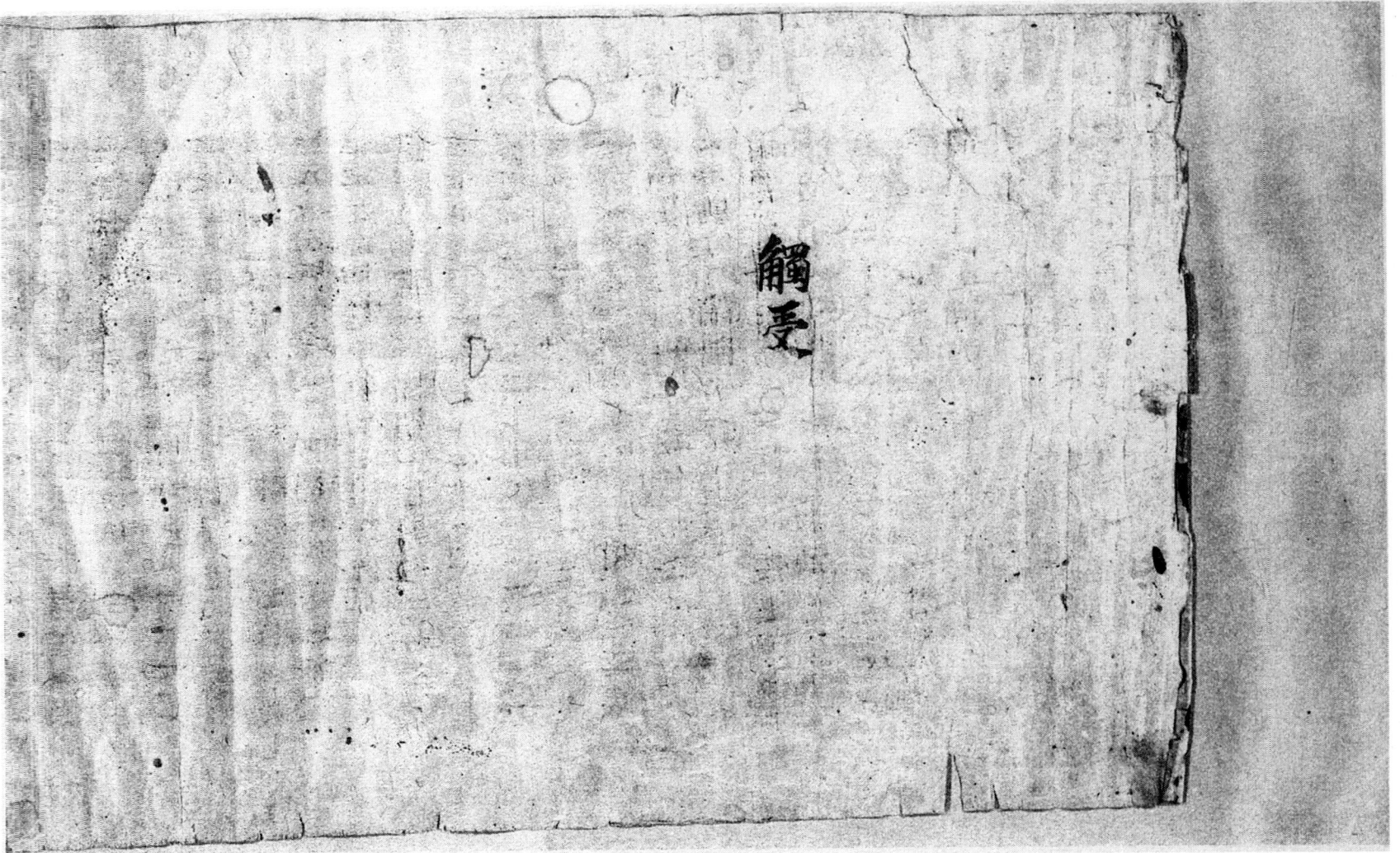

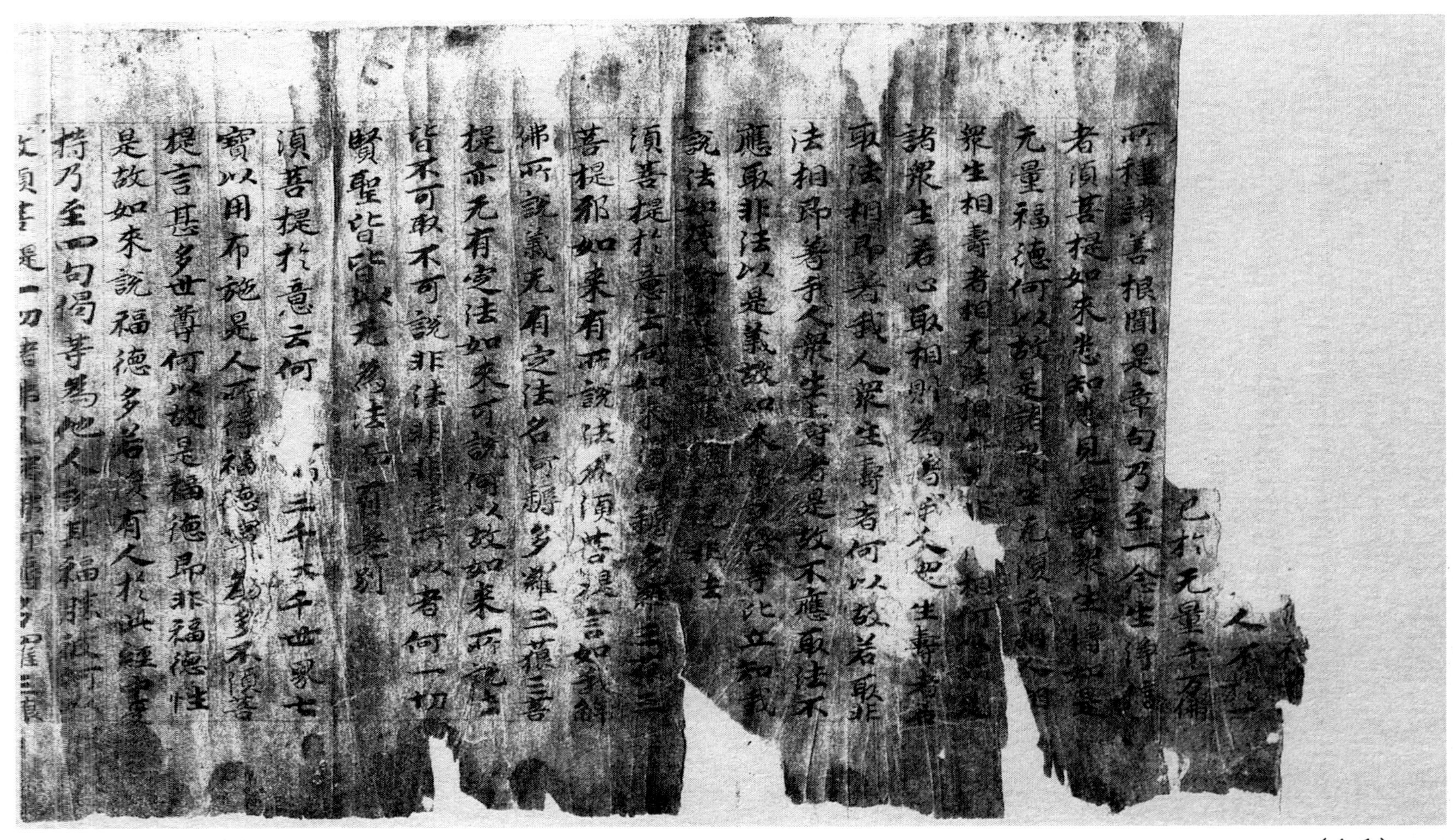

BD02028 號　金剛般若波羅蜜經　（4–1）

須菩提於意云何若人滿三千大千世界七
寶以用布施是人所得福德寧為多不須菩
提言甚多世尊何以故是福德即非福德性
是故如來說福德多若復有人於此經中受
持乃至四句偈等為他人說其福勝彼何以
故須菩提一切諸佛及諸佛阿耨多羅三藐
三菩提法皆從此經出須菩提所謂佛法
者即非佛法
須菩提於意云何須陁洹能作是念我得須
陁洹果不須菩提言不也世尊何以故須陁洹
名為入流而无所入不入色聲香味觸法是名
須陁洹須菩提於意云何斯陁含能作是
念我得斯陁含果不須菩提言不也世尊何
以故斯陁含名一往來而實无往來是名斯陁
含須菩提於意云何阿那含能作是念我得
阿那含果不須菩提言不也世尊何以故阿那
含名為不來而實无來是故名阿那含須菩
提於意云何阿羅漢能作是念我得阿羅
漢道不須菩提言不也世尊何以故實无有
法名阿羅漢世尊若阿羅漢作是念我得
阿羅漢道即為著我人衆生壽者世尊佛
說我得无諍三昧人中最為第一是第一離
欲阿羅漢我不作是念我是離欲阿羅漢世
尊我若作是念我得阿羅漢道世尊則不
說須菩提是樂阿蘭那行者以須菩提實无
所行而名須菩提是樂阿蘭那行

BD02028號　金剛般若波羅蜜經　（4–2）

說我得无諍三昧人中最為第一是第一離
欲阿羅漢我不作是念我是離欲阿羅漢世
尊我若作是念我得阿羅漢道世尊則不
說須菩提是樂阿蘭那行者以須菩提實无
所行而名須菩提是樂阿蘭那行
佛告須菩提於意云何如來昔在然燈佛所
於法有所得不世尊如來在然燈佛所於法
實无所得須菩提於意云何菩薩莊嚴佛
土不不也世尊何以故莊嚴佛土者則非莊嚴
是名莊嚴是故須菩提諸菩薩摩訶薩應如
是生清淨心不應住色生心不應住聲香味觸
法生心應无所住而生其心須菩提譬如有人
身如須弥山王於意云何是身為大不須
菩提言甚大世尊何以故佛說非身是名大
身須菩提如恒河中所有沙數如是沙等恒河
於意云何是諸恒河沙寧為多不須菩提言
甚多世尊但諸恒河尚多无數何況其沙須
菩提我今實言告汝若有善男子善女人以
七寶滿尒所恒河沙數三千大千世界以用布
施得福多不須菩提言甚多世尊佛告須
菩提若善男子善女人於此經中乃至受
持四句偈等為他人說而此福德勝前福德
復次須菩提隨說是經乃至四句偈等當知
此處一切世間天人阿脩羅皆應供養如佛
塔廟何況有人盡能受持讀誦須菩提當知
是人成就最上第一希有之法若是經典所

BD02028號　金剛般若波羅蜜經　（4–3）

菩提我今實言告汝若有善男子善女人以
七寶滿尒所恒河沙數三千大千世界以用布
施得福多不須菩提言甚多世尊佛告須
菩提若善男子善女人於此經中乃至受
持四句偈等為他人說而此福德勝前福德
復次須菩提隨說是經乃至四句偈等當知
此處一切世間天人阿脩羅皆應供養如佛
塔廟何況有人盡能受持讀誦須菩提當知
是人成就最上第一希有之法若是經典所
在之處則為有佛若尊重弟子
尒時須菩提白佛言世尊當何名此經我等
云何奉持佛告須菩提是經名為金剛般
若波羅蜜以是名字汝當奉持所以者何須
菩提佛說般若波羅蜜則非般若波羅蜜
須菩提於意云何如來有所說法不須菩
提白佛言世尊如來无所說須菩提於意云何
三千大千世界所有微塵是為多不須菩提言
甚多世尊須菩提諸微塵如來說非微塵是

BD02028號　金剛般若波羅蜜經　（4–4）

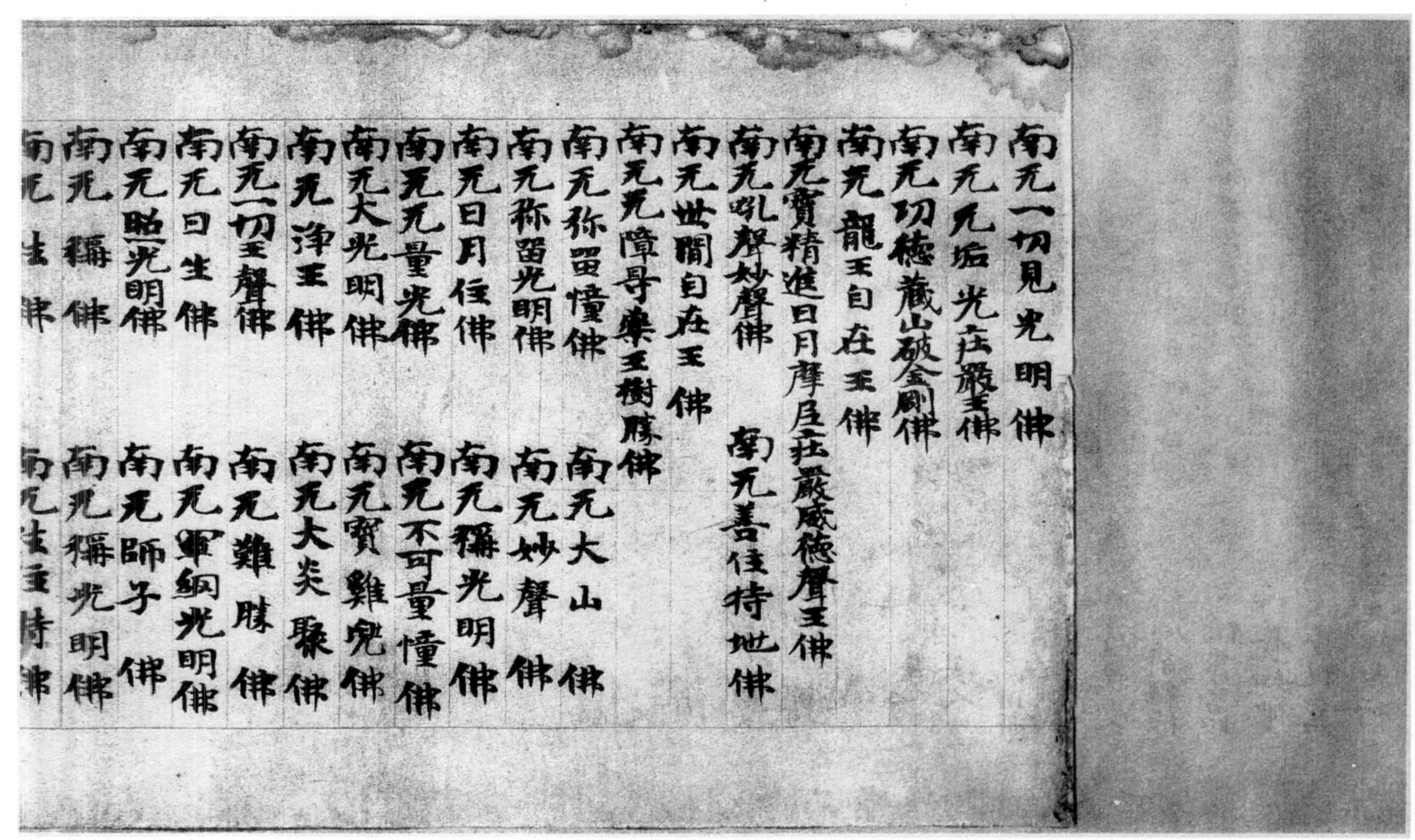

南无一切見光明佛
南无无垢光莊嚴王佛
南无功德藏山破金剛佛
南无龍王自在王佛
南无寶精進日月摩尼莊嚴威德聲王佛
南无吼聲妙聲佛　南无善住持地佛
南无世間自在王佛
南无障㝵藥王樹勝佛
南无彌留幢佛　南无大山佛
南无彌留光明佛　南无妙聲佛
南无日月住佛　南无稱光明佛
南无无量光佛　南无不可量幢佛
南无大光明佛　南无寶難兜佛
南无淨王佛　南无大炎聚佛
南无一切王聲佛　南无難勝佛
南无日生佛　南无羅網光明佛
南无照光明佛　南无師子佛
南无稱佛　南无稱光明佛
南无[illegible]佛　南无法住持佛

BD02029號　佛名經（十六卷本）卷一四　（13–1）

南无一切王聲佛　南无難勝佛
南无日生佛　南无羅網光明佛
南无照光明佛　南无師子佛
南无彌　佛　南无彌光明佛
南无法　佛　南无法住持佛
南无法幢佛　南无梵聲佛
南无星宿王佛　南无香勝佛
南无香光王佛　南无大積佛
南无寶種種華敷身佛
南无娑羅自在王佛
南无寶蓮華勝佛
南无見一切義佛
南无須弥劫佛　南无智燈佛
南无大光明照佛　南无難伏佛
南无照　佛　南无勤難悅幢佛
南无威德自在佛　南无覺王佛
南无寶藏佛　南无大海佛
南无十力增自在佛　南无唯寶莊嚴佛
南无无邊寶莊嚴佛　南无无相聲佛
南无過境界步佛　南无須弥山聚佛
南无虛空眼佛　南无虛空碍佛
南无彌力王佛　南无放光明佛
南无離諸染佛
南无種種華成就勝佛

BD02029號　佛名經（十六卷本）卷一四　（13-2）

南无虛空眼佛　南无虛空碍佛
南无彌力王佛　南无放光明佛
南无離諸染佛
南无種種華成就勝佛
南无遠離諸畏驚怖毛竪佛
南无智積佛　南无栴檀香佛
南无伏眼佛　南无寶來佛
南无香首佛　南无勝衆佛
南无唯蓋佛　南无无障眼佛
南无栴檀香佛　南无智華寶光明勝佛
南无賢勝光明佛　南无能一切畏佛
南无无畏佛　南无弥留藏佛
從此以上一万一千二百佛十二部經一切賢聖
南无法作佛　南无十方光明佛
南无千上光明佛　南无智光明佛
南无寶勝光明佛　南无无邊光明佛
南无号聲佛　南无羅網光明佛
南无種種寶智佛　南无无邊莊嚴佛
南无優波羅勝佛　南无住智勝佛
南无勝能聖佛　南无智彌佛
南无娑羅自在王佛　南无寶娑羅奉佛
南无大將佛　南无寶踦佛
南无不空名佛　南无勝成就功德佛
南无彌王佛　南无不空步佛
南无香光明佛　南无无障导聲佛

BD02029號　佛名經（十六卷本）卷一四　（13-3）

南无[illegible] 南无[illegible]
南无大將佛 南无寶蹻佛
南无不空名佛 南无勝成就功德佛
南无稱王佛 南无不空步佛
南无香光明佛 南无无障礙聲佛
南无稱力王佛 南无須弥增長勝王佛
南无寶勝功德佛 南无波頭摩勝佛
南无寶起佛 南无香光明佛
南无十方稱發起佛
南无普護增長上雲聲王佛
南无无邊光明佛 南无无邊智成佛
南无无邊輪奮迅佛 南无衆上道佛
南无華勝王佛 南无寶像佛
南无聖名稱佛
南无發起无邊精進功德佛
南无蓋行佛
南无發心莊嚴一切衆生佛
南无光明輪威德王佛 南无功德王光明佛
南无一切功德到彼岸佛 南无然燈作佛
南无能作光明佛 南无得功德佛
南无波頭摩上勝佛 南无寶作佛
南无无邊願佛 南无无邊功德王住佛
南无寶聚佛 南无娑羅自在王佛
南无寶光明佛 南无寶積佛
南无最上佛 南无脩行无邊功德佛
南无觀[illegible]佛 南无[illegible]弥山光明佛

BD02029號　佛名經（十六卷本）卷一四　（13-4）

南无无邊願佛 南无无邊功德王住佛
南无寶聚佛 南无娑羅自在王佛
南无寶光明佛 南无寶積佛
南无最上佛 南无脩行无邊功德佛
南无觀聲佛 南无須弥山光明佛
南无无邊境界佛 南无妙去佛
南无寶華成就勝佛 南无无邊奮迅佛
南无發起一切衆生信佛 南无寶蓋起佛
南无勝功德佛 南无不可華佛
南无寶境界光明佛 南无寶勝功德佛
南无發心即轉法輪佛 南无十方稱名佛
南无迦陵迦王佛 南无日輪然燈佛
南无寶上佛 南无智成就勝佛
南无功德王住佛 南无无障礙眼佛
南无无畏佛 南无智積佛
南无發起无譬喻相佛
南无積光明輪威德佛
南无因意佛 南无那羅延佛
南无无垢離濁佛 南无月積佛
南无清淨意佛 南无安隱佛
南无發起善思惟佛 南无能破諸怨佛
南无優波羅功德佛 南无積力王佛
南无无邊光明雲雷弥留佛
南无種種色華佛 南无无邊光佛
南无能轉能住佛 南无[illegible]香佛

BD02029號　佛名經（十六卷本）卷一四　（13-5）

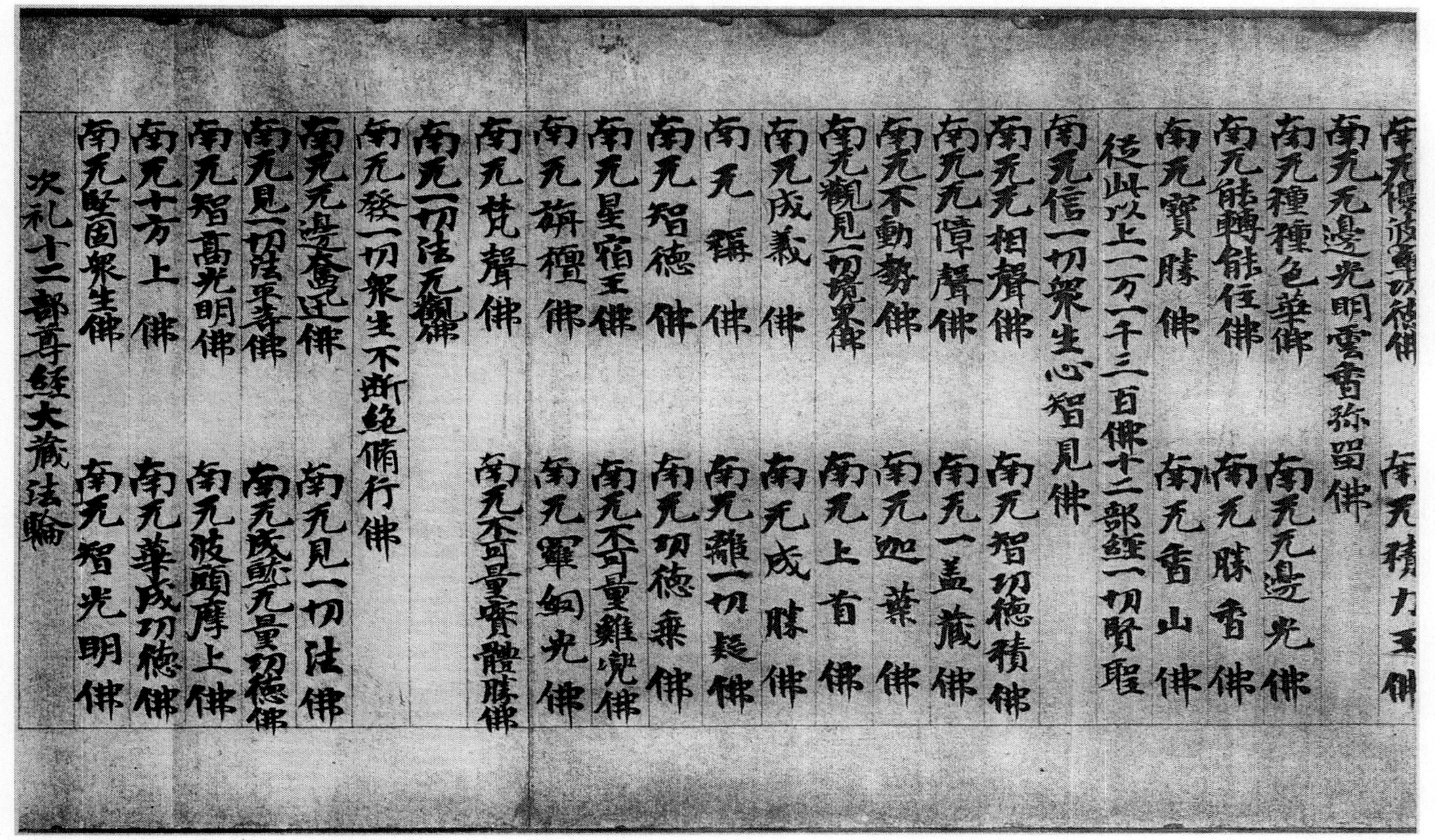

南无優波羅功德佛 南无積力王佛
南无无邊光明雲香弥留佛
南无種種色華佛 南无无邊光佛
南无能轉能住佛 南无勝香佛
南无寶勝佛 南无香山佛
從此以上一万一千三百佛十二部經一切賢聖
南无信一切衆生心智見佛
南无无相聲佛 南无智功德積佛
南无无障聲佛 南无一蓋藏佛
南无不動勢佛 南无迦葉佛
南无觀見一切境界佛 南无上首佛
南无成義佛 南无成勝佛
南无稱佛 南无離一切疑佛
南无智德佛 南无功德乘佛
南无星宿王佛 南无不可量難見佛
南无旃檀佛 南无羅網光佛
南无梵聲佛 南无不可量寶體勝佛
南无一切法无觀佛
南无發一切衆生不断絕脩行佛
南无无邊奮迅佛 南无見一切法佛
南无見一切法平等佛 南无成就无量功德佛
南无智高光明佛 南无波頭摩上佛
南无十方上佛 南无華成功德佛
南无堅固衆生佛 南无智光明佛
次礼十二部尊經大藏法輪

BD02029號　佛名經（十六卷本）卷一四　（13–6）

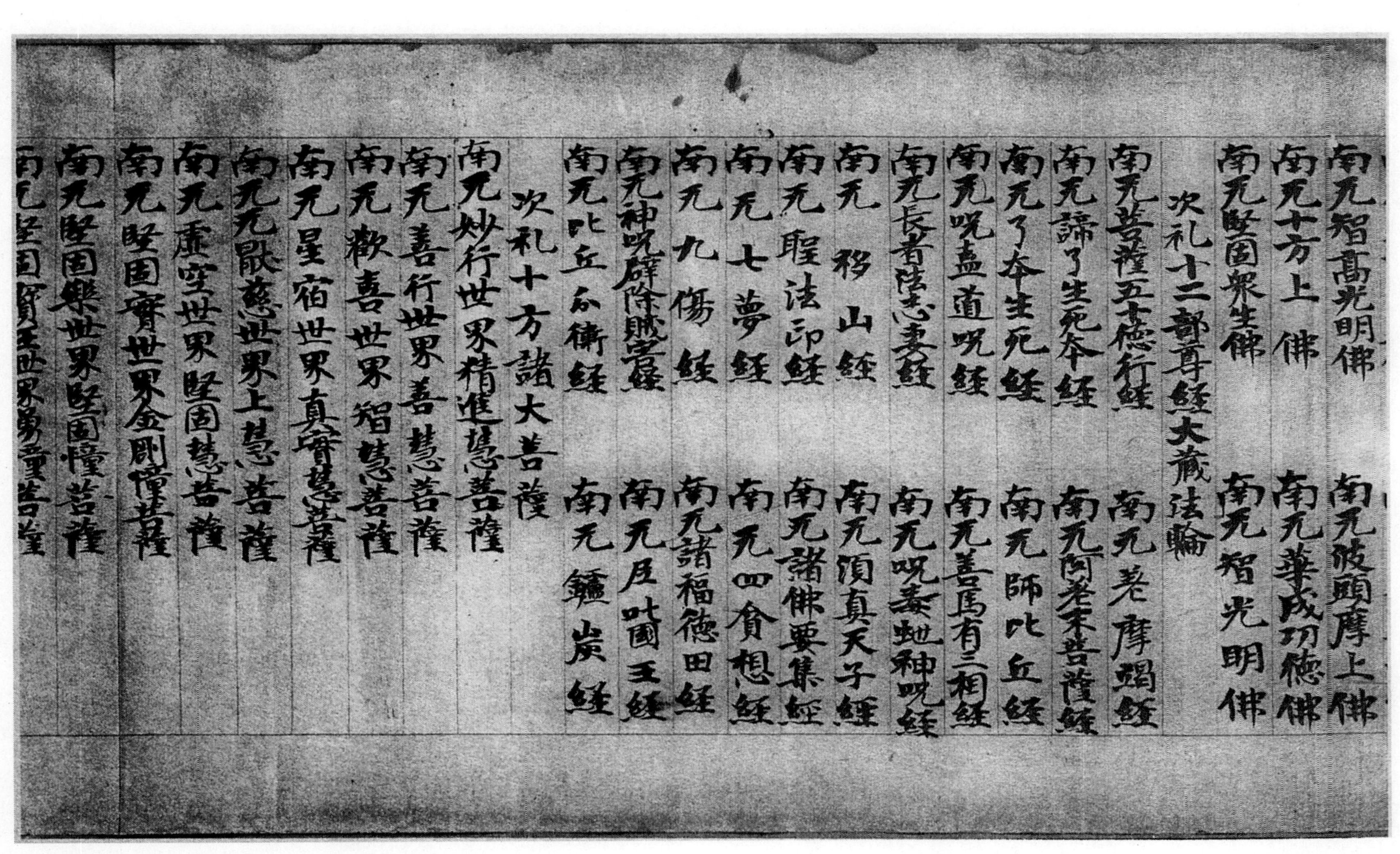

南无智高光明佛 南无波頭摩上佛
南无十方上佛 南无華成功德佛
南无堅固衆生佛 南无智光明佛
次礼十二部尊經大藏法輪
南无菩薩五十德行經 南无菴摩竭經
南无諦了生死本經 南无阿差末菩薩經
南无了本生死經 南无師比丘經
南无呪齒道呪經 南无善馬有三相經
南无長者法志妻經 南无呪毒蛇神呪經
南无移山經 南无須真天子經
南无聖法印經 南无諸佛要集經
南无七夢經 南无四貪想經
南无九傷經 南无諸福德田經
南无神呪辟除賊害經 南无尼吒國王經
南无比丘分衛經 南无鑪炭經
次礼十方諸大菩薩
南无妙行世界精進慧菩薩
南无善行世界善慧心菩薩
南无歡喜世界智慧菩薩
南无星宿世界真寶慧菩薩
南无无厭慈世界上慧菩薩
南无虛空世界堅固慧菩薩
南无堅固齊世界金剛幢菩薩
南无堅固衆世界堅固幢菩薩
南无堅固寶王世界勇量菩薩

BD02029號　佛名經（十六卷本）卷一四　（13–7）

南无无厭慈世界上慧菩薩
南无虛空世界堅固慧菩薩
南无堅固寶世界金剛幢菩薩
南无堅固樂世界堅固幢菩薩
南无堅固寶王世界勇幢菩薩
南无堅固金剛世界寶幢菩薩
南无堅固蓮華世界精進幢菩薩
南无堅固青蓮華世界離垢菩薩
南无堅固金世界夜光菩薩
南无堅固旃檀世界真寶幢菩薩
南无堅固摩尼世界智幢菩薩
南无堅固香世界法幢菩薩
南无寶光樂世界香炎平等嚴日光菩薩
南无安樂世界觀世音菩薩
南无華林世界寶首菩薩
南无安樂世界得大勢菩薩
南无慧闇世界勝幢菩薩
南无寂靜世界持月光明菩薩
南无寂靜世界无垢寶華菩薩
南无一切勝觀世界香炎等菩薩

次礼聲聞緣覺一切賢聖

南无憍陽辟支佛　南无吻多辟支佛
南无断愛辟支佛　南无耳辟支佛
南无心得解脫辟支佛　南无優波耳辟支佛
[illegible]

南无憍陽辟支佛　南无吻多辟支佛
南无断愛辟支佛　南无耳辟支佛
南无心得解脫辟支佛　南无優波耳辟支佛
南无古辟支佛　南无耆摩辟支佛
南无遮羅辟支佛　南无優波遮羅辟支佛
南无鉢沙婆辟支佛　南无菩薩優淨辟支佛
南无善香檐辟支佛　南无阿沙羅辟支佛

次三寶已次復懺悔

夫論懺悔者本是改往脩來滅惡興善
人生居世誰能无過學人失念尚起煩惱
羅漢結習動身口業豈況凡夫而當无
過但智者先覺便能改悔愚者覆藏
遂使滋蔓所以積習長夜曉悟无期若
能慚愧發露懺悔者豈惟正是滅罪而
已亦復增長无量功德樹立如來涅槃
妙果若欲行此法者先當外肅形儀
瞻奉尊像內起敬意懷切至到生二
種心何等為二一者自念我此形命難
可常保一朝散壞不知此身何時可復
若復不值諸佛賢聖忽逢惡友造衆罪
業復應墮落深坑嶮趣二者自念我此
生中雖得值遇如來正法為佛弟子
弟子之法紹繼聖種淨身口意善法自
居而今我等公自作惡而復覆藏言他
不知謂彼不見隱匿在心傲然无愧此實

生中雖得值遇如來正法滿佛弟子
弟子之法紹繼聖種淨身口意善法自
居而今我等公自作惡而復覆藏言他
不知謂彼不見隱匿在心傲然无愧此實
天下愚惑之甚即今現有十方諸佛諸
大地菩薩諸天神仙何曾不以清淨天眼
見於我等所作罪惡又復幽顯靈祇注
記罪福纖豪无差夫論作罪之人命終
之後牛頭獄卒錄其精神在閻羅王
所辯覈是非當尒之時一切怨對皆來
證據各言汝先屠殺我身炮煮蒸炙
或言汝先剝奪於我一切財寶離我眷
屬我於今者始得汝便于時現前證據
何得敢諱唯應甘心分受宿殃如經所
明地獄之中不枉治人若其平素所作衆
罪心自忘失者是其生時造惡之處一
切諸相皆現在前各言汝昔在於我邊
作如是罪今何得諱是爲作罪无藏隱
處於是閻魔羅王切齒呵責將付地獄
歷劫窮年求出莫由此事不遠不關他
人正是我身自作自受雖父子至親一
旦對至无代受者衆等相與及其形休
體无衆疾各自怒力與性命競大怖至
時悔无所及是故弟子至心歸依佛
南无東方破疑淨光佛　南无南方无優切德佛

BD02029號　佛名經（十六卷本）卷一四　（13–10）

旦對至无代受者衆等相與及其形休
體无衆疾各自怒力與性命競大怖至
時悔无所及是故弟子至心歸依佛
南无東方破疑淨光佛　南无南方无優切德佛
南无西方華嚴神通佛　南无北方月殿清淨佛
從此以上一万一千四百佛十二部經一切賢聖
南无東南方破一切闇佛
南无西南方大象觀衆生佛
南无西北方香氣放光明佛
南无東北方无量功德海佛
南无下方斷一切疑佛　南无上方離一切優佛
如是十方盡虛空界一切三寶至心歸命
常住三寶
弟子等從无始以來至於今日積聚无明
障蔽心目隨煩惱性造三世罪或耽染愛
著起於貪欲煩惱或瞋恚忿怒懷害煩
惱或惛情瞢瞢不了煩惱或我慢自
高輕傲煩惱疑惑正道猜豫煩惱謗无
因果耶見煩惱不識緣假着我煩惱迷
於三世執斷常煩惱朋狎惡法起見取
煩惱僻稟耶師造戒取煩惱乃至一等
四執橫計煩惱今日至誠皆悉懺悔悉心
歸命常住三寶
又復无始以來至於今日守惜堅着起
惜懷煩惱不攝六情奢誕煩惱心行弊

BD02029號　佛名經（十六卷本）卷一四　（13–11）

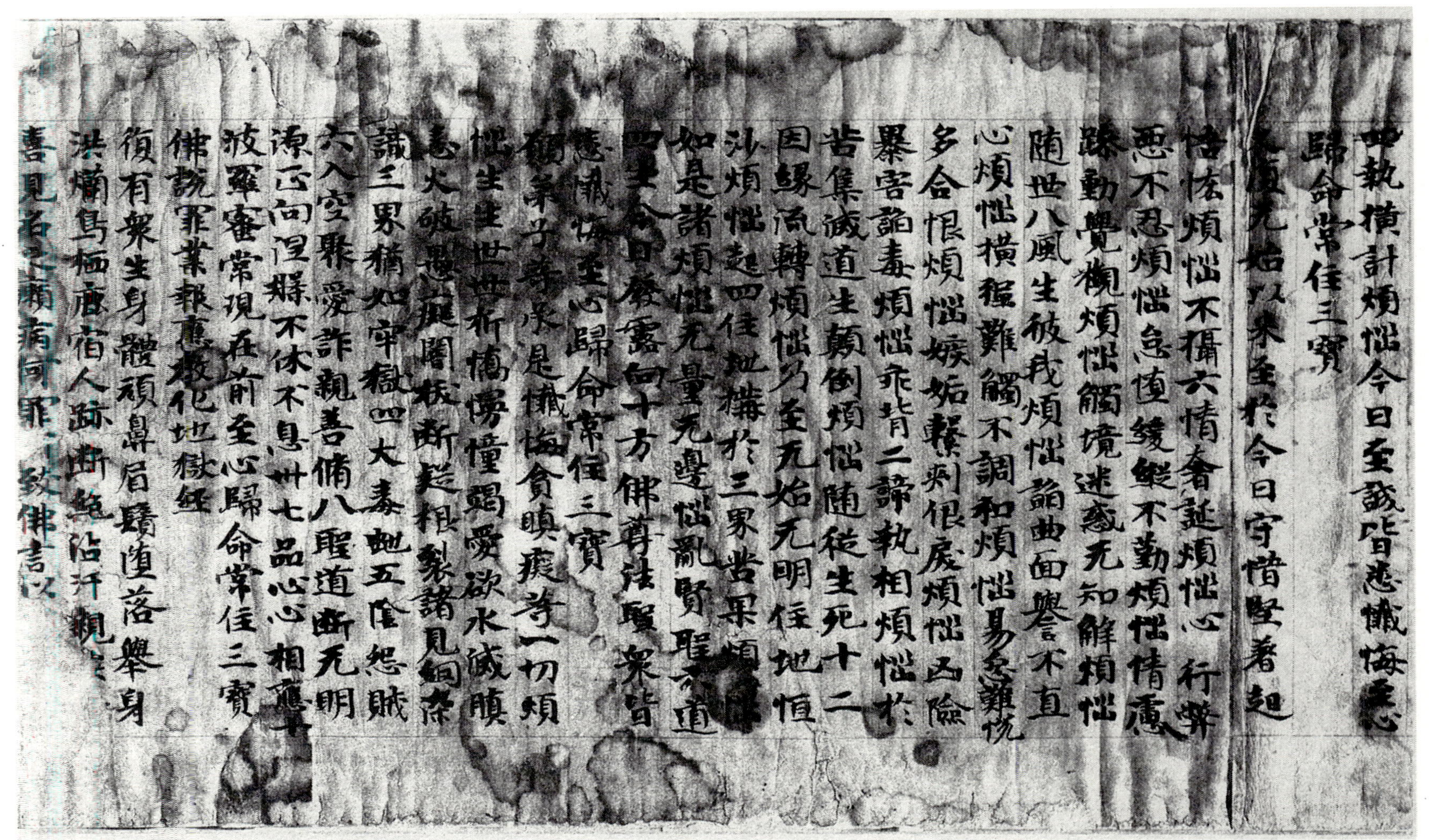

巾執横計煩惱今日至誠皆悉懺悔至心
歸命常住三寶
又復无始以來至於今日守惜堅著起
慳悋煩惱不攝六情貪㜸煩惱心行弊
惡不忍煩惱怠墮緩縱不勤煩惱情慮
躁動覺觀煩惱觸境迷惑无知解煩惱
隨世八風生彼我煩惱諂曲面譽不直
心煩惱横獷難觸不調和煩惱易忿難悦
多含恨煩惱嫉妬鑽刺佷戾煩惱凶險
暴害諂毒煩惱乖背二諦執相煩惱於
苦集滅道生顛倒煩惱隨從生死十二
因緣流轉煩惱乃至无始无明住地恒
沙煩惱起四住地構於三界苦果煩惱
如是諸煩惱无量无邊惱亂賢聖六道
四生今日發露向十方佛尊法聖衆皆
悉懺悔至心歸命常住三寶
又復弟子等從是懺悔貪瞋癡等一切煩
惱生生世世析憍慢幢竭愛欲水滅瞋
恚火破愚癡闇拔斷疑根裂諸見網深
識三界猶如牢獄四大毒蛇五陰怨賊
六入空聚愛詐親善脩八聖道斷无明
源正向涅槃不休不息卅七品心心相續
波羅蜜常現在前至心歸命常住三寶
佛說罪業報應教化地獄經
復有衆生身體頑鼻眉鬚墮落舉身
洪爛鳥栖鹿宿人跡斷絶沾汙親
善見者之癩病何罪所致佛言以

BD02029號　佛名經（十六卷本）卷一四　（13–12）

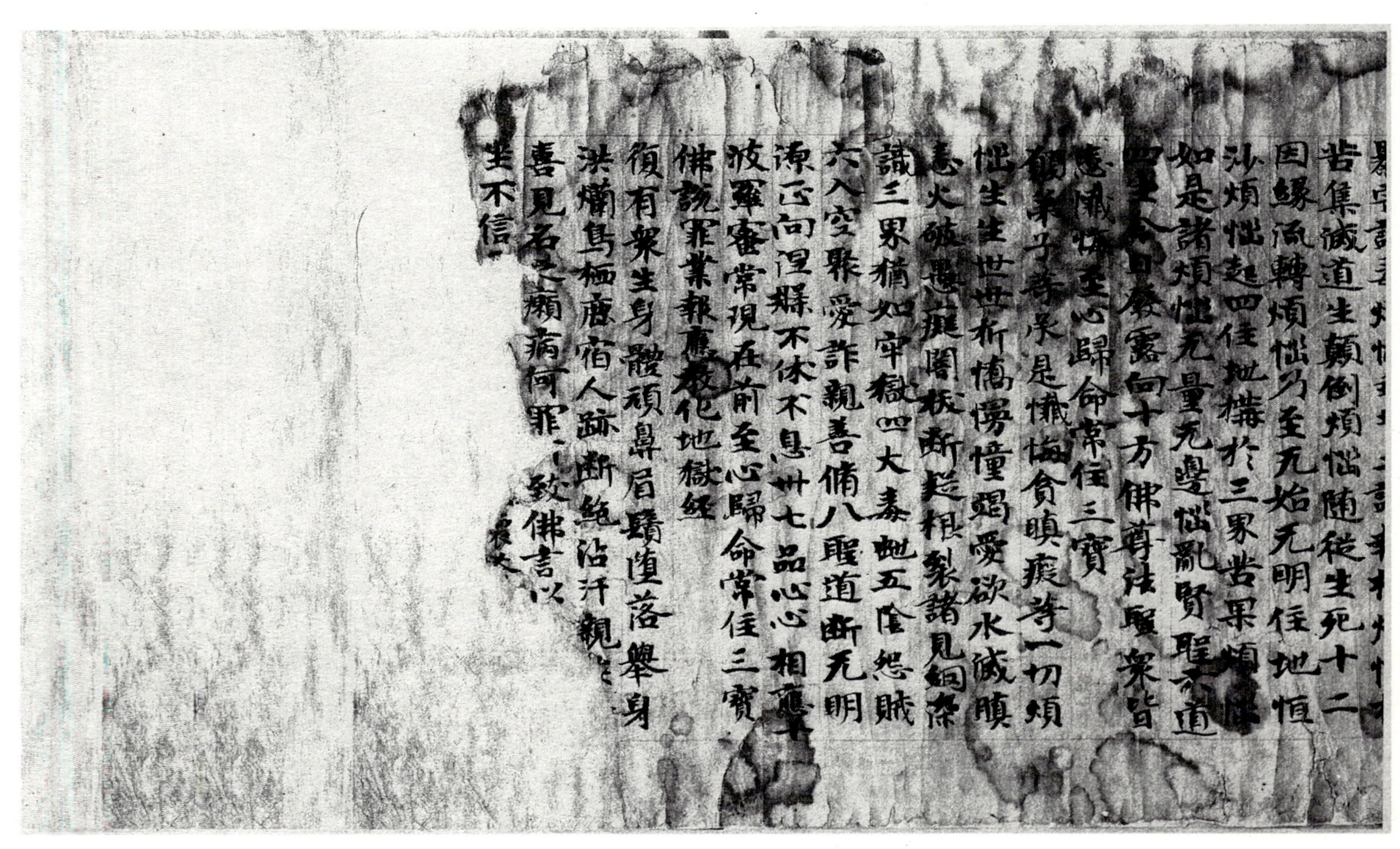

暴害諂毒煩惱乖背二諦執相煩惱於
苦集滅道生顛倒煩惱隨從生死十二
因緣流轉煩惱乃至无始无明住地恒
沙煩惱起四住地構於三界苦果煩惱
如是諸煩惱无量无邊惱亂賢聖六道
四生今日發露向十方佛尊法聖衆皆
悉懺悔至心歸命常住三寶
又復弟子等從是懺悔貪瞋癡等一切煩
惱生生世世析憍慢幢竭愛欲水滅瞋
恚火破愚癡闇拔斷疑根裂諸見網深
識三界猶如牢獄四大毒蛇五陰怨賊
六入空聚愛詐親善脩八聖道斷无明
源正向涅槃不休不息卅七品心心相續
波羅蜜常現在前至心歸命常住三寶
佛說罪業報應教化地獄經
復有衆生身體頑鼻眉鬚墮落舉身
洪爛鳥栖鹿宿人跡斷絶沾汙親
善見者之癩病何罪所致佛言以
生不信

BD02029號　佛名經（十六卷本）卷一四　（13–13）

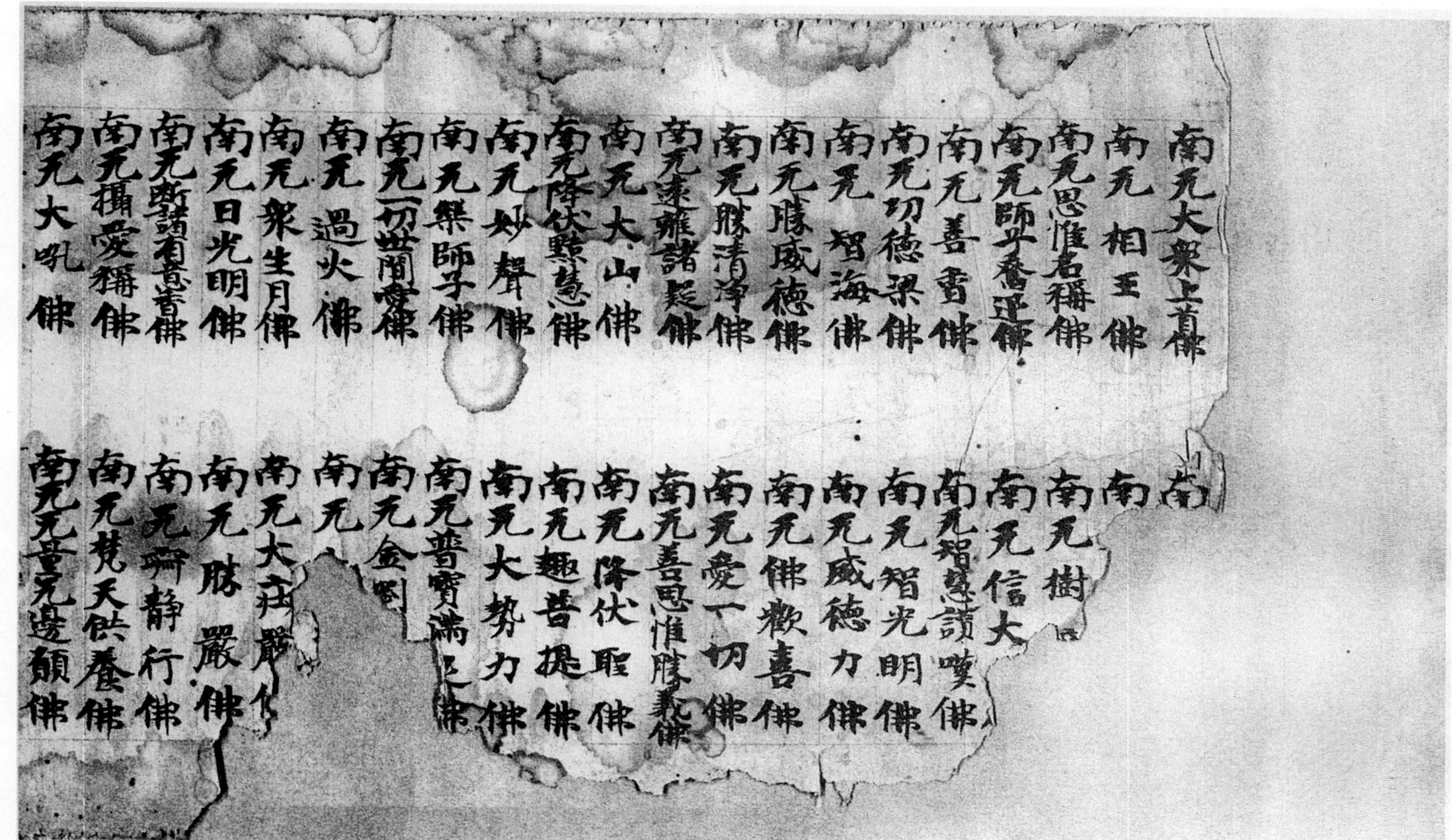

南无大衆上首佛
南无相王佛
南无思惟名稱佛
南无師子奮迅佛
南无善香佛
南无功德梁佛
南无智海佛
南无勝威德佛
南无勝清淨佛
南无遠離諸疑佛
南无降伏瞋慧佛
南无大山佛
南无妙聲佛
南无樂師子佛
南无一切世間愛佛
南无過火佛
南无衆生月佛
南无日光明佛
南无斷諸有意音佛
南无攝愛稱佛
南无大吼佛

南[illegible]
南无[illegible]
南无樹[illegible]
南无信大[illegible]
南无智慧讚嘆佛
南无智光明佛
南无威德力佛
南无佛歡喜佛
南无愛一切佛
南无善思惟勝義佛
南无降伏聖佛
南无趣菩提佛
南无大勢力佛
南无普寶滿足佛
南无金剛[illegible]
南无[illegible]
南无大莊嚴[illegible]
南无勝嚴佛
南无師子靜行佛
南无梵天供養佛
南无无量无邊願佛

BD02030號　佛名經（十六卷本）卷一四　（9–1）

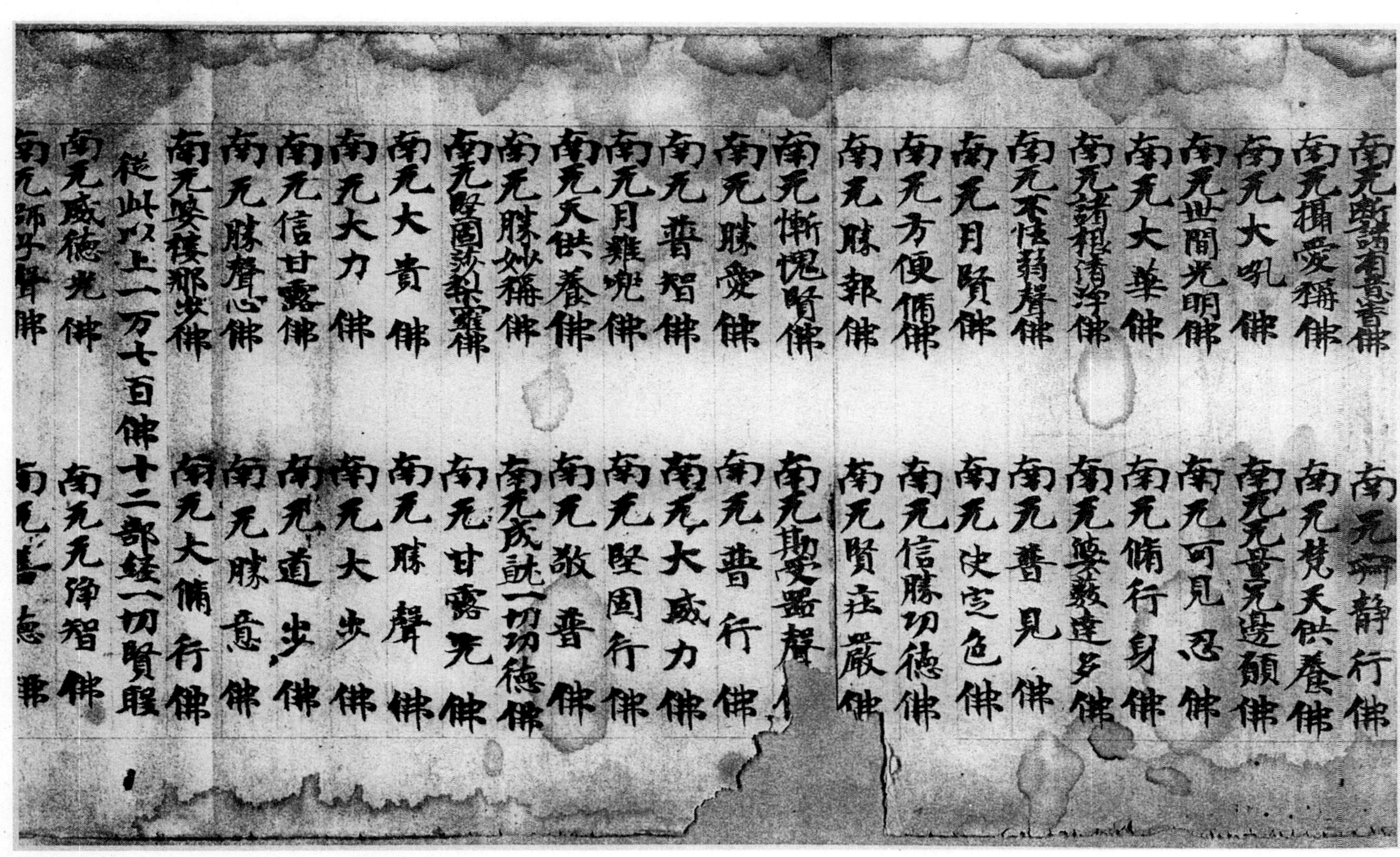

南无斷諸有意音佛
南无攝愛稱佛
南无大吼佛
南无世間光明佛
南无大華佛
南无諸根清淨佛
南无不怯弱聲佛
南无月賢佛
南无方便脩佛
南无勝郭佛
南无慚愧賢佛
南无勝愛佛
南无普智佛
南无月難勝佛
南无天供養佛
南无勝妙稱佛
南无堅固莎梨羅佛
南无大貴佛
南无大力佛
南无信甘露佛
南无勝聲心佛
南无婆樓那步佛
從此以上一万七百佛十二部經一切賢聖
南无威德光佛
南无師子聲佛

南无師子靜行佛
南无梵天供養佛
南无无量无邊願佛
南无可見忍佛
南无脩行身佛
南无婆藪達多佛
南无普見佛
南无決定色佛
南无信勝功德佛
南无賢莊嚴佛
南无勝受器聲佛
南无普行佛
南无大威力佛
南无堅固行佛
南无敬普佛
南无成就一切功德佛
南无甘露光佛
南无勝聲佛
南无大步佛
南无道步佛
南无勝意佛
南无大脩行佛
南无无淨智佛
南无[illegible]意佛

BD02030號　佛名經（十六卷本）卷一四　（9–2）

南无勝聲心佛　南无勝意佛
南无安穩那步佛　南无大脩行佛
從此以上一万七百佛十二部経一切賢聖
南无威徳光佛　南无无淨智佛
南无師子聲佛　南无善徳佛
南无善住佛　南无日光佛
南无菩提上幢佛　南无降伏怨佛
南无无垢濁義佛　南无勝去佛
南无妙光明佛　南无普光朗佛
南无大莊嚴佛　南无功徳山佛
南无摩尼月佛　南无愛眼佛
南无月名佛　南无菩提智佛
南无寶功徳佛　南无天光明佛
南无勝仙佛　南无寶智佛智佛
南无甘露威徳佛　南无能思惟佛
南无龍步佛　南无信智佛
南无寶愛佛　南无蓮華香佛
南无勝相佛　南无大威徳佛
南无種種日佛　南无廣地佛
南无甘露眼佛　南无慚愧智佛
南无山王自在積佛　南无怖勝佛
南无種種間錯聲佛　南无信脩行佛
南无捨憂惱佛　南无諸世間智佛
南无威徳力佛　南无信勝佛
南无勢力稱佛　南无放光明佛

BD02030號　佛名經（十六卷本）卷一四　（9–3）

南无山王自在積佛　南无怖勝佛
南无種種間錯聲佛　南无信脩行佛
南无捨憂惱佛　南无諸世間智佛
南无威徳力佛　南无信勝佛
南无勢力稱佛　南无放光明佛
南无過諸疑佛　南无毗羅那王佛
南无新華佛　南无勝華佛
南无捨諍佛　南无大長佛
南无大稱佛　南无愛去佛
南无甘露步佛　南无日聚佛
南无月聲佛　南无見天佛
南无清淨光明佛　南无秋日佛
南无解華佛　南无妙聲佛
南无雨甘露佛　南无善天佛
南无勝聲佛　南无愛上首佛
南无愛甘露佛　南无甘露稱佛
南无法華佛　南无大莊嚴佛
南无世間尊重佛　南无高意佛
南无高山佛
南无甘露威徳光明佛
南无菩提威徳佛　南无清淨心佛
南无能作因降伏怨佛
南无甘露星宿佛　南无大稱佛
南无安隱思惟佛　南无菩提華佛
南无菴摩羅供養佛
南无婆世間佛　南无成[illegible]佛

BD02030號　佛名經（十六卷本）卷一四　（9–4）

南无能作因降伏怨佛
南无甘露星宿佛　南无大稱佛
南无安隱恩惟佛　南无菩提華佛
南无菴摩羅供養佛
南无度無間佛　南无成佛
南无法星宿佛　南无大勝佛
南无隨意光明佛　南无火光明佛
南无見愛佛　南无光明愛佛
南无希聲佛　南无功德佛
南无舌去佛　南无无障智佛
南无得威德佛　南无月藏佛
南无梵光明佛　南无樂光明佛
南无勝光明佛　南无舜光明佛
從此以上一万八百佛十二部經一切賢聖
南无離異音佛　南无无過智佛
南无成就功德佛　南无嚴身佛
南无无畏愛佛　南无到光明佛
南无大聲佛　南无智知佛
南无大恩惟佛　南无樂眼佛
南无无諸勢猗佛　南无不怯弱智佛
南无普清淨佛　南无栴檀威德佛
南无天成佛　南无无怵聲佛
南无華日佛　南无无喜住心佛
南无難勝清淨佛　南无俱蘇摩光佛
南无法井沙佛　南无月希佛

BD02030號　佛名經（十六卷本）卷一四　（9–5）

南无普清淨佛　南无栴檀威德佛
南无天成佛　南无无怵聲佛
南无華日佛　南无无喜住心佛
南无難勝清淨佛　南无俱蘇摩光佛
南无法井沙佛　南无月希佛
南无舜照佛　南无不錯行佛
南无大精進佛　南无人聲佛
南无普聲佛　南无菩提願佛
南无天色恩惟佛　南无慧力佛
南无陽多廬遮那佛　南无梵供養佛
南无聖佛沙佛　南无虛空智佛
南无能降伏救護佛　南无不可比慧佛
南无勝軍陁羅佛　南无降阿梨佛
南无應愛佛　南无泰供養佛
南无平等心明佛　南无信心不怯弱佛
南无精進清淨佛　南无聞智佛
南无无障导恩惟佛　南无无畏光明佛
南无甘露聲佛　南无名去佛
南无捨佛　南无讙根佛
南无禪解脫佛　南无大殊提佛
次礼十二部尊經大藏法輪
南无陰持入經　南无佛說護淨經
南无方便心論　南无諫心經
南无摩訶刹頭經　南无中陰經
南无所欲致患經　南无流離王經

BD02030號　佛名經（十六卷本）卷一四　（9–6）

南无袒俞陀佛　南无大殃[illegible]佛

次礼十二部尊經大藏法輪

南无陰持入經　南无佛説護淨經

南无方便心論　南无諫心經

南无摩訶剎頭經　南无中陰經

南无所欲致患經　南无流離王經

南无孫陁耶致經　南无逝經

南无僧大經　南无夫婦經

南无佛般洹後灌臘經　南无天皇梵摩經

南无貴日定行經　南无十二死經

南无和難經　南无施陁梨呪經

南无犯戒罪報輕重經　南无菩薩大業經

南无菩薩所生地經

南无尒然洹國迦羅越經

次礼十方諸大菩薩

南无金色世界文殊師利菩薩

南无樂色世界覺首菩薩

南无華色世界財首菩薩

南无瞻蔔華色世界寶首菩薩

南无青蓮華色世界首菩薩

南无金色世界目首菩薩

南无寶色世界進首菩薩

南无金剛色世界法首菩薩

南无頗梨色世界智首菩薩

南无如實色世界賢首菩薩

南无金剛色世界法首菩薩

南无頗梨色世界智首菩薩

南无如實色世界賢首菩薩

南无无量慧世界功德林菩薩

南无幢慧世界慧林菩薩

南无地慧世界勝林菩薩

南无勝慧世界无畏林菩薩

南无燈慧世界慚愧林菩薩

南无金剛慧世界精進林菩薩

南无安樂慧世界力成就林菩薩

南无日慧世界堅固林菩薩

南无清淨慧世界如來林菩薩

南无林慧世界智林菩薩

南无因陁羅世界法慧菩薩

南无蓮華世界一切慧菩薩

南无衆寶世界勝慧菩薩

南无優鉢羅世界功德慧菩薩

從此以上一万九百佛十二部經一切賢聖

次礼聲聞緣覺一切賢聖

南无轉覺辟支佛　南无去塩辟支佛

南无高去辟支佛　南无阿惡多辟支佛

南无无漏辟支佛　南无憍慢辟支佛

南无盡憍慢辟支佛　南无觀辟支佛

南无得脫辟支佛　南无无垢辟支佛

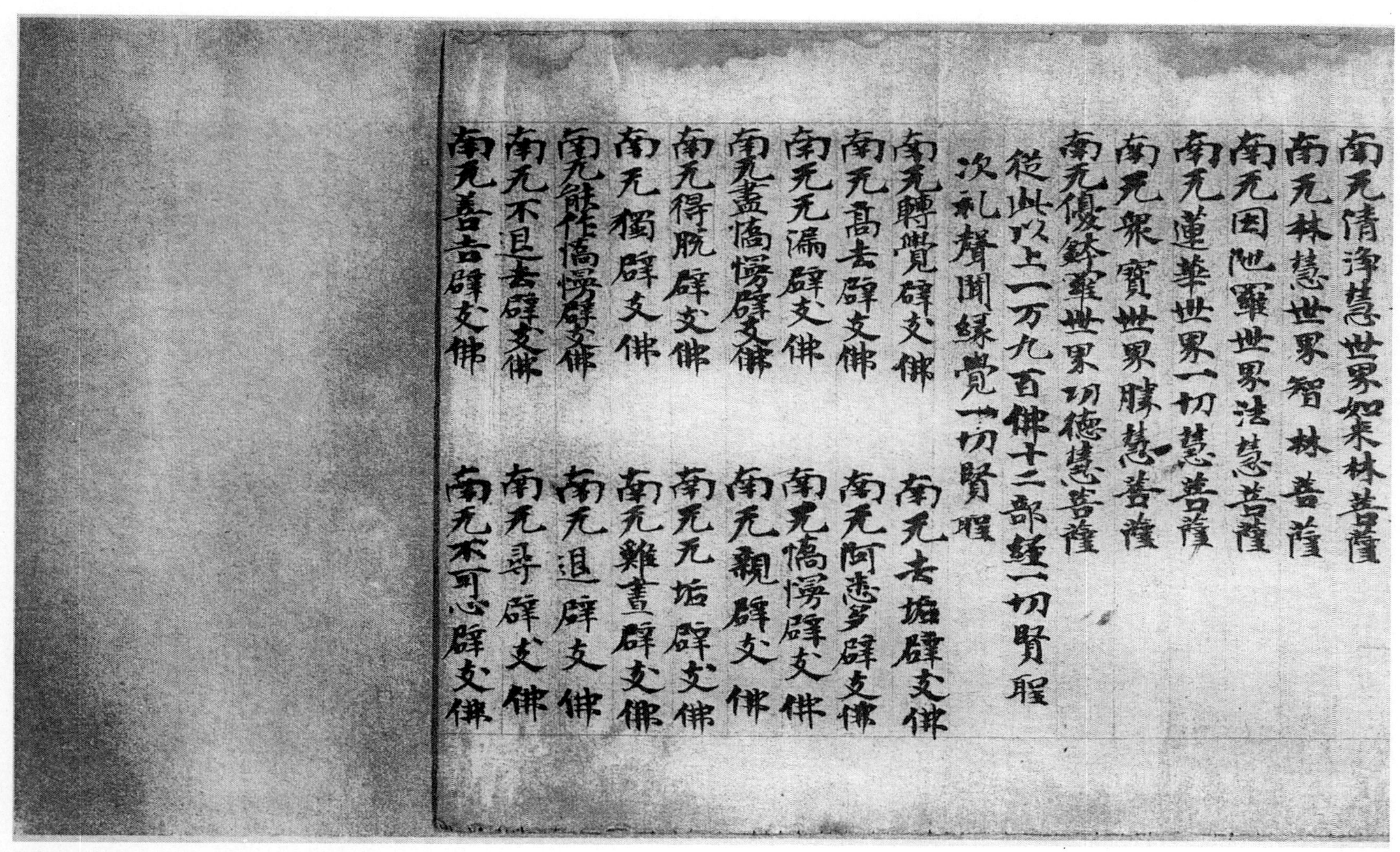
南无清淨慧世界如来林菩薩
南无林慧世界智林菩薩
南无因陁羅世界法慧菩薩
南无蓮華世界一切慧菩薩
南无衆寳世界勝慧菩薩
南无優鉢羅世界功德慧菩薩
從此以上一万九百佛十二部經一切賢聖
次礼聲聞緣覺一切賢聖
南无轉覺辟支佛　南无去垢辟支佛
南无高去辟支佛　南无阿悉多辟支佛
南无无漏辟支佛　南无憍憐辟支佛
南无盡憍憐辟支佛　南无覩辟支佛
南无得脫辟支佛　南无无垢辟支佛
南无獨辟支佛　南无難盡辟支佛
南无能作憍憐辟支佛　南无退辟支佛
南无不退去辟支佛　南无尋辟支佛
南无善吉辟支佛　南无不可心辟支佛

BD02030號　佛名經（十六卷本）卷一四　（9–9）

利弗善哉善哉
如是則為一切世間
患无明闇蔽永盡无餘而悉成就无量知見
力无所畏有大神力及智慧力具足方便智
慧波羅蜜大慈大悲常无懈惓恒求善事利
益一切而生三界朽故火宅為度衆生生老
病死憂悲苦惱愚癡闇蔽三毒之火教化令
得阿耨多羅三藐三菩提見諸衆生為生老
病死憂悲苦惱之所燒煮亦以五欲財利故
受種種苦又以貪著追求故現受衆苦後受
地獄畜生餓鬼之苦若生天上及在人間貧
窮困苦愛別離苦怨憎會苦如是等種種
諸苦衆生沒在其中歡喜遊戲不覺不知不
驚不怖亦不生厭不求解脫於此三界火宅
東西馳走雖遭大苦不以為患舍利弗佛見
此已便作是念我為衆生之父應拔其苦難
與无量无邊佛智慧樂令其遊戲舍利弗如
来復作是念若我但以神力及智慧力捨於
方便為諸衆生讚如来知見力无所畏者衆
生不能以是得度所以者何是諸衆生未免
生老病死憂悲苦惱而為三界火宅所燒何
由能解佛之智慧舍利弗如彼長者雖復身
手有力而不用之但以慇懃方便免濟諸子
火宅之難然後各與珍寶大車如来亦復如
是雖有力无所畏而不用之但以智慧方便

BD02031號　妙法蓮華經卷二　（8–1）

此已便作是念我為衆生之父應拔其苦難
與无量无邊佛智慧樂令其遊戲舍利弗如
来復作是念若我但以神力及智慧力捨於
方便為諸衆生讚如来知見力无所畏者衆
生不能以是得度所以者何是諸衆生未免
生老病死憂悲苦惱而為三界火宅所燒何
由能解佛之智慧舍利弗如彼長者雖復身
手有力而不用之但以慇懃方便免濟諸子
火宅之難然後各與珎寶大車如来亦復如
是雖有力无所畏而不用之但以智慧方便於
三界火宅拔濟衆生為説三乘聲聞辟支佛
佛乘而作是言汝等莫得樂住三界火宅勿
貪麁弊色聲香味觸也若貪着生愛則為
所燒汝速出三界當得三乘聲聞辟支佛佛
乘我今為汝保任此事終不虚也汝等但當
勤脩精進如来以是方便誘進衆生復作是
言汝等當知此三乘法皆是聖所稱歎自在
无繫无所依求乘是三乘以无漏根力覺道
禪定解脫三昧等而自娛樂便得无量安隱
快樂舍利弗若有衆生内有智性從佛世尊
聞法信受慇懃精進欲速出三界自求涅槃
是名聲聞乘如彼諸子為求羊車出於火宅
若有衆生從佛世尊聞法信受慇懃精進求
自然慧樂讀善寂深知諸法因緣是名辟支佛
乘如彼諸子為求鹿車出於火宅若有衆生
從佛世尊聞法信受勤脩精進求一切智佛
智自然智无師智如来知見力无所畏愍念
安樂无量衆生利益天人度脫一切是名大乘

BD02031號　妙法蓮華經卷二　（8–2）

自然慧樂讀善寂深知諸法因緣是名辟支佛
乘如彼諸子為求鹿車出於火宅若有衆生
從佛世尊聞法信受勤脩精進求一切智佛
智自然智无師智如来知見力无所畏愍念
安樂无量衆生利益天人度脫一切是名大乘
菩薩求此乘故名為摩訶薩如彼諸子為
求牛車出於火宅舍利弗如彼長者見諸子
等安隱得出火宅到无畏處自惟財富无量
等以大車而賜諸子如来亦復如是為一切衆
生之父若見无量億千衆生以佛教門出三界
苦怖畏險道得涅槃樂如来尒便作是念
我有无量无邊智慧力无畏等諸佛法藏
是諸衆生皆是我子等與大乘不令有人
獨得滅度皆以如来滅度而滅度之是諸衆
生脫三界者悉與諸佛禪定解脫等娛樂之
具皆是一相一種聖所稱歎能生淨妙第一之
樂舍利弗如彼長者初以三車誘引諸子然
後但與大車寶物莊嚴安隱第一然彼長
者无虚妄之咎如来亦復如是无有虚妄初
説三乘引導衆生然後但以大乘而度脫之
何以故如来有无量智慧力无所畏諸法之
藏能與一切衆生大乘之法但不盡能受舍
利弗以是因緣當知諸佛方便力故於一佛
乘分別説三佛欲重宣此義而説偈言
譬如長者　有一大宅　其宅久故　而復頓弊
堂舍高危　柱根摧朽　梁棟傾斜　基陛隤毀
墻壁圮坼　泥塗褫落　覆苫亂墜　椽梠差脫
周障屈曲　雜穢充遍　有五百人　止住其中

BD02031號　妙法蓮華經卷二　（8–3）

乘分別說三佛欲重宣此義而說偈言
譬如長者 有一大宅 其宅久故 而復頓弊
堂舍高危 柱根摧朽 梁棟傾斜 基陛隤毀
墻壁圮坼 泥塗褫落 覆苫亂墜 椽梠差脫
周障屈曲 雜穢充遍 有五百人 止住其中
鵄梟鵰鷲 烏鵲鳩鴿 蚖蛇蝮蠍 蜈蚣蚰蜒
守宮百足 狖狸鼷鼠 諸惡虫輩 交橫馳走
屎尿臭處 不淨流溢 蜣蜋諸虫 而集其上
狐狼野干 咀嚼踐蹋 嚌齧死屍 骨肉狼藉
由是群狗 競來搏撮 飢羸慞惶 處處求食
鬪諍摣掣 啀喍嘷吠 其舍恐怖 變狀如是
處處皆有 魑魅魍魎 夜叉惡鬼 食噉人肉
毒虫之屬 諸惡禽獸 孚乳產生 各自藏護
夜叉競來 爭取食之 食之既飽 惡心轉熾
鬪諍之聲 甚可怖畏 鳩槃荼鬼 蹲踞土埵
或時離地 一尺二尺 往返遊行 縱逸嬉戲
捉狗兩足 撲令失聲 以腳加頸 怖狗自樂
復有諸鬼 其身長大 裸形黑瘦 常住其中
發大惡聲 叫呼求食 復有諸鬼 其咽如針
復有諸鬼 首如牛頭 或食人肉 或復噉狗
頭髮蓬亂 殘害兇險 飢渴所逼 叫喚馳走
夜叉餓鬼 諸惡鳥獸 飢急四向 窺看窗牖
如是諸難 恐畏无量 是朽故宅 屬于一人
其人近出 未久之間 於後宅舍 忽然火起
四面一時 其焰俱熾 棟梁椽柱 爆聲震裂
摧折墮落 墻壁崩倒 諸鬼神等 揚聲大叫
鵰鷲諸鳥 鳩槃荼等 周章惶怖 不能自出
惡獸毒虫 藏竄孔穴 毗舍闍鬼 亦住其中

BD02031號 妙法蓮華經卷二 （8–4）

其人近出 未久之間 於後宅舍 忽然火起
四面一時 其焰俱熾 棟梁椽柱 爆聲震裂
摧折墮落 墻壁崩倒 諸鬼神等 揚聲大叫
鵰鷲諸鳥 鳩槃荼等 周章惶怖 不能自出
惡獸毒虫 藏竄孔穴 毗舍闍鬼 亦住其中
薄福德故 為火所逼 共相殘害 飲血噉肉
野干之屬 並已前死 諸大惡獸 競來食噉
臭烟熢㶿 四面充塞 蜈蚣蚰蜒 毒蛇之類
為火所燒 爭走出穴 鳩槃荼鬼 隨取而食
又諸餓鬼 頭上火然 飢渴熱惱 周章悶走
其宅如是 甚可怖畏 毒害火災 眾難非一
是時宅主 在門外立 聞有人言 汝諸子等
先因遊戲 來入此宅 稚小无知 歡娛樂著
長者聞已 驚入火宅 方宜救濟 令无燒害
告喻諸子 說眾患難 惡鬼毒虫 災火蔓莚
眾苦次第 相續不絕 毒蛇蚖蝮 及諸夜叉
鳩槃荼鬼 野干狐狗 鵰鷲鵄梟 百足之屬
飢渴惱急 甚可怖畏 此苦難處 況復大火
諸子无知 雖聞父誨 猶故樂著 嬉戲不已
是時長者 而作是念 諸子如此 益我愁惱
今此舍宅 无一可樂 而諸子等 耽湎嬉戲
不受我教 將為火害 即便思惟 設諸方便
告諸子等 我有種種 珍玩之具 妙寶好車
羊車鹿車 大牛之車 今在門外 汝等出來
吾為汝等 造作此車 隨意所樂 可以遊戲
諸子聞說 如此諸車 即時奔競 馳走而出
到於空地 離諸苦難 長者見子 得出火宅
住於四衢 坐師子座 而自慶言 我今快樂

BD02031號 妙法蓮華經卷二 （8–5）

吾為汝等　造作此車　隨意所樂　可以遊戲
諸子聞說　如此諸車　即時奔競　馳走而出
到於空地　離諸苦難　長者見子　得出火宅
住於四衢　坐師子座　而自慶言　我今快樂
此諸子等　生育甚難　愚小无知　而入險宅
多諸毒虫　魑魅可畏　大火猛焰　四面俱起
而此諸子　貪樂嬉戲　我已救之　令得脫難
是故諸子　我今快樂　爾時諸子　知父安坐
皆詣父所　而白父言　願賜我等　三種寶車
如前所許　諸子出來　當以三車　隨汝所欲
今正是時　唯垂給與　長者大富　庫藏衆多
金銀琉璃　車𤥭馬瑙　以衆寶物　造諸大車
裝挍嚴飾　周帀欄楯　四面懸鈴　金繩交絡
真珠羅網　張施其上　金華諸瓔　處處垂下
衆綵雜飾　周帀圍繞　柔軟繒纊　以為茵蓐
上妙細㲲　價直千億　鮮白淨潔　以覆其上
有大白牛　肥壯多力　形體姝好　以駕寶車
多諸儐從　而侍衛之　以是妙車　等賜諸子
諸子是時　歡喜踊躍　乘是寶車　遊於四方
嬉戲快樂　自在无礙　告舍利弗　我亦如是
衆聖中尊　世間之父　一切衆生　皆是吾子
深着世樂　无有慧心　三界无安　猶如火宅
衆苦充滿　甚可怖畏　常有生老　病死憂患
如是等火　熾然不息　如來已離　三界火宅
寂然閑居　安處林野　今此三界　皆是我有
其中衆生　悉是吾子　而今此處　多諸患難
唯我一人　能為救護　雖復教詔　而不信受
於諸欲染　貪着深故　以是方便　為說三乘

BD02031號　妙法蓮華經卷二　（8–6）

如是等火　熾然不息　如來已離　三界火宅
寂然閑居　安處林野　今此三界　皆是我有
其中衆生　悉是吾子　而今此處　多諸患難
唯我一人　能為救護　雖復教詔　而不信受
於諸欲染　貪着深故　以是方便　為說三乘
令諸衆生　知三界苦　開示演說　出世間道
是諸子等　若心決定　具足三明　及六神通
有得緣覺　不退菩薩　汝舍利弗　我為衆生
以此譬喻　說一佛乘　汝等若能　信受是語
一切皆當　成得佛道　是乘微妙　清淨第一
於諸世間　為无有上　佛所悅可　一切衆生
所應稱讚　供養礼拜　无量億千　諸力解脫
禪定智慧　及佛餘法　得如是乘　令諸子等
日夜劫數　常得遊戲　與諸菩薩　及聲聞衆
乘此寶乘　直至道場　以是因緣　十方諦求
更无餘乘　除佛方便　告舍利弗　汝諸人等
皆是吾子　我則是父　汝等累劫　衆苦所燒
我皆濟拔　令出三界　我雖先說　汝等滅度
但盡生死　而實不滅　今所應作　唯佛智慧
若有菩薩　於是衆中　能一心聽　諸佛實法
諸佛世尊　雖以方便　所化衆生　皆是菩薩
若人小智　深着愛欲　為此等故　說於苦諦
衆生心喜　得未曾有　佛說苦諦　真實无異
若有衆生　不知苦本　深着苦因　不能暫捨
為是等故　方便說道　諸苦所因　貪欲為本
若滅貪欲　无所依止　滅盡諸苦　名第三諦
為滅諦故　脩行於道　離諸苦縛　名得解脫
是人於何　而得解脫　但離虛妄　名為解脫

BD02031號　妙法蓮華經卷二　（8–7）

皆是吾子 我則是父 汝等累劫 衆苦所燒
我皆濟拔 令出三界 我雖先說 汝等滅度
但盡生死 而實不滅 今所應作 唯佛智慧
若有菩薩 於是衆中 能一心聽 諸佛實法
諸佛世尊 雖以方便 所化衆生 皆是菩薩
若人小智 深著愛欲 為此等故 說於苦諦
衆生心喜 得未曾有 佛說苦諦 真實无異
若有衆生 不知苦本 深著苦因 不能暫捨
為是等故 方便說道 諸苦所因 貪欲為本
若滅貪欲 无所依止 滅盡諸苦 名第三諦
為滅諦故 脩行於道 離諸苦縛 名得解脫
是人於何 而得解脫 但離虛妄 名為解脫
其實未得 一切解脫 佛說是人 未實滅度
斯人未得 无上道故 我意不欲 令至滅度
我為法王 於法自在 安隱衆生 故現於世
汝舍利弗 我此法印 為欲利益 世間故說
在所遊方 勿妄宣傳 若有聞者 隨喜頂受
當知是人 阿惟越致 若有信受 此經法者
是人已曾 見過去佛 恭敬供養 亦聞是法
若人有能 信汝所說 則為見我 亦見於汝
及比丘僧 并諸菩薩 斯法華經 為深智說

BD02031 號　妙法蓮華經卷二　（8–8）

後當何
[illegible]活若於身上然千燈者必不全濟云何為
此一婆羅門棄此世界一切衆生是時宮中
二万夫人五百太子一万大臣合掌勸請亦
皆如是時王報曰汝等諸人慎勿却我无上
道心吾為是事誓求作佛後成佛時必先度
汝是時衆人見王意正啼哭懊惱自投於地
王意不改語婆羅門今可剜身而然千燈尋
為剜之各著脂炷衆會見之悶而復蘇以身
投地如太山崩王復白言唯願大師垂哀矜
愍先為說法然後然燈我命儻斷不及聞法
時勞度差便唱法言
常者皆盡 高者亦墮 合會有離 生者有死
說此偈已而便然燈當此之時王大歡喜心
无悔恨自立誓願我今求法為成佛道後得
佛時當以智慧光明照悟衆生結縛黑闇作
是言已天地大動乃至淨居諸天宮殿動搖
咸各覩下見於菩薩作法供養毀壞身體不
顧軀命愈然俱下側塞虛空啼哭之淚猶如
盛雨又雨天華而以供養時天帝釋下至王
前種種讚嘆復問之曰大王今者苦痛極甚
心中頗有悔恨事不王即言无帝釋復白今
觀王身戰掉不寧自言无悔誰當知之王復

BD02032 號　賢愚經卷一　（2–1）

[illegible]
說此偈已而便𤍠燈當此之時王大歡喜心
无悔恨自立誓願我今求法為成佛道後得
佛時當以智慧光明照悟衆生結縛黑闇作
是〻言已天地大動乃至淨居諸天宮殿動搖
咸各覩下見於菩薩作法供養毀壞身體不
顧軀命僉然俱下側塞虛空啼哭之淚猶如
盛雨又雨天華而以供養時天帝釋下至王
前種種讚歎復問之曰大王今者苦痛極不
心中頗有悔恨事不王即言无帝釋復白今
觀王身戰悼不寧自言无悔誰當知之王復
立誓若我從始乃至於今心不悔者身上衆
創即當平復作是語已尋時平復時彼王者
今佛是也世尊往昔苦毒求法皆為衆生今
者云何捨棄欲入涅槃永使一切失大
法明又復世尊過去世中於閻浮提作大國
王名毗楞竭梨典領諸國八万四千聚落二
万夫人婇女五百太子一万大臣王有慈悲
視民如子尒時大王心好正法即時遣臣宣
令一切誰有經法為我說者當隨其意給足
所須有婆羅門名勞度差來詣宮門言有
[illegible]我聞皆我當為說王聞此語喜不
[illegible]居時至

BD02032 號　賢愚經卷一　（2–2）

香積佛品第十
於是舍利弗心念日時欲至此諸菩薩當於
何食時維摩詰知其意而語言佛說八解脫
仁者受行豈雜欲食而聞法乎若欲食者且
待須臾當令汝得未曾有食時維摩詰即入
三昧以神通力示諸大衆上方界分過卌二恒
河沙佛土有國名衆香佛号香積今現在
其國香氣比於十方諸佛世界人天之香最
為第一彼土无有聲聞辟支佛名唯有清淨
大菩薩衆佛為說法其界一切皆以香作
樓閣經行香地苑園皆香其食香氣周流十方
无量世界時彼佛與諸菩薩方共坐食有諸
天子皆号香嚴悉發阿耨多羅三藐三菩提
心供養彼佛及諸菩薩此諸大衆莫不目見
時維摩詰問衆菩薩諸仁者誰能致彼佛飯
以文殊師利威神力故咸皆默然維摩詰言
仁者此諸大衆无乃可恥文殊師利日如佛所
言勿輕未學於是維摩詰不起于坐居衆會

BD02033 號　維摩詰所說經卷下　（23–1）

時維摩詰問衆菩薩仁者誰能致彼佛飯
以文殊師利威神力故咸皆默然維摩詰言
仁者此諸大衆无乃可恥文殊師利曰如佛所
言勿輕未學於是維摩詰不起于座居衆會
前化作菩薩相好光明威德殊勝蔽於衆會
而告之曰汝往上方界分度如卌二恒河沙
佛土有國名衆香佛号香積與諸菩薩方共
坐食汝往到彼如我辭曰維摩詰稽首世尊
足下致敬无量問訊起居少病少惱氣力安
不願得世尊所食之餘當於娑婆世界施作
佛事令此樂小法者得弘大道亦使如來名
聲普聞時化菩薩即於會前昇于上方舉
衆皆見其去到衆香界礼彼佛足又聞其言
維摩詰稽首世尊足下致敬无量問訊起居
少病少惱氣力安不願得世尊所食之餘欲
於娑婆世界施作佛事使此樂小法者得弘
大道亦使如來名聲普聞彼諸大士見化菩
薩歎未曾有今此上人從何所來娑婆世界
為在何許云何名為樂小法者即以問佛佛
告之曰下方度如卌二恒河沙佛土有世界
名娑婆佛号釋迦牟尼今現在於五濁惡世
為樂小法衆生敷演道教彼有菩薩名維
摩詰住不可思議解脫為諸菩薩說法故遣化
來稱揚我名并讚此土令彼菩薩增益功德
彼菩薩言其人何如乃作是化德力无畏神

BD02033 號　維摩詰所說經卷下　（23–2）

名娑婆佛号釋迦牟尼今現在於五濁惡世
為樂小法衆生敷演道教彼有菩薩名維
摩詰住不可思議解脫為諸菩薩說法故遣化
來稱揚我名并讚此土令彼菩薩增益功德
彼菩薩言其人何如乃作是化德力无畏神
足若斯佛言甚大一切十方皆遣化往施作
佛事饒益衆生於是香積如來以衆香鉢盛
滿香飯與化菩薩時彼九百万菩薩俱發聲
言我欲詣娑婆世界供養釋迦牟尼佛并欲
見維摩詰等諸菩薩衆佛言可往攝汝身香
无令彼諸衆生起惑著心又當捨汝本形勿
使彼國求菩薩者而自鄙恥又汝於彼莫懷
輕賤而作閡想所以者何十方國土皆如虛
空又諸佛為欲化諸樂小法者不盡現其清
淨土耳時化菩薩既受鉢飯與彼九百万菩
薩俱承佛威神及維摩詰力於彼世界忽然
不現須臾之間至維摩詰舍即化作
九百万師子之座嚴好如前諸菩薩皆坐其
上化菩薩以滿鉢香飯與維摩詰飯香普熏
毗耶離城及三千大千世界時毗耶離波羅門
居士等聞是香氣身意快然歎未曾有於
是長者主月蓋從八万四千人來入維摩詰
舍見其室中菩薩甚多諸師子座高廣嚴好
皆大歡喜礼衆菩薩及大弟子却住一面諸
地神虛空神及欲色界諸天聞此香氣亦皆來

BD02033 號　維摩詰所說經卷下　（23–3）

是長者主月蓋從八万四千人來入維摩詰
舍見其室中菩薩甚多諸師子座高廣嚴好
皆大歡喜礼衆菩薩及大弟子却住一面諸
地神虛空神及欲色界諸天聞此香氣亦皆來
入維摩詰舍時維摩詰語舍利弗等諸大聲
聞仁者可食如來甘露味飯大悲所薰无以
限意食之使不消有異聲聞念是飯少而此
大衆人人當食化菩薩曰勿以聲聞小德小智
稱量如來无量福慧四海有竭此飯无盡使
一切人食揣若須弥乃至一劫猶不盡所
以者何无盡戒定慧解脫解脫知見功德具足
者所食之餘終不可盡於是鉢飯悉飽衆會
猶故不賜其諸菩薩聲聞天人食此飯者身
安快樂譬如一切樂莊嚴國諸菩薩也又諸
毛孔皆出妙香亦如衆香國土諸樹之香尒
尒時維摩詰問衆香菩薩香積如來以何
說法彼菩薩曰我土如來无文字說但以衆
香令諸天人得入律行菩薩各各坐香樹下聞
斯妙香即獲一切德藏三昧得是三昧者菩
薩所有功德皆悉具足彼諸菩薩問維摩
詰今世尊釋迦牟尼以何說法維摩詰言此
土衆生剛強難化故佛為說剛強之語以調
伏之言是地獄是畜生是餓鬼是諸難處是
愚人生處是身邪行是身邪行報是口邪行
是口邪行報是意邪行是意邪行報是煞生是
煞生報是不與取是不與取報是邪婬是邪

BD02033號　維摩詰所說經卷下　（23–4）

伏之言是地獄是畜生是餓鬼是諸難處是
愚人生處是身邪行是身邪行報是口邪行
是口邪行報是意邪行是意邪行報是煞生是
煞生報是不與取是不與取報是邪婬是邪
婬報是妄語是妄語報是兩舌是兩舌報是
惡口是惡口報是无義語是无義語報是貪
嫉是貪嫉報是瞋惱是瞋惱報是邪見是
邪見報是慳悋是慳悋報是毀戒是毀戒
報是瞋恚是瞋恚報是懈怠是懈怠報是乱
意是乱意報是愚癡是愚癡報是結戒是持
戒是犯戒是應作是不應作是鄣閡是不鄣閡
是得罪是離罪是淨是垢是有漏是无漏是
邪道是正道是有為是无為是世間是涅槃以
難化之人心如猨猴故以若干種法制御其心
乃可調伏譬如象馬𢤱悷不調加諸楚毒乃
至徹骨然後調伏如是剛強難化衆生
故以一切苦切之言乃可入律彼諸菩薩聞
說是已皆曰未曾有也如世尊釋迦牟尼佛
隱其无量自在之力乃以貧所樂法度脫衆
生斯諸菩薩亦能勞謙以无量大悲生是
佛土維摩詰言此土菩薩於諸衆生悲堅固
誠如所言然其一世饒益衆生多於彼國百
千劫行所以者何此娑婆世界有十事善法
諸餘淨土之所无有何等為十以布施攝貧
窮以淨戒攝毀禁以忍辱攝瞋恚以精進攝

BD02033號　維摩詰所說經卷下　（23–5）

千劫行所以者何此娑婆世界有十事善法
諸餘淨土之所无有何等為十以布施攝貧
窮以淨戒攝毀禁以忍辱攝瞋恚以精進攝
懈怠以禪定攝亂意以智慧攝愚癡說除
法度八難者以大乘法度樂小乘者以諸善
根濟无德者常以四攝成就衆生是為十彼
菩薩曰菩薩成就幾法於此世界行无瘡疣
生于淨土維摩詰言菩薩成就八法於此世
界行无瘡疣生于淨土何等為八饒益衆生
而不望報代一切衆生受諸苦惱所以功德盡
以施之等心衆生謙下无㝵於諸菩薩視之
如佛所未聞經聞之不疑不與聲聞而相
違背不嫉彼供不高己利而於其中調伏其心
常省己過不訟彼短恒以一心求諸功德是
為八維摩詰文殊師利於大衆中說是法
時百千人皆發阿耨多羅三藐三菩提心十千
菩薩得无生法忍

菩薩行品第十一

是時佛說法於菴羅樹園其地忽然廣博嚴
事一切衆會皆作金色阿難白佛言世尊以
何因緣有此瑞應是處忽然廣博嚴事一切
衆會皆作金色佛告阿難是維摩詰文殊師
利與諸大衆恭敬圍遶發意欲來故先為此
瑞應於是維摩詰語文殊師利可共見佛與
諸菩薩礼事供養文殊師利言善哉行矣

BD02033號　維摩詰所說經卷下　（23–6）

衆會皆作金色佛告阿難是維摩詰文殊師
利與諸大衆恭敬圍遶發意欲來故先為此
瑞應於是維摩詰語文殊師利可共見佛與
諸菩薩礼事供養文殊師利言善哉行矣
今正是時維摩詰即以神力持諸大衆并師
子座置於右掌往詣佛所到已著地稽首佛
足右遶七匝一心合掌在一面立其諸菩薩
即皆避坐稽首佛足亦遶七匝於一面立諸
大弟子釋梵四天王等亦皆避坐稽首佛足
在一面立於是世尊如法慰問諸菩薩已各令
復坐即皆受教衆坐已定佛語舍利弗汝見
菩薩大士自在神力之所為乎唯然已見汝
意云何世尊我覩其為不可思議非意所
圖非度所測尒時阿難白佛言世尊今所聞香
自昔未有是為何香佛告阿難是彼菩薩毛
孔之香於是舍利弗語阿難言我等毛孔亦
出是香阿難言此所從來日是長者維摩
詰從衆香國取佛餘飯於舍食者一切毛孔
皆香若此阿難問維摩詰是香氣住當久如
維摩詰至此飯消日此飯久如當消日此飯
勢力至于七日然後乃消又阿難若聲聞人未
入正位食此飯者得入正位然後乃消已入
正位食此飯者得心解脫然後乃消若未
發大乘意食此飯者至發意乃消已發意
食此飯者得无生忍然後乃消已得无生忍
[illegible]

BD02033號　維摩詰所說經卷下　（23–7）

入正位食此飯者得入正位然後乃消已入
正位食此飯者得心解脫然後乃消若未
發大乘意食此飯者至發意乃消已發意
食此飯者得无生忍然後乃消已得无生忍
食此飯者至一生補處然後乃消譬如有藥
名曰上味其有服者身諸毒滅然後乃消此飯
如是滅除一切諸煩惱毒然後乃消阿難白
佛言未曾有也世尊如此飯香能作佛事佛
言如是如是阿難或有佛土以佛光明而作
佛事有以諸菩薩而作佛事有以佛所化人
而作佛事有以菩提樹而作佛事有以佛
衣服臥具而作佛事有以飯食而作佛事有以
園林臺觀而作佛事有以三十二相八十隨形
好而作佛事有以佛身而作佛事有以虛空
而作佛事眾生應以此緣得入律行有以夢
幻影響鏡中像水中月熱時炎如是等喻而
作佛事有以音聲語言文字而作佛事或有
清淨佛土寂漠无言无說无示无識无作无
為而作佛事如是阿難諸佛威儀進止諸所
施為无非佛事阿難有此四魔八万四千諸
煩惱門而諸眾生為之疲勞諸佛即以此法
而作佛事是名入一切諸佛法門菩薩入此
門者若見一切淨妙佛土不以為喜不貪不
高若見一切不淨佛土不以為憂不㝵不設
但於諸佛生清淨心歡喜恭敬未曾有也諸
佛如來功德平等為教化眾生故而現佛

高若見一切不淨佛土不以為憂不㝵不設
但於諸佛生清淨心歡喜恭敬未曾有也諸
佛如來功德平等為教化眾生故而現佛
土不同阿難汝見諸佛國土地有若干而虛空
无若干也如是見諸佛色身有若干耳其
无㝵慧无若干也阿難諸色身威相種性
戒定智慧解脫解脫知見力无所畏不共之法大
慈大悲威儀所行及其壽命說法教化成就
眾生淨佛國土具諸佛法悉皆同等是故名
為三藐三佛陀名為多陀阿伽度名為佛陀
阿難若我廣說此三句義汝以劫壽不能盡受
正使三千大千世界滿中眾生皆如阿難多聞
第一得念總持此諸人等以劫之壽亦不
能受如是阿難諸佛阿耨多羅三藐三菩提
无有限量智慧辯才不可思議阿難白佛言
我從今已後不敢自謂以為多聞佛告阿難
勿起退意所以者何我說汝於聲聞中為最
多聞非謂菩薩且止阿難其有智者不應限度
諸菩薩也一切海淵尚可測量菩薩禪定智
慧總持辯才一切功德不可量也阿難汝等
捨置菩薩所行是維摩詰一時所現神通
之力一切聲聞辟支佛於百千劫盡力變化
所不能作
尒時眾香世界菩薩來者合掌白佛言世尊

捨置菩薩所行是維摩詰一時所現神通
之力一切聲聞辟支佛於百千劫盡力變化
所不能作
尒時衆香世界菩薩來者合掌白佛言世尊
我等初見此土生下劣想今自悔責捨離是
心所以者何諸佛方便不可思議為度衆生
故隨其所應現佛國異唯然世尊願賜少法
還於彼土當念如來佛告諸菩薩有盡无盡
解脫法門汝等當學何謂為盡謂有為法
何謂无盡謂无為法如菩薩者不盡有為不
住无為何謂不盡有為謂不離大慈不捨大
悲深發一切智心而不忽忘教化衆生終不厭
惓於四攝法常念順行護持正法不惜軀命
種諸善根无有疲厭志常安住方便迴向求
法不懈說法无悋勤供養諸佛不畏生死於
諸榮辱心无憂喜不輕未學敬學如佛墮煩惱
者令發正念於遠離樂不以為貴不著已樂
慶於彼樂在諸禪定如地獄想於生死中如
園觀想見來求者為善師想捨諸所有具
切智想見毀戒人起救護想諸婆羅蜜為
父母想道品之法為眷屬想發行善根无有
齊限以諸淨國嚴飾之事成已佛土行不限
施具足相好除一切惡淨身口意生死无數
劫意而有勇聞佛无量德志而不惓以智慧
劒破煩惱賊出陰界入荷負衆生永使解脫

BD02033號　維摩詰所說經卷下　（23–10）

齊限以諸淨國嚴飾之事成已佛土行不限
施具足相好除一切惡淨身口意生死无數
劫意而有勇聞佛无量德志而不惓以智慧
劒破煩惱賊出陰界入荷負衆生永使解脫
以大精進摧伏魔軍常求无念實相智慧
行少欲知足而不捨世法不壞威儀而能隨俗
起神通慧引導衆生得念揔持所聞不忘善
別諸根斷衆生疑以樂說辯演法无閡淨十
善道受天人福脩四无量開梵天道勸請說
法隨喜讚善得佛音聲身口意善得佛威儀
深脩善法所行轉勝以大乘教成菩薩僧心无
放逸不失衆善行如此法是名菩薩不盡有
為何謂菩薩不住无為謂脩學空不以空為證
脩學无相无作不以无相无作為證脩學无
起不以无起為證觀於无常而不猒善本觀世
間苦而不惡生死觀於无我而誨人不惓觀
於寂滅而不永寂滅觀於遠離而身心脩善
觀无所歸而歸趣善法觀於无生而以生法荷
負一切觀於无漏而不斷諸漏觀无所行而
以行法教化衆生觀於空无而不捨大悲觀
正法位而不隨小乘觀諸法虛妄无牢无人
无生无相本願未滿而不虛福德禪定智慧
脩如此法是名菩薩不住无為又具福德故
不住无為具智慧故不盡有為大慈悲故
不住无為滿本願故不盡有為集法藥故不

BD02033號　維摩詰所說經卷下　（23–11）

无生无相本願未滿而不虛福德禪定智慧
脩如此法是名菩薩不住无爲又具福德故
不住无爲具智慧故不盡有爲大慈悲故不
住无爲滿本願故不盡有爲集法藥故不住
无爲隨授藥故不盡有爲知衆生病故不
住无爲滅衆生病故不盡有爲諸正士菩薩已
脩此法不盡有爲不住无爲是名盡无盡解
脫法門汝等當學尒時彼諸菩薩聞說是
法皆大歡喜以衆妙華若干種色若干種
香散遍三千大千世界供養於佛及此經法
并諸菩薩已稽首佛足歎未曾有言釋迦牟
佛乃能於此善行方便言已忽然不現還
到彼國

見阿閦佛品第十二

尒時世尊問維摩詰汝欲見如來爲以何等
觀如來乎維摩詰言如自觀身實相觀佛亦
然我觀如來前際不來後際不去今則不住
不觀色不觀色如不觀色性不觀受想行識
不觀識如不觀識性非四大起同於虛空六
入无積眼耳鼻舌身心已過不在三界三垢
已離順三脫門三明與无明等不一相不異
相不自相不他相非无相非取相不此岸不
彼岸不中流而教化衆生觀於寂滅亦不永
滅不此不彼不以此不以彼不可以智知不
可以識識无晦无明无名无相无強无弱非
淨非穢不在方不離方非有爲非无爲无示

BD02033號　維摩詰所說經卷下　(23-12)

彼岸不中流而教化衆生觀於寂滅亦不永
滅不此不彼不以此不以彼不可以智知不
可以識識无晦无明无名无相无強无弱非
淨非穢不在方不離方非有爲非无爲无示
无說不施不慳不戒不犯不忍不恚不進不
怠不定不亂不智不愚不誠不欺不來不去
不出不入一切言語道斷非福田非不福田
非應供養非不應供養非取非捨非有相非
无相同真際等法性不可稱不可量過諸稱
量非大非小非見非聞非覺非知離衆結縛
等諸智同衆生於諸法无分別一切无失无
濁无惱无作无起无生无滅无畏无憂无喜
无厭无著无已有无當有无今有不可以一切言
說分別顯示世尊如來身爲若此作如是觀以
斯觀者名爲正觀若他觀者名爲耶觀尒時
舍利弗問維摩詰汝於何沒而來生此維摩
詰言汝所得法有沒生乎舍利弗言无沒生
也若諸法无沒生相云何問言汝於何沒而
來生此於意云何譬如幻師幻作男女寧有
沒生耶舍利弗言无沒生也汝豈不聞佛
說諸法如幻相乎答曰如是若一切法如幻
相者云何問言汝於何沒而來生此舍利弗
沒者爲虛誑法敗壞之相生者爲虛誑法相
續之相菩薩雖沒不盡善本雖生不長諸惡
是時佛告舍利弗有國名妙喜佛號无動是

BD02033號　維摩詰所說經卷下　(23-13)

相者云何賠言説於何没而来生此舍利弗
没者為虛誑法敗壞之相生者為虛誑法相
續之相菩薩雖没不盡善本雖生不長諸惡
是時佛告舍利弗有國名妙喜佛号无動是
維摩詰於彼國没而来生此舍利弗言未曾
有也世尊是人乃能捨清淨土而来樂此多
怒害處維摩詰語舍利弗於意云何日光出
時與冥合乎答曰不也日光出時則无衆冥
維摩詰言夫日何故行閻浮提答曰欲以明
照為之除冥維摩詰言菩薩如是雖生不淨
佛土為化衆生不與愚闇而共合也但滅衆
生煩惱闇耳
是時大衆渴仰欲見妙喜世界不動如来及
其菩薩聲聞之衆佛知一切衆會所念告維
摩詰言善男子為此衆會現妙喜國不動如
来及諸菩薩聲聞之衆悉皆欲見於是維
摩詰心念吾當不起于座接妙喜國鐵圍山
川溪谷江河大海泉源須弥諸山及日月星宿
天龍鬼神梵天等宫并諸菩薩聲聞之衆城
邑聚落男女大小乃至无動如来及菩提樹諸
妙蓮華能於十方作佛事者三道寶階從
閻浮提至忉利天以此寶階諸天来下悉
為礼敬无動如来聽受經法閻浮提人亦登
其階上昇忉利見彼諸天妙喜世界成就如
是无量功德上至阿迦膩吒天下至水際以右
手斷取如陶家輪入此世界猶持華鬘示

BD02033號　維摩詰所說經卷下　（23–14）

閻浮提至忉利天以此寶階諸天来下悉
為礼敬无動如来聽受經法閻浮提人亦登
其階上昇忉利見彼諸天妙喜世界成就如
是无量功德上至阿迦膩吒天下至水際以右
手斷取如陶家輪入此世界猶持華鬘示
一切衆作是念已入於三昧現神通力以其右
手斷取妙喜世界置於此土彼得神通菩薩
及聲聞衆并餘天人俱發聲言唯然世尊誰
取我去願見救護无動佛言非我所為是維
摩詰神力所作其餘未得神通者不覺不知
已之所往妙喜世界雖入此土而不增減於是
世界亦不迫隘如本无
尒時釋迦牟尼佛告諸大衆汝等且觀妙喜
世界无動如来其國嚴餝菩薩行淨弟子清
白皆曰唯然已見佛言若菩薩欲得如是清淨
佛土當學无動如来所行之道現此妙喜
國時娑婆世界十四那由他人發阿耨多羅三
藐三菩提心皆願生於妙喜佛土釋迦牟尼
佛即記之曰當生彼國時妙喜世界於此國
土所應饒益其事訖已還復本處
佛告舍利弗汝見此妙喜世界及无動佛不唯
然已見世尊願使一切衆生得清淨土如无動
佛獲神通力如維摩詰世尊我等快得善利得
見是人親近供養其諸衆生若今現在若佛
滅後聞此經者亦得善利況復聞已信解受

BD02033號　維摩詰所說經卷下　（23–15）

佛告舍利弗汝見此妙喜世界及无動佛不唯
然已見世尊願使一切衆生得清淨土如无動
佛獲神通力如維摩詰世尊我等快得善利得
見是人親近供養其諸衆生若今現在若佛
滅後聞此經者亦得善利況復聞已信解受
持讀誦解說如法脩行若有手得是經典者
便為已得法寶之藏若有讀誦解釋其義如
說脩行則為諸佛之所護念其有供養如是
人者當知則為供養於佛其有書持此經卷
者當知其室則有如來若聞是經能隨喜者
斯人則為取一切智若能信解此經乃至一
四句偈為他說者當知此人即是受阿耨多
羅三藐三菩提記

法供養品第十三

尒時釋提桓因於大衆中白佛言世尊我雖
從佛及文殊師利聞百千經未曾聞此不可
思議自在神通決定實相經典如我解佛所
說義趣若有衆生聞是經法信解受持讀
誦之者必得是法不疑何況如說脩行斯人
則為開衆惡趣開諸善門常為諸佛之所護
念降伏外學摧滅魔怨脩治菩提安處道場
履踐如來所行之跡世尊若有受持讀誦如
說脩行者我當與諸眷屬供養給事所在
聚落城邑山林曠野有是經處我亦與諸眷屬
聽受法故共到其所其未信者當令生信其

BD02033號　維摩詰所說經卷下

（23–16）

說脩行者我當與諸眷屬供養給事所在
聚落城邑山林曠野有是經處我亦與諸眷屬
聽受法故共到其所其未信者當令生信其
已信者當為作護佛言善哉善哉天帝如汝
所說吾助汝喜此經廣說過去未來現在諸
佛不可思議阿耨多羅三藐三菩提是故天
帝若善男子善女人受持讀誦供養是經者
則為供養去來今佛天帝正使三千大千世界
如來滿中譬如甘蔗竹葦稻麻叢林若有善
男子善女人或一劫或減一劫恭敬尊重讚
歎供養奉諸所安至諸佛滅後以一一全身
舍利起七寶塔縱廣一四天下高至梵天表
剎莊嚴以一切華香瓔珞幢幡伎樂微妙第
一若一劫若減一劫而供養之於天帝意云
何其人殖福寧為多不釋提桓因言多意世
尊彼之福德若以百千億劫說不能盡佛告
天帝當知是善男子善女人聞是不可思議
解脫經典信解受持讀誦脩行福多於彼所
以者何諸佛菩提皆從是生菩提之相不可
限量以是因緣福不可量佛告天帝過去无
量阿僧祇劫時世有佛号曰藥王如來應供
正遍知明行足善逝世間解无上士調御丈夫
天人師佛世尊世界曰大莊嚴劫曰莊嚴佛
壽廿小劫其聲聞僧卅六億那由他菩薩僧
有十二億天帝是時有轉輪聖王名曰寶蓋

BD02033號　維摩詰所說經卷下

（23–17）

正遍知明行足善逝世間解无上士調御丈夫
天人師佛世尊世界日大莊嚴劫日莊嚴佛
壽廿小劫其聲聞僧卅六億那由他菩薩僧
有十二億天帝是時有轉輪聖王名日寶蓋
七寶具足主四天下王有千子端正勇健
能伏怨敵尒時寶蓋與其眷屬供養藥王如
來施諸所安至滿五劫過五劫已告其千子
汝等亦當如我以深心供養於佛於是千子
受父王命供養藥王如來復滿五劫一切施
安其王一子名日月蓋獨坐思惟寧有供養
殊過此者以佛神力空中有天日善男子法
之供養勝諸供養即問何謂法之供養天日
汝可往問藥王如來當廣為汝說法之供養
即時月蓋王子行詣藥王如來稽首佛足却
住一面白佛言世尊諸供養中法供養勝云何
為法供養佛言善男子法供養者諸佛所
說深經一切世間難信難受微妙難見清淨
无染非但分別思惟之所能得菩薩法藏所
攝陀羅尼印印之至不退轉成就六度善分
別義順菩提法眾經之上入大慈悲離眾魔
事及諸耶見順因緣法无我无人无眾生无壽命
空无相无作无起能令眾生坐於道場而轉法
輪諸天龍神乹闥婆等所共歎譽能令眾生
入佛法藏攝諸賢聖一切智慧說眾菩薩所
行之道依於諸法實相之義明宣无常苦空
无我滅寂能救一切毀禁眾生諸魔外道及

BD02033 號　維摩詰所說經卷下　（23–18）

空无相无作无起能令眾生坐於道場而轉法
輪諸天龍神乹闥婆等所共歎譽能令眾生
入佛法藏攝諸賢聖一切智慧說眾菩薩所
行之道依於諸法實相之義明宣无常苦空
无我滅寂能救一切毀禁眾生諸魔外道及
貪著者能使怖畏諸佛賢聖所共稱歎背
生死苦示涅槃樂十方三世諸佛所說若聞如
是等經信解受持讀誦以方便力為諸眾生
分別解說顯示分別守護法故是名法之供
養又於諸法如說脩行隨順十二因緣離諸
耶見得无生忍決定无我无有眾生而於因
緣果報无違无諍離諸我所依於義不依語
依於智不依識依了義經不依不了義經
依於法不依人隨順法相无所入无所歸无明
畢竟滅故諸行亦畢竟滅乃至生畢竟滅故
老死亦畢竟滅作如是觀十二因緣无有盡
相不復起見是名最上法之供養
佛告天帝王子月蓋從藥王佛聞如是法得
柔順忍即解寶衣嚴身之具以供養佛白佛
言世尊如來滅後我當行法供養守護正法
願以威神加哀建立令我得降魔怨脩菩薩
行佛知其深心所念而記之日汝於未後守
護法城天帝時王子月蓋見法清淨聞佛授
記以信出家脩集善法精進不久得五神通
成菩薩道得陁羅尼无斷辯才於佛滅後以

BD02033 號　維摩詰所說經卷下　（23–19）

行佛如其深心所念而記之曰汝於末後守
護法城天帝時王子月蓋見法清淨聞佛授
記以信出家備集善法精進不久得五神通
成菩薩道得陁羅尼无斷辯才於佛滅後以
其所得神通揔持辯才之力滿十小劫藥
王如來所轉法輪隨而分布月蓋比丘以護持
法勤行精進即於此身化百万億人於阿耨
多羅三藐三菩提立不退轉十四那由他人
深發聲聞辟支佛心无量衆生得生天上天
帝時王寶蓋豈異人乎今現得佛号寶炎
如來其王千子即賢劫中千佛是也從迦羅
鳩孫駄爲始得佛最後如來号曰樓至月蓋
比丘則我身是也如來天帝當知此要以法供
養於諸供養爲上最第一无比是故天帝當
以法之供養供養於佛

囑累品第十四

於是佛告弥勒菩薩言弥勒我今以是无量
億阿僧祇劫所集阿耨多羅三藐三菩提法
付囑於汝如是輩經於佛滅後末世之中汝等
當以神力廣宣流布於閻浮提无令斷絶所
以者何未來世中當有善男子善女人及天龍
鬼神乾闥婆羅剎等發阿耨多羅三藐三菩
提心樂于大法若使不聞如是等經則失善
利如此輩人聞是經等必多信樂發希有心
當以頂受隨諸衆生所應得利而爲廣說

BD02033號　維摩詰所說經卷下

（23–20）

提心樂于大法若使不聞如是等經則失善
利如此輩人聞是經等必多信樂發希有心
當以頂受隨諸衆生所應得利而爲廣說
弥勒當知菩薩有二相何謂爲二一者好於
雜句文飾之事二者不畏深義如實能入若
好雜句文飾事者當知是爲新學菩薩若
於如是无染无著甚深經典无有恐畏能入
其中聞已心淨受持讀誦如說脩行當知是爲
久脩道行弥勒復有二法名新學者不能決
定於甚深法何等爲二一者所未聞深經聞
之驚怖生疑不能隨順毁謗不信而作是言
我初不聞從何所來二者若有護持解說如
是深經者不肯親近供養恭敬或時於中說
其過惡有此二法當知是新學菩薩爲自毁
傷不能於深法中調伏其心弥勒復有二法
菩薩雖信解深法猶自毁傷而不能得无生
法忍何等爲二一者輕慢新學菩薩而不教
誨二者雖解深法而取相分別是爲二法弥
勒菩薩聞說是已白佛言世尊未曾有也如
佛所說我當遠離如斯之惡奉持如來无
數阿僧祇劫所集阿耨多羅三藐三菩提法
若未來世善男子善女人求大乘者當令手
得如是等經與其念力使受持讀誦爲他廣
說世尊若後末世有能受持讀誦爲他說者
當知是弥勒神力之所建立佛言善哉善哉弥
勒如汝所說佛助汝喜於是一切菩薩合掌

BD02033號　維摩詰所說經卷下

（23–21）

數阿僧祇劫所集阿耨多羅三藐三菩提法
若未來世善男子善女人求大乘者當令手
得如是等經與其念力使受持讀誦為他廣
說世尊若後末世有能受持讀誦為他說者
當知是弥勒神力之所建立佛言善哉善哉弥
勒如汝所說佛助汝喜於是一切菩薩合掌
白佛我等亦於如來滅後十方國土廣宣流
布阿耨多羅三藐三菩提復當開道諸說法
者令得是經
尒時四天王白佛言世尊在在處處城邑聚
落山林曠野有是經卷讀誦解說者我當
率諸官屬為聽法故往詣其所擁護其人面百
由旬令无伺求得其便者是時佛告阿難受
持是經廣宣流布阿難言唯我已受持要
者世尊當何名斯經佛言阿難是經名為
維摩詰所說亦名不可思議解脫法門如是
受持佛說是經已長者維摩詰文殊師利
舍利佛阿難等及諸天人阿脩羅一切大眾
聞佛所說皆大歡喜

維摩詰經卷下

BD02033號　維摩詰所說經卷下　（23–22）

尒時四天王白佛言世尊在在處處城邑聚
落山林曠野有是經卷讀誦解說者我當
率諸官屬為聽法故往詣其所擁護其人面百
由旬令无伺求得其便者是時佛告阿難受
持是經廣宣流布阿難言唯我已受持要
者世尊當何名斯經佛言阿難是經名為
維摩詰所說亦名不可思議解脫法門如是
受持佛說是經已長者維摩詰文殊師利
舍利佛阿難等及諸天人阿脩羅一切大眾
聞佛所說皆大歡喜

維摩詰經卷下

BD02033號　維摩詰所說經卷下　（23–23）

維摩詰經卷下

BD02033號背　經名　　（1-1）

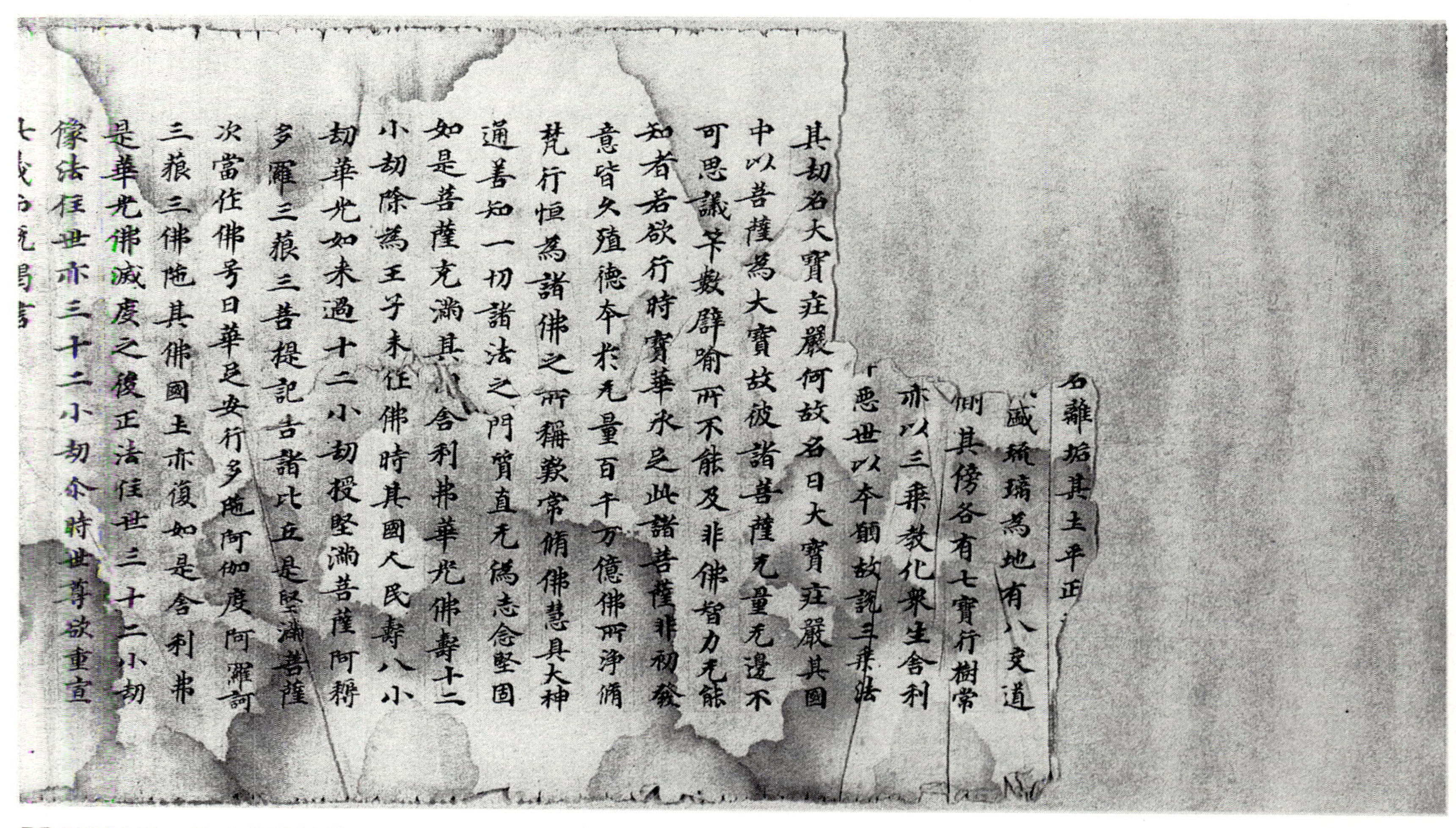

名離垢其土平正
熾盛琉璃為地有八交道
側其傍各有七寶行樹常
亦以三乘教化衆生舍利
惡世以本願故說三乘法
其劫名大寶莊嚴何故名曰大寶莊嚴其國
中以菩薩為大寶故彼諸菩薩无量无邊不
可思議筭數譬喻所不能及非佛智力无能
知者若欲行時寶華承足此諸菩薩非初發
意皆久殖德本於无量百千万億佛所淨脩
梵行恒為諸佛之所稱歎常脩佛慧具大神
通善知一切諸法之門質直无偽志念堅固
如是菩薩充滿其國舍利弗華光佛壽十二
小劫除為王子未作佛時其國人民壽八小
劫華光如來過十二小劫授堅滿菩薩阿耨
多羅三藐三菩提記告諸比丘是堅滿菩薩
次當作佛号曰華足安行多陀阿伽度阿羅訶
三藐三佛陀其佛國土亦復如是舍利弗
是華光佛滅度之後正法住世三十二小劫
像法住世亦三十二小劫尒時世尊欲重宣
此義而說偈言

BD02034號　妙法蓮華經卷二　　（25-1）

多羅三藐三菩提記告諸比丘是堅滿菩薩
次當作佛号曰華足安行多陁阿伽度阿羅訶
三藐三佛陁其佛國土亦復如是舍利弗
是華光佛滅度之後正法住世三十二小劫
像法住世亦三十二小劫尒時世尊欲重宣
此義而說偈言
舍利弗來世　成佛普智尊　号名曰華光　當度无量衆
供養无數佛　具足菩薩行　十力等功德　證於无上道
過无量劫已　劫名大寶嚴　世界名離垢　清淨无瑕穢
以琉璃為地　金繩界其道　七寶雜色樹　常有華菓實
彼國諸菩薩　志念常堅固　神通波羅蜜　皆已悉具足
於无數佛所　善學菩薩道　如是等大士　華光佛所化
佛為王子時　棄國捨世榮　於冣末後身　出家成佛道
華光佛住世　壽十二小劫　其國人民衆　壽命八小劫
佛滅度之後　正法住於世　三十二小劫　廣度諸衆生
正法滅盡已　像法三十二　舍利廣流布　天人普供養
華光佛所為　其事皆如是　其兩足聖尊　冣勝无倫匹
彼即是汝身　冝應自欣慶
尒時四部衆比丘比丘尼優婆塞優婆夷天
龍夜叉乹闥婆阿脩羅迦樓羅緊那羅摩睺
羅伽等大衆見舍利弗於佛前受阿耨多羅
三藐三菩提記心大歡喜踊躍无量各各脫
身所著上衣以供養佛釋提桓因梵天王等
與无數天子亦以天妙衣天曼陁羅華摩訶
曼陁羅華等供養於佛所散天衣住虛空中
而自迴轉諸天伎樂百千万種於虛空中一時
俱作雨衆天華而作是言佛昔於波羅柰

BD02034號　妙法蓮華經卷二　（25–2）

與无數天子亦以天妙衣天曼陁羅華摩訶
曼陁羅華等供養於佛所散天衣住虛空中
而自迴轉諸天伎樂百千万種於虛空中一時
俱作雨衆天華而作是言佛昔於波羅柰
初轉法輪今乃復轉无上冣大法輪尒時諸
天子欲重宣此義而說偈言
昔於波羅柰　轉四諦法輪　分別說諸法　五衆之生滅
今復轉冣妙　无上大法輪　是法甚深奧　少有能信者
我等從昔來　數聞世尊說　未曾聞如是　深妙之上法
世尊說是法　我等皆隨喜　大智舍利弗　今得受尊記
我等亦如是　必當得作佛　於一切世間　冣尊无有上
佛道叵思議　方便隨冝說　我所有福業　今世若過世
及見佛功德　盡迴向佛道
尒時舍利弗白佛言世尊我今无復疑悔親
於佛前得受阿耨多羅三藐三菩提記是諸
千二百心自在者昔住學地佛常教化言我
法能離生老病死究竟涅槃是學无學人亦
各自以離我見及有无見等謂得涅槃而今
於世尊前聞所未聞皆墮疑惑善哉世尊願
為四衆說其因緣令離疑悔尒時佛告舍利
弗我先不言諸佛世尊以種種因緣譬喻言
辭方便說法皆為阿耨多羅三藐三菩提耶
是諸所說皆為化菩薩故然舍利弗今當復
以譬喻更明此義諸有智者以譬喻得解舍
利弗若國邑聚落有大長者其年衰邁財富
无量多有田宅及諸僮僕其家廣大唯有一
門多諸人衆一百二百乃至五百人止住其

BD02034號　妙法蓮華經卷二　（25–3）

是諸所說皆為化菩薩故然舍利弗今當復
以譬喻更明此義諸有智者以譬喻得解舍
利弗若國邑聚落有大長者其年衰邁財富
無量多有田宅及諸僮僕其家廣大唯有一
門多諸人衆一百二百乃至五百人止住其
中堂閣朽故墻壁隤落柱根腐敗梁棟傾危
周帀俱時欻然火起焚燒舍宅長者諸子若
十二十或至三十在此宅中長者見是大火
從四面起即大驚怖而作是念我雖能於此
所燒之門安隱得出而諸子等於火宅內樂
著嬉戲不覺不知不驚不怖火來逼身苦痛
切己心不猒患無求出意舍利弗是長者作
是思惟我身手有力當以衣祴若以几案從
舍出之復更思惟是舍唯有一門而復狹小
諸子幼稚未有所識戀著戲處或當墮落為
火所燒我當為說怖畏之事此舍已燒宜時
疾出無令為火之所燒害作是念已如所思
惟具告諸子汝等速出父雖憐愍善言誘喻
而諸子等樂著嬉戲不肯信受不驚不畏了
無出心亦復不知何者是火何者為舍云何
為失但東西走戲視父而已尒時長者即作
是念此舍已為大火所燒我及諸子若不時
出必為所焚我今當設方便令諸子等得免
斯害父知諸子先心各有所好種種珍玩奇
異之物情必樂著而告之言汝等所可玩好
希有難得汝若不取後必憂悔如此種種羊
車鹿車牛車今在門外可以遊戲汝等於此
火宅宜速出來隨汝所欲皆當與汝尒時諸

BD02034號　妙法蓮華經卷二　（25–4）

斯害父知諸子先心各有所好種種珍玩奇
異之物情必樂著而告之言汝等所可玩好
希有難得汝若不取後必憂悔如此種種羊
車鹿車牛車今在門外可以遊戲汝等於此
火宅宜速出來隨汝所欲皆當與汝尒時諸
子聞父所說珍玩之物適其願故心各勇銳
互相推排競共馳走爭出火宅是時長者見
諸子等安隱得出皆於四衢道中露地而坐
無復障礙其心泰然歡喜踊躍時諸子等各
白父言父先所許玩好之具羊車鹿車牛車
願時賜與舍利弗尒時長者各賜諸子等一
大車其車高廣衆寶莊校周帀欄楯四面懸
鈴又於其上張設幰蓋亦以珍奇雜寶而嚴
飾之寶繩交絡垂諸華瓔重敷綩綖安置丹
枕駕以白牛膚色充潔形體姝好有大筋力
行步平正其疾如風又多僕從而侍衛之所
以者何是大長者財富無量種種諸藏悉皆
充溢而作是念我財物無極不應以下劣小
車與諸子等今此幼童皆是吾子愛無偏黨
我有如是七寶大車其數無量應當等心各
各與之不宜差別所以者何以我此物周給
一國猶尚不匱何況諸子是時諸子各乘大
車得未曾有非本所望舍利弗於汝意云何
是長者等與諸子珍寶大車寧有虛妄不
舍利弗言不也世尊是長者但令諸子得免火
難全其軀命非為虛妄何以故若全身命便
為已得玩好之具況復方便於彼火宅而拔

BD02034號　妙法蓮華經卷二　（25–5）

舍利弗言不也世尊是長者但令諸子得免火
難全其軀命非為虛妄何以故若全身命便
為已得玩好之具況復方便於彼火宅而拔
濟之世尊若是長者乃至不與最小一車猶
不虛妄何以故是長者先作是意我以方便
令子得出以是因緣无虛妄也何況長者自
知財富无量欲饒益諸子等與大車佛告舍
利弗善哉善哉如汝所言舍利弗如來亦復
[illegible]為一切世間之父於諸怖畏衰惱憂
[illegible]暗蔽永盡无餘而悉成[illegible]
力无所畏有大神力及智慧力具足方便智
慧波羅蜜大慈大悲常无懈惓恒求善事利
益一切而生三界朽故火宅為度衆生生老
病死憂悲苦惱愚癡暗蔽三毒之火教化令
得阿耨多羅三藐三菩提見諸衆生為生老
病死憂悲苦惱之所燒煑亦以五欲財利故
[illegible]苦又以貪著追求故現受衆苦後受
[illegible]畜生餓鬼之苦若生天上及[illegible]貧
窮困苦愛別離苦怨憎會苦如是等種種諸
苦衆生沒在其中歡喜遊戲不覺不知不驚
不怖亦不生猒不求解脫於此三界火宅東
西馳走雖遭大苦不以為患舍利弗佛見此
已便作是念我為衆生之父應拔其苦難與
无量无邊佛智慧樂令其遊戲舍利弗如來
復作是念若我但以神力及智慧力捨於方
便為諸衆生讚如來知見力无所畏者衆生
不能以是得度所以者何是諸衆生未免生

已便作是念我為衆生之父應拔其苦難與
无量无邊佛智慧樂令其遊戲舍利弗如來
復作是念若我但以神力及智慧力捨於方
便為諸衆生讚如來知見力无所畏者衆生
不能以是得度所以者何是諸衆生未免生
老病死憂悲苦惱而為三界火宅所燒何由
能解佛之智慧舍利弗如彼長者雖復身手
有力而不用之但以慇懃方便免濟諸子火
宅之難然後各與珎寶大車如來亦復如是
雖有力无所畏而不用之但以智慧方便於
三界火宅拔濟衆生為諸三乘聲聞辟支佛
佛乘而作是言汝等莫得樂住三界火宅勿
貪麁弊色聲香味觸也若貪著生愛則為所
燒汝速出三界當得三乘聲聞辟支佛佛乘
我今為汝保任此事終不虛也汝等但當勤
脩精進如來以是方便誘進衆生復作是言
汝等當知此三乘法皆是聖所稱歎自在无
繫无所依求乘是三乘以无漏根力覺道禪
[illegible]脫三昧等而自娛樂便得无量安隱快
樂舍利弗若有衆生內有智性從佛世尊聞
法信受慇勤精進欲速出三界自求涅槃是
名聲聞乘如彼諸子為求羊車出於火宅若
有衆生從佛世尊聞法信受慇勤精進求自
然慧樂獨善寂深知諸法因緣是名辟支佛
乘如彼諸子為求鹿車出於火宅若有衆生
[illegible]世尊聞法信受勤脩精進求一切智佛
智自然智无師智如來知見力无所畏愍念

然慧樂獨善寂深知諸法因緣是名辟支佛
乘如彼諸子為求鹿車出於火宅若有衆生
從佛世尊聞法信受勤脩精進求一切智佛
智自然智无師智如来知見力无所畏愍念
安樂无量衆生利益天人度脫一切是名大
乘菩薩求此乘故名為摩訶薩如彼諸子為
求牛車出於火宅舍利弗如彼長者見諸子
等安隱得出火宅到无畏處自惟財富无量
等以大車而賜諸子如来亦復如是為一切
衆生之父若見无量億千衆生以佛教門出
三界苦怖畏險道得涅槃樂如来尒時便作
是念我有无量无邊智慧力无畏等諸佛法
藏是諸衆生皆是我子等與大乘不令有人
獨得滅度皆以如来滅度而滅度之是諸衆
生脫三界者悉與諸佛禪定解脫等娛樂之
具皆是一相一種聖所稱歎能生淨妙第一
之樂舍利弗如彼長者初以三車誘引諸子
然後但與大車寶物莊嚴安隱第一然彼長
者无虛妄之咎如来亦復如是无有虛妄初
說三乘引導衆生然後但以大乘而度脫之
何以故如来有无量智慧力无所畏諸法之
藏能與一切衆生大乘之法但不盡能受舍
利弗以是因緣當知諸佛方便力故於一佛
乘分別說三佛欲重宣此義而說偈言
譬如長者　有一大宅　其宅久故　而復頓弊
堂舍高危　柱根摧朽　梁棟傾斜　基陛頹毀
墻壁圮坼　泥塗褫落　覆苫亂墜　椽梠差脫

BD02034號　妙法蓮華經卷二　（25–8）

乘分別說三佛欲重宣此義而說偈言
譬如長者　有一大宅　其宅久故　而復頓弊
堂舍高危　柱根摧朽　梁棟傾斜　基陛頹毀
墻壁圮坼　泥塗褫落　覆苫亂墜　椽梠差脫
周障屈曲　雜穢充遍　有五百人　止住其中
鵄梟鵰鷲　烏鵲鳩鴿　蚖蛇蝮蝎　蜈蚣蚰蜒
守宮百足　狖狸鼷鼠　諸惡蟲輩　交橫馳走
屎尿臭處　不淨流溢　蜣蜋諸蟲　而集其上
狐狼野干　咀嚼踐蹋　嚌齧死屍　骨肉狼藉
由是群狗　競來搏撮　飢羸慞惶　處處求食
鬪諍齟掣　啀喍嘷吠　其舍恐怖　變狀如是
處處皆有　魑魅魍魎　夜叉惡鬼　食噉人肉
毒蟲之屬　諸惡禽獸　孚乳產生　各自藏護
夜叉競來　爭取食之　食之既飽　惡心轉熾
鬪諍之聲　甚可怖畏　鳩槃荼鬼　蹲踞土埵
或時離地　一尺二尺　往返遊行　縱逸嬉戲
捉狗兩足　撲令失聲　以腳加頸　怖狗自樂
復有諸鬼　其身長大　裸形黑瘦　常住其中
發大惡聲　叫呼求食　復有諸鬼　其咽如針
復有諸鬼　首如牛頭　或食人肉　或復噉狗
頭髮蓬亂　殘害凶險　飢渴所逼　叫喚馳走
夜叉餓鬼　諸惡鳥獸　飢急四向　窺看窗牖
如是諸難　恐畏无量　是朽故宅　屬于一人
其人近出　未久之間　於後舍宅　欻然火起
四面一時　其焰俱熾　棟梁椽柱　爆聲震裂
摧折墮落　墻壁崩倒　諸鬼神等　揚聲大叫
鵰鷲諸鳥　鳩槃荼等　周慞惶怖　不能自出

BD02034號　妙法蓮華經卷二　（25–9）

其人近出　未久之間　於後舍宅　欻然火起
四面一時　其焰俱熾　棟梁椽柱　爆聲震裂
摧折墮落　墻壁崩倒　諸鬼神等　揚聲大叫
鵰鷲諸鳥　鳩槃荼等　周慞惶怖　不能自出
惡獸毒虫　藏竄孔穴　毗舍闍鬼　亦住其中
薄福德故　為火所逼　共相殘害　飲血噉肉
野干之屬　並已前死　諸大惡獸　競來食噉
臭烟熢㶿　四面充塞　蜈蚣蚰蜒　毒蛇之類
為火所燒　爭走出穴　鳩槃荼鬼　隨取而食
又諸餓鬼　頭上火燃　飢渴熱惱　周慞悶走
其宅如是　甚可怖畏　毒害火災　衆難非一
是時宅主　在門外立　聞有人言　汝諸子等
先因遊戲　來入此宅　稚小无知　歡娛樂著
長者聞已　驚入火宅　方宜救濟　令无燒害
告喻諸子　說衆患難　惡鬼毒虫　災火蔓莚
衆苦次第　相續不絕　毒蛇蚖蝮　及諸夜叉
鳩槃荼鬼　野干狐狗　鵰鷲鵄梟　百足之屬
飢渴惱急　甚可怖畏　此苦難處　況復大火
諸子无知　雖聞父誨　猶故樂著　嬉戲不已
是時長者　而作是念　諸子如此　益我愁惱
今此舍宅　无一可樂　而諸子等　耽湎嬉戲
不受我教　將為火害　即便思惟　設諸方便
告諸子等　我有種種　珍玩之具　妙寶好車
羊車鹿車　大牛之車　今在門外　汝等出來
吾為汝等　造作此車　隨意所樂　可以遊戲
諸子聞說　如此諸車　即時奔競　馳走而出
到於空地　離諸苦難　長者見子　得出火宅

BD02034號　妙法蓮華經卷二　(25-10)

羊車鹿車　大牛之車　今在門外　汝等出來
吾為汝等　造作此車　隨意所樂　可以遊戲
諸子聞說　如此諸車　即時奔競　馳走而出
到於空地　離諸苦難　長者見子　得出火宅
住於四衢　坐師子座　而自慶言　我今快樂
此諸子等　生育甚難　愚小无知　而入險宅
多諸毒虫　魑魅可畏　大火猛焰　四面俱起
而此諸子　貪樂嬉戲　我已救之　令得脫難
是故諸人　我今快樂　爾時諸子　知父安坐
皆詣父所　而白父言　願賜我等　三種寶車
如前所許　諸子出來　當以三車　隨汝所欲
今正是時　唯垂給與　長者大富　庫藏衆多
金銀琉璃　車璖馬瑙　以衆寶物　造諸大車
莊校嚴飾　周帀欄楯　四面懸鈴　金繩交絡
真珠羅網　張施其上　金華諸纓　處處垂下
衆綵雜飾　周帀圍繞　柔軟繒纊　以為茵蓐
上妙細疊　價直千億　鮮白淨潔　以覆其上
有大白牛　肥壯多力　形體姝好　以駕寶車
多諸儐從　而侍衛之　以是妙車　等賜諸子
諸子是時　歡喜踊躍　乘是寶車　遊於四方
嬉戲快樂　自在无礙　告舍利弗　我亦如是
衆聖中尊　世間之父　一切衆生　皆是吾子
深著世樂　无有慧心　三界无安　猶如火宅
衆苦充滿　甚可怖畏　常有生老　病死憂患
如是等火　熾燃不息　如來已離　三界火宅
寂然閑居　安處林野　今此三界　皆是我有
其中衆生　悉是吾子　而今此處　多諸患難

BD02034號　妙法蓮華經卷二　(25-11)

深著世樂 无有慧心 三界无安 猶如火宅
衆苦充滿 甚可怖畏 常有生老 病死憂患
如是等火 熾然不息 如來已離 三界火宅
寂然閑居 安處林野 今此三界 皆是我有
其中衆生 悉是吾子 而今此處 多諸患難
唯我一人 能為救護 雖復教詔 而不信受
於諸欲染 貪著深故 是以方便 為說三乘
令諸衆生 知三界苦 開示演說 出世間道
是諸子等 若心決定 具足三明 及六神通
有得緣覺 不退菩薩 汝舍利弗 我為衆生
以此譬喻 說一佛乘 汝等若能 信受是語
一切皆當 得成佛道 是乘微妙 清淨第一
於諸世間 為无有上 佛所悅可 一切衆生
所應稱讚 供養礼拜 无量億千 諸力解脫
禪定智慧 及佛餘法 得如是乘 令諸子等
日夜劫數 常得遊戲 與諸菩薩 及聲聞衆
乘此寶乘 直至道場 以是因緣 十方諦求
更无餘乘 除佛方便 告舍利弗 汝諸人等
皆是吾子 我則是父 汝等累劫 衆苦所燒
我皆濟拔 令出三界 我雖先說 汝等滅度
但盡生死 而實不滅 今所應作 唯佛智慧
若有菩薩 於是衆中 能一心聽 諸佛實法
諸佛世尊 雖以方便 所化衆生 皆是菩薩
若人小智 深著愛欲 為此等故 說於苦諦
衆生心喜 得未曾有 佛說苦諦 真實无異
若有衆生 不知苦本 深著苦因 不能暫捨
為是等故 方便說道 諸苦所因 貪欲為本

BD02034號　妙法蓮華經卷二

（25–12）

若人小智 深著愛欲 為此等故 說於苦諦
衆生心喜 得未曾有 佛說苦諦 真實无異
若有衆生 不知苦本 深著苦因 不能暫捨
為是等故 方便說道 諸苦所因 貪欲為本
若滅貪欲 无所依止 滅盡諸苦 名第三諦
為滅諦故 脩行於道 離諸苦縛 名得解脫
是人於何 而得解脫 但離虛妄 名為解脫
其實未得 一切解脫 佛說是人 未實滅度
斯人未得 无上道故 我意不欲 令至滅度
我為法王 於法自在 安隱衆生 故現於世
汝舍利弗 我此法印 為欲利益 世間故說
在所遊方 勿妄宣傳 若有聞者 隨喜頂受
當知是人 阿鞞跋致 若有信受 此經法者
是人已曾 見過去佛 恭敬供養 亦聞是法
若人有能 信汝所說 則為見我 亦見於汝
及比丘僧 并諸菩薩 斯法華經 為深智說
淺識聞之 迷惑不解 一切聲聞 及辟支佛
於此經中 力所不及 汝舍利弗 尚於此經
以信得入 況餘聲聞 其餘聲聞 信佛語故
隨順此經 非己智分 又舍利弗 憍慢懈怠
計我見者 莫說此經 凡夫淺識 深著五欲
聞不能解 亦勿為說 若人不信 毀謗此經
則斷一切 世間佛種 或復顰蹙 而懷疑惑
汝當聽說 此人罪報 若佛在世 若滅度後
其有誹謗 如斯經典 見有讀誦 書持經者
輕賤憎嫉 而懷結恨 此人罪報 汝今復聽
其人命終 入阿鼻獄 具足一劫 劫盡更生

BD02034號　妙法蓮華經卷二

（25–13）

汝當聽說　此人罪報　若佛在世　若滅度後
其有誹謗　如斯經典　見有讀誦　書持經者
輕賤憎嫉　而懷結恨　此人罪報　汝今復聽
其人命終　入阿鼻獄　具足一劫　劫盡更生
如是展轉　至无數劫　從地獄出　當墮畜生
若狗野干　其形頷瘦　黧黮疥癩　人所觸嬈
又復為人　之所惡賤　常困飢渴　骨肉枯竭
生受楚毒　死被瓦石　斷佛種故　受斯罪報
若作駱駝　或生驢中　身常負重　加諸杖捶
但念水草　餘无所知　謗斯經故　獲罪如是
有作野干　來入聚落　身體疥癩　又无一目
為諸童子　之所打擲　受諸苦痛　或時致死
於此死已　更受蟒身　其形長大　五百由旬
聾騃无足　宛轉腹行　為諸小虫　之所唼食
晝夜受苦　无有休息　謗斯經故　獲罪如是
若得為人　諸根闇鈍　矬陋攣躄　盲聾背傴
有所言說　人不信受　口氣常臭　鬼魅所著
貧窮下賤　為人所使　多病痟瘦　无所依怙
雖親附人　人不在意　若有所得　尋復忘失
若脩醫道　順方治病　更增他疾　或復致死
若自有病　无人救療　設服良藥　而復增劇
若他反逆　抄劫竊盜　如是等罪　橫羅其殃
如斯罪人　永不見佛　衆聖之王　說法教化
如斯罪人　常生難處　狂聾心亂　永不聞法
於无數劫　如恒河沙　生輒聾瘂　諸根不具
常處地獄　如遊園觀　在餘惡道　如己舍宅
駝驢猪狗　是其行處　謗斯經故　獲罪如是

BD02034號　妙法蓮華經卷二　（25-14）

如斯罪人　常生難處　狂聾心亂　永不聞法
於无數劫　如恒河沙　生輒聾瘂　諸根不具
常處地獄　如遊園觀　在餘惡道　如己舍宅
駝驢猪狗　是其行處　謗斯經故　獲罪如是
若得為人　聾盲瘖瘂　貧窮諸衰　以自莊嚴
水腫乾痟　疥癩癰疽　如是等病　以為衣服
身常臭處　垢穢不淨　深著我見　增益瞋恚
婬欲熾盛　不擇禽獸　謗斯經故　獲罪如是
告舍利弗　謗斯經者　若說其罪　窮劫不盡
以是因緣　我故語汝　无智人中　莫說此經
若有利根　智慧明了　多聞強識　求佛道者
如是之人　乃可為說　若人曾見　億百千佛
殖諸善本　深心堅固　如是之人　乃可為說
若人精進　常脩慈心　不惜身命　乃可為說
若人恭敬　无有異心　離諸凡愚　獨處山澤
如是之人　乃可為說　又舍利弗　若見有人
捨惡知識　親近善友　如是之人　乃可為說
若見佛子　持戒清潔　如淨明珠　求大乘經
如是之人　乃可為說　若人无瞋　質直柔軟
常愍一切　恭敬諸佛　如是之人　乃可為說
復有佛子　於大衆中　以清淨心　種種因緣
譬喻言辭　說法无礙　如是之人　乃可為說
若有比丘　為一切智　四方求法　合掌頂受
但樂受持　大乘經典　乃至不受　餘經一偈
如是之人　乃可為說　如人至心　求佛舍利
如是求經　得已頂受　其人不復　志求餘經
亦未曾念　外道典籍　如是之人　乃可為說

BD02034號　妙法蓮華經卷二　（25-15）

但樂受持　大乘經典　乃至不受　餘經一偈
如是之人　乃可為說　如人至心　求佛舍利
如是求經　得已頂受　其人不復　志求餘經
亦未曾念　外道典籍　如是之人　乃可為說
告舍利弗　我說是相　求佛道者　窮劫不盡
如是等人　則能信解　汝當為說　妙法華經

妙法蓮華經信解品第四

尒時慧命須菩提摩訶迦旃延摩訶迦葉摩訶目揵連從佛所聞未曾有法世尊授舍利弗阿耨多羅三藐三菩提記發希有心歡喜踊躍即從座起整衣服偏袒右肩右膝著地一心合掌曲躬恭敬瞻仰尊顏而白佛言我等居僧之首年並朽邁自謂已得涅槃无所堪任不復進求阿耨多羅三藐三菩提世尊往昔說法既久我時在座身體疲懈但念空无相无作於菩薩法遊戲神通淨佛國土成就眾生心不喜樂所以者何世尊令我等出於三界得涅槃證又今我等年已朽邁於佛教化菩薩阿耨多羅三藐三菩提不生一念好樂之心我等今於佛前聞授聲聞阿耨多羅三藐三菩提記心甚歡喜得未曾有不謂於今忽然得聞希有之法深自慶幸獲大善利无量珎寶不求自得世尊我等今者樂說譬喻以明斯義譬若有人年既幼稚捨父逃逝久住他國或十二十至五十歲年既長大加復窮困馳騁四方以求衣食漸漸遊行遇向本國其父先來求子不得中止一城其家

BD02034號　妙法蓮華經卷二　（25–16）

利无量珎寶不求自得世尊我等今者樂說譬喻以明斯義譬若有人年既幼稚捨父逃逝久住他國或十二十至五十歲年既長大加復窮困馳騁四方以求衣食漸漸遊行遇向本國其父先來求子不得中止一城其家大富財寶无量金銀琉璃珊瑚虎珀頗梨珠等其諸倉庫悉皆盈溢多有僮僕臣佐吏民象馬車乘牛羊无數出入息利乃遍他國商估賈客亦甚眾多時貧窮子遊諸聚落經歷國邑遂到其父所止之城父每念子與子離別五十餘年而未曾向人說如此事但自思惟心懷悔恨自念老朽多有財物金銀珎寶倉庫盈溢无有子息一旦終沒財物散失无所委付是以慇懃每憶其子復作是念我若得子委付財物坦然快樂无復憂慮世尊尒時窮子傭賃展轉遇到父舍住立門側遙見其父踞師子床寶几承足諸婆羅門剎利居士皆恭敬圍繞以真珠瓔珞價直千万莊嚴其身吏民僮僕手執白拂侍立左右覆以寶帳垂諸華幡香水灑地散眾名華羅列寶物出內取與有如是等種種嚴飾威德特尊窮子見父有大力勢即懷恐怖悔來至此竊作是念此或是王或是王等非我傭力得物之處不如往至貧里肆力有地衣食易得若久住此或見逼迫強使我作作是念已疾走而去時富長者於師子座見子便識心大歡喜即作是念我財物庫藏今有所付我常思念

BD02034號　妙法蓮華經卷二　（25–17）

是念此或是王或是王等非我傭力得物之
處不如往至貧里肆力有地衣食易得若久
住此或見逼迫強使我作作是念已疾走而
去時冨長者於師子座見子便識心大歡喜
即作是念我財物庫藏今有所付我常思念
此子無由見之而忽自來甚適我願我雖年
朽猶故貪惜即遣傍人急追將還尒時使者
疾走往捉窮子驚愕稱怨大喚我不相犯何
為見捉使者執之愈急強牽將還于時窮子
自念無罪而被囚執此必定死轉更惶怖悶
絕躃地父遥見之而語使言不須此人勿強
將來以冷水灑面令得醒悟莫復與語所以
者何父知其子志意下劣自知豪貴為子所
難審知是子而以方便不語他人云是我子
使者語之我今放汝隨意所趣窮子歡喜得
未曾有從地而起往至貧里以求衣食尒時
長者將欲誘引其子而設方便密遣二人形
色憔悴無威德者汝可詣彼徐語窮子此有
作處倍與汝直窮子若許將來使作若言欲
何所作便可語之雇汝除糞我等二人亦共
汝作時二使人即求窮子既已得之具陳上
事尒時窮子先取其價尋與除糞其父見子
愍而怪之又以他日於窓牖中遥見子身羸
瘦憔悴糞土塵坌汙穢不淨即脫瓔珞細軟
上服嚴飾之具更著麁弊垢膩之衣塵土坌
身右手執持除糞之器狀有所畏語諸作人
汝等勤作勿得懈息以方便故得近其子後

BD02034號　妙法蓮華經卷二　（25–18）

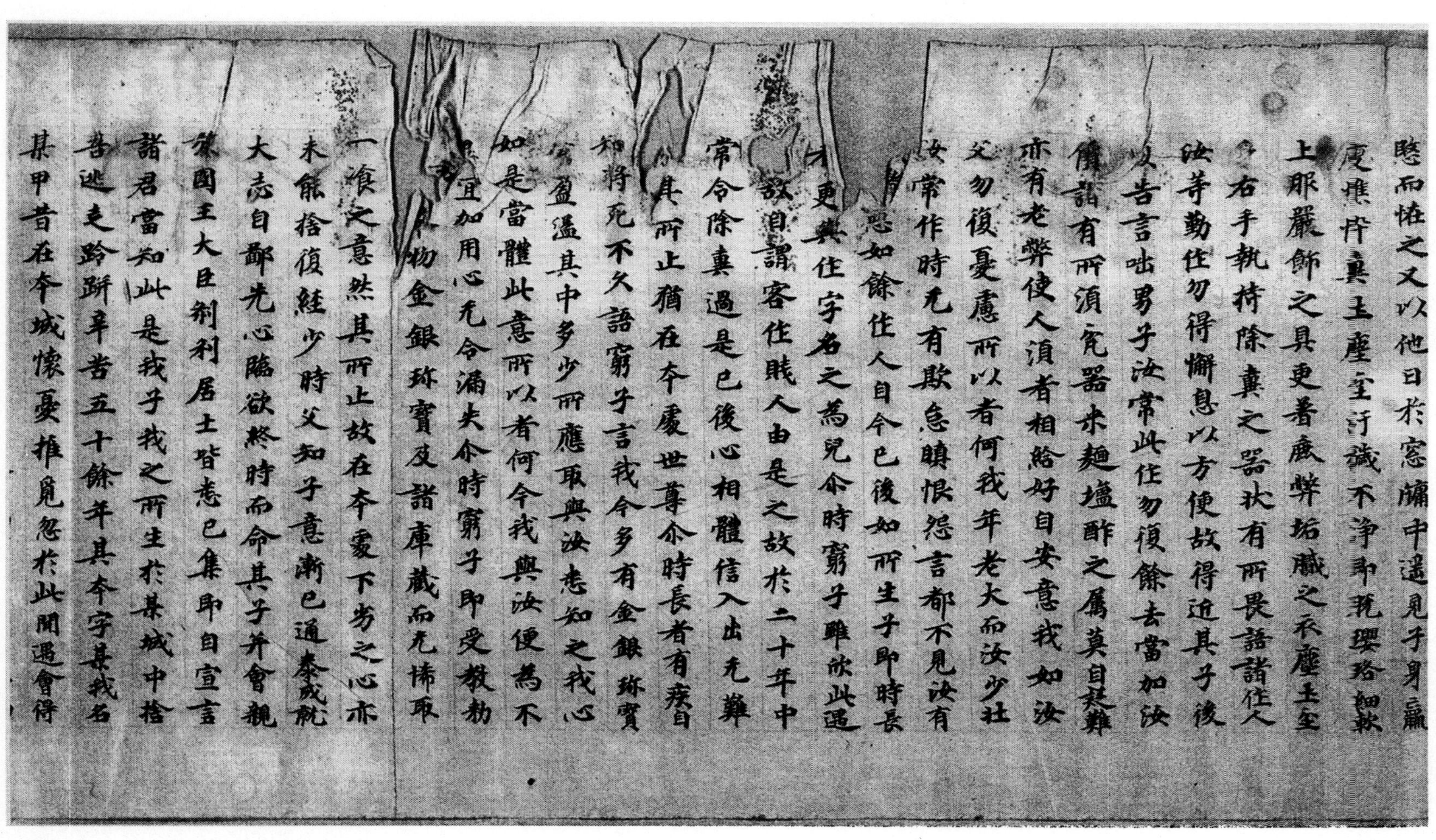

愍而怪之又以他日於窓牖中遥見子身羸
瘦憔悴糞土塵坌汙穢不淨即脫瓔珞細軟
上服嚴飾之具更著麁弊垢膩之衣塵土坌
身右手執持除糞之器狀有所畏語諸作人
汝等勤作勿得懈息以方便故得近其子後
復告言咄男子汝常此作勿復餘去當加汝
價諸有所須瓫器米麵塩酢之屬莫自疑難
亦有老弊使人須者相給好自安意我如汝
父勿復憂慮所以者何我年老大而汝少壯
汝常作時無有欺怠瞋恨怨言都不見汝有
此諸惡如餘作人自今已後如所生子即時長
者更與作字名之為兒尒時窮子雖欣此遇
猶故自謂客作賤人由是之故於二十年中
常令除糞過是已後心相體信入出無難
然其所止猶在本處世尊尒時長者有疾自
知將死不久語窮子言我今多有金銀珎寶
倉庫盈溢其中多少所應取與汝悉知之我心
如是當體此意所以者何今我與汝便為不
異宜加用心無令漏失尒時窮子即受教勅
領知衆物金銀珎寶及諸庫藏而無悕取
一飡之意然其所止故在本處下劣之心亦
未能捨復經少時父知子意漸已通泰成就
大志自鄙先心臨欲終時而命其子并會親
族國王大臣剎利居士皆悉已集即自宣言
諸君當知此是我子我之所生於某城中捨
吾逃走竛竮辛苦五十餘年其本字某我名
某甲昔在本城懷憂推覓忽於此間遇會得

BD02034號　妙法蓮華經卷二　（25–19）

大志自鄙先心臨欲終時而命其子并會親
族國王大臣剎利居士皆悉已集即自宣言
諸君當知此是我子我之所生於某城中捨
吾逃走跰跰辛苦五十餘年其本字某我名
某甲昔在本城懷憂推覓忽於此間遇會得
之此實我子我實其父今我所有一切財物
皆是子有先所出內是子所知世尊是時窮
子聞父此言即大歡喜得未曾有而作是念
我本无心有所悕求今此寶藏自然而至世
尊大富長者則是如來我等皆似佛子如來
常說我等為子世尊我等以三苦故於生死
中受諸熱惱迷惑无知樂著小法今日世尊
令我等思惟蠲除諸法戲論之糞我等於中
勤加精進得至涅槃一日之價既得此已心
大歡喜自以為足便自謂於佛法中勤精進
故所得知多然世尊先知我等心著弊欲樂
於小法便見縱捨不為分別汝等當有如來
知見寶藏之分世尊以方便力說如來智慧
我等從佛得涅槃一日之價以為大得於此
大乘无有志求我等又因如來智慧為諸菩
薩開示演說而自於此无有志願所以者何
佛知我等心樂小法以方便力隨我等說而
我等不知真是佛子今我等方知世尊於佛
智慧无所悋惜所以者何我等昔來真是佛
子而但樂小法若我等有樂大之心佛則為
我說大乘法此經中唯說一乘而昔於菩薩
前毀呰聲聞樂小法者然佛實以大乘教化

智慧无所悋惜所以者何我等昔來真是佛
子而但樂小法若我等有樂大之心佛則為
我說大乘法此經中唯說一乘而昔於菩薩
前毀呰聲聞樂小法者然佛實以大乘教化
是故我等說本无心有所悕求今法王大寶
自然而至如佛子所應得者皆已得之尒時
摩訶迦葉欲重宣此義而說偈言

我等今日　聞佛音教　歡喜踊躍　得未曾有
佛說聲聞　當得作佛　无上寶聚　不求自得
譬如童子　幼稚无識　捨父逃逝　遠到他土
周流諸國　五十餘年　其父憂念　四方推求
求之既疲　頓止一城　造立舍宅　五欲自娛
其家巨富　多諸金銀　車璩馬瑙　真珠琉璃
象馬牛羊　輦轝車乘　田業僮僕　人民眾多
出入息利　乃遍他國　商估賈人　无處不有
千万億眾　圍繞恭敬　常為王者　之所愛念
群臣豪族　皆共宗重　以諸緣故　往來者眾
豪富如是　有大力勢　而年朽邁　益憂念子
夙夜惟念　死時將至　癡子捨我　五十餘年
庫藏諸物　當如之何　尒時窮子　求索衣食
從邑至邑　從國至國　或有所得　或无所得
飢餓羸瘦　體生瘡癬　漸次經歷　到父住城
傭賃展轉　遂至父舍　尒時長者　於其門內
施大寶帳　處師子座　眷屬圍繞　諸人侍衛
或有計筭　金銀寶物　出內財產　注記券疏
窮子見父　豪貴尊嚴　謂是國王　若是王等
驚怖自恠　何故至此　覆自念言　我若久住

傭賃展轉　遂至父舍　爾時長者　於其門內
施大寶帳　處師子座　眷屬圍繞　諸人侍衛
或有計筭　金銀寶物　出內財產　注記券疏
窮子見父　豪貴尊嚴　謂是國王　若是王等
驚怖自怪　何故至此　覆自念言　我若久住
或見逼迫　強驅使作　思惟是已　馳走而去
借問貧里　欲往傭作　長者是時　在師子座
遙見其子　嘿而識之　即勅使者　追捉將來
窮子驚喚　迷悶躄地　是人執我　必當見殺
何用衣食　使我至此　長者知子　愚癡狹劣
不信我言　不信是父　即以方便　更遣餘人
眇目矬陋　无威德者　汝可語之　云當相僱
除諸糞穢　倍與汝價　窮子聞之　歡喜隨來
為除糞穢　淨諸房舍　長者於牖　常見其子
念子愚劣　樂為鄙事　於是長者　著弊垢衣
執除糞器　往到子所　方便附近　語令勤作
既益汝價　并塗足油　飲食充足　薦席厚暖
如是苦言　汝當勤作　又以軟語　若如我子
長者有智　漸令入出　經二十年　執作家事
示其金銀　真珠頗梨　諸物出入　皆使令知
猶處門外　止宿草菴　自念貧事　我无此物
父知子心　漸已曠大　欲與財物　即聚親族
國王大臣　剎利居士　於此大眾　說是我子
捨我他行　經五十歲　自見子來　已二十年
昔於某城　而失是子　周行求索　遂來至此
凡我所有　舍宅人民　悉以付之　恣其所用
子念昔貧　志意下劣　今於父所　大獲珍寶
并及舍宅　一切財物　甚大歡喜　得未曾有

BD02034號　妙法蓮華經卷二　（25–22）

捨我他行　經五十歲　自見子來　已二十年
昔於某城　而失是子　周行求索　遂來至此
凡我所有　舍宅人民　悉以付之　恣其所用
子念昔貧　志意下劣　今於父所　大獲珍寶
并及舍宅　一切財物　甚大歡喜　得未曾有
佛亦如是　知我樂小　未曾說言　汝等作佛
而說我等　得諸无漏　成就小乘　聲聞弟子
佛勅我等　說最上道　修習此者　當得成佛
我承佛教　為大菩薩　以諸因緣　種種譬喻
若干言辭　說无上道　諸佛子等　從我聞法
日夜思惟　精勤修習　是時諸佛　即授其記
汝於來世　當得作佛　一切諸佛　祕藏之法
但為菩薩　演其實事　而不為我　說斯真要
如彼窮子　得近其父　雖知諸物　心不希取
我等雖說　佛法寶藏　自无志願　亦復如是
我等內滅　自謂為足　唯了此事　更无餘事
我等若聞　淨佛國土　教化眾生　都无欣樂
所以者何　一切諸法　皆悉空寂　无生无滅
无大无小　无漏无為　如是思惟　不生喜樂
我等長夜　於佛智慧　无貪无著　无復志願
而自於法　謂是究竟　我等長夜　修習空法
得脫三界　苦惱之患　住最後身　有餘涅槃
佛所教化　得道不虛　則為已得　報佛之恩
我等雖為　諸佛子等　說菩薩法　以求佛道
而於是法　永无願樂　導師見捨　觀我心故
初不勸進　說有實利　如富長者　知子志劣
以方便力　柔伏其心　然後乃付　一切財物

BD02034號　妙法蓮華經卷二　（25–23）

佛所教化　得道不虛　則爲已得　報佛之恩
我等雖爲　諸佛子等　說菩薩法　以求佛道
而於是法　永无願樂　導師見捨　觀我心故
初不勸進　說有實利　如富長者　知子志劣
以方便力　柔伏其心　然後乃付　一切財物
佛亦如是　現希有事　知樂小者　以方便力
調伏其心　乃教大智　我等今日　得未曾有
非先所望　而今自得　如彼窮子　得无量寶
世尊我今　得道得果　於无漏法　得清淨眼
我等長夜　持佛淨戒　始於今日　得其果報
法王法中　久脩梵行　今得无漏　无上大果
我等今者　真是聲聞　以佛道聲　令一切聞
我等今者　真阿羅漢　於諸世間　天人魔梵
普於其中　應受供養　世尊大恩　以希有事
憐愍教化　利益我等　无量億劫　誰能報者
手足供給　頭頂禮敬　一切供養　皆不能報
若以頂戴　兩肩荷負　於恒沙劫　盡心恭敬
又以美饍　无量寶衣　及諸卧具　種種湯藥
牛頭栴檀　及諸珎寶　以起塔廟　寶衣布地
如斯等事　以用供養　於恒沙劫　亦不能報
諸佛希有　无量无邊　不可思議　大神通力
无漏无爲　諸法之王　能爲下劣　忍于斯事
取相凡夫　随宜爲說　諸佛於法　得㝡自在
知諸衆生　種種欲樂　及其志力　随所堪任
以无量喻　而爲說法　随諸衆生　宿世善根
又知成熟　未成熟者　種種籌量　分别知已
於一乘道　随宜說三

BD02034號　妙法蓮華經卷二　（25–24）

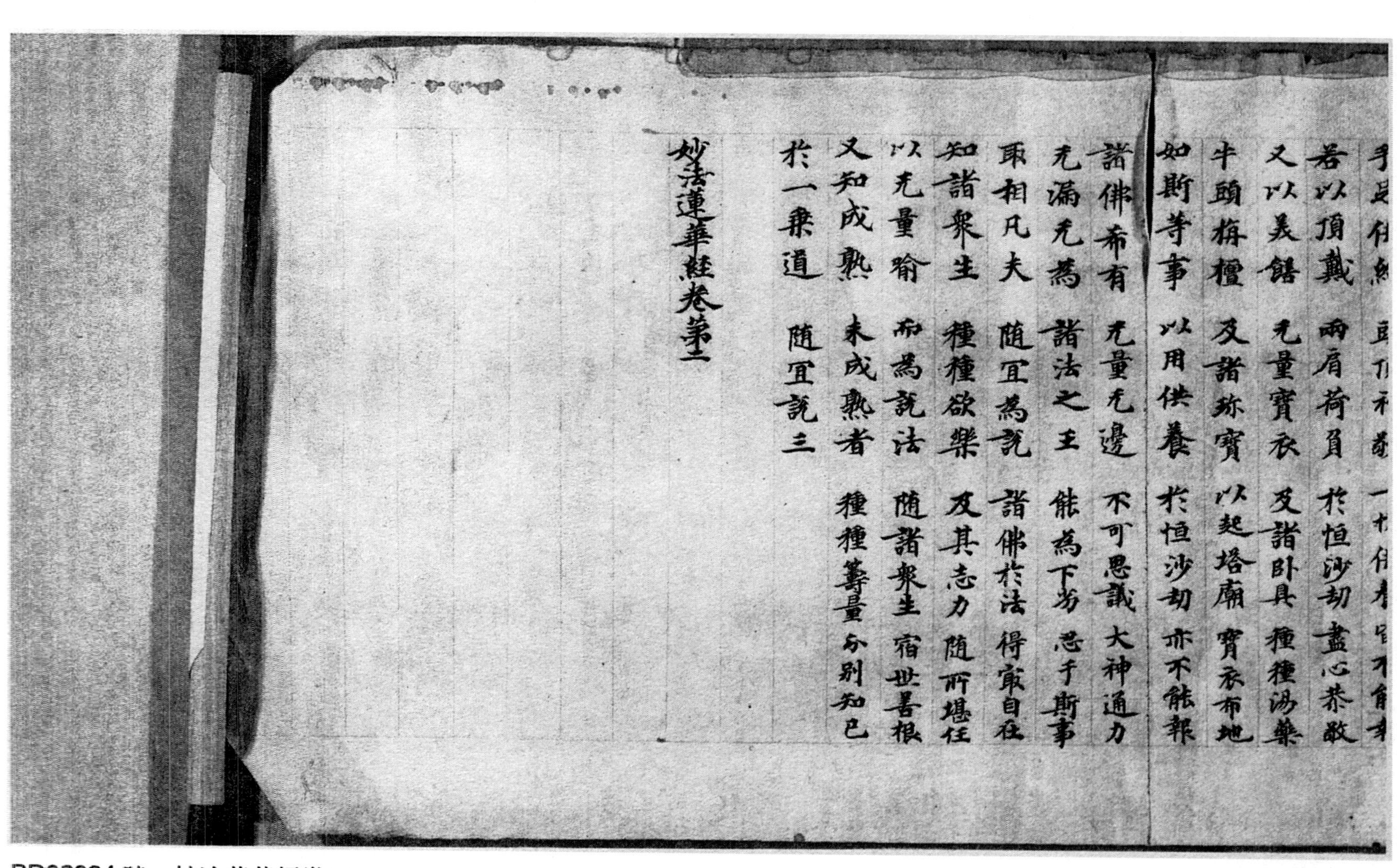
手足供給　頭頂禮敬　一切供養　皆不能報
若以頂戴　兩肩荷負　於恒沙劫　盡心恭敬
又以美饍　无量寶衣　及諸卧具　種種湯藥
牛頭栴檀　及諸珎寶　以起塔廟　寶衣布地
如斯等事　以用供養　於恒沙劫　亦不能報
諸佛希有　无量无邊　不可思議　大神通力
无漏无爲　諸法之王　能爲下劣　忍于斯事
取相凡夫　随宜爲說　諸佛於法　得㝡自在
知諸衆生　種種欲樂　及其志力　随所堪任
以无量喻　而爲說法　随諸衆生　宿世善根
又知成熟　未成熟者　種種籌量　分别知已
於一乘道　随宜說三
妙法蓮華經卷第二

BD02034號　妙法蓮華經卷二　（25–25）

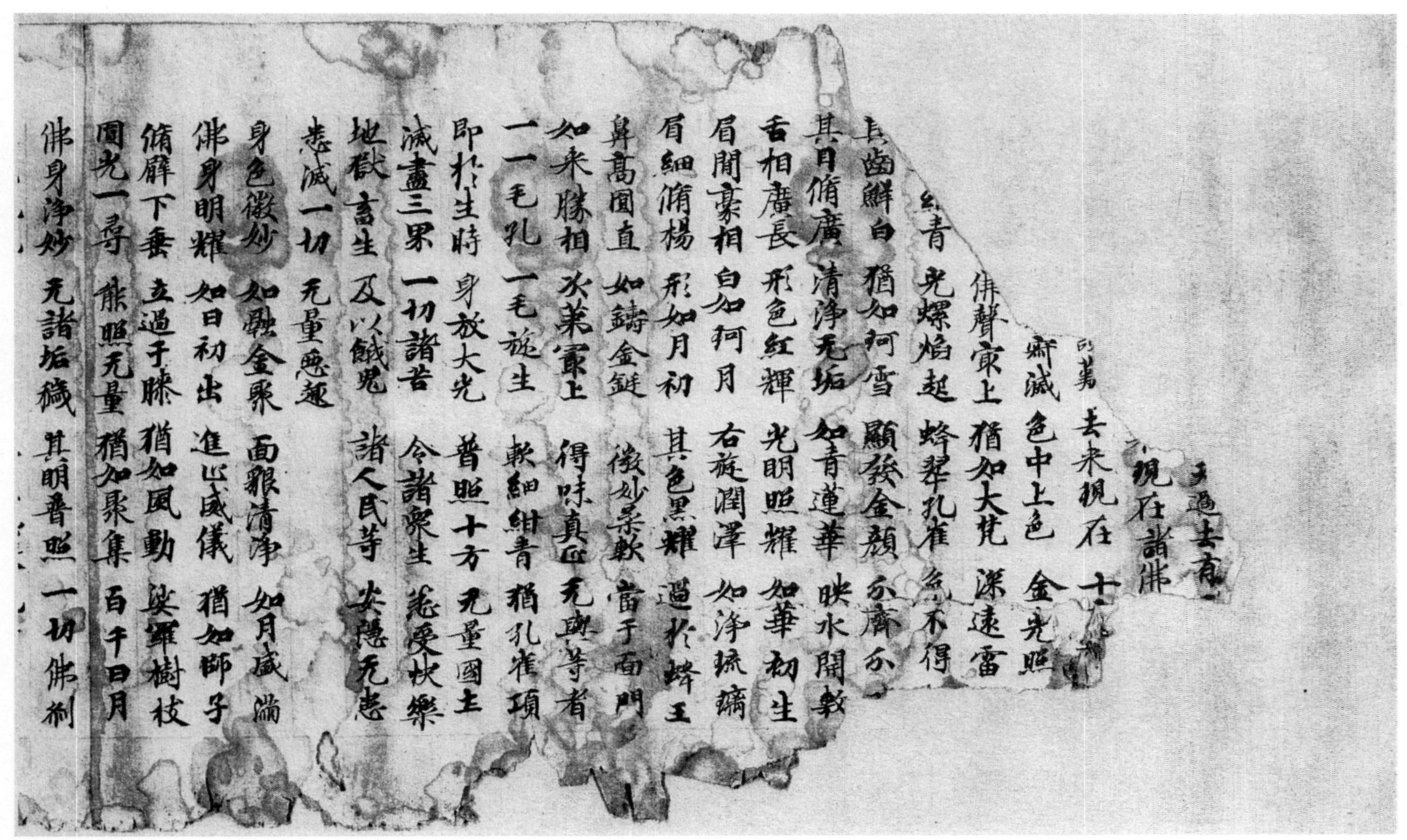

……過去有……
……現在諸佛
……等　去來現在　十方……
……寂滅　色中上色　金光照……
佛聲寂上　猶如大梵　深遠雷……
……紺青　光螺焰起　蜂翠孔雀　色不得……
長齒鮮白　猶如珂雪　顯發金顏　亦齊亦……
其目脩廣　清淨无垢　如青蓮華　映水開敷
舌相廣長　形色紅輝　光明照耀　如華初生
眉間豪相　白如珂月　右旋潤澤　如淨琉璃
眉細脩揚　形如月初　其色黑耀　過於蜂王
鼻高圓直　如鑄金鋌　微妙柔軟　當于面門
如來勝相　次第最上　得味真正　无與等者
一一毛孔　一毛旋生　軟細紺青　猶孔雀項
即於生時　身放大光　普照十方　无量國土
滅盡三界　一切諸苦　令諸衆生　悉受快樂
地獄畜生　及以餓鬼　諸人民等　安隱无患
悉滅一切　无量惡趣
身色微妙　如融金聚　面貌清淨　如月盛滿
佛身明耀　如日初出　進止威儀　猶如師子
脩臂下垂　立過于膝　猶如風動　娑羅樹枝
圓光一尋　能照无量　猶如聚集　百千日月
佛身淨妙　无諸垢穢　其明普照　一切佛刹

BD02035 號　合部金光明經卷四　　（13–1）

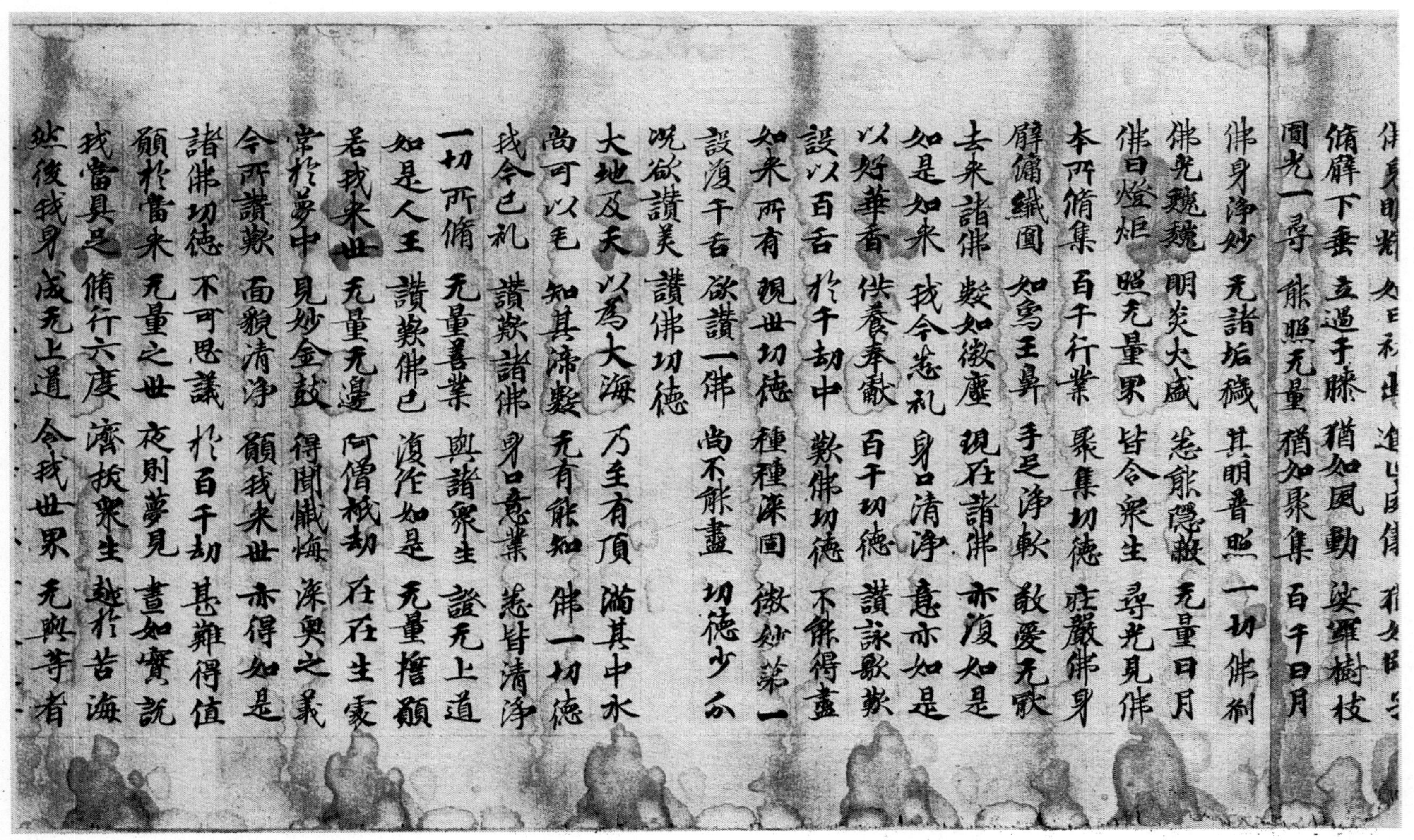

佛身明耀　如日初出　進止威儀　猶如師子
脩臂下垂　立過于膝　猶如風動　娑羅樹枝
圓光一尋　能照无量　猶如聚集　百千日月
佛身淨妙　无諸垢穢　其明普照　一切佛刹
佛光巍巍　明炎大盛　悉能隱蔽　无量日月
佛日燈炬　照无量界　皆令衆生　尋光見佛
本所脩集　百千行業　聚集功德　莊嚴佛身
臂傭纖圓　如象王鼻　手足淨軟　敬愛无猒
去來諸佛　數如微塵　現在諸佛　亦復如是
如是如來　我今悉礼　身口清淨　意亦如是
以好華香　供養奉獻　百千功德　讚詠歌歎
設以百舌　於千劫中　歎佛功德　不能得盡
如來所有　現世功德　種種深固　微妙第一
設復千舌　欲讚一佛　尚不能盡　功德少分
況欲讚美　讚佛功德
大地及天　以爲大海　乃至有頂　滿其中水
尚可以毛　知其渧數　无有能知　佛一功德
我今已礼　讚歎諸佛　身口意業　悉皆清淨
一切所脩　无量善業　與諸衆生　證无上道
如是人王　讚歎佛已　復作如是　无量誓願
若我來世　无量无邊　阿僧祇劫　在在生處
常於夢中　見妙金鼓　得聞懺悔　深奧之義
今所讚歎　面貌清淨　願我來世　亦得如是
諸佛功德　不可思議　於百千劫　甚難得值
願於當來　无量之世　夜則夢見　晝如實說
我當具足　脩行六度　濟拔衆生　越於苦海
然後我身　成无上道　令我世界　无與等者

BD02035 號　合部金光明經卷四　　（13–2）

令所讚歎 面貌清淨 願我來世 亦得如是
諸佛功德 不可思議 於百千劫 甚難得值
願於當來 无量之世 夜則夢見 晝如實說
我當具足 脩行六度 濟拔衆生 越於苦海
然後我身 成无上道 令我世界 无與等者
奉貢金鼓 讚佛因緣 以此果報 當來之世
值釋迦佛 得受記別
并令二子 金龍金光 常生我家 同共受記
若有衆生 无救護者 衆苦逼切 无所依止
我於當來 爲是等輩 作大救護 及依止處
能除衆苦 悉令滅盡 施與衆生 諸善安樂
我未來世 行菩提道 不計劫數 如盡本際
以此金光 懺悔因緣 使我惡海 及以業海
煩惱大海 悉竭无餘
我功德海 願悉成就 智慧大海 清淨具足
无量功德 助菩提道 猶如大海 珎寶具足
以此金光 懺悔力故 菩提功德 光明无礙
慧光无垢 照徹清淨
我當來世 身光普照 功德威神 光明熾盛
於三界中 最勝殊特 諸功德力 无所減少
當度衆生 越於苦海 并復安置 功德大海
來世多劫 行菩提道 如昔諸佛 行菩提道
三世諸佛 淨妙國土 諸佛世尊 无量功德
令我來世 得此殊異 功德淨土 如佛世尊
信相當知 爾時國王 金龍尊者 則汝身是
爾時二子 金龍金光 今汝二子 銀相等是

三世諸佛 淨妙國土 諸佛世尊 无量功德
令我來世 得此殊異 功德淨土 如佛世尊
信相當知 爾時國王 金龍尊者 則汝身是
爾時二子 金龍金光 今汝二子 銀相等是
金光明經空品第八
无量餘經 已廣說空 是故此中 略而解說
衆生根鈍 尠於智慧 不能廣知 无量空義
故此尊經 略而說之
異妙方便 種種因緣 爲鈍根故 起大悲心
今我演說 此妙經典 如我所解 知衆生意
是身虛僞 猶如空聚 六入村落 結賊所止
一切自住 各不相知
眼根受色 耳分別聲 鼻齅諸香 舌嗜於味
所有身根 貪受諸觸 意根分別 一切諸法
六情諸根 各各自緣 諸塵境界 不行他緣
心如幻化 馳騁六情 而常妄想 分別諸法
猶如世人 馳走空聚 六賊所害 愚不知避
心常依止 六根境界 各各自知 所伺之處
隨行色聲 香味觸法
心處六情 如鳥投網 其心在在 常處諸根
隨逐諸塵 无有暫捨 身空虛僞 不可長養
无有諍訟 亦无正主 從諸因緣 和合而有
无有堅實 妄想故起 業力機關 假爲空聚
地水火風 合集成立 隨時增減 共相殘害
猶如四虵 同處一篋
四大蚖虵 其性各異 二上二下 諸方亦二

无有堅實 妄想故起 業力機關 假為空聚
地水火風 合集成立 隨時增減 共相殘害
猶如四虵 同處一篋
四大蚖虵 其性各異 二上二下 諸方亦二
如是虵大 悉滅无餘
地水二虵 其性沉下 風火二虵 性輕上昇
心識二性 躁動不停 隨業受報 天人諸趣
隨所作業 而墮三有 水火風種 散滅壞時
大小不淨 盈流於水 體生諸虫 无可愛樂
捐棄冢間 如朽敗木 善女當觀 諸法如是
何處有人 及以衆生 本性空寂 无明故有
如是諸大 一一不實 本自不生 性无和合
以是因緣 我說諸大 從本不實 和合而有
无明體性 本自不有 妄想因緣 和合而生
无所有故 假名无明 是故我說 名曰无明
行識名色 六入觸受 愛取有生 老死憂惱
衆苦行業 不可思議 生死无際 轉輪不息
本无有生 亦无和合 不善思惟 心行所造
我斷一切 諸見纏等 以智慧刀 裂煩惱網
五陰舍宅 觀悉空寂 證无上道 微妙功德
開甘露門 示甘露器 入甘露城 處甘露室
令諸衆生 食甘露味
吹大法螺 擊大法鼓 然大法燈 雨勝法雨
我今摧伏 一切怨敵 竪立第一 微妙法幢
度諸衆生 於生死海 永斷三惡 无量苦惱
煩惱熾然 燒諸衆生 无有救護 无所依止

BD02035號　合部金光明經卷四　（13–5）

吹大法螺 擊大法鼓 然大法燈 雨勝法雨
我今摧伏 一切怨敵 竪立第一 微妙法幢
度諸衆生 於生死海 永斷三惡 无量苦惱
煩惱熾然 燒諸衆生 无有救護 无所依止
我以甘露 清涼美味 充足是輩 令離焦熱
於无量劫 遵脩諸行 供養恭敬 諸佛世尊
堅固脩集 菩提之道 求於如來 真實法身
捨諸所重 支節手足 頭目髓腦 所愛妻子
錢財珍寶 真珠瓔珞 金銀琉璃 種種異物
三千大千世界中 所有樹木折為籌
三千大地碎微塵 是等微塵遍虛空
一切衆生有智慧 以此智慧與一人
如是人等如微塵 算此微塵可知數
如來智慧不可數 如來一念有智慧
不可數劫算不盡

金光明經依空滿願品第九

尒時如意寶光耀善女天於大衆中從座而
起偏袒右肩右膝著地合掌恭敬以偈白佛
我問照世界 兩足衆勝尊 菩薩正行法 唯願垂聽許
佛言善女天 汝若有疑者 隨汝意所問 吾當分別說
云何諸菩薩 行菩提正行 離生死涅槃 利益自他故
佛言善女天依於法界行菩提法脩平等行
善女天云何依於法界行菩提法脩平等行
善女天五陰能令現法界法界是五陰五陰
亦不可說非五陰亦不可說何以故若五陰
是法界則是斷見若離五陰即是常見離於

BD02035號　合部金光明經卷四　（13–6）

善女天云何依於法界行菩提法脩平等行
善女天五陰能令現法界法界是五陰五陰
亦不可說非五陰亦不可說何以故若五陰
是法界則是斷見若離五陰即是常見離於
二邊不著二邊不可見過所見无名无相是
則名為說於法界善女天云何五陰能現法界
善女天如是五陰不從因緣生何以故若從
因緣生已生故得生未生故得生若已生得生
何用因緣生若已生不從因緣生若未生時不
可得生何以故未生諸法則是不有无名无
相非筭數譬喻之所能知非因緣所生善女
天譬如鼓聲依木依皮依桴依人工等故得
出聲是故鼓聲空過去亦空未來亦空現在
亦空何以故是鼓音聲不從木生不從皮生
不從桴生不從人工生是聲不於三世生是則
不生若不可得生則不可滅不可滅无所從
來若无所從來亦无處去若无處去不常不
斷若不常不斷則不一不異何以故若一不異
法界若尒者凡夫人則見真諦得於无上安
樂涅槃是義不然是故不一若其異者一切諸佛
菩薩行相即是執著未得解脫煩惱繫縛則
不能得阿耨多羅三藐三菩提何以故一切聖
人於行非行法中同智慧行是故不異是故
五陰非有非无不從因緣生非不有五陰不過
聖境界故非言語之所能及无名无相无因
无緣无有境界亦无譬喻始終寂靜本來自

BD02035號　合部金光明經卷四　（13–7）

人於行非行法中同智慧行是故不異是故
五陰非有非无不從因緣生非不有五陰不過
聖境界故非言語之所能及无名无相无因
无緣无有境界亦无譬喻始終寂靜本來自
空是故五陰能現法界善女天若善男子善女
人欲求阿耨多羅三藐三菩提異俗異真如
是難可思量於聖凡境界不異思惟不捨於
俗不捨於真依於法界行菩提行尒時世尊
作是語已時善女天踊躍歡喜即從座起偏
袒右肩右膝著地合掌恭敬一心頂礼而白佛
言世尊如上所說菩提正行我今當學是時
娑婆世界主大梵天王於大衆中問如意寶
光耀善女天此菩提行難可脩行汝心云何於此
菩提行而得自在尒時善女天答梵王言大梵
王若如佛說是真甚深一切凡夫不得其味
是聖境界微妙難知若使我心依於此法得
安樂住如是真實語故願令一切五濁惡世
无量无邊衆生皆得金色卅二相非男非女坐
寶蓮華受无量快樂雨天妙華天諸音樂不
鼓自鳴一切供養皆悉具足是時善女天說
是語已一切五濁惡世所有衆生皆悉金
色具足三十二相非男非女坐寶蓮華受无量
快樂猶如他化自在天宮无諸惡道寶樹行
列七寶蓮華遍滿世界又雨衆七寶上妙天
華作天伎樂如意寶光耀善女天即轉女形
作梵天身時大梵王問如意寶光耀菩薩

BD02035號　合部金光明經卷四　（13–8）

快樂猶如他化自在天宮无諸惡道寶樹行
列七寶蓮華遍滿世界又雨衆七寶上妙天
華作天伎樂如意寶光耀善女天即轉女形
作梵天身時大梵王問如意寶光耀菩薩
言汝昔以何行菩提行菩薩荅言梵王若水
中月能行菩提行者我亦已行菩提之行若
夢見行菩提行我亦行菩提行若焰露行菩提
行我亦行菩提行若聲響行菩提行我亦行菩
提行時大梵王聞此說已語菩薩言汝依何等
而說此語荅言梵王无有一法而有實相因果
相成故梵王又白菩薩言若如此者諸凡夫
人皆悉應得阿耨多羅三藐三菩提菩薩荅
言以何思惟而作是說梵王愚癡人異智慧
人異菩提異非菩提異解脫異非解脫異
梵王如是諸法平等无異於此法界如如不異无
有中間而可執持无增无減梵王譬如幻師善
巧幻術及幻弟子於四衢道聚諸土沙草木
葉等聚在一處作種種幻術使人覩見象衆
馬衆車兵等衆七寶之衆種種倉庫若有衆
生愚癡无智不能思惟不知幻本若見若聞
作是思惟如我所見象馬衆等謂是真實如
見如聞隨能隨力執著所見自言是實於他
非真後不重思惟有智之人則能思惟了於
幻本若見若聞作是思惟如我所見象馬等
衆非是真實唯有幻事惑人眼目是處說名
象馬衆及諸倉庫唯有名字无有實體如我所

BD02035號　合部金光明經卷四　（13–9）

幻本若見若聞作是思惟如我所見象馬等
衆非是真實唯有幻事惑人眼目是處說名
象馬衆及諸倉庫唯有名字无有實體如我所
見如我所聞隨能隨力不執所見自言是實於
他非真後不重思惟是諸智人隨說世語皆欲
令他知實義故如見如聞思惟不亦如是梵王若
有衆生愚癡凡夫未得出世聖智慧故未知一
切諸法如如不可言說是諸凡愚若見若聞
行非行法作是思惟實有如是諸法如我
所見如我所聞是諸凡夫人如見如聞隨能隨
力執著所見自言是實於他非真後不重思
惟若有衆生非凡愚人已見第一義諦得
出世聖慧知一切法如如不可言說是諸聖
人若見若聞行法非行法隨能力不執所見
自言是實於他非真後不重思惟无實行法
无實非行法如我所見如我所聞唯妄思惟
行非行相惑人智慧是處說名行非行法
唯有名字无有實體如我所見如我所聞隨
能隨力不執所見自言是實於他非真後不
重思惟是諸聖人如世語言隨順其說為欲
令他知真實義如是梵王是諸聖人聖智見
故不可言法如如攝行非行法是法如如為
證他智故說種種名時大梵王問如意寶光
耀菩薩言有幾衆生能解能通如是甚深
正法菩薩荅言梵王是若千衆幻化人心數
若千衆生能解能通是甚深法梵王又言此
幻化人即是不有如是心數從何而得菩薩

BD02035號　合部金光明經卷四　（13–10）

耀菩薩言有幾衆生能解能道如是甚深
正法菩薩荅言梵王是若干衆幻化人心數
若干衆生能解能道是甚深法梵王又言此
幻化人即是不有如是心數從何而得菩薩
荅言梵王如是法界不有不无如是衆生能
解能通是甚深義是時梵王白佛言世尊
是如意寶光耀菩薩不可思議通達如是甚
深之義佛言如是如是梵王如汝所言何以故
是如意寶光耀菩薩已教梵王學觀无生忍
法於是大梵天王與諸梵衆從座而起偏袒
右肩右膝著地合掌恭敬頂禮如意寶光耀
菩薩是說如是言希有希有我等今日得見
大師得聞正法是時世尊於一切法通達
无礙告梵王言是如意寶光耀菩薩於未來
世當得作佛号曰寶焰吉上藏如來 應
供正遍知說是金光明微妙經典三千億菩
薩得不退阿耨多羅三藐三菩提八千億天
子得无垢淨於法成就清淨法眼无量无數國
王臣民得法眼淨五十億比丘行菩提行欲退
菩提心聞如意寶光耀菩薩說法得堅固不
可思議滿足之願更復續發菩提之心各自
脫衣供養菩薩重發无上勝進心發无上勝進
心已願令我等功德善根悉皆不退迴向阿耨
多羅三藐三菩提如是比丘依此功德脩行過九
十大劫當得成就是諸比丘出於生死作後世
因世尊授記過卅阿僧祇劫當得作佛号難勝

多羅三藐三菩提如是比丘依此功德脩行過九
十大劫當得成就是諸比丘出於生死作後世
因世尊授記過卅阿僧祇劫當得作佛号難勝
光王其國名曰无垢光同時皆得阿耨多羅三
藐三菩提皆同一号名願莊嚴聞爾王佛尒時
佛告梵王是金光明經正聞正聽有大神力梵
王百千大劫行六波羅蜜无有方便若有善
男子善女人已得聽聞是金光明經書寫半月
半月一遍轉讀是功德聚於前功德百千分
不及一分乃至筭數譬喻所不能及梵王是
故我今當令脩學受持為他廣說何以故如
是甚深微妙經典我行菩薩道時如於戰陣
不惜身命得道此經受持讀誦為他解說梵
王譬如轉輪聖王若王在世七寶不滅王若
過世一切七寶自然而盡梵王如是金光明
微妙經典若現在世大正法寶皆悉不滅是
故當依金光明經聽聞讀誦受持為他解說
令他書寫於功德中行精進波羅蜜不惜身
命不憚疲勞我諸弟子應當如是精勤脩學
是時大梵天王與无量梵衆帝釋四王及夜
叉衆俱從座起偏袒右肩右膝著地合掌恭
敬而白佛言我等一切為守護流通是金光
明微妙經典說法法師若有諸難我當除却
令具諸善色味滿足辯才无礙身心開解時
會之衆皆令快樂是處國主若飢饉怨賊非
人之畏我等壞却使其人民豐盛歡逸皆是

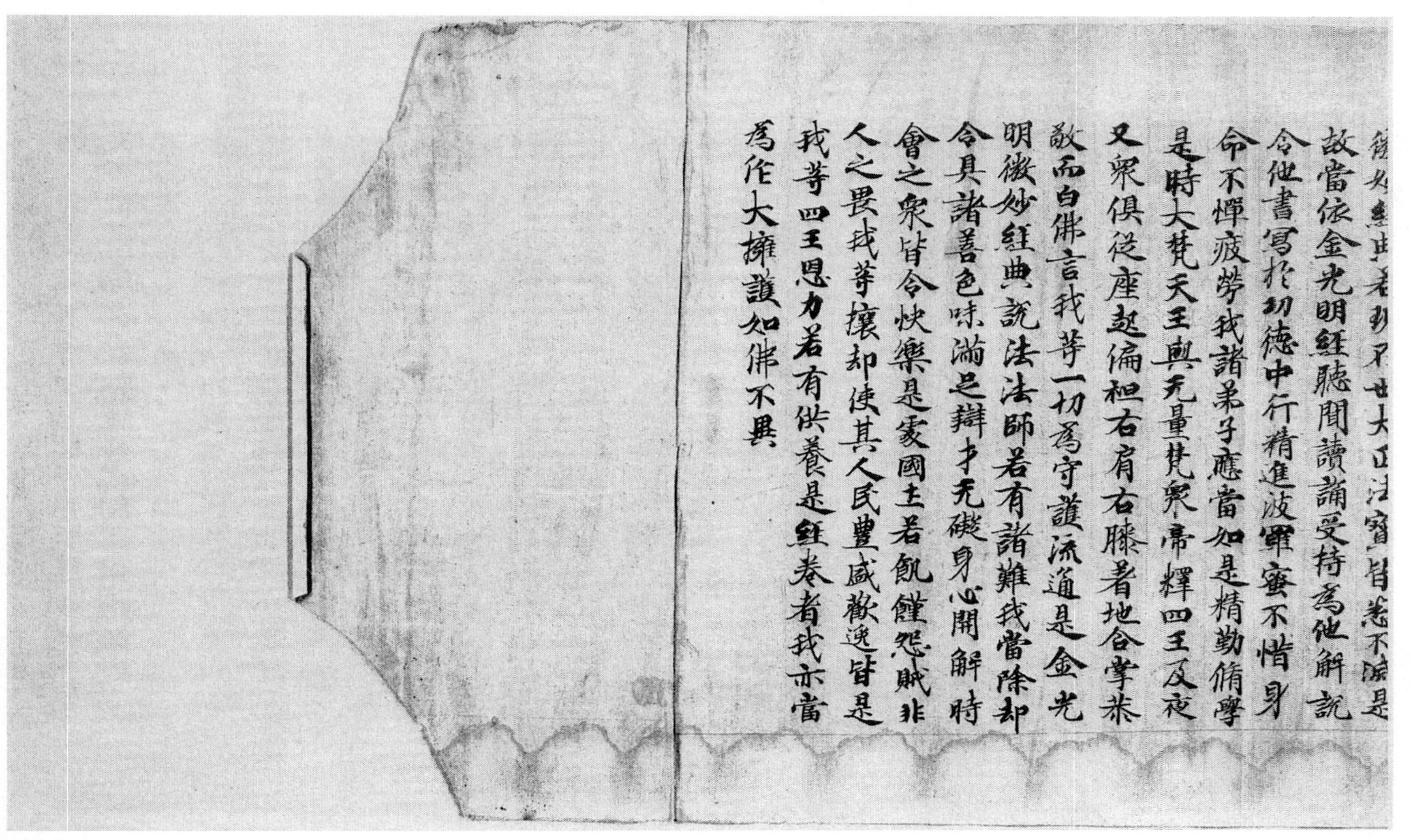

BD02035號　合部金光明經卷四　（13–13）

BD02036號　金剛般若波羅蜜經　（9–1）

後日分亦以恒河沙等身布施如是无量百
千万億劫以身布施若復有人聞此經典信
心不逆其福勝彼何况書寫受持讀誦為人
解說須菩提以要言之是經有不可思議不
可稱量无邊功德如来為發大乘者說為發
冣上乘者說若有人能受持讀誦廣為人說
如来悉知是人悉見是皆成就不可量不可
稱无有邊不可思議功德如是人等則為
荷擔如来阿耨多羅三藐三菩提何以故須菩
提若樂小法者著我見人見衆生見壽者
見則於此經不能聽受讀誦為人解說須菩
提在在處處若有此經一切世間天人阿脩
羅所應供養當知此處則為是塔皆應恭
敬作礼圍遶以諸華香而散其處
復次須菩提善男子善女人受持讀誦此經
若為人輕賤是人先世罪業應墮惡道以今
世人輕賤故先世罪業則為消滅當得阿耨
多羅三藐三菩提須菩提我念過去无量阿
僧祇劫於然燈佛前得值八百四千万億那
由他諸佛悉皆供養承事无空過者若復
有人於後末世能受持讀誦此經所得功德於
我所供養諸佛功德百分不及一千万億分
乃至筭數譬喻所不能及須菩提若善男子
善女人於後末世有受持讀誦此經所得功
德我若具說者或有人聞心則狂亂狐疑不
信須菩提當知是經義不可思議果報亦不
可思議

乃至筭數譬喻所不能及須菩提若善男子
善女人於後末世有受持讀誦此經所得功
德我若具說者或有人聞心則狂亂狐疑不
信須菩提當知是經義不可思議果報亦不
可思議
尒時須菩提白佛言世尊善男子善女人發
阿耨多羅三藐三菩提心云何應住云何降
伏其心佛告須菩提善男子善女人發阿耨
多羅三藐三菩提者當生如是心我應滅
度一切衆生滅度一切衆生已而无有一切衆生
實滅度者何以故若菩薩有我相人相衆生
相壽者相則非菩薩所以者何須菩提實无
有法發阿耨多羅三藐三菩提者須菩提於
意云何如来於然燈佛所有法得阿耨多羅
三藐三菩提不不也世尊如我解佛所說義
佛於然燈佛所无有法得阿耨多羅三藐三
菩提佛言如是如是須菩提實无有法如来
得阿耨多羅三藐三菩提須菩提若有法如
来得阿耨多羅三藐三菩提者然燈佛則不
與我授記汝於来世當得作佛号釋迦牟尼
以實无有法得阿耨多羅三藐三菩提是故
然燈佛與我授記作是言汝於来世當得作
佛号釋迦牟尼何以故如来者即諸法如義
若有人言如来得阿耨多羅三藐三菩提須
菩提實无有法佛得阿耨多羅三藐三菩
是須菩提如来所得阿耨多羅三藐三菩提

然燈佛與我授記作是言汝於來世當得作
佛号釋迦牟尼何以故如來者即諸法如義
若有人言如來得阿耨多羅三藐三菩提須
菩提實无有法佛得阿耨多羅三藐三菩
提須菩提如來所得阿耨多羅三藐三菩提
於是中无實无虛是故如來説一切法皆是佛
法須菩提所言一切法者即非一切法是故
名一切法須菩提譬如人身長大須菩提言
世尊如來説人身長大則為非大身是名大
身須菩提菩薩亦如是若作是言我當滅度
无量衆生則不名菩薩何以故須菩提實无
有法名為菩薩是故佛説一切法无我无人
无衆生无壽者須菩提若菩薩作是言我當
莊嚴佛土是不名菩薩何以故如來説莊嚴
佛土者即非莊嚴是名莊嚴須菩提若菩薩
通達无我法者如來説名真是菩薩
須菩提於意云何如來有肉眼不如是世尊
如來有肉眼須菩提於意云何如來有天眼
不如是世尊如來有天眼須菩提於意云何
如來有慧眼不如是世尊如來有慧眼須菩
提於意云何如來有法眼不如是世尊如來
有法眼須菩提於意云何如來有佛眼不如
是世尊如來有佛眼須菩提於意云何恒
河中所有沙佛説是沙不如是世尊如來説
是沙須菩提於意云何如一恒河中所有沙

BD02036號　金剛般若波羅蜜經　（9–4）

有法眼須菩提於意云何如來有佛眼不如
是世尊如來有佛眼須菩提於意云何恒
河中所有沙佛説是沙不如是世尊如來説
是沙須菩提於意云何如一恒河中所有沙
有如是等恒河是諸恒河所有沙數佛世界
如是寧為多不甚多世尊佛告須菩提尒
所國土中所有衆生若干種心如來悉知何以
故如來説諸心皆為非心是名為心所以者
何須菩提過去心不可得現在心不可得未
來心不可得須菩提於意云何若有人滿三
千大千世界七寶以用布施是人以是因緣
得福多不如是世尊此人以是因緣得福甚
多須菩提若福德有實如來不説得福德
多以福德无故如來説得福德多
須菩提於意云何佛可以具足色身見不不
也世尊如來不應以具足色身見何以故如來
説具足色身即非具足色身是名具足色
身須菩提於意云何如來可以具足諸相見
不不也世尊如來不應以具足諸相見何以
故如來説諸相具足即非具足是名諸相具
足須菩提汝勿謂如來作是念我當有所説
法莫作是念何以故若人言如來有所説法
即為謗佛不能解我所説故須菩提説法者
无法可説是名説法須菩提白佛言世尊佛
得阿耨多羅三藐三菩提為无所得耶如是

BD02036號　金剛般若波羅蜜經　（9–5）

即為謗佛不能解我所說故須菩提說法者
无法可說是名說法須菩提白佛言世尊頗
得阿耨多羅三藐三菩提為无所得耶如是
如是須菩提我於阿耨多羅三藐三菩提乃
至无有少法可得是名阿耨多羅三藐三菩
提復次須菩提是法平等无有高下是名阿
耨多羅三藐三菩提以无我无人无衆生无
壽者脩一切善法則得阿耨多羅三藐三菩
提須菩提所言善法者如來說非善法是名
善法須菩提若三千大千世界中所有諸須
弥山王如是等七寶聚有人持用布施若人
以此般若波羅蜜經乃至四句偈等受持為
他人說於前福德百分不及一百千万億分
乃至筭數譬喻所不能及
須菩提於意云何汝等勿謂如來作是念我
當度衆生須菩提莫作是念何以故實无有
衆生如來度者若有衆生如來度者如來則
有我人衆生壽者須菩提如來說有我者則
非有我而凡夫之人以為有我須菩提凡夫
者如來說則非凡夫須菩提於意云何可以
三十二相觀如來不須菩提言如是如是以
三十二相觀如來佛言須菩提若以三十二
相觀如來者轉輪聖王則是如來須菩提白
佛言世尊如我解佛所說義不應以三十二
相觀如來尒時世尊而說偈言

BD02036號　金剛般若波羅蜜經　（9–6）

三十二相觀如來佛言須[illegible]
相觀如來者轉輪聖王則是如來須菩提白
佛言世尊如我解佛所說義不應以三十二
相觀如來尒時世尊而說偈言
若以色見我　以音聲求我　是人行邪道　不能見如來
須菩提汝若作是念如來不以具足相故得阿
耨多羅三藐三菩提須菩提莫作是念如
來不以具足相故得阿耨多羅三藐三菩提
須菩提汝若作是念發阿耨多羅三藐三菩
提者說諸法斷滅莫作是念何以故發阿耨
多羅三藐三菩提者於法不說斷滅相須菩
提若菩薩以滿恒河沙等世界七寶布施
若復有人知一切法无我得成於忍此菩薩
勝前菩薩所得功德何以故須菩提以諸
菩薩不受福德故須菩提白佛言世尊云何
菩薩不受福德須菩提菩薩所作福德不
應貪著是故說不受福德須菩提若有人言
如來若來若去若坐若卧是人不解我所說
義何以故如來者无所從來亦无所去故名
如來須菩提若善男子善女人以三千大千
世界碎為微塵於意云何是微塵衆寧為多
不甚多世尊何以故若是微塵衆實有者佛
則不說是微塵衆所以者何佛說微塵衆則
非微塵衆是名微塵衆世尊如來所說三千
大千世界則非世界是名世界何以故若世界
實有者則是一合相如來說一合相則非一合

BD02036號　金剛般若波羅蜜經　（9–7）

則不說是微塵衆所以者何佛說微塵衆
非微塵衆是名微塵衆世尊如來所說三千
大千世界則非世界是名世界何以故若世界
實有者則是一合相如來說一合相則非一合
相是名一合相須菩提一合相者則是不可
說但凡夫之人貪着其事須菩提若人
言佛說我見人見衆生見壽者見須菩提
於意云何是人解我所說義不不也世尊是
人不解如來所說義何以故世尊說我見人見
衆生見壽者見即非我見人見衆生見壽者
見是名我見人見衆生見壽者見須菩提發
阿耨多羅三藐三菩提心者於一切法應如是
知如是見如是信解不生法相須菩提所言
法相者如來說即非法相是名法相須菩
提若有人以滿無量阿僧祇世界七寶持用
布施若有善男子善女人發菩薩心者持於
此經乃至四句偈等受持讀誦為人演說其
福勝彼云何為人演說不取於相如如不動
何以故
一切有為法　如夢幻泡影　如露亦如電　應作如是觀
佛說是經已長老須菩提及諸比丘比丘尼
優婆塞優婆夷一切世間天人阿脩羅聞
佛所說皆大歡喜信受奉行

金剛般若波羅蜜經

BD02036號　金剛般若波羅蜜經　　（9–8）

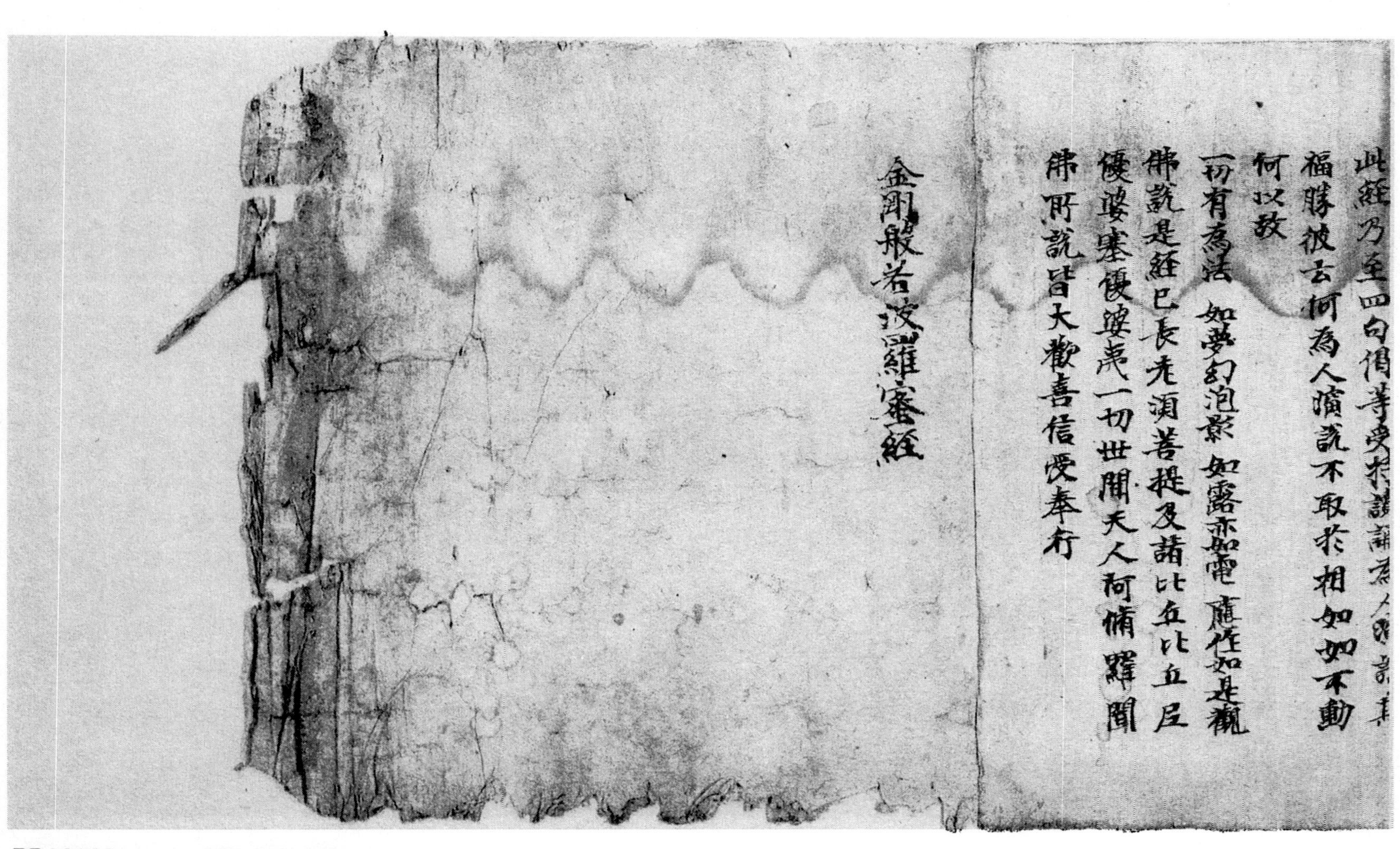

此經乃至四句偈等受持讀誦為人演說其
福勝彼云何為人演說不取於相如如不動
何以故
一切有為法　如夢幻泡影　如露亦如電　應作如是觀
佛說是經已長老須菩提及諸比丘比丘尼
優婆塞優婆夷一切世間天人阿脩羅聞
佛所說皆大歡喜信受奉行

金剛般若波羅蜜經

BD02036號　金剛般若波羅蜜經　　（9–9）

涉遠逢得……世尊
一日世尊无慧教化衆
來欲何所為目連白曰太
子應令出家脩學聖道所
愛少時如意一旦命終墮三
離別窈窈冥冥母不知子子不知
母羅睺得道當還度母永度生老病死憂悲
得至涅槃如佛今也
耶輸陀羅答目連曰釋迦如來為太子時娶
我為妻奉事太子如事天神曾无一失共為
夫婦未滿三年捨五欲樂騰越宮城逃至王
田王身往迎違戾不從又遣車匿白馬令還
自要道成誓願當歸被鹿皮衣譬如狂人隱
居山澤勤苦六年得佛還國都不見親愍念
恩舊劉於路人違離父母寄居他邦使我母
子守孤抱窮无有生賴唯死是從人命至重
不能自刑懷毒抱恨強存性命雖居人類不
如畜生禍中之禍豈有是哉今復遣使欲求
我子為其眷屬何酷如之太子成道自言慈ゝ
悲ゝ之道應安樂衆生今反離別人之母子苦
中之甚莫若恩愛離別之苦以是推之何慈
之有
白目連曰還白世尊宣我所陳時大目連更

BD02037號　未曾有因緣經卷上

（23–1）

如畜生禍中之禍豈有是哉今復遣使欲求
我子為其眷屬何酷如之太子成道自言慈ゝ
悲ゝ之道應安樂衆生今反離別人之母子苦
中之甚莫若恩愛離別之苦以是推之何慈
之有
白目連曰還白世尊宣我所陳時大目連更
以方便種種因緣……諫喻反覆再三耶輸
陀羅絶无聽意辭退還到淨飯王所具宣上
事王聞是已令喚夫人波闍波提王告夫人
我子悉達遣目連來迎取羅雲欲令入道脩
學聖法耶輸陀羅女人愚癡未解法要心堅
意固纏着恩愛情无縱捨卿可往彼重諫謝
之令其心悟時大夫人即便將……百青衣往
至耶輸陀羅所住宮中種種方便隨宜諫喻
反覆再三耶輸陀羅猶故不聽白夫人曰我在
家時八國諸王競來見求父母不許所以者何
釋迦太子才藝過人是故父母以我配之太
子尒時知不住世出家學道何故慇懃苦
求我也夫人娶婦正為恩好娶集歡樂万
世相承子孫相續紹繼宗嗣……正禮太子
既去復求羅睺欲令出家永絶國嗣有何
善哉尒時皇后聞是語已嘿然无言不知所
云尒時世尊即遣化人空中告言耶輸陀羅
汝頗憶念往古世時誓願事不釋迦如來當
尒之時為菩薩道以五百銀錢從汝買得五
莖蓮華上定光佛時汝求我世世所生共為

BD02037號　未曾有因緣經卷上

（23–2）

善哉尒時皇后聞是語已嘿然无言不知所
云尒時世尊即遣化人空中告言耶輸陁羅
汝頗憶念往古世時誓願事不釋迦如來爾
尒之時為菩薩道以五百銀錢從汝買得五
莖蓮華上定光佛時汝求我世世所生共為
夫妻我不欲受即語汝言我菩薩累劫行
願一切布施不逆人意汝能尒者聽為我妻
汝立誓言世世所生國城妻子及與我身隨
君施與誓无悔心而今何故愛惜羅睺不令
出家學聖道也耶輸陁羅聞是語已霍然還
識宿命業因緣事事明了如昨所見愛子之
情自然消歇遣喚目連識悔辭謝捉羅睺手
付囑目連與子離別涕淚交流尒時羅睺見
母愁苦長跪合掌辭謝母言願母莫愁羅睺
今往定省世尊尋尒當還与母相見時淨飯
王為欲安慰耶輸陁羅令其喜故即時白集
國中豪族而告之言金輪王子今當往彼舍婆
提國從佛世尊出家學道煩卿人人各遣
一子隨從我孫咸皆唯然奉大王命即時合
集有五十人隨從羅睺往到佛所頭面作礼
佛使阿難剃羅睺頭及其五十諸公王子悉
令出家命舍利弗為其和上大目揵連作阿
闍梨授十戒法便為沙弥羅睺幼稚習樂儆
愓眈著嬉戲不樂聽法佛數告勑捍不從用
非可如何尒時舍衛國波斯匿王聞佛子羅
睺出家為沙弥與其群臣夫人太子後宮婇
女婆羅門居士恭敬圍繞於其晨朝來詣佛

BD02037號　未曾有因緣經卷上　（23-3）

愓眈著嬉戲不樂聽法佛數告勑捍不從用
非可如何尒時舍衛國波斯匿王聞佛子羅
睺出家為沙弥與其群臣夫人太子後宮婇
女婆羅門居士恭敬圍繞於其晨朝來詣佛
所礼拜問訊并看佛子羅睺沙弥各一面坐佛
為說法王及群臣愊懒習樂不堪苦坐聽
佛說法辭退欲還尒時世尊知王始信根
未立將欲開悟王及群臣為利益故告阿難
曰汝可往召沙弥羅云及其眷屬悉皆令集
聽佛說法阿難往召須臾皆集佛告王曰且
待須臾聽我說法王叉手白言我此身習樂
來久不堪苦坐願佛垂恕佛告王曰此不為
苦所以者何前身種福今為人王常處深宮
五欲恣意出入導從腳不蹈地何名為苦三
界之苦莫若地獄畜生餓鬼諸難等苦如此
諸苦前已曾說
佛告羅云佛世難值法難得聞人命難保得道
亦難子今既得人身值佛在世何故懈怠不聽
法耶羅云白佛佛法精妙小兒意麤安能聽
受世尊法也前已數聞尋復忘失徒勞精
神无所一獲及今少年且放情肆意至年
大時自當小差堪任受法佛告羅云万物无
常身亦難保汝能保命至年大不唯然世尊
羅云不能佛豈不能保子命耶佛語羅云我
尚不自保豈況汝也羅云白佛佛徒勞聽法既
不得道聞法之功何益於人佛告羅云聽法之
功雖於今身不能得道五道受身多所利益

BD02037號　未曾有因緣經卷上　（23-4）

羅云不能佛豈不能何子命耶佛語羅云我
尚不自保豈况汝也羅云白佛徒勞聽法既
不得道聞法之功何益於人佛告羅云聽法之
功雖於今身不能得道五道受身多所利益
如我前說般若智慧亦名甘露亦名良藥亦
名橋梁亦名大船汝不聞乎羅云白佛惟然
世尊時波斯匿王長跪合掌白天尊曰如佛
所說般若智慧有四種名其義云何願佛哀
愍為我說之佛告王言欲得聞者著心諦聽
吾今說之佛言憶念過去无數劫時毗摩大
國徙他山中有一野干為師子王追逐欲食
野干惶怖奔走墮一丘井不能得出經於三
日開心分死而說偈言
禍哉今日苦所逼　便當沒命於丘井
一切万物皆无常　恨不以身餧師子
嗚呼奈何罪厄身　貪惜軀命无功死
无功而死尚可恨　况復臭身汙人水
南无懺悔十方佛　表知我心淨无已
前世所造三業罪　願於今身償令畢
從是世世遭明師　如法脩行速成佛
時天帝釋聞佛名　肅然毛竪念古佛
自惟孤露无師導　耽著五欲自沈沒
不能得出恩愛獄　恩惟感切目下淚
即與諸天八万衆　飛下詣井欲問詰
乃見野干在井底　兩手攀土不能出
天帝復自思念言　聖人應現无方述
今我雖見野干形　斯必菩薩非凡器

BD02037 號　未曾有因緣經卷上　（23–5）

不能得出恩愛獄　恩惟感切目下淚
即與諸天八万衆　飛下詣井欲問詰
乃見野干在井底　兩手攀土不能出
天帝復自思念言　聖人應現无方述
今我雖見野干形　斯必菩薩非凡器
今當請問質我疑　并令諸天得聞法
不聞聖教曠大久　常處幽冥无師導
仁者向說非凡語　願為諸天宣法教
於時野干仰答曰　汝為天帝无教訓
不知時宜甚癡擻　法師在下自處上
都不脩敬問法要　法水清淨能濟人
云何欲得懷貢高　天帝聞是大慚愧
給侍諸天愕然唉　天王降心大无利
而被慙恥甚可悼　帝釋即時告諸天
慎莫以此為驚怙　是我頑弊行不稱
必當因是聞法要　即為垂下天寶衣
接取野干出於上　叉手辭謝說不是
叩頭懺悔願垂亮　諸天寶尒如尊誨
纏綿五欲致迷荒　皆由不過善師導
為說苦樂常无常　諸天為設甘露食
野干得食生活望　非意禍中致斯福
心懷踊躍慶无量
於是野干心自念言畜生道中醜弊困厄无
過野干智慧力故乃致如是復作是念形殘
之命本非所愛所以稱慶大歡喜者為通初
化月此諸癡天皆蒙帝釋先有般若一豪之分
共相隨來皆欲聞法而自歎言奇哉奇哉何

BD02037 號　未曾有因緣經卷上　（23–6）

過野干智慧力故乃致如是復作是念求残
之命本非所愛所以稱慶大歡喜者為通初
化耳此諸癡天皆蒙帝釋先有般若一豪之分
共相隨來皆欲聞法而自歎言奇哉奇哉何
慰如之今當通化成我功德復作是念今日之
恩莫不由我先師和上慈哀教授智慧方便
功德力乎南无我師南无我師南无般若南
无般若雖復失行生惡趣中猶識宿命知
其業緣般若之力能感諸天降神來下接濟
供養復得通化度我發心時天帝釋告諸天
曰如師言者定欲說法我等今來決得善利
今當人人叩頭丹誠請令說法咸然唯諾即
各脩敬偏袒右肩圍繞野干長跪合掌異口
同音而說頌曰
善哉善哉　和上野干　唯願說法　開化天人
天人幽冥　五欲所縛　恒恐福盡　无常所逐
死墮惡道　求拔良難　從久遠來　數万億年
今始一遇　良祐福田　唯垂慈哀　宣示法言
天人得福　衆生亦然　願與和上　永劫相連
至成佛道　常作因緣　明人難值　故立誓焉
於是野干見諸天人慇懃勸請樂欲聞法益
加欣踊告天帝曰憶念我昔曾見世人欲聞
法者先敷高坐莊餝清淨方請法師登坐
說法所以者何經法貴重敬之得福不宜輕慢
自彰福也諸天聞已咸言唯諾脫天寶衣積
為高坐須臾之間莊校嚴餝清淨第一野干
昇坐告天帝曰吾今說法正當為二大因緣

BD02037 號　未曾有因緣經卷上　（23–7）

加欣踊告天帝曰憶念我昔曾見世人欲聞
法者先敷高坐莊餝清淨方請法師登坐
說法所以者何經法貴重敬之得福不宜輕慢
自彰福也諸天聞已咸言唯諾脫天寶衣積
為高坐須臾之間莊校嚴餝清淨第一野干
昇坐告天帝曰吾今說法正當為二大因緣
故何等為二一者說法開化天人福无量故
二者為報施食恩故豈得不說天帝白曰兔
井厄難得全身命功報應大尊者云何說法
報恩不及此耶所以者何一切天下皆樂生
求安无欲死者以是因緣全命之功豈得不
大野干荅曰死生之宜各有其人有人貪生
有人樂死何人貪生其人生世愚癡幽冥不
知死已後世更生違佛遠法不遭明師煞盜
婬欺唯惡是從如是之人貪生畏死何人樂
死遭遇明師奉侍三寶改惡脩善孝養父母敬
事師長和順妻子奴婢眷屬謙敬於人如斯
之人惡生樂死所以者何善人死者福應生天
受五欲樂惡人死者應入地獄受无量苦
善人樂死如囚出獄惡人畏死如囚入獄天
帝問曰如尊所誨全其軀命无功夫者誠
如所言其餘二功施食施法有何功德唯願
說之開化盲冥野干荅曰布施飲食濟一日
命施珎寶物濟一世乏增益生死繫縛因緣
說法教化名為法施能令衆生出世間道出
世間道凡有三種一者羅漢二辟支佛三者
佛道此三乘人皆從聞法如說脩行又諸衆

BD02037 號　未曾有因緣經卷上　（23–8）

説法教化名為法施能令衆生出世間道出
世間道凡有三種一者羅漢二辟支佛三者
佛道此三乘人皆從聞法如説脩行又諸衆
生免三惡道受人天福樂皆由聞法是故佛
説以法布施功德无量天帝白言師今此身
為是業報應化身乎野干荅曰是罪業報非
應化也天人聞已肅然驚怖悲哀傷心垂淚
滿目更起脩敬白野干曰我意謂是菩薩聖
人應現濟物而今方聞罪業果報未知其故
惟垂哀愍説其因緣
野干荅曰欲聞者善吾今説之憶念故世生
波羅㮈波頭摩城為貧家子名阿逸多剎利
種性幼懷聰朗好學是欲至年十二追隨明
師在於深山新苦奉事研精習學懃動不懈
師亦晨夜切磋教授不失時節經五十年九
十六種經書記論醫方呪術瞻相吉凶灾異
禍福靡所不達高才智德名聞四遠時阿逸
多伏自惟曰今日之濟莫不由我尊師和上教
化之恩其功難報家既貧乏无物供養唯當
責身以報師恩作是念已長跪白師弟子今
者欲自賣身以報師恩其師荅曰山居道士
乞食自存亡无所乏子今何為賤賣貴身
為供我也子今成就智慧辯才當轉教化天
下人民為法燈明教化之功豈不足報我之
恩也幸可不須餘舉動也時阿逸多既是
智人不違師教留住山中乞食自存如是不久
國王崩亡羣臣集議宣令國界諸名學士普

為供我也子今成就智慧辯才當轉教化天
下人民為法燈明教化之功豈不足報我之
恩也幸可不須餘舉動也時阿逸多既是
智人不違師教留住山中乞食自存如是不久
國王崩亡羣臣集議宣令國界諸名學士普
召使集令共講論誰得勝者當立為王時阿
逸多應召來集與諸學士五百餘人七日之中
共角試議无有勝者羣臣歡喜名婆羅門拜
阿逸多號為國王時阿逸多見是事已憂
喜交集而作是念若作王者恐有憍溢貪求
快意為民致患死入地獄受苦因緣若不為
者家貧无祿无以供養報師重恩思計交還
聽當受之為報師恩并養父母思惟是已應
受王位受正位已即遣忠臣嚴駕寶車幢幡
曲蓋香華妓樂百種飲食就山迎師還國供
養別立宮舍七寶廁填彫文刻漏衆珠雜飾
床卧被褥飲食醫藥華菓園林流泉浴池莊
嚴妙好以供養師阿逸多王與國臣民夫人
婇女日日從師受十善法經一百年
尒時邊境有二小國其二小王共相憑嫉互
立兵馬共相誅罰經於多年各不相得其一
國者名安陁羅一國名曰摩羅婆耶安那羅
王名諸羣臣集共議言當作何方令得彼國
諸臣荅言阿逸多王出生寒賤雖居王祿寒
意猶存從昔已來奉持十善不犯外色雖有
宮女其年並宿如日計者檢括國中不聞豪

王召諸羣臣集共議言當作何方令得彼國
諸臣各言向遠多王出生寒賤雖居王祿寒
意猶存從昔已來奉持十善不犯外色雖有
官女其年並宿如臣計者檢括國中不問豪
賤選擇名女足一百人年少端正堪適意者
莊嚴香潔遣中良者齎持重寶并諸妓女往
貢獻之若其納者當從王請強兵百万易往
攻之无往不伏即隨其計名女寶物一時悉辦
遣中良臣往奉獻之向遠多王得諸𡚱女及
珎寶物甚大歡喜問使者言彼王奉我如斯
好物欲望何報使者白王安那羅國是大王所
統彼王頑嚚不知化度糅乱无道不理國正民
被其毒視之若惡特從大王請兵百万易往
伏之奉獻之誠其正在此王曰甚善即令蘭
統強兵百万以送与之安那羅王自蘭國中得
百万人一時相引鳴鼓往討百日之中鬪戰
煞人死者過半方得勝彼摩羅婆王悉被
刑斬及其宗族數千万餘一時傾沒向遠多
王既得諸女意迷情惑妄失本志奢婬著樂
不理國正衆官羣僚相与作亂良民之子略
為奴婢風雨不時飢餓滿道異方怨敵遂
來侵掠向遠多王從是失國遂致亡沒從是
死已生地獄中身被楚毒緣前學問智慧力
故即識宿命心自悔責改惡脩善須臾之間
地獄命終生餓鬼中復識宿命即復悔過脩
念十善須臾之間餓鬼中死生畜生中受野

BD02037號　未曾有因緣經卷上　（23–11）

來侵掠向遠多王從是失國遂致亡沒從是
死已生地獄中身被楚毒緣前學問智慧力
故即識宿命心自悔責改惡脩善須臾之間
地獄命終生餓鬼中復識宿命即復悔過脩
念十善須臾之間餓鬼中死生畜生中受野
干身智慧力故復識宿命改往脩來奉持十
善復教餘衆生令行十善遭逢明師當得
受樂由汝棰我違失本願方經斯苦何時
當勉是故我說汝濟我命无功夫也
天帝難曰如尊語者善人求死是事不然何
以故師在井底若不入衣則不得出若不得
出自不得生今所緣得生由師入衣是故當
知非不欲生云何說言不貪生耶野干荅曰
吾所以入衣之意正為三事大因緣故何謂
為三一者入衣不違天帝本志願故夫人違志
不果所願則致苦惱施人苦惱在在所生所
願不果所求不得所求不得自致苦惱為是
等故非為生也二者入衣見諸天意欲得聞
法欲為諸天宣通正法不悋法故如當不說
則為悋法悋法之罪世世所生聾盲瘖瘂諸根閉
塞生於邊地癡騃无智雖生好處情煩闇鈍
所學不成學不成故自致苦惱為是等故
非為生也辟如世人因其前世布施脩善福
德因緣今生為人所願從心富有財物貧者
求乞慳心悋惜不肯施与慳貪果報生餓鬼
中常患飢渴裸形无衣冬時寒凍身體破
裂暑時大熱无依蔭處如是苦惱數千万

BD02037號　未曾有因緣經卷上　（23–12）

求乞慳心恡惜不肯施与慳貪果報生餓鬼
中常患飢渴裸形无衣冬時寒凍身體破
裂暑時大熱无依蔭處如是苦惱數千万
歲餓鬼罪畢生畜生中食草飲水癡无所知
或食泥土汙露不淨以慳貪故受報如是憍
法之餘亦如此焉三者入衣正為宣傳通法
化耳利益天人令開悟故名為法施功德无
量為是等故非求生也
天帝問曰教化之功其福云何唯願說之野
干荅曰宣傳正化能令衆生知死有生作善
獲福為惡受殃循道得道緣是功德轉身所
生智慧明了常識宿命若生天上為諸天師
若生世間為金輪王常以十善教化天下若
為人王治以正法常識宿命識宿命故心不
放逸人居尊寵受五欲樂多有魔事來相嬈
懷令人意惑造起惡業畢復失行受惡報時
智慧力故速得勉苦生天福樂智慧光明漸
漸增長成菩薩行至无生忍是故佛說教化
之功其福无量天帝善曰善哉善哉誠如尊
教我等諸天今日始知財施法施功德因緣
差別之相其財施者譬如寸燈明小室中其
法施者猶如日光照四天下隨所行處能除
闇冥所以者何日性自明故能照物和上今
者亦復如是本循習故智慧明了復以慧明
除衆生闇
於時天帝說是語已八万諸天咸然起立正

BD02037號　未曾有因緣經卷上

（23–13）

闇冥所以者何日性自明故能照物和上今
者亦復如是本循習故智慧明了復以慧明
除衆生闇
於時天帝說是語已八万諸天咸然起立正
服循敬長跪合掌白野干曰願尊垂愍授十
善法多所饒益利安衆生亦令和上功德轉
增荅曰善哉宜知是時吉天帝曰受戒之法
先當懺悔淨身口意何謂身業煞盜耶婬何
謂口業妄言兩舌惡口綺語何謂意業姤嫉
嗔恚憍慢耶見是為十事禁身口意業不犯
衆惡名為十善恣身口意造衆惡業名為十
惡一心丹誠悔除十惡十惡滅故身口意淨
三業淨故名為十善
天帝問曰十善之功果報云何野干荅曰曾
聞師說人行十善十善果報生六欲天七寶
宮殿五欲自然百味飲食壽无量命父母妻
子六親眷屬端正淨潔歡喜快樂假令諸天
持十善者天上福盡還生人中福報轉勝不
同世人十善報也所以者何世人循善心道三
戒難可護持不嗔戒者先須方便行於慈忍
然後能得成不嗔戒世人行慈難得久停如
刀破水隨破隨合持不嗔戒亦復如是嫉姤
戒者發有時節云何時節見他得利見他快
樂見他端正見他勇健見他聰明見他循
福以要言之一切勝事尒時其心方生嫉姤是
故當知姤嫉之心發起有時其憍慢心起亦

BD02037號　未曾有因緣經卷上

（23–14）

者發有時苦云何時背見他得利見他快
樂見他端正見他勇健見他聰明見他脩
福以要言之一切勝事尒時其心方生嫉妬是
故當知妬嫉之心發起有時其憍慢心起亦
有時見愚癡者心起憍慢見醜陋人見不淨
人見貧窮人以要言之聾盲跛瘻諸根不具
夷蠻胡虜憍慢之心見時方起是故當知不
憍慢或發起有時是故世人心或難持雖復
種持乍得乍忘是故世人十善果報雖受天
福不如諸天十善功德光明神力食祿相好
巍巍第一識宿命事皆亦如是是故當知天
人脩行十善果報勝於世人天帝白曰如尊
所說人行十善心道三或難爲護持天人亦
尒嫉妬嗔恚憍慢恥見如是等心无常不有
云何福報勝世人耶野干荅曰天人雖有不
同世人所以者何天人福德苦少樂多煩惱
心輕世人薄福樂少苦多煩惱心重天帝白
曰諸天昔來習樂心麁猶若獼猴令持十善
後脫癡忘戲和之時當云何也野干荅曰曾
聞師說人行十善若有和失行惡業者當就
賢明福德之人隨所和事發露懺悔更從受
之如是行者不失戒也所以者何十善戒者譬
如穀苗煩惱如草与正苗并共相妨欲長苗故
當除草穢穀苗淨故收實必多穀實多故
終无飢乏
尒時天帝及八万諸天聞是事已甚大歡喜
不復憂憲福盡无常受惡趣報伏自惟曰行

如穀苗煩惱如草与正苗并共相妨欲長苗故
當除草穢穀苗淨故收實必多穀實多故
終无飢乏
尒時天帝及八万諸天聞是事已甚大歡喜
不復憂憲福盡无常受惡趣報伏自惟曰行
善功德雖无苦報然有生死不免无常兼有
他化自在天王見人脩福心懷嫉妬爲作留難
忘失善道令造惡業惡業因緣應受苦報
時天帝釋白野干曰脩何功德常得不死不
令魔王所或亂也野干荅曰曾聞師說發菩
提心脩菩薩業魔王波旬不能俎壞心不或
故在在所生智慧明了慧明了故常識宿命
識宿命故不起惡業心清淨故得无生忍无生
忍故於道不退遠離生死憂惱苦患天帝
白曰脩菩薩道應行何法野干荅曰曾聞師
說求佛道者從原而起先當學諸法因緣解
因緣故信心堅固信根立故能起精進精進
力故不起一切惡業因緣此善之心无放逸
智慧成就智慧力故捴攝一切三十七品助菩
提道天帝問曰如尊教者三十七品其義知
深非是麁懷卒能得了云何得入菩薩道
行野干荅曰曾聞師說脩菩薩道者先以
方便調伏諸根何謂方便謂六波羅蜜四无
量心是名方便調伏諸根天帝白日六波羅
蜜其義云何唯願說之野干荅曰第一布施破
慳貪心无遺惜故二者守善不行惡故三者
遭逢惡事心能堪忍不懷報故四者精進脩

量心是名方便調伏諸根天帝白曰六波羅
蜜其義云何唯願說之野干荅曰第一布施破
慳貪心无遺惜故二者守善不行惡故三者
遣遂惡事心能堪忍不懷報故四者精進脩
行道業不懈退故五者收攝其心不邪念故
六者脩習智慧除煩惱无明闇故是用名
為六波羅蜜方便之力調伏諸根復有四事
調伏諸根何謂為四一者慈心二者悲心三
者喜心四者捨心是為四事名无量心天帝
問曰云何行慈野干荅曰見苦厄人當起慈
心為作救護皆令得所何謂為悲見諸衆
生无明愛故造生死業五道受苦不能自勉
是故我今不應懈怠當勤精進脩習智慧
速成佛道得佛道已當以智慧光明照除衆生
无明黑闇令見大明勉衆若縛雖未成佛凡所
施為一切善業迴施衆生令得安樂衆生有
罪我當代受是名悲心何謂為喜若見世人
脩行善業求三乘果勸助隨喜見受樂人
心亦隨喜見端正人見勇健人見富貴人見
智慧人見慈心人見孝順人以要言之一切
善人勸助隨喜是為喜心何謂為捨凡所施
為一切德行施恩於人不望現報不望生報
不望後報是名為捨成就四事名无量心衆
生无量故慈心无量衆生无量故悲亦无量
衆生无量故喜亦无量衆生无量故捨亦无
量是故名為四无量心連前六度名十波羅

[illegible]四事名无量心能
生无量故慈心无量衆生无量故悲亦无量
衆生无量故喜亦无量衆生无量故捨亦无
量是故名為四无量心連前六度名十波羅
蜜十波羅蜜揔攝一切菩提道行
時天帝釋聞野干說十善行法功德因緣得
聞菩薩行菩提道因緣義趣疑網皆解歡喜
踊躍充遍其身即與八万侍從諸天更起脩
敬叉手合掌白野干曰弟子今日八万諸天
一心同時發菩提心如和上說菩薩道行當
具奉行唯願和上隨喜聽許野干荅曰宜知
是時斯則是其本心所望於時天帝白野干
曰和上飲食法用云何唯願教示當設供養
野干荅曰其所食法不中人聞何以故罪業
因緣所食之物極是不淨形似畜生不異餓
鬼聿不須聞其食物天帝白曰和上飲食好
々當亦惡々當語弟子今當隨所便宜施設
供養野干荅言常食師子虎狼豺豹及食塚
間死人髑骨弊衣皮革脫不能得如斯之食
飢窮所逼々食泥土罪苦果報從生至死雖
食不淨未曾充飽時天帝釋及諸天衆聞野
干說飲食之相悲哀感結涕淚傷心白野干
曰弟子親欲施設供養如師言者所願不果
非可如何今還天宮當作何方報師重恩野
干荅曰汝等今者從我聞法還去天上展轉
教化開悟諸天不問男女乃至一人令信受
行非但報我之報一切諸佛之恩隨所教化

非可如何令還天宮當作何方報師重恩野
干荅曰汝等今者從我聞法還於天上展轉
教化開悟諸天不問男女乃至一人令信受
行非但報我之報一切諸佛之恩隨所教化
而自增長諸天福德何況教化開悟多人功
報无量諸天起立白野干曰弟子之徒今還
天宮未審和上何時當捨此罪報身得生天
上共相見也野干荅曰限至七日當捨罪身
生兜率天汝等便可願生彼天何以故兜率
天中多有菩薩說法教化為諸天人求佛道
故天帝白曰如尊教者弟子眷屬於忉利天
福盡命終皆當生彼兜率陁天与師相見奉
持教授捨如今也說是語已以天華香散野
干上於是別去諸天去已於時野干不離本
坐一心專念十善行法不行求食七日命終生
兜率天為天王子復識宿命復以十善教化
諸天
佛告王曰尒時野干即我身是時天帝釋舍
利弗是時向逸多教授大師憂波達者弥勒
是也八万諸天者今娑婆國土八万菩薩不
退者是佛言大王憶念往昔從初發意脩菩
提行乃至无生於其中間常与弥勒舍利弗
等為求法故勤精進不顧軀命追逐明師親
等為求法故勤加精進不顧軀命追逐明師
親近奉侍研精學問成就智慧智慧力故於
五道中隨所生處教化成就无量衆生令得

提行乃至无生於其中間常与弥勒舍利弗
等為求法故勤精進不顧軀命追逐明師親
等為求法故勤加精進不顧軀命追逐明師
親近奉侍研精學問成就智慧智慧力故於
五道中隨所生處教化成就无量衆生令得
度脫至今成佛皆由般若智慧方便斷除一
切結習因緣成等正覺復以智慧於娑婆國
土教化衆生度三有苦是故我說般若智慧
有四名義時波斯匿王及其眷屬聞佛說已
心意開解更起作礼歡喜踊躍倚立合掌而
白佛言世尊今未見佛快得善利聽佛談
不知疲懈所以者何世尊先說四真諦法十
二因緣出世間道情根鈍故忙忙不解以不
解故身體疲懈今聞佛說菩薩行法雖未全
解心甚愛樂渴仰欲聞情无猒足弟子今欲
發菩提心求无上道唯願世尊哀愍聽許教
亦菩薩所行法度當如說行佛告王曰菩薩
法行如上所說身口意業十善道行十波羅
蜜攝一切易佛道法汝能行乎王曰如世
尊說十善行法心道三法難得護持當云何
受令不漏失佛告王曰世人心麁躁如猨猴為
諸煩惱風所動轉是故欲行十善道者不
得遲久欲脩十善當限三時何謂三時從晨
至食名為上時經一食頃名為中時行百步
時名為下時受十善法隨其所堪於一時中
將護其心堅持三戒无令漏失是則名為脩

得遲火欲脩十善當作三時何謂三時從晨
至食名為上時經一食頃名為中時行百步
時名為下時受十善法隨其所堪於一時中
持護其心堅持三戒无令漏失是則名為脩
行十善王曰如世尊說限三時持十善行者其
功盡微少何生福佛告王曰人脩十善時節
雖促功報弥廣何以故心道三戒難守護故
雖少時持果報无量譬如有人於百年中
積聚薪草以火焚之須臾滅盡是故當知少
時脩善能滅无量惡業重罪如攢火人加勤
用力須臾得火火之功力能燒天下草木叢
林須盡乃息大王當知人脩十善亦復如是
須臾之功能滅无量惡業重罪能令行者起
菩提牙萌牙成故漸漸增長至成佛果
王聞是已更起作礼甚大欣慶得未曾有白
世尊曰弟子今者大得善利所以者何聞世
尊說脩十善道功德因緣能令衆生成菩提
牙弟子今者志樂菩提當勤脩行心不退却
佛說是時隨從王者群臣吏民后宮夫人四
部弟子天龍鬼神人非人等五千餘人皆發
无上菩提道意尒時波斯匿王國大夫人出
入行來常使四人名扇提羅宿大勒力扇提
羅者漢言石女无男女根故名石女令此四
人攝皇后輦皇后所乘七寶輦輦留在祇
桓精舍門外勑諸黃門令守護之黃門轉令四
扇提羅守夫人輦其身自往佛邊聽法扇提

羅者漢言石女无男女根故名石女令此四
人攝皇后輦皇后所乘七寶輦輦留在祇
桓精舍門外勑諸黃門令守護之黃門轉令四
扇提羅守夫人輦其身自往佛邊聽法扇提
羅等各於輦下睡眠不識時有亡人偷取夫
人珎寶輦輦一隻庄珠尒時黃門覺出看輦
不見寶珠心中惶怖懼夫人責問石女言使
汝守輦何以偷珠各各荅言實不偷也黃門
大怒鞭打石女苦痛徹骨時有一石女自知
不偷橫受楚毒奔走逃竄入精舍中稱怨大
喚大衆皆聞莫知所由佛語阿難汝可出往
彼黃門所无令橫鞭无過之人何以故此四
石女者乃是皇后前世之師自无過罪何以
橫鞭自造後世惡業因緣是時皇后聞佛此
語即起恭敬合掌白佛如世尊說四攝輦石
女乃是皇后前世時師迷意不解唯願世尊
說其因緣令諸會衆普得聞知佛告皇后喚
石女來於世尊前驗其虛實皇后奉命即遣
黃門攝將之來時四石女見佛叩頭涕哭長
跪合掌白世尊曰實不偷珠有何因緣橫羅
此罪鞭打楚痛身體破壞世尊荅曰罪業
因緣自身所造非父母為非從天墮人行善惡
受苦樂報如響應聲會現前利心行邪諂不
知後世累劫受殃夫惡從心生反以自賊如鐵
生垢消毀其形王又手白佛前後說法皆有
因緣今四石女先世本末有何因緣前佛為

女乃是皇后前世時陣迷意不解唯願世尊
說其因緣令諸會衆普得聞知佛告皇后喚
石女來於世尊前驗其虛實皇后奉命即遣
黄門扶將之來時四石女見佛叩頭涕哭長
跪合掌白世尊曰實不偷珠有何因緣橫羅
此罪鞭打楚痛身體破壞世尊答曰罪業
因緣自身所造非父母為非從天墮人行善惡
受苦樂報如響應聲貪現前利心行邪諂不
知後世累劫受殃夫惡從心生反以自賊如鐵
生垢消毀其形王叉手白佛前後說法皆有
因緣今四石女先世本末有何因緣願佛為
說聞悟盲冥多所利益衆人蒙祐佛告王
曰欲聞者心諦聽吾今說之佛復惟曰今
我法中有諸比丘言行不同心口相違或為
利養錢財飲食或為名譽要集眷屬或
有賊惡王法使役出家為道都无有心向三
脫門度三有苦以不淨心貪受信施不知後
世孫劫受殃償其宿債為是等故豈得不說
佛告王曰憶念過去无數劫時有一大國名裴
扇閣有一女人名曰提韋婆羅門種夫喪守
寡其家大富都无兒息又无父母守孤抱
窮无所恃怙婆羅門法若不如意便生自燒
身諸婆羅門持去……

BD02037號　未曾有因緣經卷上　（23–23）

相无人相无衆生相无壽者相是故須菩提
菩薩應離一切相發阿耨多羅三藐三菩提
心不應住色生心不應住聲香味觸法生心
應生无所住心若心有住則為非住是故佛
說菩薩心不應住色布施須菩提菩薩為利
益一切衆生應如是布施如來說一切諸相
即是非相又說一切衆生則非衆生
須菩提如來是真語者實語者如語者不誑
語者不異語者須菩提如來所得法此法无
實无虛
須菩提若菩薩心住於法而行布施如人入
闇則无所見若菩薩心不住法而行布施如
人有目日光明照見種種色
須菩提當來之世若有善男子善女人能於此
經受持讀誦則為如來以佛智慧悉知是人
悉見是人皆得成就无量无邊功德
須菩提若有善男子善女人初日分以恒河
沙等身布施中日分復以恒河沙等身布施
後日分亦以恒河沙等身布施如是无量百
千万億劫以身布施若復有人聞此經典信

BD02038號　金剛般若波羅蜜經　（9–1）

悉見是人皆得成就无量无邊功德
須菩提若有善男子善女人初日分以恒河
沙等身布施中日分復以恒河沙等身布施
後日分亦以恒河沙等身布施如是无量百
千万億劫以身布施若復有人聞此經典信
心不逆其福勝彼何况書寫受持讀誦為人
解説
須菩提以要言之是經有不可思議不可稱
量无邊功德如來為發大乘者説為發最上
乘者説若有人能受持讀誦廣為人説如來
悉知是人悉見是人皆得成就不可量不可
稱无有邊不可思議功德如是人等則為荷
擔如來阿耨多羅三藐三菩提何以故須菩
提若樂小法者著我見人見衆生見壽者見
則於此經不能聽受讀誦為人解説須菩提
在在處處若有此經一切世間天人阿脩羅
所應供養當知此處則為是塔皆應恭敬作
禮圍遶以諸華香而散其處
復次須菩提若善男子善女人受持讀誦此
經若為人輕賤是人先世罪業應墮惡道以今
世人輕賤故先世罪業則為消滅當得阿耨
多羅三藐三菩提須菩提我念過去无量阿
僧祇劫於然燈佛前得值八百四千万億那
由他諸佛悉皆供養承事无空過者若復有
人於後末世能受持讀誦此經所得功德於
我所供養諸佛功德百分不及一千万億分

BD02038 號　金剛般若波羅蜜經　（9–2）

僧祇劫於然燈佛前得值八百四千万億那
由他諸佛悉皆供養承事无空過者若復有
人於後末世能受持讀誦此經所得功德於
我所供養諸佛功德百分不及一千万億分
乃至筭數譬喻所不能及須菩提若善男子
善女人於後末世有受持讀誦此經所得功
德我若具説者或有人聞心則狂亂狐疑不
信須菩提當知是經義不可思議果報亦不
可思議
尒時須菩提白佛言世尊善男子善女人發
阿耨多羅三藐三菩提心云何應住云何降
伏其心佛告須菩提善男子善女人發阿耨
多羅三藐三菩提者當生如是心我應滅度
一切衆生滅度一切衆生已而无有一衆生
實滅度者何以故若菩薩有我相人相衆生
相壽者相則非菩薩所以者何須菩提實无
有法發阿耨多羅三藐三菩提者
須菩提於意云何如來於然燈佛所有法得
阿耨多羅三藐三菩提不不也世尊如我解
佛所説義佛於然燈佛所无有法得阿耨多
羅三藐三菩提佛言如是如是須菩提實无
有法如來得阿耨多羅三藐三菩提須菩提
若有法如來得阿耨多羅三藐三菩提然燈
佛則不與我受記汝於來世當得作佛号釋
迦牟尼以實无有法得阿耨多羅三藐三菩
提是故然燈佛與我受記作是言汝於來世

BD02038 號　金剛般若波羅蜜經　（9–3）

有法如来得阿耨多羅三藐三菩提須菩提
若有法如来得阿耨多羅三藐三菩提然燈
佛則不與我受記汝於来世當得作佛号釋
迦牟尼以實无有法得阿耨多羅三藐三菩
提是故然燈佛與我受記作是言汝於来世
當得作佛号釋迦牟尼何以故如来者即諸
法如義若有人言如来得阿耨多羅三藐三
菩提須菩提實无有法佛得阿耨多羅三藐
三菩提須菩提如来所得阿耨多羅三藐三
菩提於是中无實无虚是故如来說一切法
皆是佛法須菩提所言一切法者即非一切
法是故名一切法
須菩提譬如人身長大須菩提言世尊如来
說人身長大則為非大身是名大身
須菩提菩薩亦如是若作是言我當滅度无
量衆生則不名菩薩何以故須菩提實无有
法名為菩薩是故佛說一切法无我无人无衆
生无壽者須菩提若菩薩作是言我當莊嚴
佛土是不名菩薩何以故如来說莊嚴佛土
者即非莊嚴是名莊嚴須菩提若菩薩通達
无我法者如来說名真是菩薩
須菩提於意云何如来有肉眼不如是世尊
如来有肉眼須菩提於意云何如来有天眼
不如是世尊如来有天眼須菩提於意云何
如来有慧眼不如是世尊如来有慧眼須菩
提於意云何如来有法眼不如是世尊如来

BD02038號　金剛般若波羅蜜經　（9–4）

如来有肉眼須菩提於意云何如来有天眼
不如是世尊如来有天眼須菩提於意云何
如来有慧眼不如是世尊如来有慧眼須菩
提於意云何如来有法眼不如是世尊如来
有法眼須菩提於意云何如来有佛眼不如
是世尊如来有佛眼須菩提於意云何恒河
中所有沙佛說是沙不如是世尊如来說是
沙須菩提於意云何如一恒河中所有沙有
如是等恒河是諸恒河所有沙數佛世界如
是寧為多不甚多世尊佛告須菩提尒所國
土中所有衆生若干種心如来悉知何以故
如来說諸心皆為非心是名為心所以者何
須菩提過去心不可得現在心不可得未来
心不可得須菩提於意云何若有人滿三千
大千世界七寶以用布施是人以是因緣得
福多不如是世尊此人以是因緣得福甚多
須菩提若福德有實如来不說得福德多以
福德无故如来說得福德多
須菩提於意云何佛可以具足色身見不不
也世尊如来不應以具足色身見何以故如
来說具足色身即非具足色身是名具足色
身須菩提於意云何如来可以具足諸相見
不不也世尊如来不應以具足諸相見何以
故如来說諸相具足即非具足是名諸相具足
須菩提汝勿謂如来作是念我當有所說法
莫作是念何以故若人言如来有所說法即

BD02038號　金剛般若波羅蜜經　（9–5）

身須菩提於意云何如來可以具足諸相見
不不也世尊如來不應以具足諸相見何以
故如來說諸相具足即非具足是名諸相具足
須菩提汝勿謂如來作是念我當有所說法
莫作是念何以故若人言如來有所說法即
為謗佛不能解我所說故須菩提說法者无
法可說是名說法
須菩提白佛言世尊佛得阿耨多羅三藐三
菩提為无所得耶如是如是須菩提我於阿
耨多羅三藐三菩提乃至无有少法可得是
名阿耨多羅三藐三菩提須次須菩提是法
平等无有高下是名阿耨多羅三藐三菩提
以无我无人无衆生无壽者脩一切善法則得
阿耨多羅三藐三菩提須菩提所言善法者
如來說非善法是名善法
須菩提若三千大千世界中所有諸須弥山
王如是等七寶聚有人持用布施若人以此
般若波羅蜜經乃至四句偈等受持讀誦為
他人說於前福德百分不及一百千万億分
乃至筭數譬喻所不能及
須菩提於意云何汝等勿謂如來作是念我
當度衆生須菩提莫作是念何以故實无有
衆生如來度者若有衆生如來度者如來則
有我人衆生壽者須菩提如來說有我者則
非有我而凡夫之人以為有我須菩提凡夫
者如來說則非凡夫

BD02038號　金剛般若波羅蜜經

（9–6）

衆生如來度者若有衆生如來度者如來則
有我人衆生壽者須菩提如來說有我者則
非有我而凡夫之人以為有我須菩提凡夫
者如來說則非凡夫
須菩提於意云何可以卅二相觀如來不須
菩提言如是如是以卅二相觀如來佛言須
菩提若以卅二相觀如來者轉輪聖王則是
如來須菩提白佛言世尊如我解佛所說義
不應以卅二相觀如來尒時世尊而說偈言
若以色見我　以音聲求我　是人行邪道　不能見如來
須菩提汝若作是念如來不以具足相故得
阿耨多羅三藐三菩提須菩提莫作是念如
來不以具足相故得阿耨多羅三藐三菩提
須菩提汝若作是念發阿耨多羅三藐三菩
提者說諸法斷滅相莫作是念何以故發阿耨
多羅三藐三菩提者於法不說斷滅相須菩
提若菩薩以滿恒河沙等世界七寶布施若
復有人知一切法无我得成於忍此菩薩勝
前菩薩所得功德須菩提以諸菩薩不受福
德故須菩提白佛言世尊云何菩薩不受福
德須菩提菩薩所作福德不應貪著是故
說不受福德
須菩提若有人言如來若來若去若坐若卧
是人不解我所說義何以故如來者无所從
來亦无所去故名如來
須菩提若善男子善女人以三千大千世界

BD02038號　金剛般若波羅蜜經

（9–7）

説不受福德
須菩提若有人言如来若来若去若坐若卧
是人不解我所説義何以故如来者无所從
来亦无所去故名如来
須菩提若善男子善女人以三千大千世界
碎為微塵於意云何是微塵衆寧為多不甚
多世尊何以故若是微塵衆實有者佛則不
説是微塵衆所以者何佛説微塵衆則非微
塵衆是名微塵衆世尊如来所説三千大千
世界則非世界是名世界何以故若世界實
有者則是一合相如来説一合相則非一合相
是名一合相須菩提一合相者則是不可説
但凡夫之人貪著其事須菩提若人言佛説
我見人見衆生見壽者見須菩提於意云何
是人解我所説義不世尊是人不解如来所
説義何以故世尊説我見人見衆生見壽者
見即非我見人見衆生見壽者見是名我見
人見衆生見壽者見須菩提發阿耨多羅三
藐三菩提心者於一切法應如是知如是見
如是信解不生法相須菩提所言法相者如
来説即非法相是名法相須菩提若有人以
滿无量阿僧祇世界七寶持用布施若有善
男子善女人發菩薩心者持於此經乃至四
句偈等受持讀誦為人演説其福勝彼云何
為人演説不取於相如如不動何以故
一切有為法　如夢幻泡影　如露亦如電　應作如是觀

BD02038號　金剛般若波羅蜜經　（9–8）

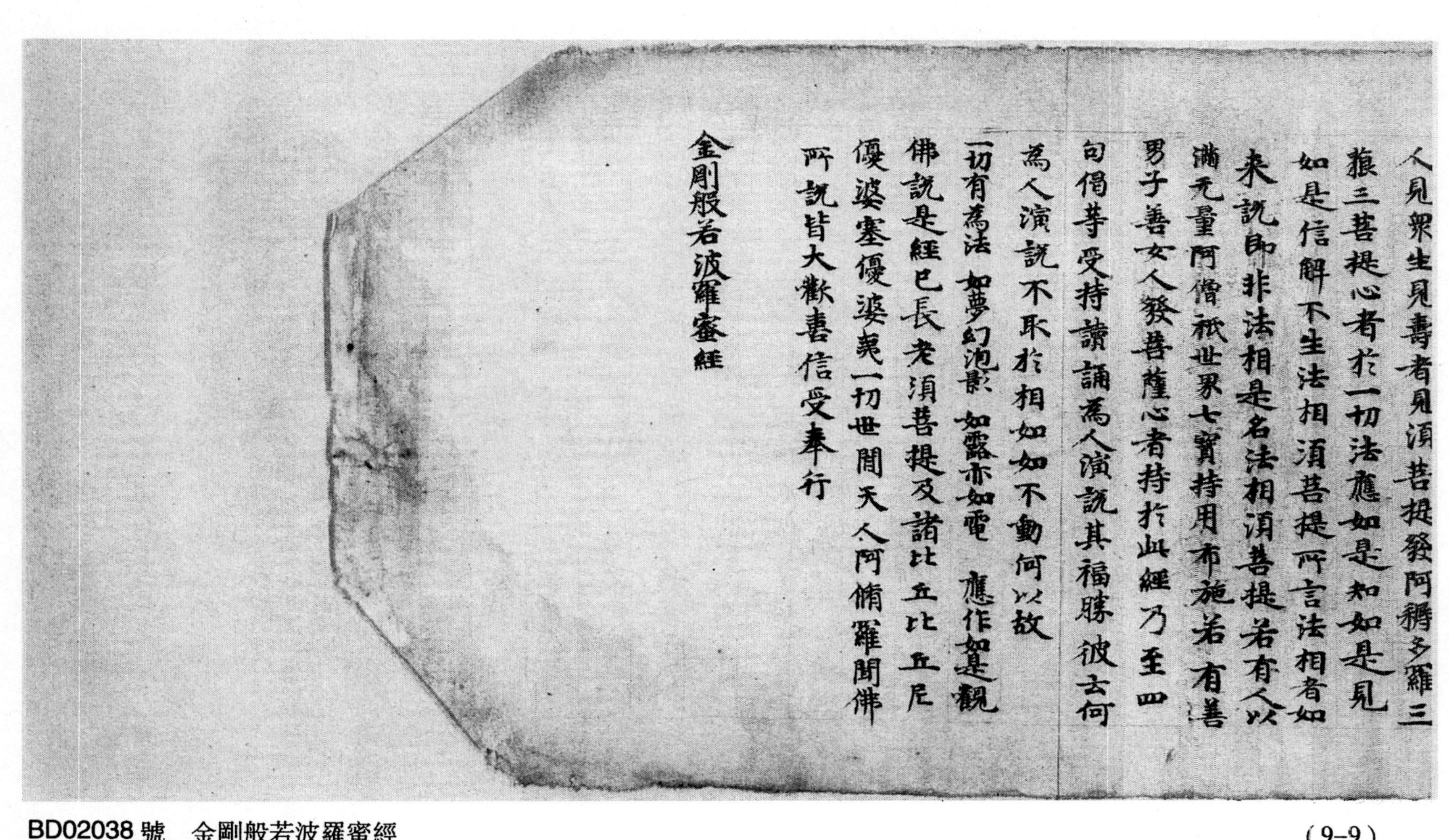
人見衆生見壽者見須菩提發阿耨多羅三
藐三菩提心者於一切法應如是知如是見
如是信解不生法相須菩提所言法相者如
来説即非法相是名法相須菩提若有人以
滿无量阿僧祇世界七寶持用布施若有善
男子善女人發菩薩心者持於此經乃至四
句偈等受持讀誦為人演説其福勝彼云何
為人演説不取於相如如不動何以故
一切有為法　如夢幻泡影　如露亦如電　應作如是觀
佛説是經已長老須菩提及諸比丘比丘尼
優婆塞優婆夷一切世間天人阿脩羅聞佛
所説皆大歡喜信受奉行

金剛般若波羅蜜經

BD02038號　金剛般若波羅蜜經　（9–9）

言世尊世尊猶故在世尒時日月淨明德佛
告一切衆生憙見菩薩善男子我涅槃時到
滅盡時至汝可安施牀座我於今夜當般涅
槃又勅一切衆生憙見菩薩善男子我以佛
法囑累於汝及諸菩薩大弟子并阿耨多羅
三藐三菩提法亦以三千大千七寶世界諸
寶樹寶臺及給侍諸天悉付於汝我滅度後
所有舍利亦付囑汝當令流布廣設供養應
起若干千塔如是日月淨明德佛勅一切衆
生憙見菩薩已於夜後分入於涅槃尒時一
切衆生憙見菩薩見佛滅度悲感懊惱戀慕
於佛即以海此岸栴檀爲積供養佛身而以
燒之火滅已後收取舍利作八万四千寶瓶
以起八万四千塔高三世界表刹莊嚴垂諸
幡蓋懸衆寶鈴尒時一切衆生憙見菩薩復
自念言我雖作是供養心猶未足我今當更
供養舍利便語諸菩薩大弟子及天龍夜叉

BD02039號　妙法蓮華經（八卷本）卷七　（13–1）

燒之火滅已後收取舍利作八万四千寶瓶
以起八万四千塔高三世界表刹莊嚴垂諸
幡蓋懸衆寶鈴尒時一切衆生憙見菩薩復
自念言我雖作是供養心猶未足我今當更
供養舍利便語諸菩薩大弟子及天龍夜叉
等一切大衆汝等當一心念我今供養日月
淨明德佛舍利作是語已即於八万四千塔
前然百福莊嚴臂七万二千歲而以供養令
无數求聲聞衆无量阿僧祇人發阿耨多羅
三藐三菩提心皆使得住現一切色身三昧
尒時諸菩薩天人阿脩羅等見其无臂憂惱
悲哀而作是言此一切衆生憙見菩薩是我
等師教化我者而今燒臂身不具足于時一
切衆生憙見菩薩於大衆中立此誓言我捨
兩臂必當得佛金色之身若實不虛令我兩
臂還復如故作是誓已自然還復由斯菩薩
福德智慧淳厚所致當尒之時三千大千世
界六種震動天雨寶華一切人天得未曾有
佛告宿王華菩薩於汝意云何一切衆生憙
見菩薩豈異人乎今藥王菩薩是也其所捨
身布施如是无量百千万億那由他數宿王
華若有發心欲得阿耨多羅三藐三菩提者
能然手指乃至足一指供養佛塔勝以國城
妻子及三千大千國土山林河池諸珍寶物
而供養者若復有人以七寶滿三千大千世

BD02039號　妙法蓮華經（八卷本）卷七　（13–2）

能燃手指乃至足一指供養佛塔勝以國城
妻子及三千大千國土山林河池諸珎寶物
而供養者若復有人以七寶滿三千大千世
界供養於佛及大菩薩辟支佛阿羅漢是人
所得功德不如受持此法華經乃至一四句
偈其福最多宿王華譬如一切川流江河諸
水之中海為第一此法華經亦復如是於諸
如來所說經中最為深大又如土山黑山小
鐵圍山大鐵圍山及十寶山衆山之中須弥
山為第一此法華經亦復如是於諸經中最
為其上又如衆星之中月天子最為第一此
法華經亦復如是於千万億種諸經法中最
為照明又如日天子能除諸闇此經亦復如
是能破一切不善之闇又如諸小王中轉輪
聖王最為第一此經亦復如是於衆經中最
為其尊又如帝釋於三十三天中王此經亦
復如是諸經中王又如大梵天王一切衆生
之父此經亦復如是一切賢聖學无學及發
菩薩心者之父又如一切凡夫人中須陁洹
斯陁含阿那含阿羅漢辟支佛為第一此經
亦復如是一切如來所說若菩薩所說若聲
聞所說諸經法中最為第一有能受持是經
典者亦復如是於一切衆生中亦為第一一
切聲聞辟支佛中菩薩為第一此經亦復如

BD02039號　妙法蓮華經（八卷本）卷七　（13–3）

亦復如是一切如來所說若菩薩所說若聲
聞所說諸經法中最為第一有能受持是經
典者亦復如是於一切衆生中亦為第一一
切聲聞辟支佛中菩薩為第一此經亦復如
是於一切諸經法中最為第一如佛為諸法
王此經亦復如是諸經中王宿王華此經能
救一切衆生者此經能令一切衆生離諸苦
惱此經能大饒益一切衆生充滿其願如清
涼池能滿一切諸渇乏者如寒者得火如裸
者得衣如商人得主如子得母如渡得船如
病得醫如暗得燈如貧得寶如民得王如賈
客得海如炬除暗此法華經亦復如是能令
衆生離一切苦一切病痛能解一切生死之
縛若人得聞此法華經若自書若使人書所
得功德以佛智慧籌量多少不得其邊若書
是經卷華香瓔珞燒香末香塗香幡蓋衣服
種種之燈蘇燈油燈諸香油燈瞻蔔油燈須
曼那油燈波羅羅油燈婆利師迦油燈那婆摩
利油燈供養所得功德亦復无量宿王華若
有人聞是藥王菩薩本事品者亦得无量无
邊功德若有女人聞是藥王菩薩本事品能
受持者盡是女身後不復受若如來滅後後
五百歲中若有女人聞是經典如說脩行於
此命終即往安樂世界阿弥陁佛大菩薩衆

BD02039號　妙法蓮華經（八卷本）卷七　（13–4）

利油燈供養所得功德亦復无量宿王華若
有人聞是藥王菩薩本事品者亦得无量无
邊功德若有女人聞是藥王菩薩本事品能
受持者盡是女身後不復受若如來滅後後
五百歲中若有女人聞是經典如說脩行於
此命終即往安樂世界阿弥陁佛大菩薩衆
圍繞住處生蓮華中寶座之上不復為貪欲
所惱亦復不為瞋恚愚癡所惱亦復不為憍
慢嫉妬諸垢所惱得菩薩神通无生法忍得
是忍已眼根清淨以是清淨眼根見七百万
二千億那由他恒河沙等諸佛如來是時諸
佛遥共讚言善哉善哉善男子汝能於釋迦
牟尼佛法中受持讀誦思惟是經為他人說
所得福德无量无邊火不能燒水不能漂汝
之功德千佛共說不能令盡汝今已能破諸
魔賊壞生死軍諸餘怨敵皆悉摧滅善男子
百千諸佛以神通力共守護汝於一切世間
天人之中无如汝者唯除如來其諸聲聞辟
支佛乃至菩薩智慧禪定无有與汝等者宿
王華此菩薩成就如是功德智慧之力若有
人聞是藥王菩薩本事品能隨喜讚善者是
人現世口中常出青蓮華香身毛孔中常出
牛頭栴檀香所得功德如上所說是故宿王
華以此藥王菩薩本事品囑累於汝我滅度

BD02039號　妙法蓮華經（八卷本）卷七

（13–5）

王華此菩薩成就如是功德智慧之力若有
人聞是藥王菩薩本事品能隨喜讚善者是
人現世口中常出青蓮華香身毛孔中常出
牛頭栴檀香所得功德如上所說是故宿王
華以此藥王菩薩本事品囑累於汝我滅度
後後五百歲中廣宣流布於閻浮提无令斷
絕惡魔魔民諸天龍夜叉鳩槃荼等得其便
也宿王華汝當以神通之力守護是經所以
者何此經則為閻浮提人病之良藥若人有
病得聞是經病即消滅不老不死宿王華汝
若見有受持是經者應以青蓮華盛滿末香
供散其上散已作是念言此人不久必當取
草坐於道場破諸魔軍當吹法螺擊大法鼓
度脫一切衆生老病死海是故求佛道者見
有受持是經典人應當如是生恭敬心說是
藥王菩薩本事品時八万四千菩薩得解一
切衆生語言陁羅尼多寶如來於寶塔中讚
宿王華菩薩言善哉善哉宿王華汝成就不
可思議功德乃能問釋迦牟尼佛如此之事
利益无量一切衆生

妙法蓮華經妙音菩薩品第二十四

尒時釋迦牟尼佛放大人相肉髻光明及放
眉間白毫相光遍照東方百八万億那由他
恒河沙等諸佛世界過是數已有世界名淨

BD02039號　妙法蓮華經（八卷本）卷七

（13–6）

妙法蓮華經妙音菩薩品第二十四
尒時釋迦牟尼佛放大人相肉髻光明及放
眉間白毫相光遍照東方百八万億那由他
恒河沙等諸佛世界過是數已有世界名淨
光莊嚴其國有佛号淨華宿王智如來應供
正遍知明行足善逝世間解无上士調御丈
夫天人師佛世尊為无量无邊菩薩大衆恭
敬圍繞而為說法釋迦牟尼佛白毫光明遍
照其國尒時一切淨光莊嚴國中有一菩薩
名曰妙音久已殖衆德本供養親近无量百
千万億諸佛而悉成就甚深智慧得妙幢相
三昧法華三昧淨德三昧宿王戲三昧无緣
三昧智印三昧解一切衆生語言三昧集一
切功德三昧清淨三昧神通遊戲三昧慧炬
三昧莊嚴王三昧淨光明三昧淨藏三昧不
共三昧日旋三昧得如是百千万億恒河沙
等諸大三昧釋迦牟尼佛光照其身即白淨
華宿王智佛言世尊我當往詣娑婆世界礼
拜親近供養釋迦牟尼佛及見文殊師利法
王子菩薩藥王菩薩勇施菩薩宿王華菩薩
上行意菩薩莊嚴王菩薩藥上菩薩尒時淨
華宿王智佛告妙音菩薩汝莫輕彼國生下
劣想善男子彼娑婆世界高下不平土石諸
山穢惡充滿佛身卑小諸菩薩衆其形亦小

上行意菩薩莊嚴王菩薩藥上菩薩尒時淨
華宿王智佛告妙音菩薩汝莫輕彼國生下
劣想善男子彼娑婆世界高下不平土石諸
山穢惡充滿佛身卑小諸菩薩衆其形亦小
而汝身四万二千由旬我身六百八十万由
旬汝身第一端正百千万福光明殊妙是故
汝往莫輕彼國若佛菩薩及國土生下劣想
妙音菩薩白其佛言世尊我今詣娑婆世界
皆是如來之力如來神通遊戲如來功德智
慧莊嚴於是妙音菩薩不起于座身不動搖
而入三昧以三昧力於耆闍崛山去法座不
遠化作八万四千衆寶蓮華閻浮檀金為莖
白銀為葉金剛為鬚甄叔迦寶以為其臺尒
時文殊師利法王子見是蓮華而白佛言世
尊是何因緣先現此瑞有若干千万蓮華閻
浮檀金為莖白銀為葉金剛為鬚甄叔迦寶
以為其臺尒時釋迦牟尼佛告文殊師利是
妙音菩薩摩訶薩欲從淨華宿王智佛國與
八万四千菩薩圍繞而來至此娑婆世界供
養親近礼拜於我亦欲供養聽法華經文殊
師利白佛言世尊是菩薩種何善本脩何功
德而能有是大神通力行何三昧願為我等
說是三昧名字我等亦欲勤脩行之行此三
昧乃能見是菩薩色相大小威儀進止唯願

師利白佛言世尊是菩薩種何善本脩何功
德而能有是大神通力行何三昧願為我等
說是三昧名字我等亦欲動脩行之行此三
昧乃能見是菩薩色相大小威儀進止唯願
世尊以神通力彼菩薩來令我得見尒時釋
迦牟尼佛告文殊師利此久滅度多寶如來
當為汝等而現其相時多寶佛告彼菩薩善
男子來文殊師利法王子欲見汝身于時妙
音菩薩於彼國沒與八万四千菩薩俱共發
來所經諸國六種震動皆悉雨於七寶蓮華
百千天樂不鼓自鳴是菩薩目如廣大青蓮
華葉正使和合百千万月其面貌端正復過
於此身真金色无量百千功德莊嚴威德熾
盛光明照曜諸相具足如那羅延堅固之身
入七寶臺上昇虛空去地七多羅樹諸菩薩
眾恭敬圍繞而來詣此娑婆世界耆闍崛山
到已下七寶臺以價直百千瓔珞持至釋迦
牟尼佛所頭面禮足奉上瓔珞而白佛言世
尊淨華宿王智佛問訊世尊少病少惱起居
輕利安樂行不四大調和不世事可忍不眾
生易度不无多貪欲瞋恚愚癡嫉妬慳慢不
无不孝父母不敬沙門耶見不善心不攝五
情不世尊眾生能降伏諸魔怨不久滅度多
寶如來在七寶塔中來聽法不又問訊多寶

BD02039號　妙法蓮華經（八卷本）卷七　（13–9）

生易度不无多貪欲瞋恚愚癡嫉妬慳慢不
无不孝父母不敬沙門耶見不善心不攝五
情不世尊眾生能降伏諸魔怨不久滅度多
寶如來在七寶塔中來聽法不又問訊多寶
如來安隱少惱堪忍久住不世尊我今欲見
多寶佛身唯願世尊示我令見尒時釋迦牟
尼佛語多寶佛是妙音菩薩欲得相見時多
寶佛告妙音言善哉善哉汝能為供養釋迦
牟尼佛及聽法華經并見文殊師利等故來
至此尒時華德菩薩白佛言世尊是妙音菩
薩種何善根脩何功德有是神力佛告華德
菩薩過去有佛名雲雷音王多陀阿伽度阿
羅呵三藐三佛陀國名現一切世間劫名憙
見妙音菩薩於万二千歲以十万種伎樂供
養雲雷音王佛并奉上八万四千七寶鉢以
是因緣果報今生淨華宿王智佛國有是神
力華德於汝意云何尒時雲雷音王佛所妙
音菩薩伎樂供養奉上寶器者豈異人乎今
此妙音菩薩摩訶薩是華德是妙音菩薩已
曾供養親近无量諸佛久殖德本又值恒河
沙等百千万億那由他佛華德汝但見妙音
菩薩其身在此而是菩薩現種種身處處為
諸眾生說是經典或現梵王身或現帝釋身
或現自在天身或現大自在天身或現天大將軍

BD02039號　妙法蓮華經（八卷本）卷七　（13–10）

沙等百千万億那由他佛華德汝但見妙音
菩薩其身在此而是菩薩現種種身處處為
諸衆生說是經典或現梵王身或現帝釋身
或現自在天身或現大自在天身或現天大將軍
身或現毗沙門天王身或現轉輪聖王身或
現諸小王身或現長者身或現居士身或現
宰官身或現婆羅門身或現比丘比丘尼優
婆塞優婆夷身或現長者居士婦女身或現
宰官婦女身或現婆羅門婦女身或現童男
童女身或現天龍夜叉乹闥婆阿脩羅迦樓
羅緊那羅摩睺羅伽人非人等身而說是經
諸有地獄餓鬼畜生及衆難處皆能救濟乃
至於王後宮變為女身而說是經華德是妙
音菩薩能救護娑婆世界諸衆生者是妙音
菩薩如是種種變化現身在此娑婆國土為
諸衆生說是經典於神通變化智慧无所損
減是菩薩以若干智慧明照娑婆世界令一
切衆生各得所知於十方恒河沙世界中亦
復如是若應以聲聞形得度者現聲聞形而
為說法應以辟支佛形得度者現辟支佛形
而為說法應以菩薩形得度者現菩薩形而
為說法應以佛形得度者即現佛形而為說
法如是種種隨所應度而為現形乃至應以
滅度而得度者示現滅度華德妙音菩薩摩

BD02039號　妙法蓮華經（八卷本）卷七　（13–11）

復如是若應以聲聞形得度者現聲聞形而
為說法應以辟支佛形得度者現辟支佛形
而為說法應以菩薩形得度者現菩薩形而
為說法應以佛形得度者即現佛形而為說
法如是種種隨所應度而為現形乃至應以
滅度而得度者示現滅度華德妙音菩薩摩
訶薩成就大神通智慧之力其事如是尒時
華德菩薩白佛言世尊是妙音菩薩深種善
根世尊是菩薩住何三昧而能如是在所變
現度脫衆生佛告華德菩薩善男子其三昧
名現一切色身妙音菩薩住是三昧中能如
是饒益无量衆生說是妙音菩薩品時與妙
音菩薩俱來者八万四千人皆得現一切色
身三昧此娑婆世界无量菩薩亦得是三昧
及陁羅尼尒時妙音菩薩摩訶薩供養釋迦
牟尼佛及多寶佛塔已還歸本土所經諸國
六種震動雨寶蓮華作百千万億種種伎樂
既到本國與八万四千菩薩圍繞至淨華宿
王智佛所白佛言世尊我到娑婆世界饒益
衆生見釋迦牟尼佛及見多寶佛塔礼拜供
養又見文殊師利法王子菩薩及見藥王菩
薩得勤精進力菩薩勇施菩薩等亦令八万
四千菩薩得現一切色身三昧說是妙音菩
薩來往品時四万二千天子得无生法忍華

BD02039號　妙法蓮華經（八卷本）卷七　（13–12）

又陁羅尼命時妙音菩薩摩訶薩供養釋迦
牟尼佛及多寶佛塔已還歸本土所經諸國
六種震動雨寶蓮華作百千万億種種伎樂
既到本國與八万四千菩薩圍繞至淨華宿
王智佛所白佛言世尊我到娑婆世界饒益
衆生見釋迦牟尼佛及見多寶佛塔礼拜供
養又見文殊師利法王子菩薩及見藥王菩
薩得勤精進力菩薩勇施菩薩等亦令八万
四千菩薩得現一切色身三昧說是妙音菩
薩來往品時四万二千天子得无生法忍華
德菩薩得法華三昧

妙法蓮華經卷第七

BD02039號　妙法蓮華經（八卷本）卷七　（13–13）

二比丘罪當直除滅勿擾其心所以者何彼罪
性不在內不在外不在中間如佛所說心垢故衆
生垢心淨故衆生淨心亦不在內不在外不
在中間如其心然罪垢亦然諸法亦然不出
於如如優波離以心相得解脫時寧有垢不
我言不也維摩詰言一切衆生心相无垢亦
復如是唯優波離妄想是垢无妄想是淨
顛倒是垢无顛倒是淨取我是垢不取我是淨
優波離一切法生滅不住如幻如電諸法不相
待乃至一念不住諸法皆妄見如夢如炎如
水中月如鏡中像以妄想生其知此者是名
奉律其知此者是名善解於是二比丘言上
智哉是優波離所不能及持律之上而不能
說我即答言自捨如來未有聲聞及菩薩能
制其樂說之辯其智慧明達爲若此也時二比丘
疑悔即除發阿耨多羅三藐三菩提心作是願
言令一切衆生皆得是辯故我不任詣彼問疾
佛告羅睺羅汝行詣維摩詰問疾羅睺羅白
佛言世尊我不堪任詣彼問疾所以者何憶
念昔時毗耶離諸長者子來詣我所稽首作
礼問我言唯羅睺羅汝佛之子捨轉輪王位

BD02040號　維摩詰所說經卷上　（11–1）

[illegible]
言令一切衆生皆得是辯故我不任詣彼問疾
佛告羅睺羅汝行詣維摩詰問疾羅睺羅白
佛言世尊我不堪任詣彼問疾所以者何憶
念昔時毗耶離諸長者子来詣我所稽首作
礼問我言唯羅睺羅汝佛之子捨轉輪王位
出家爲道其出家者有何等利我即如法爲
說出家功德之利時維摩詰来謂我言唯羅
睺羅不應說出家功德之利所以者何无利
无功德是爲出家有爲法者可說有利有功
德夫出家者爲无爲法无爲法中无利无功
德羅睺羅出家者无彼无此亦无中間離六
十二見處於涅槃智者所受聖所行處降伏衆
魔度五道淨五眼得五力立五根不惱於彼
離衆離惡摧諸外道超越假名出淤泥无繫
著无我所无所受无擾亂内懷喜護彼意隨
禪定離衆過若能如是是真出家於是維
摩詰語諸長者子汝等於正法中宜共出家
所以者何佛世難值諸長者子言居士我聞佛
言父母不聽不得出家維摩詰言然汝等
便發阿耨多羅三藐三菩提心是即出家是
即具足尒時卅二長者子皆發阿耨多羅三藐
三菩提心故我不任詣彼問疾
佛告阿難汝行詣維摩詰問疾阿難白佛言
世尊我不堪任詣彼問疾所以者何憶念昔時
世尊身小有疾當用牛乳我即持鉢詣大婆

三菩提心故我不任詣彼問疾
佛告阿難汝行詣維摩詰問疾阿難白佛言
世尊我不堪任詣彼問疾所以者何憶念昔時
世尊身小有疾當用牛乳我即持鉢詣大婆
羅門家門下立時維摩詰来謂我言唯阿難
何爲晨朝持鉢住此我言居士世尊身小有疾
當用牛乳故来至此維摩詰言止止阿難莫
作是語如来身者金剛之體諸惡已斷衆善
普會當有何疾當有何惱嘿往阿難勿謗
如来莫使異人聞此麁言无令大威德諸天
及他方淨土諸来菩薩得聞斯語阿難轉輪
聖王以少福故尚得无病豈況如来无量福會
普勝者哉行矣阿難勿使我等受斯恥也外
道梵志若聞此語當作是念何名爲師自疾
不能救而能救諸疾人可密速去勿使人聞
當知阿難諸如来身即是法身非思欲身
佛爲世尊過於三界佛身无漏諸漏已盡佛
身无爲不墮諸數如此之身當有何疾時我
世尊實懷慚愧得无近佛而謬聽耶即聞空
中聲曰阿難如居士言但爲佛出五濁惡世現
行斯法度脱衆生行矣阿難取乳勿慚世尊
維摩詰智慧辯才爲若此也是故不任詣彼
問疾如是五百大弟子各各向佛說其本緣
稱述維摩詰所言皆曰不任詣彼問疾

菩薩品第四

維摩詰智慧辯才為若此也是故不任詣彼
問疾如是五百大弟子各各向佛說其本緣
稱述維摩詰所言皆曰不任詣彼問疾

菩薩品第四

於是佛告彌勒菩薩汝行詣維摩詰問疾彌
勒白佛言世尊我不堪任詣彼問疾所以者
何憶念我昔為兜率天王及其眷屬說不退
轉地之行時維摩詰來謂我言彌勒世尊授
仁者記一生當得阿耨多羅三藐三菩提為
用何生得受記乎過去耶未來耶現在耶若
過去生過去生已滅若未來生未來生未至若
現在生現在生无住如佛所說比丘汝今即
時亦生亦老亦滅若以无生得受記者无生
即是正位於正位中亦无受記亦无得阿耨
多羅三藐三菩提云何彌勒受一生記乎為
從如生得受記耶為從如滅得受記耶若以
如生得受記者如无有生若以如滅得受記者
如无有滅一切衆生皆如也一切法亦如也衆
聖賢亦如也至於彌勒亦如也若彌勒得受
記者一切衆生亦應受記所以者何夫如者
不二不異若彌勒得阿耨多羅三藐三菩提
者一切衆生皆亦應得所以者何一切衆生
即菩提相若彌勒得滅度者一切衆生亦當
滅度所以者何諸佛知一切衆生畢竟寂滅
即涅槃相不復更滅是故彌勒无以此法誘

BD02040號　維摩詰所說經卷上　（11-4）

即菩提相若彌勒得滅度者一切衆生亦當
滅度所以者何諸佛知一切衆生畢竟寂滅
即涅槃相不復更滅是故彌勒无以此法誘
諸天子實无發阿耨多羅三藐三菩提心者
亦无退者彌勒當令此諸天子捨於分別菩
提之見所以者何菩提者不可以身得不可
以心得寂滅是菩提滅諸相故不觀是菩提
離諸緣故不行是菩提无憶念故斷是菩提
捨諸見故離是菩提離諸妄想故鄣是菩
提鄣諸願故不入是菩提无貪著故順是菩
提順於如故住是菩提住法性故至是菩提
至實際故不二是菩提離意法故等是菩
提等虛空故无為是菩提无生住滅故知
是菩提了衆生心行故不會是菩提諸入不
會故不合是菩提離煩惱習故无處是菩
提无形色故假名是菩提名字空故如化是
菩提无取捨故无亂是菩提常自靜故善寂
是菩提性清淨故无取是菩提離攀緣故无
異是菩提諸法等故无比是菩提无可喻故
微妙是菩提諸法難知故世尊維摩詰說是
法時二百天子得无生法忍故我不任詣彼問疾
佛告光嚴童子汝行詣維摩詰問疾光嚴白
佛言世尊我不堪任詣彼問疾所以者何憶念
我昔出毗耶離大城時維摩詰方入城我即
為作禮而問言居士從何所來答我言吾從

BD02040號　維摩詰所說經卷上　（11-5）

佛告光嚴童子汝行詣維摩詰問疾光嚴白
佛言世尊我不堪任詣彼問疾所以者何憶念
我昔出毗耶離大城時維摩詰方入城我即
為作礼而問言居士從何所來答我言吾從
道場來我問道場者何所是答曰直心是
道場无虛假故發行是道場能辦事故深心
是道場增益功德故菩提心是道場无錯謬
故布施是道場不望報故持戒是道場得願
具故忍辱是道場於諸眾生心无㝵故精進
是道場不懈怠故禪定是道場心調柔故智
慧是道場現見諸法故慈是道場等眾生故
悲是道場忍疲苦故喜是道場悅樂法故捨
是道場憎愛斷故神通是道場成就六通故
解脫是道場能背捨故方便是道場教化眾
生故四攝是道場攝眾生故多聞是道場如
聞行故伏心是道場正觀諸法故卅七品是
道場捨有為法故諦是道場不誑世間故緣
起是道場无明乃至老死皆无盡故諸煩惱
是道場知如實故眾生是道場知无我故一
切法是道場知諸法空故降魔是道場不傾
動故三界是道場无所趣故師子吼是道場
无所畏故力无畏不共法是道場无諸過故
三明是道場无餘㝵故一念知一切法是道
場成就一切智故如是善男子菩薩若應
諸波羅蜜教化眾生諸有所作舉足下足當
知皆從道場來住於佛法矣說是法時五百

BD02040號　維摩詰所說經卷上　（11-6）

三明是道場无餘㝵故一念知一切法是道
場成就一切智故如是善男子菩薩若應
諸波羅蜜教化眾生諸有所作舉足下足當
知皆從道場來住於佛法矣說是法時五百
天人皆發阿耨多羅三藐三菩提心故我不
任詣彼問疾
佛告持世菩薩汝行詣維摩詰問疾持世白
佛言世尊我不堪任詣彼問疾所以者何憶念
我昔住於靜室時魔波旬從万二千天女狀如
帝釋鼓樂弦歌來詣我所與其眷屬稽首我
足合掌恭敬於一面立我意謂是帝釋而
語之言善來憍尸迦雖福應有不當自恣
當觀五欲无常以求善本於身命財而脩
堅法即語我言正士受是万二千天女可備
掃灑我言憍尸迦无以此非法之物要我沙
門釋子此非我宜所言未訖時維摩詰來謂
我言非帝釋也是為魔來嬈固汝耳即語魔
言是諸女等可以與我如我應受魔即驚
懼念維摩詰將无惱我欲隱形去而不能隱
盡其神力亦不得去即聞空中聲曰波旬以
女與之乃可得去魔以畏故俛仰而與尒時
維摩詰語諸女言魔以汝等與我今汝皆當
發阿耨多羅三藐三菩提心即隨所應而為
說法令發道意復言汝等已發道意有法樂
可以自娛不應復樂五欲樂也天女即問何謂
法樂答言樂常信佛樂欲聽法樂供養眾樂

BD02040號　維摩詰所說經卷上　（11-7）

[illegible]
維摩詰語諸女言魔以汝等與我今汝皆當
發向耨多羅三藐三菩提心即隨所應而為
說法令發道意復言汝等已發道意有法樂
可以自娛不應復樂五欲樂也天女即問何謂
法樂答言樂常信佛樂欲聽法樂供養衆樂
離五欲樂觀五陰如怨賊樂觀四大如毒虵
樂觀内入如空聚樂隨護道意樂饒益衆
生樂敬養師樂廣行施樂堅持戒樂忍辱柔
和樂懃集善根樂禪定不亂樂離垢明慧樂
廣菩提心樂降伏衆魔樂斷諸煩惱樂淨佛
國土樂成就相好故脩諸功德樂嚴道場樂
聞深法不畏樂三脫門不樂非時樂近同學樂
於非同學中心无恚㝵樂將護惡知識樂近善
知識樂心喜清淨樂脩无量道品之法是為
菩薩法樂於是波旬告諸女言以我等與此居士有法樂我
還天官諸女言以我等與此居士有法樂我
等甚樂不復樂五欲樂也魔言居士可捨
此女一切所有施於彼者是為菩薩維摩詰
言我已捨矣汝便將去令一切衆生得法願
具足於是諸女問維摩詰我等云何止於魔
官維摩詰言諸姉有法門名无盡燈汝等當
學无盡燈者譬如一燈燃百千燈冥者皆明
明終不盡如是諸姉夫一菩薩開導百千衆
生令發向耨多羅三藐三菩提心於其道意
亦不滅盡隨所說法而自增益一切善法是
名无盡燈也汝等雖住魔宮以是无盡燈令

明終不盡如是諸姉夫一菩薩開導百千衆
生令發向耨多羅三藐三菩提心於其道意
亦不滅盡隨所說法而自增益一切善法是
名无盡燈也汝等雖住魔宮以是无盡燈令
无數天子天女發向耨多羅三藐三菩提心
者為報佛恩亦大饒益一切衆生尒時天
女頭面礼維摩詰足隨魔還宮忽然不現
世尊維摩詰有如是自在神力智慧辯才故
我不任詣彼問疾
佛告長者子善得汝行詣維摩詰問疾善得
白佛言世尊我不堪任詣彼問疾所以者何
憶念我昔自於父舍設大施會供養一切沙
門婆羅門及諸外道貧窮下賤孤獨乞人期滿
七日時維摩詰來入會中謂我言長者子夫
大施會不當如汝所設當為法施之會何用是
財施會為我言居士何謂法施之會法施會
者无前无後一時供養一切衆生是名法施
之會何謂也謂以菩提起於慈心以救衆生
起大悲心以持正法起於喜心以攝智慧行
於捨心以攝慳貪起檀波羅蜜以化犯戒起
尸羅波羅蜜以无我法起羼提波羅蜜以
離身心相起毗梨耶波羅蜜以菩提相起禪
波羅蜜以一切智起般若波羅蜜教化衆生
而起於[illegible]不捨有為法而起无相亦現受生
而起无作護持正法起方便力以度衆生起
四攝法以敬事一切起除慢法於身命財起

波羅蜜以一切智起般若波羅蜜教化衆生
而起於空不捨有爲法而起无相示現受生
而起无作護持正法起方便力以度衆生起
四攝法以敬事一切起除慢法於身命財起
三堅法於六念中起思念法於六和敬起質
直心正行善法起於淨命心淨歡喜起近賢
聖不憎惡人起調伏心以出家法起於深心
以如說行起於多聞以无諍法起空閑處趣
向佛慧起於宴坐解衆生縛起脩行地以具
相好及淨佛土起福德業知一切衆生心念如
應說法起於智業知一切法不取不捨入一
相門起於慧業斷一切煩惱一切鄣㝵一切
不善法起一切善業以得一切智慧一切善
法起於一切助佛道法如是善男子是爲法
施之會若菩薩住是法施會者爲大施主
亦爲一切世間福田世尊維摩詰說是法時
婆羅門衆中二百人皆發阿耨多羅三藐三
菩提心我時心得清淨歎未曾有稽首礼
維摩詰足即解瓔珞價直百千以上之不肯
取我言居士願必納受隨意所與維摩詰乃
受瓔珞分作二分持一分施此會中一最下乞
人持一分奉彼難勝如來一切衆會皆見光
明國土難勝如來又見珠瓔在彼佛上變
成四柱寶臺四面嚴飾不相鄣蔽時維摩
詰現神變已作是言若施主等心施一最下乞
人猶如如來福田之相无所分別等于大悲不

BD02040 號　維摩詰所說經卷上　（11–10）

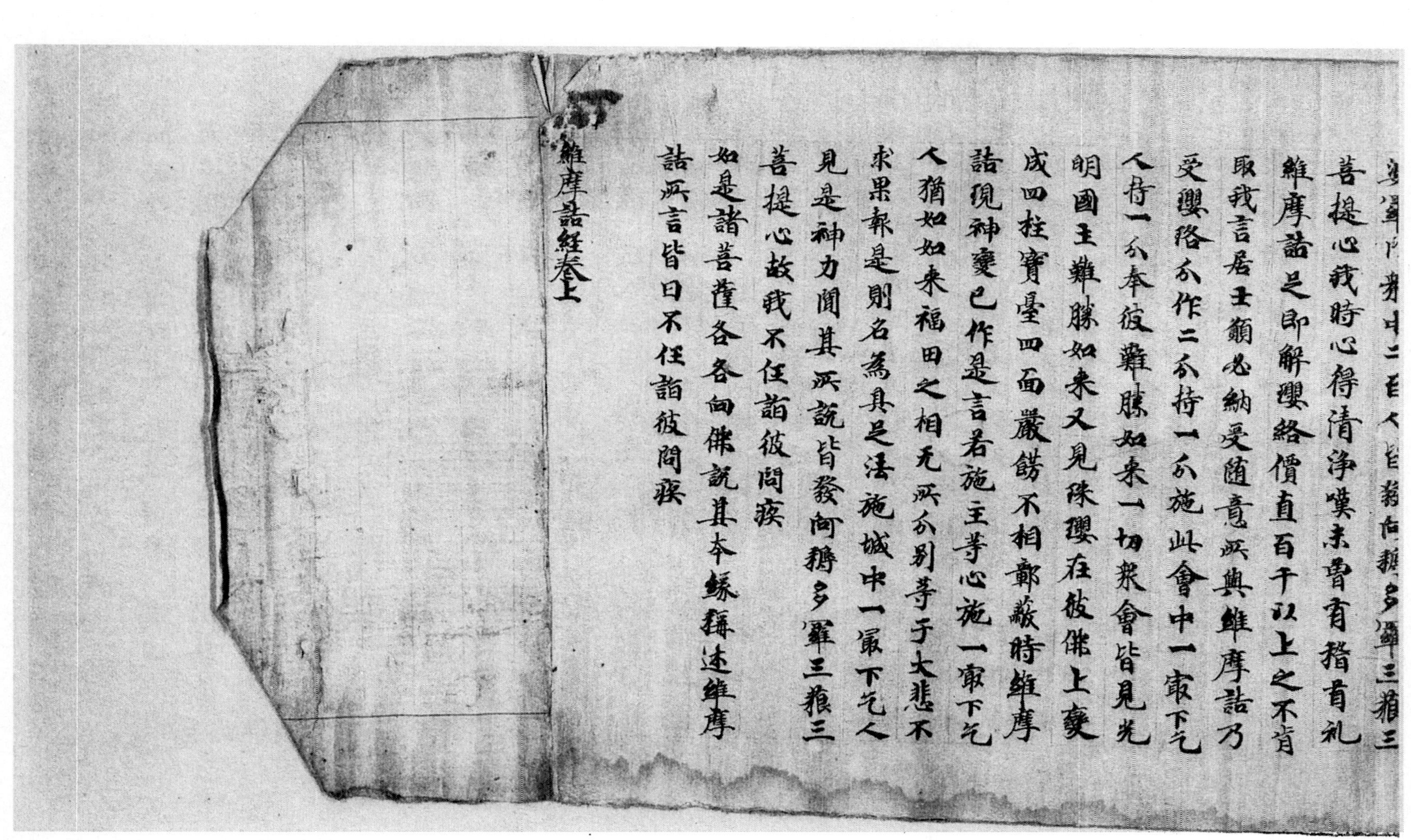
婆羅門衆中二百人皆發阿耨多羅三藐三
菩提心我時心得清淨歎未曾有稽首礼
維摩詰足即解瓔珞價直百千以上之不肯
取我言居士願必納受隨意所與維摩詰乃
受瓔珞分作二分持一分施此會中一最下乞
人持一分奉彼難勝如來一切衆會皆見光
明國土難勝如來又見珠瓔在彼佛上變
成四柱寶臺四面嚴飾不相鄣蔽時維摩
詰現神變已作是言若施主等心施一最下乞
人猶如如來福田之相无所分別等于大悲不
求果報是則名爲具足法施城中一最下乞人
見是神力聞其所說皆發阿耨多羅三藐三
菩提心故我不任詣彼問疾
如是諸菩薩各各向佛說其本緣稱述維摩
詰所言皆曰不任詣彼問疾

維摩詰經卷上

BD02040 號　維摩詰所說經卷上　（11–11）

訶　了寶光
妙好供養　供養諸佛
亦以華香　供養舍利
慧　成等正覺　國土清淨
衆生　皆為十方　之所供養
能勝者　其佛号曰　閻浮金光
一切有　无量无數　莊嚴其國
復告大衆我今語汝是大目揵連當以
種種供具供養八千諸佛恭敬尊重諸佛滅後各
起塔廟高千由旬縱廣正等五百由旬以金銀琉
璃車渠馬瑙真珠玫瑰七寶合成衆華瓔珞塗香
末香燒香繒蓋幢幡以用供養過是已後當復供
養二百万億諸佛亦復如是當得成佛号曰多摩
羅跋栴檀香如來應供正遍知明行足善逝世間
解无上士調御丈夫天人師佛世尊劫名喜滿
國名意樂其土平正頗梨為地寶樹莊嚴散真珠華
周遍清淨見者歡喜多諸天人菩薩聲聞其數无
量佛壽二十四小劫正法住世四十小劫像法亦
住四十小劫爾時世尊欲重宣此義而說偈言
我此弟子　大目乹連　捨是身已　得見八千
二百万億　諸佛世尊　為佛道故　供養恭敬
於諸佛所　常脩梵行　於无量劫　奉持佛法

BD02041號　妙法蓮華經卷三

（17–1）

量佛壽二十四小劫正法住世四十小劫像法亦
住四十小劫爾時世尊欲重宣此義而說偈言
我此弟子　大目乹連　捨是身已　得見八千
二百万億　諸佛世尊　為佛道故　供養恭敬
於諸佛所　常脩梵行　於无量劫　奉持佛法
諸佛滅後　起七寶塔　長表金刹　華香伎樂
而以供養　諸佛塔廟　漸漸具足　菩薩道已
於意樂國　而得作佛　号多摩羅　栴檀之香
其佛壽命　二十四劫　常為天人　演說佛道
聲聞无量　如恒河沙　三明六通　有大威德
菩薩无數　志固精進　於佛智慧　皆不退轉
佛滅度後　正法當住　四十小劫　像法亦爾
我諸弟子　威德具足　其數五百　皆當授記
於未來世　咸得成佛　我及汝等　宿世因緣
吾今當說　汝等善聽

妙法蓮華經化城喻品第七

佛告諸比丘乃往過去无量无邊不可思議阿僧
祇劫爾時有佛名大通智勝如來應供正遍知明
行足善逝世間解无上士調御丈夫天人師佛世
尊其國名好成劫名大相諸比丘彼佛滅度已來
甚大久遠譬如三千大千世界所有地種假使有人
磨以為墨過於東方千國土乃下一點大如微塵又
過千國土復下一點如是展轉盡地種墨於汝等意
云何是諸國土若筭師若筭師弟子能得邊際知其
數不不也世尊諸比丘是人所經國土若點不點盡
末為塵一塵一劫彼佛滅度已來復過是數无量无

BD02041號　妙法蓮華經卷三

（17–2）

過千國土復下一點如是展轉盡地種墨於汝等意
云何是諸國土若筭師若筭師弟子能得邊際知其
數不不也世尊諸比丘是人所經國土若點不點盡
末為塵一塵一劫彼佛滅度已來復過是數无量无
邊百千万億阿僧祇劫我以如來知見力故觀彼久
遠猶若今日尒時世尊欲重宣此義而說偈言
我念過去世　无量无邊劫　有佛兩足尊　名大通智勝
如人以力磨　三千大千土　盡此諸地種　皆悉以為墨
過於千國土　乃下一塵點　如是展轉點　盡此諸塵墨
如是諸國土　點與不點等　復盡末為塵　一塵為一劫
此諸微塵數　其劫復過是　彼佛滅度來　如是无量劫
如來无礙智　知彼佛滅度　及聲聞菩薩　如見今滅度
諸比丘當知　佛智淨微妙　无漏无所礙　通達无量劫
佛告諸比丘大通智勝佛壽五百四十万億那由他
劫其佛本坐道場破魔軍已垂得阿耨多羅三藐三
菩提而諸佛法不現在前如是一小劫乃至十小劫
結加趺坐身心不動而諸佛法猶不在前尒時忉利
諸天先為彼佛於菩提樹下敷師子座高一由旬佛
於此坐當得阿耨多羅三藐三菩提適坐此座時
諸梵天王雨眾天華面百由旬香風時來吹去萎華
更雨新者如是不絕滿十小劫供養於佛乃至滅度
常雨此華四王諸天為供養佛常擊天鼓其餘諸天
作天伎樂滿十小劫至于滅度亦復如是諸比丘大
通智勝佛過十小劫諸佛之法乃現在前成阿耨多
羅三藐三菩提其佛未出家時有十六子其第一者
名曰智積諸子各有種種珍異玩好之具聞父得成

BD02041號　妙法蓮華經卷三　（17–3）

作天伎樂滿十小劫至于滅度亦復如是諸比丘大
通智勝佛過十小劫諸佛之法乃現在前成阿耨多
羅三藐三菩提其佛未出家時有十六子其第一者
名曰智積諸子各有種種珍異玩好之具聞父得成
阿耨多羅三藐三菩提皆捨所珍往詣佛所諸母涕
泣而隨送之其祖轉輪聖王與一百大臣及餘百千
万億人民皆共圍遶隨至道場咸欲親近大通智勝
如來供養恭敬尊重讚歎到已頭面礼足遶佛畢已一心
合掌瞻仰世尊以偈頌曰
大威德世尊　為度眾生故　於无量億歲　尒乃得成佛
諸願已具足　善哉吉无上　世尊甚希有　一坐十小劫
身體及手足　靜然安不動　其心常憺怕　未曾有散亂
究竟永寂滅　安住无漏法　今者見世尊　安隱成佛道
我等得善利　稱慶大歡喜　眾生常苦惱　盲瞑无導師
不識苦盡道　不知求解脫　長夜增惡趣　減損諸天眾
從冥入於冥　永不聞佛名　今佛得最上　安隱无漏道
我等及天人　為得最大利　是故咸稽首　歸命无上尊
尒時十六王子偈讚佛已勸請世尊轉於法輪咸作
是言世尊說法多所安隱憐愍饒益諸天人民重
說偈言
世雄无等倫　百福自莊嚴　得无上智慧　願為世間說
度脫於我等　及諸眾生類　為分別顯示　令得是智慧
若我等得佛　眾生亦復然　世尊知眾生　深心之所念
亦知所行道　又知智慧力　欲樂及脩福　宿命所行業
世尊悉知已　當轉无上輪

BD02041號　妙法蓮華經卷三　（17–4）

世雄无等倫　百福自莊嚴　得无上慧智　頋為世間說
度脫於我等　及諸衆生類　為分別顯示　令得是智慧
若我等得佛　衆生亦復然　世尊知衆生　深心之所念
亦知所行道　又知智慧力　欲樂及脩福　宿命所行業
世尊悉知已　當轉无上輪
佛告諸比丘大通智勝佛得阿耨多羅三藐三菩提
時十方各五百万億諸佛世界六種震動其國中間
幽冥之處日月威光所不能照而皆大明其中衆生
各得相見咸作是言此中云何忽生衆生又其國界
諸天宮殿乃至梵宮六種震動大光普照遍滿世界
勝諸天光尒時東方五百万億諸國土中梵天宮殿
光明照曜倍於常明諸梵天王各作是念今者宮殿
光明昔所未有以何因緣而現此相是時諸梵天王
即各相詣共議此事時彼衆中有一大梵天王名救
一切為諸梵衆而說偈言
我等諸宮殿　光明昔未有　此是何因緣　宜各共求之
為大德天生　為佛出世間　而此大光明　遍照於十方
尒時五百万億國土諸梵天王與宮殿俱各以衣裓
盛諸天華共詣西方推尋是相見大通智勝如來處
于道場菩提樹下坐師子座諸天龍王乹闥婆緊那
羅摩睺羅伽人非人等恭敬圍遶及見十六王子請
佛轉法輪即時諸梵天王頭面礼佛遶百千匝即以
天華而散佛上其所散華如須弥山并以供養佛菩
提樹高十由旬華供養已各以宮殿奉上彼佛而作是
言唯見哀愍饒益我等所獻宮殿頋垂納處時諸梵
天王即於佛前一心同聲以偈頌曰

BD02041號　妙法蓮華經卷三

(17–5)

天華而散佛上其所散華如須弥山并以供養佛菩
提樹高十由旬華供養已各以宮殿奉上彼佛而作是
言唯見哀愍饒益我等所獻宮殿頋垂納處時諸梵
天王即於佛前一心同聲以偈頌曰
世尊甚希有　難可得值遇　具无量功德　能救護一切
天人之大師　哀愍於世間　十方諸衆生　普皆蒙饒益
我等所從來　五百万億國　捨深禪定樂　為供養佛故
我等先世福　宮殿甚嚴飾　今以奉世尊　唯頋哀納受
尒時諸梵天王偈讚佛已各作是言唯頋世尊轉
於法輪度脫衆生開涅槃道時諸梵天王一心同
聲而說偈言
世雄兩足尊　唯頋演說法　以大慈悲力　度苦惱衆生
尒時大通智勝如來默然許之又諸比丘東南方
五百万億國土諸大梵王各自見宮殿光明照曜
昔所未有歡喜踊躍生希有心即各相詣共議此
事時彼衆中有一大梵天王名曰大悲為諸梵衆
而說偈言
是事何因緣　而現如此相　我等諸宮殿　光明昔未有
為大德天生　為佛出世間　未曾見此相　當共一心求
過千万億土　尋光共推之　多是佛出世　度脫苦衆生
尒時五百万億諸梵天王與宮殿俱各以衣裓盛諸
天華共詣西北方推尋是相見大通智勝如來處于
道場菩提樹下坐師子座諸天龍王乹闥婆緊那
羅摩睺羅伽人非人等恭敬圍遶及見十六王子
請佛轉法輪時諸梵天王頭面礼佛遶百千匝即

BD02041號　妙法蓮華經卷三

(17–6)

尔時五百万億諸梵天王與宮殿俱各以衣裓盛諸
天華共詣西北方推尋是相見大通智勝如來處于
道場菩提樹下坐師子座諸天龍王乾闥婆緊那
羅摩睺羅伽人非人等恭敬圍遶及見十六王子
請佛轉法輪時諸梵天王頭面礼佛遶百千匝即
以天華而散佛上所散之華如須弥山并以供養
佛菩提樹華供養已各以宮殿奉上彼佛而作是
言唯見哀愍饒益我等所獻宮殿願垂納受尒時
諸梵天王即於佛前一心同聲以偈頌曰
聖主天中天　迦陵頻迦聲　哀愍衆生者　我等今敬礼
世尊甚希有　久遠乃一現　一百八十劫　空過无有佛
三惡道充滿　諸天衆減少　今佛出於世　為衆生作眼
世間所歸趣　救護於一切　為衆生之父　哀愍饒益者
我等宿福慶　今得值世尊
尒時諸梵天王偈讚佛已各作是言唯願世尊哀愍
一切轉於法輪度脫衆生時諸梵天王一心同聲
而說偈言
大聖轉法輪　顯示諸法相　度苦惱衆生　令得大歡喜
衆生聞此法　得道若生天　諸惡道減少　忍善者增長
尒時大通智勝如來默然許之又諸比丘南方五百
万億國土諸大梵王各自見宮殿光明照曜昔所未
有歡喜踊躍生希有心即各相詣共議此事以何因
緣我等宮殿有此光曜而彼衆中有一大梵天王名
曰妙法為諸梵衆而說偈言
我等諸宮殿　光明甚威曜　此非无因緣　是相宜求之

万億國土諸大梵王各自見宮殿光明照曜昔所未
有歡喜踊躍生希有心即各相詣共議此事以何因
緣我等宮殿有此光曜而彼衆中有一大梵天王名
曰妙法為諸梵衆而說偈言
我等諸宮殿　光明甚威曜　此非无因緣　是相宜求之
過於百千劫　未曾見是相　為大德天生　為佛出世間
尒時五百万億諸梵天王與宮殿俱各以衣裓盛
諸天華共詣北方推尋是相見大通智勝如來處
于道場菩提樹下坐師子座諸天龍王乾闥婆緊
那羅摩睺羅伽人非人等恭敬圍遶及見十六王
子請佛轉法輪時諸梵天王頭面礼佛遶百千匝
即以天華而散佛上所散之華如須弥山并以供
養佛菩提樹華供養已各以宮殿奉上彼佛而作
是言唯見哀愍饒益我等所獻宮殿願垂納處尒
時諸梵天王即於佛前一心同聲以偈頌曰
世尊甚難見　破諸煩惱者　過百三十劫　今乃得一見
諸飢渴衆生　以法雨充滿　昔所未曾覩　无量智慧者
如優曇鉢華　今日乃值遇　我等諸宮殿　蒙光故嚴飾
世尊大慈愍　唯願垂納受
尒時諸梵天王偈讚佛已各作是言唯願世尊轉
於法輪令一切世間諸天魔梵沙門婆羅門皆獲
安隱而得度脫時諸梵天王一心同聲以偈頌曰
唯願天中尊　轉无上法輪　擊于大法鼓　而吹大法蠡
普雨大法雨　度无量衆生　我等咸歸請　當演深遠音
尒時大通智勝如來默然許之西南方乃至下方亦

於法輪令一切世間諸天魔梵沙門婆羅門皆獲
安隱而得度脫時諸梵天王一心同聲以偈頌曰
唯願天中尊　轉无上法輪　擊于大法鼓　而吹大法螺
普雨大法雨　度无量衆生　我等咸歸請　當演深遠音
尒時大通智勝如來默然許之西南方乃至下方亦
復如是尒時上方五百万億國土諸大梵王皆悉自
覩所止宮殿光明威曜昔所未有歡喜踊躍生希有
心即各相詣共議此事以何因緣我等宮殿有斯光
明時彼衆中有一大梵天王名曰尸棄為諸梵衆
而說偈言
今以何因緣　我等諸宮殿　威德光明曜　嚴飾未曾有
如是之妙相　昔所未曾見　為大德天生　為佛出世間
尒時五百万億諸梵天王與宮殿俱各以衣裓盛諸
天華共詣下方推尋是相見大通智勝如來處于道
場菩提樹下坐師子座諸天龍王乾闥婆緊那羅摩
睺羅伽人非人等恭敬圍遶及見十六王子請佛轉
法輪時諸梵天王頭面礼佛遶百千匝即以天華而散
佛上所散之華如須弥山并以供養佛菩提樹華供
養已各以宮殿奉上彼佛而作是言唯見哀愍饒益
我等所獻宮殿願垂納處時諸梵天王即於佛前
一心同聲以偈頌曰
善哉見諸佛　救世之聖尊　能於三界獄　勉出諸衆生
普智天人尊　哀愍群萌類　能開甘露門　廣度於一切
於昔无量劫　空過无有佛　世尊未出時　十方常闇暝
三惡道增長　阿脩羅亦盛　諸天衆轉減　死多墮惡道
不從佛聞法　常行不善事　色力及智慧　斯等皆減少

BD02041號　妙法蓮華經卷三　（17–9）

普智天人尊　哀愍群萌類　能開甘露門　廣度於一切
於昔无量劫　空過无有佛　世尊未出時　十方常闇暝
三惡道增長　阿脩羅亦盛　諸天衆轉減　死多墮惡道
不從佛聞法　常行不善事　色力及智慧　斯等皆減少
罪業因緣故　失樂及樂想　住於邪見法　不識善儀則
不蒙佛所化　常墮於惡道　佛為世間眼　久遠時乃出
哀愍諸衆生　故現於世間　超出成正覺　我等甚欣慶
及餘一切衆　喜歎未曾有　我等諸宮殿　蒙光故嚴飾
今以奉世尊　唯垂哀納受　願以此功德　普及於一切
我等與衆生　皆共成佛道
尒時五百万億諸梵天王偈讚佛已各白佛言唯願
世尊轉於法輪多所安隱多所度脫時諸梵天王
而說偈言
世尊轉法輪　擊甘露法鼓　度苦惱衆生　開示涅槃道
唯願受我請　以大微妙音　哀愍而敷演　无量劫習法
尒時大通智勝如來受十方諸梵天王及十六王子
請即時三轉十二行法輪若沙門婆羅門若天魔
梵及餘世間所不能轉謂是苦是苦集是苦滅是
苦滅道及廣說十二因緣法无明緣行行緣識識
緣名色名色緣六入六入緣觸觸緣受受緣愛愛
緣取取緣有有緣生生緣老死憂悲苦惱无明滅
則行滅行滅則識滅識滅則名色滅名色滅則
六入滅六入滅則觸滅觸滅則受滅受滅則愛滅
愛滅則取滅取滅則有滅有滅則生滅生滅則老
死憂悲苦惱滅佛於天人大衆之中說是法時六
百万億那由他人以不受一切法故而於諸漏心

BD02041號　妙法蓮華經卷三　（17–10）

六入滅六入滅則觸滅觸滅則受滅受滅則愛滅
愛滅則取滅取滅則有滅有滅則生滅生滅則老
死憂悲苦惱滅佛於天人大衆之中說是法時六
百万億那由他人以不受一切法故而於諸漏心
得解脫皆得深妙禪定三明六通具八解脫第二
第三第四說法時千万億恒河沙那由他等衆生
亦以不受一切法故而於諸漏心得解脫從是已
後諸聲聞衆无量无邊不可稱數尒時十六王子
皆以童子出家而爲沙弥諸根通利智慧明了已
曾供養百千万億諸佛淨脩梵行求阿耨多羅三
藐三菩提俱白佛言世尊是諸无量千万億大德
聲聞皆已成就世尊亦當爲我等說阿耨多羅三藐
三菩提法我等聞已皆共脩學世尊我等志願如
來知見深心所念佛自證知尒時轉輪聖王所將
衆中八万億人見十六王子出家亦求出家王即
聽許尒時彼佛受沙弥請過二万劫已乃於四衆
之中說是大乘經名妙法蓮華教菩薩法佛所護
念說是經已十六沙弥爲阿耨多羅三藐三菩提
故皆共受持諷誦通利說是經時十六菩薩沙弥
皆悉信受聲聞衆中亦有信解其餘衆生千万億
種皆生疑惑佛說是經於八千劫未曾休廢說此
經已即入靜室住於禪定八万四千劫是時十六
菩薩沙弥知佛入室寂然禪定各昇法座亦於八
万四千劫爲四部衆廣說分別妙法華經一一皆度
六百万億那由他恒河沙等衆生示教利喜令發阿
耨多羅三藐三菩提心大通智勝佛過八万四千劫

菩薩沙弥知佛入室寂然禪定各昇法座亦於八
万四千劫爲四部衆廣說分別妙法華經一一皆度
六百万億那由他恒河沙等衆生示教利喜令發阿
耨多羅三藐三菩提心大通智勝佛過八万四千劫
已從三昧起往詣法座安詳而坐普告大衆是十六
菩薩沙弥甚爲希有諸根通利智慧明了已曾供養
无量千万億數諸佛於諸佛所常脩梵行受持佛智
開示衆生令入其中汝等皆當數數親近而供養之
所以者何若聲聞辟支佛及諸菩薩能信是十六菩
薩所說經法受持不毀者是人皆當得阿耨多羅三
藐三菩提如來之慧佛告諸比丘是十六菩薩常樂
說是妙法蓮華經一一菩薩所化六百万億那由他
恒河沙等衆生世世所生與菩薩俱從其聞法悉皆
信解以此因緣得值四万億諸佛世尊于今不盡諸
比丘我今語汝彼佛弟子十六沙弥今皆得阿耨
多羅三藐三菩提於十方國土現在說法有无量
百千万億菩薩聲聞以爲眷屬其二沙弥東方作
佛一名阿閦在歡喜國二名須弥頂東南方二佛一名
師子音二名師子相南方二佛一名虛空住二名常滅
西南方二佛一名帝相二名梵相西方二佛一名阿弥
陀二名度一切世間苦惱西北方二佛一名多摩羅跋
栴檀香神通二名須弥相北方二佛一名雲自在二名
雲自在王東北方佛名壞一切世間怖畏第十六我
釋迦牟尼佛於娑婆國土成阿耨多羅三藐三菩提

栴檀香神通二名須彌相北方二佛一名雲自在二名
雲自在王東北方佛名壞一切世間怖畏第十六我
釋迦牟尼佛於娑婆國土成阿耨多羅三藐三菩提
諸比丘我等為沙弥時各各教化无量百千万億恒
河沙等衆生從我聞法為阿耨多羅三藐三菩提此
諸衆生于今有住聲聞地者我常教化阿耨多羅三藐
三菩提是諸人等應以是法漸入佛道所以者何如
來智慧難信難解尒時所化无量恒河沙等衆生者
汝等諸比丘及我滅度後未來世中聲聞弟子是也
我滅度後復有弟子不聞是經不知不覺菩薩所行
自於所得功德生滅度想當入涅槃我於餘國作佛
更有異名是人雖生滅度之想入於涅槃而於彼土
求佛智慧得聞是經唯以佛乘而得滅度更无餘乘
除諸如來方便說法諸比丘若如來自知涅槃時到
衆又清淨信解堅固了達空法深入禪定便集諸菩
薩及聲聞衆為說是經世間无有二乘而得滅度唯
一佛乘得滅度耳比丘當知如來方便深入衆生之
性知其志樂小法深著五欲為是等故說於涅槃是
人若聞則便信受譬如五百由旬險難惡道曠絕无
人怖畏之處若有多衆欲過此道至珎寶處有一導
師聰慧明達善知險道通塞之相將導衆人欲過此
難所將人衆中路懈退白導師言我等疲極而復怖
畏不能復進前路猶遠今欲退還導師多諸方便而
作是念此等可愍云何捨大珎寶而欲退還作是念
已以方便力於險道中過三百由旬化作一城告衆

師聰慧明達善知險道通塞之相將導衆人欲過此
難所將人衆中路懈退白導師言我等疲極而復怖
畏不能復進前路猶遠今欲退還導師多諸方便而
作是念此等可愍云何捨大珎寶而欲退還作是念
已以方便力於險道中過三百由旬化作一城告衆
人言汝等勿怖莫得退還今此大城可於中止隨意
所作若入是城快得安隱若能前至寶所亦可得去
是時疲極之衆心大歡喜歎未曾有我等今者免斯
惡道快得安隱於是衆人前入化城生已度想生安
隱想尒時導師知此人衆既得止息无復疲惓即滅
化城語衆人言汝等去來寶處在近向者大城我所化
作為止息耳諸比丘如來亦復如是今為汝等作大導
師知諸生死煩惱惡道險難長遠應去應度衆生但聞
一佛乘者則不欲見佛不欲親近便作是念佛道長遠
久受懃苦乃可得成佛知是心怯弱下劣以方便力而
於中道為止息故說二涅槃若衆生住於二地如來尒
時即便為說汝等所作未辦汝所住地近於佛慧當觀
察籌量所得涅槃非真實也但是如來方便之力於一
佛乘分別說三如彼導師為止息故化作大城既知
息已而告之言寶處在近此城非實我化作耳尒時
世尊欲重宣此義而說偈言
大通智勝佛　十劫坐道場　佛法不現前　不得成佛道
諸天神龍王　阿脩羅衆等　常雨於天華　以供養彼佛
諸天擊天皷　并作衆伎樂　香風吹萎華　更雨新好者
過十小劫已　乃得成佛道　諸天及世人　心皆懷踊躍
彼佛十六子　皆與其眷屬　千万億圍遶　俱行至佛所

大通智勝佛　十劫坐道場　佛法不現前　不得成佛道
諸天神龍王　阿脩羅衆等　常雨於天華　以供養彼佛
諸天擊天鼓　并作衆伎樂　香風吹萎華　更雨新好者
過十小劫已　乃得成佛道　諸天及世人　心皆懷踊躍
彼佛十六子　皆與其眷屬　千万億圍遶　俱行至佛所
頭面礼佛足　而請轉法輪　聖師子法雨　充我及一切
世尊甚難值　久遠時一現　為覺悟群生　震動於一切
東方諸世界　五百万億國　梵宮殿光曜　昔所未曾有
諸梵見此相　尋來至佛所　散華以供養　并奉上宮殿
請佛轉法輪　以偈而讚歎　佛知時未至　受請默然坐
三方及四維　上下亦復尒　散華奉宮殿　請佛轉法輪
世尊甚難值　願以大慈悲　廣開甘露門　轉无上法輪
无量慧世尊　受彼衆人請　為宣種種法　四諦十二緣
无明至老死　皆從生緣有　如是衆過患　汝等應當知
宣暢是法時　六百万億姟　得盡諸苦際　皆成阿羅漢
第二說法時　千万恒沙衆　於諸法不受　亦得阿羅漢
從是後得道　其數无有量　万億劫筭數　不能得其邊
時十六王子　出家作沙弥　皆共請彼佛　演說大乘法
我等及營從　皆當成佛道　願得如世尊　慧眼第一淨
佛知童子心　宿世之所行　以无量因緣　種種諸譬喻
說六波羅蜜　及諸神通事　分別真實法　菩薩所行道
說是法華經　如恒河沙偈　彼佛說經已　靜室入禪定
一心一處坐　八万四千劫　是諸沙弥等　知佛禪未出
為无量億衆　說佛无上慧　各各坐法座　說是大乘經
於佛宴寂後　宣揚助法化　一一沙弥等　所度諸衆生

BD02041號　妙法蓮華經卷三　（17–15）

說是法華經　如恒河沙偈　彼佛說經已　靜室入禪定
一心一處坐　八万四千劫　是諸沙弥等　知佛禪未出
為无量億衆　說佛无上慧　各各坐法座　說是大乘經
於佛宴寂後　宣揚助法化　一一沙弥等　所度諸衆生
有六百万億　恒河沙等衆　彼佛滅度後　是諸聞法者
在在諸佛土　常與師俱生　是十六沙弥　具足行佛道
今現在十方　各得成正覺　尒時聞法者　各在諸佛所
其有住聲聞　漸教以佛道　我在十六數　曾亦為汝說
是故以方便　引汝趣佛慧　以是本因緣　今說法華經
令汝入佛道　慎勿懷驚懼　譬如險惡道　迥絶多毒獸
又復无水草　人所怖畏處　无數千万衆　欲過此險道
其路甚曠遠　經五百由旬　時有一導師　強識有智慧
明了心決定　在險濟衆難　衆人皆疲惓　而白導師言
我等今頓乏　於此欲退還　導師作是念　此輩甚可愍
如何欲退還　而失大珎寶　尋時思方便　當設神通力
化作大城郭　莊嚴諸舍宅　周匝有園林　渠流及浴池
重門高樓閣　男女皆充滿　即作是化已　慰衆言勿懼
汝等入此城　各可隨所樂　諸人既入城　心皆大歡喜
皆生安隱想　自謂已得度　導師知息已　集衆而告言
汝等當前進　此是化城耳　我見汝疲極　中路欲退還
故以方便力　權化作此城　汝今勤精進　當共至寶所
我亦復如是　為一切導師　見諸求道者　中路而懈廢
不能度生死　煩惱諸險道　故以方便力　為息說涅槃
言汝等苦滅　所作皆已辦　既知到涅槃　皆得阿羅漢

BD02041號　妙法蓮華經卷三　（17–16）

明了心決定　在險濟衆難　衆人皆疲倦　而白導師言
我等今頓乏　於此欲退還　導師作是念　此輩甚可愍
如何欲退還　而失大珍寶　尋時思方便　當設神通力
化作大城郭　莊嚴諸舍宅　周匝有園林　渠流及浴池
重門高樓閣　男女皆充滿　即作是化已　慰衆言勿懼
汝等入此城　各可隨所樂　諸人既入城　心皆大歡喜
皆生安隱想　自謂已得度　導師知息已　集衆而告言
汝等當前進　此是化城耳　我見汝疲極　中路欲退還
故以方便力　權化作此城　汝今勤精進　當共至寶所
我亦復如是　為一切導師　見諸求道者　中路而懈廢
不能度生死　煩惱諸險道　故以方便力　為息說涅槃
言汝等苦滅　所作皆已辦　既知到涅槃　皆得阿羅漢
爾乃集大衆　為說真實法　諸佛方便力　分別說三乘
唯有一佛乘　息處故說二　今為汝說實　汝所得非滅
為佛一切智　當發大精進　汝證一切智　十力等佛法
具三十二相　乃是真實滅　諸佛之導師　為息說涅槃
既知是息已　引入於佛慧

妙法蓮華經卷第三

BD02041號　妙法蓮華經卷三　（17–17）

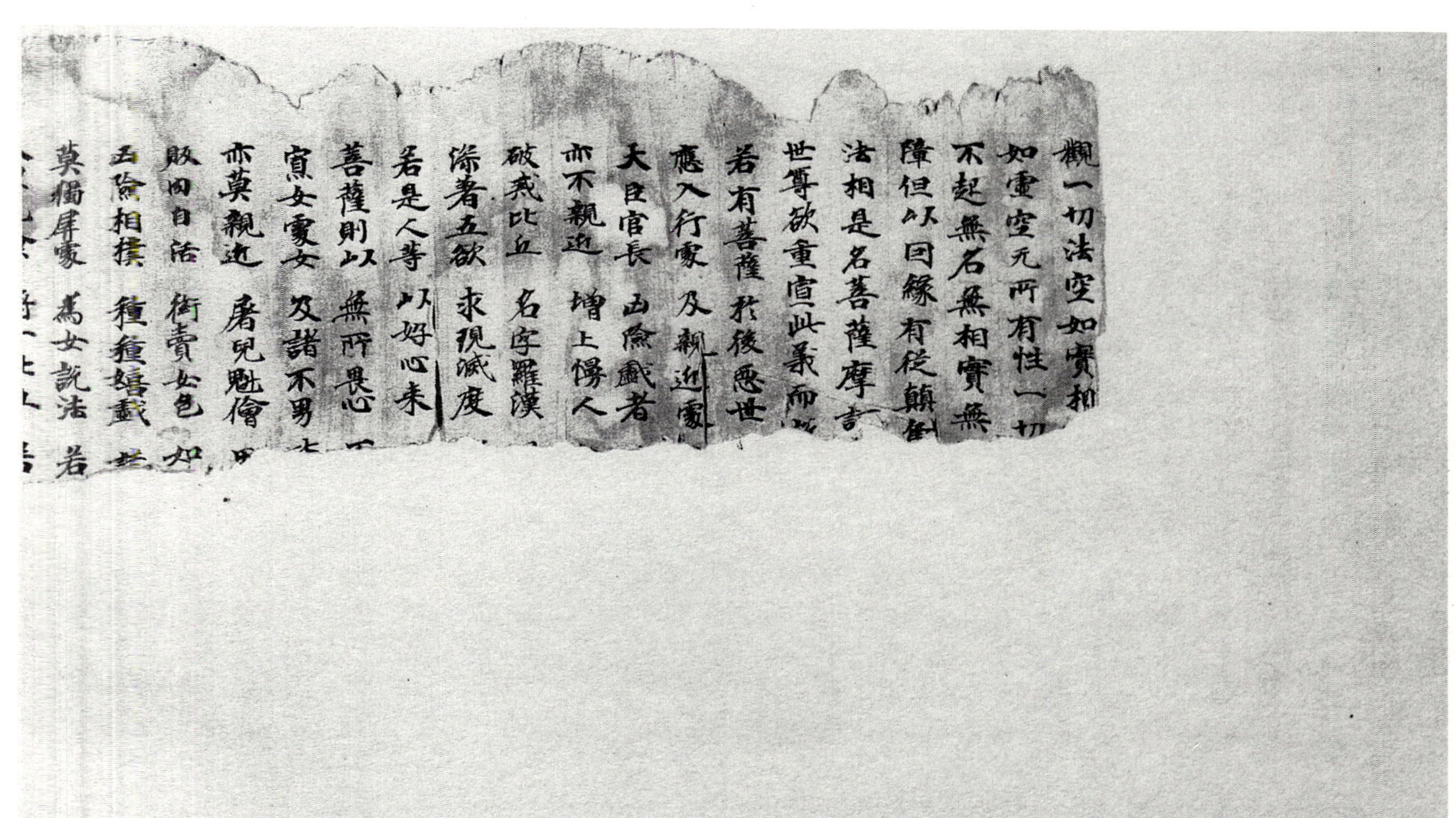

觀一切法空如實相
如虛空无所有性一切
不起無名無相實無
障但以因緣有從顛倒
法相是名菩薩摩訶
世尊欲重宣此義而說
若有菩薩　於後惡世
應入行處　及親近處
大臣官長　凶險戲者
亦不親近　增上慢人
破戒比丘　名字羅漢
貪著五欲　求現滅度
若是人等　以好心來
菩薩則以　無所畏心
寡女處女　及諸不男
亦莫親近　屠兒魁膾
販肉自活　衒賣女色
凶險相撲　種種嬉戲
莫獨屏處　為女說法　若

BD02042號　妙法蓮華經卷五　（4–1）

寡女處女　及諸不男
亦莫親近　屠兒魁膾　畋
販肉自活　衒賣女色　如
凶險相撲　種種嬉戲　諸
莫獨屏處　為女說法　若
入里乞食　將一比丘　若
是則名為　行處近處　以此
又復不行　上中下法　有為无為　實不實法
亦不分別　是男是女　不得諸法　不知不見
是則名為　菩薩行處　一切諸法　空無所有
無有常住　亦無起滅　是名智者　所親近處
顛倒分別　諸法有无　是實非實　是生非生
在於閑處　脩攝其心　安住不動　如須彌山
觀一切法　皆无所有　猶如虛空　無有堅固
不生不出　不動不退　常住一相　是名近處
若有比丘　於我滅後　入是行處　及親近處
說斯經時　無有怯弱　菩薩有時　入於靜室
以正憶念　隨義觀法　從禪定起　為諸國王
王子臣民　婆羅門等　開化演暢　說斯經典
其心安隱　無有怯弱　文殊師利　是名菩薩
安住初法　能於後世　說法華經
又文殊師利　如來滅後　於末法中　欲說是經
應住安樂行　若口宣說　若讀經時　不樂說
人及經典過　亦不輕慢　諸餘法師　不說他人
好惡長短　於聲聞人　亦不稱名　說其過惡　亦
不稱名讚歎其美　又亦不生怨嫌之心　善修

BD02042號　妙法蓮華經卷五　（4–2）

應住安樂行　若口宣說　若讀經時　不樂說
人及經典過　亦不輕慢　諸餘法師　不說他人
好惡長短　於聲聞人　亦不稱名　說其過惡　亦
不稱名讚歎其美　又亦不生怨嫌之心　善修
如是安樂心故　諸有聽者　不逆其意　有所難
問　不以小乘法答　但以大乘而為解說　令得一
切種智　爾時世尊欲重宣此義而說偈言
菩薩常樂　安隱說法　於清淨地　而施床座
以油塗身　澡浴塵穢　著新淨衣　內外俱淨
安處法座　隨問為說　若有比丘　及比丘尼
諸優婆塞　及優婆夷　國王王子　群臣士民
以微妙義　和顏為說　若有難問　隨義而答
因緣譬喻　敷演分別　以是方便　皆使發心
漸漸增益　入於佛道　除嬾墮意　及懈怠想
離諸憂惱　慈心說法　晝夜常說　无上道教
以諸因緣　无量譬喻　開示眾生　咸令歡喜
衣服臥具　飲食醫藥　而於其中　無所悕望
但一心念　說法因緣　願成佛道　令眾亦爾
是則大利　安樂供養　我滅度後　若有比丘
能演說斯　妙法華經　心無嫉恚　諸惱障礙
亦無憂愁　及罵詈者　又無怖畏　加刀杖等
亦無擯出　安住忍故　智者如是　善修其心
能住安樂　如我上說　其人功德　千萬億劫
算數譬喻　說不能盡
又文殊師利菩薩摩訶薩　於後末世法欲
[illegible]

BD02042號　妙法蓮華經卷五　（4–3）

因緣譬喻　敷演分別　以是方便　皆使發心
漸漸增益　入於佛道　除嬾墮意　及懈怠想
離諸憂惱　慈心說法　晝夜常說　无上道教
以諸因緣　无量譬喻　開示衆生　咸令歡喜
衣服臥具　飲食醫藥　而於其中　無所悕望
但一心念　說法因緣　願成佛道　令衆亦尒
是則大利　安樂供養　我滅度後　若有比丘
能演說斯　妙法華經　心無嫉恚　諸惱障礙
亦無憂愁　及罵詈者　又無怖畏　加刀杖等
亦無擯出　安住忍故　智者如是　善修其心
能住安樂　如我上說　其人功德　千萬億劫
筭數譬喻　說不能盡
又文殊師利菩薩摩訶薩於後末世法欲
滅時受持讀誦斯經典者無懷嫉妬諂誑之
心亦勿輕罵學佛道者求其長短若比丘比
丘尼優婆塞優婆夷求聲聞者求辟支佛者
求菩薩道者無得惱之令其疑悔語其人言
汝等去道甚遠終不能得一切種智所以者
何汝是放逸之人於道懈怠故又亦不應戲
論諸法有所諍競當於一切衆生起大悲想
於諸如來起慈父想於諸菩薩起大師想於十
方諸大菩薩常應深心恭敬禮拜於一切衆

BD02042號　妙法蓮華經卷五　（4–4）

釋其義如說修行則為諸佛之所護念其有
供養如是人者當知則為供養於佛其有書
持此經卷者當知其室則有如來若聞是經
能隨喜者斯人則為取一切智若能信解
此經乃至一四句偈為他說者當知此人即是
受阿耨多羅三藐三菩提記
法供養品第十三
尒時釋提桓因於大衆中白佛言世尊我雖
從佛及文殊師利聞百千經未曾聞此不可
思議自在神通決定實相經典如我解佛所
說義趣若有衆生聞是經法信解受持讀誦
之者必得是法不疑何況如說修行斯人則
為閉衆惡趣開諸善門常為諸佛之所護
念降伏外學摧滅魔怨修治菩提安處道場
履踐如來所行之跡世尊若有受持讀誦如說
修行者我當與諸眷屬供養給事所在聚
落城邑山林曠野有是經處我亦與諸眷屬
聽受法故共到其所未信者當令生信其已
信者當為作護佛言善哉善哉天帝如汝所
說吾助尒喜此經廣說過去未來現在諸佛
不可思議阿耨多羅三藐三菩提是故天帝若

BD02043號　維摩詰所說經卷下　（7–1）

落城邑山林曠野有是經處我亦與諸眷屬
聽受法故共到其所未信者當令生信其已
信者當為作護佛言善哉善哉天帝如汝所
說吾助尒喜此經廣說過去未來現在諸佛
不可思議阿耨多羅三藐三菩提是故天帝若
善男子善女人受持讀誦供養是經者則
為供養去來今佛天帝正使三千大千世界
如來滿中譬如甘蔗竹葦稻麻叢林若有善
男子善女人或一劫或減一劫恭敬尊重讚
歎供養奉諸所安至諸佛滅後以一一全身
舍利起七寶塔縱廣一四天下高至梵天表
刹莊嚴以一切華香瓔珞幢幡伎樂微妙第
一若一劫若減一劫而供養之於天帝意云
何其人植福寧為多不釋提桓因言多矣世
尊彼之福德若以百千億劫說不能盡佛告
天帝當知是善男子善女人聞是不可思議
解脫經典信解受持讀誦修行福多於彼所
以者何諸佛菩提皆從是生菩提之相不可
限量以是因緣福不可量
佛告天帝過去無量阿僧祇劫時世有佛號
曰藥王如來應供正遍知明行足善逝世間解
無上士調御丈夫天人師佛世尊世界曰大
莊嚴劫曰莊嚴佛壽二十小劫其聲聞僧
三十六億那由他菩薩僧有十二億天帝是
時有轉輪聖王名曰寶蓋七寶具足主四天
下王有千子端正勇健能伏怨敵尒時寶蓋

BD02043號　維摩詰所說經卷下　（7-2）

莊嚴劫曰莊嚴佛壽二十小劫其聲聞僧
三十六億那由他菩薩僧有十二億天帝是
時有轉輪聖王名曰寶蓋七寶具足主四天
下王有千子端正勇健能伏怨敵尒時寶蓋
與其眷屬供養藥王如來施諸所安至滿五
劫過五劫已告其千子汝等亦當如我以深
心供養於佛於是千子受父王命供養藥王
如來復滿五劫一切施安其王一子名曰月
蓋獨坐思惟寧有供養殊過此者以佛神力
空中有天曰善男子法之供養勝諸供養即
問何謂法之供養天曰汝可往問藥王如來當
廣為汝說法之供養即時月蓋王子行詣藥
王如來稽首佛足却住一面白佛言世尊諸
供養中法供養勝云何為法供養佛言善
男子法供養者諸佛所說深經一切世間難信
難受微妙難見清淨無染非但分別思惟
之所能得菩薩法藏所攝陀羅尼印印之至
不退轉成就六度善分別義順菩提法眾經
之上入大慈悲離眾魔事及諸邪見順因緣
法無我無人無眾生無壽命空無相無作無
起能令眾生坐於道場而轉法輪諸天龍神
乾闥婆等所共歎譽能令眾生入佛法藏攝
諸賢聖一切智慧說眾菩薩所行之道依於
諸法實相之義明宣無常苦空無我寂滅能
救一切毀禁眾生諸魔外道及貪著者能
使怖畏諸佛賢聖所共稱歎背生死苦示涅槃

BD02043號　維摩詰所說經卷下　（7-3）

能令衆生坐於道場而轉法輪諸天龍神
乾闥婆等所共歎譽能令衆生入佛法藏攝
諸賢聖一切智慧說衆菩薩所行之道依於
諸法實相之義明宣无常苦空无我寂滅能
救一切毀禁衆生諸魔外道及貪著者能
使怖畏諸佛賢聖所共稱歎背生死苦示涅槃
樂十方三世諸佛所說若聞如是等經信解受
持讀誦以方便力爲諸衆生分別解說顯示
分明守護法故是名法之供養又於諸法如
說脩行隨順十二因緣離諸邪見得无生忍
決定无我无有衆生而於因緣果報无違无
諍離諸我所依於義不依語依於智不依識
依了義經不依不了義經依於法不依人隨
順法相无所入无所歸无明畢竟滅故諸行亦
畢竟滅乃至生畢竟滅故老死亦畢竟滅
作如是觀十二因緣无有盡相不復起見是
名最上法之供養
佛告天帝王子月蓋從藥王佛聞如是法得
柔順忍即解寶衣嚴身之具以供養佛白佛
言世尊如來滅後我當行法供養守護正法
願以威神加哀建立令我得降魔怨脩菩薩
行佛知其深心所念而記之曰汝於末後守
護法城天帝時王子月蓋見法清淨聞佛授
記以信出家脩集善法精進不久得五神通
逮菩薩道得陀羅尼无斷辯才於佛滅後以
其所得神通揔持辯才之力滿十小劫藥王
如來所轉法輪隨而分布月蓋比丘以守護

BD02043號　維摩詰所說經卷下　　（7–4）

護法城天帝時王子月蓋見法清淨聞佛授
記以信出家脩集善法精進不久得五神通
逮菩薩道得陀羅尼无斷辯才於佛滅後以
其所得神通揔持辯才之力滿十小劫藥王
如來所轉法輪隨而分布月蓋比丘以守護
法勤行精進即於此身化百万億人於阿耨
多羅三藐三菩提立不退轉十四那由他人
深發聲聞辟支佛心无量衆生得生天上天
帝時王寶蓋豈異人乎今現得佛号寶焰如
來其王千子即賢劫中千佛是也從迦羅鳩
孫馱爲始得佛最後如來号曰樓至月蓋比
丘則我身是如是天帝當知此要以法供養
於諸供養爲上爲最第一无比是故天帝當
以法之供養供養於佛

囑累品第十四

於是佛告弥勒菩薩言弥勒我今以是无量
億阿僧祇劫所集阿耨多羅三藐三菩提法
付囑於汝如是輩經於佛滅後末世之中汝
等當以神力廣宣流布於閻浮提无令斷絕
所以者何未來世中當有善男子善女人及天
龍鬼神乾闥婆羅刹等發阿耨多羅三藐
三菩提心樂于大法若使不聞如是等經則
失善利如此輩人聞是等經必多信樂發希
有心當以頂受隨諸衆生所應得利而爲廣
說弥勒當知菩薩有二相何謂爲二一者好
於雜句文飾之事二者不畏深義如實能入

BD02043號　維摩詰所說經卷下　　（7–5）

有心當以須受隨諸衆生所應得利而為廣
說弥勒當知菩薩有二相何謂為二一者好
於雜句文飾之事二者不畏深義如實能入
若好雜句文飾事者當知是為新學菩薩
若於如是无染无著甚深經典有恐畏能入
其中聞已心淨受持讀誦如說脩行當知是
為久脩道行弥勒復有二法名新學者不能
決定於甚深法何等為二一者所未聞深經
聞之驚怖生疑不能隨順毀謗不信而作是
言我初不聞從何所來二者若有護持解說
如是深經者不肯親近供養恭敬或時於中
說其過惡有此二法當知是新學菩薩為自
毀傷不能於深法中調伏其心弥勒復有二
法菩薩雖信解深法猶自毀傷而不能得无
生法忍何等為二一者輕慢新學菩薩而不
教誨二者雖解深法而取相分別是為二法
弥勒菩薩聞說是已白佛言世尊未曾有也
如佛所說我當遠離如斯之惡奉持如來无
數阿僧祇劫所集阿耨多羅三藐三菩提生
若未來世善男子善女人求大乘者當令手
得如是等經與其念力使受持讀誦為他廣說
世尊若後末世有能受持讀誦為他說者當
知是為弥勒神力之所建立佛言善哉善
哉弥勒如汝所說佛助令喜於是一切菩薩
合掌白佛我等亦於如來滅後十方國土廣
宣流布阿耨多羅三藐三菩提復當開導

BD02043 號　維摩詰所說經卷下　　（7–6）

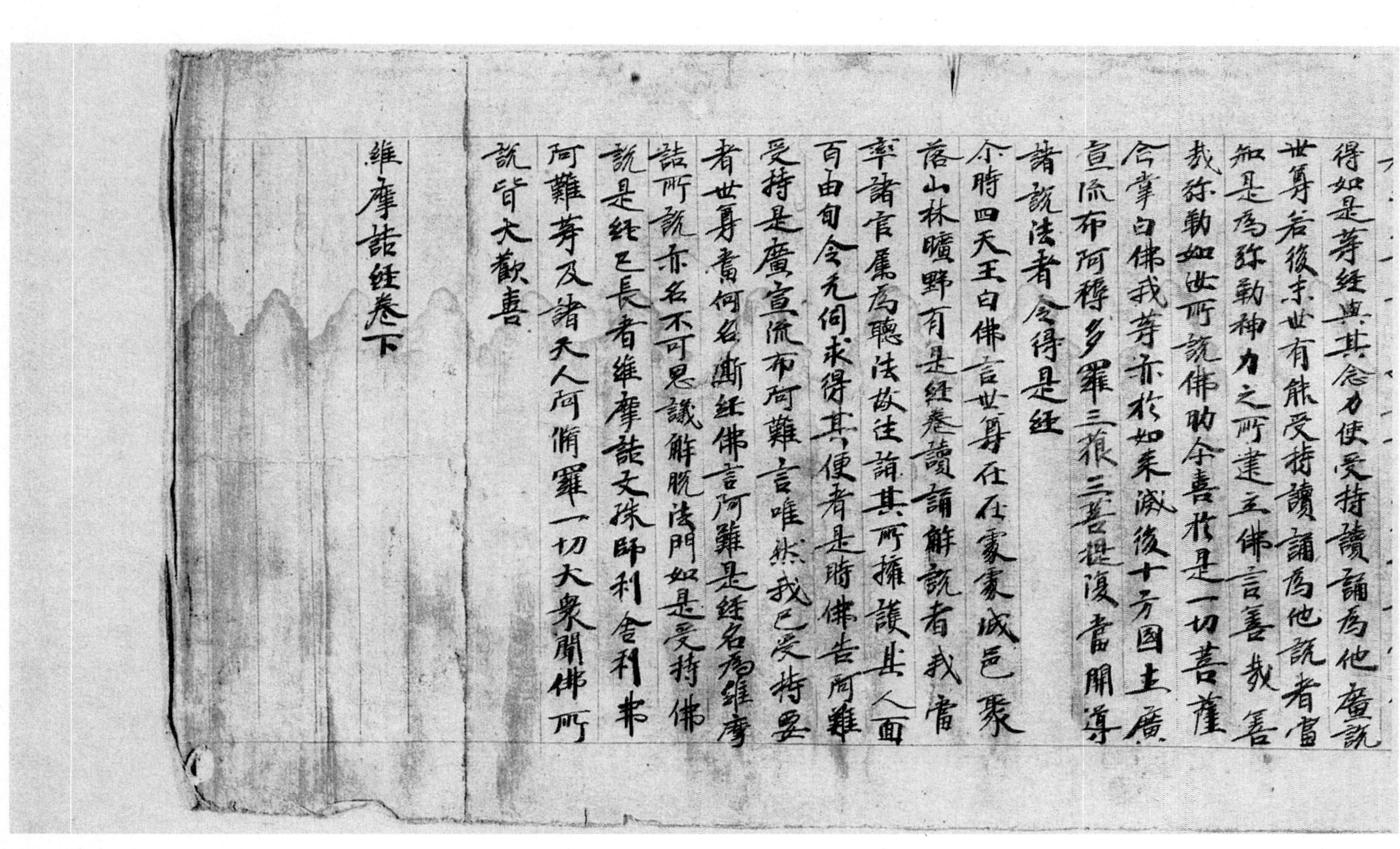

得如是等經與其念力使受持讀誦為他廣說
世尊若後末世有能受持讀誦為他說者當
知是為弥勒神力之所建立佛言善哉善
哉弥勒如汝所說佛助令喜於是一切菩薩
合掌白佛我等亦於如來滅後十方國土廣
宣流布阿耨多羅三藐三菩提復當開導
諸說法者令得是經
尒時四天王白佛言世尊在在處處城邑聚
落山林曠野有是經卷讀誦解說者我當
率諸官屬為聽法故往詣其所擁護其人面
百由旬令无伺求得其便者是時佛告阿難
受持是廣宣流布阿難言唯然我已受持要
者世尊當何名斯經佛言阿難是經名為維摩
詰所說亦名不可思議解脫法門如是受持佛
說是經已長者維摩詰文殊師利舍利弗
阿難等及諸天人阿脩羅一切大衆聞佛所
說皆大歡喜

維摩詰經卷下

BD02043 號　維摩詰所說經卷下　　（7–7）

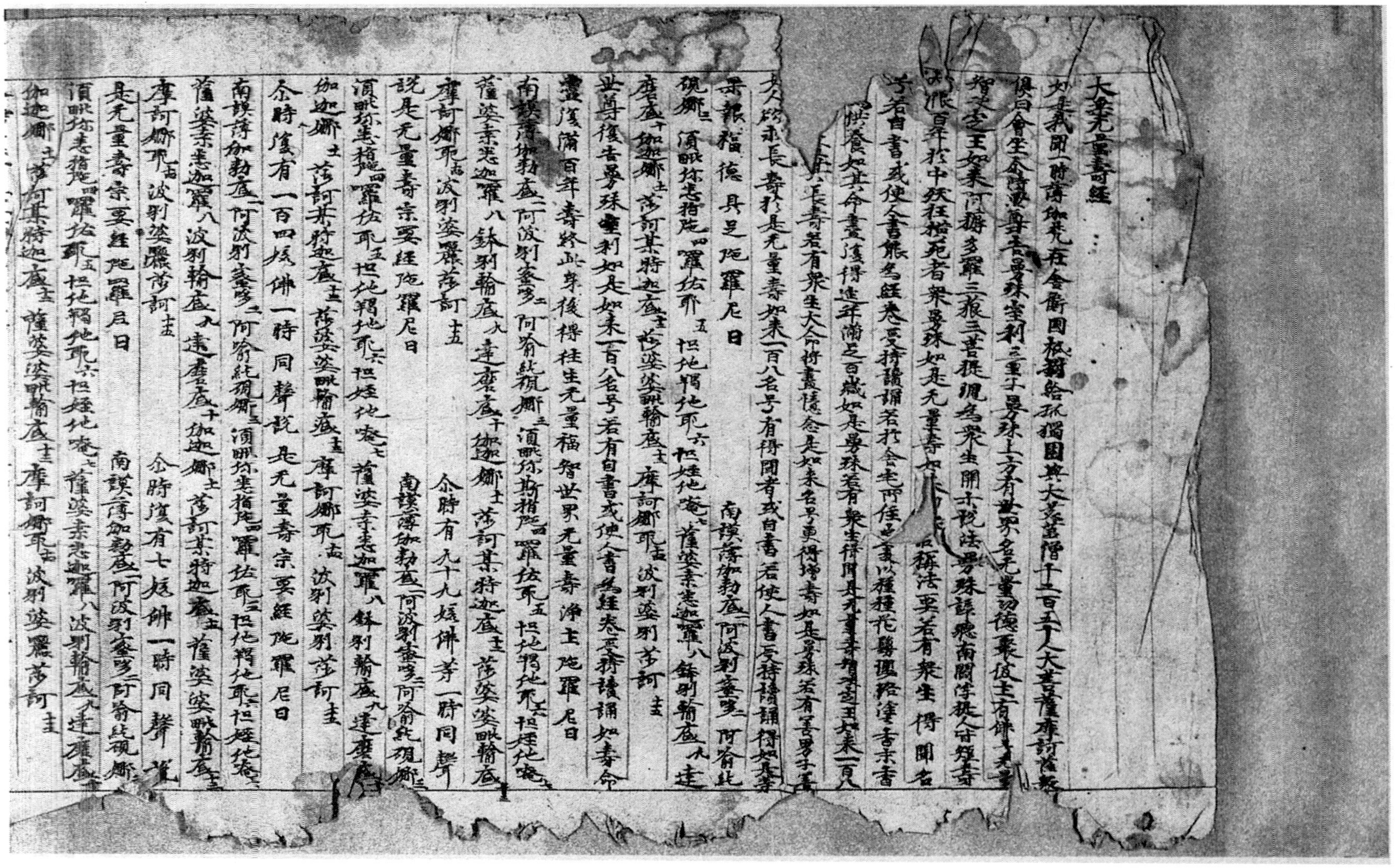

BD02044 號　無量壽宗要經　（6–1）

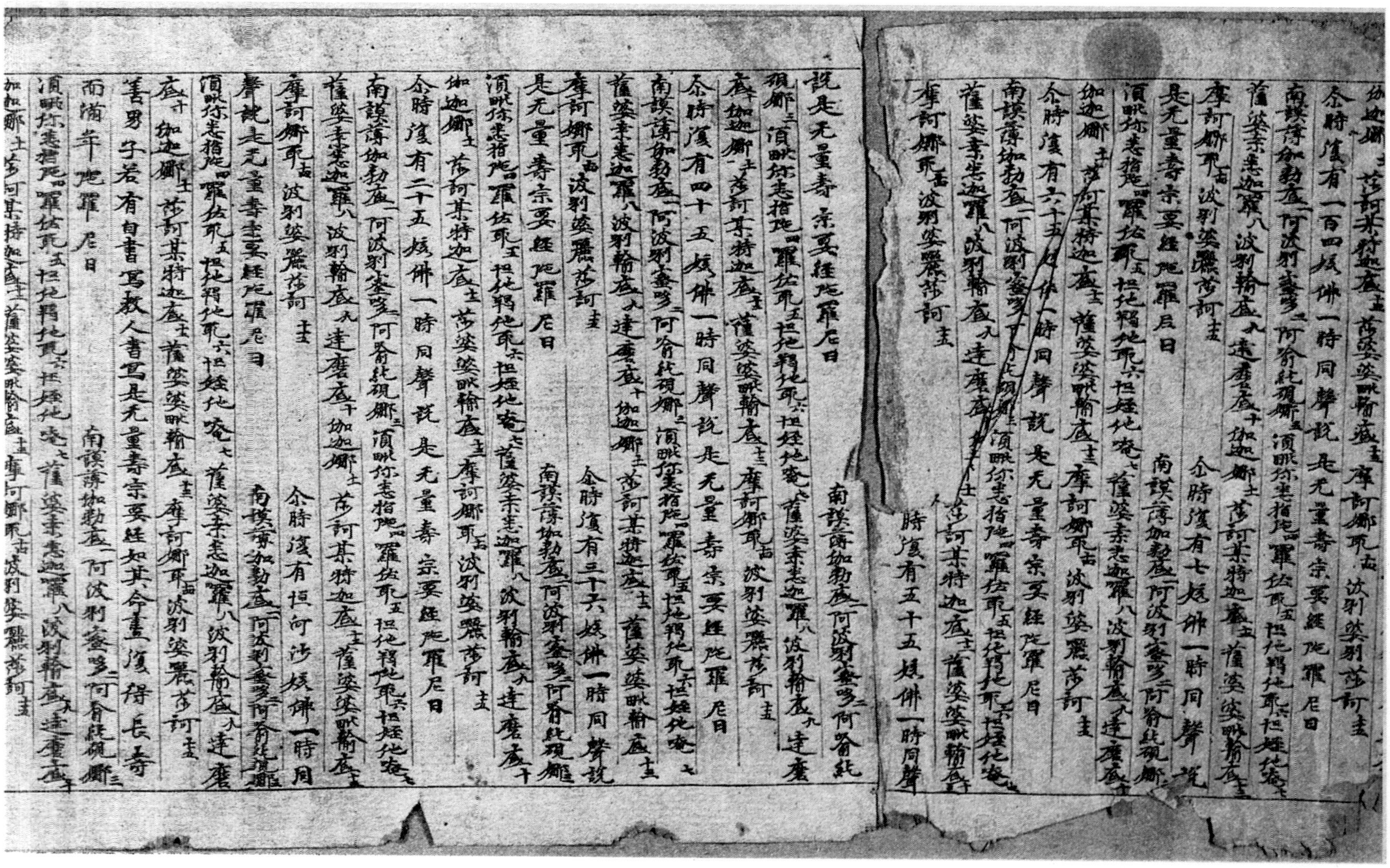

BD02044 號　無量壽宗要經　（6–2）

南謨薄伽勃底一阿波唎蜜哆二阿喻紇硯娜三須毗你悉指陁四囉佐耶五怛他羯他耶六怛姪他唵七
薩婆桑悉迦羅八波唎輸底九達磨底十伽迦娜十一莎訶某特迦底十二薩婆婆毗輸底十三
摩訶娜耶十四波唎婆羅莎訶十五　爾時復有恒河沙殑佛一時同
聲說是无量壽宗要經陁羅尼曰　南謨薄伽勃底一阿波唎蜜哆二阿喻紇硯娜三
須毗你悉指陁四囉佐耶五怛他羯他耶六怛姪他唵七薩婆桑悉迦羅八波唎輸底九達磨
底十伽迦娜十一莎訶某特迦底十二薩婆婆毗輸底十三摩訶娜耶十四波唎婆羅莎訶十五
善男子若有自書寫教人書寫是无量壽宗要經如其命盡復得長壽
而滿年陁羅尼曰　南謨薄伽勃底一阿波唎蜜哆二阿喻紇硯娜三
須毗你悉指陁四囉佐耶五怛他羯他耶六怛姪他唵七薩婆桑悉迦羅八波唎輸底九達磨底十
伽迦娜十一莎訶某特迦底十二薩婆婆毗輸底十三摩訶娜耶十四波唎婆羅莎訶十五
若有自書教人書寫是无量壽宗要經讀誦受持畢竟不墮地獄
在在所生得宿命智陁羅尼曰　南謨薄伽勃底一阿波唎蜜哆二阿喻紇
硯娜三須毗你悉指陁四囉佐耶五怛他羯他耶六怛姪他唵七薩婆桑悉迦羅八波唎輸底九達磨
底十伽迦娜十一莎訶某特迦底十二薩婆婆毗輸底十三摩訶娜耶十四波唎婆羅莎訶十五
若有自書教人書寫是无量壽宗要經受持讀誦如同書寫八万四千一
切經典陁羅尼曰　南謨薄伽勃底一阿波唎蜜哆二阿喻紇硯娜三
須毗你悉指陁四囉佐耶五怛他羯他耶六怛姪他唵七薩婆桑悉迦羅八波唎輸底九達磨底十
伽迦娜十一莎訶某特迦底十二薩婆婆毗輸底十三摩訶娜耶十四波唎婆羅莎訶十五
若有自書寫教人書寫是无量壽宗要經即是書寫八万四千部建立塔廟陁羅尼曰
南謨薄伽勃底一阿波唎蜜哆二阿喻紇硯娜三須毗你悉指陁四囉佐耶五怛他羯他耶六怛姪他唵七
薩婆桑悉迦羅八波唎輸底九達磨底十伽迦娜十一莎訶某特迦底十二薩婆婆毗輸底十三
摩訶娜耶十四波唎婆羅莎訶十五　若有自書寫教人書寫是量壽
宗要經能消五无間等一切重罪陁羅尼曰　南謨薄伽勃底一阿波唎蜜哆二阿喻
紇硯娜三須毗你悉指陁四囉佐耶五怛他羯他耶六怛姪他唵七薩婆桑悉迦羅八波唎輸底九
達磨底十伽迦娜十一莎訶某特迦底十二薩婆婆毗輸底十三摩訶娜耶十四波唎婆羅莎訶十五
若有自書寫教人書寫是无量壽宗要經受持讀誦設有重罪猶如須弥
盡能除滅陁羅尼曰　南謨薄伽勃底一阿波唎蜜哆二阿喻紇硯娜三
須毗你悉指陁四囉佐耶五怛他羯他耶六怛姪他唵七薩婆桑悉迦羅八波唎輸底九達磨底十
伽迦娜十一莎訶某特迦底十二薩婆婆毗輸底十三摩訶娜耶十四波唎婆羅莎訶十五
若有自書寫教人書寫是无量壽宗要經受持讀誦若魔魔之眷屬夜叉羅剎不
得其便終无枉死陁羅尼曰　南謨薄伽勃底一阿波唎蜜哆二阿喻紇硯娜三
須毗你悉指陁四囉佐耶五怛他羯他耶六怛姪他唵七薩婆桑悉迦羅八波唎輸底九達磨底十
伽迦娜十一莎訶某特迦底十二薩婆婆毗輸底十三摩訶娜耶十四波唎婆羅莎訶十五

BD02044號　無量壽宗要經　（6–3）

盡能除滅陁羅尼曰　南謨薄伽勃底一阿波唎蜜哆二阿喻紇硯娜三
須毗你悉指陁四囉佐耶五怛他羯他耶六怛姪他唵七薩婆桑悉迦羅八波唎輸底九達磨底十
伽迦娜十一莎訶某特迦底十二薩婆婆毗輸底十三摩訶娜耶十四波唎婆羅莎訶十五
若有自書寫教人書寫是无量壽宗要經受持讀誦若魔魔之眷屬夜叉羅剎不
得其便終无枉死陁羅尼曰　南謨薄伽勃底一阿波唎蜜哆二阿喻紇硯娜三
須毗你悉指陁四囉佐耶五怛他羯他耶六怛姪他唵七薩婆桑悉迦羅八波唎輸底九達磨底十
伽迦娜十一莎訶某特迦底十二薩婆婆毗輸底十三摩訶娜耶十四波唎婆羅莎訶十五
若有自書教人書寫是无量壽宗要經受持讀誦當命終時有九十九殑佛現其人前來迎
接手能遊一切佛剎莫於此經生於疑惑陁羅尼曰　南謨薄伽勃底一阿波唎蜜哆二阿喻
紇硯娜三須毗你悉指陁四囉佐耶五怛他羯他耶六怛姪他唵七薩婆桑悉迦羅八波唎輸底九達磨
底十伽迦娜十一莎訶某特迦底十二薩婆婆毗輸底十三摩訶娜耶十四波唎婆羅莎訶十五
若有自書寫教人書寫是无量壽宗要經受持讀誦常得四天大王隨其
衛護陁羅尼曰　南謨薄伽勃底一阿波唎蜜哆二阿喻紇硯娜三
須毗你悉指陁四囉佐耶五怛他羯他耶六怛姪他唵七薩婆桑悉迦羅八波唎輸底九達磨底十
伽迦娜十一莎訶某特迦底十二薩婆婆毗輸底十三摩訶娜耶十四波唎婆羅莎訶十五
若有自書教人書寫是无量壽宗要經受持讀誦當得往生西方極樂世
界阿弥陁淨土陁羅尼曰　南謨薄伽勃底一阿波唎蜜哆二阿喻紇硯娜三
須毗你悉指陁四囉佐耶五怛他羯他耶六怛姪他唵七薩婆桑悉迦羅八波唎輸底九達磨底十
伽迦娜十一莎訶某特迦底十二薩婆婆毗輸底十三摩訶娜耶十四波唎婆羅莎訶十五
若有方所自書寫使人書寫是无量壽經典之處則為是諸皆應恭敬作礼若是畜生或為
鳥獸得聞是經如是等類皆當不久得成一切種智陁羅尼曰
南謨薄伽勃底一阿波唎蜜哆二阿喻紇硯娜三須毗你悉指陁四囉佐耶五怛他羯他耶六怛姪他唵七
薩婆桑悉迦羅八波唎輸底九達磨底十伽迦娜十一莎訶某特迦底十二薩婆婆毗輸底十三
摩訶娜耶十四波唎婆羅莎訶十五　若有於是无量壽經自書寫若
使人書畢竟不受女人之身陁羅尼曰　南謨薄伽勃底一阿波唎蜜哆二阿喻紇
硯娜三須毗你悉指陁四囉佐耶五怛他羯他耶六怛姪他唵七薩婆桑悉迦羅八波唎輸底九達磨
底十伽迦娜十一莎訶某特迦底十二薩婆婆毗輸底十三摩訶娜耶十四波唎婆羅莎訶十五
若有能於是經少分能惠施者等於三千大千世界滿中七寶布施陁羅尼曰
南謨薄伽勃底一阿波唎蜜哆二阿喻紇硯娜三須毗你悉指陁四囉佐耶五怛他羯他耶六怛姪他唵七
薩婆桑悉迦羅八波唎輸底九達磨底十伽迦娜十一莎訶某特迦底十二薩婆婆毗輸底十三
摩訶娜耶十四波唎婆羅莎訶十五　若有能供養是經者則是供
養一切諸經等无有異陁羅尼曰　南謨薄伽勃底一阿波唎蜜哆二阿喻紇硯娜三
須毗你悉指陁四囉佐耶五怛他羯他耶六怛姪他唵七薩婆桑悉迦羅八波唎輸底九達磨底十

BD02044號　無量壽宗要經　（6–4）

若有能於是經少分能惠施者等於三千大千世界滿中七寶布施陀羅尼曰
南謨薄伽勃底一阿波唎蜜哆二阿喻紇硯娜三須毗你悉指陀四囉佐耶五怛他羯他耶六怛姪他唵七
薩婆桒悉迦囉八波唎輸底九達磨底十伽迦娜十一莎訶莾特迦底十二薩婆婆毗輸底十三
摩訶娜耶十四波唎婆嚟莎訶十五　若有能供養是經者則是供
養一切諸經等无有異陀羅尼曰　南謨薄伽勃底一阿波唎蜜哆二阿喻紇硯娜三
須毗你悉指陀四囉佐耶五怛他羯他耶六怛姪他唵七薩婆桒悉迦囉八波唎輸底九達磨底十
伽迦娜十一莎訶莾特迦底十二薩婆婆毗輸底十三摩訶娜耶十四波唎婆嚟莎訶十五
如是毗婆尸佛　尸棄佛　毗舍浮佛　俱留孫佛　俱那含牟尼佛　迦葉佛　釋迦牟尼佛
若有人以七寶供養如是七佛其福有限書寫受持是无量壽經典所有功德
不可限量陀羅尼曰　南謨薄伽勃底一阿波唎蜜哆二阿喻紇硯娜三
須毗你悉指陀四囉佐耶五怛他羯他耶六怛姪他唵七薩婆桒悉迦囉八波唎輸底九達磨底十
伽迦娜十一莎訶莾特迦底十二薩婆婆毗輸底十三摩訶娜耶十四波唎婆嚟莎訶十五
若有七寶等於須弥以用布施其福上能知其限量是无量壽經典其福
不可知數陀羅尼曰　南謨薄伽勃底一阿波唎蜜哆二阿喻紇硯娜三
須毗你悉指陀四囉佐耶五怛他羯他耶六怛姪他唵七薩婆桒悉迦囉八波唎輸底九達磨底十
伽迦娜十一莎訶莾特迦底十二薩婆婆毗輸底十三摩訶娜耶十四波唎婆嚟莎訶十五
如是四大海水可知滴數是无量壽經典所生果報不可數量陀羅尼曰
南謨薄伽勃底一阿波唎蜜哆二阿喻紇硯娜三須毗你悉指陀四囉佐耶五怛他羯他耶六怛姪他唵七
薩婆桒悉迦囉八波唎輸底九達磨底十伽迦娜十一莎訶莾特迦底十二薩婆婆毗輸底十三
摩訶娜耶十四波唎婆嚟莎訶十五　若有自書使人書寫是无量
壽經典又能護持供養即如恭敬供養一切十方佛土如來无有別異陀羅尼曰
南謨薄伽勃底一阿波唎蜜哆二阿喻紇硯娜三須毗你悉指陀四囉佐耶五怛他羯他耶六怛
姪他唵七薩婆桒悉迦囉八波唎輸底九達磨底十伽迦娜十一莎訶莾特迦底十二薩婆
婆毗輸底十三摩訶娜耶十四波唎婆嚟莎訶十五
布施力能成正覺　悟布施力人師子　布施力能聲書聞　慈悲階漸眾能入
持戒力能成正覺　悟持戒力人師子　持戒力能聲書聞　慈悲階漸眾能入
忍辱力能成正覺　悟忍辱力人師子　忍辱力能聲書聞　慈悲階漸眾能入
精進力能成正覺　悟精進力人師子　精進力能聲書聞　慈悲階漸眾能入
禪定力能成正覺　悟禪定力人師子　禪定力能聲書聞　慈悲階漸眾能入
智慧力能成正覺　悟智慧力人師子　智慧力能聲書聞　慈悲階漸眾能入
尒時如來說是經已一切世間天人阿脩羅揵闥婆等聞佛所說皆大歡喜信受奉行
佛說无量壽宗要經

BD02044號　無量壽宗要經　（6–5）

若有七寶等於須弥以用布施其福上能知其限量是无量壽經典其福
不可知數陀羅尼曰　南謨薄伽勃底一阿波唎蜜哆二阿喻紇硯娜三
須毗你悉指陀四囉佐耶五怛他羯他耶六怛姪他唵七薩婆桒悉迦囉八波唎輸底九達磨底十
伽迦娜十一莎訶莾特迦底十二薩婆婆毗輸底十三摩訶娜耶十四波唎婆嚟莎訶十五
如是四大海水可知滴數是无量壽經典所生果報不可數量陀羅尼曰
南謨薄伽勃底一阿波唎蜜哆二阿喻紇硯娜三須毗你悉指陀四囉佐耶五怛他羯他耶六怛姪他唵七
薩婆桒悉迦囉八波唎輸底九達磨底十伽迦娜十一莎訶莾特迦底十二薩婆婆毗輸底十三
摩訶娜耶十四波唎婆嚟莎訶十五　若有自書使人書寫是无量
壽經典又能護持供養即如恭敬供養一切十方佛土如來无有別異陀羅尼曰
南謨薄伽勃底一阿波唎蜜哆二阿喻紇硯娜三須毗你悉指陀四囉佐耶五怛他羯他耶六怛
姪他唵七薩婆桒悉迦囉八波唎輸底九達磨底十伽迦娜十一莎訶莾特迦底十二薩婆
婆毗輸底十三摩訶娜耶十四波唎婆嚟莎訶十五
布施力能成正覺　悟布施力人師子　布施力能聲書聞　慈悲階漸眾能入
持戒力能成正覺　悟持戒力人師子　持戒力能聲書聞　慈悲階漸眾能入
忍辱力能成正覺　悟忍辱力人師子　忍辱力能聲書聞　慈悲階漸眾能入
精進力能成正覺　悟精進力人師子　精進力能聲書聞　慈悲階漸眾能入
禪定力能成正覺　悟禪定力人師子　禪定力能聲書聞　慈悲階漸眾能入
智慧力能成正覺　悟智慧力人師子　智慧力能聲書聞　慈悲階漸眾能入
尒時如來說是經已一切世間天人阿脩羅揵闥婆等聞佛所說皆大歡喜信受奉行
佛說无量壽宗要經

[illegible]沒藏寫

BD02044號　無量壽宗要經　（6–6）

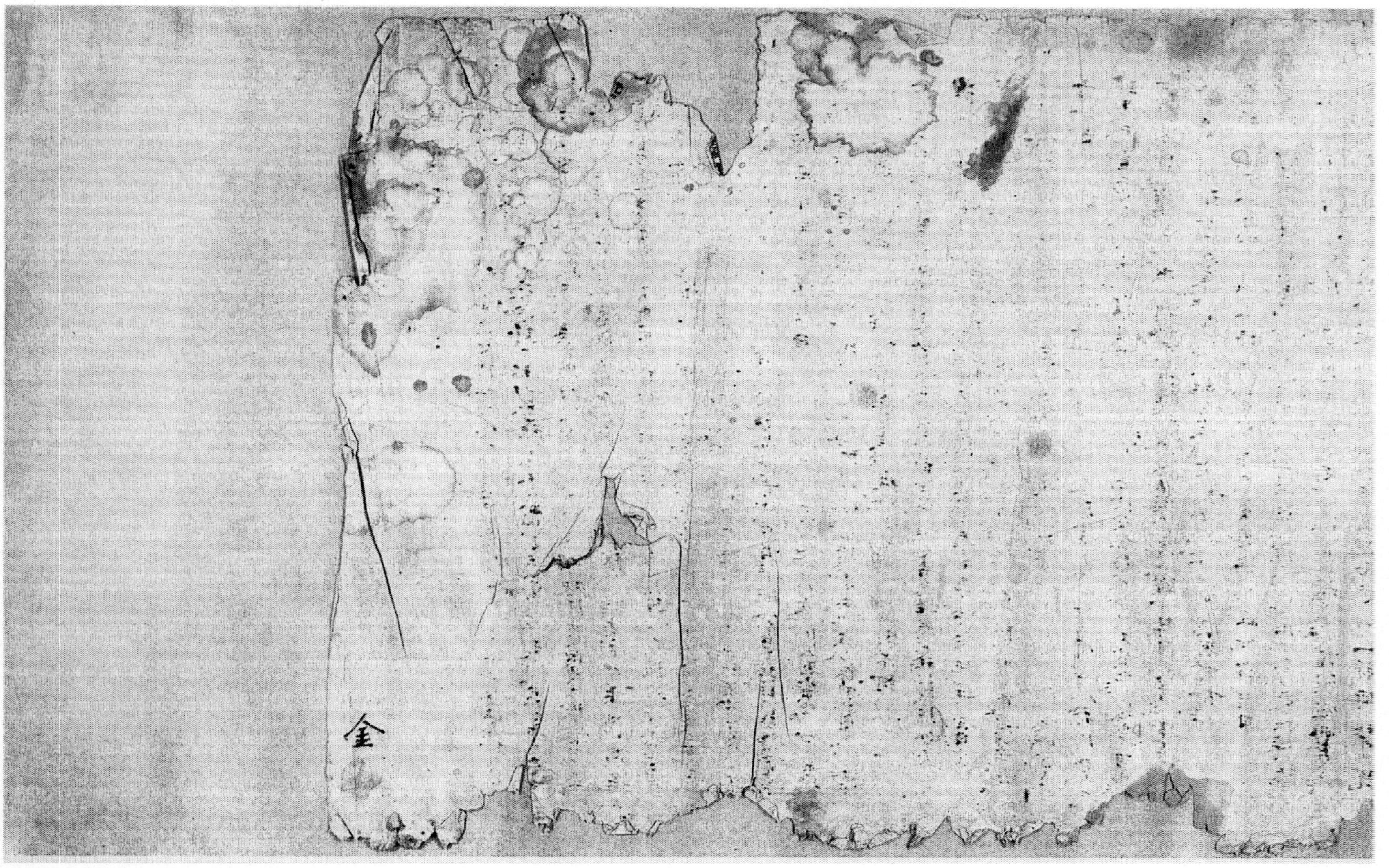

BD02044號背　寺院題名　（1-1）

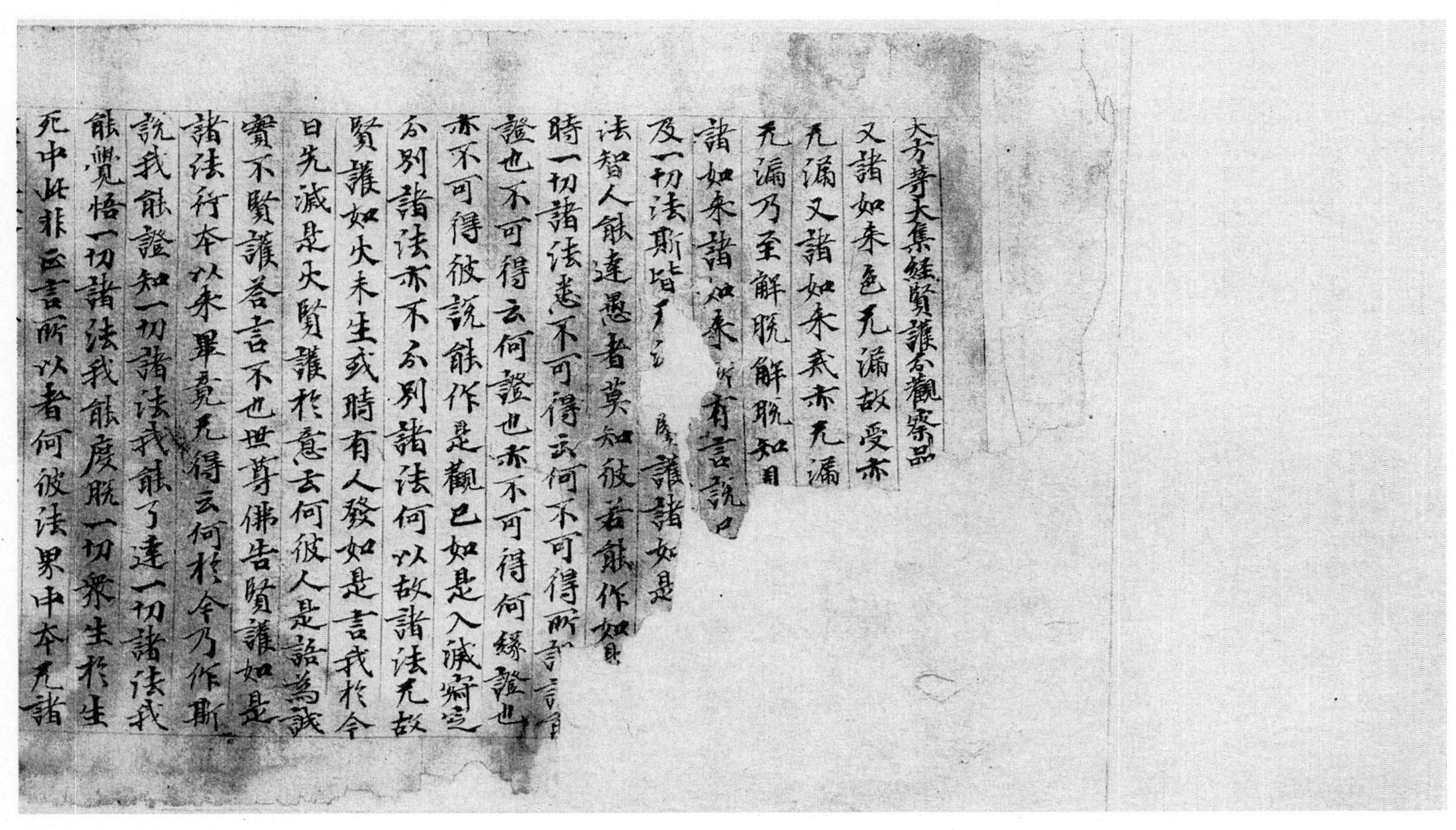

大方等大集經賢護分觀察品
又諸如來色无漏故受亦
无漏又諸如來想亦无漏
无漏乃至解脫解脫知見
諸如來諸如來所有言說
及一切法斯皆了……護諸如是
法智人能達愚者莫知彼若能作如是
時一切諸法悉不可得云何不可得所言
證也不可得云何證也亦不可得何緣證也
亦不可得彼說能作是觀已如是入滅寂定
分別諸法亦不分別諸法何以故諸法无故
賢護如火未生或時有人發如是言我於今
日先滅是火賢護於意云何彼人是語為誠
實不賢護荅言不也世尊佛告賢護如是
諸法行本以來畢竟无得云何於今乃作斯
說我能證知一切諸法我能了達一切諸法我
能覺悟一切諸法我能度脫一切衆生於生
死中然非正言所以者何彼法界中本无諸

BD02045號　賢護菩薩所問經卷三　（20-1）

實不賢護答言不也世尊佛告賢護如是
諸法行本以來畢竟无得云何於今乃作斯
說我能證知一切諸法我能了達一切諸法我
能覺悟一切諸法我能度脫一切衆生於生
死中此非正言所以者何彼法界中本无諸
法亦无衆生云何言度但世諦中因緣度耳
賢護於意云何彼如是說得為實不賢護
答言不也世尊佛告賢護是故彼諸善男子
善女人若欲成就无上菩提乃至欲成緣覺菩
提聲聞菩提者皆應如是觀一切法作是觀
時則入寂定无有分別非无分別何以故賢
護彼一切法无所有不生然彼定有分別即
是一邊定无分別復為一邊然此二邊所有
是无寂定非无寂定无思量處无分別處
无證知處无經營處无聚集處无思念處无
發起處賢護是名中道所有數事處等但依
世諦說故
復次賢護於彼真實第一義中若中若邊皆
不可得何以故賢護一切諸法猶如虛空本
來寂滅非斷非常无有積聚无有住處无可
依止无相无為无有算數賢護彼不可數云
何為有不可數故不入於數不入數故乃至
无有智算名言也賢護彼菩薩摩訶薩如是
觀察知如來時不可執著何以故一切法无執
著故以无處所而可執著亦无根本是可
斷絕除滅根本故无依處賢護彼菩薩摩
訶薩當作如是思惟諸佛現前三昧若如是見

BD02045號　賢護菩薩所問經卷三　(20-2)

无有智算名言也賢護彼菩薩摩訶薩如是
觀察知如來時不可執著何以故一切法无執
著故以无處所而可執著亦无根本是可
斷絕除滅根本故无依處賢護彼菩薩摩
訶薩當作如是思惟諸佛現前三昧若如是見
諸如來已不應取著不當執持何以故賢護
一切諸法不可執持猶如虛空體性寂滅賢
護譬如金鋌安置火中善作鑪橐融消鍊治
熾然毒熱又如鐵丸新從火出焰赫熾然有
智之人不應執觸何以故鐵流金熾觸則燒
然故如是賢護菩薩觀佛不應取著其事
若此是故菩薩觀佛色時不應生著如是觀受
乃至行識不應生著又彼菩薩若觀我時亦
不應著如是觀定乃至智慧解脫解脫知見
亦不應著何以故夫取著者終不能離生死
若法以是善法皆由取著故是故菩薩觀察
如是諸如來時不應生於取著之想賢護雖
无取著然應勤求諸佛世尊勝妙功德所謂
佛智如來智廣大智自然智自在智不思議
智難稱量智无等等智一切智智若欲求入
如是智者常當精勤思惟觀察見佛三昧也
尒時世尊為重明此義以偈頌曰
譬如明鏡與油器　女人莊飾曜其形
愚夫於是人染心　審處馳騁為求欲
彼於无中顛倒想　不知是法虛妄生
彼欲熾火之所燒　斯婦起欲還自焚
三有菩薩作是念　是[illegible]皆自我心

BD02045號　賢護菩薩所問經卷三　(20-3)

尒時世尊為重明此義以偈頌曰
辟如明鏡與油器　女人莊飾曜其形
愚夫於是人深心　處處馳騁為求欲
彼於无中顛倒想　不知是法虛妄生
彼欲熾火之所燒　斯婦起欲還自發
若有菩薩作是念　是名无智着我心
菩提甘露在當來　我拔眾生出重苦
第一義中无眾生　世間稍有生老死
諸法无形如水月　豈有菩提而可求
衆色形貌若鏡像　如幻如炎如虛空
凡夫着想而受縛　彼輩雖積空无實
若斯智者諸菩薩　知世顛倒故見真
了達无人誰受苦　彼則當成无上覺
无意分別佛菩提　其心本來自明淨
不見生死諸淨濁　彼證真實最勝尊
一切色法諸无漏　不可分別妄與空
滅除諸欲解脫心　如是知者證三昧
初念諸佛无相身　後聞諸法本清淨
如是思惟无餘念　證此三昧誠非難
常作空相而思惟　即能滅後微塵聚
不分別成及與壞　一切外道失於中
於一切色无分別　其眼雖覩不果心
彼見諸佛如日輪　法界世間挺超出
其心清淨眼亦明　雖勤精進常所定
彼得多聞不可說　證此三昧真思惟
若以不見證三昧　一切盲者應證知
亦不以見非不見　是中外道當迷沒

其心清淨眼亦明　雖勤精進常所定
彼得多聞不可說　證此三昧真思惟
若以不見證三昧　一切盲者應證知
亦不以見非不見　是中外道當迷沒
常離相想而思惟　見彼諸佛清淨心
如是見已一切觀　斯人速成此三昧
彼無地水及火風　亦非空界現前住
若欲觀察一切佛　當想處坐演妙音
如我今日宣妙法　心樂法者覩我身
彼應無復餘思惟　唯當想佛說法事
如是專念莫他觀　為求若斯多聞故
一心觀我說此定　總持諸佛之所宣
無有一佛在過去　亦無現世及當來
唯此清淨欲妙禪　彼不可言證能說
我於三界無上尊　為利世間故特出
念證諸佛菩提故　宣此三昧無等倫
若欲身樂及心樂　求佛功德不思議
乃至證彼妙菩提　要當脩此勝三昧
欲淨深廣多聞海　為衆生故常勤求
彼應速去諸欲塵　要當脩此勝三昧
若欲一生見多佛　見已恭敬復諮詢
彼應速離分生著　要當觀此妙三昧
是處無欲復無瞋　亦無愚癡與嫉妬
又無無明及疑網　要當住此深妙禪
大集經賢護分戒行具足品第七
尒時賢護菩薩復白佛言希有世尊乃有如
斯冣三昧世尊若諸菩薩捨家出家柔心

是處無欲復無明　亦無愚癡與嫉妬
又無無明及疑網　要當住此深禪
大集經賢護分戒行具足品第七
尒時賢護菩薩復白佛言希有世尊乃有如
斯最三昧世尊若諸菩薩捨家出家深心
樂欲說此三昧亦當思惟此三昧者彼等應
當安住何法而能宣說及思惟耶佛告賢護
言賢護若有菩薩捨家出家深樂廣宣復欲
思惟如是三昧者彼出家菩薩當先護持清
淨戒行不缺戒行不雜戒行不汙戒行不濁
戒行不著戒行不動戒行不被訶戒行智者
所讚戒行聖所愛敬戒行應當念知如是諸
戒也賢護彼出家菩薩云何當得清淨戒行
乃至云何當行聖所愛敬戒行也賢護彼出
家菩薩應當依彼波羅提木叉成就威儀成
就眾行乃至成就微塵數等戒行見已驚怖
清淨活命於諸戒中當念成就應信甚深不
得著忍於空無相無願諸法中聞說之時心
不驚怖無有悔沒賢護以是因緣彼出家菩
薩成就如是清淨戒行不見戒行不著戒行
乃至成就聖所愛敬戒行也
尒時賢護菩薩復白佛言世尊彼出家菩薩
云何得有如是不清淨戒行缺戒行雜著戒
行汙戒行依倚戒行智所訶毀戒行聖所不
愛戒行也佛告賢護菩薩言賢護若有出家
菩薩取著色受持禁戒脩於梵行如是取著
受取著想取著行取著識受持禁戒脩行梵

BD02045號　賢護菩薩所問經卷三　（20–6）

云何得有如是不清淨戒行缺戒行雜著戒
行汙戒行依倚戒行智所訶毀戒行聖所不
愛戒行也佛告賢護菩薩言賢護若有出家
菩薩取著色受持禁戒脩於梵行如是取著
受取著想取著行取著識受持禁戒脩行梵
行脩行已作如是念我今如是持戒如是苦
行如是脩學如是梵行願我未來得生天上
或生人間自在有生受諸果報賢護以是因
緣彼出家菩薩成就如是不清淨戒乃至聖
者所不愛戒是謂為求有故為有生故為受
欲果故為生處所故賢護是故彼出家菩薩
念欲說此三昧思此三昧者要當先具清淨
戒行乃至成就聖所愛戒亦念常行檀波羅
蜜所謂最勝施諸法施上施妙施微妙施精
妙施無上施亦常勇猛精進不休不捨重擔
不忘正念常行一心正信清淨無有嫉妬不
著世間利養名聞如法索求以濟形命恒行
乞食不受別請猒離人間樂阿蘭若尊崇聖
種敬事頭陁息世語言但論出世處眾靜默
儉言不多常敬於他不敢輕慢於一切時常
行慙愧有恩必知知恩必報於善知識常念
親近諸師尊所謹事無違若聞如是甚深經
典專心聽受終無疲猒於法師所起慈父心
善知識心乃至生於諸如來想以為如是微
妙法故成就無上大菩提故轉增愛敬尊重
心故復次賢護若彼菩薩或時至於聲聞人
所聞說如是甚深經法彼法師所無愛敬心

BD02045號　賢護菩薩所問經卷三　（20–7）

善知識心乃至生於諸如來想以為如是彼
妙法故成就無上大菩提故轉增愛敬尊重
心故復次賢護若彼菩薩或時至於聲聞人
所聞說如是甚深經法彼法師所無愛敬心
無尊重心不生慈父想不生善知識想不生
諸佛想不生教師想不能親近承事供養隨
於何所聞是經典當知是人不能聽受書寫
解說令法久住如是之人若能聽受若能書
寫若能解說令法久住當无有是處復次賢
護若彼菩薩或復至於聲聞人所聞說如是
增上妙法不生愛敬心不生尊重心乃至不
生諸佛想不能盡心親近供養者若能讀
誦若能受持若能解說令是經典不速滅者无
有是處何以故以不尊重是經典故是故斯
法不久久滅復次賢護若彼菩薩或復至於
聲聞人所聞說如是微妙經典生愛敬心生
尊重心乃起教師想諸如來想親承供養即
能聽受亦能書寫復能解說能令是經久住
利益斯有是處復次賢護若彼菩薩復於
聲聞人所聞說如是微妙經典即於彼所生尊
重心如諸佛想親近承事恭敬供養者如是
之人雖未脩學如是經典即為脩習雖未解
釋即為解說令是妙法久住世間不毀不滅
斯有是處何以故以能愛敬尊重法故是故
此經久住世間賢護以是因緣吾今語汝是
人於是說法師所生愛樂心生敬重心生尊
貴心起善知識想起教師相起諸佛想盡心

BD02045號　賢護菩薩所問經卷三　（20–8）

之人雖未脩學如是經典即為脩習雖未解
釋即為解說令是妙法久住世間不毀不滅
斯有是處何以故以能愛敬尊重法故是故
此經久住世間賢護以是因緣吾今語汝是
人於是說法師所生愛樂心生敬重心生尊
貴心起善知識想起教師相起諸佛想盡心
承事恭敬供養也賢護若能如是則名為行
我所行受我教誡也復次賢護彼出家菩
薩欲解說如此三昧復欲思惟此三昧者
常當樂行阿蘭若事不得居處聚落城邑捨
離朋黨求多之處不貪衣食不得貯聚穀米
食具不得受畜助物生實不得貪求名聞利
養不惜重命常念捨身遠離貪著恒脩死想
常行慚愧不造諸惡攝受正法无有疑心常
念遠離不取衆相當脩慈心勿懷嫉怨卑起
慈悲无行瞋恚安心喜捨莫想愛憎常當經
行故除睡蓋賢護出家菩薩若能安住如是
法行則能脩學解說思惟如是念佛現前三
昧也
尒時賢護菩薩復白佛言希有世尊如來應
供等正覺所說經典甚深甚深最勝微妙不
可思議然彼未來諸菩薩等懈怠嬾惰雖聞
如是深妙經典生大恐怖驚疑退沒不發歡
喜愛樂之心彼等當復作如是念我今當應
餘諸佛所乃可脩習如是經典所以者何我
今自知多諸障難身遇病苦氣力甚微寧堪
脩行如是經典世尊彼輩如是於甚深法更

BD02045號　賢護菩薩所問經卷三　（20–9）

喜愛樂之心彼等當復作如是念我今當應
餘諸佛所乃可脩習如是經典所以者何我
今自知多諸障㝵身遍病苦氣力甚微寧堪
脩行如是經典世尊彼輩如是於甚深法更
生放捨遠離之心不能發勤勇猛精進樂欲
成就如是經典世尊尒時亦當有諸菩薩精
進勤求尊念之者愛樂是法勸持是法攝受
是法若諸法師說是法者於是法中如法行
故能捨身命不著名聞不求利養不自宣說
己身功能不染衣鉢不樂城邑常趣空閑山
林靜處其或聞是微妙法故生大歡喜更當
具足發勤精進聽受如是微妙法門常讀誦
故常念持故思惟義故如說行故彼等於未
來世諸如來所非徒直欲求彼多聞亦無但求
在於有處唯為成就諸功德故常念勤求
精進勇猛世尊然復應有往昔已曾供養諸
佛宿種善根諸善男子善女人輩發大精進
為聞如是微妙法故更發如是大誓莊嚴願
我當得乾渴肌膚骨消髓燋然身心苦行
不息无欲成就如是妙曲終无暫時懈怠嬾惰
而不聽聞微妙勝法亦无无不思甚深義理復
无捨他不為宣說而常勇猛行大精進但
為攝受諸菩薩故聽聞如來如是妙典聞已
即便生歡喜心
尒時世尊讚彼賢護菩薩言善哉善哉賢護
如是如是如汝所說我今隨喜賢護我隨喜
故一切三世恒河沙等諸佛世尊皆亦隨喜

BD02045號　賢護菩薩所問經卷三

（20–10）

无捨他不為宣說而常勇猛行大精進但
為攝受諸菩薩故聽聞如來如是妙典聞已
即便生歡喜心
尒時世尊讚彼賢護菩薩言善哉善哉賢護
如是如是如汝所說我今隨喜賢護我隨喜
故一切三世恒河沙等諸佛世尊皆亦隨喜
故彼賢護菩薩復白佛言若有在家菩薩處
於世間聞是三昧欲自思惟即為他說乃至
一日或經一夜是人安住幾種行法當得成
就思惟三昧為他說也佛言賢護彼在家菩
薩處於世間若欲脩習思惟三昧或一百一
應乃至一撮牛乳時者吾今語汝彼在家菩
薩既居世間當應生信不起慳貪常念行施
隨多少施當一切施不求果報應歸依佛又
歸依法亦歸依僧不事天神亦不禮拜不生
嫉妬常念隨喜當須清淨如法活命不妄呪
女不著妻妾不染居家不歎財寶常樂出家
念除鬚髮脩八關齋恒往伽藍常懷慚愧發
菩提心不念餘乘見有持戒清淨比丘脩梵
行者終无調戲常行恭敬從誰聞學如此三
昧常於師所生慈敬心起尊重心善知識想
生教師想起諸佛想一切衆身悉以奉之常
當識恩恒思報德以能教我微妙法故賢護
彼在家菩薩處俗之時應住如是諸法行已
然後教示如是三昧如是思惟如是脩習
時彼賢護菩薩復白佛言希有世尊如來應
供等正覺今乃為彼出家在家諸菩薩輩善

BD02045號　賢護菩薩所問經卷三

（20–11）

彼在家菩薩處俗之時應住如是諸法行已
然後教示如是三昧如是思惟如是脩習
時彼賢護菩薩復白佛言希有世尊如來應
供等正覺今乃為彼出家在家諸菩薩等
信成就樂深法者當說如是无上妙法令住
如是无量法行然後當得思惟解說如是三
昧世尊如來滅後如是三昧於閻浮提能廣
行不佛告賢護菩薩言賢護我滅度後此三
昧經於閻浮提四十年中廣行於世而後五
百年末一百歲中正法滅時比丘作惡時誹
謗正法時破壞時特我損減時破我熾
滅時諸國相伐時當斯之際頗有眾生熾然
善根往昔已曾親近諸佛供養脩行殖善種
子為彼諸丈夫輩得是經故此三昧典復當
流行於閻浮提所謂佛威神故令彼等於
我滅後聞此經已歡喜書寫讀誦受持思惟
其義為他解釋如說脩行尒時賢護菩薩及
寶德離車子聞如來說正法滅時悲泣雨淚
從坐而起整理衣服偏袒右肩右膝著地合
掌恭敬而白佛言世尊我等當於如來滅後
後五百歲末百年中沙門顛倒時正法欲滅
時誹謗正法時破壞正法時特我損減時破
我增長時正法護減時非法護增時眾生亂
時諸國相代時能於如來所說經典如三昧
中讀受持思惟義理為他廣說何以故我
心无猒終不知足是故我於如來所說脩多
羅中能聽聞故能書寫故能讀誦故能受持

BD02045號　賢護菩薩所問經卷三　（20–12）

我增長時正法護減時非法護增時眾生亂
時諸國相代時能於如來所說經典如三昧
中讀受持思惟義理為他廣說何以故我
心无猒終不知足是故我於如來所說脩多
羅中能聽聞故能書寫故能讀誦故能受持
故能思惟故能脩行故能廣說故
尒時商主優婆塞伽訶災多居士之子那羅
達多摩納等聞如來說未來世中正法壞滅
為正法故悲哀泣淚從坐而起整理衣服偏
袒右肩右膝著地恭敬合掌而白佛言世尊
我等能於如來所說妙脩多羅及能受持脩
多羅者我皆攝護令得增長世尊我今復為
如來所說微妙經典作其加護令得廣宣久
住於世何以故以是經典能於无量阿僧祇
劫多所成就阿耨多羅三藐三菩提故世尊
我等得聞未曾有法至心受持思惟其義為
他解說廣行流布也世尊我今此甚深經
法一切世間无有信者我先為其造善根器
然後為解尒時眾中有五百比丘比丘尼優
婆塞優婆夷四部眾等聞如來說未來世中
正法壞滅為正法故悲泣雨淚坐而起整
持衣服偏袒右肩右膝著地恭敬合掌而白
佛言世尊我等受持如來正法然諸大士善
丈夫輩尒時於我當作正依當作覆護為我
經紀能令我等於如來所說如是甚深脩多
羅中取真實義如法脩行唯願世尊付屬我
等諸善丈夫分明呈記可以故世尊我及受

BD02045號　賢護菩薩所問經卷三　（20–13）

佛言世尊我等受持如來正法然諸大士善
丈夫輩尒時於我當作正依當作覆護為我
經紀能令我等於如來所說如是甚深脩多
羅中取真實義如法脩行唯願世尊付屬我
等諸善丈夫多聞立記何以故世尊我及彼
等皆能護持攝受正法及攝受者故
尒時世尊即便微咲放金色光其明遍照十
方世界諸佛國已還至佛所右繞三迊從頂
上沒尒時尊者阿難作如是念世尊昔來已
多微咲然於咲時必為異事我今應問微咲
因緣如是念已即從坐起整持衣服偏袒右
肩右膝著地合掌向佛以偈白言
其心清淨行無穢　有大威德巨神通
一切最尊世中上　顯現無垢如明月
無礙種智解脫心　迦陵伽聲天中最
一切異論莫能動　今忽微咲有何緣
通達正真為我說　能多利益兩足尊
聞是如來微妙音　一切皆當大歡喜
諸佛世尊豈虛咲　佛復放光有勝至
誰於斯日獲大利　是故今應宣咲旨
誰於今日得髮真　誰於今日受法王
誰於今日自灌頂　誰於今日登佛位
誰於今日利世間　誰當揔宣佛法藏
誰於佛智得當住　以是尊應顯咲緣
尒時世尊即以偈告長老阿難曰
阿難汝見大集不　攝護五百從坐起
身心歡喜發誠言　我輩當來護斯法

誰於今日自灌頂　誰於今日登佛位
誰於今日利世間　誰當揔宣佛法藏
誰於佛智得當住　以是尊應顯咲緣
尒時世尊即以偈告長老阿難曰
阿難汝見大集不　攝護五百從坐起
身心歡喜發誠言　我輩當來護斯法
此等一心瞻察我　我於何時亦復然
感於我前興大誓　我輩當來擊斯道
復有八輩從坐起　五百上首此為尊
彼於末世法壞時　為世聞法故宣說
我今告汝如是言　於此眾中无畏智
是輩非於一佛所　起立合掌敬諸尊
我觀往昔无量世　八萬諸佛皆現前
八主為首從坐起　還為護持是妙法
前此八萬億由他　復值如是數諸佛
心得解脫大名稱　彼時此輩已攝持
今復於我勝法中　能為攝護利益首
教化无量菩薩眾　斷除嫉妬諸大王
此等於我滅度時　取我舍利興供養
善持我斯諸佛事　安置然後遍十方
手執造塔或在山　付囑天龍及金鳥
斯等依仗於此經　壽終皆生天上
後雖轉生於人間　而常不離勝家姓
善持我斯菩提事　還發大願隨本心
或時為法生地獄　恒值如是深妙典
得已轉授眾多生　以歡喜心除嫉妬
求法精勤無懈倦　輕財賤命豈[illegible]

善持我斯菩提事　還發大願隨本心
或時為法至他國　恒值如是深妙典
得已轉授眾多生　以歡喜心除嫉妬
求法精誠無懈惓　輕財賤命宣受身
降伏一切諸外論　常以妙法慧施彼
時世無能受斯經　亦無誦讀轉教生
唯有此輩五百賢　今於我前從坐起
復此八士諸菩薩　當來比天稱斯法
樂恒廣宣多利益　知是甚深脩多羅
此八去士為上首　彼五百數復無增
遠離嫉妬棄名聞　來世當稱廣大法
如是比丘及尼輩　諸優婆塞優婆夷
巧智無妬登法師　當成無覺大威德
彼不思議神德具　百福之體相莊嚴
得微妙樂除眾苦　長拔三毒煩惱根
此等從今捨命已　終不受生惡道中
一切生中常和合　所遇菩提眾勝事
既捨一切惡趣生　亦能永離諸難處
功德不可知邊際　如是無量受多福
復當得見彌勒佛　於彼常起和合心
恭敬供養利益他　唯求無上菩提故
彼時此輩恒集會　承事超世兩足尊
為此諸佛妙菩提　當度生死登彼岸
於後末世法壞時　彼等亦當持此法
如是所處恒脩行　遇彌勒世事若斯
所可於此賢劫內　廣為利益世間燈
彼一切處護是經　安住三世無所畏

BD02045號　賢護菩薩所問經卷三　（20–16）

為此諸佛妙菩提
於後末世法壞時　彼等亦當持此法
如是所處恒脩行　遇彌勒世事若斯
所可於此賢劫內　廣為利益世間燈
彼一切處護是經　安住三世無所畏
將來億數多諸佛　不可思議難得邊
斯皆供養廣脩行　常護如是勝佛事
其有在前成菩提　彼彼咸同脩供養
而或於先取滅度　我住多世那由他
今此賢護大菩薩　及是寶得由衆珠
商主及多伽摩那　當見恒沙無數佛
於彼亦受無上經　前已經歷多劫數
妙筭不能盡其形　無量億劫誰能知
若有衆生得聞名　或於覺時及睡夢
能發勇猛師子吼　彼輩皆得天人尊
若有衆生但聞名　直能信敬及隨喜
一切作佛無疑慮　何況供養於彼身
其所受法不思議　壽命住法亦無量
利益廣大無窮盡　功德智慧不可知
彼過去佛難思量　清淨持戒恒沙數
此輩於彼廣行施　唯求無上佛菩提
彼諸功德不可數　多劫宣說莫能窮
於菩提中無增減　常念護持是經法
阿難若至護此經　書寫讀誦及憶念
汝應決定興愛敬　終不離是五百中
阿難若至持此經　自當勤心求堅固
淨持禁戒捨睡眠　決定得斯妙三昧

BD02045號　賢護菩薩所問經卷三　（20–17）

阿難若受護此經　書寫讀誦及憶念
汝應決定興愛敬　終不離是五百中
阿難若受持此經　自當勤心求堅固
淨持禁戒捨睡眠　決定得斯妙三昧
我此尼處誡未久　諸比丘學居蘭若
若能頭陀不捨離　得此三昧之無疑
一切別請皆能捨　凡是美味皆斷除
師所常起諸佛心　誰言不墮斯三昧
貪恚癡患無覺知　我慢嫉妒咸遠離
情無垢著念無為　讀誦思惟勝三昧
清淨意處無可除　調伏諸根息惡嫌
一心專念如來身　讀誦受持妙三昧
若有菩薩在居家　心常堅住出家事
受持讀誦口業成　心常念學此三昧
恒應修持五種戒　亦常數受八戒齋
常住寺廟捨資生　讀誦思惟此三昧
不當耽著兒婦妾　勿受兒女及珍財
住優婆塞行者勲　但當憶持此三昧
莫於他所起害心　唯思除去諸調戲
無處可著住於惡　但念思惟此三昧
莫於財物生執着　花香塗粉及諸鬘
無處除著安欲恐　但當受持此三昧
若比丘尼求此經　當勤歸敬除嫉妒
調戲貢高及我慢　發欲菩提亦不難
應務精進除睡眠　一切諸求皆當斷
心愛樂法淨命在　唯當讀此三昧
心常不共貪欲俱　莫起恚恨無迫惱

BD02045號　賢護菩薩所問經卷三　(20–18)

住優婆塞行者勲　但當憶持此三昧
莫於他所起害心　唯思除去諸調戲
無處可著住於惡　但念思惟此三昧
莫於財物生執着　花香塗粉及諸鬘
無處除著安欲恐　但當受持此三昧
若比丘尼求此經　當勤歸敬除嫉妒
調戲貢高及我慢　發欲菩提亦不難
應務精進除睡眠　一切諸求皆當斷
心愛樂法淨命在　唯當讀此三昧
心常不共貪欲俱　莫起恚恨無迫惱
不以魔縛繫衆生　唯當受持此三昧
無以諂曲有所為　勿貪好衣及塗薰
莫行兩舌離別他　唯當受持此三昧
男女聲色不繫心　斷絕無諸邪念事
於教師所生佛想　唯當受持此三昧
所生永離衆惡道　於佛法中不空信
破除三有諸障難　要當受是三摩提

賢護菩薩所問經卷第三

鑪盧音　棄蒲栗反　綀音練　黨都朗反　貯竹呂反　髓息委反　撲古候反
叟魚反　篮杏葉反　筍烏字反　蕃四曲反

BD02045號　賢護菩薩所問經卷三　(20–19)

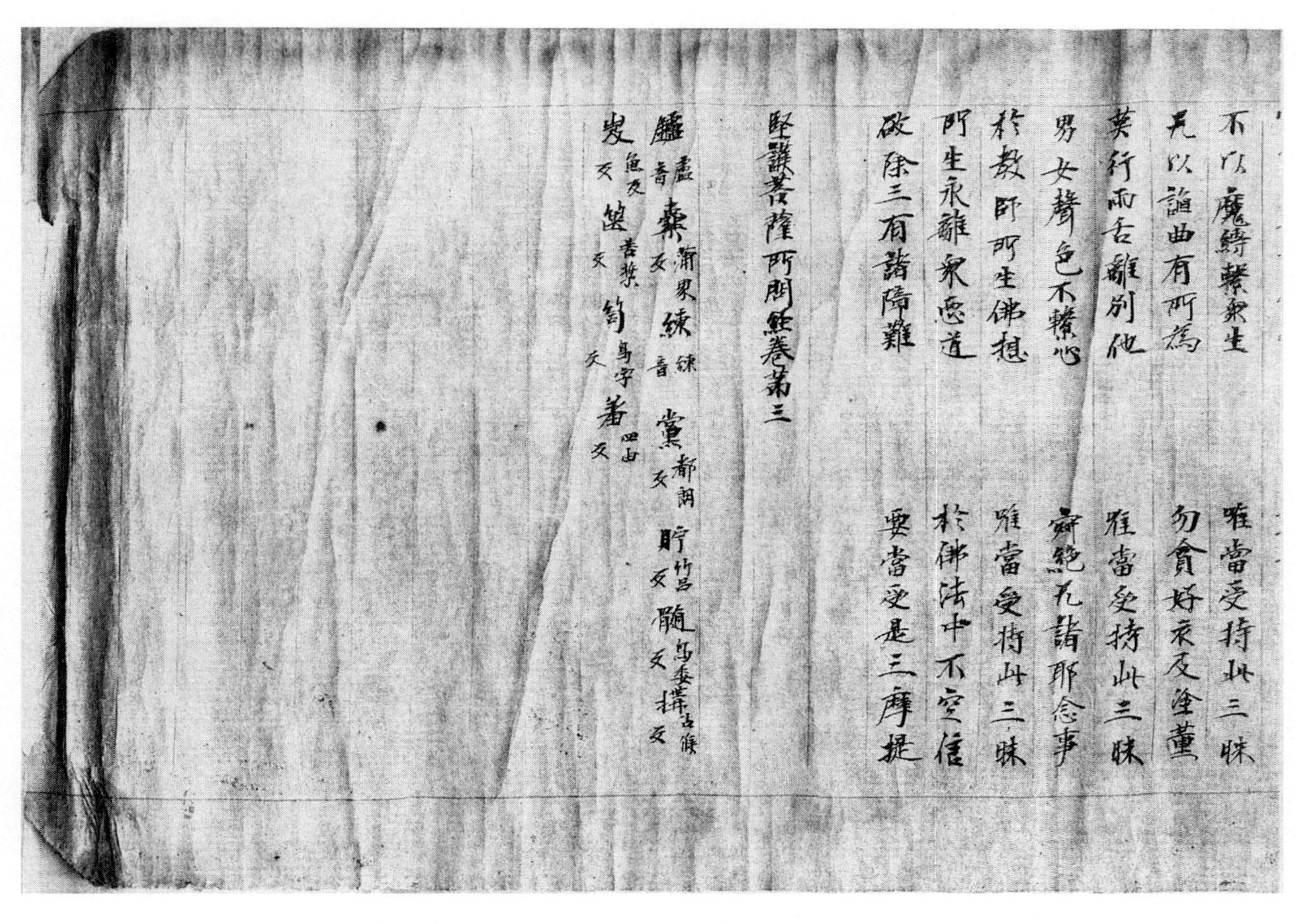

不以魔繫縛衆生　唯當受持此三昧
无以諂曲有所爲　勿貪好衣及塗薰
莫行兩舌離別他　唯當受持此三昧
男女聲色不繫心　斷絕无諸邪念事
於教師所生佛想　唯當受持此三昧
所生永離衆惡道　於佛法中不空信
破除三有諸障難　要當受是三摩提

賢護菩薩所問經卷第三

驢盧音　蘽蒲果反　練練音　黨都朗反　貯竹呂反　髓息委反　搩古猴反
嵏魚反　塑吾桀反　鈎烏字反　蓄四由反

BD02045 號　賢護菩薩所問經卷三　（20–20）

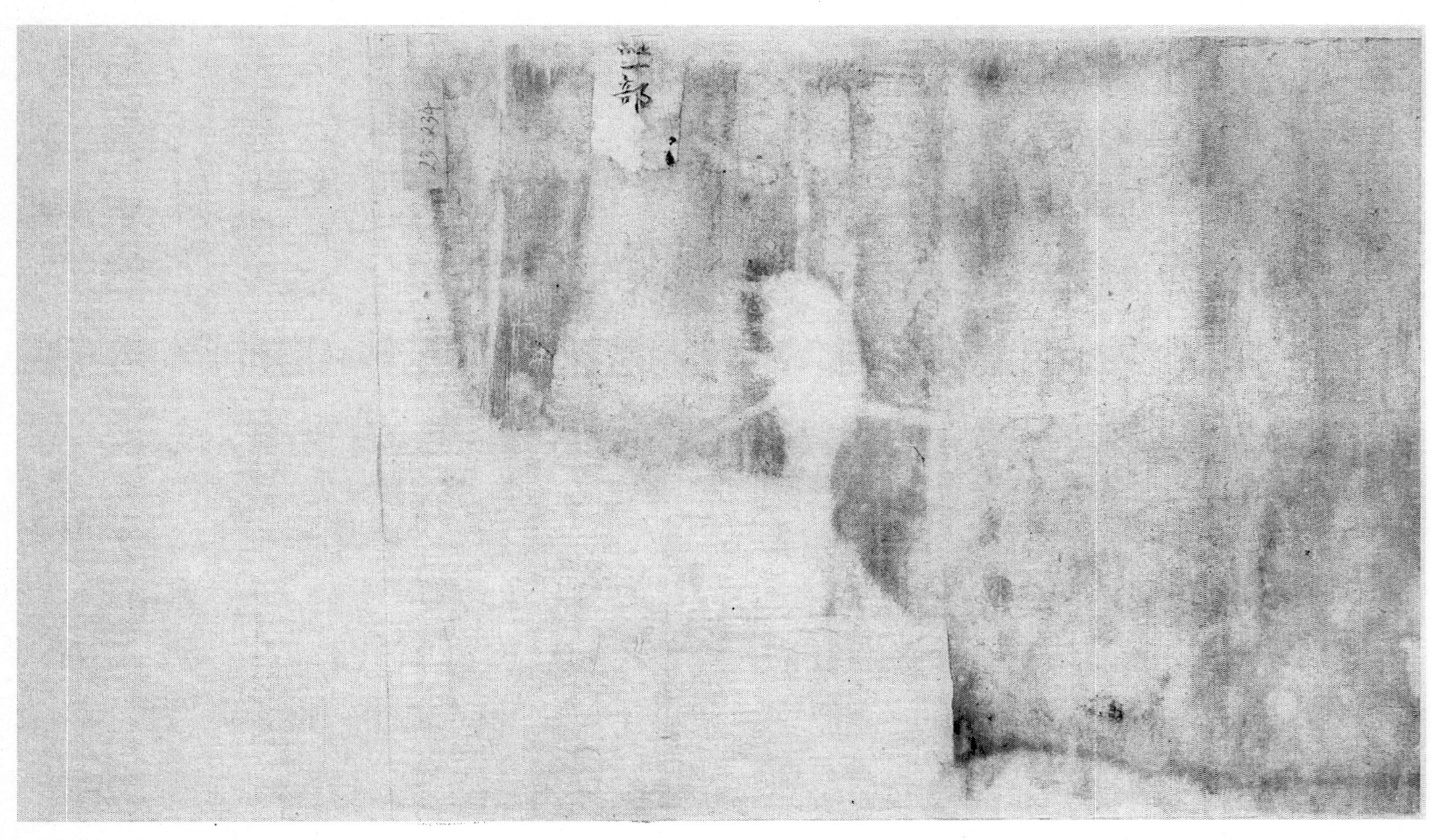

BD02045 號背　雜寫　（1–1）

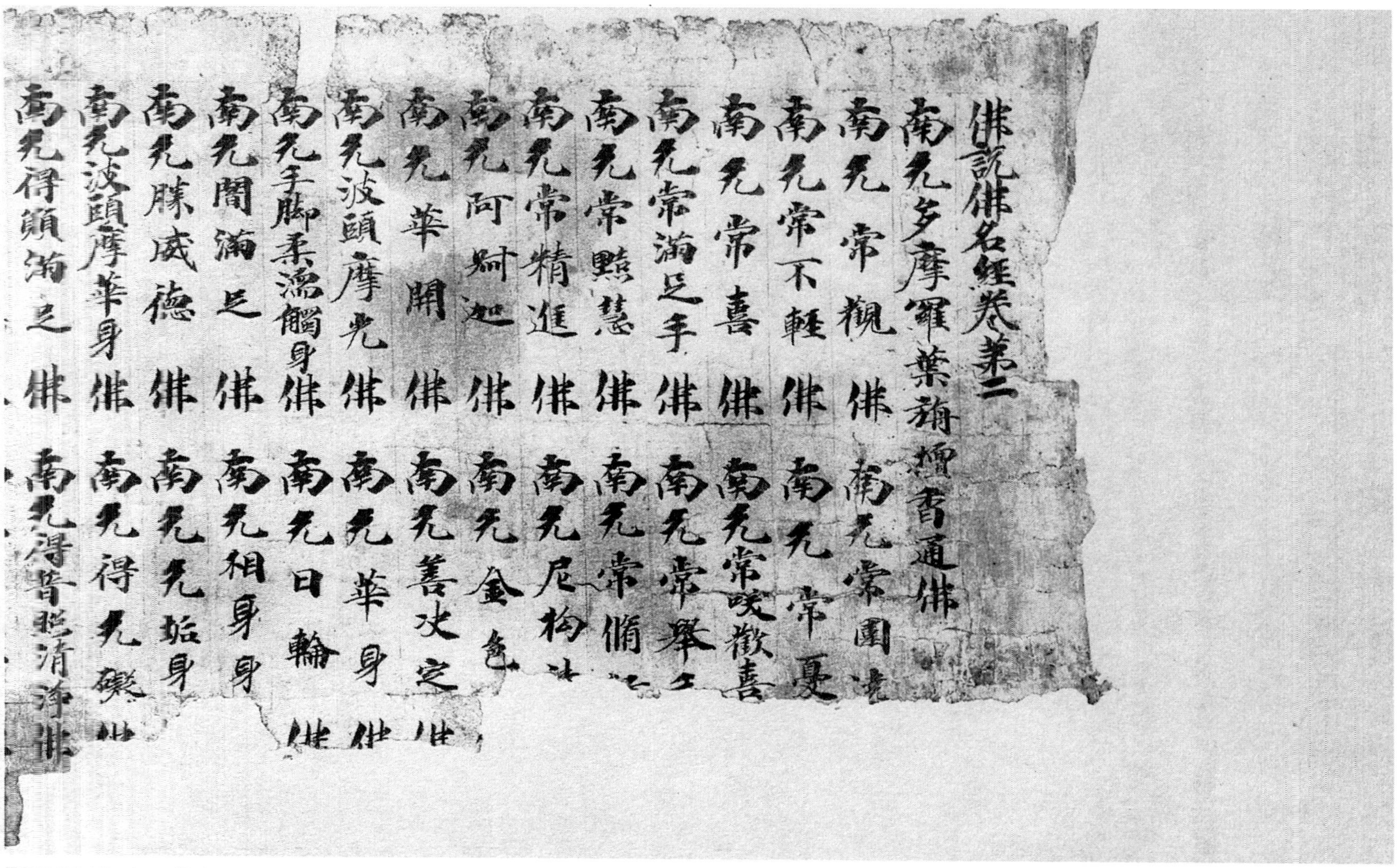

佛說佛名經卷苐二
南无多摩羅葉旃檀香通佛
南无常觀佛　南无常圓[illegible]
南无常不輕佛　南无常憂[illegible]
南无常喜佛　南无常歡喜[illegible]
南无常滿足手佛　南无常舉[illegible]
南无常黠慧佛　南无常脩[illegible]
南无常精進佛　南无尼拘[illegible]
南无阿閦鞞佛　南无金色[illegible]
南无華開佛　南无善决定佛
南无波頭摩光佛　南无華身佛
南无手脚柔濡網身佛　南无日輪佛
南无閻浮滿足佛　南无相身身[illegible]
南无勝威德佛　南无无垢身[illegible]
南无波頭摩華身佛　南无得无礙[illegible]
南无得頭滿足佛　南无得普照清淨佛

BD02046號　佛名經（十六卷本）卷二　（21–1）

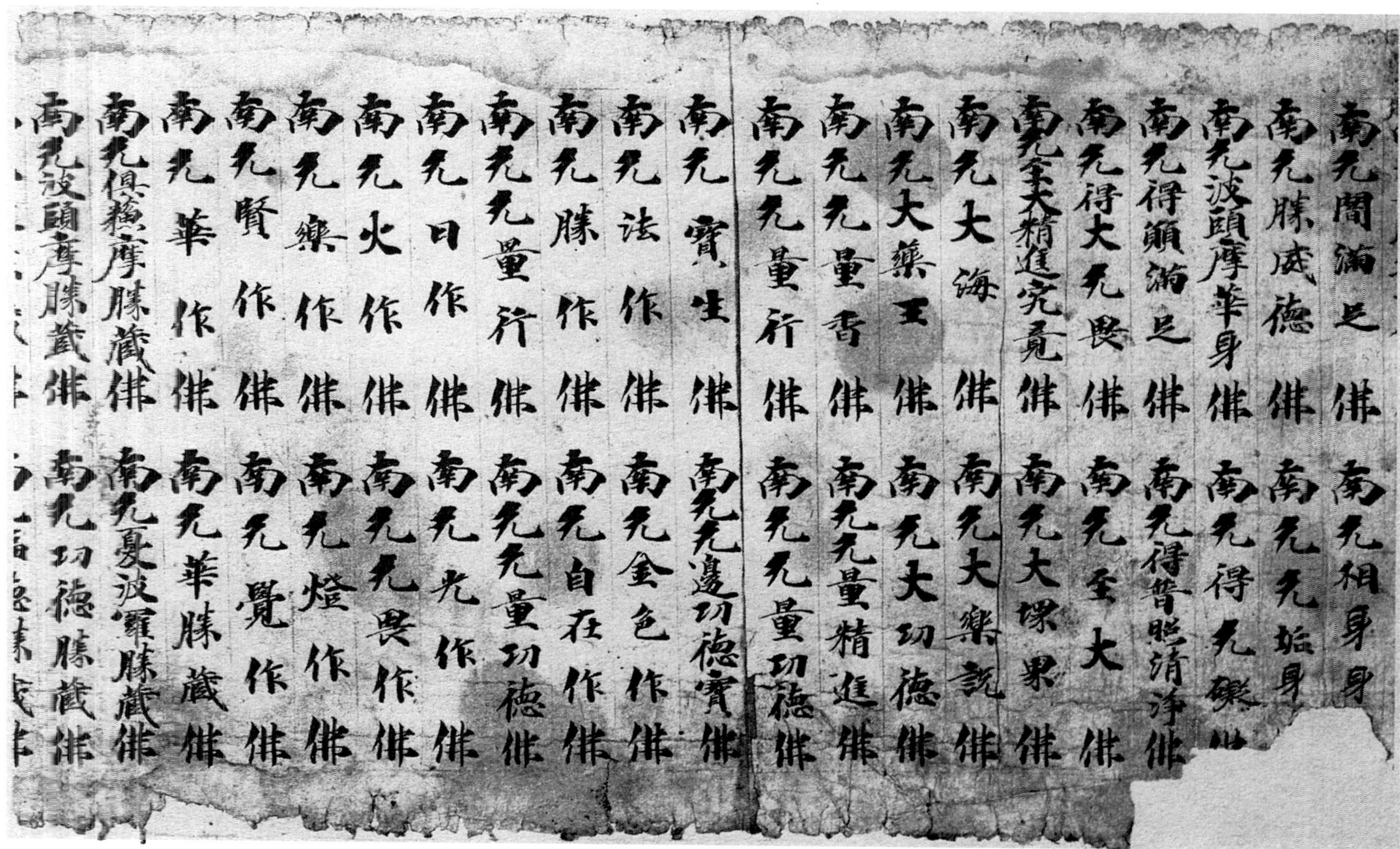

南无閻浮滿足佛　南无相身身
南无勝威德佛　南无无垢身
南无波頭摩華身佛　南无得无礙[illegible]
南无得頭滿足佛　南无得普照清淨佛
南无得大无畏佛　南无至大佛
南无大精進究竟佛　南无大樂果佛
南无大海佛　南无大樂說佛
南无大藥王佛　南无大功德佛
南无无量香佛　南无无量精進佛
南无无量行佛　南无无量功德佛
南无寶生佛　南无无邊功德實佛
南无法作佛　南无金色作佛
南无勝作佛　南无自在作佛
南无无量行佛　南无无量功德佛
南无日作佛　南无光作佛
南无火作佛　南无无畏作佛
南无樂作佛　南无燈作佛
南无賢作佛　南无覺作佛
南无華作佛　南无華勝藏佛
南无俱蘇摩勝藏佛　南无憂波羅勝藏佛
南无波頭摩勝藏佛　南无功德勝藏佛

BD02046號　佛名經（十六卷本）卷二　（21–2）

南无華作佛　南无華勝藏佛
南无俱㮹摩勝藏佛　南无旻波羅勝藏佛
南无波頭摩勝藏佛　南无功德勝藏佛
南无忕勝藏佛　南无福德勝藏佛
南无天勝藏佛　南无那羅延藏佛
南无大雲藏佛　南无香勝藏佛
南无如來藏佛　南无功德藏佛
南无根藏佛　南无如意藏佛
南无金剛藏佛　南无德藏佛
南无勢羅藏佛　南无山藏佛
南无波頭摩藏佛　南无俱㮹摩藏佛

從此以上一千佛十二部經一切賢聖

南无香藏佛　南无摩尼藏佛
南无賢藏佛　南无普藏佛
南无月无垢藏佛　南无日藏佛
南无照藏佛　南无光明幢佛
南无月幢佛　南无功德幢佛
南无離世間幢佛　南无華幢佛
南无寶幢佛　南无法幢佛
南无自在幢佛　南无寶幢佛
南无无垢幢佛　南无大幢佛
[illegible]

BD02046號　佛名經（十六卷本）卷二　（21-3）

南无寶幢佛　南无法幢佛
南无自在幢佛　南无寶幢佛
南无无垢幢佛　南无大幢佛
南无月无垢幢佛　南无普照幢佛
南无弥留幢佛　南无讃妙法幢佛
南无放光明幢佛　南无善清淨无垢照幢佛
南无善清淨光明幢佛　南无香光明佛
南无虛空光明佛　南无大光明光明佛
南无寶光明佛　南无火光明佛
南无日光明佛　南无月光明佛
南无日月光明佛　南无无垢光明佛
南无火輪光明佛　南无寶照佛
南无寶光明佛　南无勝威德香光明佛
南无種種多威德王勝光明佛
南无虛清淨金色莊嚴威德光明佛
南无法幻[illegible]威德光明佛　南无清淨光明佛
南无功德寶光明佛　南无金光光明佛
南无高光明佛　南无放光光明佛
南无金光光明佛
南无俱㮹摩光明佛　南无香光明佛
南无甘露光明佛　南无无量寶化光明佛

BD02046號　佛名經（十六卷本）卷二　（21-4）

南无金光光明佛
南无俱犍摩光明佛　南无香光明佛
南无甘露光明佛　南无无量寶化光明佛
南无水月光明佛　南无寶月光明佛
南无弥留光明佛　南无衆集日輪佛
南无雲光明佛　南无賢頭耆婆伽華佛
南无无畏光明佛　南无法力光明佛
南无无垢光明佛　南无清淨光明佛
南无月光明佛　南无日光明佛
南无樹提光明佛　南无然火光明佛
南无焚燒光明佛　南无羅網光明佛
南无大光明佛　南无稱光明佛
南无普光明佛　南无无邊光明佛
南无色光明聲佛　南无雷雲聲佛
南无妙鼓聲佛　南无師子聲佛
南无雲聲佛　南无天聲佛
南无妙聲佛　南无梵聲佛
南无雲妙鼓聲佛　南无法鼓聲佛
南无法鼓出聲佛　南无聲滿法界聲佛
南无地吼聲佛　南无普遍聲佛
南无師子吼聲佛　南无无量吼聲佛
南无无分別吼聲佛　南无驚怖一切魔輪聲佛

南无法鼓出聲佛　南无聲滿法界聲佛
南无地吼聲佛　南无普遍聲佛
南无師子吼聲佛　南无无量吼聲佛
南无无分別吼聲佛　南无驚怖一切魔輪聲佛
南无降伏一切聲聲佛　南无无障导月慧佛
南无法无垢月佛　南无普照月佛
南无放光明月佛　南无盧舍那月佛
南无解脫月佛　南无稱月佛
南无功德月佛　南无寶月佛
從此以上一千一百佛十二部經一切賢聖
南无滿月佛　南无大月佛
南无月輪清淨佛　南无日月佛
南无月慧佛　南无无垢慧佛
南无深慧佛　南无威慧佛
南无難勝慧佛　南无阿僧祇劫脩習慧佛
南无无量樂功德莊嚴行慧佛
南无无量功德莊嚴佛　南无難劫佛
南无自在誠劫佛　南无弥留劫佛
南无勝功德王莊嚴威德王劫佛
南无須弥留劫佛　南无不可說劫佛
南无金光明色光上佛　南无龍家上佛
南无愛上佛　南无度上佛

南无勝功德王莊嚴威德王劫佛
南无須弥留劫佛　南无不可說劫佛
南无金光明色光上佛　南无龍家上佛
南无愛上佛　南无慶上佛
南无法上佛　南无金剛上佛
南无威德上佛　南无无始上佛
南无龍家上佛　南无寶上佛
南无勝寶上佛　南无莎梨羅上佛
南无天上佛　南无波頭摩上佛
南无香上佛　南无放香佛
南无樂香佛　南无香奮迅佛
南无香象奮迅佛　南无香象佛
南无大香象佛　南无多羅跋香佛
南无式香佛　南无无邊香佛
南无普遍香佛　南无薰香佛
南无多伽羅香佛　南无栴檀香佛
南无蔓陀羅香佛　南无波頭摩香佛
南无波頭摩手佛　南无波頭摩眼佛
南无波波摩莊嚴佛　南无波頭摩起佛
南无波頭摩勝佛　南无月勝佛
南无身勝佛　南无鷲怖勝佛
南无騰勝雲佛　南无功德成就雲佛

BD02046號　佛名經（十六卷本）卷二　（21-7）

南无波頭摩手佛　南无波頭摩眼佛
南无波波摩莊嚴佛　南无波頭摩起佛
南无波頭摩勝佛　南无月勝佛
南无身勝佛　南无鷲怖勝佛
南无騰勝雲佛　南无功德成就雲佛
南无寶雲佛　南无功德雲佛
南无雲護佛　南无普護佛
南无聖護佛　南无功德護佛
南无普遍護佛　南无精進護佛
南无精進喜佛　南无上喜佛
南无寶喜佛　南无師子喜佛
南无龍喜佛　南无寶喜佛
南无寶智佛　南无喜去佛
南无善知寂靜去佛　南无大勢佛
南无甘露勢佛　南无金剛稱勢佛
南无无垢處勢佛　南无不動處勢佛
南无過三界處勢佛　南无三昧處勢佛
南无定處勢佛　南无不動處勢佛
南无高去佛　南无寂滅法佛
南无師子奮迅去佛　南无善步去佛
南无无盡慧佛　南无海慧佛
南无住慧佛　南无勝慧佛

BD02046號　佛名經（十六卷本）卷二　（21-8）

南无高去佛　南无[illegible]佛
南无師子奮迅去佛　南无善步去佛
南无无盡慧佛　南无海慧佛
南无任慧佛　南无勝慧佛
南无滅諸惡慧佛　南无寂靜慧佛
南无脩行慧佛　南无寂慧佛
南无堅慧佛　南无善清淨慧佛
南无大慧佛　南无普慧佛
從此以上一千二百佛十二部經一切賢聖
南无无邊慧佛　南无威德慧佛
南无世慧佛　南无上慧佛
南无妙慧佛　南无快慧佛
南无无觀慧佛　南无稱慧佛
南无廣慧佛　南无旃檀滿慧佛
南无覺慧佛　南无法慧佛
南无師子慧佛　南无帝慧佛
南无普慧佛　南无寶慧佛
南无金剛慧佛　南无勝積佛
南无勝慧佛　南无清淨慧佛
南无勇猛積佛　南无般若積佛
南无樂說積佛　南无香積佛
南无寶積佛　南无寶髻佛

BD02046號　佛名經（十六卷本）卷二　（21–9）

南无勝慧佛　南无清淨慧佛
南无勇猛積佛　南无般若積佛
南无樂說積佛　南无香積佛
南无寶積佛　南无寶髻佛
南无功德髻佛　南无天髻佛
南无龍髻佛　南无大髻佛
南无須留聚佛　南无大聚佛
南无大炎聚佛　南无寶聚佛
南无寶手佛　南无寶手柔濡佛
南无寶印手佛　南无寶光明奮迅思惟佛
南无寶火圓遠佛　南无寶天佛
南无寶勝佛　南无寶高佛
南无寶堅佛　南无寶波頭摩佛
南无寶念佛　南无寶力佛
南无寶山佛　南无寶炎佛
南无寶炎圓遠佛　南无寶照佛
南无放照佛　南无迭花佛
南无妙說佛　南无月說佛
南无金剛說佛　南无寶說佛
南无寶杖佛　南无无量寶杖佛
南无无垢杖佛　南无无邊杖佛

BD02046號　佛名經（十六卷本）卷二　（21–10）

南无金剛説佛　南无寶説佛
南无寶杖佛　南无无量寶杖佛
南无无垢杖佛　南无无邊杖佛
南无法杖佛　南无寶蓋佛
南无均寶蓋佛　南无摩尼蓋佛
南无金蓋佛　南无奮迅王佛
南无增上大成就王佛　南无增上勇猛佛
南无勇施佛　南无智施佛
南无然燈佛　南无然燈火佛
南无清淨然燈佛　南无功德然燈佛
南无福德然燈佛　南无寶然燈佛
南无火然燈佛　南无无邊然燈佛
南无寶火然燈佛　南无普然燈佛
南无月然燈佛　南无日然燈佛
南无日月然燈佛　南无雲聲然燈佛
南无大海然燈佛　南无忍辱輪然燈佛
南无世然燈佛　南无光明遍照十方然燈佛
南无照諸趣然燈佛　南无破諸闇然燈佛
南无一切世成就然燈佛　南无俱蘇摩見佛
南无不散佛　南无散花佛
南无不散花佛　南无放光明佛

BD02046號　佛名經（十六卷本）卷二　（21–11）

南无一切世成就然燈佛　南无俱蘇摩見佛
南无不散佛　南无散花佛
南无不散花佛　南无放光明佛
南无千光明佛　南无六十光明佛
南无槐光明佛　南无无障礙光明佛
從此以上一千三百佛十二部經一切賢聖
南无放淨光明佛　南无无邊光明佛
南无波頭摩光明佛　南无福德光明佛
南无智光明佛　南无月光明佛
南无日光明佛　南无无量光明佛
南无奮迅恭敬稱佛　南无无比佛
南无功德稱佛　南无寶稱佛
南无无垢稱佛　南无无垢无分佛
南无堅德佛　南无无憂德佛
南无勇猛德佛　南无華德佛
南无歡喜德佛　南无龍德佛
南无功德海佛　南无淨德佛
南无淨天佛　南无供養佛
南无淨聲佛　南无淨妙養佛
南无出淨聲佛　南无普智輪光聲佛
南无大聲佛　南无雲勝聲佛
次礼十二部尊經大藏法輪

BD02046號　佛名經（十六卷本）卷二　（21–12）

南无淨聲佛　南无淨妙養佛
南无虛淨聲佛　南无普智輪光聲佛
南无大聲佛　南无雲勝聲佛

次礼十二部尊經大藏法輪

南无阿差末經　南无弥勒下生經
南无脩行經　南无无盡意經
南无大雲經　南无廣博嚴淨經
南无所行讚經　南无十住經
南无海龍王經　南无思益經
南无菩薩處胎經　南无禪行經
南无鴦掘摩羅經　南无菩薩本緣經
南无密迹金剛經　南无佛藏經
南无大樹緊那羅經　南无阿毗曇經
南无大悲分陁利經　南无百喻經
南无大吉義呪經　南无淨度經
南无維摩詰經　南无菩薩本行經
南无寶篋經　南无无明羅剎經
南无集一切福德經　南无金光明經

次礼十方諸大菩薩

南无因陁羅德菩薩　南无海天菩薩
南无扶陁羅波菩薩　南无藥王菩薩

南无因陁羅德菩薩　南无海天菩薩
南无扶陁羅波菩薩　南无藥王菩薩
南无盧舍那菩薩　南无月光菩薩
南无波頭摩勝藏菩薩　南无智山菩薩
南无聖藏菩薩　南无不捨行菩薩
南无不空見菩薩　南无妙聲菩薩
南无妙聲吼菩薩　南无徹鋑窮根菩薩
南无波頭摩道勝菩薩　南无廣思菩薩
南无憂波羅眼菩薩　南无可供養菩薩
南无常憶菩薩　南无住一切悲見菩薩
南无斷一切惡法菩薩　南无住一切聲菩薩
南无住一切有菩薩　南无住佛聲菩薩
南无无垢菩薩　南无勇猛德菩薩
南无淨菩薩　南无寶勝菩薩
南无羅網光菩薩　南无斷諸蓋菩薩
南无能捨一切業菩薩　南无華莊嚴菩薩
南无月光光明菩薩　南无眾勝意菩薩
南无堅意菩薩　南无自在天菩薩
南无勝意菩薩　南无淨意菩薩

從此以上一千四百佛十二部經一切賢聖

南无金剛意菩薩　南无增長意菩薩

南无堅意菩薩　南无自在天菩薩
南无勝意菩薩　南无淨意菩薩
從此以上一千四百佛十二部經一切賢聖
南无金剛意菩薩　南无增長意菩薩
南无善住菩薩　南无善導師菩薩
南无陁羅尼自在王菩薩　南无普行菩薩
南无波頭摩藏菩薩　南无覺菩提菩薩
歸命如是等十方无量无邊菩薩
南无功德辟支佛　南无不可比辟支佛
南无寶辟支佛　南无不可比辟支佛
南无歡喜辟支佛　南无喜辟支佛
南无隨喜辟支佛　南无十二婆羅墮辟支佛
南无十二同名婆羅辟支佛　南无火身辟支佛
南无同菩提辟支佛　南无摩訶男辟支佛
南无心上辟支佛　南无默淨辟支佛
歸命如是等无量无邊辟支佛
礼三寶已次復懺悔
衆等相與即今我身寂靜无諍无障正是生善滅
惡之時復應各起四種觀行以爲滅罪作前方便
何等爲四一者觀於因緣二者觀於果報三者觀我
自身四者觀如來身　第一觀因緣者知我此罪
藉以无明不善思惟无正觀力不識其過遠離善

BD02046號　佛名經（十六卷本）卷二　（21–15）

惡之時復應各起四種觀行以爲滅罪作前方便
何等爲四一者觀於因緣二者觀於果報三者觀我
自身四者觀如來身　第一觀因緣者知我此罪
藉以无明不善思惟无正觀力不識其過遠離善
友諸佛菩薩隨逐魔道行邪險逕如魚吞鈎不
知其患如蚕作繭自縈自縛如蛾赴火自燒自
爛以是因緣不能自出　第二觀於果報者所有
諸惡不善之業三世流轉羅刹所食未來生死冥
然无崖設使報得轉輪聖王王四天下飛行自在
七寶具足命終之後不免惡趣四空果報三界尊極
福盡還作牛領中虫況復其餘无福德者而復
懈怠不勤懺悔此亦譬如抱石沉淵求出良難
第三觀我自身雖有正因靈覺之性而爲煩惱黑
暗叢林之所覆蔽无了因力不能得顯我今應當發
起勝心破裂无明顛倒重障斷滅生死虛僞苦因
顯發如來大明覺慧建立无上涅槃妙果
第四觀如來身者无爲寂照離四句絶百非衆德
具足湛然常住雖復方便入於滅度慈悲救接未
曾暫捨生如是心可謂滅罪之良津除障之要所是故
弟子今日至誠歸命歸依
南无東方勝藏珠光佛　南无南方寶積示現佛
南无西方法果智燈佛　南无北方衆勝降伏佛

BD02046號　佛名經（十六卷本）卷二　（21–16）

曾墮捨生如是心可謂滅罪之良津除障之要行是故
弟子今日至誠稽首歸依
南无東方勝藏珠光佛　南无南方寶積示現佛
南无西方法界智燈佛　南无北方衆勝降伏佛
南无東南方龍自在王佛　南无西南方轉一切生死佛
南无西北方无邊智自在佛　南无東北方无邊功德佛
南无下方海智神通佛　南无上方一切勝王佛
如是十方盡虛空界一切三寶
弟子等无始以來至於今日長養煩惱日深日厚日
滋日茂覆蓋慧眼令无所見斷除衆善不得相續
起障不得見佛不聞正法不值聖僧煩惱起障不
見過去未來一切世間善惡業行之煩惱障受人天尊
貴之煩惱障生色无色界禪定福樂之煩惱障不
得自在神通飛騰隱顯遍至十方諸佛淨土聽法
之煩惱障學安那般那數息不淨觀諸煩惱障學
慈悲喜捨因緣煩惱障學七方便三觀義煩惱障
學四念處煖頂忍煩惱障學聞思脩第一法煩惱
障學空平等中道解煩惱障學八正道示相之煩惱
障學七覺枝不示相煩惱障學於道品因緣觀煩
惱障學八解脫九空之煩惱障學於十智三三昧煩惱
障學三明六通四无㝵煩惱障學六度四等煩惱障

障學空平等中道解煩惱障學八正道示相之煩惱
障學七覺枝不示相煩惱障學於道品因緣觀煩
惱障學八解脫九空之煩惱障學於十智三三昧煩惱
障學三明六通四无㝵煩惱障學六度四等煩惱障
學四攝法廣化之煩惱障學大乘心四弘誓願煩惱
障學十明十行之煩惱障學十迴向十願之煩惱障學
初地二地三地四地明解之煩惱障五地六地七地諸知
見煩惱障學八地九地十地雙照之煩惱障如是乃至
障學佛果百万阿僧祇諸行上煩惱如是行障无
量无邊弟子今日至到稽顙向十方佛尊法聖衆
慚愧懺悔願皆消滅　願弟子等藉此懺悔障於
諸行一切煩惱願弟子等在在處處自在受生不為結
業之所迴轉以如意通於一念傾遍至十方淨諸佛土
攝化衆生於諸禪定甚深境界及諸知見通達无㝵
心能普周一切諸法樂說无窮而不染著得心自在得
法自在智慧自在方便自在令此煩惱及无知結習畢
竟永斷不復相續无漏聖道朗然如日　礼一拜
南无安隱聲佛　南无樂聲佛
南无妙鼓聲佛　南无天聲佛
南无月聲佛　南无日聲佛
南无師子聲佛　南无波頭摩聲佛

南无安隱聲佛　南无樂聲佛
南无妙鼓聲佛　南无天聲佛
南无月聲佛　南无日聲佛
南无師子聲佛　南无波頭摩聲佛
南无福德聲佛　南无金剛聲佛
南无自在聲佛　南无慧聲佛
南无妙聲佛　南无選擇聲佛
南无甘露聲佛　南无淨幢佛
南无金剛幢佛　南无法幢佛
南无住持法佛　南无樂法佛
南无護法佛　南无曇无竭佛
南无法奮迅佛　南无法界華佛
南无護法眼佛　南无勝法庭燎佛
南无法自在佛　南无人自在佛
南无功德自在佛　南无聲自在佛
南无世自在佛　南无觀世自在佛
南无无量自在佛　南无意住持佛
南无地住持佛　南无尼弥住持佛
南无器住持佛　南无功德性住持佛
南无勝色佛　南无轉發起佛
南无一切觀形示佛　南无發一切无畏足行佛

BD02046 號　佛名經（十六卷本）卷二　（21–19）

南无地住持佛　南无尼弥住持佛
南无器住持佛　南无功德性住持佛
南无勝色佛　南无轉發起佛
南无一切觀形示佛　南无發一切无畏足行佛
南无發成就佛　南无善護佛
南无善思惟佛　南无善喜佛
南无善處佛　南无普禪佛
南无甘露功德佛　南无善眼佛
南无師子仙佛　南无佛眼佛
南无合聚佛　南无疾智勇佛
南无善住佛　南无實行佛
南无師子手佛　南无海滿佛
南无善思惟佛　南无稱王佛
南无住慈佛　南无善夜摩佛
南无善行佛　南无善功德佛
南无善色佛　南无善識佛
南无善心佛　南无善光佛
從此以上一千五百佛十二部經一切賢聖
南无師子月佛　南无不可勝佛
南无不可勝无畏佛　南无无量佛
南无速興佛　南无不動心佛

BD02046 號　佛名經（十六卷本）卷二　（21–20）

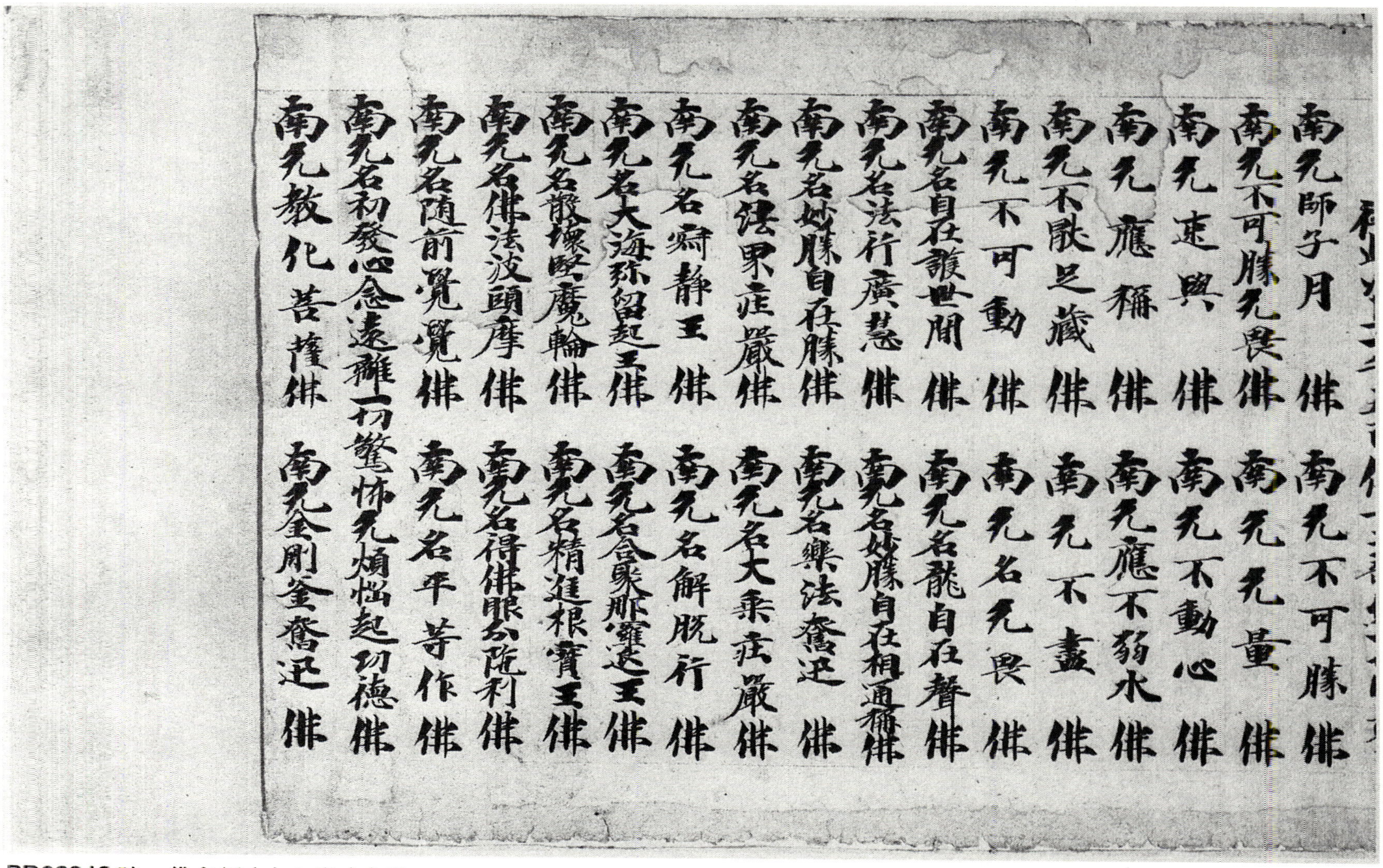

南无師子月佛　南无不可勝佛
南无不可勝无畏佛　南无无量佛
南无速與佛　南无不動心佛
南无應稱佛　南无應不弱水佛
南无不猒足藏佛　南无不盡佛
南无不可動佛　南无名无畏佛
南无名自在護世間佛　南无名龍自在聲佛
南无名法行廣慧佛　南无名妙勝自在相通稱佛
南无名妙勝自在勝佛　南无名樂法奮迅佛
南无名法界莊嚴佛　南无名大乘莊嚴佛
南无名寂靜王佛　南无名解脫行佛
南无名大海弥留起王佛　南无名含眾那羅延王佛
南无名散壞堅魔輪佛　南无名精進根寶王佛
南无名佛法波頭摩佛　南无名得佛眼分陁利佛
南无名隨前覺覺佛　南无名平等作佛
南无名初發心念遠離一切驚怖无煩惱起功德佛
南无教化菩薩佛　南无金剛奮迅佛

BD02046號　佛名經（十六卷本）卷二　（21–21）

假使波羅柰　可成於傘蓋　能遮於大雨　方求佛舍利
假令大船舶　盛滿諸財寶　能令陸地行　方求佛舍利
假使鷦鷯鳥　以嘴銜香山　隨處任遊行　方求佛舍利
尒時法師授記婆羅門聞此頌已亦以伽他
答一切眾生喜見童子曰
善哉大童子　此眾中吉祥　善巧方便心　得佛无上記
如來大威德　能救護世間　仁可至心聽　我今次第說
諸佛境難思　世間无與等　法身性常住　脩行无差別
諸佛體皆同　所說法亦尒　諸佛无作者　亦復本无生
世尊金剛體　權現於化身　是故佛舍利　无如芥子許
佛非血肉身　云何有舍利　方便留身骨　為益諸眾生
法身是正覺　法界即如來　此是佛真身　亦說如是法
尒時會中三万二千天子聞說如來壽命長
遠皆發阿耨多羅三藐三菩提心歡喜踊躍
得未曾有異口同音而說頌曰
佛不般涅槃　正法亦不滅　為利眾生故　示現有滅盡
世尊不思議　妙體无異相　為利眾生故　現種種莊嚴
尒時妙幢菩薩親於佛前及四如來并二大
士諸天子所聞說釋迦牟尼如來壽量事已
復從座起合掌恭敬白佛言世尊若實如

BD02047號　金光明最勝王經卷一　（5–1）

得未曾有異口同音而說頌曰
佛不般涅槃　正法亦不滅　為利眾生故　示現有滅盡
世尊不思議　妙體无異相　為利眾生故　現種種莊嚴
尒時妙幢菩薩親於佛前及四如來并二大
士諸天子所聞說釋迦牟尼如來壽量事已
復從座起合掌恭敬白佛言世尊若實如
是諸佛如來不般涅槃无舍利者云何經中
說有涅槃及佛舍利令諸人天恭敬供養過
去諸佛現有身骨流布於世人天供養得福无
邊今復言无致生疑惑唯願世尊哀愍我等
廣為分別
尒時佛告妙幢菩薩及諸大眾汝等當知云
般涅槃有舍利者是密意說如是之義當
一心聽善男子菩薩摩訶薩如是應知有其
十法能解如來應正等覺真實理趣說有究
竟大般涅槃云何為十一者諸佛如來究竟斷
盡諸煩惱障所知障故名為涅槃二者諸佛如
來善能解了有情无性及法无性故名為涅
槃三者能轉身依及法依故名為涅槃四者
於諸有情任運休息化因緣故名為涅槃五
者證得真實无差別相平等法身故名為
涅槃六者了知生死及以涅槃无二性故名為
涅槃七者於一切法了其根本證清淨故名
為涅槃八者於一切法无生无滅善修行故
為涅槃九者真如法界實際平等得正智
故名為涅槃十者於諸法性及涅槃性得
无差別故名為涅槃是謂十法說有涅槃

BD02047號　金光明最勝王經卷一　（5–2）

為涅槃八者於一切法无生无滅善修行故
為涅槃九者真如法界實際平等得正智
故名為涅槃十者於諸法性及涅槃性得
无差別故名為涅槃是謂十法說有涅槃
復次善男子菩薩摩訶薩如是應知復有十
法能解如來應正等覺真實理趣說有
究竟大般涅槃云何為十一者一切煩惱以樂
欲為本從樂欲生諸佛世尊斷樂欲故名為
涅槃二者以諸如來斷諸樂欲不取一法以不
取故无去无來无所取故名為涅槃三者以无
去來及无所取是則法身不生不滅无生滅
故名為涅槃四者此无生滅非言所宣言語
斷故名為涅槃五者无有我人唯法生滅得
轉依故名為涅槃六者煩惱隨惑皆是客塵
法性是主无來无去佛了知故名為涅槃
七者真如是實餘皆虛妄實性體者即是
真如真如性者即是如來名為涅槃八者實
際之性无有戲論唯獨如來證實際法戲論
永斷名為涅槃九者无生是實生是虛妄愚
癡之人漂溺生死如來體實无有虛妄名為
涅槃十者不實之法是從緣生真實之法不
從緣起如來法身體是真實名為涅槃善
男子是謂十法說有涅槃
復次善男子菩薩摩訶薩如是應知復有
十法能解如來應正等覺真實理趣說有究
竟大般涅槃云何為十一者如來善知施及施
果无我我所此施及果不正分別永除滅故名

BD02047號　金光明最勝王經卷一　（5–3）

男子是謂十法說有涅槃
復次善男子菩薩摩訶薩如是應知復有
十法能解如來應正等覺真實理趣說有究
竟大般涅槃云何為十一者如來善知施及施
果无我我所此施及果不正分別永除滅故名
為涅槃二者如來善知戒及戒果无我我所
此戒及果不正分別永除滅故名為涅槃三
者如來善知忍及忍果无我我所此忍及果
不正分別永除滅故名為涅槃四者如來善
知勤及勤果无我我所此勤及果不正分別
永除滅故名為涅槃五者如來善知定及定
果无我我所此定及果不正分別永除滅故名
為涅槃六者如來善知慧及慧果无我我所
此慧及果不正分別永除滅故名為涅槃七
者諸佛如來善能了知一切有情非有情一
切諸法皆无性不正分別永除滅故名為涅
槃八者若自愛著便起追求由追求故受眾
苦惱諸佛如來除自愛故永絕追求无追
求故名為涅槃九者有為之法皆有數量
无為法者數量皆除離有為證无為法
无數量故名為涅槃十者如來了知有情及
法體性皆空離空非有空性即是真法身
故名為涅槃善男子是謂十法說有涅槃
復次善男子豈唯如來不般涅槃是為希有
復有十種希有之法是如來行云何為十一
者生死過失涅槃寂靜由於生死及以涅槃
證平等故不處流轉不住涅槃於諸有情

者諸佛如來善能了知一切有情非有情一
切諸法皆无性不正分別永除滅故名為涅
槃八者若自愛著便起追求由追求故受眾
苦惱諸佛如來除自愛故永絕追求无追
求故名為涅槃九者有為之法皆有數量
无為法者數量皆除離有為證无為法
无數量故名為涅槃十者如來了知有情及
法體性皆空離空非有空性即是真法身
故名為涅槃善男子是謂十法說有涅槃
復次善男子豈唯如來不般涅槃是為希有
復有十種希有之法是如來行云何為十一
者生死過失涅槃寂靜由於生死及以涅槃
證平等故不處流轉不住涅槃於諸有情
不生厭背是如來行二者佛於眾生不作是
念此諸愚夫行顛倒見為諸煩惱之所纏迫
我今開悟令得解脫然由往昔慈善根力
於彼有情隨其根性意樂勝解不起分別
任運濟度示教利喜盡未來際无有窮盡
是如來行三者佛无是念我今宣說十二分教
利益有情[illegible]

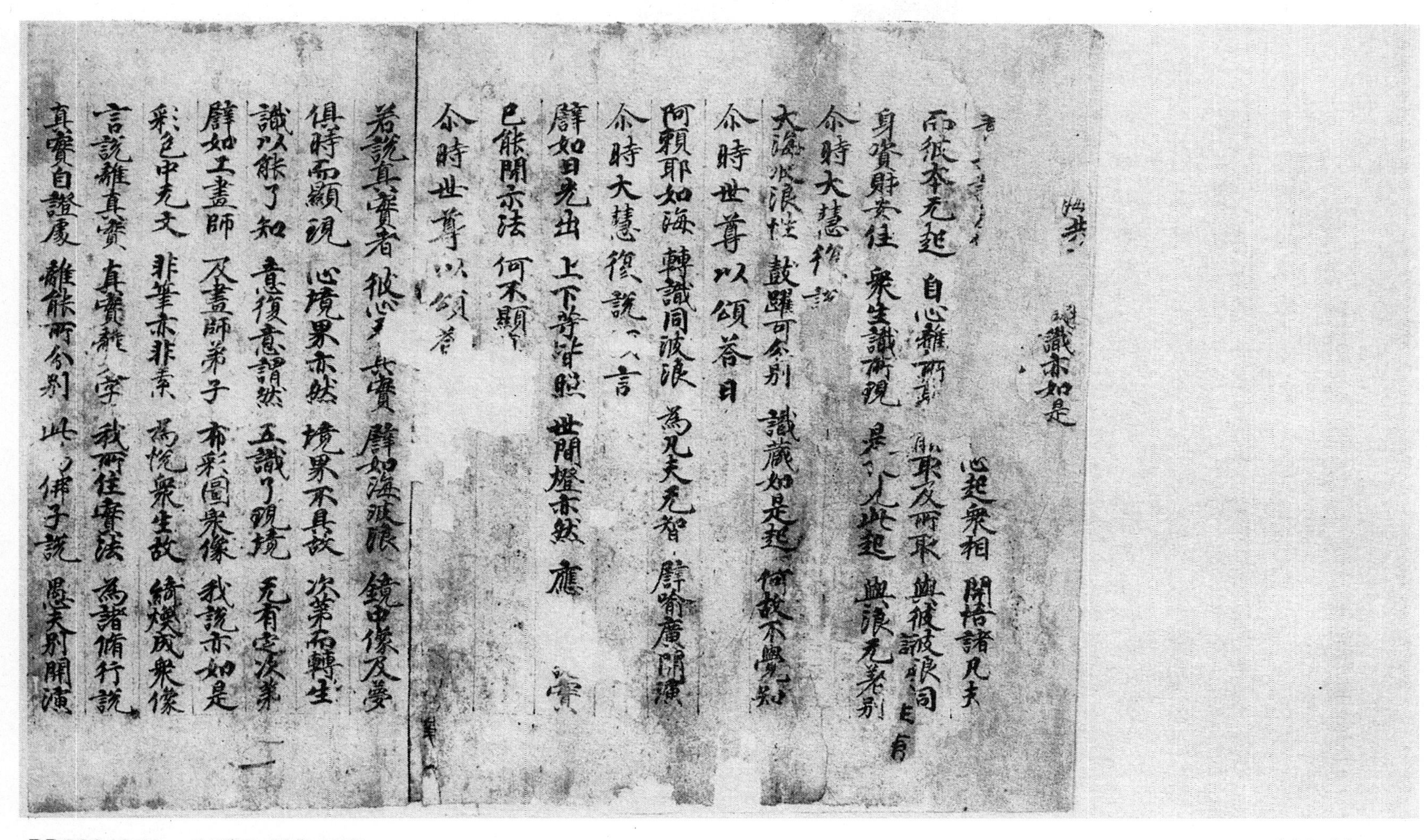

識亦如是

[illegible]心起衆相 開悟諸凡夫

而彼本无起 自心離所取 取及所取 與彼波浪同

身資財安住 衆生識所現 是[illegible]見此起 與浪无差別

尒時大慧[illegible]

大海波浪性 鼓躍可分別 識藏如是起 何故不覺知

尒時世尊以頌答曰

阿頼耶如海 轉識同波浪 為凡夫无智 譬喻廣開演

尒時大慧復說頌言

譬如日光出 上下等皆照 世間燈亦然 應[illegible]實

已能開示法 何不顯[illegible]

尒時世尊以頌答

若說真實者 彼心无真實 譬如海波浪 鏡中像及夢

俱時而顯現 心境界亦然 境界不具故 次第而轉生

識以能了知 意復意謂然 五識了現境 无有定次第

譬如工畫師 及畫師弟子 布彩圖衆像 我說亦如是

彩色中无文 非筆亦非素 為悅衆生故 綺煥成衆像

言說離真實 真實離名字 我所住實法 為諸修行說

真實自證處 離能所分別 此為佛子說 愚夫別開演

BD02048號　大乘入楞伽經卷二　（21–1）

俱時而顯現 心境界亦然 境界不具故 次第而轉生

識以能了知 意復意謂然 五識了現境 无有定次第

譬如工畫師 及畫師弟子 布彩圖衆像 我說亦如是

彩色中无文 非筆亦非素 為悅衆生故 綺煥成衆像

言說離真實 真實離名字 我所住實法 為諸修行說

真實自證處 離能所分別 此為佛子說 愚夫別開演

種種皆如幻 所見不可得 如是種種說 隨事而變異

所說非所應 於彼為非說 譬如衆病人 良醫隨授藥

如來為衆生 隨心應量說 世間依怙者 證智所行處

非外道境界 聲聞亦復然

復次大慧菩薩摩訶薩若欲了知能取所取

分別境界皆是自心之所現者當離憒閙昏

滯睡眠初中後夜勤加修習遠離聲聞外道

耶論及二乘法通達自心分別之相

復次大慧菩薩摩訶薩住智慧心所住相已

於上聖智三相當勤修學何者為三所謂无影

像相一切諸佛願任持相自證聖智所趣相諸

修行者獲此相已即捨跛驢智慧心相入菩

薩第八地於此三相修行不捨大慧无影像

相者謂由慣習一切二乘外道相故而得生

起一切諸佛願持相者謂由諸佛自本願力

所加持故而得生起自證聖智所趣相者謂

由不取一切法相成就如幻諸三摩地身趣佛

地智故而得生起大慧是名上聖智三種相若

得此相即到自證聖智所行之處汝及諸菩薩

摩訶薩應勤修學

BD02048號　大乘入楞伽經卷二　（21–2）

由不取一切法相成就如幻諸三摩地身趣佛
地智故而得生起大慧是名上聖智三種相若
得此相即到自證聖智所行之處汝及諸菩薩
摩訶薩應勤脩學
尒時大慧菩薩摩訶薩知諸菩薩心之所念
承一切佛威神之力而白佛言唯願為說百八
句差別所依聖智事自性法門一切如來應
正等覺為諸菩薩摩訶薩墮自共相者說
此妄計性差別義門知此義已則能淨治
二无我觀境照明諸地超越一切二乘外道三
摩地之樂見諸如來不可思議所行境界畢竟
捨離五法自性以一切佛法身智慧而自莊嚴
入如幻境住一切佛刹兜率陁宮色究竟天
成如來身佛言大慧有一類外道見一切法
隨因而盡生分別解想兎无角起於无見如
兎角无一切諸法悉亦如是復有外道見大
種求那塵等諸物形量分位各差別已執兎
无角於此而生牛有角想大慧彼墮二見不
了唯心但於自心增長分別大慧身及資生
器世間等一切皆唯分別所現大慧應知兎
角離於有无諸法悉然勿生分別云何兎角
離於有无互因待故分析牛角乃至微塵
求其體相終不可得聖智所行遠離彼見
是故於此不應分別
尒時大慧菩薩摩訶薩復白佛言世尊彼
豈不以妄見起相比度觀待妄計无耶佛言

BD02048號　大乘入楞伽經卷二　（21–3）

離於有无互因待故分析牛角乃至微塵
求其體相終不可得聖智所行遠離彼見
是故於此不應分別
尒時大慧菩薩摩訶薩復白佛言世尊彼
豈不以妄見起相比度觀待妄計无耶佛言
不以分別起相待以言无何以故彼以分別為
生因故以角分別為其所依所依為因離異不
異非由相待顯兎角无大慧若此分別異兎
角者則非角因若不異者因彼而起大慧分
析牛角乃至極微求不可得異於有角言无
角者如是分別決定非理二俱非有誰待於
誰若相待不成待於有故言兎角无不應分
別不正因故有无論者執有執无二俱不成
大慧復有外道見色形狀虛空分齊而生執
着言色異虛空起於分別大慧虛空是色隨
入色種大慧色是虛空能持所持建立性故
色空分齊應如是知大慧大種生時自相各
別不住虛空中非彼无虛空大慧兎角亦尒
觀待牛角言彼角无大慧分析牛角乃至
微塵又析彼塵其相不現彼何所待而言无
耶若待餘物彼亦如是大慧汝應遠離兎角
牛角虛空及色所有分別汝及諸菩薩摩訶
薩應常觀察自心所見分別之相於一切國
土為諸佛子說觀察自心脩行之法尒時世
尊即說頌言
心所見无有　唯依心故起　身資所住影　衆生藏識現

BD02048號　大乘入楞伽經卷二　（21–4）

菩薩當觀察自心所見分別之相於一切國
土為諸佛子說觀察自心脩行之法尒時世
尊即說頌言
心所見无有　唯依心故起　身資所住影　衆生藏識現
心意及與識　自性五種法　二无我清淨　諸導師演說
長短共觀待　展轉互相生　因有故成无　因无故成有
微塵分析事　不起色分別　唯心所安立　惡見者不信
非外道行處　聲聞亦復然　救世之所說　自證之境界
尒時大慧菩薩摩訶薩為淨自心現流故而
請佛言世尊云何淨諸衆生自心現流為漸
次淨為頓淨耶佛言大慧漸淨非頓如菴羅
菓漸熟非頓諸佛如來淨諸衆生自心現流
亦復如是漸淨非頓如陶師造器漸成非頓
諸佛如來淨諸衆生自心現流亦復如是漸
而非頓譬如大地生諸草木漸生非頓諸佛
如來淨諸衆生自心現流亦復如是漸而非
頓大慧譬如人學音樂書畫種種伎術漸
成非頓諸佛如來淨諸衆生自心現流亦復
如是漸而非頓譬如明鏡頓現衆像而无分
別諸佛如來淨諸衆生自心現流亦復如是
頓現一切无相境界而无分別如日月輪一時
遍照一切色像諸佛如來淨諸衆生自心過
習亦復如是頓為示現不可思議諸佛如來
智慧境界譬如藏識頓現於身及資生國
土一切境界報佛亦尒於色究竟天頓能成
熟一切衆生令脩諸行譬如法佛頓現報佛

BD02048 號　大乘入楞伽經卷二　（21–5）

習亦復如是頓為示現不可思議諸佛如來
智慧境界譬如藏識頓現於身及資生國
土一切境界報佛亦尒於色究竟天頓能成
熟一切衆生令脩諸行譬如法佛頓現報佛
及以化佛光明照曜自證聖境亦復如是頓
現法相而為照曜令離一切有无惡見
復次大慧法性所流佛說一切法自相共相
自心現習氣因相妄計性所執因相更相繫
屬種種幻事皆无自性而諸衆生種種執着
取以為實悉不可得復次大慧妄計自性
執着緣起自性起大慧譬如幻師以幻術力
依草木瓦石幻作衆生若干色像令其見
者種種分別皆无真實大慧此亦如是由取
着境界習氣力故於緣起性中有妄計性
種種相現是名妄計性生大慧是名法性
所流佛說法相大慧法性佛者建立自證
智所行離心自性相大慧應化佛說施戒忍
進靜慮智慧蘊界處法及諸解脫諸識行
相建立差別越外道見超无色行相復次大
慧法性佛非所攀緣一切所緣一切所作根量
等相悉皆遠離非凡夫二乘及諸外道執着
我相所取境界是故大慧於自證聖智勝境
界相當勤脩學於自心所現分別見相當速捨
離復次大慧聲聞乘有二種差別相所謂自證
聖智殊勝相分別執着自性相云何自證聖
智殊勝相謂明見苦空无常无我諸諦境界

BD02048 號　大乘入楞伽經卷二　（21–6）

果相當勤修學於自心所現分別見相當速捨
離復次大慧聲聞乘有二種差別相所謂自證
聖智殊勝相分別執著自性相云何自證聖
智殊勝相謂明見苦空无常无我諸諦境界
離欲寂滅故於蘊界處若自若共外不壞相
如實了知故心住一境住一境已獲禪解脫
三摩地道果而得出離住自證聖智境界樂
未離習氣及不思議變易死是名聲聞乘
自證聖智境界相菩薩摩訶薩雖亦得此
聖智境界以憐愍衆生故本願所持故不
證寂滅門及三摩地樂諸菩薩摩訶薩於此
自證聖智樂中不應修學大慧云何分別執
著自性相所謂知堅濕煖動青黃赤白如是等
法非作者生然依教理見自共相分別執著是
名聲聞乘分別執著相菩薩摩訶薩於此法
中應知應捨離人无我見入法无我相漸住諸
地尒時大慧菩薩摩訶薩白佛言世尊如來
所說常不思議自證聖智第一義境將无同
諸外道所說常不思議作者耶佛言大慧非
諸外道作者得常不思議所以者何諸外道
常不思議因自相不成既因自相不成以何顯
示常不思議大慧外道所說常不思議若因
自相成彼則有常但以作者為因相故常不
思議不成大慧我第一義常不思議第一義
因相成遠離有无自證聖智所行相故有相
第一義智為其因故有因離有无故非作

自相成彼則有常但以作者為因相故常不
思議不成大慧我第一義常不思議第一義
因相成遠離有无自證聖智所行相故有相
第一義智為其因故有因離有无故非作
者故如虛空涅槃寂滅法故常不思議是故
我說常不思議不同外道所有諍論大慧此
常不思議是諸如來自證聖智所行真理是
故菩薩當勤修學復次大慧外道常不思議
以無常異相因故常非自相因力故常大慧外
道常不思議以見所作法有已還无无常已
比知常我亦見所作法有已還无无常已不
因此說為常大慧外道以如是因相成常不思
議此因相非有同於兔角故常不思議唯是
分別但有言說何故彼因同於兔角无自因
相故大慧我常不思議以自證為因相不以
外法有已還无无常為因外道反此曾不能
知常不思議自因之相而恒在於自證聖智
所行相外此不應說
復次大慧諸聲聞畏生死妄想苦而求涅槃
不知生死涅槃差別之相一切皆是妄分別有
无所有故妄計未來諸根境滅以為涅槃不
知證自智境界轉所依藏識為大涅槃彼愚
癡人說有三乘不說唯心无有境界大慧彼
人知去來現在諸佛所說自心境界取心外
境常於生死輪轉不絕
復次大慧去來現在諸如來說一切法不生何

癡人說有三乘不說唯心无有境界大慧彼
人知去來現在諸佛所說自心境界取心外
境常於生死輪轉不絕
復次大慧去來現在諸如來說一切法不生何
以故自心所見非有性故離有无生故如兎馬
等角凡愚妄取唯自證聖智所行之處非
諸愚夫二分別境大慧身及資生器世間
等一切皆是藏識影像所取能取二種相現
彼諸愚夫墮生住滅二見中故於中妄起有
无分別大慧汝於此義當勤修學
復次大慧有五種種性何等為五謂聲聞乘
種性緣覺乘種性如來乘種性不定種性无
種性大慧云何知是聲聞乘種性謂若聞說
於蘊界處自相共相若知若證舉身毛竪心
樂修習於緣起相不觀察應知此是聲聞
乘種性彼於自乘見已證已於五六地斷煩
惱結不斷煩惱習住不思議死正師子吼言
我生已盡梵行已立所作已辦不受後有修習
人无我乃至生於得涅槃覺大慧復有衆生
求證涅槃言能覺知我人衆生養者取者此
是涅槃復有說言見一切法因作者有此是
涅槃大慧彼无解脫以未能見法无我故
此是聲聞乘及外道種性於未出中生出離
想應勤修習捨此惡見大慧云何知是緣覺
乘種性謂若聞說緣覺乘法舉身毛竪悲

BD02048 號　大乘入楞伽經卷二　　（21–9）

此是聲聞乘及外道種性於未出中生出離
想應勤修習捨此惡見大慧云何知是緣覺
乘種性謂若聞說緣覺乘法舉身毛竪悲
泣流淚離憒閙緣无所染著有時聞說現
種種身或聚或散神通變化其心信受无所
違逆當知此是緣覺乘種性應為其說緣覺
乘法大慧如來乘種性所證法有三種所謂自
性无自性法內身自證聖智法外諸佛剎廣大
法大慧若有聞說此一一法及自心所現身財
建立阿賴耶識不思議境不驚不怖不畏當
知此是如來乘性大慧不定種性者謂聞說
彼三種法時隨生信解而順脩學大慧為初
治地人而說種性欲令其入无影像地作此建
立大慧彼住三摩地樂聲聞若能證知自所依
識見法无我淨煩惱習畢竟當得如來之身
尒時世尊即說頌言
預流一來果　不還阿羅漢　是等諸聖人　其心悉迷惑
我所立三乘　一乘及非乘　為愚夫少智　樂寂諸聖說
第一義法門　遠離於二取　住於无境界　何建立三乘
諸禪及无量　无色三摩地　乃至滅受想　唯心不可得
復次大慧此中一闡提何故於解脫中不生欲
樂大慧以捨一切善根故為无始衆生起願故
云何捨一切善根謂謗菩薩藏言此非隨順
契經調伏解脫之說作是語時善根悉斷不
入涅槃云何為无始衆生起願謂諸菩薩以

BD02048 號　大乘入楞伽經卷二　　（21–10）

復次大慧此中一闡提何故於解脫中不生欲
樂大慧以捨一切善根故為无始衆生起願故
云何捨一切善根謂謗菩薩藏言此非隨順
契經調伏解脫之說作是語時善根悉斷不
入涅槃云何為无始衆生起願謂諸菩薩以
本願方便願一切衆生悉入涅槃若一衆生
未涅槃者我終不入此亦住一闡提趣此是
无涅槃種性相大慧菩薩言世尊此中何者
畢竟不入涅槃佛言大慧彼菩薩一闡提知
一切法本来涅槃畢竟不入非捨善根何以
故捨善根一闡提以佛威力故或時善根生
所以者何佛於一切衆生无捨時故是故菩
薩一闡提不入涅槃
復次大慧菩薩摩訶薩當善知三自性相何
者為三所謂妄計自性緣起自性圓成自性
大慧妄計自性從相生云何從相生謂彼依
緣起事相種類顯現生計着故大慧彼計著
事相有二種妄計性生是諸如来之所演說
謂名相計着相事相計着相大慧名計着相
者謂計着内外法相事計着相者謂即彼内
外法中計着自共相是名二種妄計自性相
大慧從所依所緣起是緣起性何者圓成自
性謂離名相事相一切分別自證聖智所行真
如大慧此是圓成自性如来藏心尒時世尊
即說頌言
名相分別　二自性相　正智真如　是圓成性
大慧是名觀察五法自性相法門自證聖

BD02048號　大乘入楞伽經卷二　（21–11）

性謂離名相事相一切分別自證聖智所行真
如大慧此是圓成自性如来藏心尒時世尊
即說頌言
名相分別　二自性相　正智真如　是圓成性
大慧是名觀察五法自性相法門自證聖
智所行境界汝及諸菩薩摩訶薩當勤修學
復次大慧菩薩摩訶薩當善觀察二无我相
何者為二所謂人无我相法无我相大慧何
者是人无我相謂蘊界處離我我所无明愛
業之所生起眼等識生取於色等而生計著
又自心所見身器世間皆是藏心之所顯現刹
那相續變壞不停如河流如種子如燈焰如
迅風如浮雲躁動不安如獼猴樂不淨處如
飛蠅不知猒足如猛火无始虛偽習氣為因
諸有趣中流轉不息如汲水輪種種色身威
儀進止譬如死屍呪力故行亦如木人因機
運動若能於此善知其相是名人无我智大
慧云何為法无我智謂知蘊界處是妄計性
如蘊界處離我我所唯共積聚愛業繩縛互
為緣起无能作者蘊等亦尒離自共相虛妄
分別種種相現愚夫分別非諸聖者如是
觀察一切諸法離心意意識五法自性是
名菩薩摩訶薩法无我智得此智已知无
境界了諸地相即入初地心生歡喜次第漸
進乃至善慧及以法雲諸有所作皆悉已
辦住是地已有大寶蓮花王衆寶莊嚴於

BD02048號　大乘入楞伽經卷二　（21–12）

觀察一切諸法離心意意識五法自性是
名菩薩摩訶薩法无我智得此智已知无
境界了諸地相即入初地心生歡喜次第漸
進乃至善慧及以法雲諸有所作皆悉已
辦住是地已有大寶蓮花王衆寶莊嚴於
其花上有寶宮殿狀如蓮花菩薩往修幻性
法門之所成就而坐其上同行佛子前後圍
繞一切佛剎所有如來皆舒其手如轉輪王子
灌頂之法而灌其頂超佛子地獲自證法成
就如來自在法身大慧是名見法无我相汝
及諸菩薩摩訶薩應勤修學
尒時大慧菩薩摩訶薩復白佛言世尊願說
建立誹謗相令我及諸菩薩摩訶薩離此
惡見疾得阿耨多羅三藐三菩提得菩提已
破建立常斷諸見令於正法不生誹謗佛
受其請即說頌言
身資財所住　皆唯心影像　凡愚不能了　起建立誹謗
所起但是心　離心不可得
尒時世尊欲重明此義告大慧言有四種无有
有建立何者為四所謂无有相建立无有
見建立見无有因建立因无有性建立性是
為四大慧誹謗者謂於諸惡見所建立法求
不可得不善觀察遂生誹謗此是建立誹謗
相大慧云何无有相建立相謂於蘊界處自
相共相本无所有而生計著此如是此不異
而此分別從无始種種惡見習氣所生是名

不可得不善觀察遂生誹謗此是建立誹謗
相大慧云何无有相建立相謂於蘊界處自
相共相本无所有而生計著此如是此不異
而此分別從无始種種惡見習氣所生是名
无有相建立相云何无有見建立見謂於蘊
界處建立我人衆生等見是名无有見建立
見云何无有因建立因謂初識前无因不生
其初識本无後眼色明念等為因如幻生生
已有有還滅是名无有因建立因云何无有
性建立性謂於虛空涅槃非數滅无作性執
著建立大慧此離性非性一切諸法離於有
无猶如毛輪兔馬等角是名无有性建立性
大慧建立誹謗皆是凡愚不了唯心而生分
別非諸聖者是故汝等當勤觀察遠離此見
大慧菩薩摩訶薩善知心意意識五法自性
二无我相已為衆生故作種種身如依緣起
妄計性亦如摩尼隨現心色普入佛會聽聞
佛說諸法如幻如夢如影如鏡中像如水中
月遠離生滅及以斷常不住聲聞辟支佛道
聞已成就无量百千俱胝踰膳那三摩地得
此三摩地已遍遊一切諸佛國土供養諸佛生
諸天上顯揚三寶示現佛身為諸聲聞菩薩
大衆說外境界皆唯是心悉令遠離有无等
執尒時世尊即說頌言
佛子能觀見　世間唯是心　示現種種身　所作无罣礙

此三摩地已遍遊一切諸佛國土供養諸佛生
諸天上顯揚三寶示現佛身爲諸聲聞菩薩
大衆說外境界皆唯是心悉令遠離有无等
執尒時世尊即說頌言
佛子能觀見　世間唯是心　示現種種身　所依无礙
神通力自在　一切皆成就
尒時大慧菩薩摩訶薩復請佛言願爲我說
一切法空无生无二无自性相我及諸菩薩悟
此相故離有无分別疾得阿耨多羅三藐三菩
提佛言諦聽當爲汝說大慧空者即是妄
計性句義大慧爲執著妄計自性故說空无
生无二无自性大慧略說空性有七種謂相
空自性空无行空行空一切法不可說空第一
義聖智大空彼彼空云何相空謂一切法自相
共相空展轉積聚互相待故分析推求无所
有故自他及共皆不生故自共相无生亦无住
是故名一切法自相空云何自性空謂一切
法自性不生是名自性空云何无行空所
謂諸蘊本來涅槃无有諸行是名无行空
云何行空所謂諸蘊由業及因和合而起
離我我所是名行空云何一切法不可說空
謂一切法妄計自性无可言說是名不可說
空云何第一義聖智大空謂得自證聖智時
一切諸見習氣悉離是名第一義聖智大空
云何彼彼空謂於此无彼是名彼彼空大慧
我曾爲鹿子母說堂无象馬牛羊等我說

BD02048號　大乘入楞伽經卷二　（21–15）

空云何第一義聖智大空謂得自證聖智時
一切諸見習氣悉離是名第一義聖智大空
云何彼彼空謂於此无彼是名彼彼空大慧
我曾爲鹿子母說堂无象馬牛羊等我說
彼堂空非无比丘衆大慧非謂[illegible]无堂自性
非謂比丘无比丘自性[illegible]謂餘處无象馬牛
羊大慧一切諸法自相　相彼彼求不可得
是故說名彼彼空是名七種空大慧此彼彼
空空中最麁汝應遠離
復次大慧无生者自體不生生言不生除住
三摩地是名无生大慧无自性者以无生故
密意而說大慧一切法无自性以剎那不住
故見後變異故是名无自性
云何无二相大慧如光影如長短如黑白皆
相待立獨則不成大慧非於生死外有涅槃
非於涅槃外有生死生死涅槃无相違相如
生死涅槃一切法亦如是是名无二相大慧空
无生无二无自性相汝當勤學尒時世尊重
說頌言
我常說空法　遠離於斷常　生死如幻夢　而業亦不壞
虛空及涅槃　滅二亦如是　愚夫妄分別　諸聖離有无
尒時世尊復告大慧菩薩摩訶薩言大慧此
空无生无自性无二相悉入一切諸佛所說脩
多羅中佛所說經皆有是義大慧諸修多
羅隨順一切衆生心說而非真實在於言
中譬如陽焰誑惑諸獸令生水想而實无水

BD02048號　大乘入楞伽經卷二　（21–16）

尒時世尊復告大慧菩薩摩訶薩言大慧此
修多羅中佛所說經皆有是義大慧諸修多
羅隨順一切衆生心說而非真實在於言
中譬如陽焰誑惑諸獸令生水想而實无水
衆經所說亦復如是隨諸愚夫自所分別令
生歡喜非皆顯示聖智證處真實之法大慧
應隨順義莫著言說
尒時大慧菩薩摩訶薩白佛言世尊修多羅
中說如來藏本性清淨常恒不斷无有變易
具三十二相在於一切衆生身中為蘊界處
垢衣所纏貪恚癡等妄分別垢之所汙染如
无價寶在垢衣中外道說我是常作者離
於求那自在无滅世尊所說如來藏義豈不
同於外道我耶佛言大慧我說如來藏不同
外道所說之我大慧如來應正等覺以性空
實際涅槃不生无相无願等諸句義說如來
藏為令愚夫離无我怖說无分別无影像處
如來藏門未來現在諸菩薩摩訶薩不應於
此執著於我大慧譬如陶師於泥聚中以人
功水杖輪繩方便作種種器如來亦尒於遠
離一切分別相无我法中以種種智慧方便
善巧或說如來藏或說為无我種種名字各
各差別大慧我說如來藏為攝著我諸外
道衆令離妄見入三解脫速得證於阿耨多
羅三藐三菩提是故諸佛說如來藏不同外

BD02048號　大乘入楞伽經卷二　（21–17）

離一切分別相无我法中以種種智慧方便
善巧或說如來藏或說為无我種種名字各
各差別大慧我說如來藏為攝著我諸外
道衆令離妄見入三解脫速得證於阿耨多
羅三藐三菩提是故諸佛說如來藏不同外
道所說之我若欲離於外道見者應知无我
如來藏義尒時世尊即說頌言
士夫相續蘊　衆緣及微塵　勝自在作者　此但心分別
尒時大慧菩薩摩訶薩普觀未來一切衆生
復請佛言願為宣說具修行法如諸菩薩摩
訶薩成大修行佛言大慧菩薩摩訶薩具四
種法成大修行何者為四謂觀察自心所現
故遠離生住滅見故善知外法无性故專求
自證聖智故若諸菩薩成此四法則得名為
大修行者大慧云何觀察自心所現謂觀三
界唯是自心離我我所无動作无來去无始
執著過習所熏三界種種色行名言繫縛
身資所住分別隨入之所顯現菩薩摩訶薩
如是觀察自心所現大慧云何得離生住滅
見所謂觀一切法如幻夢生自他及俱皆不生
故隨自心量之所現故見外物无故見諸
識不起故及衆緣无積聚故分別因緣起三
界故如是觀時若內若外一切法皆不可
得知无體實遠離生見證如幻性即時得
无生法忍住第八地了心意意識五法自性二
无我境轉所依止獲意生身大慧言世尊以

BD02048號　大乘入楞伽經卷二　（21–18）

識不起故及衆緣无積聚故分　因緣起三
界故如是觀時若內若外一切　法皆不可
得知无體實遠離生見證如　即時得
无生法忍住第八地了心意　法自性二
无我境轉所依止獲意生身　心言世尊以
何因緣名意生身佛言大慧　者譬如
意去速疾无礙名意生身大　如心意於
念念相續疾詣於彼非异　種諸物
无量百千踰膳那之外憶　山河石
壁所能為礙意生身者亦　如幻三摩
地力通自在諸相莊嚴憶太　衆生願故
猶如意去生於一切諸聖衆　名菩薩摩
訶薩得遠離於生住滅見　何觀察外
法无性謂觀察一切法如陽　受境如毛
輪无始戲論種種執着虛妄相　為其因故
如是觀察一切法時即是專求　證聖智大
慧是名菩薩具四種法成大修　汝應如是
勤加脩學
尒時大慧菩薩摩訶薩復請佛　願說一切
法因緣相令我及諸菩薩摩訶　達其義
離有无見不妄執諸法漸生頓生　言大慧
一切法因緣生有二種謂外及內外　謂以
泥團水杖輪繩人功等緣和合成瓶　泥瓶
縷疊草席種芽酪蘇悉亦如是名外緣
前後轉生內者謂无明愛業等生蘊界處
法是為內緣起此但愚夫之所分別大慧因

一切法因緣生有二種謂外及內外
泥團水杖輪繩人功等緣和合成瓶　泥瓶
縷疊草席種芽酪蘇悉亦如是名外緣
前後轉生內者謂无明愛業等生蘊界處
法是為內緣起此但愚夫之所分別大慧因
有六種謂當有因相屬因相因能作因顯了
因觀待因大慧當有因者謂內外法作因生
果相屬因者謂內外法作所緣生果蘊種子等
相因者作无間相生相續果能作因者謂作
增上而生於果如轉輪王顯了因者謂分別生
能現境相如燈照物觀待因者謂滅時相續
斷无妄想生大慧此是愚夫自所分別非漸
次生亦非頓生何以故大慧若頓生者則作與
所作无有差別求其因相不可得故若漸生
者求其體相亦不可得如未生子云何名父
諸計度人言以因緣所緣緣无間緣增上緣
等所生能生互相繫屬次第生者理不得成
皆是妄情執著相故大慧漸次與頓皆悉不
生但有心現身資等故外自共相皆无性故
唯除識起自分別見大慧是故應離因緣所
令　相中漸頓見尒時世尊重說頌言
生亦復无有滅　於彼諸緣中　分別生滅相
緣會　如是滅復生　但止於凡愚　妄情之所着
中法有无　是悉无有生　習氣迷轉心　從是三有現
本來无有生　亦復无有滅　觀一切有為　譬如虛空花
離能取所取　一切迷惑見　无能生所生　亦復无因緣

者求其體相亦不可得如來生子云何名父
諸計人言以因緣所緣緣无間緣增上緣
等所能生年相繫屬次第生者理不得成
皆是妄情執着相故大慧漸次與頓皆悉不
生但有心現身資等故外自共相皆无性故
唯除識起自分別見大慧是故應離因緣所
合
相中漸頓之見尒時世尊重說頌言
生　亦復无有滅　於彼諸緣中　分別生滅相
緣會　如是滅復生　但止於凡愚　妄情之所著
源
中法有无　是悉无有生　習氣迷轉心　從是三有現
本來无有生　亦復无有滅　觀一切有為　譬如虛空花
離能取所取　一切迷惑見　无能生所生　亦復无因緣
但隨世俗說　而說有生滅

大乘入楞伽經卷第二

BD02048號　大乘入楞伽經卷二　（21–21）

悉包容三萬二千師子座无所妨礙於毗耶
離城及閻浮提四天下亦不迫迮悉見如故
尒時維摩詰語文殊師利就師子座與諸菩
薩上人俱坐當自立身如彼坐像其得神通
菩薩即自變形為四萬二千由旬坐師子座
諸新發意菩薩及大弟子皆不能昇尒時維
摩詰語舍利弗就師子坐舍利弗言居士此
座高廣吾不能昇維摩詰言唯舍利弗為須
弥燈王如來作礼乃可得坐於是新發意菩
薩及大弟子即為須弥燈王如來作礼便得
坐師子座舍利弗言居士未曾有也如是小
室乃容受此高廣之座於毗耶離城无所妨
礙又於閻浮提聚落城邑及四天下諸天龍
王鬼神宮殿亦不迫迮維摩詰言唯舍利弗
諸佛菩薩有解脫名不可思議若菩薩住是
解脫者以須弥之高廣內芥子中无所增減
須弥山王本相如故而四天王忉利諸天不
覺不知己之所入唯應度者乃見須弥入芥
子中是名不可思議解脫法門又以四大海
水入一毛孔不嬈魚鼈黿鼉水性之屬而彼
大海本相如故諸龍鬼神阿脩羅等不覺不
知己之所入於此衆生亦无所嬈又舍利弗住
不可思議解脫菩薩斷取三千大千世界
如陶家輪著右掌中擲過恒河沙世界之外

BD02049號　維摩詰所說經卷中　（19–1）

覺不知已之所入唯應度者乃見須彌入芥
子中是名不可思議解脫法門又以四大海
水入一毛孔不嬈魚鼈黿鼉水性之屬而彼
大海本相如故諸龍鬼神阿修羅等不覺不
知已之所入於此眾生亦无所嬈又舍利弗住
不可思議解脫菩薩斷取三千大千世界
如陶家輪著右掌中擲過恒河沙世界之外
其中眾生不覺不知已之所往又復還置本
處都不使人有往來想而此世界本相如故
又舍利弗或有眾生樂久住世而可度者菩
薩即演七日以為一劫令彼眾生謂之一劫
或有眾生不樂久住而可度者菩薩即促一
劫以為七日令彼眾生謂之七日又舍利弗
住不可思議解脫菩薩以一切佛土嚴飾之
事集在一國示於眾生又菩薩以一佛土眾
生置之右掌飛到十方遍示一切而不動本
處又舍利弗十方眾生供養諸佛之具菩薩
於一毛孔皆令得見又十方國土所有日月
星宿於一毛孔普使見之又舍利弗十方世
界所有諸風菩薩悉能吸著口中而身无損
外諸樹木亦不摧折又十方世界劫盡燒時以
一切火內於腹中火事如故而不為害又於下
方過恒河沙等諸佛世界取一佛土舉著
上方過恒河沙无數世界如持針鋒舉一棗
葉而无所嬈又舍利弗住不可思議解脫菩
薩能以神通現作佛身或現辟支佛身或現
聲聞身或現帝釋身或現梵王身或現世主
身或現轉輪王身又十方世界所有眾聲上
中下音皆能變之令作佛聲演出无常苦空

BD02049號　維摩詰所說經卷中

（19–2）

上方過恒河沙无數世界如持針鋒舉一棗
葉而无所嬈又舍利弗住不可思議解脫菩
薩能以神通現作佛身或現辟支佛身或現
聲聞身或現帝釋身或現梵王身或現世主
身或現轉輪王身又十方世界所有眾聲上
中下音皆能變之令作佛聲演出无常苦空
无我之音及十方諸佛所說種種之法皆於
其中普令得聞舍利弗我今略說菩薩不
可思議解脫之力若廣說者窮劫不盡是時
大迦葉聞說菩薩不可思議解脫法門歎未
曾有謂舍利弗譬如有人於盲者前現眾色
像非彼所見一切聲聞聞是不可思議解脫法
門不能解了為若此也智者聞是其誰不
發阿耨多羅三藐三菩提心我等何為永絕其
根於此大乘猶如敗種一切聲聞聞是不可思
議解脫法門皆應號泣聲震三千大千世
界一切菩薩應大欣慶頂受此法若有菩薩
信解不可思議解脫法門者一切魔眾无如
之何大迦葉說是語時三萬二千天子皆發
阿耨多羅三藐三菩提心尒時維摩詰語大
迦葉仁者十方无量阿僧祇世界中作魔王
者多是住不可思議解脫菩薩以方便力教
化眾生現作魔王又迦葉十方无量菩薩或有
人從乞手足耳鼻頭目髓腦血肉皮骨聚
落城邑妻子奴婢象馬車乘金銀琉璃車璩
馬瑙珊瑚琥珀真珠珂貝衣服飲食如此乞
者多是住不可思議解脫菩薩以方便力而
往試之令其堅固所以者何住不可思議解
脫菩薩有威德力故行逼迫示諸眾生如是

BD02049號　維摩詰所說經卷中

（19–3）

人從乞手足耳鼻頭目髓腦血肉皮骨聚
落城邑妻子奴婢象馬車乘金銀琉璃車𤦲
馬瑙珊瑚虎珀真珠珂貝衣服飲食如此乞
者多是住不可思議解脫菩薩以方便力而
往試之令其堅固所以者何住不可思議解
脫菩薩有威德力故行逼迫示諸衆生如是
難事凡夫下劣无有力勢不能如是逼迫菩
薩譬如龍象蹴踏非驢所堪是名住不可思
議解脫菩薩智慧方便之門

觀衆生品第七

尒時文殊師利問維摩詰言菩薩云何觀於
衆生維摩詰言譬如幻師見所幻人菩薩觀
衆生為若此如智者見水中月如鏡中見其
面像如熱時焰如呼聲響如空中雲如水聚
沫如水上泡如芭蕉堅如電久住如第五大
如第六陰如第七情如十三入如十九界菩
薩觀衆生為若此如无色界色如燋穀牙如
須陀洹身見如阿那含入胎如阿羅漢三毒
如得忍菩薩貪恚毀禁如佛煩惱習如盲者
見色如入滅盡定出入息如空中鳥跡如石
女兒如化人煩惱如夢所見已寤如滅度者
受身如无烟之火菩薩觀衆生為若此也
文殊師利言若菩薩作是觀者云何行慈維
摩詰言菩薩作是觀已自念我當為衆生說
如斯法是則真實慈也行寂滅慈无所生故
行不熱慈无煩惱故行等之慈等三世故行
无諍慈无所起故行不二慈內外不合故行
不壞慈畢竟盡故行堅固慈心无毀故行清
淨慈諸法性淨故行[illegible]

BD02049號　維摩詰所說經卷中　（19–4）

[illegible]
摩詰言菩薩作是觀已自念我當為衆生說
如斯法是則真實慈也行寂滅慈无所生故
行不熱慈无煩惱故行等之慈等三世故行
无諍慈无所起故行不二慈內外不合故行
不壞慈畢竟盡故行堅固慈心无毀故行清
淨慈諸法性淨故行无邊慈如虛空故行阿
羅漢慈破結賊故行菩薩慈安衆生故行如
來慈得如相故行佛之慈覺衆生故行自然
慈无因得故行菩提慈等一味故行无等慈
斷諸愛故行大悲慈導以大乘故行无厭慈
觀空无我故行法施慈无遺惜故行持戒慈
化毀禁故行忍辱慈護彼我故行精進慈荷
負衆生故行禪定慈不受味故行智慧慈无不
知時故行方便慈一切示現故行无隱慈直心
清淨故行深心慈无雜行故行无誑慈不
虛假故行安樂慈令得佛樂故菩薩之慈為
若此也
文殊師利又問何謂為悲答曰菩薩所作功
德皆與一切衆生共之何謂為喜答曰有所
饒益歡喜无悔何謂為捨答曰所作福祐无
所悕望文殊師利又問生死有畏菩薩當何
所依維摩詰言菩薩於生死畏中當依如來
功德之力文殊師利又問菩薩欲依如來功德
之力當依何住答曰菩薩欲依如來功德
力者當住度脫一切衆生又問欲度衆生當
何所除答曰欲度衆生除其煩惱又問欲除
煩惱當何所行答曰當行正念又問云何行
於正念答曰當行不生不滅又問何法不生何
[illegible]

BD02049號　維摩詰所說經卷中　（19–5）

之力當依何住荅曰菩薩欲依如來功德
力者當住度脫一切衆生又問欲度衆生當
何所除荅曰欲度衆生除其煩惱又問欲除
煩惱當何所行荅曰當行正念又問云何行
於正念荅曰當行不生不滅又問何法不生何
法不滅荅曰不善不生善法不滅又問善
不善孰為本荅曰身為本又問身孰為本荅
曰貪欲為本又問貪欲孰為本荅曰虛妄分
別為本又問虛妄分別孰為本荅曰顛倒想
為本又問顛倒想孰為本荅曰无住為本又
問无住孰為本荅曰无住則无本文殊師利
從无住本立一切法
時維摩詰室有一天女見諸大人聞所說法
便現其身即以天華散諸菩薩大弟子上華
至諸菩薩即皆墮落至大弟子便著不墮一
切弟子神力去華不能令去尒時天問舍利
弗何故去華荅曰此華不如法是以去之天
曰勿謂此華為不如法所以者何是華无所分
別仁者自生分別想耳若於佛法出家有
所分別為不如法若无分別是則如法觀諸
菩薩華不著者以斷一切分別想故譬如人畏
時非人得其便如是弟子畏生死故色聲香
味觸得其便已離畏者一切五欲无能為
也結習未盡華著身耳結習盡者華不著也
舍利弗言天止此室其已久如荅曰我止此
室如耆年解脫舍利弗言止此久也天曰耆
年解脫亦何如久舍利弗默然不荅天曰如
何耆舊大智如默荅曰解脫者无所言說故

BD02049號　維摩詰所說經卷中

（19–6）

味觸得其便已離畏者一切五欲无能為
也結習未盡華著身耳結習盡者華不著也
舍利弗言天止此室其已久如荅曰我止此
室如耆年解脫舍利弗言止此久也天曰耆
年解脫亦何如久舍利弗默然不荅天曰如
何耆舊大智如默荅曰解脫者无所言說故
吾於是不知所云天曰言說文字皆解脫相
所以者何解脫者不內不外不在兩間文字亦
不內不外不在兩間是故舍利弗无離文
字說解脫也所以者何一切諸法是解脫相
舍利弗言不復以離婬怒癡為解脫乎天曰
佛為增上慢人說離婬怒癡為解脫耳若无
增上慢者佛說婬怒癡性即是解脫舍利弗
言善哉善哉天女汝何所得以何為證辯乃
如是天曰我无得无證故辯如是所以者何
若有得有證者則於佛法為增上慢
舍利弗問天汝於三乘為何志求天曰以聲
聞法化衆生故我為聲聞以因緣法化衆生
故我為辟支佛以大悲化衆生故我為大乘
舍利弗如人入瞻蔔林唯嗅瞻蔔不嗅餘香
如是若入此室但聞佛功德之香不樂聲聞
辟支佛功德香也舍利弗其有釋梵四天王諸
天龍鬼神等入此室者聞斯上人講說正法
皆樂佛功德之香發心而出舍利弗吾止此
室十有二年初不聞說聲聞辟支佛法但聞
菩薩大慈大悲不可思議諸佛之法舍利弗
此室常現八未曾有難得之法何等為八此
室常以金色光照晝夜无異不以日月所照

BD02049號　維摩詰所說經卷中

（19–7）

辟支佛功德香也舍利弗其有釋[illegible]
天龍鬼神等入此室者聞斯上人講說正法
皆樂佛功德之香發心而出舍利弗吾止此
室十有二年初不聞說聲聞辟支佛法但聞
菩薩大慈大悲不可思議諸佛之法舍利弗
此室常現八未曾有難得之法何等為八此
室常以金色光照晝夜无異不以日月所照
為明是為一未曾有難得之法此室入者不
為諸垢之所惱也是為二未曾有難得之法
此室常有釋梵四天王他方菩薩來會不絕
是為三未曾有難得之法此室說六波羅
蜜不退轉法是為四未曾有難得之法此
室常作天人第一之樂絃出无量法化之聲
是為五未曾有難得之法此室有四大藏衆
寶積滿周窮濟乏求得无盡是為六未曾有
難得之法此室釋迦牟尼佛阿弥陁佛阿閦
佛寶德寶炎寶月寶嚴難勝師子響一切利
成如是等十方无量諸佛是上人念時即皆
為來廣說諸佛秘要法藏說已還去是為七
未曾有難得之法此室一切諸天嚴飾宮殿
諸佛淨土皆於中現是為八未曾有難得之
法舍利弗此室常現八未曾有難得之法誰
有見斯不思議事而復樂於聲聞法乎
舍利弗言汝何以不轉女身天曰我從十二
年來求女人相了不可得當何所轉譬如幻
師化作幻女若有人問何以不轉女身是人
為正問不舍利弗言不也幻无定相當何所
轉天曰一切諸法亦復如是无有定相云何
乃問不轉女身即時天女以神通力變舍利

BD02049號　維摩詰所說經卷中

（19–8）

年來求女人相了不可得當何所轉譬如幻
師化作幻女若有人問何以不轉女身是人
為正問不舍利弗言不也幻无定相當何所
轉天曰一切諸法亦復如是无有定相云何
乃問不轉女身即時天女以神通力變舍利
弗令如天女天自化身如舍利弗而問言何
以不轉女身舍利弗以天女像而荅言我今
不知何轉而變為女身天曰舍利弗若能轉
此女身則一切女人亦當能轉如舍利弗非
女而現女身一切女人亦復如是雖現女身
而非女也是故佛說一切諸法非男非女即
時天女還攝神力舍利弗身還復如故天問
舍利弗女身色相今何所在舍利弗言女身
色相无在无不在天曰一切諸法亦復如是
无在无不在夫无在无不在者佛所說也舍
利弗問天汝於此沒當生何所天曰佛化所
生吾如彼生曰佛化所生非沒生也天曰衆
生猶然无沒生也舍利弗問天汝久如當得
阿耨多羅三藐三菩提天曰如舍利弗還為
凡夫我乃當成阿耨多羅三藐三菩提舍利
弗言我作凡夫无有是處天曰我得阿耨多
羅三藐三菩提亦无是處所以者何菩提无
住處是故无有得者舍利弗言今諸佛得阿
耨多羅三藐三菩提已得當得如恒河沙皆
謂何乎天曰皆以世俗文字數故說有三世
非謂菩提有去來今天曰舍利弗汝得阿羅
漢道耶曰无所得故而得天曰諸佛菩薩亦
復如是无所得故而得尒時維摩詰語舍利

BD02049號　維摩詰所說經卷中

（19–9）

謂何乎天曰皆以世俗文字數故說有三世
非謂菩提有去來今天曰舍利弗汝得阿羅
漢道耶曰无所得故而得天曰諸佛菩薩亦
復如是无所得故而得尒時維摩詰語舍利
弗是天女曾已供養九十二億佛已能遊戲
菩薩神通所願具足得无生忍住不退轉以
本願故隨意能現教化衆生

佛道品第八

尒時文殊師利問維摩詰言菩薩云何通達
佛道維摩詰言若菩薩行於非道是為通達
佛道又問云何菩薩行於非道答曰若菩薩
行五无間而无惱恚至于地獄无諸罪垢至
于畜生无有无明憍慢等過至于餓鬼而具
足功德行色无色界道不以為勝示行貪欲離
諸染著示行瞋恚於諸衆生无有恚閡示
行愚癡而以智慧調伏其心示行慳貪而捨
內外所有不惜身命示行毀禁而安住淨戒
乃至小罪猶懷大懼示行瞋恚而常慈忍示
行懈怠而勤修功德示行亂意而常念定示
行愚癡而通達世間出世間慧示行諂偽而
善方便隨諸經義示行憍慢而於衆生猶如
橋梁示行諸煩惱而心常清淨示入於魔而
順佛智慧不隨他教示入聲聞而為衆生說
未聞法示入辟支佛而成就大悲教化衆生
示入貧窮而有寶手功德无盡示入刑殘而
具諸相好以自莊嚴示入下賤而生佛種姓
中具諸功德示入羸劣醜陋而得那羅延身
一切衆生之所樂見示入老病而永斷病根超

BD02049號　維摩詰所說經卷中

（19–10）

未聞法示入辟支佛而成就大悲教化衆生
示入貧窮而有寶手功德无盡示入刑殘而
具諸相好以自莊嚴示入下賤而生佛種姓
中具諸功德示入羸劣醜陋而得那羅延身
一切衆生之所樂見示入老病而永斷病根超
越死畏示有資生而恒觀无常實无所貪
示有妻妾婇女而常遠離五欲淤泥現於訥
鈍而成就辯才總持无失示入邪濟而以正濟
度諸衆生現遍入諸道而斷其因緣現於
涅槃而不斷生死文殊師利菩薩能如是行
於非道是為通達佛道
於是維摩詰問文殊師利何等為如來種文
殊師利言有身為種无明有愛為種貪恚癡
為種四顛倒為種五蓋為種六入為種七識
處為種八邪法為種九惱處為種十不善道
為種以要言之六十二見及一切煩惱皆是
佛種曰何謂也答曰若見无為入正位者不
能復發阿耨多羅三藐三菩提心譬如高原
陸地不生蓮華卑濕淤泥乃生此華如是見
无為法入正位者終不復能生於佛法煩惱
泥中乃有衆生起佛法耳又如殖種於空終
不得生糞壤之地乃能滋茂如是入无為正
位者不生佛法起於我見如須弥山猶能發
于阿耨多羅三藐三菩提心生佛法矣是故
當知一切煩惱為如來種譬如不下巨海不能
得无價寶珠如是不入煩惱大海則不能得
一切智寶
尒時大迦葉歎言善哉善哉文殊師利快說

BD02049號　維摩詰所說經卷中

（19–11）

位者不生佛法起於我見如須弥山猶能發
于阿耨多羅三藐三菩提心生佛法矣是故
當知一切煩惱為如來種譬如不下巨海不能
得无價寶珠如是不入煩惱大海則不能得
一切智寶
尒時大迦葉歎言善哉善哉文殊師利快說
此語誠如所言塵勞之疇為如來種我等今
者不復堪任發阿耨多羅三藐三菩提心乃
至五无間罪猶能發意生於佛法而今我等
永不能發譬如根敗之士其於五欲不能復
利如是聲聞諸結斷者於佛法中无所復益
永不志願是故文殊師利凡夫於佛法有反
復而聲聞无也所以者何凡夫聞佛法能起
无上道心不斷三寶正使聲聞終身聞佛法
力无畏等永不能發无上道意尒時會中有
菩薩名普現色身問維摩詰言居士父母妻
子親戚眷屬吏民知識悉為是誰奴婢僮僕
象馬車乘皆何所在於是維摩詰以偈荅曰
智度菩薩母　方便以為父　一切眾導師　无不由是生
法喜以為妻　慈悲心為女　善心誠實男　畢竟空寂舍
弟子眾塵勞　隨意之所轉　道品善知識　由是成正覺
諸度法等侶　四攝為伎女　歌詠誦法言　以此為音樂
総持之園苑　无漏法林樹　覺意淨妙華　解脫智慧果
八解之浴池　定水湛然滿　布以七淨華　浴此无垢人
象馬五通馳　大乘以為車　調御以一心　遊於八正路
相具以嚴容　眾好飾其姿　慚愧之上服　深心為華鬘
富有七財寶　教授以滋息　如所說修行　迴向為大利
四禪為林坐　從於淨命生　多聞增智慧　以為自覺音
甘露法之食　解脫味為漿　淨心以澡浴　戒品為塗香

BD02049 號　維摩詰所說經卷中　（19–12）

八解之浴池　定水湛然滿　布以七淨華　浴此无垢人
象馬五通馳　大乘以為車　調御以一心　遊於八正路
相具以嚴容　眾好飾其姿　慚愧之上服　深心為華鬘
富有七財寶　教授以滋息　如所說修行　迴向為大利
四禪為林坐　從於淨命生　多聞增智慧　以為自覺音
甘露法之食　解脫味為漿　淨心以澡浴　戒品為塗香
摧滅煩惱賊　勇健无能踰　降伏四種魔　勝幡建道場
雖知无起滅　示彼故有生　悉現諸國土　如日无不現
供養於十方　无量億如來　諸佛及己身　无有分別想
雖知諸佛國　及與眾生空　而常脩淨土　教化於群生
諸有眾生類　形聲及威儀　无畏力菩薩　一時能盡現
覺知眾魔事　而示隨其行　以善方便智　隨意皆能現
或示老病死　成就諸群生　了知如幻化　通達无有閡
或現劫燒盡　天地皆洞然　眾人有常想　照令知无常
无數億眾生　俱來請菩薩　一時到其舍　化令向佛道
經書禁呪術　工巧諸伎藝　盡現行此事　饒益諸群生
世間眾道法　悉於中出家　因以解人惑　而不墮邪見
或作日月天　梵王世界主　或時作地水　或復作風火
劫中有疾疫　現作諸藥草　若有服之者　除病消眾毒
劫中有飢饉　現身作飲食　先救彼飢渴　却以法語人
劫中有刀兵　為之起慈悲　化彼諸眾生　令住无諍地
若有大戰陣　立之以等力　菩薩現威勢　降伏使和安
一切國土中　諸有地獄處　輒往到于彼　勉濟其苦惱
一切國土中　畜生相食噉　皆現生於彼　為之作利益
示受於五欲　亦復現行禪　令魔心憒亂　不能得其便
火中生蓮華　是可謂希有　在欲而行禪　希有亦如是
或現作婬女　引諸好色者　先以欲鉤牽　後令入佛智
或為邑中主　或作商人道　國師及大臣　以祐利眾生

BD02049 號　維摩詰所說經卷中　（19–13）

一切國土中　畜生相食噉　皆現生於彼　為之作利益
亦受於五欲　亦復現行禪　令魔心憒亂　不能得其便
火中生蓮華　是可謂希有　在欲而行禪　希有亦如是
或現作婬女　引諸好色者　先以欲鉤牽　後令入佛智
或為邑中主　或作商人道　國師及大臣　以祐利衆生
諸有貧窮者　現作无盡藏　因以勸導之　令發菩提心
我心憍慢者　為現大力士　消伏諸貢高　令住佛上道
其有恐懼衆　居前而慰安　先施以无畏　後令發道心
或現離婬欲　為五通仙人　開導諸群生　令住戒忍慈
見須供事者　為現作僮僕　既悅可其意　乃發以道心
隨彼之所須　得入於佛道　以善方便力　皆能給足之
如是道无量　所行无有崖　智慧无邊際　度脫无數衆
假令一切佛　於无數億劫　讚嘆其功德　猶上不能盡
誰聞如此法　不發菩提心　除彼不肖人　癡冥无智者
入不二法門品第九
尒時維摩詰謂衆菩薩言諸仁者云何菩薩
入不二法門各隨所樂說之會中有菩薩名
法自在說言諸仁者生滅為二法本不生今
則无滅得此无生法忍是為入不二法門
得首菩薩曰我我所為二因有我故便有我
所若无有我則无我所是為入不二法門
不眴菩薩曰受不受為二若法不受則不可得
以不可得故无取无捨无作无行是為入不二
法門
德頂菩薩曰垢淨為二見垢實性則无淨相
順於滅相是為入不二法門
善宿菩薩曰是動是念為二不動則无念无

法門
德頂菩薩曰垢淨為二見垢實性則无淨相
順於滅相是為入不二法門
善宿菩薩曰是動是念為二不動則无念无
念即无分別通達此者是為入不二法門
善眼菩薩曰一相无相為二若知一相即是
无相亦不取无相入於平等是為入不二法
門
妙臂菩薩曰菩薩心聲聞心為二觀心相空如
幻化者无菩薩心无聲聞心是為入　不二
法門
弗沙菩薩曰善不善為二若不起善不善入
无相際而通達者是為入不二法門
師子菩薩曰罪福為二若達罪性則與福无
異以金剛慧決了此相无縛无解者是為入
不二法門
師子意菩薩曰有漏无漏為二若得諸法等則
不起漏不漏想不著於相亦不住无相是為
入不二法門
淨解菩薩曰有為无為為二若離一切數則心
如虛空以清淨慧无所閡者是為入不二法門
那羅延菩薩曰世間出世間為二世間性空即
是出世間於其中不入不出不溢不散是為
入不二法門
善意菩薩曰生死涅槃為二若見生死性則
无生死无縛无解不然不滅如是解者是為入
不二法門
見菩薩曰盡不盡為二法若究竟盡若不

是出世間於其中不入不出不溢不散是為
入不二法門
善意菩薩曰生死涅槃為二若見生死性則
无生死无縛无解不然不滅如是解者是為入
不二法門
現見菩薩曰盡不盡為二法若究竟盡若不
盡皆是无盡相无盡相即是空空則无有盡
不盡相如是入者是為入不二法門
普守菩薩曰我无我為二我尚不得非我何
可得見我實性者不復起二是為入不二
法門
電天菩薩曰明无明為二无明實性即是明
明亦不可取離一切數於其中平等无二者
是為入不二法門
喜見菩薩曰色色空為二色即是空非色滅空
色性自空如是受想行識識空為二識即是
空非識滅空識性自空於其中而通達者是
為入不二法門
明相菩薩曰四種異空種異為二四種性即是
空種性如前際後際空故中際亦空若能如
是知諸種性者是為入不二法門
妙意菩薩曰眼色為二若知眼性於色不貪
不恚不癡是名寂滅如是耳聲鼻香舌味身
觸意法為二若知意性於法不貪不恚不癡
是名寂滅安住其中是為入不二法門
无盡意菩薩曰布施迴向一切智為二布施性
即是迴向一切智性如是持戒忍辱精進禪
定智慧迴向一切智為二智慧性即是迴向
一切智性於其中入一相者是為入不二法門

BD02049號　維摩詰所説經卷中　（19–16）

觸意法為二若知意性於法不貪不恚不癡
是名寂滅安住其中是為入不二法門
无盡意菩薩曰布施迴向一切智為二布施性
即是迴向一切智性如是持戒忍辱精進禪
定智慧迴向一切智為二智慧性即是迴向
一切智性於其中入一相者是為入不二法門
深慧菩薩曰是空是无相是无作為二空即
无相无相即无作若空无相无作則无心意
識於一解脫門即是三解脫門者是為入不
二法門
寂根菩薩曰佛法眾為二佛即是法法即是
眾是三寶皆无為相與虛空等一切法亦尒
能隨此行者是為入不二法門
心无㝵菩薩曰身身滅為二身即是身滅所
以者何見身實相者不起見身及以滅身身
與滅身无二无分別於其中不驚不懼者是
為入不二法門
上善菩薩曰身口意善為二是三業皆无作
相身无作相即口无作相口无作相即意无作
相是三業无作相即一切法无作相能如是
隨无作慧者是為入不二法門
福田菩薩曰福行罪行不動行為二三行實性
即是空空則无福行无罪行无不動行於
此三行而不起者是為入不二法門
華嚴菩薩曰從我起二為二見我實相者不
起二法若不住二法則无有識无所識者是
為入不二法門
德藏菩薩曰有所得相為二若无所得則无取

BD02049號　維摩詰所説經卷中　（19–17）

此三行而不起者是為入不二法門
華嚴菩薩曰從我起二為二見我實相者不
起二法若不住二法則无有識无所識者是
為入不二法門
德藏菩薩曰有所得相為二若无所得則无取
捨无取捨者是為入不二法門
月上菩薩曰闇與明為二无闇无明則无有
二所以者何如入滅受想定无闇无明一切
法相亦復如是於其中平等入者是為入不
二法門
寶印手菩薩曰樂涅槃不樂世間為二若不
樂涅槃不厭世間則无有二所以者何若有
縛則有解若本无縛其誰求解无縛无解則
无樂厭是為入不二法門
珠頂王菩薩曰正道邪道為二住正道者則
不分別是邪是正離此二者是為入不二法門
樂實菩薩曰實不實為二實見者尚不見實
何況非實所以者何非肉眼所見慧眼乃能
見而此慧眼无見无不見是為入不二法門
如是諸菩薩各各說已問文殊師利何等是
菩薩入不二法門文殊師利曰如我意者於
一切法无言无說无示无識離諸問答是為入
不二法門
於是文殊師利問維摩詰言我等各自說已仁
者當說何等是菩薩入不二法門
時維摩詰嘿然无言文殊師利歎曰善哉善哉
乃至无有文字語言是真入不二法門說是入不二
法門時於此眾中五千菩薩皆入不二法門得无
生法忍

BD02049號　維摩詰所說經卷中　（19–18）

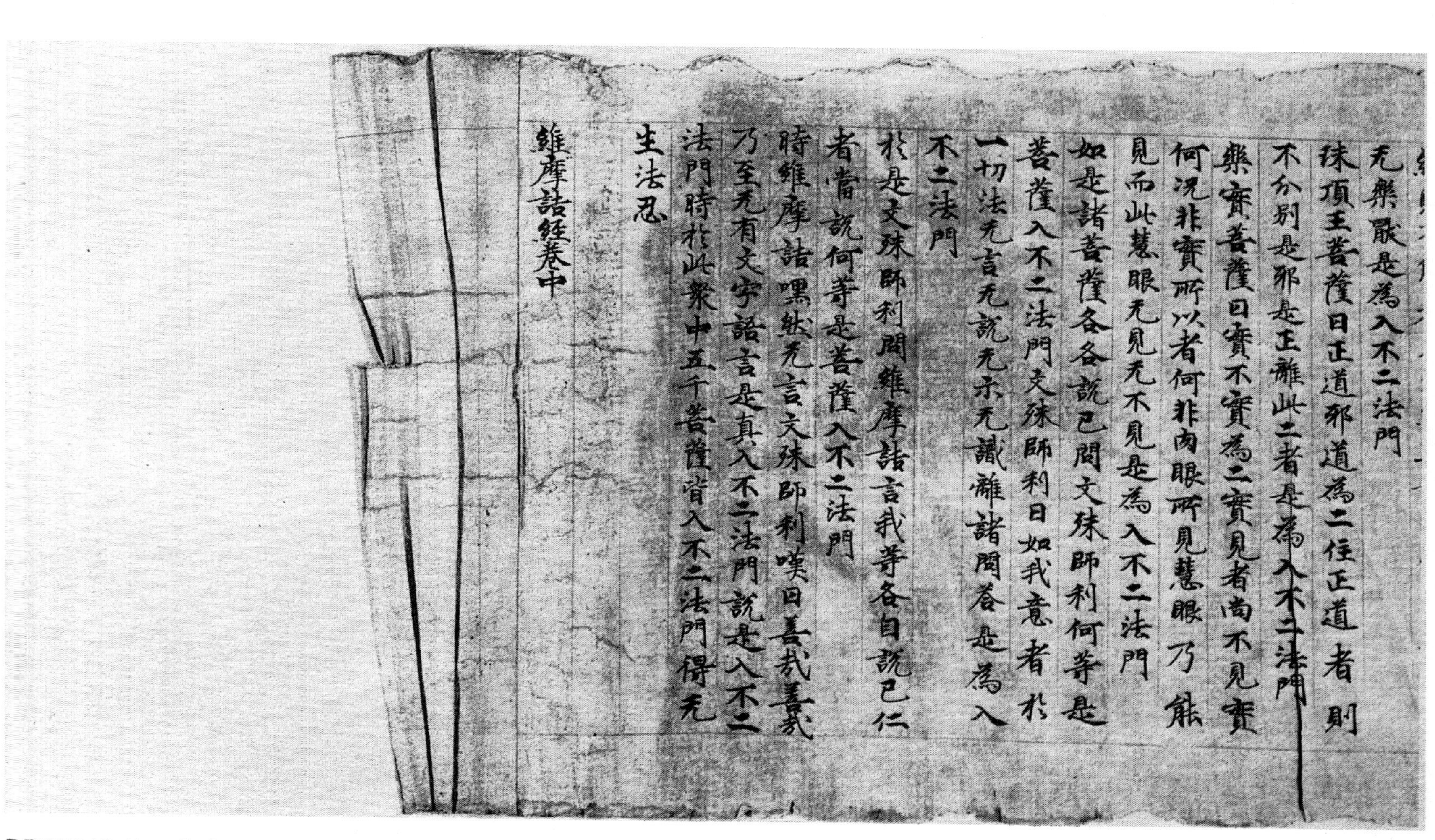
无樂厭是為入不二法門
珠頂王菩薩曰正道邪道為二住正道者則
不分別是邪是正離此二者是為入不二法門
樂實菩薩曰實不實為二實見者尚不見實
何況非實所以者何非肉眼所見慧眼乃能
見而此慧眼无見无不見是為入不二法門
如是諸菩薩各各說已問文殊師利何等是
菩薩入不二法門文殊師利曰如我意者於
一切法无言无說无示无識離諸問答是為入
不二法門
於是文殊師利問維摩詰言我等各自說已仁
者當說何等是菩薩入不二法門
時維摩詰嘿然无言文殊師利歎曰善哉善哉
乃至无有文字語言是真入不二法門說是入不二
法門時於此眾中五千菩薩皆入不二法門得无
生法忍
維摩詰経卷中

BD02049號　維摩詰所說經卷中　（19–19）

千大千世界內外所有山林河海下至阿鼻
地獄上至有頂亦見其中一切眾生及業因
緣果報生處悉見悉知尒時世尊欲重宣此
義而說偈言
若於大眾中　以無所畏心　說是法華經　汝聽其功德
是人得八百　功德殊勝眼　以是莊嚴故　其目甚清淨
父母所生眼　悉見三千界　內外弥樓山　須弥及鐵圍
并諸餘山林　大海江河水　下至阿鼻獄　上至有頂處
其中諸眾生　一切皆悉見　雖未得天眼　肉眼力如是
復次常精進若善男子善女人受持此經若
讀若誦若解說若書寫得千二百耳功德以
是清淨耳聞三千大千世界下至阿鼻地獄
上至有頂其中內外種種語言音聲象聲馬
聲牛聲車聲啼哭聲愁歎聲螺聲鼓聲鍾聲
鈴聲笑聲語聲男聲女聲童子聲童女聲法
聲非法聲苦聲樂聲凡夫聲聖人聲喜聲不
喜聲天聲龍聲夜叉聲乾闥婆聲阿脩羅聲
迦樓羅聲緊那羅聲摩睺羅伽聲火聲水聲
風聲地獄聲畜生聲餓鬼聲比丘聲比丘尼
聲聲聞聲辟支佛聲菩薩聲佛聲以要言之

BD02050號　妙法蓮華經卷六　（26–1）

聲非法聲苦聲樂聲凡夫聲聖人聲喜聲不
喜聲天聲龍聲夜叉聲乾闥婆聲阿脩羅聲
迦樓羅聲緊那羅聲摩睺羅伽聲火聲水聲
風聲地獄聲畜生聲餓鬼聲比丘聲比丘尼
聲聲聞聲辟支佛聲菩薩聲佛聲以要言之
三千大千世界中一切內外所有諸聲雖未
得天耳以父母所生清淨常耳皆悉聞知如
是分別種種音聲而不壞耳根尒時世尊欲
重宣此義而說偈言
父母所生耳　清淨無濁穢　以此常耳聞　三千世界聲
象馬車牛聲　鍾鈴螺鼓聲　琴瑟箜篌聲　簫笛之音聲
清淨好歌聲　聽之而不著　無數種人聲　聞悉能解了
又聞諸天聲　微妙之歌音　及聞男女聲　童子童女聲
山川嶮谷中　迦陵頻伽聲　命命等諸鳥　悉聞其音聲
地獄眾苦痛　種種楚毒聲　餓鬼飢渴逼　求索飲食聲
諸阿脩羅等　居在大海邊　自共語言時　出于大音聲
如是說法者　安住於此間　遙聞是眾聲　而不壞耳根
十方世界中　禽獸鳴相呼　其說法之人　於此悉聞之
其諸梵天上　光音及遍淨　乃至有頂天　言語之音聲
法師住於此　悉皆得聞之　一切比丘眾　及諸比丘尼
若讀誦經典　若為他人說　法師住於此　悉皆得聞之
復有諸菩薩　讀誦於經法　若為他人說　撰集解其義
如是諸音聲　悉皆得聞之　諸佛大聖尊　教化眾生者
於諸大眾中　演說微妙法　持此法華者　悉皆得聞之
三千大千界　內外諸音聲　下至阿鼻獄　上至有頂天

BD02050號　妙法蓮華經卷六　（26–2）

法師住於此　悉皆得聞之　一切比丘衆　及諸比丘尼
若讀誦經典　若為他人說　法師住於此　悉皆得聞之
復有諸菩薩　讀誦於經法　若為他人說　撰集解其義
如是諸音聲　悉皆得聞之　諸佛大聖尊　教化衆生者
於諸大衆中　演說微妙法　持此法華者　悉皆得聞之
三千大千界　內外諸音聲　下至阿鼻獄　上至有頂天
皆聞其音聲　而不壞耳根　其耳聰利故　悉能分別知
持是法華者　雖未得天耳　但用所生耳　功德已如是
復次常精進若善男子善女人受持是經若
讀若誦若解說若書寫成就八百鼻功德以
是清淨鼻根聞於三千大千世界上下內外
種種諸香須曼那華香闍提華香末利華香
瞻蔔華香波羅羅華香赤蓮華香青蓮華香
白蓮華香華樹香菓樹香栴檀香沉水香多
摩羅跋香多伽羅香及千萬種和香若末若
丸若塗香持是經者於此間住悉能分別又
復別知衆生之香象香馬香牛羊等香男香
女香童子香童女香及草木叢林香若近若
遠所有諸香悉皆得聞分別不錯持是經者
雖住於此亦聞天上諸天之香波利質多羅
拘鞞陁羅樹香及曼陁羅華香摩訶曼陁羅
華香曼殊沙華香摩訶曼殊沙華香栴檀沉
水種種末香諸雜華香如是等天香和合所
出之香無不聞知又聞諸天身香釋提桓因
在勝殿上五欲娛樂嬉戲時香若在妙法堂
上為忉利諸天說法時香若於諸園遊戲時

BD02050號　妙法蓮華經卷六

（26-3）

華香曼殊沙華香摩訶曼殊沙華香栴檀沉
水種種末香諸雜華香如是等天香和合所
出之香無不聞知又聞諸天身香釋提桓因
在勝殿上五欲娛樂嬉戲時香若在妙法堂
上為忉利諸天說法時香若於諸園遊戲時
香及餘天等男女身香皆悉遙聞如是展轉
乃至梵世上至有頂諸天身香亦皆聞之并
聞諸天所燒之香及聲聞香辟支佛香菩薩
香諸佛身香亦皆遙聞知其所在雖聞此香
然於鼻根不壞不錯若欲分別為他人說憶
念不謬爾時世尊欲重宣此義而說偈言
是人鼻清淨　於此世界中　若香若臭物　種種悉聞知
須曼那闍提　多摩羅栴檀　沉水及桂香　種種華菓香
及知衆生香　男子女人香　說法者遠住　聞香知所在
大勢轉輪王　小轉輪及子　群臣諸宮人　聞香知所在
身所著珍寶　及地中寶藏　轉輪王寶女　聞香知所在
諸人嚴身具　衣服及瓔珞　種種所塗香　聞則知其身
諸天若行坐　遊戲及神變　持是法華者　聞香悉能知
諸樹華菓實　及蘇油香氣　持經者住此　悉知其所在
諸山深嶮處　栴檀樹華敷　衆生在中者　聞香皆能知
鐵圍山大海　地中諸衆生　持經者聞香　悉知其所在
阿脩羅男女　及其諸眷屬　鬪諍遊戲時　聞香皆能知
曠野險隘處　師子象虎狼　野牛水牛等　聞香知所在
若有懷妊者　未辯其男女　無根及非人　聞香悉能知
以聞香力故　知其初懷妊　成就不成就　安樂產福子

BD02050號　妙法蓮華經卷六

（26-4）

阿脩羅男女 及其諸眷屬 鬪諍遊戲時 聞香皆能知
曠野險隘處 師子象虎狼 野牛水牛等 聞香知所在
若有懷妊者 未辯其男女 無根及非人 聞香悉能知
以聞香力故 知其初懷妊 成就不成就 安樂產福子
以聞香力故 知男女所念 染欲癡恚心 亦知脩善者
地中眾伏藏 金銀諸珎寶 銅器之所盛 聞香悉能知
種種諸瓔珞 無能識其價 聞香知貴賤 出處及所在
天上諸華等 曼陁曼殊沙 波利質多樹 聞香悉能知
天上諸宮殿 上中下差別 眾寶華莊嚴 聞香悉能知
天園林勝殿 諸觀妙法堂 在中而娛樂 聞香悉能知
諸天若聽法 或受五欲時 來往行坐臥 聞香悉能知
天女所著衣 好華香莊嚴 周旋遊戲時 聞香悉能知
如是展轉上 乃至於梵世 入禪出禪者 聞香悉能知
光音遍淨天 乃至于有頂 初生及退沒 聞香悉能知
諸比丘眾等 於法常精進 若坐若經行 及讀誦經法
或在林樹下 專精而坐禪 持經者聞香 悉知其所在
菩薩志堅固 坐禪若讀誦 或為人說法 聞香悉能知
在在方世尊 一切所恭敬 愍眾而說法 聞香悉能知
眾生在佛前 聞經皆歡喜 如法而脩行 聞香悉能知
雖未得菩薩 無漏法生鼻 而是持經者 先得此鼻相
復次常精進 若善男子善女人 受持是經 若
讀若誦若解說若書寫 得千二百舌功德 若
好若醜 若美不美 及諸苦澀物 在其舌根 皆
變成上味 如天甘露 無不美者 若以舌根 於
大眾中有所演說 出深妙聲 能入其心 皆令

讀若誦若解說若書寫 得千二百舌功德 若
好若醜 若美不美 及諸苦澀物 在其舌根 皆
變成上味 如天甘露 無不美者 若以舌根 於
大眾中有所演說 出深妙聲 能入其心 皆令
歡喜快樂 又諸天子天女 釋梵諸天 聞是深
妙音聲 有所演說言論次第 皆悉來聽 及諸
龍龍女 夜叉夜叉女 乾闥婆乾闥婆女 阿脩
羅阿脩羅女 迦樓羅迦樓羅女 緊那羅緊那
羅女 摩睺羅伽摩睺羅伽女 為聽法故 皆來
親近恭敬供養 及比丘比丘尼優婆塞優婆
夷 國王王子群臣眷屬 小轉輪王大轉輪王
七寶千子 內外眷屬 乘其宮殿 俱來聽法 以
是菩薩善說法故 婆羅門居士國內人民 盡
其形壽 隨侍供養 又諸聲聞辟支佛菩薩諸
佛 常樂見之 是人所在方面 諸佛皆向其處
說法 悉能受持一切佛法 又能出於深妙法
音 尒時世尊欲重宣此義而說偈言
是人舌根淨 終不受惡味 其有所食噉 悉皆成甘露
以深淨妙聲 於大眾說法 以諸因緣喻 引導眾生心
聞者皆歡喜 設諸上供養
諸天龍夜叉 及阿脩羅等 皆以恭敬心 而共來聽法
是說法之人 若欲以妙音 遍滿三千界 隨意即能至
大小轉輪王 及千子眷屬 合掌恭敬心 常來聽受法
諸天龍夜叉 羅剎毗舍闍 亦以歡喜心 常樂來供養
梵天王魔王 自在大自在 如是諸天眾 常來至其所

是說法之人 若欲以妙音 遍滿三千界 隨意即能至
大小轉輪王 及千子眷屬 合掌恭敬心 常來聽受法
諸天龍夜叉 羅刹毗舍闍 亦以歡喜心 常樂來供養
梵天王魔王 自在大自在 如是諸天眾 常來至其所
諸佛及弟子 聞其說法音 常念而守護 或時為現身
復次常精進若善男子善女人受持是經若
讀若誦若解說若書寫得八百身功德得清
淨身如淨琉璃眾生憙見其身淨故三千大
千世界眾生生時死時上下好醜生善處惡
處悉於中現及鐵圍大鐵圍彌樓山摩訶彌
樓山等諸山及其中眾生悉於中現下至阿
鼻地獄上至有頂所有及眾生悉於中現若
聲聞辟支佛菩薩諸佛說法皆於身中現其
色像爾時世尊欲重宣此義而說偈言
若持法華者 其身甚清淨 如彼淨琉璃 眾生皆憙見
又如淨明鏡 悉見諸色像 菩薩於淨身 皆見世所有
唯獨自明了 餘人所不見 三千世界中 一切諸群萌
天人阿脩羅 地獄鬼畜生 如是諸色像 皆於身中現
諸天等宮殿 乃至於有頂 鐵圍及彌樓 摩訶彌樓山
諸大海水等 皆於身中現
諸佛及聲聞 佛子菩薩等 若獨若在眾 說法悉皆現
雖未得無漏 法性之妙身 以清淨常體 一切於中現
復次常精進若善男子善女人如來滅後受
持是經若讀若誦若解說若書寫得千二百
意功德以是清淨意根乃至聞一偈一句通

BD02050號 妙法蓮華經卷六 （26–7）

雖未得無漏 法性之妙身 以清淨常體 一切於中現
復次常精進若善男子善女人如來滅後受
持是經若讀若誦若解說若書寫得千二百
意功德以是清淨意根乃至聞一偈一句通
達無量無邊之義解是義已能演說一句一
偈至於一月四月乃至一歲諸所說法隨其
義趣皆與實相不相違背若說俗間經書治
世語言資生業等皆順正法三千大千世界
六趣眾生心之所行心所動作心所戲論皆
悉知之雖未得無漏智慧而其意根清淨如
此是人有所思惟籌量言說皆是佛法無不
真實亦是先佛經中所說爾時世尊欲重宣
此義而說偈言
是人意清淨 明利無穢濁 以此妙意根 知上中下法
乃至聞一偈 通達無量義 次第如法說 月四月至歲
是世界內外 一切諸眾生 若天龍及人 夜叉鬼神等
其在六趣中 所念若干種 持法華之報 一時皆悉知
十方無數佛 百福莊嚴相 為眾生說法 悉聞能受持
思惟無量義 說法亦無量 終始不忘錯 以持法華故
悉知諸法相 隨義識次第 達名字語言 如所知演說
此人有所說 皆是先佛法 以演此法故 於眾無所畏
持法華經者 意根淨若斯 雖未得無漏 先有如是相
是人持此經 安住希有地 為一切眾生 歡喜而愛敬
能以千萬種 善巧之語言 分別而說法 持法華經故
妙法蓮華經常不輕菩薩品第二十

BD02050號 妙法蓮華經卷六 （26–8）

是人持此經　安住希有地　為一切衆生　歡喜而愛敬
能以千萬種　善巧之語言　分別而說法　持法華經故
妙法蓮華經常不輕菩薩品第二十
尒時佛告得大勢菩薩摩訶薩汝今當知若
比丘比丘尼優婆塞優婆夷持法華經者若
有惡口罵詈誹謗獲大罪報如前所說其所
得功德如向所說眼耳鼻舌身意清淨得大
勢乃往古昔過無量無邊不可思議阿僧祇
劫有佛名威音王如來應供正遍知明行足
善逝世間解無上士調御丈夫天人師佛世
尊劫名離衰國名大成其威音王佛於彼世
中為天人阿脩羅說法為求聲聞者說應四
諦法度生老病死究竟涅槃為求辟支佛者
說應十二因緣法為諸菩薩因阿耨多羅三
藐三菩提說應六波羅蜜法究竟佛慧得大
勢是威音王佛壽四十萬億那由他恒河沙劫
正法住世劫數如一閻浮提微塵　像法住
世劫數如四天下微塵其佛饒益衆生已然
後滅度正法像法滅盡之後於此國土復有
佛出亦号威音王如來應供正遍知明行足
善逝世間解無上士調御丈夫天人師佛世
尊如是次第有二萬億佛皆同一号最初威
音王如來既已滅度正法滅後於像法中增
上慢比丘有大勢力
尒時有一菩薩比丘名常不輕得大勢以何

BD02050號　妙法蓮華經卷六　（26–9）

尊如是次第有二萬億佛皆同一号最初威
音王如來既已滅度正法滅後於像法中增
上慢比丘有大勢力
尒時有一菩薩比丘名常不輕得大勢以何
因緣名常不輕是比丘凡有所見若比丘比
丘尼優婆塞優婆夷皆悉礼拜讚嘆而作是
言我深敬汝等不敢輕慢所以者何汝等皆
行菩薩道當得作佛而是比丘不專讀誦經
典但行礼拜乃至遠見四衆亦復故往礼拜
讚嘆而作是言我不敢輕於汝等汝等皆當
作佛四衆之中有生瞋恚心不淨者惡口罵
詈言是無智比丘從何所來自言我不輕汝
而與我等授記當得作佛我等不用如是虛
妄授記如此經歷多年常被罵詈不生瞋恚
常作是言汝當作佛說是語時衆人或以杖
木瓦石而打擲之避走遠住猶高聲唱言我
不敢輕汝汝等皆當作佛以其常作是語故
增上慢比丘比丘尼優婆塞優婆夷号之為
常不輕是比丘臨欲終時於虛空中具聞威
音王佛先所說法華經二十千萬億偈悉能
受持即得如上眼根清淨耳鼻舌身意根清
淨得是六根清淨已更增壽命二百萬億那
由他歲廣為人說是法華經於時增上慢四
衆比丘比丘尼優婆塞優婆夷輕賤是人為
作不輕名者見其得大神通力樂說辯力大

BD02050號　妙法蓮華經卷六　（26–10）

淨淨是六根清淨已更增壽命二百萬億那
由他歲廣為人說是法華經於時增上慢四
衆比丘比丘尼優婆塞優婆夷輕賤是人為
作不輕名者見其得大神通力樂說辯力大
善寂力聞其所說皆信伏隨從是菩薩復化
千萬億衆令住阿耨多羅三藐三菩提命終
之後得值二千億佛皆号日月燈明於其法
中說是法華經以是因緣復值二千億佛同
号雲自在燈王於此諸佛法中受持讀誦為
諸四衆說此經典故得是常眼清淨耳鼻舌
身意諸根清淨於四衆中說法心無所畏得
大勢是常不輕菩薩摩訶薩供養如是若干
諸佛恭敬尊重讚歎種諸善根於後復值千
萬億佛亦於諸佛法中說是經典功德成就當
得作佛得大勢於意云何爾時常不輕菩
薩豈異人乎則我身是也若我於宿世不受
持讀誦此經為他人說者不能疾得阿耨多
羅三藐三菩提我於先佛所受持讀誦此經
為人說故疾得阿耨多羅三藐三菩提得大
勢彼時四衆比丘比丘尼優婆塞優婆夷以
嗔恚意輕賤我故二百億劫常不值佛不聞
法不見僧千劫於阿鼻地獄受大苦惱畢是
罪已復遇常不輕菩薩教化阿耨多羅三藐
三菩提得大勢於汝意云何爾時四衆常輕
是菩薩者豈異人乎今此會中跋陁婆羅等

BD02050號　妙法蓮華經卷六

(26-11)

法不見僧千劫於阿鼻地獄受大苦惱畢是
罪已復遇常不輕菩薩教化阿耨多羅三藐
三菩提得大勢於汝意云何爾時四衆常輕
是菩薩者豈異人乎今此會中跋陁婆羅等
五百菩薩師子月等五百比丘尼思佛等五
百優婆塞皆於阿耨多羅三藐三菩提不退
轉者是得大勢當知是法華經大饒益諸菩
薩摩訶薩能令至於阿耨多羅三藐三菩提
是故諸菩薩摩訶薩於如來滅後常應受持
讀誦解說書寫是經爾時世尊欲重宣此義
而說偈言

過去有佛　号威音王　神智無量　將導一切
天人龍神　所共供養
是佛滅後　法欲盡時　有一菩薩　名常不輕
時諸四衆　計著於法　不輕菩薩　往到其所
而語之言　我不輕汝　汝等行道　皆當作佛
諸人聞已　輕毀罵詈　不輕菩薩　能忍受之
其罪畢已　臨命終時　得聞此經　六根清淨
神通力故　增益壽命　復為諸人　廣說是經
諸著法衆　皆蒙菩薩　教化成就　令住佛道
不輕命終　值無數佛　說是經故　得無量福
漸具功德　疾成佛道
彼時不輕　則我身是　時四部衆　著法之者
聞不輕言　汝當作佛　以是因緣　值無數佛
此會菩薩　五百之衆　并及四部　清信士女
今於我前　聽法者是

BD02050號　妙法蓮華經卷六

(26-12)

滿具功德　疾成佛道
彼時不輕　則我身是　時四部衆　著法之者
聞不輕言　汝當作佛　以是因緣　值無數佛
此會菩薩　五百之衆　并及四部　清信士女
今於我前　聽法者是
我於前世　勸是諸人　聽受斯經　第一之法
開示教人　令住涅槃　世世受持　如是經典
億億萬劫　至不可議　時乃得聞　是法華經
億億萬劫　至不可議　諸佛世尊　時說是經
是故行者　於佛滅後　聞如是經　勿生疑惑
應當一心　廣說此經　世世值佛　疾成佛道
妙法蓮華經如來神力品第二十一
尒時千世界微塵等菩薩摩訶薩從地踊出
者皆於佛前一心合掌瞻仰尊顏而白佛言
世尊我等於佛滅後世尊分身所在國土滅
度之處當廣說此經所以者何我等亦自欲
得是真淨大法受持讀誦解說書寫而供養
之尒時世尊於文殊師利等無量百千萬億
舊住娑婆世界菩薩摩訶薩及比丘比丘
尼優婆塞優婆夷天龍夜叉乾闥婆阿脩羅
迦樓羅緊那羅摩睺羅伽人非人等一切衆
前現大神力出廣長舌上至梵世一切毛孔
放於無量無數色光皆悉遍照十方世界衆
寶樹下師子座上諸佛亦復如是出廣長舌
放無量光釋迦牟尼佛及寶樹下諸佛現神

BD02050號　妙法蓮華經卷六　（26–13）

迦樓羅緊那羅摩睺羅伽人非人等一切衆
前現大神力出廣長舌上至梵世一切毛孔
放於無量無數色光皆悉遍照十方世界衆
寶樹下師子座上諸佛亦復如是出廣長舌
放無量光釋迦牟尼佛及寶樹下諸佛現神
力時滿百千歲然後還攝舌相一時謦欬俱
共彈指是二音聲遍至十方諸佛世界地皆
六種震動其中衆生天龍夜叉乾闥婆阿脩
羅迦樓羅緊那羅摩睺羅伽人非人等以佛
神力故皆見此娑婆世界無量無邊百千萬
億衆寶樹下師子座上諸佛及見釋迦牟尼
佛共多寶如來在寶塔中坐師子座又見無
量無邊百千萬億菩薩摩訶薩及諸四衆恭
敬圍繞釋迦牟尼佛既見是已皆大歡喜得
未曾有即時諸天於虛空中高聲唱言過此
無量無邊百千萬億阿僧祇世界有國名娑
婆是中有佛名釋迦牟尼今為諸菩薩摩訶
薩說大乘經名妙法蓮華教菩薩法佛所護
念汝等當深心隨喜亦當禮拜供養釋迦牟
尼佛彼諸衆生聞虛空中聲已合掌向娑婆
世界作如是言南無釋迦牟尼佛南無釋迦
牟尼佛以種種華香瓔珞幡蓋及諸嚴身之
具珍寶妙物皆共遙散娑婆世界所散諸物
從十方來譬如雲集變成寶帳遍覆此間諸
佛之上于時十方世界通達無礙如一佛土
尒時佛告上行等菩薩大衆諸佛神力如是

BD02050號　妙法蓮華經卷六　（26–14）

具珎寶妙物皆共遥散娑婆世界所散諸物
從十方來譬如雲集變成寶帳遍覆此間諸
佛之上于時十方世界通達無礙如一佛土
尒時佛告上行等菩薩大衆諸佛神力如是
無量無邊不可思議若我以是神力於無量
無邊百千萬億阿僧祇劫為囑累故說此經
功德猶不能盡以要言之如來一切所有之
法如來一切自在神力如來一切秘要之藏
如來一切甚深之事皆於此經宣示顯說是
故汝等於如來滅後應一心受持讀誦解說
書寫如說修行所在國土若有受持讀誦解
說書寫如說修行若經卷所住之處若於園
中若於林中若於樹下若於僧坊若白衣舍
若在殿堂若山谷曠野是中皆應起塔供養
所以者何當知是處即是道場諸佛於此得
阿耨多羅三藐三菩提諸佛於此轉于法輪
諸佛於此而般涅槃尒時世尊欲重宣此義
而說偈言
諸佛救世者 住於大神通 為悅衆生故 現無量神力
舌相至梵天 身放無數光 為求佛道者 現此希有事
諸佛謦欬聲 及彈指之聲 周聞十方國 地皆六種動
以佛滅度後 能持是經故 諸佛皆歡喜 現無量神力
囑累是經故 讚美受持者 於無量劫中 猶故不能盡
是人之功德 無邊無有窮 如十方虛空 不可得邊際
能持是經者 則為已見我 亦見多寶佛 及諸分身者

諸佛謦欬聲 及彈指之聲 周聞十方國 地皆六種動
以佛滅度後 能持是經故 諸佛皆歡喜 現無量神力
囑累是經故 讚美受持者 於無量劫中 猶故不能盡
是人之功德 無邊無有窮 如十方虛空 不可得邊際
能持是經者 則為已見我 亦見多寶佛 及諸分身者
又見我今日 教化諸菩薩
能持是經者 令我及分身 滅度多寶佛 一切皆歡喜
十方現在佛 并過去未來 亦見亦供養 亦令得歡喜
諸佛坐道場 所得秘要法 能持是經者 不久亦當得
能持是經者 於諸法之義 名字及言辭 樂說無窮盡
如風於空中 一切無障礙
於如來滅後 知佛所說經 因緣及次第 隨義如實說
如日月光明 能除諸幽冥 斯人行世間 能滅衆生闇
教無量菩薩 畢竟住一乘 是故有智者 聞此功德利
於我滅度後 應受持斯經 是人於佛道 決定無有疑

妙法蓮華經囑累品第二十二

尒時釋迦牟尼佛從法座起現大神力以右手
摩無量菩薩摩訶薩頂而作是言我於無
量百千萬億阿僧祇劫修集是難得阿耨多
羅三藐三菩提法今以付囑汝等汝等應當
一心流布此法廣令增益如是三摩諸菩薩
摩訶薩頂而作是言我於無量百千萬億阿
僧祇劫修集是難得阿耨多羅三藐三菩提
法今以付囑汝等汝等當受持讀誦廣宣此
法令一切衆生普得聞知所以者何如來有
大慈悲無諸慳悋亦無所畏能與衆生佛之

僧祇劫脩集是難得阿耨多羅三藐三菩提
法今以付囑汝等汝等當受持讀誦廣宣此
法令一切衆生普得聞知所以者何如來有
大慈悲無諸慳悋亦無所畏能與衆生佛之
智慧如來智慧自然智慧如來是一切衆生
之大施主汝等亦應隨學如來之法勿生慳
悋於未來世若有善男子善女人信如來智
慧者當為演說此法華經使得聞知為令其
人得佛慧故若有衆生不信受者當於如來
餘深妙法中示教利喜汝等若能如是則為
已報諸佛之恩時諸菩薩摩訶薩聞佛作是
說已皆大歡喜遍滿其身益加恭敬曲躬低
頭合掌向佛俱發聲言如世尊勅當具奉行
唯然世尊願不有慮諸菩薩摩訶薩衆如是
三反俱發聲言如世尊勅當具奉行唯然世
尊願不有慮
尒時釋迦牟尼佛令十方來諸分身佛各還
本土而作是言諸佛各隨所安多寶佛塔還
可如故說是語時十方無量分身諸佛坐寶
樹下師子座上者及多寶佛并上行等無邊
阿僧祇菩薩大衆舍利弗等聲聞四衆及一
切世間天人阿脩羅等聞佛所說皆大歡喜
妙法蓮華經藥王菩薩本事品第二十三
尒時宿王華菩薩白佛言世尊藥王菩薩云
何遊於娑婆世界世尊是藥王菩薩有若干

BD02050號　妙法蓮華經卷六　（26–17）

阿僧祇菩薩大衆舍利弗等聲聞四衆及一
切世間天人阿脩羅等聞佛所說皆大歡喜
妙法蓮華經藥王菩薩本事品第二十三
尒時宿王華菩薩白佛言世尊藥王菩薩云
何遊於娑婆世界世尊是藥王菩薩有若干
百千萬億那由他難行苦行善哉世尊願少
解說諸天龍神夜叉乾闥婆阿脩羅迦樓羅
緊那羅摩睺羅伽人非人等又他國土諸來
菩薩及此聲聞衆聞皆歡喜尒時佛告宿王
華菩薩乃往過去無量恒河沙劫有佛號日
月淨明德如來應供正遍知明行足善逝世
間解無上士調御丈夫天人師佛世尊其佛
有八十億大菩薩摩訶薩七十二恒河沙大
聲聞衆佛壽四萬二千劫菩薩壽命亦等彼
國無有女人地獄餓鬼畜生阿脩羅等及以
諸難地平如掌琉璃所成寶樹莊嚴寶帳覆
上垂寶華幡寶瓶香爐周遍國界七寶為臺
一樹一臺其樹去臺盡一箭道此諸寶樹皆
有菩薩聲聞而坐其下諸寶臺上各有百億
諸天作天伎樂歌歎於佛以為供養
尒時彼佛為一切衆生憙見菩薩及衆菩薩
諸聲聞衆說法華經是一切衆生憙見菩薩
樂習苦行於日月淨明德佛法中精進經行
一心求佛滿萬二千歲已得現一切色身三
昧得此三昧已心大歡喜即作念言我得現

BD02050號　妙法蓮華經卷六　（26–18）

尒時彼佛為一切衆生喜見菩薩及衆菩薩
諸聲聞衆說法華經是一切衆生喜見菩薩
樂習苦行於日月淨明德佛法中精進經行
一心求佛滿萬二千歲已得現一切色身三
昧得此三昧已心大歡喜即作念言我得現
一切色身三昧皆是得聞法華經力我今當
供養日月淨明德佛及法華經即時入是三
昧於虛空中雨曼陀羅華摩訶曼陀羅華細
粖堅黑栴檀滿虛空中如雲而下又雨海此
岸栴檀之香此香六銖價直娑婆世界以供
養佛作是供養已從三昧起而自念言我雖
以神力供養於佛不如以身供養即服諸香
栴檀薰陸兜樓婆畢力迦沈水膠香又飲瞻
蔔諸華香油滿千二百歲已香油塗身於日
月淨明德佛前以天寶衣而自纏身灌諸香
油以神通力願而自然身光明遍照八十億
恒河沙世界其中諸佛同時讚言善哉善哉
善男子是真精進是名真法供養如來若以
華香瓔珞燒香粖香塗香天繒幡蓋及海此
岸栴檀之香如是等種種諸物供養所不能
及假使國城妻子布施亦所不及善男子是
名第一之施於諸施中最尊最上以法供養
諸如來故作是語已而各默然其身火然千
二百歲過是已後其身乃盡一切衆生喜見
菩薩作如是法供養已命終之後復生日月
淨明德佛國中

BD02050號　妙法蓮華經卷六　（26–19）

名第一之施於諸施中最尊最上以法供養
諸如來故作是語已而各默然其身火然千
二百歲過是已後其身乃盡一切衆生喜見
菩薩作如是法供養已命終之後復生日月
淨明德佛國中於淨德王家結加趺坐忽然
化生即為其父而說偈言
大王今當知　我經行彼處　即時得一切　現諸身三昧
懃行大精進　捨所愛之身
說是偈已而白父言日月淨明德佛今故現
在我先供養佛已得解一切衆生語言陀羅
尼復聞是法華經八百千萬億那由他甄迦
羅頻婆羅阿閦婆等偈大王我今當還供養
此佛白已即坐七寶之臺上昇虛空高七多
羅樹往到佛所頭面禮足合十指爪以偈讚
佛
容顏甚奇妙　光明照十方　我適曾供養　今復還親覲
尒時一切衆生喜見菩薩說是偈已而白佛
言世尊世尊猶故在世尒時日月淨明德佛
告一切衆生喜見菩薩善男子我涅槃時到
滅盡時至汝可安施牀座我於今夜當般涅
槃又勅一切衆生喜見菩薩善男子我以佛
法囑累於汝及諸菩薩大弟子并阿耨多羅
三藐三菩提法亦以三千大千七寶世界諸
寶樹寶臺及給侍諸天悉付於汝我滅度後
所有舍利亦付囑汝當令流布廣設供養應

BD02050號　妙法蓮華經卷六　（26–20）

法囑累於汝及諸菩薩大弟子并阿耨多羅
三藐三菩提法亦以三千大千七寶世界諸
寶樹寶臺及給侍諸天悉付於汝我滅度後
所有舍利亦付囑汝當令流布廣設供養應
起若干千塔如是日月淨明德佛勅一切眾
生喜見菩薩已於夜後分入於涅槃尒時一
切眾生喜見菩薩見佛滅度悲感懊惱戀慕
於佛即以海此岸栴檀為𧂐供養佛身而以
燒之火滅已後收取舍利作八萬四千寶瓶
以起八萬四千塔高三世界表剎莊嚴垂諸
幡蓋懸眾寶鈴尒時一切眾生喜見菩薩復
自念言我雖作是供養心猶未足我今當更
供養舍利便語諸菩薩大弟子及天龍夜叉
等一切大眾汝等當一心念我今供養日月
淨明德佛舍利作是語已即於八萬四千塔
前然百福莊嚴臂七萬二千歲而以供養令
無數求聲聞眾無量阿僧祇人發阿耨多羅
三藐三菩提心皆使得住現一切色身三昧
尒時諸菩薩天人阿修羅等見其無臂憂惱
悲哀而作是言此一切眾生喜見菩薩是我
等師教化我者而今燒臂身不具足于時一
切眾生喜見菩薩於大眾中立此誓言我捨
兩臂必當得佛金色之身若實不虛令我兩
臂還復如故作是誓已自然還復由斯菩薩
福德智慧淳厚所致當尒之時三千大千世

BD02050號　妙法蓮華經卷六　（26–21）

切眾生喜見菩薩於大眾中立此誓言我捨
兩臂必當得佛金色之身若實不虛令我兩
臂還復如故作是誓已自然還復由斯菩薩
福德智慧淳厚所致當尒之時三千大千世
界六種震動天雨寶華一切人天得未曾有
佛告宿王華菩薩於汝意云何一切眾生喜
見菩薩豈異人乎今藥王菩薩是也其所捨
身布施如是無量百千萬億那由他數
宿王華若有發心欲得阿耨多羅三藐三菩
提者能然手指乃至足一指供養佛塔勝以
國城妻子及三千大千國土山林河池諸珍
寶物而供養者若復有人以七寶滿三千大
千世界供養於佛及大菩薩辟支佛阿羅漢
是人所得功德不如受持此法華經乃至一
四句偈其福最多宿王華譬如一切川流江
河諸水之中海為第一此法華經亦復如是
於諸如來所說經中最為深大又如土山黑
山小鐵圍山大鐵圍山及十寶山眾山之中
須彌山為第一此法華經亦復如是於諸經
中最為其上又如眾星之中月天子最為第
一此法華經亦復如是於千萬億種諸經法
中最為照明又如日天子能除諸闇此經亦
復如是能破一切不善之闇又如諸小王中
轉輪聖王最為第一此經亦復如是於眾經
中最為其尊又如帝釋於三十三天中王此

BD02050號　妙法蓮華經卷六　（26–22）

一此法華經亦復如是於千萬億種諸經法
中最為照明又如日天子能除諸闇此經亦
復如是能破一切不善之闇又如諸小王中
轉輪聖王最為第一此經亦復如是於衆經
中最為其尊又如帝釋於三十三天中王此
經亦復如是諸經中王又如大梵天王一切
衆生之父此經亦復如是一切賢聖學無學
及發菩薩心者之父又如一切凡夫人中須
陁洹斯陁含阿那含阿羅漢辟支佛為第一
此經亦復如是一切如來所說若菩薩所說
若聲聞所說諸經法中最為第一有能受持
是經典者亦復如是於一切衆生中亦為第
一一切聲聞辟支佛中菩薩為第一此經亦
復如是於一切諸經法中最為第一如佛為
諸法王此經亦復如是諸經中王宿王華此
經能救一切衆生者此經能令一切衆生離
諸苦惱此經能大饒益一切衆生充滿其願
如清涼池能滿一切諸渴乏者如寒者得火
如裸者得衣如商人得主如子得母如渡得
船如病得醫如闇得燈如貧得寶如民得王
如賈客得海如炬除闇此法華經亦復如是
能令衆生離一切苦一切病痛能解一切生
死之縛若人得聞此法華經若自書若使人
書所得功德以佛智慧籌量多少不得其邊
若書是經卷華香瓔珞燒香末香塗香幡蓋

BD02050號　妙法蓮華經卷六　（26-23）

能令衆生離一切苦一切病痛能解一切生
死之縛若人得聞此法華經若自書若使人
書所得功德以佛智慧籌量多少不得其邊
若書是經卷華香瓔珞燒香末香塗香幡蓋
衣服種種之燈蘇燈油燈諸香油燈瞻蔔油
燈須曼那油燈波羅羅油燈婆利師迦油燈
那婆摩利油燈供養所得功德亦復無量
宿王華若有人聞是藥王菩薩本事品者亦
得無量無邊功德若有女人聞是藥王菩薩
本事品能受持者盡是女身後不復受若如
來滅後後五百歲中若有女人聞是經典如
說修行於此命終即往安樂世界阿彌陁佛
大菩薩衆圍繞住處生蓮華中寶座之上不
復為貪欲所惱亦復不為瞋恚愚癡所惱亦
復不為憍慢嫉妬諸垢所惱得菩薩神通無
生法忍得是忍已眼根清淨以是清淨眼根
見七百萬二千億那由他恒河沙等諸佛如
來是時諸佛遙共讚言善哉善哉善男子汝
能於釋迦牟尼佛法中受持讀誦思惟是經
為他人說所得福德無量無邊火不能焚水
不能漂汝之功德千佛共說不能令盡汝今
已能破諸魔賊壞生死軍諸餘怨敵皆悉摧
滅善男子百千諸佛以神通力共守護汝於
一切世間天人之中無如汝者唯除如來其
諸聲聞辟支佛乃至菩薩智慧禪定無有與

BD02050號　妙法蓮華經卷六　（26-24）

不能渊汝之功德千佛共說不能令盡汝今
已能破諸魔賊壞生死軍諸餘怨敵皆悉摧
滅善男子百千諸佛以神通力共守護汝於
一切世間天人之中無如汝者唯除如來其
諸聲聞辟支佛乃至菩薩智慧禪定無有與
汝等者宿王華此菩薩成就如是功德智慧
之力若有人聞是藥王菩薩本事品能隨喜
讚善者是人現世口中常出青蓮華香身毛
孔中常出牛頭栴檀之香所得功德如上所
說是故宿王華以此藥王菩薩本事品囑累
於汝我滅度後後五百歲中廣宣流布於閻
浮提無令斷絕惡魔魔民諸天龍夜叉鳩槃
荼等得其便也宿王華汝當以神通之力守
護是經所以者何此經則為閻浮提人病之
良藥若人有病得聞是經病即消滅不老不
死宿王華汝若見有受持是經者應以青蓮
華盛滿抹香供散其上散已作是念言此人
不久必當取草坐於道場破諸魔軍當吹法
螺擊大法鼓度脫一切眾生老病死海是故
求佛道者見有受持是經典人應當如是生
恭敬心說是藥王菩薩本事品時八萬四千
菩薩得解一切眾生語言陀羅尼多寶如來
於寶塔中讚宿王華菩薩言善哉善哉宿
王華汝成就不可思議功德乃能問釋迦牟尼
佛如此之事利益無量一切眾生

BD02050號　妙法蓮華經卷六　（26–25）

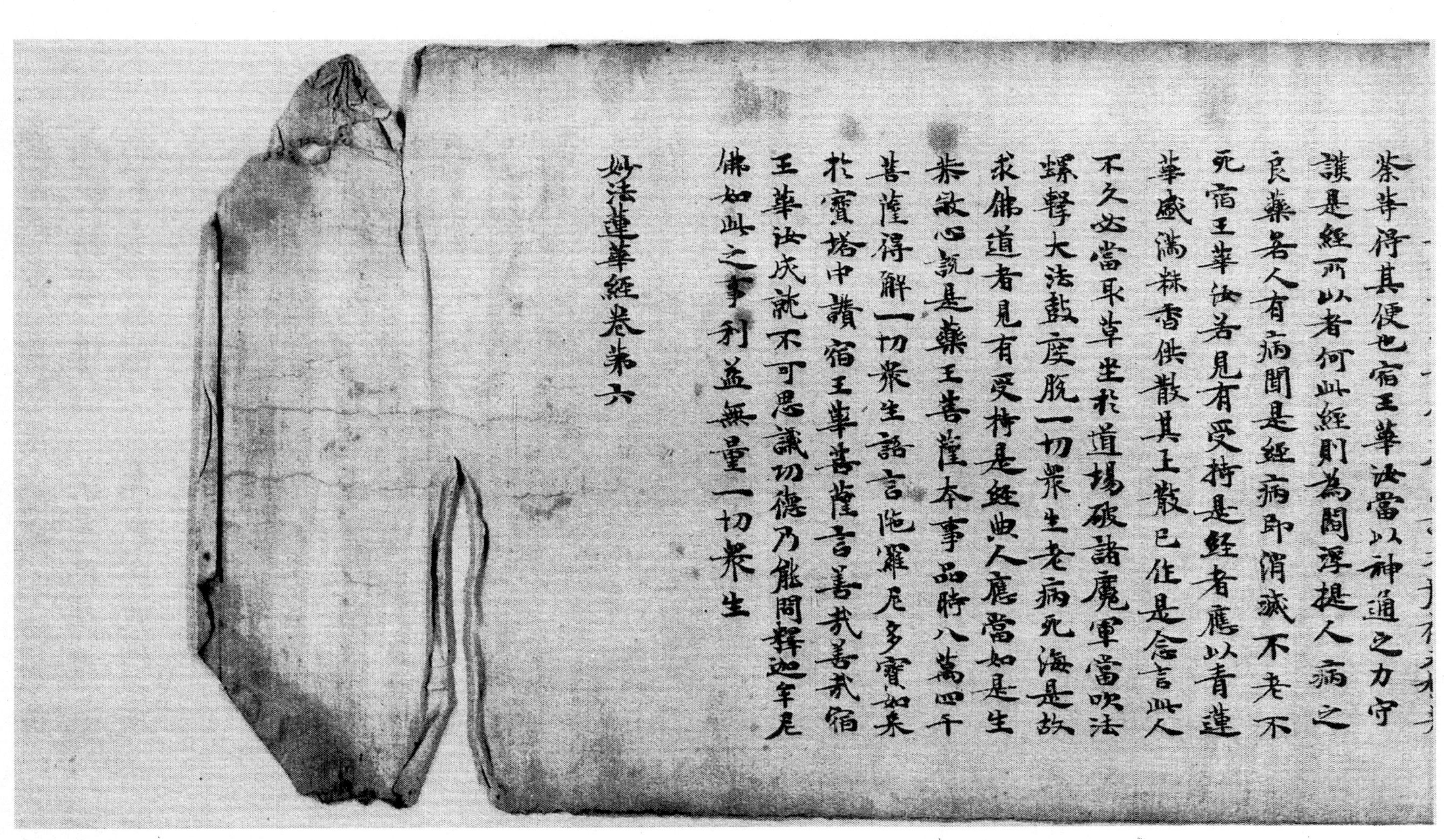
荼等得其便也宿王華汝當以神通之力守
護是經所以者何此經則為閻浮提人病之
良藥若人有病得聞是經病即消滅不老不
死宿王華汝若見有受持是經者應以青蓮
華盛滿抹香供散其上散已作是念言此人
不久必當取草坐於道場破諸魔軍當吹法
螺擊大法鼓度脫一切眾生老病死海是故
求佛道者見有受持是經典人應當如是生
恭敬心說是藥王菩薩本事品時八萬四千
菩薩得解一切眾生語言陀羅尼多寶如來
於寶塔中讚宿王華菩薩言善哉善哉宿
王華汝成就不可思議功德乃能問釋迦牟尼
佛如此之事利益無量一切眾生
妙法蓮華經卷第六

BD02050號　妙法蓮華經卷六　（26–26）

南无栴檀香佛　南无栴檀勝佛
南无須弥聚佛　南无寶光明佛
南无堅固王佛　南无淨一切德佛
南无清淨明佛　南无无畏佛
南无遠離諸畏佛　南无成就積佛
南无寶勝佛　南无山王佛
南无轉女根佛　南无无量行佛
南无最勝光明佛　南无羅網光明幢佛
南无日王佛　南无東南方觀一切佛
南无形鏡如来為音佛　南无華覺奮迅佛
南无羅網光明佛　南无无量光明華佛
南无寶堅固佛　南无初發心轉輪佛
南无華積佛　南无千上光明佛
南无不動步佛　南无无量跡步佛
南无无量願佛　南无无邊願佛
南无无量境界佛　南无不空願佛
南无轉胎佛　南无轉諸難佛
南无不行念佛　南无成就一切念佛
南无佛虛空佛　南无有勝佛
南无西南方成就義如来為上首

BD02051號　佛名經（十六卷本）卷四　（29-1）

南无无量境界佛　南无不空願佛
南无轉胎佛　南无轉諸難佛
南无不行念佛　南无成就一切念佛
南无佛虛空佛　南无有勝佛
南无西南方成就義如来為上首
南无成炎佛　南无成義發行佛
南无常發行佛　南无炎佛
南无常發行佛　南无成就義勝佛
南无善炎佛　南无无量發行佛
南无无相脩行佛　南无无邊脩行佛
南无普脩行佛　南无然燈光明作佛
南无普藏佛　南无善住佛
南无普山佛　南无无邊形佛
南无无邊精進佛　南无羅網光佛
南无蒡陁羅佛　南无光明輪佛
南无善見佛　南无不空說名佛
南无破一切怖畏佛
南无无量功德王光明步佛
南无无邊華佛　南无无邊吼聲佛
南无聚積光明功德佛　南无不二輪佛
南无无量光明佛　南无華光佛
南无无量聲佛　南无高明佛
南无堅固自在王佛　南无日面佛
南无善明佛　南无勝功德佛
從此以前二千五百佛十二部經一切賢聖
南无寶華佛　南无寶成就佛

BD02051號　佛名經（十六卷本）卷四　（29-2）

南无堅固自在王佛　南无日面佛
南无善明佛　南无勝功德佛
從此以前二千五百佛十二部經一切賢聖
南无寶華佛　南无寶成就佛
南无月華佛　南无一切衆生脩行佛
南无轉一切世間佛　南无无量光明无形佛
南无无畏佛　南无一切樂念順行佛
南无西北方普香光明如來為上首
南无發初香光明佛　南无香山佛
南无香烏佛　南无香勝佛
南无香身佛　南无香輪佛
南无光明王佛　南无妙波頭摩王佛
南无佛境界佛　南无无量境界佛
南无安樂佛　南无快勝佛
南无光放明華佛　南无華蓋行佛
南无華帳佛　南无金華佛
南无香華佛　南无高王佛
南无善道師佛　南无勝一切衆生佛
南无轉一切念佛　南无无量行華佛
南无无量香佛　南无普照放光明佛
南无普香光明佛　南无普照放光明明佛
南无普光明佛　南无普光明佛
南无放成就勝華佛　南无寶羅綱像佛
南无妙光佛　南无普一蓋國土佛
南无星宿王佛　南无合聚佛
南无不住王佛　南无香風佛

南无普光明佛　南无普光明佛
南无放成就勝華佛　南无寶羅綱像佛
南无妙光佛　南无普一蓋國土佛
南无星宿王佛　南无合聚佛
南无不住王佛　南无香風佛
南无邊智境界佛　南无不空行佛
南无不空見佛　南无无障礙眼佛
南无初發心佛　南无无量眼佛
南无然燈上佛　南无普光明佛
南无照光明佛　南无一切國佛土
一切衆生不斷樂說佛
南无阿樓那舊迦佛　南无无迦舊迦佛
南无東北方斷一切憂惱如來為上首
南无離憂佛　南无樂成就功德佛
南无无畏王佛　南无勝須彌佛
南无香山佛　南无拘隣佛
南无大體勝佛　南无寶蓮華勝佛
南无華成就佛　南无吼眼佛
南无勝衆佛　南无无邊光明佛
南无月勝光明稱佛　南无星宿王衆增上佛
南无无邊光明佛　南无香高山佛
南无无畏佛　南无成就勝无畏佛
南无邊光照光明佛　南无香須彌佛
南无離驚怖成就勝佛
南无无量功德月成就佛
南无一切功德莊嚴佛　南无不可勝幢佛

南无无邊光照光明佛　南无香弥留佛
南无離驚怖成就勝佛
南无无量功德月成就佛　南无不可勝幢佛
南无一切功德莊嚴佛
南无增上護光明佛　南无華勝王佛
南无无邊成就行佛　南无一切勝佛
南无虛空輪清淨王佛　南无无量吼聲佛
南无无量吼妙聲佛　南无寶勝功德佛
南无淨勝佛　南无无号香為佛
南无高光明佛　南无稱佛
南无稱親佛　南无堅固自在王佛
南无无量照佛　南无安隱王佛
南无普功德增上雲聲燈佛
南无大積佛　南无高積佛
南无功德王光明佛
從此以上二千六百佛十二部經一切賢聖
南无堅積聚佛　南无寶勝光明佛
南无憂鉢羅光明作佛　南无月佛
南无稱種佛　南无月勝佛
南无梵佛　南无行淨佛
南无一切勝佛　南无難勝佛
南无寶作佛　南无无量聲佛
南无樹提佛　南无龍天佛
南无曰天佛　南无師子佛
南无无垢明佛　南无世間天佛
南无勝積佛　南无人自在恭敬佛

BD02051號　佛名經（十六卷本）卷四　（29-5）

南无寶作佛　南无无量聲佛
南无樹提佛　南无龍天佛
南无曰天佛　南无師子佛
南无无垢明佛　南无世間天佛
南无勝積佛　南无人自在恭敬佛
南无華勝佛　南无發精進佛
南无大妙香光明勝佛　南无无垢香大勝佛
南无普見佛　南无不動佛
南无寶幢佛　南无无量明佛
南无妙寶聲佛　南无遍照佛
南无智光明王佛　南无摩尼光明勝佛
南无光明善勝慧佛　南无盧舍那佛
南无智慧自在佛　南无衆曰佛
南无大然燈佛　南无月光明佛
南无无障导智佛　南无華香佛
南无寶光明佛　南无蘇陁羅香喜佛
南无拘隣智炎佛　南无大月香佛
南无華幢佛　南无无著智佛略
歸命如是等无量億吒婆羅佛
南无寶作佛　南无憂勝佛
南无寶作佛　南无人王佛
南无力勝佛　南无香勝佛
南无普滿華佛　南无无垢光明佛
南无樂說莊嚴思惟佛　南无无垢月幢佛
南无俱蘇摩光明作佛　南无火行佛
南无寶上佛　南无无[illegible]佛

BD02051號　佛名經（十六卷本）卷四　（29-6）

南无普淋華佛 南无无垢光明佛
南无樂說莊嚴思惟佛 南无无垢月幢佛
南无俱蘇摩光明作佛 南无火行佛
南无寶上佛 南无无畏觀佛
南无遠離鷩怖毛竪等善稱佛
南无師子舊迊力佛 南无金光明威德王佛
若善男子善女人十日礼拜讀誦是諸佛名
遠離一切諸難及滅一切罪
南无善說增上名勝佛 南无普光明佛
南无過種種願對舊迊佛 南无自在幢王佛
南无无量功德光明勝佛 南无无障㝵佛
南无寶波頭摩舊迊勝佛
南无寶華善住山自在王佛
若善男子善女人受持讀誦是佛名一阿僧
祇劫超越世間不入惡道
南无智燈佛 南无光明佛
南无難降伏佛 南无普照十方世界佛
南无大海佛 南无寶藏佛
南无銀幢佛 南无幢日王佛
南无威德自在王佛 南无覺王佛
南无十力自在佛 南无平等作佛
南无初發心思惟遠離諸怖畏煩惱无㝵妙
勝佛
南无金剛之步佛 南无寶像光明之舊迊佛
南无降伏諸魔疑舊迊佛
南无初發心不退轉成就勝佛

南无初發心思惟遠離諸怖畏煩惱无㝵妙
勝佛
南无金剛之步佛 南无寶像光明之舊迊佛
南无降伏諸魔疑舊迊佛
南无初發心不退轉成就勝佛
南无寶善上光明佛 南无教化菩薩佛
南无初發心斷一切疑煩惱佛
南无光明勝破闇三昧勝上王佛
南无樂說莊嚴雲聲歡喜佛
南无清淨香史定光明威德王佛
南无枸留孫佛 南无金聖佛
南无人王佛
從此以上二千七百佛十二部經一切賢聖
南无迦葉佛
南无弥勒佛 南无師子佛
南无然炬佛 南无聖佛
南无華幢佛 南无善星宿佛
南无大王佛 南无大髀佛
南无大力佛 南无星宿王佛
南无藥佛 南无翻幢佛
南无大光明佛 南无大衆佛
南无照佛 南无日藏佛
南无月夾佛 南无善明佛
南无无憂佛 南无一沙佛
南无明佛 南无住持騎佛
南无功德明佛 南无見義佛

南无无憂佛　南无一沙佛
南无明佛　南无住持積佛
南无一切德明佛　南无見義佛
南无然燈佛　南无妙歌佛
南无藥佛　南无安隱佛
南无頂堅勝威德佛　南无難勝佛
南无一切德幢佛　南无羅睺佛
南无勝衆佛　南无梵聲佛
南无堅固意佛　南无光明作佛
南无大高山佛　南无金剛仙佛
南无无畏佛　南无寶頭摩眼力仙佛
南无華光明人愛佛　南无大威德佛
南无淨佛　南无无量命佛
南无龍德佛　南无堅步佛
南无不空見佛　南无精進德佛
南无力護佛　南无歡喜佛
南无勝佛　南无師子幢佛
南无勝法佛　南无歡喜王上首佛
南无愛作佛　南无一切德智佛
南无香為佛　南无善權佛
南无雲聲佛　南无善思惟佛
南无善識佛　南无无垢佛
南无月佛　南无大稱佛
南无摩尼寶佛　南无勝佛
南无師子步佛　南无樹王佛

南无善識佛　南无无垢佛
南无月佛　南无大稱佛
南无摩尼寶佛　南无勝佛
南无師子步佛　南无樹王佛
南无光明勝佛　南无積智慧佛
南无善住佛　南无意佛
南无甘露慧佛　南无善見佛
南无智光明佛　南无堅行佛
南无吉佛　南无寶幢佛
南无波頭摩佛　南无那羅延佛
南无樂佛　南无智作佛
南无一切德佛　南无供養佛
南无淨德佛　南无寶作佛
南无華天佛　南无善佛
南无法佛　南无自在佛
南无稱慧佛　南无意積佛
南无金剛幢佛　南无十方佛
次礼十二部尊經大藏法輪
南无須摩提長者經　南无阿育王太子法益經
南无孚經　南无燈指經
南无度世護身經　南无菩薩式經
從此以上二千八百佛十二部經一切賢聖
南无小泥洹經　南无法顯傳經
南无盧至長者經　南无雜賓頭盧經
南无佛臨般泥洹略說教戒經
南无羅云忍辱經　南无東[illegible]

南无小泥洹經　南无法顯傳經
南无盧至長者經　南无雜賓頭盧經
南无佛臨般泥洹略說教戒經
南无羅吒和羅經　南无諫王經
南无郁伽長者所問經　南无須賴經
南无和休式具經　南无四天王經
南无十方佛名經　南无淨飯王般涅槃經
南无摩尼羅檀經　南无出家功德經
南无演道俗經　南无小无量壽經
南无惟无三昧經　南无觀普賢行經
南无成具光明經　南无出生无量門持經
南无虛空藏神呪經
次礼十方諸大菩薩
南无无量明菩薩　南无勇力菩薩
南无寶藏菩薩　南无法光菩薩
南无藥樹菩薩　南无无盡意菩薩
南无濟度菩薩　南无安神菩薩
南无寶明菩薩　南无化道菩薩
南无月光菩薩　南无曰藏菩薩
南无軋波羅菩薩　南无寶智菩薩
南无達波羅菩薩　南无寶導菩薩
南无善居羅菩薩　南无普德智光菩薩
南无普明師子菩薩　南无普勝寶光菩薩
南无普德海幢菩薩　南无普惠光照菩薩
南无普寶華幢菩薩　南无普勝灕音菩薩
南无普淨德炎菩薩　南无普相光明菩薩

南无達波羅菩薩　南无寶導菩薩
南无善居羅菩薩　南无普德智光菩薩
南无普明師子菩薩　南无普勝寶光菩薩
南无普德海幢菩薩　南无普惠光照菩薩
南无普寶華幢菩薩　南无普勝灕音菩薩
南无普淨德炎菩薩　南无普相光明菩薩
南无大光海月菩薩　南无雲音海藏菩薩
南无德寶勝月菩薩　南无淨惠光炎自在菩薩
南无超越華光菩薩　南无量智雲曰光菩薩
歸命如是等无量无邊菩薩
次礼聲聞緣覺一切賢聖
南无脩行不著辟支佛　南无難舍辟支佛
南无寶辟支佛　南无不可比辟支佛
南无歡喜辟支佛　南无喜辟支佛
南无隨喜辟支佛　南无十二婆羅辟支佛
南无十二同名婆羅辟支佛　南无火身辟支佛
南无同菩提辟支佛　南无摩訶男辟支佛
歸命如是等无量无邊辟支佛
礼三寶已次復懺悔
次復懺悔貪愛之罪經中說言但為貪欲閉
在癡獄沒生死河莫之能出衆生為是愛欲
因緣從昔以來流轉生死一一衆生一切之
中所積身骨如王舍城毗富羅山所飲母乳如
四海水身所出血復過於此父母兄弟六親
眷屬命終哭泣所出目淚如四海水是故說

因緣從昔以来流轉生死一一衆生一劫之
中所積身骨如王舍城毗富羅山所飲母乳如
四海水身所出血復過於此父母兄弟六親
眷屬命終哭泣所出目淚如四海水是故說
言有愛則生愛盡則滅故知生死貪愛為本
所以經言婬欲之罪能令衆生墮於地獄餓
鬼受苦若在畜生則受鴿雀鴛鴦等身若
生人中妻不貞良得不隨意眷屬婬欲既有
如此悪果是故弟子今日至到稽顙歸依
東方師音王佛　南方大雲藏佛
西方无量壽佛　北方紅蓮華光佛
東南方无垢瑠璃佛　西南方勝調伏上佛
西北方散華生得佛　東北方心同虚空佛
下方无垢稱王佛　上方淨智慧海佛
如是十方盡虚空界一切三寶弟子等自從
无始以来至於今日或通人妻妾奪他婦女
侵陵貞潔汙比丘尼破他梵行逼迫不道濁
心邪視言語嘲調或復耻他門戶汙賢善名
或於男子五種人所起不淨行如是等罪今
悉懺悔
又復无始以来至於今日或眼為色或愛染
玄黃紅綠朱紫珍玩寶餝或取男女長短黑
白恣態之相起非法想耳貪好聲宮商絃管
妓樂歌唱或取男女音聲語言啼哭之相起
非法想或鼻藉名香藴麝幽蘭鬱金蘇合起

玄黃紅綠朱紫珍玩寶餝或取男女長短黑
白恣態之相起非法想耳貪好聲宮商絃管
妓樂歌唱或取男女音聲語言啼哭之相起
非法想或鼻藉名香藴麝幽蘭鬱金蘇合起
非法想或舌貪好味鮮美甘肥衆生血肉資
養四大更增苦本起非法相或身樂華綺錦
繡繒縠一切細滑七珍麗服起非法想或意
多乱想觸向乖法有此六想造罪尤甚如是等
罪无量无邊今日至到向十方佛尊法聖衆皆
悉懺悔　願弟子等承是懺悔婬欲等罪所
生功德願生生世世自然化生不由胞胎清淨
皎潔相好光麗六情開朗聰利分明了達恩愛
猶如桎梏觀此六塵如幻如化於五欲境决定
猒離乃至夢中不起耶想内外因緣永不能動
願以懺悔眼根功德願令此眼徹見十方諸佛
菩薩清淨法身不以二相願以懺悔耳根功德
願令此耳常聞十方諸佛賢聖所說正法如教
奉行願以懺悔鼻根功德願令此鼻常聞香積
入法位香捨離生死不淨臭穢願以懺悔舌根
功德願令此舌常飡法喜禪悅之食不貪衆生
血肉之味願以懺悔身根功德願令此身披如来
衣著忍辱鎧臥无畏床坐四禪坐願以懺悔意
根功德願令此意成就十想洞達五明深觀
二諦空平等理從方便慧起十妙行入法流
水念念增明顯發如来大无生忍礼一

血肉之味願以懺悔身根功德願令此身披如来
衣著忍辱鎧臥无畏床坐四禪坐願以懺悔意
根功德願令此意成就十想洞達五明深觀
二諦空平等理從方便慧起十妙行入法派
水念念增明顯發如来大无生忍 礼一拜
南无讃迅佛 南无離闇佛
南无羅睺天佛 南无弥留幢佛
南无衆上首佛 南无寶藏佛
南无上脩佛 南无星宿佛
南无大覺佛 南无三界尊佛
南无功德稱佛 南无日月光明師子幢佛
南无毗羅波王佛 南无勝藏佛
南无示現有佛 南无光佛
南无金山佛 南无師子德佛
南无不可勝幢佛 南无光明佛
南无稱佛 南无堅精進佛
從此以上二千九百佛十二部經一切賢聖
南无无辟喻稱佛 南无離畏佛
南无應天佛 南无大然燈佛
南无多世間佛 南无妙香佛
南无住持功德佛 南无離闇佛
南无无比佛 南无自然佛
南无師子佛 南无善行佛
南无寶稱佛 南无離諸過佛
南无住持甘露佛 南无人月佛
南无日面佛 南无莊嚴佛

南无无比佛 南无自然佛
南无師子佛 南无善行佛
南无寶稱佛 南无離諸過佛
南无住持甘露佛 南无人月佛
南无日面佛 南无莊嚴佛
南无摩尼光佛 南无山積佛
南无高幢佛 南无法作佛
南无思惟義佛 南无深心佛
南无寶聚佛 南无衆上首佛
南无劫佛 南无讃迅佛
南无住智佛 南无分明佛
南无勝佛 南无不起佛
南无功德佛 南无師子吼佛
南无讃迅佛 南无人信佛
南无龍王佛 南无華山佛
南无龍喜佛 南无香自在佛
南无妙稱佛 南无天力佛
南无功德積佛 南无龍功德佛
南无莊嚴佛 南无善行智佛
南无智勝佛 南无慧照佛
南无寶語佛 南无日光明佛
南无決定智佛 南无寶上色佛
南无普照佛 南无寶幢佛
南无離疑佛 南无師子讃迅步佛
南无善護佛 南无不空步佛
南无覺華幢佛 南无山自在王佛

南无[illegible]智佛　南无寶上[illegible]佛
南无普照佛　南无寶幢佛
南无離疑佛　南无師子奮迅步佛
南无善護佛　南无不空步佛
南无覺華幢佛　南无山自在王佛
南无大威德佛　南无示現悪佛
南无甘露稱佛　南无寶天佛
南无住義智佛　南无満足智佛
南无不染汚名佛　南无无憂佛
南无離垢佛　南无梵天佛
南无地自在王佛　南无華眼佛
南无差別見佛　南无法光明佛
南无具足見佛　南无信功德佛
南无三界尊佛　南无月蓋佛
南无寶光明佛　南无寶幢佛
南无妙稱佛　南无光明作佛
南无无量威德佛　南无廣佛
南无師子身佛　南无甘露慧佛
南无難勝佛　南无功德聚佛
南无月高佛　南无得大勢至佛
南无无量步佛　南无月无畏佛
南无見一切義佛　南无勇猛佛
南无功德然燈佛　南无月佛
南无功德炎佛　南无廣智佛
從此以上三千佛十二部經一切賢聖
南无善寂滅佛　南无天佛

BD02051號　佛名經（十六卷本）卷四　（29-17）

南无功德然燈佛　南无月佛
南无功德炎佛　南无廣智佛
從此以上三千佛十二部經一切賢聖
南无善寂滅佛　南无天佛
南无无垢佛　南无住持无量明佛
南无希勝佛　南无不覆藏佛
南无善住佛　南无意佛
南无上首佛　南无世間光明佛
南无多功德佛　南无无量威德佛
南无義慧佛　南无離塵佛
南无離瞋恨无熱佛　南无善稱佛
南无稱德佛　南无俱蘇摩德佛
南无人德佛　南无精進仙佛
南无大德佛　南无寂慧佛
南无香象佛　南无堅佛
南无安樂佛　南无不可勝佛
南无日月佛　南无雷佛
南无電佛　南无大勝佛
南无護智佛　南无日佛
南无成就義佛　南无寶積佛
南无降伏怨佛　南无華勝佛
南无應稱佛　南无智步佛
南无離慴佛　南无根華佛
南无无畏國土佛　南无高稱佛
南无示有佛　南无月佛
南无多功德佛　南无寶目佛

BD02051號　佛名經（十六卷本）卷四　（29-18）

南无應[illegible]佛　南无[illegible]步佛
南无離慢佛　南无根華佛
南无无畏國土佛　南无高稱佛
南无示有佛　南无月佛
南无多功德佛　南无寶月佛
南无師子幢佛　南无樂思惟佛
南无不可思議舊迹佛　南无樂功德佛
南无應供稱佛　南无華相佛
南无量樂説稱佛　南无摩尼金剛佛
南无无量壽佛　南无摩尼應莊嚴佛
南无大自在功德佛　南无勝佛
南无高山稱佛　南无百光明佛
南无歡喜佛　南无龍步佛
南无意成就佛　南无寶月佛
南无寂滅佛　南无然炬王佛
南无上首佛　南无歡喜自在佛
南无寶髻佛　南无遠離畏佛
南无寶藏佛　南无月面佛
南无垢稱佛　南无稱威德佛
南无愛天佛　南无羅眼天佛
南无善炎佛　南无寶愛佛
南无寶聚佛　南无寶步佛
南无師子華佛　南无高脩佛
南无人自在佛　南无人慧眼佛
南无照世間佛　南无寶威德佛
南无功德佛　南无相佛

BD02051號　佛名經（十六卷本）卷四　（29-19）

南无師子華佛　南无高脩佛
南无人自在佛　南无人慧眼佛
南无照世間佛　南无寶威德佛
南无功德佛　南无相佛
南无乘莊嚴佛　南无憍梁佛
南无香烏佛　南无无心慧佛
南无孫留幢佛　南无善香佛
南无堅鎧佛　南无勝威德佛
南无摩尼鎧佛　南无賢佛
南无善香月佛　南无淨自在佛
從此以上三千一百佛十二部經一切賢聖
南无師子月佛　南无威德佛
南无善勝佛　南无不可勝輪佛
南无勝親佛　南无寶名佛
南无大行佛　南无高光明佛
南无功德山佛　南无大稱佛
南无法稱佛　南无施光明佛
南无電德佛　南无寶作佛
南无命佛　南无善炎佛
南无善首佛　南无決定慧佛
南无離有佛　南无摩尼香佛
南无勝喜佛　南无師子光明佛
南无普照佛　南无稱勝佛
南无善智慧佛　南无摩尼月佛
南无高光佛　南无不可降伏行佛

BD02051號　佛名經（十六卷本）卷四　（29-20）

南无離有佛　南无摩尼香佛
南无勝喜佛　南无師子光明佛
南无普照佛　南无稱勝佛
南无善智慧佛　南无摩尼月佛
南无高光佛　南无不可降伏行佛
南无火佛　南无摩尼輪佛
南无世尊佛　南无師子像佛
南无月佛　南无寶炎佛
南无羅睺佛　南无善護佛
南无希覺佛　南无同光明佛
南无寂靜去佛　南无安隱世間佛
南无无惱佛　南无十行佛
南无力善佛　南无火體勝佛
南无至大體佛　南无得大勢佛
南无功德藏佛　南无寶行佛
南无无畏勝佛　南无樹提佛
南无大光明佛　南无田光佛
南无廣功德佛　南无寶功德佛
南无自在佛　南无摩香佛
南无住業佛　南无師子手佛
南无善化佛　南无寶高佛
南无海佛　南无住持佛
南无義智佛　南无善思惟慧佛
南无大衆輪佛　南无寶火佛
南无脩行義佛　南无世間月佛

BD02051號　佛名經（十六卷本）卷四　（29–21）

南无海佛　南无住持佛
南无義智佛　南无善思惟慧佛
南无大衆輪佛　南无寶火佛
南无脩行義佛　南无世間月佛
南无華聲佛　南无淨幢佛
南无大衆上首佛　南无師子步佛
南无威德德佛　南无福德成就佛
南无大光明佛　南无寶稱佛
南无信衆佛　南无无邊稱佛
南无不空光明佛　南无聖天佛
南无金剛衆佛　南无善肩佛
南无幢佛　南无華成佛
南无鎧慧佛　南无風行佛
南无善思惟佛　南无稱佛
南无快然佛　南无甘露聚佛
南无功德護佛　南无義去佛
南无无畏佛　南无慈佛
南无住分別佛　南无摩尼足佛
南无解脫威德佛　南无善報佛
從此以上三千二百佛十二部經一切賢聖
南无善寂平等威德佛　南无智勝佛
南无善天佛　南无寶聲佛
南无智力德佛　南无師子慧佛
南无華高佛　南无智住佛
南无華德佛　南无功德藏佛
南无寶彌佛　南无寶彌佛

BD02051號　佛名經（十六卷本）卷四　（29–22）

南无智力德佛　南无師子慧佛
南无華高佛　南无智作佛
南无華德佛　南无切德藏佛
南无寶稱佛　南无寶稱佛
南无不可降伏佛　南无无畏自在佛
南无淨佛　南无諸天佛
南无可愛佛　南无寶天佛
南无寶藏佛　南无切德稱佛
南无智積佛　南无清白佛
南无遠行佛　南无天威德佛
南无淨聖佛　南无喜去佛
南无大憂威德佛　南无火聚佛
南无大勝佛　南无華佛
南无喜佛　南无善首佛
南无自在幢佛　南无大愛佛
南无善心佛　南无降伏他衆佛
南无勇猛佛　南无成就佛
南无威德佛　南无善思義境界佛
南无善群佛　南无大寶佛
南无稱意佛　南无世間尊佛
南无切德光明佛　南无寶聲佛
南无金剛仙佛　南无成就佛
南无師子力佛　南无无垢眼佛
南无迦葉佛　南无清淨智佛
南无智步佛　南无高威德佛

BD02051號　佛名經（十六卷本）卷四　（29–23）

南无師子力佛　南无无垢眼佛
南无迦葉佛　南无清淨智佛
南无智步佛　南无高威德佛
南无大光明佛　南无日光明佛
南无无垢身佛　南无差別身佛
南无差別威德佛　南无不可比甘露鉢佛
南无月光明電德佛　南无寂滅去佛
南无不動佛　南无多稱佛
南无切德結佛　南无歡喜无畏佛
南无莊嚴王佛　南无妙稱佛
南无多炎佛　南无華勝佛
南无寶莊嚴佛　南无善賢佛
南无寶妙佛　南无善智慧佛
南无善賢德佛　南无梵幢佛
南无月蓋佛　南无羅網炎佛
南无廣光明佛　南无智稱佛
南无名相佛　南无切德光明佛
南无稱名聲佛　南无滿月佛
南无華光佛　南无善行佛
南无然燈王佛　南无電幢佛
南无光明王佛　南无星宿光佛
南无不可嫌名佛　南无波頭摩藏佛
南无不沙快佛　南无眼佛
南无无濁義佛　南无高威德佛
南无華威德佛　南无舊迁佛

BD02051號　佛名經（十六卷本）卷四　（29–24）

南无不可嫌名佛　南无波頭摩藏佛
南无不沙使佛　南无眼佛
南无无濁義佛　南无高威德佛
南无華威德佛　南无舊迁佛
南无无障智佛　南无羅睺大佛
南无智聚佛　南无上首佛
從此以上三千三百佛十二部经一切賢聖
南无自在劫佛　南无華幢佛
南无羅睢佛　南无火藥佛
南无星宿王佛　南无明王佛
南无福德手佛　南无稱光佛
南无日光明佛　南无法藏佛
南无善智慧佛　南无功德自在劫佛
南无金剛仙佛　南无智慧積佛
南无善住佛　南无善至智慧佛
南无淨聲佛　南无龍吼聲佛
南无桐幢佛　南无智慧聚佛
南无无畏佛　南无淨上首佛
南无快眼佛　南无龍德佛
南无實幢佛　南无黠慧佛
南无不怯弱聲佛　南无實相佛
南无聲德佛　南无師子佛
南无種種說佛　南无智色佛
南无波頭摩聚佛　南无華佛
南无舊迁去佛　南无華積佛

BD02051號　佛名經（十六卷本）卷四　（29-25）

南无聲德佛　南无師子佛
南无種種說佛　南无智色佛
南无波頭摩聚佛　南无華佛
南无舊迁去佛　南无華積佛
次礼十二部尊经大藏法輪
南无十二遊经　南无法勇王经
南无十方冥滅经　南无樝特羅经
南无如来藏经　南无迦葉赴涅槃经
南无小五濁经　南无福田经
南无樂瓔珞经　南无諸觀世音呪经
南无摩訶摩耶经　南无无常法句经
南无樹提伽经　南无九色鹿经
南无观頂经　南无行方便境界经
南无提謂五戒经　南无大方廣三经
南无度王经　南无大法鼓经
南无辟喻经　南无諸法无行经
南无太子瑞應经　南无鹿母经
南无惟定行经　南无法滅盡经
南无沙門分衛经　南无八師经
次礼十方諸大菩薩
南无大力精進金剛菩薩　南无月德妙音菩薩
南无音炎光幢菩薩　南无光明尊德菩薩
南无海慧超越菩薩　南无无量師子吼菩薩
南无衆寶光幢菩薩　南无智日超慧菩薩
南无不思議功德智稱菩薩　南无方便寂靜妙藥王菩薩
南无金光炎菩薩　南无法界普音菩薩

BD02051號　佛名經（十六卷本）卷四　（29-26）

南无海慧超越菩薩　南无无量師子吼菩薩
南无衆寶光幢菩薩　南无智日超慧菩薩
南无不思議功德智辯菩薩　南无方便寂靜妙莊嚴菩薩
南无金光炎菩薩　南无法界普音菩薩
南无淨雲月幢菩薩　南无善超淨光菩薩
南无覺首菩薩　南无財首菩薩
南无寶首菩薩　南无德首菩薩
南无目首菩薩　南无進首菩薩
南无法首菩薩　南无智首菩薩
南无堅首菩薩　南无金剛藏菩薩
南无寶藏菩薩　南无蓮華藏菩薩
南无德藏菩薩　南无蓮華德藏菩薩
南无日藏菩薩　南无月藏菩薩
南无淨月藏菩薩　南无照一切世間莊嚴菩薩
南无智慧照明藏菩薩　南无妙德藏菩薩
南无栴檀德藏菩薩　南无華德藏菩薩
南无最鉢羅華德藏菩薩
從此以上三千四百佛十二部經一切賢聖
南无天德藏菩薩　南无福德藏菩薩
南无无垢清淨智德藏菩薩　南无功德菩薩
南无那羅延德藏菩薩
歸命如是等十方无量无邊諸大菩薩
南无遮羅辟支佛　南无最波遮羅辟支佛
南无梨沙婆辟支佛　南无善莎他淨辟支佛
南无善香憍辟支佛　南无阿沙羅辟支佛

歸命如是等十方无量无邊諸大菩薩
南无遮羅辟支佛　南无最波遮羅辟支佛
南无梨沙婆辟支佛　南无善莎他淨辟支佛
南无善香憍辟支佛　南无阿沙羅辟支佛
南无最婆沙羅辟支佛　南无波頭辟支佛
南无善賢辟支佛　南无賢德辟支佛
歸命如是等无量无邊辟支佛
礼三寶已次復懺悔
以共懺悔身三業竟今當次第懺悔口四惡
業經法說言口業之罪能令衆生墮於地獄
餓鬼受苦若在畜生則受鵄鴞鵂鶹鳥形聞
其聲者无不憎惡若生人中口氣常臭所有
言說人不信受眷屬不和常好鬭諍口業既
有如是惡果是故弟子今日至誠歸依佛
南无東方須彌燈王佛　南无南方大功德佛
南无西方无量力佛　南无北方實華生德佛
南无東南方一切覺華佛　南无西南方无量離垢佛
南无西北方蓮華生王佛　南无東北方滅一切憂佛
南无下方至光明王佛　南无上方雷燈王幢佛
如是十方盡虛空界一切三寶
弟子等自從无始以來至於今日忘言兩舌惡
口綺語傳空說有說有言空不見言見見言
不見不聞言聞聞言不聞不知言知知言不
知欺賢罔聖言行相乖自稱讚譽得過人法
我得四禪四无色定阿那波那十六行觀得
須陁洹至阿羅漢得辟支佛不退菩薩天來

不見不聞言聞聞言不聞不知言知知言不
知此賢因聖言行相非自稱讃譽得過人法
我得四禪四无色定阿那波那十六行觀得
須陁洹至阿羅漢得辟支佛不退菩薩天來
龍來鬼來神來旋風土鬼皆至我所彼問
我荅顯異惑衆要世名利如是等罪今悉懺
悔又復无始以來至於今日或讒言鬪乱交
扇彼此兩舌鬪搆販弄口舌向彼說此向此道
彼離他眷屬壞人善交使抑容者為疏親舊
者成怨或矯辞不實言不及義誣謗君父平
薄師長破壞忠良理没勝己通致二國彼此
扇作浮華虛巧發言常虛口是心非其逢非
一對面譽歎背則呵譏讀誦耶書倚耶惡法
或惡口罵詈言語麁獷或呼天扣地牽引鬼
神如是口業所生諸罪无量无邊今日至到
向十方佛尊法聖衆皆悉懺悔
願弟子等承是懺悔口業衆罪所生功德生
生世世具八音聲四无礙辯常說和合利益
之語其聲清雅一切樂聞善解衆生方俗言
說若有所說應時應根令彼聽者即得解
悟超凡入聖開發慧眼 作礼一拜

佛名經卷第四

BD02051號　佛名經（十六卷本）卷四　（29–29）

分无別无斷故
善現儒童清淨故布施波羅蜜多清淨
布施波羅蜜多清淨故一切智智清淨何以
故若儒童清淨若布施波羅蜜多清淨
若一切智智清淨无二无二分无別无斷故儒童
清淨故淨戒安忍精進靜慮般若波羅
蜜多清淨淨戒乃至般若波羅蜜多清淨
故一切智智清淨何以故若儒童清淨若淨戒
乃至般若波羅蜜多清淨若一切智智清淨无
二无二分无別无斷故善現儒童清淨內空清
淨內空清淨故一切智智清淨何以故若儒
童清淨若內空清淨若一切智智清淨无
二无二分无別无斷故儒童清淨故外空內外
空空空大空勝義空有為空无為空畢竟
空无際空散空无變異空本性空自相空共
相空一切法空不可得空无性空自性空无性
自性空清淨外空乃至无性自性空清淨
故一切智智清淨何以故若儒童清淨若外
空乃至无性自性空清淨若一切智智清淨
无二无二分无別无斷故善現儒童清淨故真
如清淨真如清淨故一切智智清淨何以故

BD02052號　大般若波羅蜜多經卷一九九　（16–1）

自性空清淨外空乃至无性自性空清淨
故一切智智清淨何以故若儒童清淨若外
空乃至无性自性空清淨若一切智智清淨
无二无二分无別无斷故善現儒童清淨故真
如清淨真如清淨故一切智智清淨何以故
若儒童清淨若真如清淨若一切智智清
淨无二无二分无別无斷故儒童清淨故法界
法性不虛妄性不變異性平等性離生性
法定法住實際虛空界不思議界清淨法
界乃至不思議界清淨故一切智智清淨何
以故若儒童清淨若法界乃至不思議界清
淨若一切智智清淨无二无二分无別无斷
故善現儒童清淨故苦聖諦清淨苦聖諦
清淨故一切智智清淨何以故若儒童清
淨若苦聖諦清淨若一切智智清淨无二无
二分无別无斷故儒童清淨故集滅道聖諦清
淨集滅道聖諦清淨故一切智智清淨何以
故若儒童清淨若集滅道聖諦清淨若一切
智智清淨无二无二分无別无斷故善現儒童
清淨故四靜慮清淨四靜慮清淨故一切
智智清淨何以故若儒童清淨若四靜慮
清淨若一切智智清淨无二无二分无別无斷
故儒童清淨故四无量四无色定清淨四无
量四无色定清淨故一切智智清淨何以故若
儒童清淨若四无量四无色定清淨若一切
智智清淨无二无二分无別无斷故善現儒童

BD02052號　大般若波羅蜜多經卷一九九　（16–2）

故儒童清淨故四无量四无色定清淨四无
量四无色定清淨故一切智智清淨何以故若
儒童清淨若四无量四无色定清淨若一切
智智清淨无二无二分无別无斷故善現儒童
清淨故八解脫清淨八解脫清淨故一切智
智清淨何以故若儒童清淨若八解脫清
淨若一切智智清淨无二无二分无別无斷故
儒童清淨故八勝處九次第定十遍處清
淨八勝處九次第定十遍處清淨故一切智智
清淨何以故若儒童清淨若八勝處九次第
定十遍處清淨若一切智智清淨无二无二分无
別无斷故善現儒童清淨故四念住清淨四
念住清淨故一切智智清淨何以故若儒童
清淨若四念住清淨若一切智智清淨无二无
二分无別无斷故儒童清淨故四正斷四神足
五根五力七等覺支八聖道支清淨四正斷
乃至八聖道支清淨故一切智智清淨何以
故若儒童清淨若四正斷乃至八聖道支
清淨若一切智智清淨无二无二分无別无斷
故善現儒童清淨故空解脫門清淨空解
脫門清淨故一切智智清淨何以故若儒童
清淨若空解脫門清淨若一切智智清淨无
二无二分无別无斷故儒童清淨故无相无
願解脫門清淨无相无願解脫門清淨故
一切智智清淨何以故若儒童清淨若无相
无願解脫門清淨若一切智智清淨无二无

BD02052號　大般若波羅蜜多經卷一九九　（16–3）

二无二分无別无斷故儒童清淨故无相无
願解脫門清淨无相无願解脫門清淨故
一切智智清淨何以故若儒童清淨若无相
无願解脫門清淨若一切智智清淨无二无
二分无別无斷故善現儒童清淨故菩薩十
地清淨菩薩十地清淨故一切智智清淨何
以故若儒童清淨若菩薩十地清淨若一切
智智清淨无二无二分无別无斷故
善現儒童清淨故五眼清淨五眼清淨故一切
智智清淨何以故若儒童清淨若五眼清
淨若一切智智清淨无二无二分无別无斷故
儒童清淨故六神通清淨六神通清淨故
一切智智清淨何以故若儒童清淨若六神
通清淨若一切智智清淨无二无二分无別无
斷故善現儒童清淨故佛十力清淨佛十力
清淨故一切智智清淨何以故若儒童清淨
若佛十力清淨若一切智智清淨无二无二
分无別无斷故儒童清淨故四无所畏四无
礙解大慈大悲大喜大捨十八佛不共法清
淨四无所畏乃至十八佛不共法清淨故一切
智智清淨何以故若儒童清淨若四无所畏乃
至十八佛不共法清淨若一切智智清淨无二
无二分无別无斷故善現儒童清淨故无忘
失法清淨无忘失法清淨故一切智智清淨
何以故若儒童清淨若无忘失法清淨若一切
智智清淨无二无二分无別无斷故儒童清

BD02052號　大般若波羅蜜多經卷一九九　（16–4）

至十八佛不共法清淨若一切智智清淨无二
无二分无別无斷故善現儒童清淨故无忘
失法清淨无忘失法清淨故一切智智清淨
何以故若儒童清淨若无忘失法清淨若一切
智智清淨无二无二分无別无斷故儒童清
淨故恒住捨性清淨恒住捨性清淨故一
切智智清淨何以故若儒童清淨若恒住
捨性清淨若一切智智淨无二无二分无別
无斷故善現儒童清淨故一切智清淨一切
智清淨故一切智智清淨何以故若儒童清淨
若一切智智清淨无二无二分
无別无斷故儒童清淨故道相智一切相智
清淨道相智一切相智清淨故一切智智清
淨何以故若儒童清淨若道相智一切相智
清淨若一切智智清淨无二无二分无別无斷
故善現儒童清淨故一切陁羅尼門清淨一
切陁羅尼門清淨故一切智智清淨何以故若
儒童清淨若一切陁羅尼門清淨若一切智
智清淨无二无二分无別无斷故儒童清淨
故一切三摩地門清淨一切三摩地門清淨
故一切智智清淨何以故若儒童清淨若一
切三摩地門清淨若一切智智清淨无二无二
分无別无斷故
善現儒童清淨故預流果清淨預流果清
淨故一切智智清淨何以故若儒童清淨若
預流果清淨若一切智智清淨无二无二分无

BD02052號　大般若波羅蜜多經卷一九九　（16–5）

亦无別无斷故
善現儒童清淨故預流果清淨預流果清
淨故一切智智清淨何以故若儒童清淨若
預流果清淨若一切智智清淨无二无二亦无
別无斷故儒童清淨故一來不還阿羅漢
果清淨一來不還阿羅漢果清淨故一切智
智清淨何以故若儒童清淨若一來不還阿
羅漢果清淨若一切智智清淨无二无二亦
无別无斷故善現儒童清淨故獨覺菩提
清淨獨覺菩提清淨故一切智智清淨何以
故若儒童清淨若獨覺菩提清淨若一切智
智清淨无二无二亦无別无斷故善現儒童
清淨故一切菩薩摩訶薩行清淨一切菩薩
摩訶薩行清淨故一切智智清淨何以故若
儒童清淨若一切菩薩摩訶薩行清淨若一
切智智清淨无二无二亦无別无斷故善現
儒童清淨故諸佛无上正等菩提清淨諸佛无
上正等菩提清淨故一切智智清淨何以故
若儒童清淨若諸佛无上正等菩提清淨
若一切智智清淨无二无二亦无別无斷故
復次善現作者清淨故色清淨色清淨故一
切智智清淨何以故若作者清淨若色清淨
若一切智智清淨无二无二亦无別无斷故
作者清淨故受想行識清淨受想行識清淨
故一切智智清淨何以故若作者清淨若受
想行識清淨若一切智智清淨无二无二亦无

BD02052號　大般若波羅蜜多經卷一九九　（16–6）

若一切智智清淨无二无二亦无別无斷故
作者清淨故受想行識清淨受想行識清淨
故一切智智清淨何以故若作者清淨若受
想行識清淨若一切智智清淨无二无二亦无
別无斷故善現作者清淨故眼處清淨眼處
清淨故一切智智清淨何以故若作者清
淨若眼處清淨若一切智智清淨无二无二
亦无別无斷故作者清淨故耳鼻舌身意處
清淨耳鼻舌身意處清淨故一切智智清淨
何以故若作者清淨若耳鼻舌身意處清
淨若一切智智清淨无二无二亦无別无斷故
善現作者清淨故色處清淨色處清淨故一
切智智清淨何以故若作者清淨若色處清
淨若一切智智清淨无二无二亦无別无斷
故作者清淨故聲香味觸法處清淨聲香
味觸法處清淨故一切智智清淨何以故
若作者清淨若聲香味觸法處清淨若一切智智
清淨无二无二亦无別无斷故善現作者清
淨故眼界清淨眼界清淨故一切智智清
淨何以故若作者清淨若眼界清淨若一切智
清淨无二无二亦无別无斷故作者清淨故
色界眼識界及眼觸眼觸為緣所生諸受清
淨色界乃至眼觸為緣所生諸受清淨故一切
智智清淨何以故若作者清淨若色界乃
至眼觸為緣所生諸受清淨若一切智智清
淨无二无二亦无別无斷故善現作者清淨

BD02052號　大般若波羅蜜多經卷一九九　（16–7）

淨色界乃至眼觸為緣所生諸受清淨故一切
智智清淨何以故若作者清淨若色界乃
至眼觸為緣所生諸受清淨若一切智智清
淨无二无二分无別无斷故善現作者清淨
故耳界清淨耳界清淨故一切智智清淨何
以故若作者清淨若耳界清淨若一切智智
清淨无二无二分无別无斷故作者清淨故
聲界耳識界及耳觸耳觸為緣所生諸受
清淨聲界乃至耳觸為緣所生諸受清淨故
一切智智清淨何以故若作者清淨若聲界乃至
耳觸為緣所生諸受清淨若一切智智清淨无
二无二分无別无斷故善現作者清淨故鼻
界清淨鼻界清淨故一切智智清淨何以故
若作者清淨若鼻界清淨若一切智智清淨
无二无二分无別无斷故作者清淨故香界鼻
識界及鼻觸鼻觸為緣所生諸受清淨香界
乃至鼻觸為緣所生諸受清淨故一切智智清
淨何以故若作者清淨若香界乃至鼻觸
為緣所生諸受清淨若一切智智清淨无二
无二分无別无斷故善現作者清淨故香界
清淨香界清淨故一切智智清淨何以故若作
者清淨若香界清淨若一切智智清淨无二
无二分无別无斷故作者清淨故味界香
識界及舌觸舌觸為緣所生諸受清淨味
界乃至舌觸為緣所生諸受清淨故一切智
智清淨何以故若作者清淨若味界乃至舌
觸為緣所生諸受清淨若一切智智清淨无

BD02052號　大般若波羅蜜多經卷一九九　（16–8）

无二分无別无斷故作者清淨故味界香
識界及舌觸舌觸為緣所生諸受清淨味
界乃至舌觸為緣所生諸受清淨故一切智
智清淨何以故若作者清淨若味界乃至舌
觸為緣所生諸受清淨若一切智智清淨无
二无二分无別无斷故善現作者清淨故身
界清淨身界清淨故一切智智清淨何以故
若作者清淨若身界清淨若一切智智清淨
无二无二分无別无斷故作者清淨故觸界身
識界及身觸身觸為緣所生諸受清淨觸
界乃至身觸為緣所生諸受清淨故一切
智智清淨何以故若作者清淨若觸界乃
至身觸為緣所生諸受清淨若一切智智清淨
无二无二分无別无斷故善現作者清淨故
意界清淨意界清淨故一切智智清淨何
以故若作者清淨若意界清淨若一切智智清
淨无二无二分无別无斷故作者清淨故法
界意識界及意觸意觸為緣所生諸受清淨
法界乃至意觸為緣所生諸受清淨故一
切智智清淨何以故若作者清淨若法界乃
至意觸為緣所生諸受清淨若一切智智清
淨无二无二分无別无斷故善現作者清
淨故地界清淨地界清淨故一切智智清淨
何以故若作者清淨若地界清淨若一切
智智清淨无二无二分无別无斷故作者清淨
故水火風空識界清淨水火風空識界清
淨故一切智智清淨何以故若作者清淨若

BD02052號　大般若波羅蜜多經卷一九九　（16–9）

淨无二无二分无別无斷故善現作者清
淨故地界清淨地界清淨故一切智智清淨
何以故若作者清淨若地界清淨若一切
智智清淨无二无二分无別无斷故作者清淨
故水火風空識界清淨水火風空識界清
淨故一切智智清淨何以故若作者清淨若
水火風空識界清淨若一切智智清淨无二无
二分无別无斷故善現作者清淨故无明清淨
無明清淨故一切智智清淨何以故若作
者清淨若无明清淨若一切智智清淨无二
无二分无別无斷故作者清淨故行識名
色六處觸受愛取有生老死愁歎苦憂惱
清淨行乃至老死愁歎苦憂惱清淨故一切
智智清淨何以故若作者清淨若行乃至
老死愁歎苦憂惱清淨若一切智智清淨无
二无二分无別无斷故
善現作者清淨故布施波羅蜜多清淨布
施波羅蜜多清淨故一切智智清淨何以故
若作者清淨若布施波羅蜜多清淨若一切智
智清淨无二无二分无別无斷故作者清淨
故淨戒安忍精進靜慮般若波羅蜜多
清淨淨戒乃至般若波羅蜜多清淨故一切智
智清淨何以故若作者清淨若淨戒乃至
般若波羅蜜多清淨若一切智智清淨无二无
二分无別无斷故善現作者清淨故內空清淨
內空清淨故一切智智清淨何以故若作者清
淨若內空清淨若一切智智清淨无二无

BD02052號　大般若波羅蜜多經卷一九九　（16–10）

清淨淨戒乃至般若波羅蜜多清淨故一切智
智清淨何以故若作者清淨若淨戒乃至
般若波羅蜜多清淨若一切智智清淨无二无
二分无別无斷故善現作者清淨故內空清淨
內空清淨故一切智智清淨何以故若作者清
淨若內空清淨若一切智智清淨无二无二分
无別无斷故作者清淨故外空內外空空空
大空勝義空有為空无為空畢竟空无際
空散空无變異空本性空自相空共相空
一切法空不可得空无性空自性空无性自
性空清淨外空乃至无性自性空清淨故
一切智智清淨何以故若作者清淨若外
空乃至无性自性空清淨若一切智智清淨
无二无二分无別无斷故作者清淨故真如
清淨真如清淨故一切智智清淨何以故若
作者清淨若真如清淨若一切智智清淨
无二无二分无別无斷故作者清淨故法界
法性不虛妄性不變異性平等性離生性
法定法住實際虛空界不思議界清淨法
界乃至不思議界清淨故一切智智清淨
何以故若作者清淨若法界乃至不思議界
清淨若一切智智清淨无二无二分无別无
斷故善現作者清淨故苦聖諦清淨苦聖
諦清淨故一切智智清淨何以故若作者清淨
若苦聖諦清淨若一切智智清淨无二无二
分无別无斷故作者清淨故集滅道聖諦
清淨集滅道聖諦清淨故一切智智清淨

BD02052號　大般若波羅蜜多經卷一九九　（16–11）

諦清淨故一切智智清淨何以故若作者清淨
若苦聖諦清淨若一切智智清淨无二无二
分无別无斷故作者清淨故集滅道聖諦
清淨集滅道聖諦清淨故一切智智清淨
何以故若作者清淨若集滅道聖諦清淨
若一切智智清淨无二无二分无別无斷故善
現作者清淨四靜慮清淨四靜慮清淨故
一切智智清淨何以故若作者清淨若四
靜慮清淨若一切智智清淨无二无二分无別
无斷故作者清淨故四无量四无色定清淨
四无量四无色定清淨故一切智智清淨何以
故若作者清淨若四无量四无色定清淨若
一切智智清淨无二无二分无別无斷故善現
作者清淨故八解脫清淨八解脫清淨故
一切智智清淨何以故若作者清淨若八解
脫清淨若一切智智清淨无二无二分无別无
斷故作者清淨故八勝處九次第定十遍處
清淨八勝處九次第定十遍處清淨故一切
智智清淨何以故若作者清淨若八勝處九
次第定十遍處清淨若一切智智清淨无二
无二分无別无斷故善現作者清淨故四念住
清淨四念住清淨故一切智智清淨何以
故若作者清淨若四念住清淨若一切智智
清淨无二无二分无別无斷故作者清淨故
四正斷四神足五根五力七等覺支八聖道
支清淨四正斷乃至八聖道支清淨故一切智

BD02052號　大般若波羅蜜多經卷一九九　（16–12）

故若作者清淨若四念住清淨若一切智智
清淨无二无二分无別无斷故作者清淨故
四正斷四神足五根五力七等覺支八聖道
支清淨四正斷乃至八聖道支清淨故一切智
智清淨何以故若作者清淨若四正斷乃至
八聖道支清淨若一切智智清淨无二无二分
无別无斷故善現作者清淨故空解脫門
清淨空解脫門清淨故一切智智清淨何
以故若作者清淨若空解脫門清淨若一切
智智清淨无二无二分无別无斷故作者清
淨故无相无願解脫門清淨无相无願解
脫門清淨故一切智智清淨何以故若作者
清淨若无相无願解脫門清淨若一切智智
清淨无二无二分无別无斷故善現作者清
淨故菩薩十地清淨菩薩十地清淨故一切智
智清淨何以故若作者清淨若菩薩十地清
淨若一切智智清淨无二无二分无別无斷故善
現作者清淨故五眼清淨五眼清淨故一切
智智清淨何以故若作者清淨若五眼清
淨若一切智智清淨无二无二分无別无斷故
作者清淨故六神通清淨六神通清淨故
一切智智清淨何以故若作者清淨若六神
通清淨若一切智智清淨无二无二分无別无
斷故善現作者清淨故佛十力清淨佛
十力清淨故一切智智清淨何以故若作者
清淨若佛十力清淨若一切智智清淨无二

BD02052號　大般若波羅蜜多經卷一九九　（16–13）

道清淨若一切智智清淨无二无二分无別无
斷故善現作者清淨故佛十力清淨佛
十力清淨故一切智智清淨何以故若作者
清淨若佛十力清淨若一切智智清淨无二
无二分无別无斷故作者清淨故四无所畏四
无礙解大慈大悲大喜大捨十八佛不共法
清淨四无所畏乃至十八佛不共法清淨故
一切智智清淨何以故若作者清淨若四无
所畏乃至十八佛不共法清淨若一切智智清
淨无二无二分无別无斷故善現作者清淨
故无忘失法清淨无忘失法清淨故一切智
智清淨何以故若作者清淨若无忘失法
清淨若一切智智清淨无二无二分无別无
斷故作者清淨故恒住捨性清淨恒住捨
性清淨故一切智智清淨何以故若作者
清淨若恒住捨性清淨若一切智智清淨
无二无二分无別无斷故善現作者清淨
故一切智清淨一切智清淨故一切智智清
淨何以故若作者清淨若一切智清淨若
一切智智清淨无二无二分无別无斷故作
者清淨故道相智一切相智清淨道相智一切
相智清淨故一切智智清淨何以若作者
清淨若道相智一切相智清淨若一切智智
清淨无二无二分无別无斷故善現作者清
淨故一切陁羅尼門清淨一切陁羅尼門
清淨故一切智智清淨何以故若作者清淨
若一切陁羅尼門清淨若一切智智清淨无

BD02052號　大般若波羅蜜多經卷一九九　（16–14）

清淨若道相智一切相智清淨若一切智智
清淨无二无二分无別无斷故善現作者清
淨故一切陁羅尼門清淨一切陁羅尼門
清淨故一切智智清淨何以故若作者清淨
若一切陁羅尼門清淨若一切智智清淨无
二无二分无別无斷故作者清淨故一切
三摩地門清淨一切三摩地門清淨故切智
智清淨何以故若作者清淨若一切三摩地
門清淨若一切智智清淨无二无二分无別
无斷故
善現作者清淨故預流果清淨預流果清淨
故一切智智清淨何以故若作者清淨若
預流果清淨若一切智智清淨无二无二分无
別无斷故作者清淨故一來不還阿羅漢
果清淨一來不還阿羅漢果清淨故一切
智智清淨何以故若作者清淨若一來不還
阿羅漢果清淨若一切智智清淨无二无二分无
別无斷故善現作者清淨故獨覺菩提清
淨獨覺菩提清淨故一切智智清淨何以
故若作者清淨若獨覺菩提清淨若一切智
智清淨无二无二分无別无斷故善現作者
清淨故一切菩薩摩訶薩行清淨一切菩薩
摩訶薩行清淨故一切智智清淨何以故若
作者清淨若一切菩薩摩訶薩行清淨若一
切智智清淨无二无二分无別无斷故善現作
者清淨故諸佛无上正等菩提清淨諸佛
无上正等菩提清淨故一切智智清淨何以

BD02052號　大般若波羅蜜多經卷一九九　（16–15）

別无斷故善現作者清淨故獨覺菩提清
淨獨覺菩提清淨故一切智智清淨何以
故若作者清淨若獨覺菩提清淨若一切智
智清淨无二无二分无別无斷故善現作者
清淨故一切菩薩摩訶薩行清淨一切菩薩
摩訶薩行清淨故一切智智清淨何以故若
作者清淨若一切菩薩摩訶薩行清淨若一
切智智清淨无二无二分无別无斷故善現作
者清淨故諸佛无上正等菩提清淨諸佛
无上正等菩提清淨故一切智智清淨何以
故若作者清淨若諸佛无上正等菩提清淨若
一切智智清淨无二无二分无別无斷故

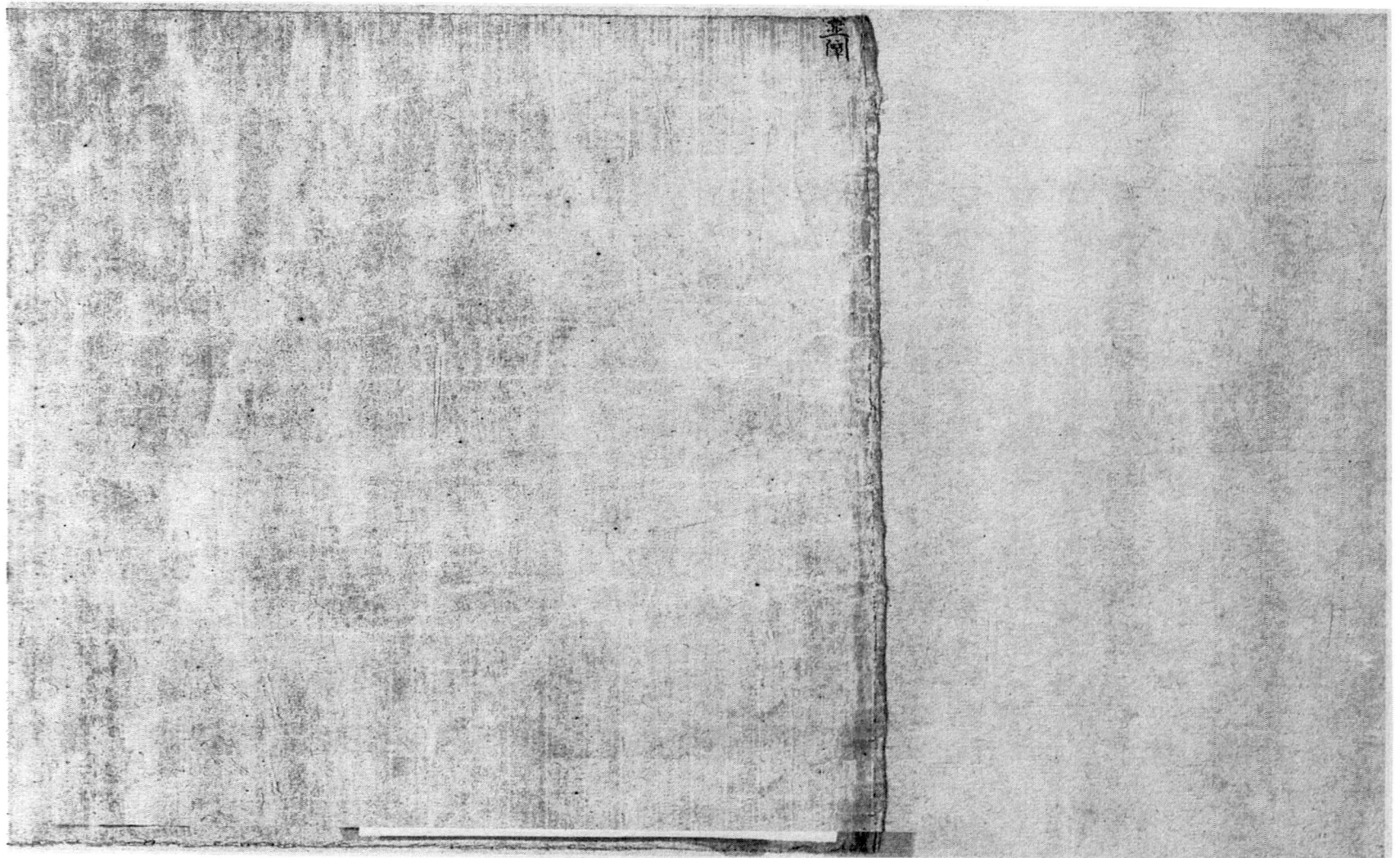

大般若波羅蜜多經卷第一百九十九

BD02052號　大般若波羅蜜多經卷一九九　（16–16）

BD02052號背　雜寫　（1–1）

金剛般若波羅蜜經
如是我聞一時佛在舍衛國祇樹給孤獨園
與大比丘眾千二百五十人俱尒時世尊食
時著衣持鉢入舍衛大城乞食於其城中次
第乞已還至本處飯食訖收衣鉢洗足已敷
座而坐時長老須菩提在大眾中即從座起
偏袒右肩右膝著地合掌恭敬而白佛言希
有世尊如來善護念諸菩薩善付囑諸菩薩
世尊善男子善女人發阿耨多羅三藐三菩
提心應云何住云何降伏其心佛言善哉善
哉須菩提如汝所說如來善護念諸菩薩善
付囑諸菩薩汝今諦聽當為汝說善男子善
女人發阿耨多羅三藐三菩提心應如是住
如是降伏其心唯然世尊願樂欲聞
佛告須菩提諸菩薩摩訶薩應如是降伏其
心所有一切眾生之類若卵生若胎生若濕

BD02053號　金剛般若波羅蜜經　（15–1）

哉須菩提如汝所說如來善護念諸菩薩善
付囑諸菩薩汝今諦聽當為汝說善男子善
女人發阿耨多羅三藐三菩提心應如是住
如是降伏其心唯然世尊願樂欲聞
佛告須菩提諸菩薩摩訶薩應如是降伏其
心所有一切眾生之類若卵生若胎生若濕
生若化生若有色若無色若有想若無想若
非有想非無想我皆令入無餘涅槃而滅度
之如是滅度無量無數無邊眾生實無眾生
得滅度者何以故須菩提若菩薩有我相
人相眾生相壽者相即非菩薩
復次須菩提菩薩於法應無所住行於布施
所謂不住色布施不住聲香味觸法布施須
菩提菩薩應如是布施不住於相何以故若
菩薩不住相布施其福德不可思量須菩提
於意云何東方虛空可思量不不也世尊須
菩提南西北方四維上下虛空可思量不不
也世尊須菩提菩薩無住相布施福德亦復
如是不可思量須菩提菩薩但應如所教住
須菩提於意云何可以身相見如來不不也
世尊不可以身相得見如來何以故如來所
說身相即非身相佛告須菩提凡所有相皆
是虛妄若見諸相非相則見如來
須菩提白佛言世尊頗有眾生得聞如是言
說章句生實信不佛告須菩提莫作是說
如來滅後後五百歲有持戒脩福者於此章
句能生信心以此為實當知是人不於一佛二
佛三四五佛而種善根已於無量千万佛所
種諸善根聞是章句乃至一念生淨信者

BD02053號　金剛般若波羅蜜經　（15–2）

須菩提白佛言世尊頗有衆生得聞如是言
說章句生實信不佛告須菩提莫作是說
如來滅後後五百歲有持戒脩福者於此章
句能生信心以此為實當知是人不於一佛二
佛三四五佛而種善根已於无量千万佛所
種諸善根聞是章句乃至一念生淨信者須
菩提如來悉知悉見是諸衆生得如是无量
福德何以故是諸衆生无復我相人相衆生
相壽者相无法相亦无非法相何以故是諸
衆生若心取相則為著我人衆生壽者若取
法相即著我人衆生壽者何以故若取非法
相即著我人衆生壽者是故不應取法不應
取非法以是義故如來常說汝等比丘知我
說法如筏喻者法尚應捨何况非法
須菩提於意云何如來得阿耨多羅三藐三
菩提耶如來有所說法耶須菩提言如我解
佛所說義无有定法名阿耨多羅三藐三菩
提亦无有定法如來可說何以故如來所說
法皆不可取不可說非法非非法所以者何
一切賢聖皆以无為法而有差別
須菩提於意云何若人滿三千大千世界七
寶以用布施是人所得福德寧為多不須菩
提言甚多世尊何以故是福德即非福德性
是故如來說福德多若復有人於此經中受
持乃至四句偈等為他人說其福勝彼何以
故須菩提一切諸佛及諸佛阿耨多羅三藐
三菩提法皆從此經出須菩提所謂佛法者
即非佛法

BD02053號　金剛般若波羅蜜經　（15-3）

是故如來說福德多若復有人於此經中受
持乃至四句偈等為他人說其福勝彼何以
故須菩提一切諸佛及諸佛阿耨多羅三藐
三菩提法皆從此經出須菩提所謂佛法者
即非佛法
須菩提於意云何須陁洹能作是念我得須
陁洹果不須菩提言不也世尊何以故須陁
洹名為入流而无所入不入色聲香味觸法
是名須陁洹須菩提於意云何斯陁含能作
是念我得斯陁含果不須菩提言不也世尊
何以故斯陁含名一往來而實无往來是名
斯陁含須菩提於意云何阿那含能作是念
我得阿那含果不須菩提言不也世尊何以
故阿那含名為不來而實无來是故名阿那
含須菩提於意云何阿羅漢能作是念我得
阿羅漢道不須菩提言不也世尊何以故實
无有法名阿羅漢世尊若阿羅漢作是念我
得阿羅漢道即為著我人衆生壽者世尊佛
說我得无諍三昧人中最為第一是第一離
欲阿羅漢我不作是念我是離欲阿羅漢世
尊我若作是念我得阿羅漢道世尊則不說
須菩提是樂阿蘭那行者以須菩提實无所
行而名須菩提是樂阿蘭那行
佛告須菩提於意云何如來昔在然燈佛所
於法有所得不世尊如來在然燈佛所於法
實无所得須菩提於意云何菩薩莊嚴佛
土不不也世尊何以故莊嚴佛土者則非莊
嚴是名莊嚴是故須菩提諸菩薩摩訶薩應如

BD02053號　金剛般若波羅蜜經　（15-4）

寶无所得須菩提於意云何菩薩莊嚴佛
土不不也世尊何以故莊嚴佛土者則非莊
嚴是名莊嚴是故須菩提諸菩薩摩訶薩應如
是生清淨心不應住色生心不應住聲香味
觸法生心應无所住而生其心須菩提譬如
有人身如須弥山王於意云何是身為大不
須菩提言甚大世尊何以故佛說[illegible]身是[illegible]
大身
須菩提如恒河中所有沙數如是沙等恒河
於意云何是諸恒河沙寧為多不須菩提言
甚多世尊但諸恒河尚多无數何況其沙須
菩提我今實言告汝若有善男子善女人以
七寶滿尒所恒河沙數三千大千世界以用
布施得福多不須菩提言甚多世尊佛告須
菩提若善男子善女人於此經中乃至受持
四句偈等為他人說而此福德勝前福德復
次須菩提隨說是經乃至四句偈等當知此
處一切世間天人阿脩羅皆應供養如佛塔
廟何況有人盡能受持讀誦須菩提當知是
人成就最上第一希有之法若是經典所在
之處則為有佛若尊重弟子
尒時須菩提白佛言世尊當何名此經我等
云何奉持佛告須菩提是經名為金剛般若
波羅蜜以是名字汝當奉持所以者何須菩
提佛說般若波羅蜜則非般若波羅蜜須菩

BD02053號　金剛般若波羅蜜經　（15–5）

尒時須菩提白佛言世尊當何名此經我等
云何奉持佛告須菩提是經名為金剛般若
波羅蜜以是名字汝當奉持所以者何須菩
提佛說般若波羅蜜則非般若波羅蜜須菩
提於意云何如來有所說法不須菩提白佛
言世尊如來无所說須菩提於意云何三千
大千世界所有微塵是為多不須菩提言甚
多世尊須菩提諸微塵如來說非微塵是名
微塵如來說世界非世界是名世界須菩提
於意云何可以三十二相見如來不不也世
尊何以故如來說卅二相即是非相是名卅
二相須菩提若有善男子善女人以恒河沙
等身命布施若復有人於此經中乃至受持
四句偈等為他人說其福甚多
尒時須菩提聞說是經深解義趣涕淚悲泣
而白佛言希有世尊佛說如是甚深經典我
從昔來所得慧眼未曾得聞如是之經世尊
若復有人得聞是經信心清淨則生實相當
知是人成就第一希有功德世尊是實相者
則是非相是故如來說名實相世尊我今得
聞如是經典信解受持不足為難若當來世
後五百歲其有衆生得聞是經信解受持是
人則為第一希有何以故此人无我相人相衆
生相壽者相所以者何我相即是非相人相
衆生相壽者相即是非相何以故離一切諸

BD02053號　金剛般若波羅蜜經　（15–6）

後五百歲其有衆生得聞是經信解受持是
人則為第一希有何以故此人无我相人相衆
生相壽者相所以者何我相即是非相人相
衆生相壽者相即是非相何以故離一切諸
相則名諸佛
佛告須菩提如是如是若復有人得聞是經
不驚不怖不畏當知是人甚為希有何以故
須菩提如來說第一波羅蜜非第一波羅蜜
是名第一波羅蜜須菩提忍辱波羅蜜如來
說非忍辱波羅蜜何以故須菩提如我昔為
歌利王割截身體我於尒時无我相无人相
无衆生相无壽者相何以故我於往昔節節
支解時若有我相人相衆生相壽者相應生
瞋恨須菩提又念過去於五百世作忍辱仙
人於尒所世无我相无人相无衆生相无壽
者相是故須菩提菩薩應離一切相發阿耨
多羅三藐三菩提心不應住色生心不應住
聲香味觸法生心應生无所住心若心有住
則為非住是故佛說菩薩心不住色布施須
菩提菩薩為利益一切衆生應如是布施如
來說一切諸相即是非相又說一切衆生則
非衆生須菩提如來是真語者實語者如語
者不誑語者不異語者須菩提如來所得法
此法无實无虛須菩提若菩薩心住於法而

BD02053號　金剛般若波羅蜜經　（15–7）

非衆生須菩提如來是真語者實語者如語
者不誑語者不異語者須菩提如來所得法
此法无實无虛須菩提若菩薩心住於法而
行布施如人入闇則无所見若菩薩心不住法
而行布施如人有目日光明照見種種色
須菩提當來之世若有善男子善女人能於
此經受持讀誦則為如來以佛智慧悉知是
人悉見是人皆得成就无量无邊功德
須菩提若有善男子善女人初日分以恒河
沙等身布施中日分復以恒河沙等身布施
後日分亦以恒河沙等身布施如是无量百
千万億劫以身布施若復有人聞此經典信
心不逆其福勝彼何況書寫受持讀誦為人
解說須菩提以要言之是經有不可思議不
可稱量无邊功德如來為發大乘者說為發
最上乘者說若有人能受持讀誦廣為人說
如來悉知是人悉見是人皆成就不可量不
可稱无有邊不可思議功德如是人等則為
荷擔如來阿耨多羅三藐三菩提何以故須
菩提若樂小法者著我見人見衆生見壽者
見則於此經不能聽受讀誦為人解說須菩
提在在處處若有此經一切世間天人阿脩
羅所應供養當知此處則為是塔皆應供敬
作礼圍繞以諸華香而散其處
復次須菩提善男子善女人受持讀誦此經

BD02053號　金剛般若波羅蜜經　（15–8）

提在在處處若有此經一切世間天人阿脩
羅所應供養當知此處則為是塔皆應供敬
作礼圍繞以諸華香而散其處
復次須菩提善男子善女人受持讀誦此經
若為人輕賤是人先世罪業應墮惡道以今
世人輕賤故先世罪業則為消滅當得阿耨
多羅三藐三菩提須菩提我念過去无量阿
僧祇劫於然燈佛前得值八百四千万億那
由他諸佛悉皆供養承事无空過者若復有
人於後末世能受持讀誦此經所得功德於
我所供養諸佛功德百分不及一千万億分
乃至笇數譬喻所不能及須菩提若善男子
善女人於後末世有受持讀誦此經所得功德
我若具說者或有人聞心則狂亂狐疑不信
須菩提當知是經義不可思議果報亦不可
思議
尒時須菩提白佛言世尊善男子善女人發
阿耨多羅三藐三菩提心云何應住云何降
伏其心佛告須菩提善男子善女人發阿耨
多羅三藐三菩提者當生如是心我應滅度
一切衆生滅度一切衆生已而无有一切衆生
實滅度者何以故若菩薩有我相人相衆生
相壽者相則非菩薩所以者何須菩提實无
有法發阿耨多羅三藐三菩提者須菩提於
意云何如来於然燈佛所有法得阿耨多羅

BD02053號　金剛般若波羅蜜經　（15–9）

實滅度者何以故若菩薩有我相人相衆生
相壽者相則非菩薩所以者何須菩提實无
有法發阿耨多羅三藐三菩提者須菩提於
意云何如来於然燈佛所有法得阿耨多羅
三藐三菩提不世尊如我解佛所說義佛
於然燈佛所无有法得阿耨多羅三藐三菩
提佛言如是如是須菩提實无有法如来得
阿耨多羅三藐三菩提須菩提若有法如来
得阿耨多羅三藐三菩提者然燈佛則不與
我授記汝於来世當得作佛号釋迦牟尼以
實无有法得阿耨多羅三藐三菩提是故然
燈佛與我受記作是言汝於来世當得作佛
号釋迦牟尼何以故如来者即諸法如義若
有人言如来得阿耨多羅三藐三菩提須菩提
實无有法佛得阿耨多羅三藐三菩提須菩
提如来所得阿耨多羅三藐三菩提於是中
无實无虛是故如来說一切法皆是佛法須
菩提所言一切法者即非一切法是名一切
法須菩提譬如人身長大須菩提言世尊
如来說人身長大則為非大身是名大身
須菩提菩薩亦如是若作是言我當滅度无
量衆生則不名菩薩何以故須菩提實无有法
名為菩薩是故佛說一切法无我无人无衆
生无壽者須菩提若菩薩作是言我當莊嚴
佛土是不名菩薩何以故如来說莊嚴佛土

BD02053號　金剛般若波羅蜜經　（15–10）

名為菩薩是故佛說一切法无我无人无衆
生无壽者須菩提若菩薩作是言我當莊嚴
佛土是不名菩薩何以故如來說莊嚴佛土
者即非莊嚴是名莊嚴須菩提若菩薩通達
无我法者如來說名真是菩薩
須菩提於意云何如來有肉眼不如是世尊
如來有肉眼須菩提於意云何如來有天眼
不如是世尊如來有天眼須菩提於意云何
如來有慧眼不如是世尊如來有慧眼須菩
提於意云何如來有法眼不如是世尊如來有
法眼須菩提於意云何如來有佛眼不如是
世尊如來有佛眼須菩提於意云何恒河中
所有沙佛說是沙不如是世尊如來說是沙
須菩提於意云何如一恒河中所有沙有如
是等恒河是諸恒河所有沙數佛世界如
是寧為多不甚多世尊佛告須菩提尒所國
土中所有衆生若干種心如來悉知何以故如
來說諸心皆為非心是名為心所以者何須
菩提過去心不可得現在心不可得未來心
不可得須菩提於意云何若有人滿三千大
千世界七寶以用布施是人以是因緣得福多
不如是世尊此人以是因緣得福甚多
須菩提若福德有實如來不說得福德多以
福德无故如來說得福德多

BD02053號　金剛般若波羅蜜經　(15-11)

千世界七寶以用布施是人以是因緣得福多
不如是世尊此人以是因緣得福甚多
須菩提若福德有實如來不說得福德多以
福德无故如來說得福德多
須菩提於意云何佛可以具足色身見不不
也世尊如來不應以色身見何以故如來說具
足色身即非具足色身是名具足色身須菩
提於意云何如來可以具足諸相見不不也
世尊如來不應以具足諸相見何以故如來
說諸相具足即非具足是名諸相具足
須菩提汝勿謂如來作是念我當有所說法莫
作是念何以故若人言如來有所說法即為
謗佛不能解我所說故須菩提說法者无法
可說是名說法
須菩提白佛言世尊佛得阿耨多羅三藐三
菩提為无所得耶如是如是須菩提我於阿耨
多羅三藐三菩提乃至无有少法可得是名阿
耨多羅三藐三菩提復次須菩提是法平等
无有高下是名阿耨多羅三藐三菩提以无
我无人无衆生无壽者脩一切善法則得阿
耨多羅三藐三菩提須菩提所言善法者如
來說即非善法是名善法須菩提若三千大
千世界中所有諸須彌山王如是等七寶聚
有人持用布施若人以此般若波羅蜜經乃
至四句偈等受持讀誦為他

BD02053號　金剛般若波羅蜜經　(15-12)

千世界中所有諸須弥山王如是等七寶聚
有人持用布施若人以此般若波羅蜜經乃
至四句偈等受持讀誦為他
人說於前福德百分不及一百千萬億分乃
至算數譬喻所不能及
須菩提於意云何汝等勿謂如來作是念我
當度衆生須菩提莫作是念何以故實无有
衆生如來度者若有衆生如來度者如來則
有我人衆生壽者須菩提如來說有我者則
非有我而凡夫之人以為有我須菩提凡夫
者如來說則非凡夫須菩提於意云何可以
三十二相觀如來不須菩提言如是如是以
三十二相觀如來佛言須菩提若以三十二
相觀如來者轉輪聖王則是如來須菩提白
佛言世尊如我解佛所說義不應以三十二
相觀如來尒時世尊而說偈言
若以色見我　以音聲求我　是人行邪道　不能見如來
須菩提汝若作是念如來不以具足相故得
阿耨多羅三藐三菩提須菩提莫作是念如
來不以具足相故得阿耨多羅三藐三菩提
須菩提汝若作是念發阿耨多羅三藐三菩
提者說諸法斷滅莫作是念何以故發阿耨
多羅三藐三菩提者於法不說斷滅相須菩
提若菩薩以滿恒河沙等世界七寶布施若
復有人知一切法无我得成於忍此菩薩勝
前菩薩所得功德須菩提以諸菩薩不受福
德故須菩提白佛言世尊云何菩薩不受福
德須菩提菩薩所作福德不應貪著是故說

BD02053號　金剛般若波羅蜜經　（15-13）

復有人知一切法无我得成於忍此菩薩勝
前菩薩所得功德須菩提以諸菩薩不受福
德故須菩提白佛言世尊云何菩薩不受福
德須菩提菩薩所作福德不應貪著是故說
不受福德須菩提若有人言如來若來若去
若坐若卧是人不解我所說義何以故如來
者无所從來亦无所去故名如來
須菩提若善男子善女人以三千大千世界
碎為微塵於意云何是微塵衆寧為多不甚
多世尊何以故若是微塵衆實有者佛則不
說是微塵衆所以者何佛說微塵衆則非微
塵衆是名微塵衆世尊如來所說三千大千
世界則非世界是名世界何以故若世界實
有者則是一合相如來說一合相則非一合
相是名一合相須菩提一合相者則是不可
說但凡夫之人貪著其事須菩提若人言佛
說我見人見衆生見壽者見須菩提於意云
何是人解我所說義不世尊是人不解如來
所說義何以故世尊說我見人見衆生見壽
者見即非我見人見衆生見壽者見是名我
見人見衆生見壽者見須菩提發阿耨多羅
三藐三菩提心者於一切法應如是知如是
見如是信解不生法相須菩提所言法相者
如來說即非法相是名法相須菩提若有人
以滿无量阿僧祇世界七寶持用布施若有
善男子善女人發菩薩心者持於此經乃至
四句偈等受持讀誦為人演說其福勝彼云
何為人演說不取於相如如不動何以故

BD02053號　金剛般若波羅蜜經　（15-14）

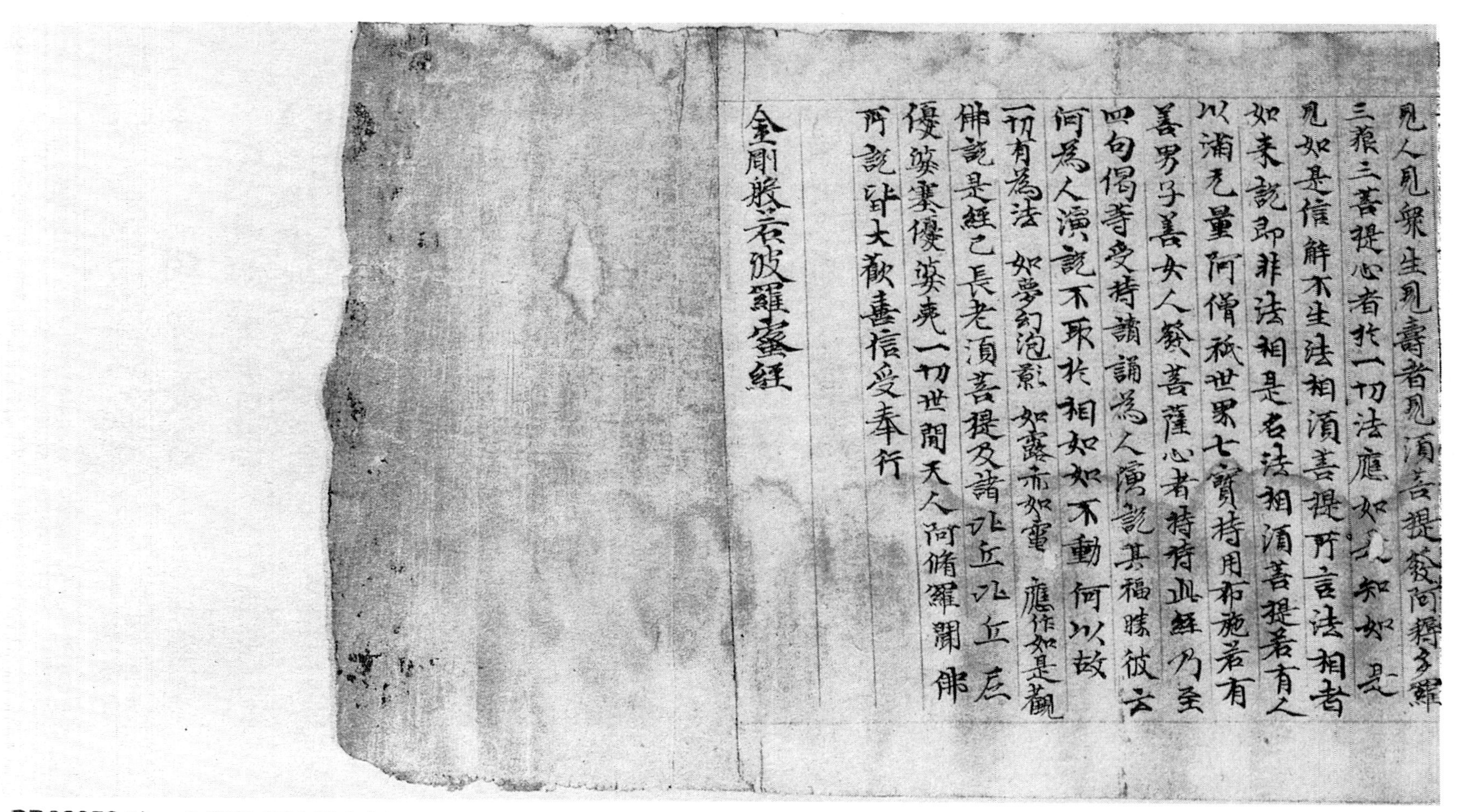

見人見衆生見壽者見須菩提發阿耨多羅
三藐三菩提心者於一切法應如是知如是
見如是信解不生法相須菩提所言法相者
如來說即非法相是名法相須菩提若有人
以滿无量阿僧祇世界七寶持用布施若有
善男子善女人發菩薩心者持於此經乃至
四句偈等受持讀誦為人演說其福勝彼云
何為人演說不取於相如如不動何以故
一切有為法　如夢幻泡影　如露亦如電　應作如是觀
佛說是經已長老須菩提及諸比丘比丘尼
優婆塞優婆夷一切世間天人阿脩羅聞佛
所說皆大歡喜信受奉行

金剛般若波羅蜜經

BD02053號　金剛般若波羅蜜經　（15–15）

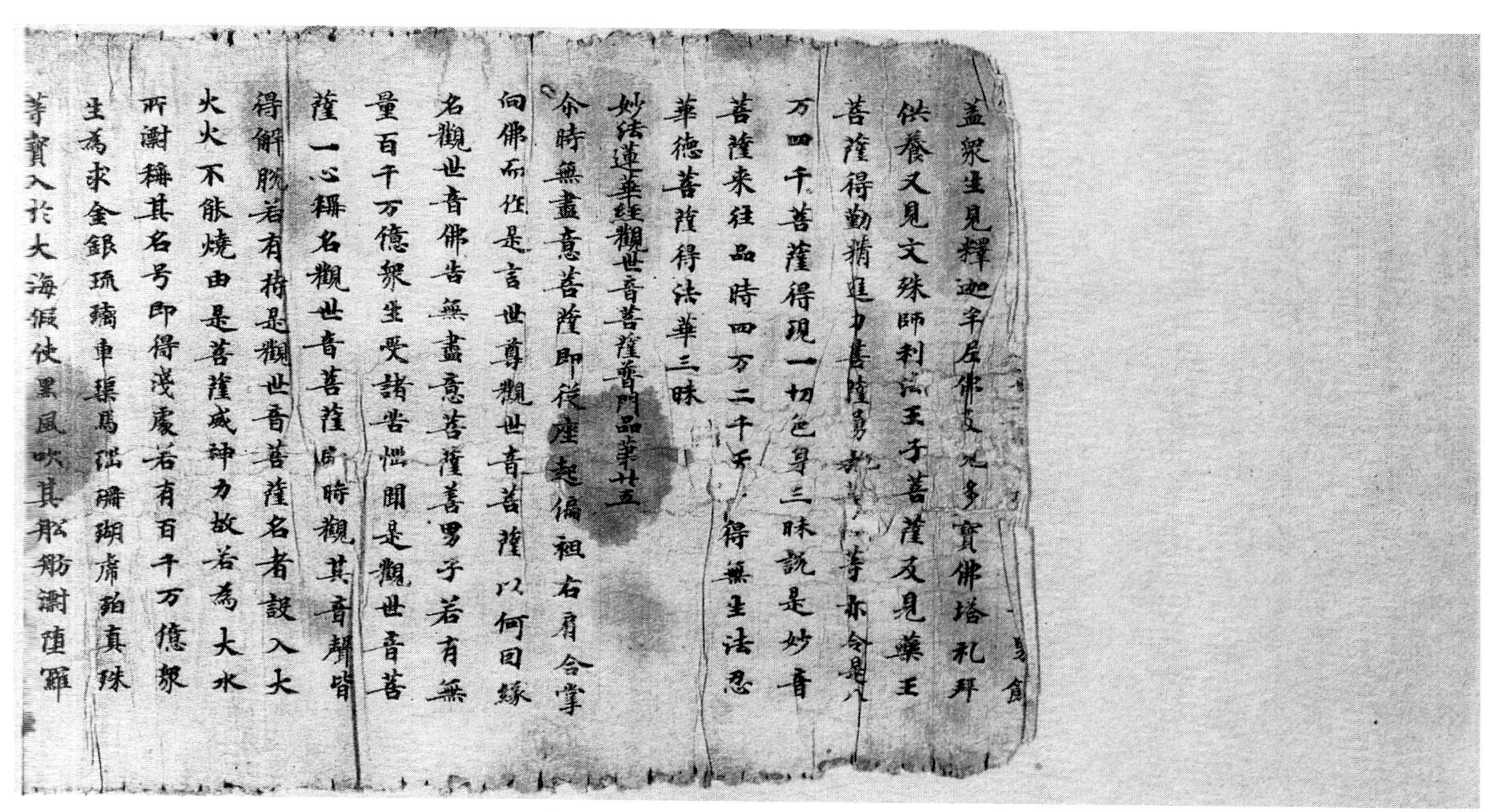

蓋衆生見釋迦牟尼佛及見多寶佛塔礼拜
供養又見文殊師利法王子菩薩及見藥王
菩薩得勤精進力菩薩勇施菩薩等亦令是八
万四千菩薩得現一切色身三昧說是妙音
菩薩來往品時四万二千天子得無生法忍
華德菩薩得法華三昧

妙法蓮華經觀世音菩薩普門品第廿五

尒時無盡意菩薩即從座起偏袒右肩合掌
向佛而作是言世尊觀世音菩薩以何因緣
名觀世音佛告無盡意菩薩善男子若有無
量百千万億衆生受諸苦惱聞是觀世音菩
薩一心稱名觀世音菩薩即時觀其音聲皆
得解脫若有持是觀世音菩薩名者設入大
火火不能燒由是菩薩威神力故若為大水
所漂稱其名号即得淺處若有百千万億衆
生為求金銀瑠璃車璖馬瑙珊瑚虎珀真珠
等寶入於大海假使黑風吹其船舫漂墮羅

BD02054號　妙法蓮華經卷七　（7–1）

薩一心稱名觀世音菩薩即時觀其音聲皆
得解脫若有持是觀世音菩薩名者設入大
火火不能燒由是菩薩威神力故若為大水
所漂稱其名号即得淺處若有百千万億衆
生為求金銀琉璃車渠馬瑙珊瑚虎珀真珠
等寶入於大海假使黑風吹其舩舫漂墮羅
剎鬼國其中若有乃至一人稱觀世音菩薩
名者是諸人等皆得解脫羅剎之難以是因
緣名觀世音若復有人臨當被害稱觀世音
菩薩名者彼所執刀仗尋段段壞而得解脫
若三千大千國土滿中夜叉羅剎欲来惱人
聞其稱觀世音菩薩名者是諸惡鬼尚不能
以惡眼視之況復加害設復有人若有罪若
無罪杻械枷鎖檢繫其身稱觀世音菩薩名
者皆悉斷壞即得解脫若三千大千國土滿
中怨賊有一商主將諸商人賷持重寶經過
嶮路其中一人作是唱言諸善男子勿得恐
怖汝等應當一心稱觀世音菩薩名号是菩
薩能以无畏施於衆生汝等若稱名者於此
怨賊當得解脫衆商人聞俱發聲言南无觀
世音菩薩稱其名故即得解脫无盡意觀世
音菩薩摩訶薩威神之力巍巍如是若有衆
生多於婬欲常念恭敬觀世音菩薩便得離
欲若多瞋恚常念恭敬觀世音菩薩便得離
瞋若多愚癡常念恭敬觀世音菩薩便得離

BD02054號　妙法蓮華經卷七　（7–2）

音菩薩摩訶薩威神之力巍巍如是若有衆
生多於婬欲常念恭敬觀世音菩薩便得離
欲若多瞋恚常念恭敬觀世音菩薩便得離
瞋若多愚癡常念恭敬觀世音菩薩便得離
癡无盡意觀世音菩薩有如是等大威神力
多所饒益是故衆生常應心念若有女人設
欲求男礼拜供養觀世音菩薩便生福德智
慧之男設欲求女便生端正有相之女宿殖
德本衆人愛敬无盡意觀世音菩薩有如是
力若有衆生恭敬礼拜觀世音菩薩福不唐
捐是故衆生皆應受持觀世音菩薩名号无
盡意若有人受持六十二億恒河沙菩薩名
字復盡形供養飲食衣服卧具醫藥於汝意
云何是善男子善女人功德多不无盡意言
甚多世尊佛言若復有人受持觀世音菩薩
名号乃至一時礼拜供養是二人福正等无
異於百千万億劫不可窮盡无盡意受持觀
世音菩薩名号得如是无量无邊福德之利
无盡意菩薩白佛言世尊觀世音菩薩云何
遊此娑婆世界云何而為衆生說法方便之
力其事云何佛告无盡意菩薩善男子若有
國土衆生應以佛身得度者觀世音菩薩即
現佛身而為說法應以辟支佛身得度者即
現辟支佛身而為說法應以聲聞身得度者

BD02054號　妙法蓮華經卷七　（7–3）

无盡意菩薩白佛言世尊觀世音菩薩云何
遊此娑婆世界云何而為衆生說法方便之
力其事云何佛告无盡意菩薩善男子若有
國土衆生應以佛身得度者觀世音菩薩即
現佛身而為說法應以辟支佛身得度者即
現辟支佛身而為說法應以聲聞身得度者
即現聲聞身而為說法應以梵王身得度者
即現梵王身而為說法應以帝釋身得度者
即現帝釋身而為說法應以自在天身得度
者即現自在天身而為說法應以大自在天
身得度者即現大自在天身而為說法應以
天大将軍身得度者即現天大将軍身而為
說法應以毗沙門身得度者即現毗沙門身
而為說法應以小王身得度者即現小王身
而為說法應以長者身得度者即現長者身
而為說法應以居士身得度者即現居士身
而為說法應以宰官身得度者即現宰官身
而為說法應以婆羅門身得度者即現婆羅
門身而為說法應以比丘比丘尼優婆塞優
婆夷身得度者即現比丘比丘尼優婆塞優
婆夷身而為說法應以長者居士宰官婆羅
門婦女身得度者即現婦女身而為說法應
以童男童女身得度者即現童男童女身而
為說法應以天龍夜叉乹闥婆阿脩羅迦樓

BD02054號　妙法蓮華經卷七　（7-4）

婆夷身得度者即現比丘比丘尼優婆塞優
婆夷身而為說法應以長者居士宰官婆羅
門婦女身得度者即現婦女身而為說法應
以童男童女身得度者即現童男童女身而
為說法應以天龍夜叉乹闥婆阿脩羅迦樓
羅緊那羅摩睺羅伽人非人等身得度者即
皆現之而為說法應以執金剛神得度者即
現執金剛神而為說法无盡意是觀世音菩薩
成就如是功德以種種形遊諸國土度脫衆生
是故汝等應當一心供養觀世音菩薩是觀
世音菩薩摩訶薩於怖畏急難之中能施
无畏是故此娑婆世界皆号之為施无畏者
无盡意菩薩白佛言世尊我今當供養觀世
音菩薩即解頸衆寶珠瓔珞價直百千兩金
而以與之作是言仁者受此法施珎寶瓔珞
時觀世音菩薩不肯受之无盡意復白觀世
音菩薩言仁者愍我等故受此瓔珞尒時佛
告觀世音菩薩當愍此无盡意菩薩及四衆
天龍夜叉乹闥婆阿脩羅迦樓羅緊那羅摩
睺羅伽人非人等故受是瓔珞即時觀世音
菩薩愍諸四衆及於天龍人非人等受其瓔
珞分作二分一分奉釋迦牟尼佛一分奉多
寶佛塔无盡意觀世音菩薩有如是自在神力
遊於娑婆世界尒時無盡意菩薩以偈問曰
世尊妙相具　我今重問彼　佛子何因緣　名為觀世音

BD02054號　妙法蓮華經卷七　（7-5）

菩薩愍諸四衆及於天龍人非人等受其瓔
珞分作二分一分奉釋迦牟尼佛一分奉多
寶佛塔无盡意觀世音菩薩有如是自在神力
遊於娑婆世界尒時無盡意菩薩以偈問曰
世尊妙相具 我今重問彼 佛子何因緣 名為觀世音
具足妙相尊 偈荅無盡意 汝聽觀音行 善應諸方所
弘誓深如海 歷劫不思議 侍多千億佛 發大清淨願
我為汝略說 聞名及見身 心念不空過 能滅諸有苦
假使興害意 推落大火坑 念彼觀音力 火坑變成池
或漂流巨海 龍魚諸鬼難 念彼觀音力 波浪不能沒
或在須彌峯 為人所推墮 念彼觀音力 如日虛空住
或被惡人逐 墮落金剛山 念彼觀音力 不能損一毛
或值怨賊遶 各執刀加害 念彼觀音力 咸即起慈心
或遭王難苦 臨刑欲壽終 念彼觀音力 刀尋段段壞
或囚禁枷鎖 手足被杻械 念彼觀音力 釋然得解脫
呪咀諸毒藥 所欲害身者 念彼觀音力 還著於本人
或遇惡羅剎 毒龍諸鬼等 念彼觀音力 時悉不敢害
若惡獸圍遶 利牙爪可怖 念彼觀音力 疾走無邊方
蚖蛇及蝮蝎 氣毒烟火燃 念彼觀音力 尋聲自迴去
雲雷鼓掣電 降雹澍大雨 念彼觀音力 應時得消散
衆生被困厄 無量苦逼身 觀音妙智力 能救世間苦
具足神通力 廣脩智方便 十方諸國土 無剎不現身
種種諸惡趣 地獄鬼畜生 生老病死苦 以漸悉令滅
真觀清淨觀 廣大智慧觀 悲觀及慈觀 常願常瞻仰
無垢清淨光 慧日破諸闇 能伏災風火 普明照世間

BD02054號 妙法蓮華經卷七 (7–6)

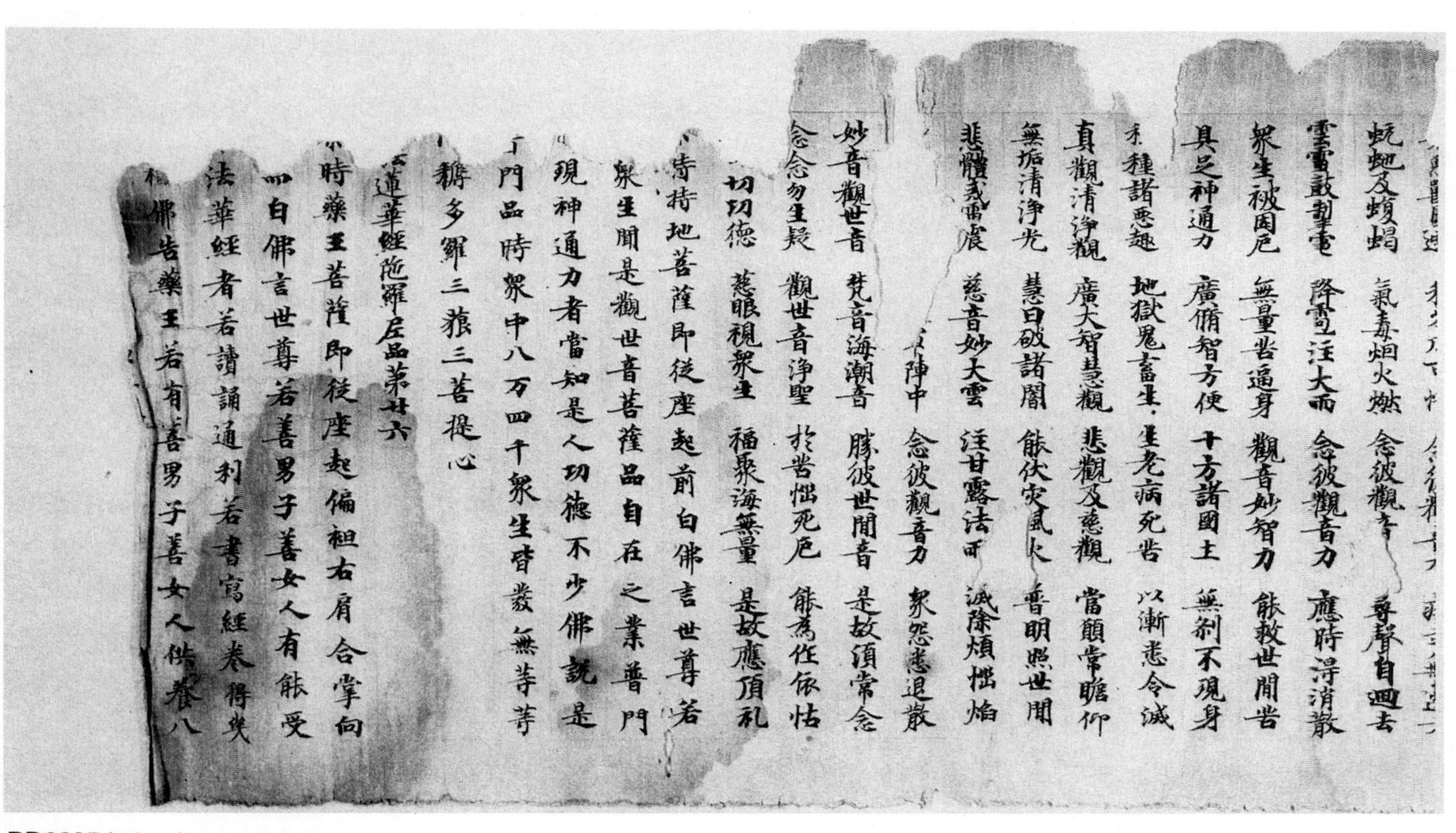

蚖蛇及蝮蝎 氣毒烟火燃 念彼觀音力 尋聲自迴去
雲雷鼓掣電 降雹澍大雨 念彼觀音力 應時得消散
衆生被困厄 無量苦逼身 觀音妙智力 能救世間苦
具足神通力 廣脩智方便 十方諸國土 無剎不現身
種種諸惡趣 地獄鬼畜生 生老病死苦 以漸悉令滅
真觀清淨觀 廣大智慧觀 悲觀及慈觀 常願常瞻仰
無垢清淨光 慧日破諸闇 能伏災風火 普明照世間
悲體戒雷震 慈意妙大雲 澍甘露法雨 滅除煩惱焰
陣中 念彼觀音力 衆怨悉退散
妙音觀世音 梵音海潮音 勝彼世間音 是故須常念
念念勿生疑 觀世音淨聖 於苦惱死厄 能為作依怙
一切功德 慈眼視衆生 福聚海無量 是故應頂禮
尒時持地菩薩即從座起前白佛言世尊若有
衆生聞是觀世音菩薩品自在之業普門
示現神通力者當知是人功德不少佛說是
普門品時衆中八万四千衆生皆發無等等
阿耨多羅三藐三菩提心
妙法蓮華經陁羅尼品第廿六
尒時藥王菩薩即從座起偏袒右肩合掌向
佛白佛言世尊若善男子善女人有能受
持法華經者若讀誦通利若書寫經卷得幾
所福佛告藥王若有善男子善女人供養八

BD02054號 妙法蓮華經卷七 (7–7)

南无大作佛　南无无畏作佛
南无樂作佛　南无燈作佛
南无賢作佛　南无覺作佛
南无華作佛　南无華勝藏佛
南无俱蘓摩勝藏佛
南无波頭摩勝藏佛　南无功德勝藏佛
南无牀勝藏佛　南无福德勝藏佛
南无天勝藏佛　南无那羅延藏佛
南无大雲藏佛　南无香勝藏佛
南无如來藏佛　南无功德藏佛
南无根藏佛　南无如意藏佛
南无金剛藏佛　南无德藏佛
南无勢羅藏佛
南无波頭摩藏佛　南无俱蘓摩藏佛
從此以上一千佛十二部經一切賢聖
南无香藏佛　南无摩尼藏佛
南无賢藏佛　南无普藏佛
南无月无垢藏佛　南无日藏佛
南无照藏佛　南无光明幢佛
南无月幢佛　南无功德幢佛
南无離世間幢佛

BD02055號　佛名經（十六卷本）卷二　（19–1）

南无香藏佛
南无賢藏佛　南无普藏佛
南无月无垢藏佛　南无日藏佛
南无照藏佛　南无光明幢佛
南无月幢佛　南无功德幢佛
南无離世間幢佛
南无寶幢佛　南无法幢佛
南无自在幢佛　南无寶幢佛
南无无垢幢佛　南无大幢佛
南无月无垢幢佛　南无普照幢佛
南无称留幢佛　南无說妙法幢佛
南无放光明幢佛　南无善清淨无垢幢佛
南无善清淨光明幢佛　南无香光明佛
南无虛空光明佛　南无大光明光明佛
南无寶光明佛　南无火光明佛
南无日光明佛　南无月光明佛
南无日月光明佛　南无无垢光明佛
南无火輪光明佛　南无寶照佛
南无寶光明佛　南无勝威德香光明佛
南无種種多威德王勝光明佛
南无虛空清淨金色莊嚴威…
南无一法幻鶩迮威德光明佛
南无清淨光明佛
南无功德寶光明佛　南无金光光明佛
南无高光明佛　南无放光光明佛
南无俱蘓摩光明佛　南无香光明佛

BD02055號　佛名經（十六卷本）卷二　（19–2）

南无一法幼舊迎威德光明佛
南无清淨光明佛
南无切德寶光明佛　南无金光光明佛
南无高光明佛　南无放光光明佛
南无俱蕤摩光明佛　南无香光明佛
南无甘露光明佛　南无无量寶化光明佛
南无水月光明佛　南无寶月光明佛
南无弥留光明佛　南无[illegible]
南无雲光明佛　南无槃頭者婆伽華佛
南无无畏光明佛　南无法力光明佛
南无无垢光明佛　南无清淨光明佛
南无月光明佛　南无日光明佛
南无樹提光明佛　南无然火光明佛
南无焚燒光明佛　南无羅網光明佛
南无大光明佛　南无[illegible]光明佛
南无普光明佛　南无无邊光明佛
南无色光明聲佛　南无虛空聲佛
南无妙鼓聲佛　南无師子聲佛
南无雲聲佛　南无天聲佛
南无妙聲佛　南无梵聲佛
南无雲妙鼓聲佛　南无法鼓聲佛
南无法鼓出聲佛　南无聲滿法界聲佛
南无地吼聲佛　南无[illegible]
南无師子吼聲佛　南无无量吼聲佛
南无无分別吼聲佛　南无驚怖一切魔輪聲佛

BD02055號　佛名經（十六卷本）卷二　（19–3）

南无雲妙鼓聲佛　南无法鼓聲佛
南无法鼓出聲佛　南无聲滿法界聲佛
南无地吼聲佛　南无[illegible]
南无師子吼聲佛　南无无量吼聲佛
南无无分別吼聲佛　南无驚怖一切魔輪聲佛
南无降伏一切聲聲佛　南无无障㝵日慧佛
南无法无垢月佛　南无普照月佛
南无放光明月佛　南无盧舍那月佛
南无解脫月佛　南无稱月佛
南无切德月佛　南无[illegible]日佛
從此以上一千一百佛十二部經一切賢聖
南无滿月佛　南无天月佛
南无月輪清淨佛　南无日月佛
南无月慧佛　南无无垢慧佛
南无深慧佛　南无武慧佛
南无難勝惠佛　南无阿僧祇劫脩習慧佛
南无无量樂功德莊聲行慧佛
南无无量功德莊嚴佛　南[illegible]
南无勝功德王莊嚴威德王劫佛
南无自在滅劫佛　南无弥留劫佛
南无須弥留劫佛　南无不可說劫佛
南无金光明色光上佛　南无龍家上佛
南无愛上佛　南无度上佛
南无法上佛　南无金剛上佛
南无威德上佛　南无无垢上佛

BD02055號　佛名經（十六卷本）卷二　（19–4）

南无金光明色光上佛　南无龍家上佛
南无愛上佛　南无度上佛
南无法上佛　南无金剛上佛
南无威德上佛　南无无垢上佛
南无龍家上佛　南无寶上佛
南无勝寶上佛　南无莎梨羅上佛
南无天上佛　南无波頭摩上佛
南无香上佛　南无放香佛
南无樂香佛　南无香奮迅佛
南无香象奮迅佛　南无香象佛
南无大香象佛　南无多羅跋香佛
南无香佛　南无无邊香佛
南无普遍香佛　南无薰香佛
南无多伽羅香佛　南无栴檀香佛
南无蔓陀羅香佛　南无波頭摩香佛
南无波頭摩手佛　南无波頭眼佛
南无波頭摩莊嚴佛　南无波頭摩起佛
南无波頭摩勝佛　南无月勝佛
南无身勝佛　南无[illegible]
南无驍勝雲佛　南无功德成就雲佛
南无寶雲佛　南无功德雲佛
南无雲護佛　南无普護佛
南无聖護佛　南无功德護佛
南无普遍護佛　南无精進護佛
南无精進喜佛　南无上喜佛

南无寶雲佛　南无功德雲佛
南无雲護佛　南无普護佛
南无聖護佛　南无功德護佛
南无普遍護佛　南无精進護佛
南无精進喜佛　南无上喜佛
南无寶喜佛　南无師子喜佛
南无龍喜佛　南无寶喜佛
南无寶智佛　南无喜去佛
南无善知寂靜去佛　南无大勢佛
南无甘露勢佛　南无金剛勢佛
南无无垢處勢佛　南无不動處勢佛
南无三界處勢佛　南无三昧處勢佛
南无定處勢佛　南无不動處勢佛
南无高去佛　南无[illegible]
南无師子奮迅去佛　南无善步去佛
南无无盡慧佛　南无海慧佛
南无住慧佛　南无勝慧佛
南无滅諸惡慧佛　南无寂靜慧佛
南无脩行慧佛　南无客慧佛
南无堅慧佛　南无善清淨慧佛
南无大慧佛　南无[illegible]
從此以上一千二百佛十二部經一切賢聖
南无无邊慧佛　南无威德慧佛
南无世慧佛　南无上慧佛
南无妙慧佛　南无杖慧佛
南无[illegible]觀慧佛　南无悔慧佛

從此以上一千二百佛十二部經一切賢聖

南无无邊慧佛　南无威德慧佛
南无世慧佛　南无上慧佛
南无妙慧佛　南无快慧佛
南无无觀慧佛　南无稱慧佛
南无廣慧佛　南无栴檀滿慧佛
南无覺慧佛　南无[illegible]佛
南无師子慧佛　南无甫慧佛
南无普慧佛　南无寶慧佛
南无金剛慧佛　南无清淨慧佛
南无勝慧佛　南无勝積佛
南无勇猛積佛　南无般若積佛
南无樂說積佛　南无香積佛
南无寶積佛　南无寶髻佛
南无功德髻佛　南无天髻佛
南无龍髻佛　南无大髻佛
南无弥留聚佛　南无大聚佛
南无炎大聚佛　南无寶聚佛
南无寶手佛　南无寶手濡佛
南无寶印手佛　南无寶光明舊逆惡摧佛
南无寶火圍遶佛　南无寶天佛
南无寶勝佛　南无寶高佛
南无寶堅佛　南无寶波頭摩佛
南无寶念佛　南无寶刀佛
南无寶山佛　南无寶炎佛

BD02055號　佛名經（十六卷本）卷二　（19–7）

南无寶堅佛　南无寶波頭摩佛
南无寶念佛　南无寶刀佛
南无寶山佛　南无寶炎佛
南无寶火圍遶佛　南无寶照佛
南无放照佛　南无迭共花佛
南无妙說佛　南无月說佛
南无金剛說佛　南无寶說佛
南无寶杖佛　南无无量寶杖佛
南无无垢杖佛　南无无邊杖佛
南无法杖佛　南无寶蓋佛
南无均寶蓋佛　南无摩尼蓋佛
南无金蓋佛　南无舊迎王佛
南无增上大成就王佛　南无增上勇猛佛
南无勇施佛　南无智施佛
南无然燈佛　南无然燈火佛
南无清淨燈佛　南无功德然燈佛
南无福德然燈佛　南无寶然燈佛
南无火然燈佛　南无无邊然燈佛
南无寶火然燈佛　南无普然燈佛
南无月然燈佛　南无日然燈佛
南无日月然燈佛　南无雲聲然燈佛
南无大海然燈佛　南无忍辱輪然燈佛
南无世然燈佛　南无普明遍十方然燈佛
南无照諸趣然燈佛　南无破諸闇然燈佛
南无一切世成就然燈佛　南无俱蘇摩見佛

BD02055號　佛名經（十六卷本）卷二　（19–8）

南无大海然燈佛 [illegible]
南无世然燈佛 南无普明遍方然燈佛
南无照諸趣然燈佛 南无破諸闇然燈佛
南无一切世成就然燈佛 南无俱蘇摩見佛
南无不散佛 南无散花佛
南无不散花佛 南无放光明佛
南无十千光明佛 南无六十光明佛
南无觀光明佛 南无无障礙光明佛
從此以上一千三百佛十二部經一切賢聖
南无放淨光明佛 南无无邊光明佛
南无波頭摩光明佛 南无福德光明佛
南无智光明佛 南无月光明佛
南无日光明佛 南无无量光明佛
南无奮迅恭敬稱佛 南无无比佛
南无功德稱佛 南无寶稱佛
南无无垢稱佛 南无垢无德佛
南无堅德佛 南无无憂德佛
南无勇猛德佛 南无華德佛
南无歡喜德佛 南无龍德佛
南无功德海佛 南无淨德佛
南无淨天佛 南无供養佛
南无淨聲佛 南无淨妙聲養佛
南无出淨聲佛 南无普智輪光聲佛
南无大聲佛 南无雲勝聲佛
次礼十二部尊經大藏法輪
南无阿含末經 南无彌勒下生經

BD02055號　佛名經（十六卷本）卷二　（19–9）

南无出淨聲佛 南无普智輪光聲佛
南无大聲佛 南无雲勝聲佛
次礼十二部尊經大藏法輪
南无阿含末經 南无彌勒下生經
南无脩行經 南无无盡意經
南无大雲經 南无廣博嚴淨經
南无所行讃經 南无十住經
南无海龍王經 南无思益經
南无菩薩處胎經 南无禪行經
南无鴦掘魔羅經 南无菩薩本緣經
南无密迹金剛經 南无佛藏經
南无大樹緊那羅經 南无阿毗曇心經
南无大悲分陁利經 南无百喻經
南无大吉義呪經 南无淨度經
南无維摩詰經 南无菩薩本行經
南无寶篋經 南无无明羅刹經
南无集一切福德經 南无金光明經
次礼十方諸大菩薩
南无因陁羅德菩薩 南无海天菩薩
南无跋陁波羅菩薩 南无藥王菩薩
南无盧舍那菩薩 南无月光菩薩
南无波頭摩勝藏菩薩 南无智山菩薩
南无聖藏菩薩 南无不捨行菩薩
南无不空見菩薩 南无妙聲菩薩
南无妙聲吼菩薩 南无常微咲新根菩薩

BD02055號　佛名經（十六卷本）卷二　（19–10）

南无波頭摩勝藏菩薩　南无智山菩薩
南无聖藏菩薩　南无不捨行菩薩
南无不空見菩薩　南无妙聲菩薩
南无妙聲吼菩薩　南无常微咲新根菩薩
南无波頭摩道勝菩薩　南无廣思菩薩
南无憂波羅眼菩薩　南无可供養菩薩
南无常憶菩薩　南无住一切悲見菩薩
南无斷一切惡法菩薩　南无住一切聲菩薩
南无住一切有菩薩　南无住佛聲菩薩
南无无垢菩薩　南无勇猛德菩薩
南无淨菩薩　南无寶勝菩薩
南无羅網光菩薩　南无斷諸蓋菩薩
南无能捨一切事菩薩　南无華莊嚴菩薩
南无月光光明菩薩　南无最勝意菩薩
南无堅意菩薩　南无自在天菩薩
南无勝意菩薩　南无淨意菩薩
從此以上一千四百佛十二部經一切賢聖
南无金剛意菩薩　南无增長意菩薩
南无善住菩薩　南无善道師菩薩
南无波頭摩藏菩薩　南无陁尼自在王菩薩
南无普行菩薩　南无覺菩提菩薩
歸命如是等十方无量无邊菩薩
南无寶辟支佛　南无不可比辟支佛
南无歡喜辟支佛　南无喜辟支佛
南无道[illegible]辟支佛　南无十二婆羅墮辟支佛

BD02055號　佛名經（十六卷本）卷二

歸命如是等十方无量无邊菩薩
南无寶辟支佛　南无不可比辟支佛
南无歡喜辟支佛　南无喜辟支佛
南无隨喜辟支佛　南无十二婆羅墮辟支佛
南无十同名婆羅辟支佛　南无大身辟支佛
南无同菩提辟支佛　南无摩訶男辟支佛
南无心上辟支佛　南无疑淨辟支佛
歸命如是等无量无邊辟支佛
礼三寶已次復懺悔
衆等相與即今我身心寂靜无諍无障正是
生善滅惡之時復應各起四種觀行以為滅
罪作前方便何等為四一者觀於因緣二者
觀於果報三者觀我自身四者觀如來身第
一觀因緣者知我此罪藉以无明不善思
惟无正觀力不識其過遠離善友諸佛菩薩
隨逐魔道行耶險逕如魚吞鈎不知其患如
蠶作繭自纏自縛如蛾赴火自燒自爛以是
因緣不能自出　第二觀於果報者所有諸
惡不善之業三世流轉苦果无窮沉溺无邊
巨夜大海為諸煩惱羅剎所食未來生死冥
然无崖設使報得轉輪聖王王四天下飛行
自在七寶具足命終之後不免惡趣四空果
報三界尊極福盡還作牛領中虫況復其
餘无福德者而復懈怠不勤懺悔此亦譬如
抱石沉淵求出良難　第三觀我自

BD02055號　佛名經（十六卷本）卷二

報三界尊極福盡還作牛領中虫況復其
餘无福德者而復懈怠不勤懺悔此亦譬如
抱石沉淵求出良難　第三觀我自
身雖有正因靈覺之性而為煩惱黑暗叢林
之所覆蔽无了因力不能得顯我今應當
發起勝心破裂无明顛倒重障斷滅生死虛
偽苦因顯發如來大明覺慧建立无上涅槃
妙果　第四觀如來身者无為寂照離四句
絕百非衆德具足湛然常住雖復方便入於
滅度慈悲救接未曾暫捨生如是心可謂滅
罪之良津除障之要行是故弟子今日至誠
稽首歸依
南无東方勝藏殊光佛　南无南方寶積示現佛
南无西方法界智燈佛　南无北方最勝降伏佛
南无東南方龍自在王佛　南无西南方轉一切生死佛
南无西北方无邊智自在佛　南无東北方无邊功德月佛
南无下方海智神通佛　南无上方一切勝王佛
如是十方盡虛空界一切三寶
弟子等无始以來至於今日長養煩惱日深
日厚日滋日茂覆蓋慧眼令无所見斷除衆
善不得相續起障不得見佛不聞正法不值
聖僧煩惱起障不見過去未來一切世間善惡業
行之煩惱障受人天尊貴之煩惱障生色无
色界禪定福樂之煩惱障不得自在神通飛

BD02055號　佛名經（十六卷本）卷二　（19–13）

善不得相續起障不得見佛不聞正法不值
聖僧煩惱起障不見過去未來一切世間善惡業
行之煩惱障受人天尊貴之煩惱障生色无
色界禪定福樂之煩惱障不得自在神通飛
騰隱顯遍至十方諸佛淨土聽法之煩惱障
學安那般那數息不淨觀諸煩惱障學慈悲
喜捨因緣煩惱障學七方便三觀義煩惱障
學四念處煖頂忍煩惱障學聞思修第一法
煩惱障學空平等中道解煩惱障學八正道
亦相之煩惱障學七覺枝不亦相煩惱障學
於道品因緣觀煩惱障學八解脫九空之煩
惱障學於十智三三昧煩惱障學三明六通
四无礙煩惱障學六度四等煩惱障學四攝
法廣化之煩惱障學大乘心四弘誓願煩惱
障學十明十行之煩惱障學十迴向十願之
煩惱障學初地二地三地四地明解之煩惱障
五地六地七地諸知見煩惱障學八地九地
十地雙照之煩惱障如是乃至障學佛果百
万阿僧祇諸行上煩惱如是行障无量无邊
弟子今日至到稽顙向十方佛尊法聖衆慚
愧懺悔願皆消滅　願弟子等藉此懺悔斷於
諸行一切煩惱願弟子等在在處處自在受生不
為結業之所迴轉以如意通於一念頃遍至十
方淨諸佛土攝化衆生於諸禪定甚深境界
及諸知見通達无㝵心能普回一切諸法樂

BD02055號　佛名經（十六卷本）卷二　（19–14）

為結業之所迴轉以如意通於一念頃遍至十
方淨諸佛土攝化衆生於諸禪定甚深境界
及諸知見通達无㝵心能普固一切諸法樂
說无窮而不染著得心自在得法自在智慧
自在方便自在令此煩惱及无知結習畢竟
永斷不復相續无漏聖道朗然如日 礼一拜
南无安隐聲佛　南无樂聲佛
南无妙鼓聲佛　南无天聲佛
南无月聲佛　南无日聲佛
南无師子聲佛　南无波頭摩聲佛
南无福德聲佛　南无金剛聲佛
南无自在聲佛　南无慧聲佛
南无妙聲佛　南无選擇聲佛
南无甘露聲佛　南无淨幢佛
南无金剛幢佛　南无法幢佛
南无住持法佛　南无樂法佛
南无護法佛　南无曇无竭佛
南无法奮迅佛　南无法界華佛
南无護法眼佛　南无然法遅燎佛
南无法自在佛　南无人自在佛
南无切德自在佛　南无聲自在佛
南无世自在佛　南无觀世自在佛
南无无量自在佛　南无意住持佛
南无地住持佛　南无尼弥住持佛
南无器住持佛　南无切德性住持佛

南无切德自在佛　南无聲自在佛
南无世自在佛　南无觀世自在佛
南无无量自在佛　南无意住持佛
南无地住持佛　南无尼弥住持佛
南无器住持佛　南无切德性住持佛
南无勝色佛　南无轉發趣佛
南无一切觀形示佛　南无發一切无歇趣行佛
南无發成就佛　南无善護佛
南无善思惟佛　南无善喜佛
南无善爱佛　南无普禪佛
南无甘露切德佛　南无善眼佛
南无師子仙化佛　南无佛眼佛
南无合聚佛　南无疾智勇佛
南无善住佛　南无寶行佛
南无師子手佛　南无海满佛
南无善思惟佛　南无稱王佛
南无住慈佛　南无善夜摩佛
南无善行佛　南无善切德佛
南无善色佛　南无善識佛
南无善心佛　南无善光佛
從此以上一千五百佛十二部經一切賢聖
南无師子月佛　南无不可勝佛
南无不可勝无畏佛　南无无量佛
南无速与佛　南无不動心佛
南无應稱佛　南无應不怯弱聲佛
南无不歇足藏佛　南无不盡佛

南无速与佛　南无不動心佛
南无應稱佛　南无遮不怯弱聲佛
南无不歇之藏佛　南无不盡佛
南无不可動佛　南无名无畏佛
南无名自在說世間佛　南无名龍自在聲佛
南无名法行廣慧佛　南无名勝自在神通稱佛
南无名妙勝自在勝佛　南无名樂法奮迅佛
南无名法界莊嚴佛　南无名大乘莊嚴佛
南无名寂靜王佛　南无解脫行佛
南无大海彌留起王佛　南无合聚那羅延王佛
南无散壞堅魔輪佛　南无精進根寶王佛
南无佛法波頭摩佛　南无得佛眼不他利佛
南无隨前覺佛　南无平等作佛
南无名初發心遠離一切驚怖无煩惱起功德佛
南无教化菩薩佛　南无金剛奮迅佛
南无名寶像光明奮迅佛　南无破壞魔輪佛
南无初發心成就不退勝輪佛　南无寶蓋起无畏光明佛
南无初發心念斷疑煩惱佛
南无名光明破昧起三昧王佛
善男子善女人若有得聞是諸佛名者永離
業障不墮惡道若无眼者誦必得眼
南无十千同名星宿佛　南无一切同名星宿佛
南无三十千同名釋迦牟尼佛
南无一切同名釋迦牟尼佛
南无二億同名拘隣佛

BD02055號　佛名經（十六卷本）卷二　（19–17）

業障不墮惡道若无眼者誦必得眼
南无十千同名星宿佛　南无一切同名星宿佛
南无三十千同名釋迦牟尼佛
南无一切同名釋迦牟尼佛
南无二億同名拘隣佛
南无一切同名拘隣佛
南无十八億同名寶法決定佛
南无一切同名寶法決定佛
南无十八億同名日月燈佛
南无一切同名日月燈佛
南无千五百同名大威德佛
南无一切同名大威德佛
南无千五百同名日佛
南无一切同名日佛
南无四万四千同名面佛
南无一切同名面佛
南无万千同名堅固自在佛
南无一切同名堅固自在佛
南无万八千同名善護佛
南无一切同名善護佛
南无千八百同名舍摩他佛
南无一切同名舍摩他佛
劫名善眼彼劫中有七十二那由他如來成
佛我悉歸命彼諸如來
劫名善見彼劫中有七十二億如來成佛我

BD02055號　佛名經（十六卷本）卷二　（19–18）

南无一切同名普說佛
南无千八百同名舍摩他佛
南无一切同名舍摩他佛
劫名善眼彼劫中有七十二那由他如来成
佛我悉歸命彼諸如来
劫名善見彼劫中有七十二億如来成佛我
悉歸命彼諸如来
劫名淨讚嘆彼劫中有一万八千如来成佛
我悉歸命彼諸如来
劫名善行彼劫中有三万二千如来成佛我
悉歸命彼諸如来
劫名莊嚴彼劫中有八万四千如来成佛我
悉歸命彼諸如来
南无現在十方世界不捨命說諸法佛所謂
安樂世界中阿弥陁佛為上首
南无樂世界阿閦如来為上首
南无袈裟幢世界中碎金剛佛為上首
南无不退輪吼世界中清淨光波頭摩花身
如来為上首
南无无垢世界中法幢如来為上首
南无善燈世界中師子如来為上首

BD02055號　佛名經（十六卷本）卷二　（19–19）

佛說佛名經卷第二
南无虛空寂佛　南无虛空功德佛
南无虛空庫藏佛　南无虛空心佛
南无虛空多羅佛　南无无垢心佛
南无放光世界中現在說法虛空勝離塵
无垢塵平等眼清淨功德幢光明華波
頭摩瑠璃光寶香像身勝妙羅網莊
嚴頂无量日月光明照莊嚴頭上莊嚴法
界善化无鄣王佛
彼佛世界中有菩薩名无比彼佛授記
不久得阿耨多羅三藐三菩提号種種光
華寶波頭摩金色身普照莊嚴不住
眼放光照十方世界幢王佛
若有善男子善女人信心受持讀誦彼佛
及菩薩名是善男子善女人超越閻浮
提微塵數劫得陁羅尼一切諸惡病不
及其身
南无无量功德寶集樂示現金光明
師子奮迅王佛
南无師子奮迅心雲聲王佛
南无无垢清淨光明覺寶華不斷莊嚴王佛

BD02056號　佛名經（二十卷本）卷二　（24–1）

及其身
南无无量功德寶集樂示現金光明
師子奮迅王佛
南无師子奮迅心雲聲王佛
南无无垢清淨光明覺寶華不斷莊嚴王佛
南无寶光月莊嚴智功德聲自在王佛
南无寶波頭摩智清淨上王佛
南无善住山王佛　南无光花種種奮迅王佛
南无枸蘇摩奮迅王佛　南无波頭摩華上彌留幢王佛
南无法幢空俱蘇摩王佛　南无莎羅華上光王佛
南无无垢上光王佛　南无无垢意出上王佛
南无種種樂說莊嚴佛　南无无量藥王威歡勝王佛
南无千雲雷聲王佛　南无金光明師子奮迅王佛
南无善寂智慧月聲自在王佛　南无善住摩尼山王佛
南无歡藏勝山王佛　南无普光上勝功德王佛
南无功德藏增上山王佛　南无動山嶽王佛
南无善住諸禪藏王佛　南无法海潮功德王佛
南无稱功德山王佛　南无一切華香自在王佛
南无銀幢蓋王佛　南无雷燈幢王佛
南无月摩尼光王佛　南无波頭摩上星宿王佛
南无无量香上王佛　南无覺王佛
南无上彌留幢王佛　南无莎羅華上王佛
南无因陁羅幢王佛　南无師子奮迅王佛
南无俱蘇摩生王佛　南无微細華佛
南无說義佛　南无无量精進佛

BD02056號　佛名經（二十卷本）卷二　（24-2）

南无无量香上王佛　南无覺王佛
南无上彌留幢王佛　南无莎羅華上王佛
南无因陁羅幢王佛　南无師子奮迅王佛
南无俱蘇摩生王佛　南无微細華佛
南无說義佛　南无无量精進佛
南无无邊彌留佛　南无離藏佛
南无无量眼佛　南无无量發行佛
南无无量發行佛　南无斷諸難佛
南无不空顛佛　南无善住諸顛佛
南无无念示現諸佛佛　南无无量善根成就諸行佛
南无无垢奮迅佛　南无不住奮迅佛
南无妙色佛　南无无相聲佛
南无虛空星宿增上王佛　南无栴檀室佛
南无樂意佛　南无善行佛
南无境界自在佛　南无樂行佛
南无樂解脫佛　南无遠離怖畏毛豎佛
南无清淨眼佛　南无進寂靜佛
南无世間可樂佛　南无隨世間意佛
南无隨世間眼佛　南无寶佛
南无種種樂說莊嚴佛　南无无量藥王威歡勝王佛
南无發行離佛　南无无所發行佛
南无寶愛佛　南无羅睺羅佛
南无羅睺羅天佛　南无羅睺淨佛
南无寶慧佛　南无寶髻佛
南无寶形佛　南无羅網手佛

BD02056號　佛名經（二十卷本）卷二　（24-3）

南无寶愛佛　南无羅睺羅佛
南无羅睺羅天佛　南无羅睺淨佛
南无寶慧佛　南无寶髻佛
南无寶形佛　南无羅網手佛
南无摩尼輪佛　南无解脫威德佛
南无善行佛　南无大愛佛
南无人面佛　南无吉佛
南无夢陁羅佛　南无淨聖佛
南无淨宿佛　南无離胎佛
南无虛空莊嚴佛　南无集功德佛
南无師子步佛　南无功德海佛
南无摩尼功德佛　南无廣功德佛
南无稱成就佛　南无大如意輪佛
南无无畏上王佛　南无俱蘇摩國土佛
南无功德憬佛　南无威德佛
南无華眼佛　南无喜身佛
南无慧國土佛　南无喜威德佛
南无波頭池智慧奮迅佛　南无功德聚佛
南无窮滅慧佛　南无降魔佛
南无无上光佛　南无法自在佛
南无得世間功德佛　南无寶諦稱佛
南无智勝佛　南无智愛佛
南无得智佛　南无智幢佛
從次以上七百佛十二部經一切賢聖
南无羅網光幢佛

BD02056號　佛名經（二十卷本）卷二　（24–4）

南无智勝佛　南无智愛佛
南无得智佛　南无智幢佛
從次以上七百佛十二部經一切賢聖
南无羅網光幢佛
善男子善女人與一切衆生安穩樂如諸
佛者當讀誦是諸佛名復作是言
南无離諸无智暗佛　南无虛空平等心佛
南无清淨无垢佛　南无善无垢藏佛
南无堅固行佛　南无精進聲佛
南无不離一切衆生界佛　南无斷續過佛
南无成就觀佛　南无平等須弥面佛
南无鄣无导精進堅佛　南无莎羅華王佛
南无无量功德王佛　南无孫留燈王佛
南无藥王聲聲王佛　南无梵聲王佛
南无鼓聲王佛　南无雲聲王佛
南无龍自在王佛　南无世間自在王佛
南无陁羅尼自在王佛　南无滌王佛
南无治諸病王佛　南无藥王佛
南无鷹王佛　南无燈王佛
南无樹提王佛　南无喜王佛
南无星宿王佛　南无雲王佛
南无雷王佛　南无莎羅佛
南无堅固自在王佛　南无功德聚佛
南无華聚佛　南无寶聚佛
南无寶住持庭燎佛　南无住持功德佛

BD02056號　佛名經（二十卷本）卷二　（24–5）

南无雷王佛　南无莎羅佛
南无堅固自在王佛　南无功德聚佛
南无華聚佛　南无寶聚佛
南无寶住持庭燎佛　南无住持功德佛
南无住持无鄣力佛　南无住持地力進去佛
南无住持妙无垢位佛　南无一切寶莊嚴色住持佛
南无自在轉一切法佛　南无轉法輪佛
南无勝威德佛　南无淨德佛
南无聖威德佛　南无大威德佛
南无師子威德佛　南无莎羅威德佛
南无悲威德佛　南无地威德佛
南无无垢威德佛　南无无垢瑠璃佛
南无无垢辟佛　南无无垢眼佛
南无无垢面佛　南无波頭摩面佛
南无月面佛　南无日面佛
南无日威德莊嚴佛　南无金色佛
南无金色形佛　南无可樂色佛
南无瞻婆加色佛　南无能與樂佛
南无能與眼佛　南无難勝佛
南无難降伏佛　南无斷諸惡佛
南无難量佛　南无難成佛
南无俱蘇摩成佛　南无甘露成佛
南无寶成就佛　南无功德成就佛
南无日成就佛　南无華成就佛
南无成就樂佛　南无成就功德佛

BD02056號　佛名經（二十卷本）卷二　（24–6）

南无難量佛　南无難成佛
南无俱蘇摩成佛　南无甘露成佛
南无寶成就佛　南无功德成就佛
南无日成就佛　南无華成就佛
南无成就樂佛　南无成就功德佛
南无大勝佛　南无妙佛
南无无垢佛　南无離鄣佛
南无婆樓那佛　南无婆樓那天佛
南无勇猛仙佛　南无精進仙佛
南无无垢仙佛　南无金剛仙佛
南无觀眼佛　南无无鄣㝵佛
南无住虛空佛　南无住清淨佛
南无善住清淨功德寶佛　南无善跡佛
南无善思義佛　南无善化佛
南无善愛佛

從此已上八百佛十二部經一切賢聖

南无善眼佛　南无善親佛
南无善行佛　南无善生佛
南无善華佛　南无善香佛
南无善聲佛　南无善辟佛
南无善光佛　南无善山佛
南无功德山佛　南无寶山佛
南无智山佛　南无勝山佛
南无上山佛　南无光明莊嚴佛
南无大光明莊嚴佛　南无清淨莊嚴佛
南无[illegible]佛　南无[illegible]佛

BD02056號　佛名經（二十卷本）卷二　（24–7）

南无切德山佛　南无寶山佛
南无智山佛　南无勝山佛
南无上山佛　南无光明莊嚴佛
南无大光明莊嚴佛　南无清淨莊嚴佛
南无波頭摩莊嚴佛　南无寶中佛
南无金剛合佛　南无碎金剛佛
南无金剛齊佛　南无破金剛堅佛
南无降伏魔佛　南无不空見佛
南无愛見佛　南无現見佛
南无善見佛　南无大善見佛
南无普見佛　南无无垢見佛
南无見平等不平等佛　南无見一切義佛
南无斷一切鄣㝵佛　南无斷一切衆生病佛
南无一切世間愛見佛　南无上妙佛
南无大莊嚴佛　南无一切三昧佛
南无度一切疑佛　南无度一切法佛
南无不取諸法佛　南无一切清淨佛
南无一切義成就佛　南无一切通佛
南无華通佛　南无波頭摩樹提奮迅通佛
南无俱蘇摩通佛
南无海住持勝智慧奮迅通佛
南无多摩羅葉旃檀香通佛
南无常觀佛　南无常圍遶佛
南无常不輕佛　南无常憂佛
南无常喜佛　南无常嘆歡喜根佛

南无多摩羅葉旃檀香通佛
南无常觀佛　南无常圍遶佛
南无常不輕佛　南无常憂佛
南无常喜佛　南无常嘆歡喜根佛
南无常滿足手佛　南无常舉手佛
南无常點慧佛　南无常脩行佛
南无常精進佛　南无庄枸律佛
南无阿紂伽佛　南无金色佛
南无華開佛　南无善決定佛
南无波頭摩光佛　南无華身佛
南无手脚柔濡觸身佛　南无日輪佛
南无閻滿足佛　南无相身身佛
南无勝威德佛　南无无垢身佛
南无波頭摩華身佛　南无得无㝵佛
南无得願滿足佛　南无得普照清淨佛
南无得大无㝵佛　南无至大佛
南无至大精進究竟佛　南无大境界佛
南无大海佛　南无大衆說佛
南无大藥王佛　南无大功德佛
南无无量香佛　南无无量精進佛
南无无量行佛　南无无量功德佛
南无寶生佛　南无无邊功德寶作佛
南无法作佛　南无金色作佛
南无勝作佛　南无自在作佛
南无日作佛　南无光作佛

南无无量行佛　南无无量功德佛
南无寶生佛　南无无邊功德寶作佛
南无法作佛　南无金色作佛
南无勝作佛　南无自在作佛
南无日作佛　南无光作佛
南无大作佛　南无日天佛
從此已上九百佛十二部經一切賢聖
南无无畏作佛　南无樂作佛
南无燈作佛　南无賢作佛
南无覺作佛　南无華作佛
南无華勝藏佛　南无俱蘇摩勝藏佛
南无憂波羅勝藏佛　南无波頭摩勝藏佛
南无功德勝藏佛　南无決勝藏佛
南无福德勝藏佛　南无天勝藏佛
南无香勝藏佛　南无大雲藏佛
南无那羅延藏佛　南无如來藏佛
南无功德藏佛　南无根藏佛
南无如意藏佛　南无金剛藏佛
南无香勝藏佛　南无得藏佛
南无勢羅藏佛　南无山藏佛
南无波頭摩藏佛　南无俱蘇摩藏佛
南无香藏佛　南无摩尼藏佛
南无賢藏佛　南无普藏佛
南无月无垢藏佛　南无日藏佛
南无照藏佛　南无光明藏佛

BD02056號　佛名經（二十卷本）卷二　（24-10）

南无香藏佛　南无摩尼藏佛
南无賢藏佛　南无普藏佛
南无月无垢藏佛　南无日藏佛
南无照藏佛　南无光明藏佛
南无月幢佛　南无功德幢佛
南无離世間幢佛　南无華幢佛
南无寶幢佛　南无法幢佛
南无自在幢佛　南无寶幢佛
南无无垢幢佛　南无大幢佛
南无月无垢幢佛　南无香照幢佛
南无弥留幢佛　南无讚妙法幢佛
南无放光明幢佛　南无善清淨无垢照幢佛
南无善清淨光明幢佛
南无善清淨光明幢佛　南无香光明佛
南无虛空光明佛　南无大光明佛
南无寶光明佛　南无火光明佛
南无日光明佛　南无月光明佛
南无日月光明佛　南无无垢光明佛
南无火輪光明佛　南无勝威德古光明佛
南无寶光明佛　南无寶照佛
南无種種多威德王勝光明佛
南无虛空清淨金色莊嚴威德光明佛
南无法幻奮迅威德光明佛　南无清淨光明佛
南无功德寶光明佛　南无金光明佛
南无高光明佛　南无放光明佛

BD02056號　佛名經（二十卷本）卷二　（24-11）

南无種種多威德王勝光明佛
南无虛空清淨金色莊嚴威德光明佛
南无法幻奮迅威德光明佛　南无清淨光明佛
南无功德寶光明佛　南无金光明佛
南无高光明佛　南无放光光明佛
南无俱蘇摩光明佛　南无香光明佛
南无甘露光明佛　南无无量寶化光明佛
南无水月光明佛　南无寶月光明佛
南无弥留光明佛　南无衆集回輪佛
南无雲光明佛　南无鞞頭老香自遊娑婆華佛
南无无異光明佛　南无法力光明佛
南无无垢光明佛　南无清淨光明佛
南无月光明佛　南无回光明佛
南无樹提光明佛　南无然大光明佛
南无焚燒光明佛　南无无羅網光明佛
南无大光明佛　南无稱光明佛
南无善光明佛　南无无邊光明佛
南无色光明聲佛
從此已上一千佛十二部經一切賢聖
南无虛空聲佛　南无妙鼓聲佛
南无師子聲佛　南无雲聲佛
南无天聲佛　南无妙聲佛
南无梵聲佛　南无雲妙鼓聲佛
南无法聲佛　南无法鼓出聲佛
南无聲滿法界聲佛　南无地吼聲佛

BD02056號　佛名經（二十卷本）卷二　（24–12）

南无師子聲佛　南无雲聲佛
南无天聲佛　南无妙聲佛
南无梵聲佛　南无雲妙鼓聲佛
南无法聲佛　南无法鼓出聲佛
南无聲滿法界聲佛　南无地吼聲佛
南无善遍聲佛　南无師子吼聲佛
南无无量吼聲佛　南无无分別吼聲佛
南无驚怖一切魔輪聲佛　南无降伏一切聲佛
南无无鄣㝵月慧佛　南无法无垢月佛
南无善照月佛　南无放光明月佛
南无盧舍那月佛　南无解脫月佛
南无稱月佛　南无功德月佛
南无寶月佛　南无滿月佛
南无大月佛　南无月輪清淨佛
南无回月佛　南无月慧佛
南无无垢慧佛　南无滌慧佛
南无戒慧佛　南无難勝慧佛
南无阿僧祇劫脩習慧佛　南无无量功德莊嚴佛
南无无量功德莊嚴行佛　南无離劫佛
南无勝功德王莊嚴威德王劫佛
南无自在藏劫佛　南无弥留劫佛
南无須弥留劫佛　南无不可說劫佛
南无金光明色光上佛　南无龍奮上佛
南无愛上佛　南无度上佛
南无法上佛　南无金剛上佛
南无威德上佛　南无无垢上佛

BD02056號　佛名經（二十卷本）卷二　（24–13）

南无[illegible]佛　南无不可[illegible]佛
南无金光明色光上佛　南无龍奣上佛
南无愛上佛　南无度上佛
南无法上佛　南无金剛上佛
南无威德上佛　南无无垢上佛
南无龍奣上佛　南无寶上佛
南无勝寶上佛　南无莎梨羅上佛
南无波頭摩上佛　南无天上佛
南无放香佛　南无香上佛
南无樂香佛　南无香奮迅佛
南无香烏奮迅佛　南无香烏佛
南无大香烏佛　南无多羅跋香佛
南无貳香佛　南无无邊香佛
南无普遍香佛　南无董香佛
南无多伽羅香佛　南无旃檀香佛
南无夢陁羅香佛　南无波頭摩香佛
南无波頭摩手佛　南无波頭眼佛
南无波頭摩庄嚴佛　南无波頭摩超佛
南无波頭摩勝佛　南无月勝佛
南无身勝佛　南无鷲怖勝佛
南无𩿧勝雲佛　南无功德成就雲佛
南无寶雲佛　南无功德雲佛
南无雲護佛　南无普護佛
南无普遍護佛　南无精進護佛
南无精進喜佛　南无上喜佛
南无寶喜佛　南无師子喜佛

BD02056號　佛名經（二十卷本）卷二　（24–14）

南无寶雲佛　南无功德雲佛
南无雲護佛　南无普護佛
南无普遍護佛　南无精進護佛
南无精進喜佛　南无上喜佛
南无寶喜佛　南无師子喜佛
南无龍喜佛　南无寶喜佛
南无寶智佛
從此已上一千一百佛十二部經一切賢聖
南无喜去佛　南无大勢佛
南无善奣靜去佛　南无甘露勢佛
南无金剛杵勢佛　南无无垢處勢佛
南无不動處勢佛　南无過三界處勢佛
南无三昧處勢佛　南无定處勢佛
南无不動處勢佛　南无高去佛
南无奣滅去佛　南无師子奮迅佛
南无善步去佛　南无无盡佛
南无海慧佛　南无住慧佛
南无勝慧佛　南无滅諸惡慧佛
南无奣靜慧佛　南无循行慧佛
南无寂慧佛　南无堅慧佛
南无善清淨佛　南无大慧佛
南无普慧佛　南无无邊慧佛
南无威德慧佛　南无世慧佛
南无上慧佛　南无妙慧佛
南无決慧佛　南无觀慧佛

BD02056號　佛名經（二十卷本）卷二　（24–15）

南无善清淨佛　南无大慧佛
南无普慧佛　南无无邊慧佛
南无威德慧佛　南无世慧佛
南无上慧佛　南无妙慧佛
南无决慧佛　南无觀慧佛
南无稱慧佛　南无廣慧佛
南无穪種滿慧佛　南无金剛慧佛
南无清淨慧佛　南无覺慧佛
南无法慧佛　南无師子慧佛
南无希慧佛　南无若慧佛
南无寶慧佛　南无勝慧佛
南无勝積佛　南无勇猛積佛
南无般若積佛　南无樂說積佛
南无香積佛　南无寶積佛
南无寶器佛　南无功德器佛
南无天器佛　南无龍器佛
南无大器佛　南无弥留聚佛
南无大聚佛　南无大炎聚佛
南无寶聚佛　南无寶手佛
南无寶手柔濡佛　南无寶印手佛
南无寶光明奮迅摧佛　南无寶大圍遶佛
南无寶天佛　南无寶勝佛
南无寶高佛　南无寶堅佛
南无寶波頭摩佛　南无寶山佛
南无寶夾佛　南无寶炎圍遶佛
南无寶照佛　南无放照佛

BD02056 號　佛名經（二十卷本）卷二　（24–16）

南无寶光明奮迅摧佛　南无寶大圍遶佛
南无寶天佛　南无寶勝佛
南无寶高佛　南无寶堅佛
南无寶波頭摩佛　南无寶山佛
南无寶夾佛　南无寶炎圍遶佛
南无寶照佛　南无放照佛
南无迭共華佛　南无妙說佛
南无月說佛　南无金剛說佛
南无寶說佛　南无寶杖佛
南无无量寶杖佛　南无无邊杖佛
南无垢杖佛　南无法杖佛
南无寶蓋佛　南无均寶蓋佛
南无摩尼蓋佛　南无金蓋佛
南无奮迅王佛　南无增上大成就王佛
南无增上勇猛佛　南无勇施佛
南无智施佛　南无然燈佛
南无然燈大佛
從此已上一千二百佛十二部經一切賢聖
南无功德然燈佛　南无福德然燈佛
南无寶然燈佛　南无大然燈佛
南无无邊然燈佛　南无火然燈佛
南无善然燈佛
次礼十二部經般若海藏
南无大方等大集經　南无大方等日藏經
南无大方等月藏經　南无大方等大集經
南无大威德陁羅尼經　南无法炬陁羅尼經

BD02056 號　佛名經（二十卷本）卷二　（24–17）

南无[illegible]
次礼十二部經般若海藏
南无大方等大集經　南无大方等日藏經
南无大方等月藏經　南无大方等大集經
南无大威德陁羅尼經　南无法炬陁羅尼經
南无菩薩見實三昧經　南无賢劫經
南无華手經　南无大灌頂經
南无菩薩瓔珞經　南无月燈三昧經
南无十住斷結經　南无觀佛三昧經
南无大方廣十輪經　南无大方便報恩經
南无寶雲經　南无金光明經
南无法集經　南无大雲經
次礼諸大菩薩摩訶薩衆
南无解脫月菩薩　南无彌勒菩薩
南无奮迅菩薩　南无无所發菩薩
南无陁羅尼自在菩薩　南无无盡意菩薩
南无堅意菩薩　南无日藏菩薩
南无法自在王菩薩　南无師子吼菩薩
南无陁羅尼菩薩　南无寶藏菩薩
南无常精進菩薩　南无不休息菩薩
南无信相菩薩
歸命如是等无量无邊菩薩
南无東方九十九億百千万同名梵勝菩薩
南无南方九十九億百千万同名不除羅菩薩
南无西方九十九億百千万同名大功德菩薩
南无北方九十九億百千万同名大藥王菩薩

歸命如是等无量无邊菩薩
南无東方九十九億百千万同名梵勝菩薩
南无南方九十九億百千万同名不除羅菩薩
南无西方九十九億百千万同名大功德菩薩
南无北方九十九億百千万同名大藥王菩薩
南无聲聞緣覺一切辟支佛
南无愛見辟支佛　南无覺辟支佛
南无乾陁羅辟支佛　南无无妻辟支佛
南无梨沙婆辟支佛　南无聲聞緣覺一切賢聖
南无過現未來三世諸佛歸命懺悔
夫論懺悔者本是改往脩來滅惡興善人
生居世誰能无過學人失念尚起煩惱羅
漢結習動身口業豈況凡夫而當无過但
智者覺便能改悔愚者覆藏遂使滋蔓
所以積集長夜曉悟无有慚愧發露懺悔
豈惟正是滅罪而已亦復增長无量功德
樹立如來涅槃妙果若欲行此法者先當外
肅形儀瞻奉尊像內起意緣於想法懇
切慇重生二種何等為二一者自念我此形
命難可常保一朝散壞不知此身何時可復
若復不值諸佛賢聖遇惡友造衆罪
業復應墮落深坑險趣二者自念我此生
中雖得值遇如來正法為佛弟子之法紹
継聖種淨身口意善法自居而今我等公
自作惡而復覆藏言他不知謂彼不見隱
匿在心傲然无愧實乃天下愚惑之甚即今現有

業復應墮落深坑險趣二者自念我此生
中雖得值遇如来正法爲佛弟子之法紹
継聖種淨身口意善法自居而今我等公
自作惡而復覆藏言他不知謂彼不見隱
匿在心傲无愧寔乃夫愚惑之甚即今現有
十方諸佛諸大菩薩諸天神仙何故不以清
淨天眼見於我等所作罪又復幽顯靈祇
注記罪福纖毫无差夫論作罪之人命欲
終時牛頭獄卒錄其精神在閻羅王所辯覈
是非當尒之時一切怨對皆来證據各言汝
先屠裂我身炮煮蒸炙或言汝先剝奪於
我一切財寶離我眷屬我於今者始得汝
便於時現前證據何得敢諱唯應甘心分受
宿殃如經所明地獄之中不枉治人若其平
素所作衆罪心自忘失是其生時造惡之
處一切諸想皆現在前各言汝昔在於我邊
作如是罪今何得諱是爲作罪无藏隱處
於是閻魔羅王切齒呵責將付地獄歷劫窮
年求出莫由此事不遠不關他人正是我身
自作自受雖父子至親一旦對至无代受者
衆等今日及其形休彊无衆疾各自努力
與性命競大怖至時悔无所及是故弟子
至心歸依十方諸佛
南无東方破疑淨光佛　南无南方无憂功德佛
南无西方華嚴神通佛　南无北方月殿清淨佛
南无東南方破一切闇佛　南无西南方大衆觀衆生佛

BD02056號　佛名經（二十卷本）卷二　（24-20）

與性命競大怖至時悔无所及是故弟子
至心歸依十方諸佛
南无東方破疑淨光佛　南无南方无憂功德佛
南无西方華嚴神通佛　南无北方月殿清淨佛
南无東南方破一切闇佛　南无西南方大衆觀衆生佛
南无西北方遲鉢華殊勝月王佛
南无東北方金剛堅强自在力王佛
南无上方斷一切疑佛　南无下方離一切憂佛
如是十方盡虛空界一切三寶
弟子等從无始以来至于今日積聚无明
鄣閉心目隨順煩惱性造三世罪或耽染愛
著起於貪欲煩惱或瞋恚忿怒懷恨煩惱或
惛懫瞪矒不了煩惱或我慢自高輕傲煩
惱疑惑正道猶豫煩惱謗无因果耶見煩
惱不識緣假著我煩惱迷於三世執斷常
煩惱朋狎惡法起見取煩惱僻稟耶師造
戒取煩惱乃至一切四執橫計煩惱今日
至誠皆悉懺悔
又復无始以来至于今日守惜堅著起慳
悋煩惱不攝六情奢誕煩惱心行弊惡不忍
煩惱怠惰緩縱不懃煩惱情慮躁動覺觀
煩惱觸境迷惑无知解煩惱隨世八風生彼
我煩惱諂曲面譽不直心煩惱擴强難觸不
調和煩惱易忿難悅多含恨煩惱嫉妬擊刺
很戾煩惱凶險暴害諂毒煩惱乖背二諦執
[illegible]煩惱[illegible]集滅道[illegible]煩惱[illegible]

BD02056號　佛名經（二十卷本）卷二　（24-21）

煩惱觸境迷惑无知解煩惱隨世八風生彼
我煩惱諂曲面譽不直心煩惱擴悷難觸不
調和煩惱易忿難悅多含恨煩惱嫉妬擊刺
很戾煩惱凶險暴害諂毒煩惱乖背二諦執
相煩惱於苦集滅道生顛倒煩惱隨從生死
十二因緣流轉煩惱乃至无始无明住地恒沙
煩惱起四住地構於三界苦果煩惱如是如是
諸煩惱无量无邊惱亂賢聖六道四生今日
發露向十方佛尊法聖衆皆悉懺悔
弟子等承是懺悔貪瞋癡等一切煩惱生生
世世析憍慢幢竭愛欲水滅瞋恚火破愚癡
暗拔斷疑根裂諸見網深識三界猶如牢獄
四大毒蛇五陰怨賊六入空聚愛詐親善脩
八聖道斷无明源正向涅槃不休不息卅七
品心心相應十波羅蜜常現在前
大乘蓮華寶達菩薩問荅報應沙門經
寶達即便入地獄中上高樓頭四顧望視見罪
人等各從四門哮吼而入寶達前入鐵車鐵馬
鐵牛鐵驢此四小獄併為一地獄云何名曰鐵車
鐵馬鐵牛鐵驢地獄此地獄方圓縱廣十五
由旬其中鐵城高一由旬猛火輝赫烟然其車
鐵作焱赫熾然中有鐵牛其身亦然頭角毛
尾皆如鉾鋋毛中火然烟焰俱出其鐵馬者
身毛騣尾利如刀鋒毛火然烟焰俱出其鐵
驢者亦復如是其地獄中有鐵鍬鑹利如

鐵作焱赫熾然中有鐵牛其身亦然頭角毛
尾皆如鉾鋋毛中火然烟焰俱出其鐵馬者
身毛騣尾利如刀鋒毛火然烟焰俱出其鐵
驢者亦復如是其地獄中有鐵鍬鑹利如
鉾鋋鐵鏘棄亂遍布其地其鏘火然猛
熾於前尒時北門之中有五百沙門哰聲哮
吼眼口中火出唱如是言云何我今受如此苦
獄卒夜叉馬頭羅剎手捉三鈷鐵叉望背而
鏟脊前而出復有鐵索來繫其髀其索
火然燒罪人髀復有鐵枷枷罪人咽其枷八方
利如鉾鋋烟火猛熾燒罪人頸尒時罪人宛轉
倒地而不肯前馬頭羅剎手捉鐵棒望頭而
打罪人身體碎如微塵湏有餓鬼來食其
肉湏有餓狗來飲其血馬頭羅剎齧地言活
罪人即活尒時鐵牛吼喚抱地其牛吼喚來
向罪人罪人迫迮宛轉於地馬頭羅剎手捉鐵
叉叉著車上罪人跳踉湏隨牛上牛毛仰剌
從腹而入背上而出湏跳踉湏隨馬上馬毛
仰剌亦如鉾鋋馬尾猶之身即碎爛湏臾還
活尒時鐵馬舉腳連蹴身碎如塵湏臾還活
湏騎鐵驢驢即跳踉罪人墮地驢便大瞋舉
腳連蹴湏臾還活一日一夜受罪无量寶達
問馬頭羅剎曰此諸沙門云何如是羅剎荅
曰此諸沙門受佛禁戒不慎將來但取現
在違犯淨戒故作惡業畜不淨財乘車騎

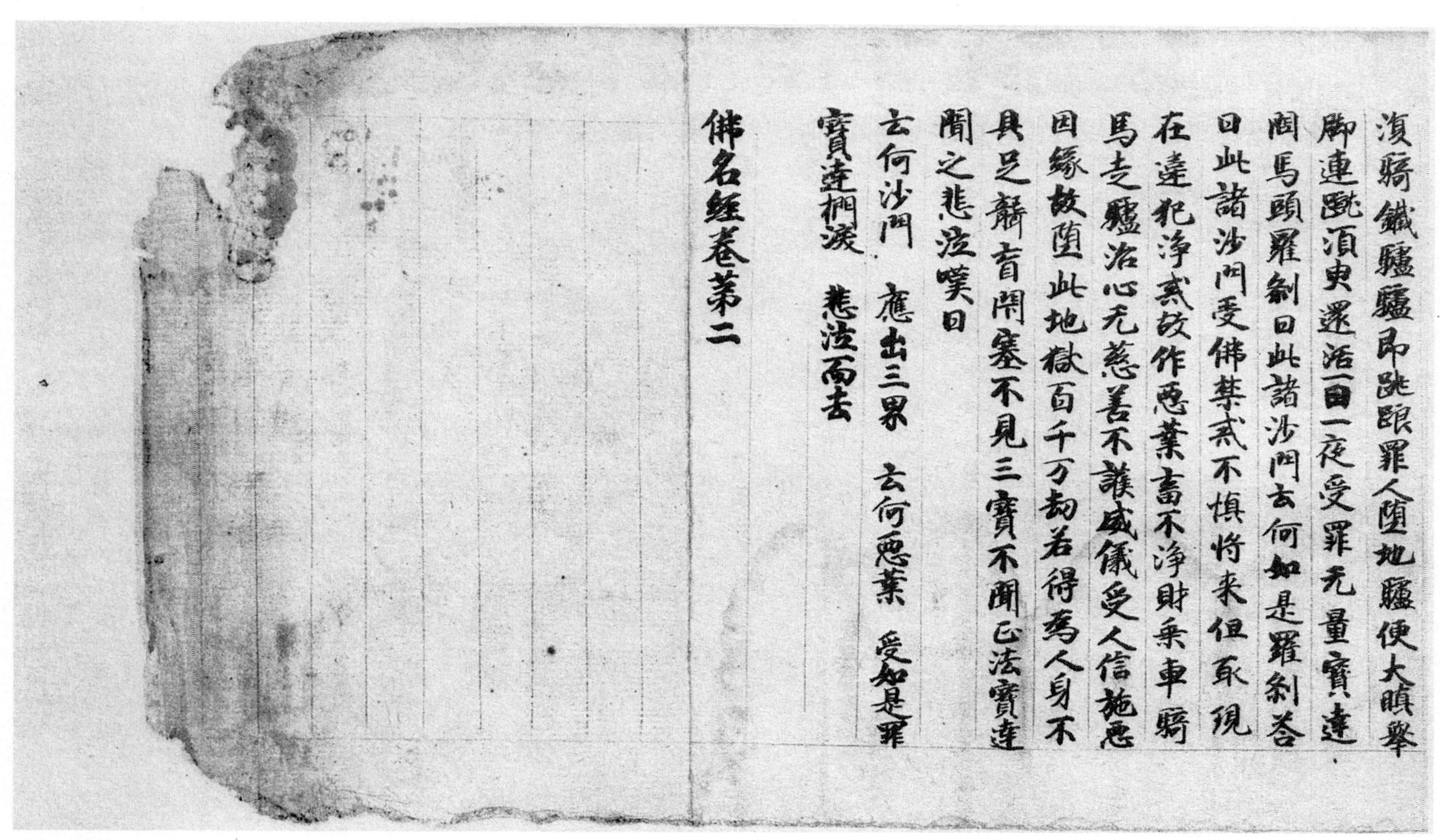
復騎鐵驢驢即跳跟罪人墮地驢便大瞋舉
脚連蹴須臾還活一日一夜受罪无量寶達
問馬頭羅剎曰此諸沙門去何如是羅剎荅
曰此諸沙門受佛禁戒不慎将来但取現
在違犯淨戒故作惡業畜不淨財乘車騎
馬走驢治心无慈善不護威儀受人信施惡
因緣故墮此地獄百千万劫若得為人身不
具足聾盲閉塞不見三寶不聞正法寶達
聞之悲泣嘆曰
云何沙門　應出三界　云何惡業　受如是罪
寶達惆悵　悲泣而去
佛名經卷第二

BD02056號　佛名經（二十卷本）卷二　（24–24）

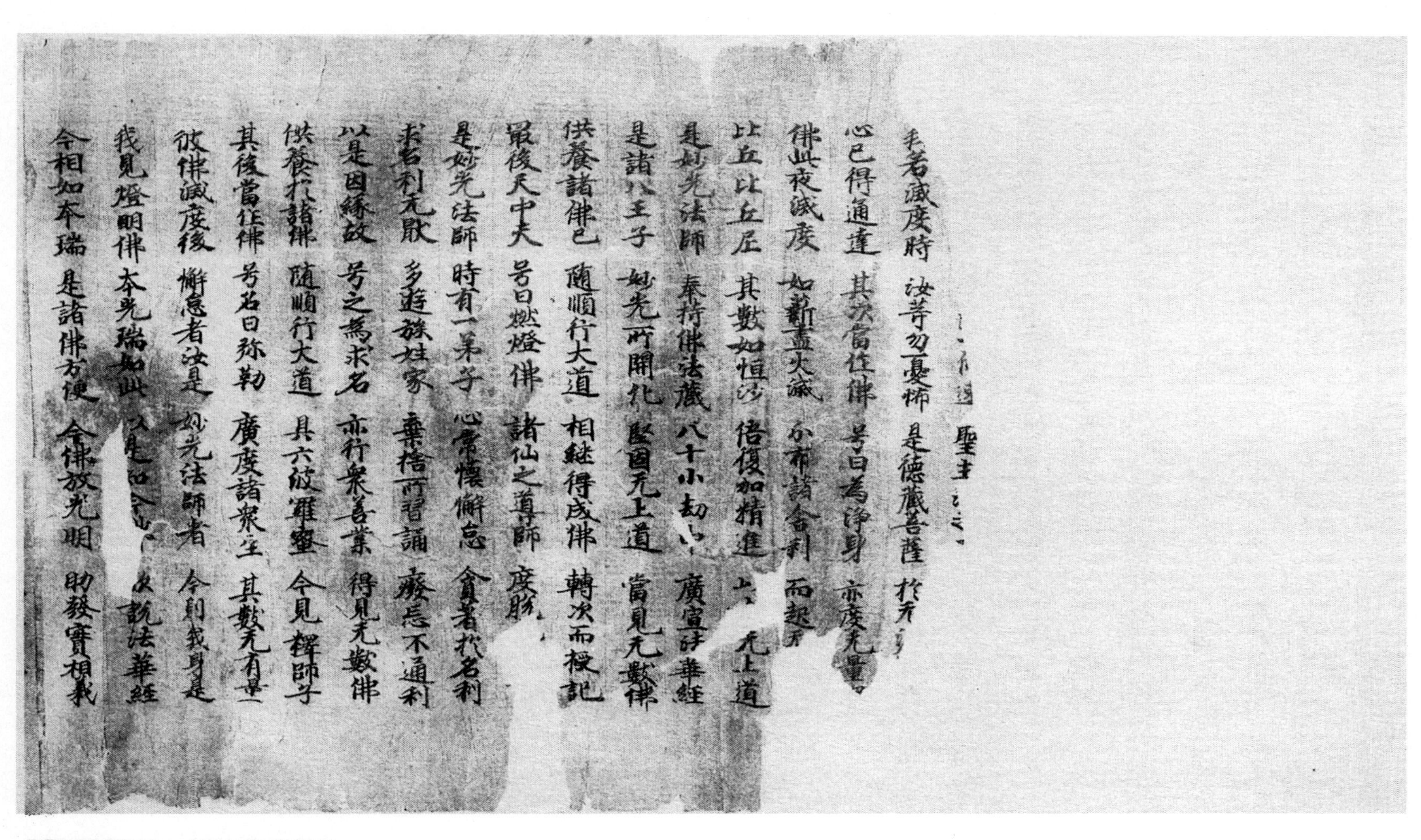
我若滅度時　汝等勿憂怖　是德藏菩薩　於无漏
心已得通達　其次當作佛　號曰為淨身　亦度无量
佛此夜滅度　如薪盡火滅　分布諸舍利　而起无
比丘比丘尼　其數如恒沙　倍復加精進　以求无上道
是妙光法師　奉持佛法藏　八十小劫中　廣宣法華經
是諸八王子　妙光所開化　堅固无上道　當見无數佛
供養諸佛已　隨順行大道　相繼得成佛　轉次而授記
最後天中天　號曰燃燈佛　諸仙之導師　度脫
是妙光法師　時有一弟子　心常懷懈怠　貪著於名利
求名利无猒　多遊族姓家　棄捨所習誦　廢忘不通利
以是因緣故　號之為求名　亦行眾善業　得見无數佛
供養於諸佛　隨順行大道　具六波羅蜜　今見釋師子
其後當作佛　號名曰弥勒　廣度諸眾生　其數无有量
彼佛滅度後　懈怠者汝是　妙光法師者　今則我身是
我見燈明佛　本光瑞如此　以是知今佛　欲說法華經
今相如本瑞　是諸佛方便　今佛放光明　助發實相義

BD02057號　妙法蓮華經卷一　（10–1）

供養於諸佛 隨順行大道 具六波羅蜜 今見釋師子
其後當作佛 号名曰弥勒 廣度諸衆生 其數无有量
彼佛滅度後 懈怠者汝是 妙光法師者 今則我身是
我見燈明佛 本光瑞如此 以是知今佛 欲說法華經
今相如本瑞 是諸佛方便 今佛放光明 助發實相義
諸人今當知 合掌一心待 佛當雨法雨 充足求道者
諸求三乘人 若有疑悔者 佛當為除斷 令盡无有餘

妙法蓮華經方便品第二

尒時世尊從三昧安詳而起告舍利弗諸佛智慧甚深无量其智慧門難解難入一切聲聞辟支佛所不能知所以者何佛曾親近百千万億无數諸佛盡行諸佛无量道法勇猛精進名稱普聞成就甚深未曾有法隨宜所說意趣難解舍利弗吾從成佛已來種種因緣種種譬喻廣演言教无數方便引導衆生令離諸著所以者何如來方便知見波羅蜜皆已具足舍利弗如來知見廣大深遠无量无礙力无所畏禪定解脫三昧深入无際成就一切未曾有法舍利弗如來能種種分別巧說諸法言辭柔軟悅可衆心舍利弗取要言之无量无邊未曾有法佛悉成就止舍利弗不須復說所以者何佛所成就第一希有難解之法唯佛與佛乃能究盡諸法實相所謂諸法如是相如是性如是體如是力如是作如是因如是緣如是果如是報如是本末

巧說諸法言辭柔軟悅可衆心舍利弗取要言之无量无邊未曾有法佛悉成就止舍利弗不須復說所以者何佛所成就第一希有難解之法唯佛與佛乃能究盡諸法實相所謂諸法如是相如是性如是體如是力如是作如是因如是緣如是果如是報如是本末究竟等尒時世尊欲重宣此義而說偈言

世雄不可量 諸天及世人 一切衆生類 无能知佛者
佛力无所畏 解脫諸三昧 及佛諸餘法 无能測量者
本從无數佛 具足行諸道 甚深微妙法 難見難可了
於无量億劫 行此諸道已 道場得成果 我已悉知見
如是大果報 種種性相義 我及十方佛 乃能知是事
是法不可示 言辭相寂滅 諸餘衆生類 无有能得解
除諸菩薩衆 信力堅固者 諸佛弟子衆 曾供養諸佛
一切漏已盡 住是最後身 如是諸人等 其力所不堪
假使滿世間 皆如舍利弗 盡思共度量 不能測佛智
正使滿十方 皆如舍利弗 及餘諸弟子 亦滿十方刹
盡思共度量 亦復不能知 辟支佛利智 无漏最後身
亦滿十方界 其數如竹林 斯等共一心 於億无量劫
欲思佛實智 莫能知少分 新發意菩薩 供養无數佛
了達諸義趣 又能善說法 如稻麻竹葦 充滿十方刹
一心以妙智 於恒河沙劫 咸皆共思量 不能知佛智
不退諸菩薩 其數如恒沙 一心共思求 亦復不能知
又告舍利弗 无漏不思議 甚深微妙法 我今已具得

欲思佛實智 莫能知少分 新發意菩薩 供養无數佛
了達諸義趣 又能善說法 如稻麻竹葦 充滿十方剎
一心以妙智 於恒河沙劫 咸皆共思量 不能知佛智
不退諸菩薩 其數如恒沙 一心共思求 亦復不能知
又告舍利弗 无漏不思議 甚深微妙法 我今已具得
唯我知是相 十方佛亦然 舍利弗當知 諸佛語无異
於佛所說法 當生大信力 世尊法久後 要當說真實
告諸聲聞眾 及求緣覺乘 我令脫苦縛 逮得涅槃者
佛以方便力 示以三乘教 眾生處處著 引之令得出
尒時大眾中有諸聲聞漏盡阿羅漢阿若憍
陳如等千二百人及發聲聞辟支佛心比丘
比丘尼優婆塞優婆夷各作是念今者世尊
何故慇勤稱歎方便而作是言佛所得法甚
深難解有所言說意趣難知一切聲聞辟支
佛所不能及佛說一解脫義我等亦得此法
到於涅槃而今不知是義所趣尒時舍利弗
知四眾心疑自亦未了而白佛言世尊何因
何緣慇勤稱歎諸佛第一方便甚深微妙難
解之法我自昔來未曾從佛聞如是說今者
四眾咸皆有疑唯願世尊敷演斯事世尊何
故慇勤稱歎甚深微妙難解之法尒時舍利
弗欲重宣此義而說偈言
慧日大聖尊 久乃說是法 自說得如是 力无畏三昧
禪定解脫等 不可思議法 道場所得法 无能發問者

BD02057號 妙法蓮華經卷一 (10–4)

四眾咸皆有疑唯願世尊敷演斯事世尊何
故慇勤稱歎甚深微妙難解之法尒時舍利
弗欲重宣此義而說偈言
慧日大聖尊 久乃說是法 自說得如是 力无畏三昧
禪定解脫等 不可思議法 道場所得法 无能發問者
我意難可測 亦无能問者 无問而自說 稱歎所行道
智慧甚微妙 諸佛之所得 无漏諸羅漢 及求涅槃者
今皆墮疑網 佛何故說是 其求緣覺者 比丘比丘尼
諸天龍鬼神 及乾闥婆等 相視懷猶豫 瞻仰兩足尊
是事為云何 願佛為解說 於諸聲聞眾 佛說我第一
我今自於智 疑惑不能了 為是究竟法 為是所行道
佛口所生子 合掌瞻仰待 願出微妙音 時為如實說
諸天龍神等 其數如恒沙 求佛諸菩薩 大數有八万
又諸万億國 轉輪聖王至 合掌以敬心 欲聞具足道
尒時佛告舍利弗止止不須復說若說是事
一切世間諸天及人皆當驚疑舍利弗重白
佛言世尊唯願說之唯願說之所以者何是
會无數百千万億阿僧祇眾生曾見諸佛諸
根猛利智慧明了聞佛所說則能敬信尒時
舍利弗欲重宣此義而說偈言
法王无上尊 唯說願勿慮 是會无量眾 有能敬信者
佛復止舍利弗若說是事一切世間天人阿
脩羅皆當驚疑增上慢比丘將墜於大坑
尒時世尊重說偈言

BD02057號 妙法蓮華經卷一 (10–5)

根猛利智慧明了聞佛所說則能敬信尒時
舍利弗欲重宣此義而說偈言
法王无上尊　唯說願勿慮　是會无量衆　有能敬信者
佛復止舍利弗若說是事一切世間天人阿
脩羅皆當驚疑增上慢比丘將墜於大坑
尒時世尊重說偈言
止止不須說　我法妙難思　諸增上慢者　聞必不敬信
尒時舍利弗重白佛言世尊唯願說之唯願
說之今此會中如我等比百千万億世世已
曾從佛受化如此人等必能敬信長夜安隱
多所饒益尒時舍利弗欲重宣此義而說
偈言
无上兩足尊　願說第一法　我為佛長子　唯垂分別說
是會无量衆　能敬信此法　佛已曾世世　教化如是等
皆一心合掌　欲聽受佛語　我等千二百　及餘求佛者
願為此衆故　唯垂分別說　是等聞此法　則生大歡喜
尒時世尊告舍利弗汝已慇懃三請豈得不
說汝今諦聽善思念之吾當為汝分別解說
說此語時會中有比丘比丘尼優婆塞優婆
夷五千人等即從座起礼佛而退所以者何
此輩罪根深重及增上慢未得謂得未證謂
證有如此失是以不住世尊嘿然而不制止
尒時佛告舍利弗我今此衆无復枝葉純有
貞實舍利弗如是增上慢人退亦佳矣汝今

BD02057號　妙法蓮華經卷一　（10–6）

夷五千人等即從座起礼佛而退所以者何
此輩罪根深重及增上慢未得謂得未證謂
證有如此失是以不住世尊嘿然而不制止
尒時佛告舍利弗我今此衆无復枝葉純有
貞實舍利弗如是增上慢人退亦佳矣汝今
善聽當為汝說舍利弗言唯然世尊願樂欲
聞佛告舍利弗如是妙法諸佛如來時乃說
之如優曇鉢華時一現耳舍利弗汝等當信
佛之所說言不虛妄舍利弗諸佛隨宜說法
意趣難解所以者何我以无數方便種種因
緣譬喻言辭演說諸法是法非思量分別之
所能解唯有諸佛乃能知之所以者何諸佛
世尊唯以一大事因緣故出現於世舍利弗
云何名諸佛世尊唯以一大事因緣故出現
於世諸佛世尊欲令衆生開佛知見使得清
淨故出現於世欲示衆生佛之知見故出現
於世欲令衆生悟佛知見故出現於世欲令
衆生入佛知見道故出現於世舍利弗是為諸
佛以一大事因緣故出現於世佛告舍利弗
諸佛如來但教化菩薩諸有所作常為一事
唯以佛之知見示悟衆生舍利弗如來但以
一佛乘故為衆生說法无有餘乘若二若三
舍利弗一切十方諸佛法亦如是舍利弗過
去諸佛以无量无數方便種種因緣譬喻言

BD02057號　妙法蓮華經卷一　（10–7）

諸佛如來但教化菩薩諸有所作常爲一事
唯以佛之知見示悟衆生舍利弗如來但以
一佛乘故爲衆生說法无有餘乘若二若三
舍利弗一切十方諸佛法亦如是舍利弗過
去諸佛以无量无數方便種種因緣譬喻言
辭而爲衆生演說諸法是法皆爲一佛乘故
是諸衆生從諸佛聞法究竟皆得一切種智
舍利弗未來諸佛當出扵世亦以无量无數
方便種種因緣譬喻言辭而爲衆生演說諸
法是法皆爲一佛乘故是諸衆生從佛聞法
究竟皆得一切種智舍利弗現在十方无量
百千万億佛土中諸佛世尊多所饒益安樂
衆生是諸佛亦以无量无數方便種種因緣
譬喻言辭而爲衆生演說諸法是法皆爲一
佛乘故是諸衆生從佛聞法究竟皆得一切
種智舍利弗是諸佛但教化菩薩欲以佛之
知見示衆生故欲以佛之知見悟衆生故欲
令衆生入佛之知見故舍利弗我今亦復如
是知諸衆生有種種欲深心所着隨其本性
以種種因緣譬喻言辭方便力故而爲說法
舍利弗如此皆爲得一佛乘一切種智故舍
利弗十方世界中尚无二乘何況有三舍利
弗諸佛出扵五濁惡世所謂劫濁煩惱濁衆
生濁見濁命濁如是舍利弗劫濁亂時衆生
垢重慳貪嫉妬成就諸不善根故諸佛以方

BD02057號　妙法蓮華經卷一

（10–8）

舍利弗如此皆爲得一佛乘一切種智故舍
利弗十方世界中尚无二乘何況有三舍利
弗諸佛出扵五濁惡世所謂劫濁煩惱濁衆
生濁見濁命濁如是舍利弗劫濁亂時衆生
垢重慳貪嫉妬成就諸不善根故諸佛以方
便力扵一佛乘分別說三舍利弗若我弟子
自謂阿羅漢辟支佛者不聞不知諸佛如來
但教化菩薩事此非佛弟子非阿羅漢非辟
支佛又舍利弗是諸比丘比丘尼自謂已得
阿羅漢是最後身究竟涅槃便不復志求阿
耨多羅三藐三菩提當知此輩皆是增上慢
人所以者何若有比丘實得阿羅漢若不信
此法无有是處除佛滅度後現前无佛所以
者何佛滅度後如是等經受持讀誦解義者
是人難得若遇餘佛扵此法中便得決了舍
利弗汝等當一心信解受持佛語諸佛如來
言无虛妄无有餘乘唯一佛乘尒時世尊
欲重宣此義而說偈言
比丘比丘尼　有懷增上慢　優婆塞我慢　優婆夷不信
如是四衆等　其數有五千　不自見其過　扵戒有缺漏
護惜其瑕疵　是小智已出　衆中之糟糠　佛威德故去
斯人尠福德　不堪受是法　此衆无枝葉　唯有諸貞實
舍利弗善聽　諸佛所得法　无量方便力　而爲衆生說
衆生心所念　種種所行道　若干諸欲性　先世善惡業

BD02057號　妙法蓮華經卷一

（10–9）

是人難得若遇餘佛於此法中便得決了舍
利弗汝等當一心信解受持佛語諸佛如來
言无虛妄无有餘乘唯一佛乘尒時世尊
欲重宣此義而說偈言
比丘比丘尼　有懷增上慢　優婆塞我慢　優婆夷不信
如是四衆等　其數有五千　不自見其過　於戒有缺漏
護惜其瑕疵　是小智已出　衆中之糟糠　佛威德故去
斯人尠福德　不堪受是法　此衆无枝葉　唯有諸貞實
舍利弗善聽　諸佛所得法　无量方便力　而為衆生說
衆生心所念　種種所行道　若干諸欲性　先世善惡業
佛悉知是已　以諸緣譬喻　言辭方便力　令一切歡喜
或說修多羅　伽陀及本事　本生未曾有　亦說於因緣
譬喻并祇夜　優波提舍經　鈍根樂小法　貪著於生死
於諸无量佛　不行深妙道　衆苦所惱亂　為是說涅槃
我設是方便　令得入佛慧　未曾說汝等　當得成佛道
所以未曾說　說時未至故　今正是其時　決定說大乘
我此九部法　隨順衆生說　入大乘為本　以故說是經
有佛子心淨　柔軟亦利根　无量諸佛所　而行深妙道

BD02057號　妙法蓮華經卷一　（10–10）

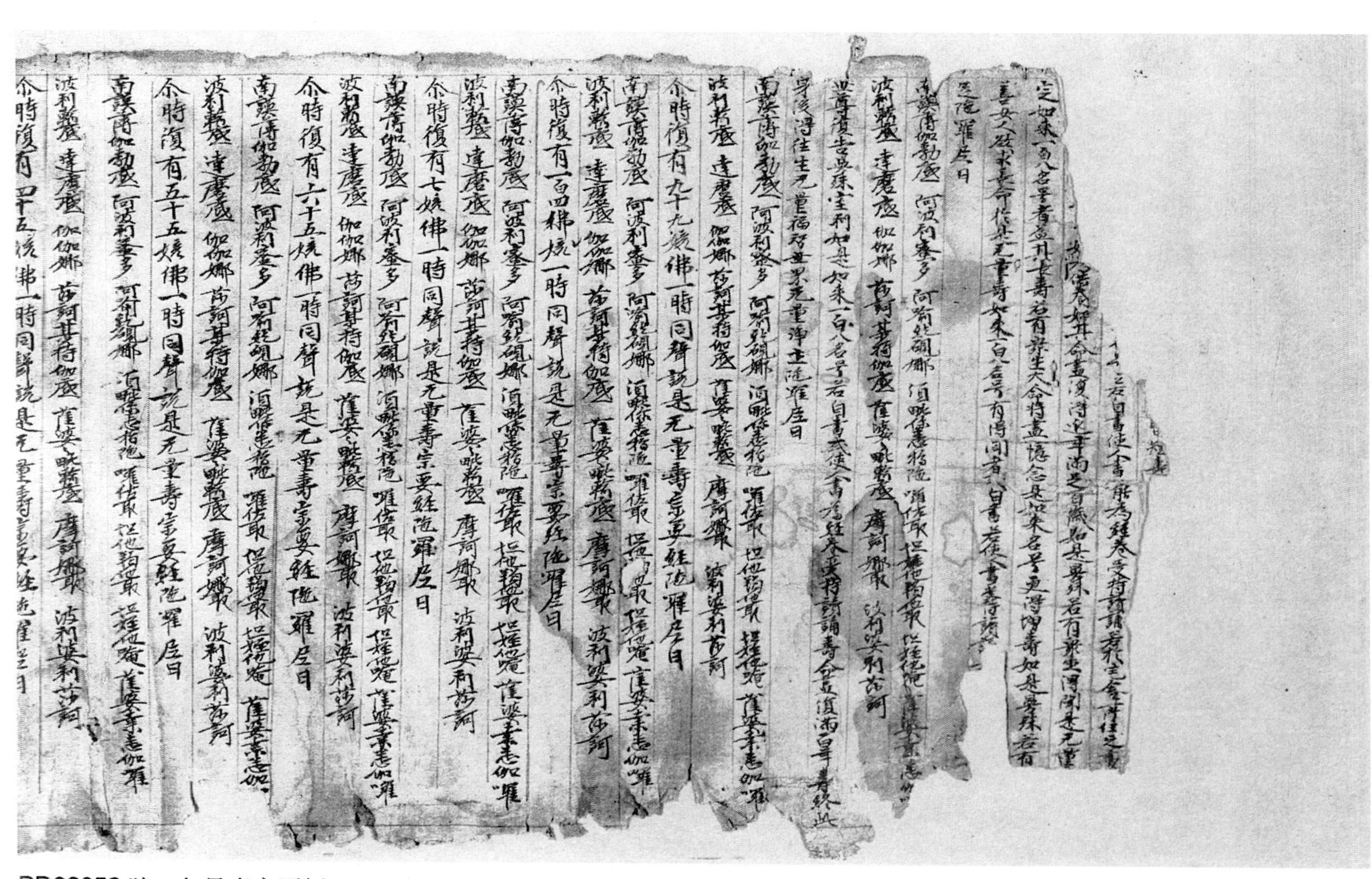

……若自書使人書能為經卷受持讀誦於其舍宅所住之處……
……衆生如其命盡復得延年滿足百歲如是之衆生若有衆生得聞是无量……
之如來一百八名号者益其壽命若有衆生大命將盡憶念是如來名号更得增壽如是之衆生若有
善男子女人發求長壽於是无量壽如來一百八名号有得聞者若自書若使人書受持讀誦……
陁羅尼曰
南謨薄伽勃底　阿波利蜜多　阿喻紇硯娜　須毗你悉指陁　囉佐耶　怛他羯他耶……
波利輸底　達磨底　伽伽娜　莎訶麼特伽底　薩婆婆毗輸底　摩訶娜耶　波利婆利莎訶
世尊復告曼殊室利如是如來一百八名号若自書或使人書為經卷受持讀誦壽命盡復滿百年壽終以
後得往生无量福智世界无量淨土陁羅尼曰
南謨薄伽勃底　阿波利蜜多　阿喻紇硯娜　須毗你悉指陁　囉佐耶　怛他羯他耶　怛姪他　唵　薩婆桑悉迦囉
波利輸底　達磨底　伽伽娜　莎訶麼特伽底　薩婆婆毗輸底　摩訶娜耶　波利婆利莎訶
尒時復有九十九殑佛一時同聲說是无量壽宗要經陁羅尼曰
南謨薄伽勃底　阿波利蜜多　阿喻紇硯娜　須毗你悉指陁　囉佐耶　怛他羯他耶　怛姪他　唵　薩婆桑悉迦囉
波利輸底　達磨底　伽伽娜　莎訶麼特伽底　薩婆婆毗輸底　摩訶娜耶　波利婆利莎訶
尒時復有一百四佛殑一時同聲說是无量壽宗要經陁羅尼曰
南謨薄伽勃底　阿波利蜜多　阿喻紇硯娜　須毗你悉指陁　囉佐耶　怛他羯他耶　怛姪他　唵　薩婆桑悉迦囉
波利輸底　達磨底　伽伽娜　莎訶麼特伽底　薩婆婆毗輸底　摩訶娜耶　波利婆利莎訶
尒時復有七殑佛一時同聲說是无量壽宗要經陁羅尼曰
南謨薄伽勃底　阿波利蜜多　阿喻紇硯娜　須毗你悉指陁　囉佐耶　怛他羯他耶　怛姪他　唵　薩婆桑悉迦囉
波利輸底　達磨底　伽伽娜　莎訶麼特伽底　薩婆婆毗輸底　摩訶娜耶　波利婆利莎訶
尒時復有六十五殑佛一時同聲說是无量壽宗要經陁羅尼曰
南謨薄伽勃底　阿波利蜜多　阿喻紇硯娜　須毗你悉指陁　囉佐耶　怛他羯他耶　怛姪他　唵　薩婆桑悉迦囉
波利輸底　達磨底　伽伽娜　莎訶麼特伽底　薩婆婆毗輸底　摩訶娜耶　波利婆利莎訶
尒時復有五十五殑佛一時同聲說是无量壽宗要經陁羅尼曰
南謨薄伽勃底　阿波利蜜多　阿喻紇硯娜　須毗你悉指陁　囉佐耶　怛他羯他耶　怛姪他　唵　薩婆桑悉迦囉
波利輸底　達磨底　伽伽娜　莎訶麼特伽底　薩婆婆毗輸底　摩訶娜耶　波利婆利莎訶
尒時復有四十五殑佛一時同聲說是无量壽宗要經陁羅尼曰

BD02058號　無量壽宗要經　（5–1）

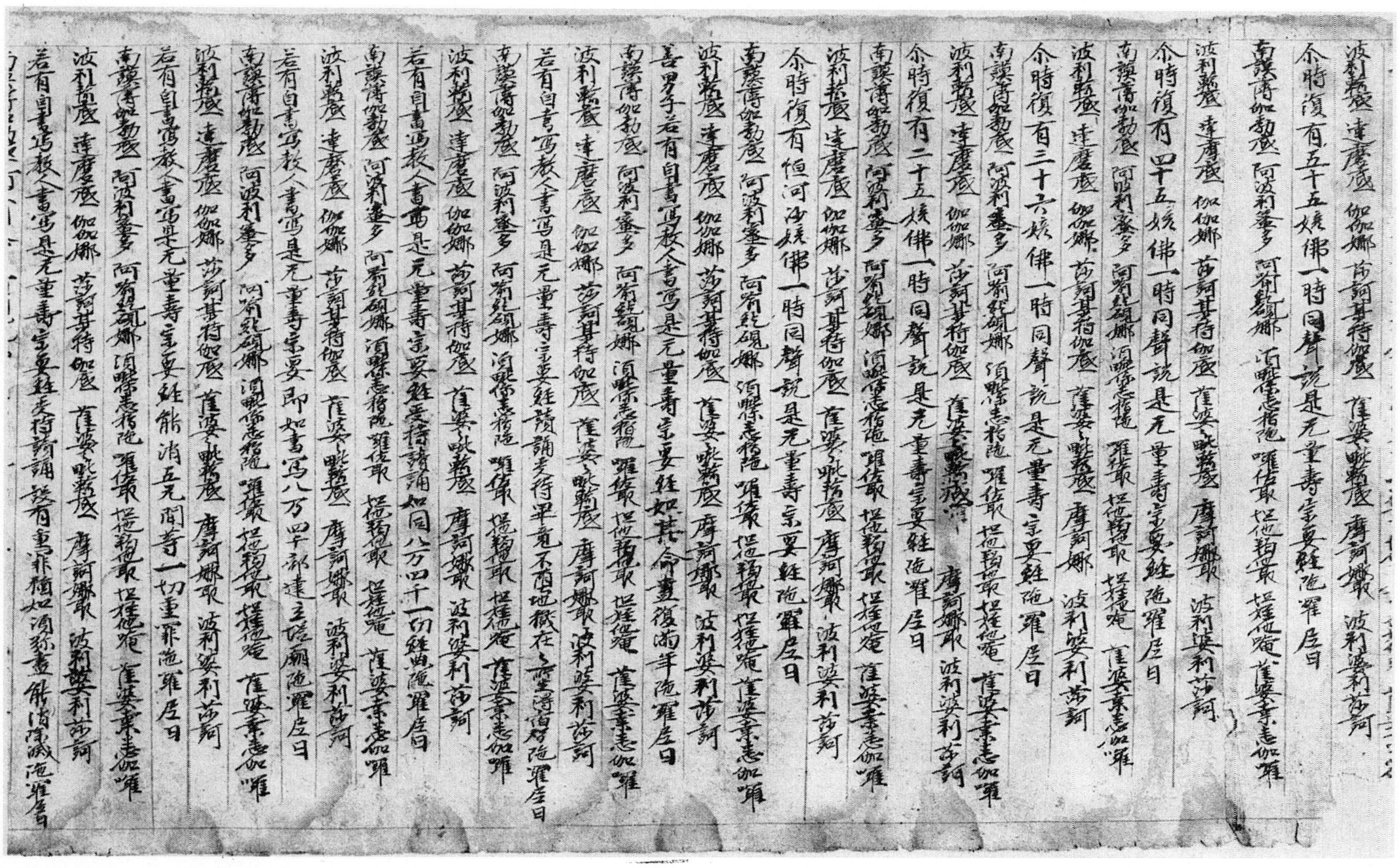

波利輸底　達磨底　伽伽娜　莎訶某特伽底　薩婆婆毗輸底　摩訶娜耶　波利婆利莎訶
尒時復有五十五姟佛一時同聲說是无量壽宗要經陁羅尼曰
南謨薄伽勃底　阿波利蜜多　阿喻紇硯娜　須毗你悉指陀　囉佐耶　怛他羯他耶　怛姪他唵　薩婆桑悉迦囉
波利輸底　達磨底　伽伽娜　莎訶某特伽底　薩婆婆毗輸底　摩訶娜耶　波利婆利莎訶
尒時復有四十五姟佛一時同聲說是无量壽宗要經陁羅尼曰
南謨薄伽勃底　阿波利蜜多　阿喻紇硯娜　須毗你悉指陀　囉佐耶　怛他羯他耶　怛姪他唵　薩婆桑悉迦囉
波利輸底　達磨底　伽伽娜　莎訶某特伽底　薩婆婆毗輸底　摩訶娜耶　波利婆利莎訶
尒時復有三十六姟佛一時同聲說是无量壽宗要經陁羅尼曰
南謨薄伽勃底　阿波利蜜多　阿喻紇硯娜　須毗你悉指陀　囉佐耶　怛他羯他耶　怛姪他唵　薩婆桑悉迦囉
波利輸底　達磨底　伽伽娜　莎訶某特伽底　薩婆婆毗輸底　摩訶娜耶　波利婆利莎訶
尒時復有二十五姟佛一時同聲說是无量壽宗要經陁羅尼曰
南謨薄伽勃底　阿波利蜜多　阿喻紇硯娜　須毗你悉指陀　囉佐耶　怛他羯他耶　怛姪他唵　薩婆桑悉迦囉
波利輸底　達磨底　伽伽娜　莎訶某特伽底　薩婆婆毗輸底　摩訶娜耶　波利婆利莎訶
尒時復有恒河沙姟佛一時同聲說是无量壽宗要經陁羅尼曰
南謨薄伽勃底　阿波利蜜多　阿喻紇硯娜　須毗你悉指陀　囉佐耶　怛他羯他耶　怛姪他唵　薩婆桑悉迦囉
波利輸底　達磨底　伽伽娜　莎訶某特伽底　薩婆婆毗輸底　摩訶娜耶　波利婆利莎訶
善男子若有自書寫教人書寫是无量壽宗要經如其命盡復滿年陁羅尼曰
波利輸底　達磨底　伽伽娜　莎訶某特伽底　薩婆婆毗輸底　摩訶娜耶　波利婆利莎訶
若有自書寫教人書寫是无量壽宗要經讀誦受持畢竟不墮地獄在在所生得宿命陁羅尼曰
南謨薄伽勃底　阿波利蜜多　阿喻紇硯娜　須毗你悉指陀　囉佐耶　怛他羯他耶　怛姪他唵　薩婆桑悉迦囉
波利輸底　達磨底　伽伽娜　莎訶某特伽底　薩婆婆毗輸底　摩訶娜耶　波利婆利莎訶
若有自書寫教人書寫是无量壽宗要經受持讀誦如同八万四千一切經典陁羅尼曰
南謨薄伽勃底　阿波利蜜多　阿喻紇硯娜　須毗你悉指陀　囉佐耶　怛他羯他耶　怛姪他唵　薩婆桑悉迦囉
波利輸底　達磨底　伽伽娜　莎訶某特伽底　薩婆婆毗輸底　摩訶娜耶　波利婆利莎訶
若有自書寫教人書寫是无量壽宗要即如書寫八万四千部建立塔廟陁羅尼曰
南謨薄伽勃底　阿波利蜜多　阿喻紇硯娜　須毗你悉指陀　囉佐耶　怛他羯他耶　怛姪他唵　薩婆桑悉迦囉
波利輸底　達磨底　伽伽娜　莎訶某特伽底　薩婆婆毗輸底　摩訶娜耶　波利婆利莎訶
若有自書寫教人書寫是无量壽宗要經能消五无間等一切重罪陁羅尼曰
南謨薄伽勃底　阿波利蜜多　阿喻紇硯娜　須毗你悉指陀　囉佐耶　怛他羯他耶　怛姪他唵　薩婆桑悉迦囉
波利輸底　達磨底　伽伽娜　莎訶某特伽底　薩婆婆毗輸底　摩訶娜耶　波利婆利莎訶
若有自書寫教人書寫是无量壽宗要經受持讀誦設有重罪猶如須彌盡能消滅陁羅尼曰

BD02058號　無量壽宗要經　（5–2）

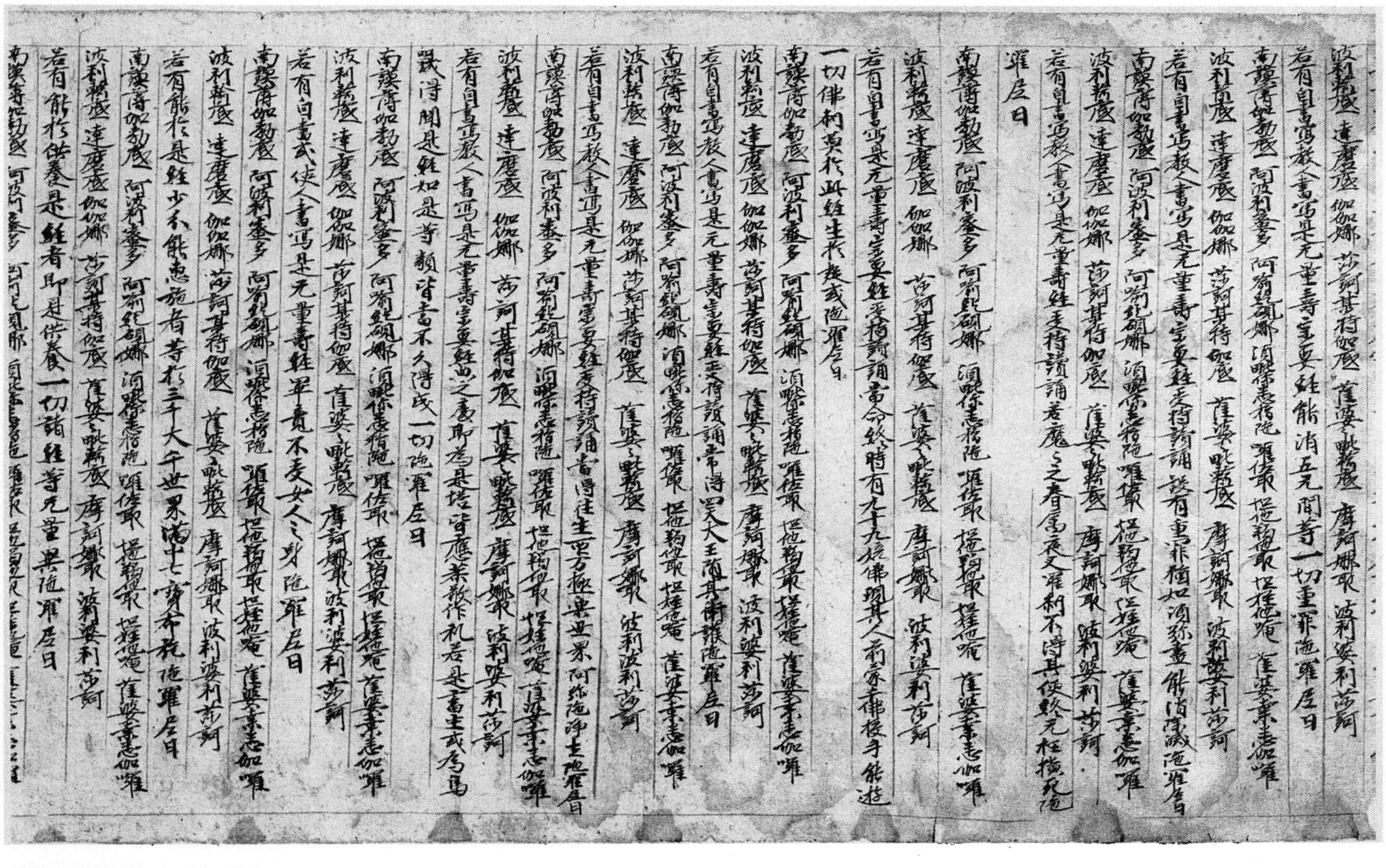

波利輸底　達磨底　伽伽娜　莎訶某特伽底　薩婆婆毗輸底　摩訶娜耶　波利婆利莎訶
若有自書寫教人書寫是无量壽宗要經能消五无間等一切重罪陁羅尼曰
南謨薄伽勃底　阿波利蜜多　阿喻紇硯娜　須毗你悉指陀　囉佐耶　怛他羯他耶　怛姪他唵　薩婆桑悉迦囉
波利輸底　達磨底　伽伽娜　莎訶某特伽底　薩婆婆毗輸底　摩訶娜耶　波利婆利莎訶
若有自書寫教人書寫是无量壽宗要經受持讀誦設有重罪猶如須彌盡能消滅陁羅尼曰
南謨薄伽勃底　阿波利蜜多　阿喻紇硯娜　須毗你悉指陀　囉佐耶　怛他羯他耶　怛姪他唵　薩婆桑悉迦囉
波利輸底　達磨底　伽伽娜　莎訶某特伽底　薩婆婆毗輸底　摩訶娜耶　波利婆利莎訶
若有自書寫教人書寫是无量壽經受持讀誦若魔魔之眷屬夜叉羅剎不得其便終无枉橫死陁
羅尼曰
南謨薄伽勃底　阿波利蜜多　阿喻紇硯娜　須毗你悉指陀　囉佐耶　怛他羯他耶　怛姪他唵　薩婆桑悉迦囉
波利輸底　達磨底　伽伽娜　莎訶某特伽底　薩婆婆毗輸底　摩訶娜耶　波利婆利莎訶
若有自書寫是无量壽宗要經受持讀誦當命終時有九十九姟佛現其人前千佛授手能遊
一切佛剎莫於此經生於疑惑陁羅尼曰
南謨薄伽勃底　阿波利蜜多　阿喻紇硯娜　須毗你悉指陀　囉佐耶　怛他羯他耶　怛姪他唵　薩婆桑悉迦囉
波利輸底　達磨底　伽伽娜　莎訶某特伽底　薩婆婆毗輸底　摩訶娜耶　波利婆利莎訶
若有自書寫教人書寫是无量壽宗要經受持讀誦常得四大天王隨其衛護陁羅尼曰
南謨薄伽勃底　阿波利蜜多　阿喻紇硯娜　須毗你悉指陀　囉佐耶　怛他羯他耶　怛姪他唵　薩婆桑悉迦囉
波利輸底　達磨底　伽伽娜　莎訶某特伽底　薩婆婆毗輸底　摩訶娜耶　波利婆利莎訶
若有自書寫教人書寫是无量壽宗要經受持讀誦者當得往生西方極樂世界阿彌陁淨土陁羅尼曰
南謨薄伽勃底　阿波利蜜多　阿喻紇硯娜　須毗你悉指陀　囉佐耶　怛他羯他耶　怛姪他唵　薩婆桑悉迦囉
波利輸底　達磨底　伽伽娜　莎訶某特伽底　薩婆婆毗輸底　摩訶娜耶　波利婆利莎訶
若有自書寫是无量壽宗要經典所在之處即為是塔皆應恭敬作禮若是畜生或為鳥
獸得聞是經如是等類皆當不久得成一切陁羅尼曰
南謨薄伽勃底　阿波利蜜多　阿喻紇硯娜　須毗你悉指陀　囉佐耶　怛他羯他耶　怛姪他唵　薩婆桑悉迦囉
波利輸底　達磨底　伽伽娜　莎訶某特伽底　薩婆婆毗輸底　摩訶娜耶　波利婆利莎訶
若有自書或使人書寫是无量壽經畢竟不受女人之身陁羅尼曰
南謨薄伽勃底　阿波利蜜多　阿喻紇硯娜　須毗你悉指陀　囉佐耶　怛他羯他耶　怛姪他唵　薩婆桑悉迦囉
波利輸底　達磨底　伽伽娜　莎訶某特伽底　薩婆婆毗輸底　摩訶娜耶　波利婆利莎訶
若有能於是經少分能惠施者等於三千大千世界滿中七寶布施陁羅尼曰
南謨薄伽勃底　阿波利蜜多　阿喻紇硯娜　須毗你悉指陀　囉佐耶　怛他羯他耶　怛姪他唵　薩婆桑悉迦囉
波利輸底　達磨底　伽伽娜　莎訶某特伽底　薩婆婆毗輸底　摩訶娜耶　波利婆利莎訶
若有能於供養是經者即是供養一切諸經等无量異陁羅尼曰
南謨薄伽勃底　阿波利蜜多　阿喻紇硯娜　須毗你悉指陀　囉佐耶　怛他羯他耶　怛姪他唵　薩婆桑悉迦囉

BD02058號　無量壽宗要經　（5–3）

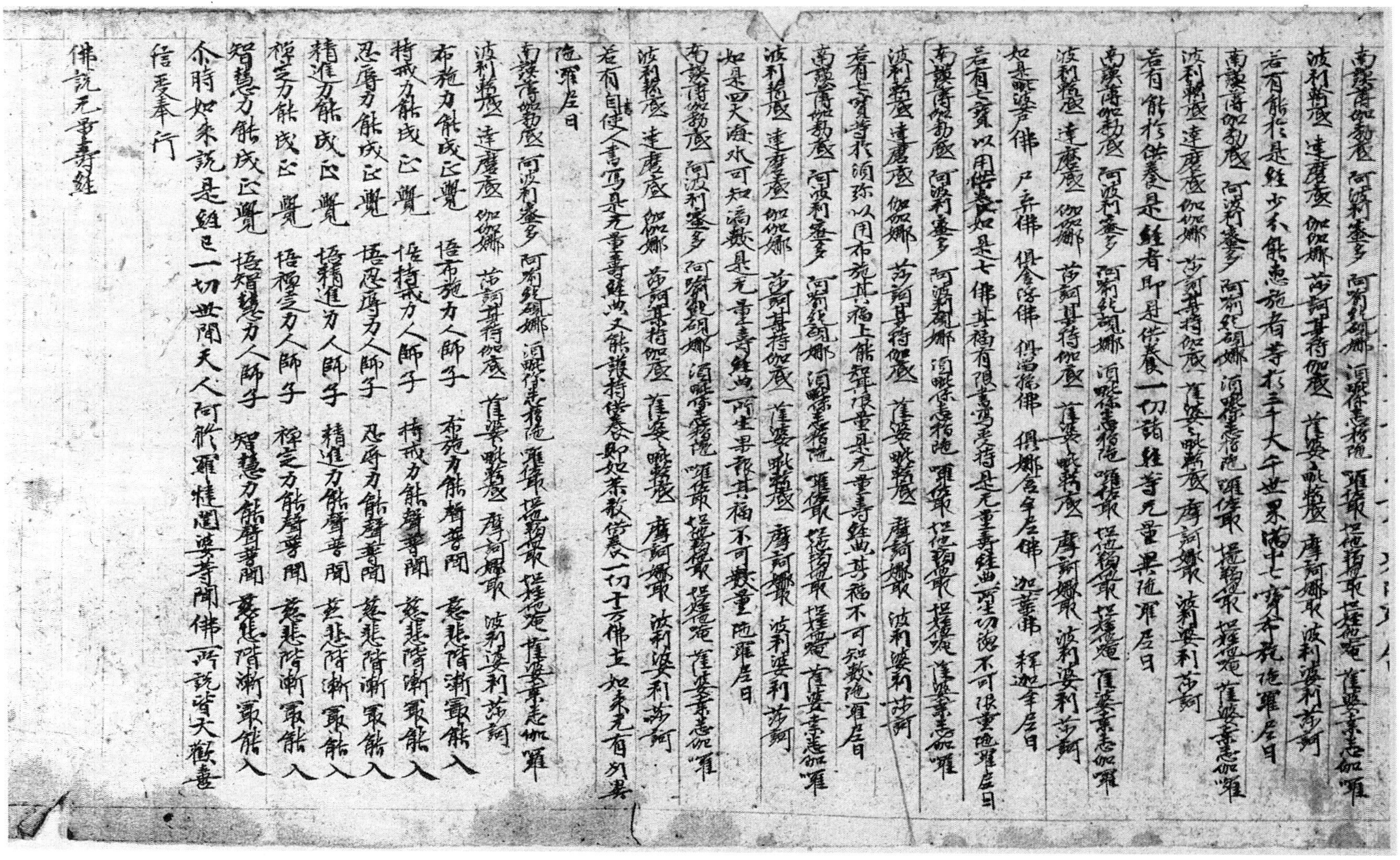

南謨薄伽勃底 阿波利蜜多 阿喻紇硯娜 須毗你失指陀 囉佐耶 怛他羯他耶 怛姪他 唵 薩婆桑悉迦囉
波利輸底 達磨底 伽伽娜 莎訶娑持伽底 薩婆婆毗輸底 摩訶娜耶 波利婆利莎訶
若有能於是經少分能惠施者 等於三千大千世界滿中七寶布施 陀羅尼曰
南謨薄伽勃底 阿波利蜜多 阿喻紇硯娜 須毗你失指陀 囉佐耶 怛他羯他耶 怛姪他 唵 薩婆桑悉迦囉
波利輸底 達磨底 伽伽娜 莎訶娑持伽底 薩婆婆毗輸底 摩訶娜耶 波利婆利莎訶
若有能於供養是經者 即是供養一切諸經 等无量異 陀羅尼曰
南謨薄伽勃底 阿波利蜜多 阿喻紇硯娜 須毗你失指陀 囉佐耶 怛他羯他耶 怛姪他 唵 薩婆桑悉迦囉
波利輸底 達磨底 伽伽娜 莎訶娑持伽底 薩婆婆毗輸底 摩訶娜耶 波利婆利莎訶
如是毗婆尸佛 尸棄佛 俱舍浮佛 俱留孫佛 俱那含牟尼佛 迦葉佛 釋迦牟尼佛
若有七寶以用供養如是七佛 其福有限 書寫受持是无量壽經典 所生功德不可限量 陀羅尼曰
南謨薄伽勃底 阿波利蜜多 阿喻紇硯娜 須毗你失指陀 囉佐耶 怛他羯他耶 怛姪他 唵 薩婆桑悉迦囉
波利輸底 達磨底 伽伽娜 莎訶娑持伽底 薩婆婆毗輸底 摩訶娜耶 波利婆利莎訶
若有七寶等於須弥以用布施 其福上能筭限量 是无量壽經典 其福不可知數 陀羅尼曰
南謨薄伽勃底 阿波利蜜多 阿喻紇硯娜 須毗你失指陀 囉佐耶 怛他羯他耶 怛姪他 唵 薩婆桑悉迦囉
波利輸底 達磨底 伽伽娜 莎訶娑持伽底 薩婆婆毗輸底 摩訶娜耶 波利婆利莎訶
如是四大海水可知滴數 是无量壽經典 所生果報 其福不可數量 陀羅尼曰
南謨薄伽勃底 阿波利蜜多 阿喻紇硯娜 須毗你失指陀 囉佐耶 怛他羯他耶 怛姪他 唵 薩婆桑悉迦囉
波利輸底 達磨底 伽伽娜 莎訶娑持伽底 薩婆婆毗輸底 摩訶娜耶 波利婆利莎訶
若有自書使人書寫是无量壽經典 又能護持供養 即如恭敬供養一切十方佛土 如來无有別異
陀羅尼曰
南謨薄伽勃底 阿波利蜜多 阿喻紇硯娜 須毗你失指陀 囉佐耶 怛他羯他耶 怛姪他 唵 薩婆桑悉迦囉
波利輸底 達磨底 伽伽娜 莎訶娑持伽底 薩婆婆毗輸底 摩訶娜耶 波利婆利莎訶
布施力能成正覺 悟布施力人師子 布施力能聲普聞 慈悲階漸取能入
持戒力能成正覺 悟持戒力人師子 持戒力能聲普聞 慈悲階漸取能入
忍辱力能成正覺 悟忍辱力人師子 忍辱力能聲普聞 慈悲階漸取能入
精進力能成正覺 悟精進力人師子 精進力能聲普聞 慈悲階漸取能入
禪定力能成正覺 悟禪定力人師子 禪定力能聲普聞 慈悲階漸取能入
智慧力能成正覺 悟智慧力人師子 智慧力能聲普聞 慈悲階漸取能入
尒時如來說是經已 一切世閒天人阿脩羅揵闥婆等 聞佛所說 皆大歡喜
信受奉行

佛說无量壽經

BD02058 號　無量壽宗要經　（5–4）

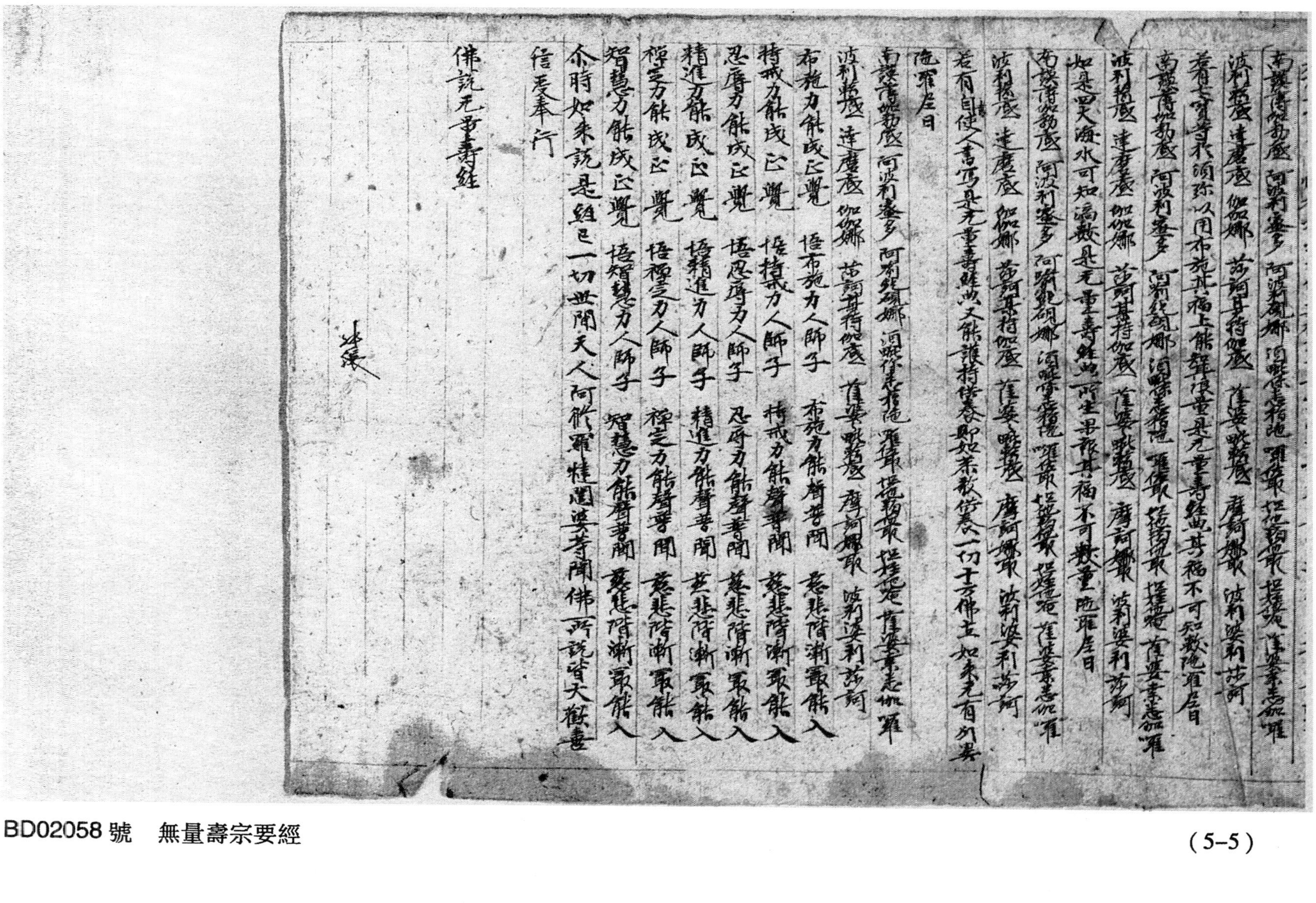

南謨薄伽勃底 阿波利蜜多 阿喻紇硯娜 須毗你失指陀 囉佐耶 怛他羯他耶 怛姪他 唵 薩婆桑悉迦囉
波利輸底 達磨底 伽伽娜 莎訶娑持伽底 薩婆婆毗輸底 摩訶娜耶 波利婆利莎訶
若有七寶等於須弥以用布施 其福上能筭限量 是无量壽經典 其福不可知數 陀羅尼曰
南謨薄伽勃底 阿波利蜜多 阿喻紇硯娜 須毗你失指陀 囉佐耶 怛他羯他耶 怛姪他 唵 薩婆桑悉迦囉
波利輸底 達磨底 伽伽娜 莎訶娑持伽底 薩婆婆毗輸底 摩訶娜耶 波利婆利莎訶
如是四大海水可知滴數 是无量壽經典 所生果報 其福不可數量 陀羅尼曰
南謨薄伽勃底 阿波利蜜多 阿喻紇硯娜 須毗你失指陀 囉佐耶 怛他羯他耶 怛姪他 唵 薩婆桑悉迦囉
波利輸底 達磨底 伽伽娜 莎訶娑持伽底 薩婆婆毗輸底 摩訶娜耶 波利婆利莎訶
若有自書使人書寫是无量壽經典 又能護持供養 即如恭敬供養一切十方佛土 如來无有別異
陀羅尼曰
南謨薄伽勃底 阿波利蜜多 阿喻紇硯娜 須毗你失指陀 囉佐耶 怛他羯他耶 怛姪他 唵 薩婆桑悉迦囉
波利輸底 達磨底 伽伽娜 莎訶娑持伽底 薩婆婆毗輸底 摩訶娜耶 波利婆利莎訶
布施力能成正覺 悟布施力人師子 布施力能聲普聞 慈悲階漸取能入
持戒力能成正覺 悟持戒力人師子 持戒力能聲普聞 慈悲階漸取能入
忍辱力能成正覺 悟忍辱力人師子 忍辱力能聲普聞 慈悲階漸取能入
精進力能成正覺 悟精進力人師子 精進力能聲普聞 慈悲階漸取能入
禪定力能成正覺 悟禪定力人師子 禪定力能聲普聞 慈悲階漸取能入
智慧力能成正覺 悟智慧力人師子 智慧力能聲普聞 慈悲階漸取能入
尒時如來說是經已 一切世閒天人阿脩羅揵闥婆等 聞佛所說 皆大歡喜
信受奉行

佛說无量壽經

BD02058 號　無量壽宗要經　（5–5）

智樂善不行四無所畏乃至一切相智
相是行般若波羅蜜多不行佛十力我
不行佛十力我無我相是行般若波羅
不行四無所畏四無礙解大慈大悲大喜
捨十八佛不共法一切智道相智一切相
我無我不行四無所畏乃至一切相智我無
我相是行般若波羅蜜多不行佛十力淨不
淨不行佛十力淨不淨相是行般若波羅蜜
多不行四無所畏四無礙解大慈大悲大喜
大捨十八佛不共法一切智道相智一切相
智淨不淨不行四無所畏乃至一切相智淨
不淨相是行般若波羅蜜多不行佛十力空
不空不行佛十力空不空相是行般若波羅
蜜多不行四無所畏四無礙解大慈大悲大
喜大捨十八佛不共法一切智道相智一切
相智空不空不行四無所畏乃至一切相智
空不空相是行般若波羅蜜多不行佛十力
無相有相不行佛十力無相有相相是行般
若波羅蜜多不行四無所畏四無礙解大慈
大悲大喜大捨十八佛不共法一切智道相
智一切相智無相有相不行四無所畏乃至

BD02059號　大般若波羅蜜多經卷四一　（21-1）

無相有相不行佛十力無相有相相是行般
若波羅蜜多不行四無所畏四無礙解大慈
大悲大喜大捨十八佛不共法一切智道相
智一切相智無相有相不行四無所畏乃至
一切相智無相有相相是行般若波羅蜜多
不行佛十力無願有願不行佛十力無願有
願相是行般若波羅蜜多不行四無所畏四
無礙解大慈大悲大喜大捨十八佛不共法
一切智道相智一切相智無願有願不行四
無所畏乃至一切相智無願有願相是行般
若波羅蜜多不行佛十力寂靜不寂靜不行
佛十力寂靜不寂靜相是行般若波羅蜜多
不行四無所畏四無礙解大慈大悲大喜大
捨十八佛不共法一切智道相智一切相智
寂靜不寂靜不行四無所畏乃至一切相智寂
靜不寂靜相是行般若波羅蜜多不行佛十力
遠離不遠離不行佛十力遠離不遠離相是行
般若波羅蜜多不行四無所畏四無礙解大
慈大悲大喜大捨十八佛不共法一切智道
相智一切相智遠離不遠離不行四無所畏
乃至一切相智遠離不遠離相是行般若波
羅蜜多舍利子當智是為菩薩摩訶薩有方
便善巧脩行般若波羅蜜多何以故舍利子
佛十力佛十力性空四無所畏四無礙解大
慈大悲大喜大捨十八佛不共法一切智道
相智一切相智四無所畏乃至一切相智性空

BD02059號　大般若波羅蜜多經卷四一　（21-2）

便善巧修行般若波羅蜜多何以故舍利子
佛十力佛十力性空四無所畏四無礙解大
慈大悲大喜大捨十八佛不共法一切智道
相智一切相智四無所畏乃至一切相智性空
舍利子是佛十力非佛十力空是佛十力空
非佛十力佛十力不離空空不離佛十力佛
十力即是空空即是佛十力四無所畏乃至
一切相智亦復如是舍利子如是菩薩摩訶
薩有方便善巧修行般若波羅蜜多能得無
上正等菩提
舍利子是菩薩摩訶薩修行般若波羅蜜多
時於一切法不取有不取非有不取亦有亦
非有不取非有非非有於不取亦不取時舍利
子問善現言何因緣故是菩薩摩訶薩修
行般若波羅蜜多時於一切法都無所取善
現荅言由一切法自性不可得何以故一切
法以無性為自性故由此因緣若菩薩摩訶
薩修行般若波羅蜜多時於一切法若取有
若取非有若取亦有亦非有若取非有非非
有若取不取非行般若波羅蜜多所以者何
以一切法都無自性不可取故舍利子是菩
薩摩訶薩修行般若波羅蜜多時於般若波
羅蜜多不取行不取不行亦行亦不行不
取非行非不行於不取亦不取時舍利子問
善現言何因緣故是菩薩摩訶薩修行般若
波羅蜜多時於般若波羅蜜多都無所取

BD02059 號　大般若波羅蜜多經卷四一

（21–3）

羅蜜多不取行不取不行亦行亦不行不
取非行非不行於不取亦不取時舍利子問
善現言何因緣故是菩薩摩訶薩修行般若
波羅蜜多時於般若波羅蜜多都無所取
善現荅言由般若波羅蜜多自性不可得何
以故般若波羅蜜多以無性為自性故由此
因緣若菩薩摩訶薩修行般若波羅蜜多時
於般若波羅蜜多若取行若不行若取亦
行亦不行若取非行非不行若取不取非行
般若波羅蜜多所以者何以般若波羅蜜多
都無自性不可取故舍利子是菩薩摩訶薩
修行般若波羅蜜多時於一切法及般若波
羅蜜多都無所取無所執著是名菩薩摩訶
薩於一切法無所取著三摩地此三摩地微
妙殊勝廣大無量能集無邊無礙作用不共
一切聲聞獨覺舍利子若菩薩摩訶薩於此
三摩地恒住不捨速證無上正等菩提時舍
利子問善現言諸菩薩摩訶薩為但於此一
三摩地恒住不捨速證無上正等菩提為更
有餘諸三摩地恒住不捨亦令菩薩摩訶薩
速證無上正等菩提善現荅言非但於此一
三摩地更有所餘諸三摩地諸菩薩摩訶薩
恒住不捨速證無上正等菩提舍利子言何
者是耶善現荅言所謂健行三摩地寶印三
摩地師子遊戲三摩地妙月三摩地月幢相三
摩地一切法涌三摩地觀頂三摩地法界

BD02059 號　大般若波羅蜜多經卷四一

（21–4）

三摩地更有所餘諸三摩地諸菩薩摩訶薩
恒住不捨速證無上正等菩提舍利子言何
者是耶善現荅言所謂健行三摩地寶印三
摩地師子遊戲三摩地妙月三摩地月幢相三
摩地一切法海三摩地觀頂三摩地法界
決定三摩地決定幢相三摩地金剛喻三摩地
入法印三摩地三摩地王三摩地善安住三摩
地善立定王三摩地放光三摩地無忘失三摩
地放光無忘失三摩地精進力三摩地莊嚴力
三摩地等涌三摩地入一切言詞決定三摩地
入一切名字決定三摩地觀方三摩地總持
印三摩地諸法等趣海印三摩地王印三摩地
遍覆虛空三摩地剛金輪三摩地三輪清淨三
摩地無量光三摩地無著無障三摩地斷諸法
轉三摩地棄捨珍寶三摩地遍照三摩地不
眴三摩地無相住三摩地不思惟三摩地降
伏四魔三摩地無垢燈三摩地無邊光三摩
地發光三摩地普照三摩地淨堅定三摩地
師子奮迅三摩地師子頻申三摩地師子欠
呿三摩地無垢光三摩地妙樂三摩地電燈
三摩地無盡三摩地最勝幢相三摩地帝相
三摩地順明正流三摩地具威光三摩地離
盡三摩地不可動轉三摩地寂靜三摩地無
瑕隙三摩地日燈三摩地月淨三摩地淨眼
三摩地淨光三摩地月燈三摩地發明三摩

BD02059號　大般若波羅蜜多經卷四一　（21–5）

三摩地順明正流三摩地具威光三摩地離
盡三摩地不可動轉三摩地寂靜三摩地無
瑕隙三摩地日燈三摩地月淨三摩地淨眼
三摩地淨光三摩地月燈三摩地發明三摩
地應作不應作三摩地智相三摩地金剛鬘
三摩地住心三摩地普明三摩地妙安三摩地
寶積三摩地妙法印三摩地一切法性平
等三摩地棄捨塵愛三摩地法涌圓滿三摩
地入法頂三摩地寶性三摩地捨暄諍三摩
地飄散三摩地分別法句三摩地決定三摩
地無垢行三摩地字平等相三摩地離文字
相三摩地斷所緣三摩地無變異三摩地無
種類三摩地入名相三摩地無所作三摩地
入決定名三摩地行無相三摩地離翳闇三
摩地具行三摩地不變動三摩地度境界三
摩地集一切功德三摩地無心住三摩地決
定住三摩地淨妙花三摩地具覺支三摩地
無邊辯三摩地無邊燈三摩地無等等三摩
地超一切法三摩地決判諸法三摩地散疑
三摩地無所住三摩地一相莊嚴三摩地引
發行相三摩地一行相三摩地離諸行相三摩
地妙行三摩地達諸有底遠離三摩地入一
切施設語言三摩地堅固寶三摩地於一切法
無所取著三摩地電焰莊嚴三摩地除遣三
摩地無勝三摩地法炬三摩地慧燈三摩地
趣向不退轉神通三摩地解脫音聲文字三

BD02059號　大般若波羅蜜多經卷四一　（21–6）

地妙行三摩地達諸有底遠離三摩地入一
切施設語言三摩地堅固寶三摩地於一切法
無所取著三摩地電焰莊嚴三摩地除遣三
摩地無勝三摩地法炬三摩地慧燈三摩地
趣向不退轉神通三摩地解脫音聲文字三
摩地炬熾然三摩地嚴淨相三摩地無相
三摩地無濁忍相三摩地具一切妙相三摩
地具總持三摩地不喜一切苦樂三摩地無
盡行相三摩地攝伏一切正邪性三摩地斷
憎愛三摩地離違順三摩地無垢明三摩地
極堅固三摩地滿月淨光三摩地大莊嚴三
摩地無熱電光三摩地能照一切世間三摩
地能救一切世間三摩地定平等性三摩地
無塵有塵平等理趣三摩地無諍有諍平等
理趣三摩地無巢穴無標幟無愛樂三摩地
決定安住真如三摩地器中涌出三摩地燒諸煩
惱三摩地大智慧炬三摩地出生十力三摩
地開闡三摩地壞身惡行三摩地壞語惡行
三摩地壞意惡行三摩地善觀察三摩地如
虛空三摩地無染著如虛空三摩地舍利子
若菩薩摩訶薩於如是等諸三摩地恒住不
捨速證無上正等菩提復有所餘無量無數
三摩地門陀羅尼門若菩薩摩訶薩能善修
學亦令速證阿耨多羅三藐三菩提
尒時具壽善現承佛神力語舍利子言若菩
薩摩訶薩住如是等三摩地者當知已為過

三摩地門陀羅尼門若菩薩摩訶薩能善修
學亦令速證阿耨多羅三藐三菩提
尒時具壽善現承佛神力語舍利子言若菩
薩摩訶薩住如是等三摩地者當知已為過
去諸佛之所授記亦為現在十方諸佛之所
授記舍利子是菩薩摩訶薩雖住如是諸三
摩地而不見此諸三摩地亦不著此諸三摩
地亦不念言我已入此諸三摩地我今入此
諸三摩地我當入此諸三摩地唯我能入非
餘所能彼如是等尋思分別由斯定力皆不
現行時舍利子問善現言為別實有菩薩摩
訶薩住如是等諸三摩地已為過去現在諸
佛所授記耶善現答言不也舍利子何以故
舍利子般若波羅蜜多不異諸三摩地諸三
摩地不異般若波羅蜜多菩薩摩訶薩不異
般若波羅蜜多及三摩地般若波羅蜜多及
三摩地不異菩薩摩訶薩般若波羅蜜多即
是諸三摩地諸三摩地即是般若波羅蜜多
菩薩摩訶薩即是般若波羅蜜多及三摩地
般若波羅蜜多及三摩地即是菩薩摩訶薩
所以者何以一切法性平等故舍利子言若一
切法性平等者此三摩地可示現不善
現答言不可示現舍利子言是菩薩摩訶薩
於此三摩地有想解不善現答言彼無想解
舍利子言彼何故無想解善現答言彼無分
別故舍利子言彼何故無分別善現答言一切

現荅言不可示現舍利子言是菩薩摩訶薩
於此三摩地有想解不善現荅言彼無想解
舍利子言彼何故無想解善現荅言彼無分
別故舍利子言彼何故無分別善現荅言一切
法性都無所有故彼於定不起分別由此因
緣是菩薩摩訶薩於一切法及三摩地俱無想
解何以故以一切法及三摩地俱無所有無
所有中分別想解無由起故時薄伽梵讚善
現言善哉善哉如汝所說故我說汝住無諍
定聲聞衆中最為第一由斯我說與義相應
善現菩薩摩訶薩欲學般若波羅蜜多應如
是學欲學靜慮精進安忍淨戒布施波羅蜜
多應如是學善現菩薩摩訶薩欲學四靜慮
應如是學欲學四無量四無色定應如是學
善現菩薩摩訶薩欲學四念住應如是學欲
學四正斷四神足五根五力七等覺支八聖
道支應如是學善現菩薩摩訶薩欲學五眼
應如是學欲學六神通應如是學善現菩薩
摩訶薩欲學佛十力應如是學欲學四無所
畏四無礙解大慈大悲大喜大捨十八佛不
共法一切智道相智一切相智應如是學時
舍利子白佛言世尊菩薩摩訶薩作如是學
為正學般若波羅蜜多乃至為正學一切相
智耶佛告舍利子菩薩摩訶薩作如是學為
正學般若波羅蜜多以無所得為方便故乃
至為正學一切相智以無所得為方便故時

BD02059號　大般若波羅蜜多經卷四一　（21–9）

舍利子白佛言世尊菩薩摩訶薩作如是學
為正學般若波羅蜜多乃至為正學一切相
智耶佛告舍利子菩薩摩訶薩作如是學為
正學般若波羅蜜多以無所得為方便故乃
至為正學一切相智以無所得為方便故時
舍利子復白佛言世尊菩薩摩訶薩作如是
學以無所得為方便學般若波羅蜜多乃至以
無所得為方便學一切相智耶佛告舍利子
菩薩摩訶薩作如是學以無所得為方便學
般若波羅蜜多乃至以無所得為方便學一
切相智舍利子言無所得者為何等法不可
得耶佛言我不可得畢竟淨故有情命者生
者養者士夫數取趣意生儒童作者使作者
起者使起者受者使受者知者見者不可得
畢竟淨故色不可得畢竟淨故受想行識不
可得畢竟淨故眼處不可得畢竟淨故耳
鼻舌身意處不可得畢竟淨故色處不可得
畢竟淨故聲香味觸法處不可得畢竟淨故
眼界色界眼識界及眼觸眼觸為緣所生諸
受不可得畢竟淨故耳界聲界耳識界及耳
觸耳觸為緣所生諸受不可得畢竟淨故鼻
界香界鼻識界及鼻觸鼻觸為緣所生諸受
不可得畢竟淨故舌界味界舌識界及舌觸
舌觸為緣所生諸受不可得畢竟淨故身界
觸界身識界及身觸身觸為緣所生諸受不
可得畢竟淨故意界法界意識界及意觸意

BD02059號　大般若波羅蜜多經卷四一　（21–10）

不可得畢竟淨故舌界味界舌識界及舌觸
舌觸為緣所生諸受不可得畢竟淨故身界
觸界身識界及身觸身觸為緣所生諸受不
可得畢竟淨故意界法界意識界及意觸意
觸為緣所生諸受不可得畢竟淨故地界不
可得畢竟淨故水火風空識界不可得畢竟
淨故欲界不可得畢竟淨故色無色界不可
得畢竟淨故苦聖諦不可得畢竟淨故集
滅道聖諦不可得畢竟淨故無明不可得畢
竟淨故行識名色六處觸受愛取有生老死
愁歎苦憂惱不可得畢竟淨故四靜慮不可
得畢竟淨故四無量四無色定不可得畢竟
淨故四念住不可得畢竟淨故四正斷四神
足五根五力七等覺支八聖道支不可得畢
竟淨故布施波羅蜜多不可得畢竟淨故淨
戒安忍精進靜慮般若波羅蜜多不可得畢
竟淨故五眼不可得畢竟淨故六神通不可
得畢竟淨故佛十力不可得畢竟淨故四無
所畏四無礙解大慈大悲大喜大捨十八佛不
共法一切智道相智一切相智不可得畢
竟淨故預流不可得畢竟淨故一來不還阿
羅漢不可得畢竟淨故獨覺不可得畢竟淨
故菩薩不可得畢竟淨故如來不可得畢竟
淨故舍利子言世尊所說畢竟淨者是何等
義佛言諸法不出不生不沒不盡無染無淨
無得無為如是名為畢竟淨義

故菩薩不可得畢竟淨故如來不可得畢竟
淨故舍利子言世尊所說畢竟淨者是何等
義佛言諸法不出不生不沒不盡無染無淨
無得無為如是名為畢竟淨義
爾時舍利子白佛言世尊菩薩摩訶薩如是
學時為學何法佛告舍利子菩薩摩訶薩如
是學時於一切法都無所學何以故非一切
法如是而有如諸愚夫異生所執可於中學
舍利子言若爾諸法如何而有佛言諸法如
無所有如是而有若於如是無所有法不能
了達說名無明舍利子言何等法無所有若
不了達說名無明佛言色無所有受想行識
無所有以內空故外空故內外空故空空故
大空故勝義空故有為空故無為空故畢竟
空故無際空故散空故無變異空故本性空
故自相空故共相空故一切法空故不可得
空故無性空故自性空故無性自性空故舍
利子眼處無所有耳鼻舌身意處無所有以
內空故乃至無性自性空故色處無所有聲
香味觸法處無所有以內空故乃至無性自
性空故舍利子眼界色界眼識界乃至眼觸
眼觸為緣所生諸受無所有以內空故乃至
無性自性空故耳界聲界耳識界及耳觸耳
觸為緣所生諸受無所有以內空故乃至無
性自性空故鼻界香界鼻識界及鼻觸鼻觸
為緣所生諸受無所有以內空故乃至無性

眼觸為緣所生諸受無所有以內空故乃至
無性自性空故耳界聲界耳識界及耳觸耳
觸為緣所生諸受無所有以內空故乃至無
性自性空故鼻界香界鼻識界及鼻觸鼻觸
為緣所生諸受無所有以內空故乃至無性
自性空故舌界味界舌識界及舌觸舌觸為
緣所生諸受無所有以內空故乃至無性自
性空故身界觸界身識界及身觸身觸為緣
所生諸受無所有以內空故乃至無性自性
空故意界法界意識界及意觸意觸為緣所
生諸受無所有以內空故乃至無性自性空故
舍利子地界無所有水火風空識界無所有
以內空故乃至無性自性空故舍利子欲界
無所有色無色界無所有以內空故乃至無
性自性空故舍利子苦聖諦無所有集滅道
聖諦無所有以內空故乃至無性自性空故
舍利子無明無所有行識名色六處觸受愛
取有老死愁歎苦憂惱無所有以內空故
乃至無性自性空故舍利子貪瞋癡無所有
諸見趣無所有以內空故乃至無性自性空
故舍利子四靜慮無所有四無量四無色定
無所有以內空故乃至無性自性空故舍利
子四念住無所有四正斷四神足五根五力
七等覺支八聖道支無所有以內空故乃至
無性自性空故舍利子布施波羅蜜多無所
有淨戒安忍精進靜慮般若波羅蜜多無所

BD02059號　大般若波羅蜜多經卷四一　（21–13）

子四念住無所有四正斷四神足五根五力
七等覺支八聖道支無所有以內空故乃至
無性自性空故舍利子布施波羅蜜多無所
有淨戒安忍精進靜慮般若波羅蜜多無所
有以內空故乃至無性自性空故舍利子五
眼無所有六神通無所有以內空故乃至無
性自性空故舍利子佛十力無所有四無所
畏四無礙解大慈大悲大喜大捨十八佛不
共法一切智道相智一切相智無所有以
內空故乃至無性自性空故舍利子愚夫異
生若於如是無所有法不能了達說名無明
彼由無明及愛勢力分別執著斷常二邊由
此不知不見諸法無所有性分別諸法由分
別故便執著色受想行識乃至執著一切相
智由執著故分別諸法無所有性由此於法
不知不見舍利子言於何等法不知不見佛
言於色不知不見於受想行識不知不見乃
至於一切相智不知不見由於諸法不知不
見墮在愚夫異生數中不能出離舍利子言
彼於何處不能出離佛言彼於欲界不能出
離於色界不能出離於無色界不能出離由
不出離於聲聞法不能辦於獨覺法不能
成辦於菩薩法不能成辦於如來法不能成
辦由不成辦不能信受舍利子言彼於何法
不能信受佛言彼於色空不能信受於受想
行識空不能信受乃至於一切相智空不能

BD02059號　大般若波羅蜜多經卷四一　（21–14）

成辦於菩薩法不能成辦於如來法不能成
辦由不成辦不能信受舍利子言彼於何法
不能信受佛言彼於色空不能信受於受想
行識空不能信受乃至於一切相智空不能
信受由不信受則不能住舍利子言於何等
法彼不能住佛言謂不能住四念住不能住
四正斷四神足五根五力七等覺支八聖道支不
能住布施波羅蜜多不能住淨戒安忍精進
靜慮般若波羅蜜多不能住不退轉地不能
住五眼不能住六神通不能住佛十力不能
住四無所畏四無礙解大慈大悲大喜大捨
十八佛不共法一切智道相智一切相智由
此故名愚夫異生以於諸法執著有性舍利
子言彼於何法執著有性佛言舍利子彼於
色執著有性於受想行識執著有性舍利子
彼於眼處執著有性於耳鼻舌身意處執著
有性於色處執著有性於聲香味觸法處執
著有性舍利子彼於眼界色界眼識界及眼
觸眼觸為緣所生諸受執著有性於耳界聲
界耳識界及耳觸耳觸為緣所生諸受執著
有性於鼻界香界鼻識界及鼻觸鼻觸為
緣所生諸受執著有性於舌界味界舌識界
及舌觸為觸為緣所生諸受執著有性於身
界觸界身識界及身觸身觸為緣所生諸
受執著有性於意界法界意識界及意觸意

BD02059號　大般若波羅蜜多經卷四一　（21–15）

及舌觸為觸為緣所生諸受執著有性於身
界觸界身識界及身觸身觸為緣所生諸
受執著有性於意界法界意識界及意觸意
觸為緣所生諸受執著有性舍利子彼於地
界執著有性於水火風空識界執著有性舍
利子彼於欲界執著有性於色無色界執著
有性舍利子彼於苦聖諦執著有性於集滅
道聖諦執著有性舍利子彼於無明執著有
性於行識名色六處觸受愛取有生老死愁
歎苦憂惱執著有性舍利子彼於貪瞋癡執
著有性於諸見趣執著有性舍利子彼於四
靜慮執著有性於四無量四無色定執著有
性舍利子彼於四念住執著有性於四正斷四
神足五根五力七等覺支八聖道支執著
有性舍利子彼於布施波羅蜜多執著有性
於淨戒安忍精進靜慮般若波羅蜜多執著
有性舍利子彼於五眼執著有性於六神通
執著有性舍利子彼於佛十力執著有性於
四無所畏四無礙解大慈大悲大喜大捨十
八佛不共法一切智道相智一切相智執著
有性舍利子愚夫異生以於諸法執著有性
於諸法空不能信受由不信故不能成辦聲
聞獨覺菩薩如來所有聖法故於聖法不能
安住是故舍利子諸菩薩摩訶薩欲學般若
波羅蜜多欲成辦一切智道相智一切相智
當以無所得為方便如應而學

BD02059號　大般若波羅蜜多經卷四一　（21–16）

聞獨覺菩薩如來所有聖法故於聖法不能
安住是故舍利子諸菩薩摩訶薩欲學般若
波羅蜜多欲成辦一切智道相智一切相智
當以無所得為方便如應而學
尒時舍利子白佛言世尊為有菩薩摩訶薩
作如是學非學般若波羅蜜多不能成辦一
切智智不佛告舍利子有菩薩摩訶薩作如
是學非學般若波羅蜜多不能成辦一切智
智舍利子言世尊何緣有菩薩摩訶薩作如
是學非學般若波羅蜜多不能辦成一切智
智佛言舍利子若菩薩摩訶薩無方便善巧
於般若波羅蜜多分別執著於静慮精進安
忍淨戒布施波羅蜜多分別執著如是菩薩
摩訶薩作如是學非學般若波羅蜜多不能
成辦一切智智舍利子若菩薩摩訶薩無方
便善巧於色分別執著於受想行識分別執
著如是菩薩摩訶薩作如是學非學般若波
羅蜜多不能成辦一切智智舍利子若菩薩
摩訶薩無方便善巧於眼處分別執著於耳
鼻舌身意處分別執著如是菩薩摩訶薩作
如是學非學般若波羅蜜多不能成辦一切
智智舍利子若菩薩摩訶薩無方便善巧於
色處分別執著於聲香味觸法處分別執著
如是菩薩摩訶薩作如是學非學般若波羅
蜜多不能成辦一切智智舍利子若菩薩摩
訶薩無方便善巧於眼界色界眼識界及眼

BD02059 號　大般若波羅蜜多經卷四一　（21–17）

色處分別執著於聲香味觸法處分別執著
如是菩薩摩訶薩作如是學非學般若波羅
蜜多不能成辦一切智智舍利子若菩薩摩
訶薩無方便善巧於眼界色界眼識界及眼
觸眼觸為緣所生諸受分別執著如是菩薩
摩訶薩作如是學非學般若波羅蜜多不能
成辦一切智智舍利子若菩薩摩訶薩無方
便善巧於耳界聲界耳識界及耳觸耳觸為
緣所生諸受分別執著如是菩薩摩訶薩作
如是學非學般若波羅蜜多不能成辦一切
智智舍利子若菩薩摩訶薩無方便善巧於
鼻界香界鼻識界及鼻觸鼻觸為緣所生
諸受分別執著如是菩薩摩訶薩作如是學非
學般若波羅蜜多不能成辦一切智智舍利
子若菩薩摩訶薩無方便善巧於舌界味界
舌識界及舌觸舌觸為緣所生諸受分別執
著如是菩薩摩訶薩作如是學非學般若波
羅蜜多不能成辦一切智智舍利子若菩薩
摩訶薩無方便善巧於身界觸界身識界及
身觸身觸為緣所生諸受分別執著如是菩
薩摩訶薩作如是學非學般若波羅蜜多不
能成辦一切智智舍利子若菩薩摩訶薩
無方便善巧於意界法界意識界及意觸意
觸為緣所生諸受分別執著如是菩薩摩訶
薩作如是學非學般若波羅蜜多不能成辦
一切智智舍利子若菩薩摩訶薩無方便

BD02059 號　大般若波羅蜜多經卷四一　（21–18）

能成辦一切智智舍利子若菩薩摩訶薩
無方便善巧於意界法界意識界及意觸意
觸為緣所生諸受分別執著如是菩薩摩訶
薩作如是學非學般若波羅蜜多不能成辦
一切智智舍利子若菩薩摩訶薩無方便
善巧於地界分別執著於水火風空識界分
別執著如是菩薩摩訶薩作如是學非學
般若波羅蜜多不能成辦一切智智舍利子
若菩薩摩訶薩無方便善巧於苦聖諦分別
執著於集滅道聖諦分別執著如是菩薩
摩訶薩作如是學非學般若波羅蜜多不能
成辦一切智智舍利子若菩薩摩訶薩無
方便善巧於無明分別執著於行識名色六處
觸受愛取有生老死愁歎苦憂惱分別執著
如是菩薩摩訶薩作如是學非學般若波羅
蜜多不能成辦一切智智舍利子若菩薩摩
訶薩無方便善巧於四靜慮分別執著於四
無量四無色定分別執著如是菩薩摩訶薩
作如是學非學般若波羅蜜多不能成辦一
切智智舍利子若菩薩摩訶薩無方便善巧
於四念住分別執著於四正斷四神足五根五
力七等覺支八聖道支分別執著如是菩薩
摩訶薩作如是學非學般若波羅蜜多不能
成辦一切智智舍利子若菩薩摩訶薩無方
便善巧於五眼分別執著於六神通分別執

力七等覺支八聖道支分別執著如是菩薩
摩訶薩作如是學非學般若波羅蜜多不能
成辦一切智智舍利子若菩薩摩訶薩無方
便善巧於五眼分別執著於六神通分別執
著如是菩薩摩訶薩作如是學非學般若波
羅蜜多不能成辦一切智智舍利子若菩薩
摩訶薩無方便善巧於佛十力分別執著於
四無所畏四無礙解大慈大悲大喜大捨十
八佛不共法一切智道相智一切相智分別
執著如是菩薩摩訶薩作如是學非學般若
波羅蜜多不能成辦一切智智舍利子以是
因緣有菩薩摩訶薩作如是學非學般若波
羅蜜多不能成辦一切智智舍利子言如是
菩薩摩訶薩作如是非學般若波羅蜜多
不能成辦一切智智耶佛言如是菩薩摩訶
薩作如是學非學般若波羅蜜多不能成辦
一切智智

時舍利子復白佛言世尊云何菩薩摩訶薩
脩行般若波羅蜜多時是學般若波羅蜜多
則能成辦一切智智佛告舍利子若菩薩摩
訶薩脩行般若波羅蜜多時不見般若波羅
蜜多乃至不見一切相智是學般若波羅蜜
多則能成辦一切智智何以故以無所得為
方便故舍利子言是菩薩摩訶薩於何法無
所得為方便佛言是菩薩摩訶薩於布施
波羅蜜多無所得為方便於淨戒安忍精進

方便故舍利子言是菩薩摩訶薩於何法無
所得為方便佛言是菩薩摩訶薩於布施
波羅蜜多無所得為方便於淨戒安忍精進
靜慮般若波羅蜜多無所得為方便乃至
於佛十力無所得為方便於四無所畏四無
礙解大慈大悲大喜大捨十八佛不共法一切
智道相智一切相智無所得為方便舍利
子言是菩薩摩訶薩脩行般若波羅蜜多時
何故以無所得為方便佛言是菩薩摩訶薩
脩行般若波羅蜜多時以內空故無所得為
方便乃至以無性自性空故無所得為方便
舍利子如是菩薩摩訶薩脩行般若波羅
蜜多時是學般若波羅蜜多則能成辦一
切智智

大般若波羅蜜多經卷第卌一

BD02059 號　大般若波羅蜜多經卷四一　　（21–21）

第卌一

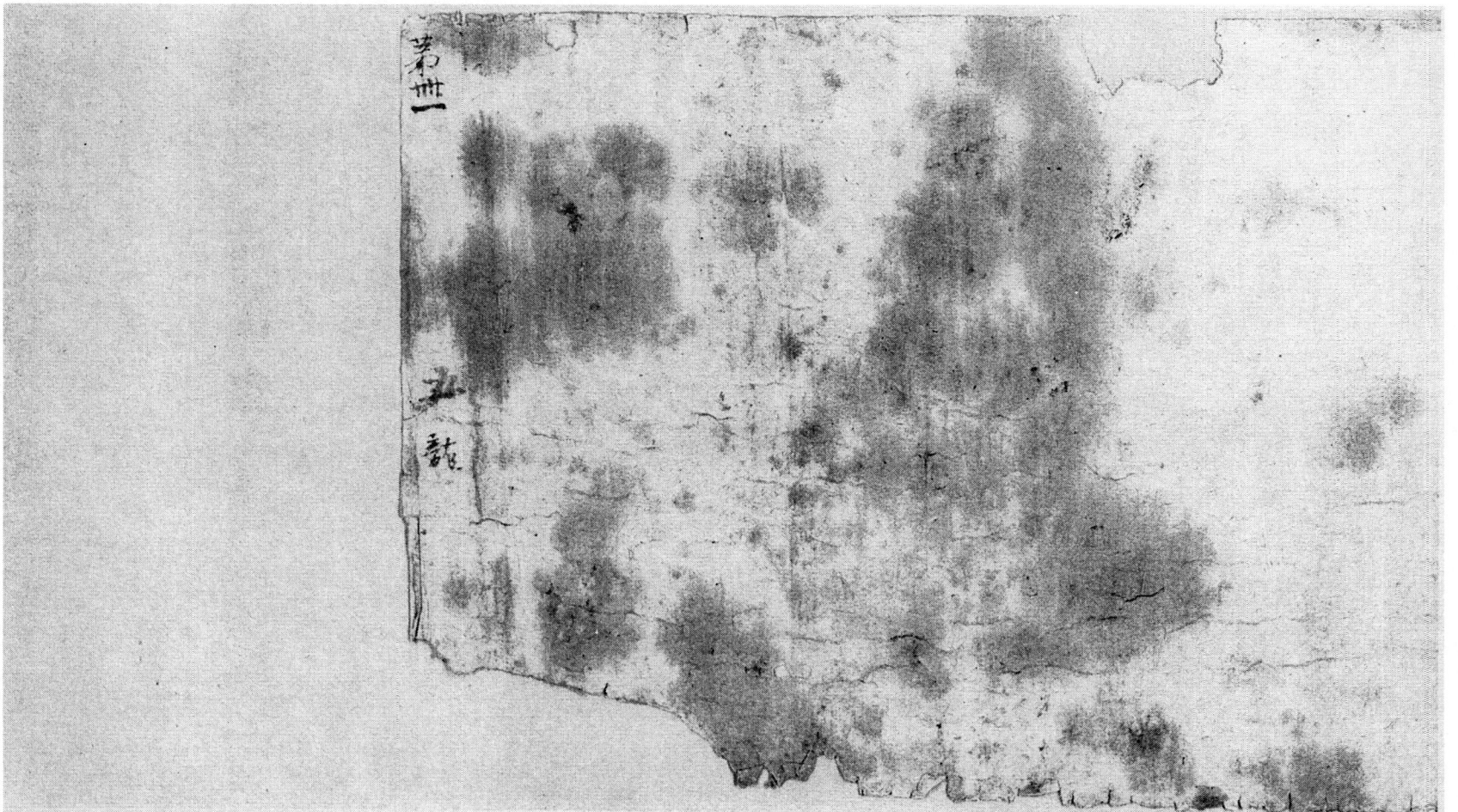

BD02059 號背　勘記　　（2–1）

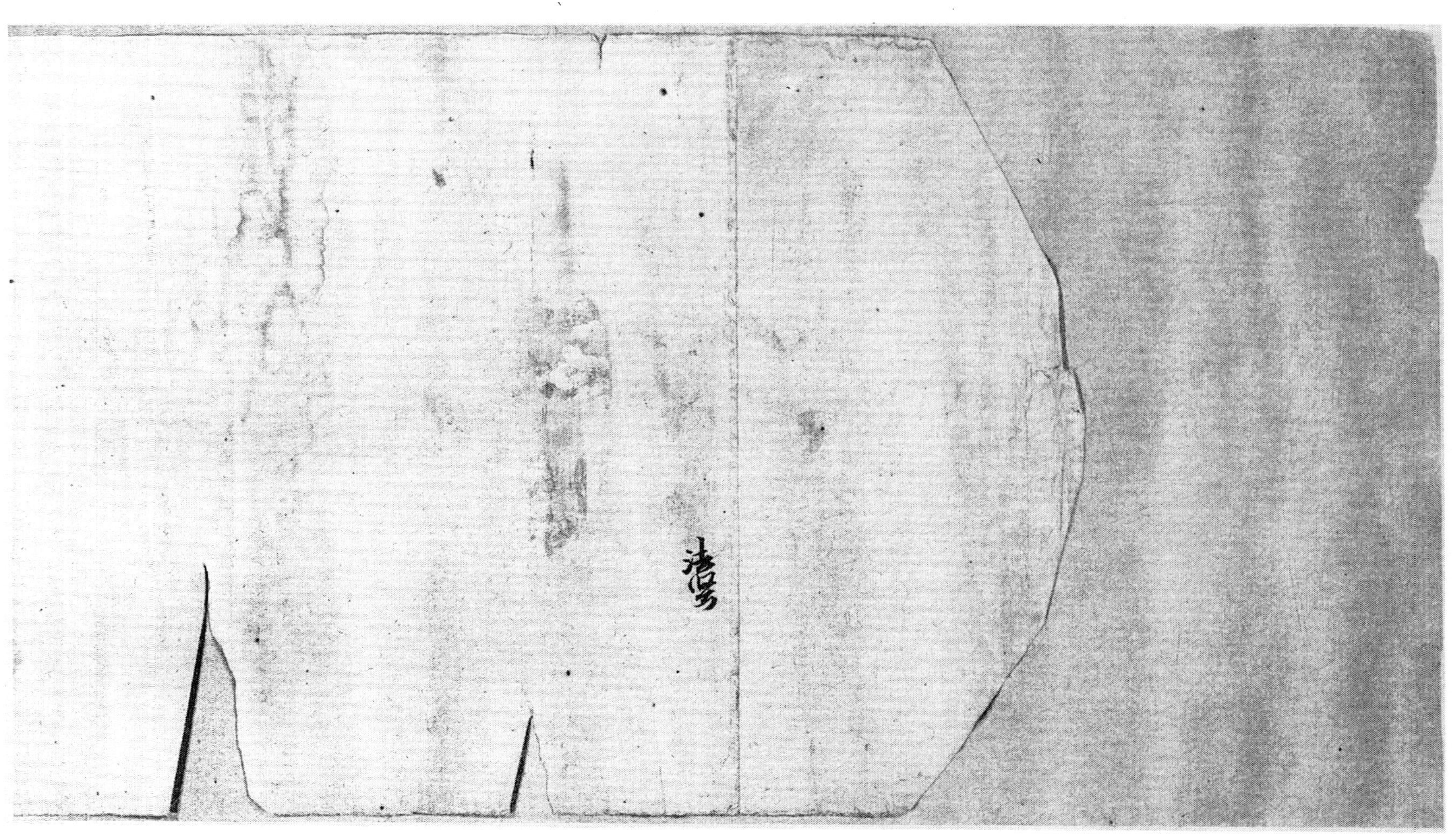

BD02059 號背　題名　　（2–2）

從昔來所得慧眼未曾得聞如是之經世尊
若復有人得聞是經信心清淨則生實相當知
是人成就第一希有功德世尊是實相者則
是非相是故如來說名實相世尊我今得聞
如是經典信解受持不足為難若當來世後五
百歲其有衆生得聞是經信解受持是人則
為第一希有何以故此人無我相人相衆生相壽
者相即是非相何以故離一切諸相則名諸佛
佛告須菩提如是如是若復有人得聞是經不驚
不怖不畏當知是人甚為希有何以故須菩提
如來說第一波羅蜜非第一波羅蜜是名第
一波羅蜜
須菩提忍辱波羅蜜如來說非忍辱波羅蜜何
以故須菩提如我昔為歌利王割截身體我
於尒時無我相無人相無衆生相無壽者相
何以故我於往昔節節支解時若有我相
人相衆生相壽者相應生瞋恨須菩提又念
過去於五百世作忍辱仙人於尒所世無我相
無人相無衆生相無壽者相是故須菩提菩薩
應離一切相發阿耨多羅三藐三菩提心不應
住色生心不應住聲香味觸法生心應無所

BD02060 號　金剛般若波羅蜜經　　（10–1）

人相衆生相壽者相應生瞋恨須菩提又念
過去於五百世作忍辱仙人於尒所世無我相
無人相無衆生相無壽者相是故須菩提菩薩
應離一切相發阿耨多羅三藐三菩提心不應
住色生心不應住聲香味觸法生心應無所
住心若心有住則為非住是故佛說菩薩
心不應住色布施須菩提菩薩為利益一切
衆生應如是布施如來說一切諸相即是
非相又說一切衆生則非衆生須菩提如來
是真語者實語者如語者不誑語者不異
語者須菩提如來所得法此法無實無虛須
菩提若菩薩心住於法而行布施如人入闇則
無所見若菩薩心不住法而行布施如人有
目日光明照見種種色須菩提當來之世若
有善男子善女人能於此經受持讀誦則
為如來以佛智慧悉知是人悉見是人皆得
成就無量無邊功德
須菩提若有善男子善女人初日分以恒河沙
等身布施中日分復以恒河沙等身布施後
日分亦以恒河沙等身布施如是無量百千萬
億劫以身布施若復有人聞此經典信心不
逆其福勝彼何况書寫受持讀誦為人解說
須菩提以要言之是經有不可思議不可稱
量無邊功德如來為發大乘者說為發最上
乘者說若有人能受持讀誦廣為人說如來
悉知是人悉見是人皆得成就不可量不可

逆其福勝彼何况書寫受持讀誦為人解說
須菩提以要言之是經有不可思議不可稱
量無邊功德如來為發大乘者說為發最上
乘者說若有人能受持讀誦廣為人說如來
悉知是人悉見是人皆得成就不可量不可
稱無有邊不可思議功德如是人等則為荷
擔如來阿耨多羅三藐三菩提何以故須菩
提若樂小法者著我見人見衆生見壽者
見則於此經不能聽受讀誦為人解說須菩
提在在處處若有此經一切世間天人阿脩羅
所應供養當知此處則為是塔皆應恭敬作
禮圍遶以諸華香而散其處
復次須菩提善男子善女人受持讀誦此經若
為人輕賤是人先世罪業應墮惡道以今世人
輕賤故先世罪業則為消滅當得阿耨多羅
三藐三菩提須菩提我念過去無量阿僧祇
劫於然燈佛前得值八百四千萬億那由他諸
佛悉皆供養承事無空過者若復有人於後
末世能受持讀誦此經所得功德於我所供
養諸佛功德百分不及一千萬億分乃至筭
數譬喻所不能及須菩提若善男子善女人
於後末世有受持讀誦此經所得功德我若
具說者或有人聞心則狂亂狐疑不信須菩提當
知是經義不可思議果報亦不可思議
尒時須菩提白佛言世尊善男子善女人發阿
耨多羅三藐三菩提心云何應住云何降伏其

於後末世有受持讀誦此經所得功德我若
具說者或有人聞心則狂亂狐疑不信須菩提當
知是經義不可思議果報亦不可思議
尒時須菩提白佛言世尊善男子善女人發阿
耨多羅三藐三菩提心云何應住云何降伏其
心佛告須菩提善男子善女人發阿耨多羅
三藐三菩提者當生如是心我應滅度一切
生滅度一切衆生已而無有一衆生實滅度者
何以故若菩薩有我相人相衆生相壽者相
則非菩薩所以者何須菩提實無有法發阿耨
多羅三藐三菩提者須菩提於意云何如來於
然燈佛所有法得阿耨多羅三藐三菩提不不也
世尊如我解佛所說義佛於然燈佛所無有
法得阿耨多羅三藐三菩提佛言如是如是
須菩提實無有法如來得阿耨多羅三藐三
菩提須菩提若有法如來得阿耨多羅三藐三
菩提者然燈佛則不與我授記汝於來世當得作
佛号釋迦牟尼以實無有法得阿耨多羅三
藐三菩提是故然燈佛與我授記作是言汝
於來世當得作佛号釋迦牟尼何以故如來者
即諸法如義若有人言如來得阿耨多羅三
藐三菩提須菩提實無有法佛得阿耨多
羅三藐三菩提須菩提如來所得阿耨多
羅三藐三菩提於是中無實無虛是故如來
說一切法皆是佛法須菩提所言一切法者即

BD02060 號　金剛般若波羅蜜經　（10–4）

藐三菩提須菩提實無有法佛得阿耨多
羅三藐三菩提須菩提如來所得阿耨多
羅三藐三菩提於是中無實無虛是故如來
說一切法皆是佛法須菩提所言一切法者即
非一切法是故名一切法須菩提譬如人身長
大須菩提言世尊如來說人身長大則為非大
身是名大身
須菩提菩薩亦如是若作是言我當滅度無
量衆生則不名菩薩何以故須菩提實無有
法名為菩薩是故佛說一切法無我無人無
衆生無壽者須菩提若菩薩作是言我當莊
嚴佛土是不名菩薩何以故如來說莊嚴佛
土者即非莊嚴是名莊嚴須菩提若菩薩
通達無我法者如來說名真是菩薩
須菩提於意云何如來有肉眼不如是世尊如
來有肉眼須菩提於意云何如來有天眼不如
是世尊如來有天眼須菩提於意云何如來慧
眼不如是世尊如來有慧眼須菩提於意云何
如來有法眼不如是世尊如來有法眼須菩提
於意云何如來有佛眼不如是世尊如來有佛
須菩提於意云何如恒河中所有沙佛說是沙不
如是世尊如來說是沙須菩提於意云何如一
恒河中所有沙有如是等恒河是諸恒河所有
沙數佛世界如是寧為多不甚多世尊佛告須

BD02060 號　金剛般若波羅蜜經　（10–5）

須菩提於意云何如恒河中所有沙佛說是沙不
如是世尊如來說是沙須菩提於意云何如一
恒河中所有沙有如是等恒河是諸恒河所有
沙數佛世界如是寧為多不甚多世尊佛告須
菩提尒所國土中所有眾生若干種心如來悉
知何以故如來說諸心皆為非心是名為心所以
者何須菩提過去心不可得現在心不可得未來
心不可得須菩提於意云何若有人滿三千大千
世界七寶以用布施是人以是因緣得福多不如
是世尊此人以是因緣得福甚多須菩提若福
德有實如來不說德福德多以福德無故如來
說得福德多
須菩提於意云何佛可以具足色身見不不也
世尊如來不應以具足色身見何以故如來說具
足色身即非具足色身是名具足色身須菩提
於意云何如來可以具足諸相見不不也世尊如
來不應以具足諸相見何以故如來說諸相具足即
非具足是名諸相具足須菩提汝勿謂如來
作是念我當有所說法莫作是念何以故若
人言如來有所說法即為謗佛不能解我所
說故須菩提說法者無法可說是名說法須菩
提白佛言世尊佛得阿耨多羅三藐三菩提
為無所得耶如是如是須菩提我於阿耨多
羅三藐三菩提乃至無有少法可得是名阿
耨多羅三藐三菩提復次須菩提是法平等

BD02060號　金剛般若波羅蜜經　（10–6）

提白佛言世尊佛得阿耨多羅三藐三菩提
為無所得耶如是如是須菩提我於阿耨多
羅三藐三菩提乃至無有少法可得是名阿
耨多羅三藐三菩提復次須菩提是法平等
無有高下是名阿耨多羅三藐三菩提以無
我無人無眾生無壽者脩一切善法則得阿
耨多羅三藐三菩提須菩提所言善法者
如來說非善法是名善法須菩提若三千大
千世界中所有諸須弥山王如是等七寶聚有
人持用布施若人以此般若波羅蜜經乃至四句
偈等受持為他人說於前福德百分不及一百
千萬億分乃至筭數譬喻所不能及
須菩提於意云何汝等勿謂如來作是念我當
度眾生須菩提莫作是念何以故實無有眾
生如來度者若有眾生如來度者如來則有
我人眾生壽者須菩提如來說有我者則非
有我而凡夫之人以為有我須菩提凡夫者如
來說則非凡夫須菩提於意云何可以三十二相
觀如來不須菩提言如是如是以三十二相觀
如來佛言須菩提若以三十二相觀如來者轉
輪聖王則是如來須菩提白佛言世尊如我
解佛所說義不應以三十二相觀如來尒
時世尊而說偈言
若以色見我　以音聲求我　是人行邪道　不能見如來
須菩提汝若作是念如來不以具足相故得阿耨

BD02060號　金剛般若波羅蜜經　（10–7）

解佛所說義不應以三十二相觀如來尒
時世尊而說偈言
若以色見我　以音聲求我　是人行邪道　不能見如來
須菩提汝若作是念如來不以具足相故得阿耨
多羅三藐三菩提須菩提莫作是念如來不以具
足相故得阿耨多羅三藐三菩提須菩提汝若
作是念發阿耨多羅三藐三菩提者說諸法
斷滅相莫作是念何以故發阿耨多羅三藐三
菩提者於法不說斷滅相須菩提若菩薩以滿恒河
沙等世界七寶布施若復有人知一切法無我
得成於忍此菩薩勝前菩薩所得功德何以故
須菩提以諸菩薩不受福德故須菩提白佛
言世尊云何菩薩不受福德須菩提菩薩所
作福德不應貪著是故佛不受福德須菩提若
有人言如來若來若去若坐若卧是人不解
我所說義何以故如來者無所從來亦無所
去故名如來須菩提若善男子善女人以三千
大千世界碎為微塵於意云何是微塵衆寧為
多不甚多世尊何以故若是微塵衆實有者
佛則不說是微塵衆所以者何佛說微塵衆
則非微塵衆世尊如來所說三千大千世
界則非世界是名世界何以故若世界實有
者則是一合相如來說一合相則非一合相是
名一合相須菩提一合相者則是不可說但

BD02060號　金剛般若波羅蜜經　（10-8）

則非微塵衆世尊如來所說三千大千世
界則非世界是名世界何以故若世界實有
者則是一合相如來說一合相則非一合相是
名一合相須菩提一合相者則是不可說但
凡夫之人貪著其事須菩提若人言佛說我
見人見衆生見壽者見須菩提於意云何是
人解我所說義不不也世尊是人不解如來
所說義何以故世尊說我見人見衆生見壽
者見即非我見人見衆生見壽者見是名我
見人見衆生見壽者見須菩提發阿耨多羅
三藐三菩提心者於一切法應如是知如是見
如是信解不生法相須菩提所言法相如來說
即非法相是名法相須菩提若有人以滿無量
阿僧祇世界七寶持用布施若有善男子
善女人發菩薩心者持於此經乃至四句偈等
受持讀誦為人演說其福勝彼云何為人
演說不取於相如如不動何以故
一切有為法　如夢幻泡影　如露亦如電　應作如是觀
佛說是經已長老須菩提及諸比丘比丘尼優
婆塞優婆夷一切世間天人阿脩羅聞佛所
說皆大歡喜信受奉行

金剛般若波羅蜜經

BD02060號　金剛般若波羅蜜經　（10-9）

BD02060 號　金剛般若波羅蜜經　（10–10）

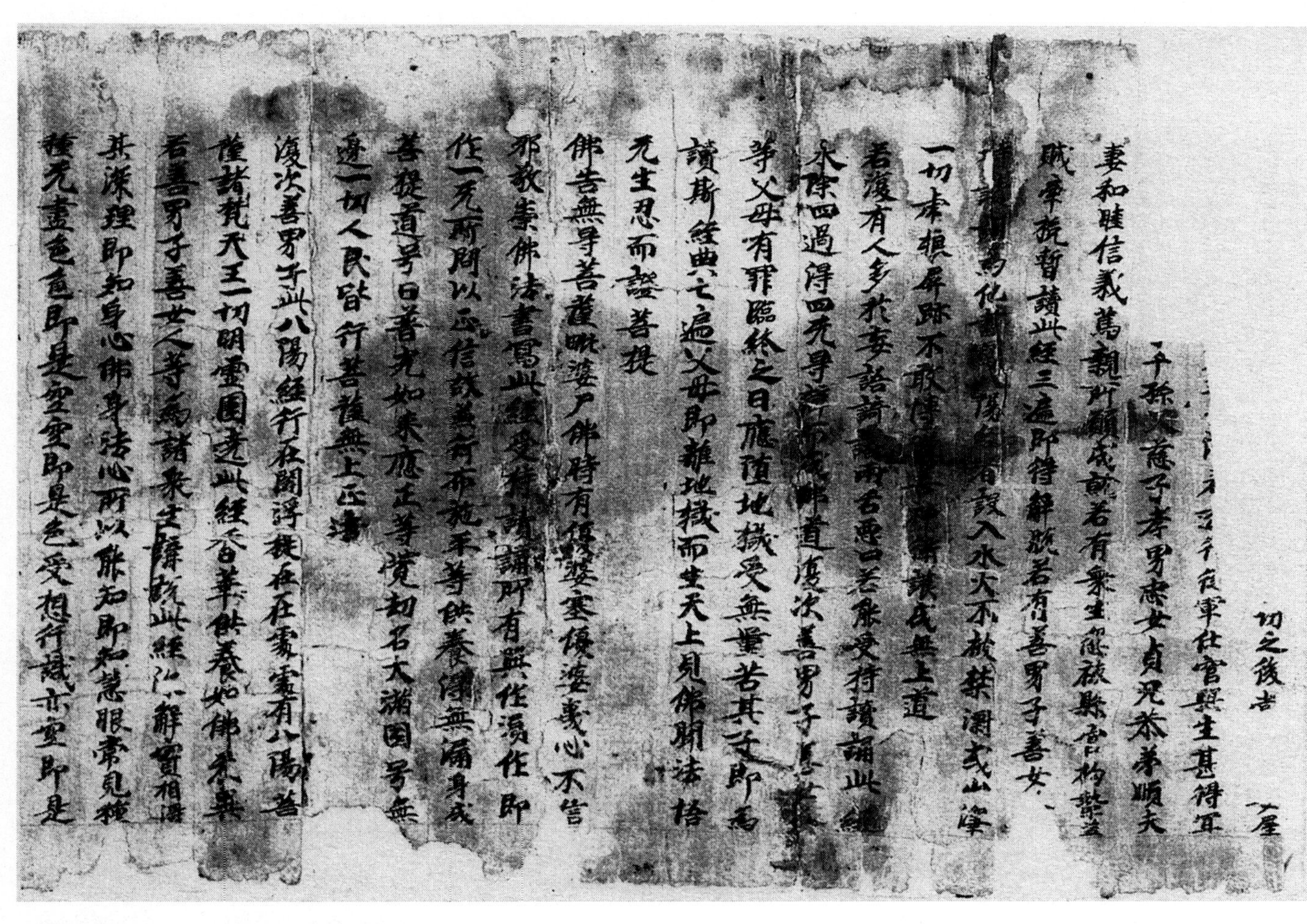

BD02061 號　天地八陽神咒經　（7–1）

復次善男子此八陽經行在閻浮提在在處處有八陽菩
薩諸梵天王一切明靈圍遶此經香華供養如佛不異
若善男子善女人等為諸衆生讀誦此經隨義解實相得
其深理即知身心佛身法心所以能知即知慧眼常見種
種无盡色色即是空空即是色受想行識亦空即是
妙色身如來耳常聞種種無盡聲聲即是空空即是妙
是妙音聲如來鼻常嗅種種無盡香香即是空空即是
香積如來舌常種種味味即是空空即是味是法喜如來
身常覺種種無盡觸觸即是空空即是觸是智明如來
意常想分別種種無盡法法即是空空即是法是法明如來
善男子此六根顯現人皆口說其善法法輪常轉得成聖道
若說邪語惡法常轉即墮惡趣善男子善惡之理不得不信
無导菩薩人之身心是佛法器亦是十二部大經卷也無始已
來轉讀不盡不損毫毛如來藏經唯識心見性者之所能
知非諸聲聞凡夫所能知也
復次善男子讀誦此經為他講說深解真理者即知身心
是佛法器若醉迷不醒不了自心是佛法根本流浪諸趣墮
於惡道永沉苦海不聞佛名字无导菩薩復白佛言世
尊人之在世生死為重生不擇日時至即生死不擇日時
即死何因殯葬即問良辰吉日然始殯葬之後還有妨
害貧窮者多滅門者不少唯願世尊為諸邪見无知
衆生說其因緣令得正道除其顛倒
佛言善哉善哉善男子汝實甚能問於衆生生死之
事殯葬之法汝等諦聽當為汝說智慧之理大道之法
夫天地廣大清日月廣長明時年善善美實無有異善
男子人王菩薩甚大慈悲愍念衆生皆如赤子下為人主
作人父母順於俗人教於俗法造作曆日頒下天下令知

BD02061號　天地八陽神咒經　（7–2）

佛言善哉善哉善男子汝實甚能問於衆生生死之
事殯葬之法汝等諦聽當為汝說智慧之理大道之法
夫天地廣大清日月廣長明時年善善美實無有異善
男子人王菩薩甚大慈悲愍念衆生皆如赤子下為人主
作人父母順於俗人教於俗法造作曆日頒下天下令知
時節為有平滿成收開除之字執危破殺之文愚人依字
信用无不免於凶禍又使邪師厭鎮說是道非湿邪神拜餓
鬼卻招殃自受苦如斯人輩返天時逆地理背日月之光明常
投闇室違正道之廣路恒尋邪徑顛倒之甚也
復次善男子生時讀此經三遍兒則易生甚大吉利聰明利
智福德具足而無中夭死時讀三遍一無妨害得福無量善
男子日日好日月月好月年年好年實無閒隔但辦即須殯
葬殯葬之日讀此經七遍甚大吉利獲福無量門榮人貴
延年益壽命終之日並得成聖善男子殯葬之地莫問東
西南北安穩之處人之愛樂鬼神愛樂即讀此經三遍便以
修營安置墓田永无災鄣家富人興甚大吉利爾時世尊
欲重宣此義而說偈言
營生善善日　殯葬好好時　生死讀誦經　甚得大利益
月月善明月　年年大好年　讀經即殯葬　榮年万
爾時衆中七万七千人聞佛所說心開意解捨邪歸正
法分永斷疑惑皆得阿耨多羅三藐三菩提
無导菩薩復白佛言世尊一切凡夫皆以婚姻為親
相宜復取吉日然始成親已後富貴偕老者少貧窮
死別者多一種信邪如何而有差別唯願世尊為決衆疑
佛言善男子汝等諦聽當為汝說天陰地陽月陰日陽
水陰火陽男陰女陽天地氣合一切草木生焉日月交運四

BD02061號　天地八陽神咒經　（7–3）

相宜復取吉日然始成親已後富貴偕老者少貧窮
死別者多一種信邪如何而有善別唯願世尊爲決衆疑
佛言善男子汝等諦聽當爲汝說天陰地陽月陰日陽
水陰火陽男陰女陽天地氣合一切草木生焉日月交運四
時八節明焉水火相承一切萬物熟焉男女允諧子孫興焉
皆是天之常道自然之理世諦之法善男子愚人無智信
其邪師卜問望吉而不修善造種種惡業命終之後復
得人身者如指甲上土墮於地獄作餓鬼畜生者如大地土
善男子復得人身正信修善者如指甲上土信邪造惡
業者如大地土善男子若結婚親莫問水火相尅胎胞
相壓唯看相命即知福德多少以爲眷屬呼迎之日讀
此經三遍即以成禮此乃善善相因明明相屬門高人貴子
孫興盛聰明利智多才多藝孝敬相承甚大吉利而無
中夭福德具足皆成佛道
時有八菩薩承佛威神得大總持常處人間和光同塵
破邪立正度四生處八解脫其名曰
跋陀和菩薩漏盡和　羅隣那竭菩薩漏盡和
憍日兜菩薩漏盡和　須彌深菩薩漏盡和
那羅達菩薩漏盡和　因坻達菩薩漏盡和
和輪調菩薩漏盡和　無緣觀菩薩漏盡和
是八菩薩俱白佛言世尊我等於諸佛所受得陀羅尼
神呪而今說之擁護受持讀誦八陽經者永無恐怖使一
切不善之物不得侵損讀經法師即於佛前而說呪曰
阿佉尼　尼佉尼　阿比羅　曼隸　曼多隸
世尊若有不善者欲來惱法師聞我說此呪頭破作七
分如阿梨樹枝

BD02061號　天地八陽神呪經　（7–4）

切不善之物不得侵損讀經法師即於佛前而說呪曰
阿佉尼　尼佉尼　阿比羅　曼隸　曼多隸
世尊若有不善者欲來惱法師聞我說此呪頭破作七
分如阿梨樹枝
是時無邊身菩薩白佛言世尊云何名爲八陽經唯願世
尊爲諸聽衆解說其義令得悟解速達心本入佛知見
永斷疑悔　佛言善哉善哉善男子汝等諦聽吾今
汝解說八陽之經八者分別也陽者明解也明解大乘無
爲之理了能分別八識因緣空無所得又云八識爲經
陽明爲緯經緯相投以成經教故名八陽經八識者眼
是色識耳是聲識鼻是香識舌是味識身是觸識
意是分別識含藏識阿賴耶識是名八識明了分別
八識根源空無所有即知兩眼是光明天光明天中即
現日月光明世尊兩耳是聲聞天聲聞天中即現無量
聲如來兩鼻是佛香天佛香天中即現香積如來口舌
是法味天法味天中即現法喜如來身是盧舍那天盧
舍那天中即成就盧舍那佛盧舍那鏡像盧舍那光
明佛意是無分別天無分別天中現不動如來大光明
佛心是法界天法界天中即現空王如來含藏識天演
出阿那含經大涅槃經阿賴耶識天演出大智度論經瑜
伽論經善男子佛即是法法即是佛合爲一相即現大
通智勝如來
佛說此經時一切大地六種震動光照天地無有邊際浩浩蕩
蕩無所名一切幽冥皆悉明朗一切地獄並皆消滅一切罪
人俱得離苦皆發無上菩提心
爾時衆中八萬八千菩薩一時成佛號曰虛空藏如來

BD02061號　天地八陽神呪經　（7–5）

蕩而无所有一切衆寶皆悉明朗一切地獄並皆消滅一切罪
人俱得離苦皆發无上菩提心
尒時衆中八万八千菩薩一時成佛号曰虛空藏如来
應正等覺劫名圓滿國号无邊一切人民充有故此並
證無諍三昧六万六千比丘比丘尼優婆塞優婆夷得大
物持入不二法門無量天龍夜叉乾闥婆阿脩羅迦樓
羅緊那羅摩睺羅伽人非人等得法眼淨
復次善男子若復有人得官登位之日及新入宅之時
即讀此經三遍甚大吉利擁護無量善男子若讀此
經一遍者如讀一切經一遍能寫一卷者如寫一切經一部
其功德不可稱不可量無有邊際如斯人等即成
聖道復次無邊身菩薩摩訶薩若有衆生不信正
法常生邪見忽聞此經即生誹謗言非佛說是人現
世得白癩病惡瘡膿血遍體交流腥臊臭穢人皆憎
嫉命終之日即墮阿鼻無間地獄上火徹下下火徹上
鐵叉遍身穿究五藏洋銅灌口筋骨爛壞一日一夜
万死万生受其苦痛無有休息謗斯經故獲罪如
是
如佛爲罪人而說偈言
身是自然身　五體自然長　長乃自然老
生則自然生　死則自然死　求長不得長　求短不得短
苦樂汝自當　邪正由汝己　欲作有爲功　讀經莫問師
千千万万代　得道轉法輪
佛說此經已一切大衆得未曾有心明意淨歡喜踊
躍皆見諸相非相入佛知見悟佛知見無入無悟
无知無見不得一法即涅槃樂

BD02061號　天地八陽神咒經　（7–6）

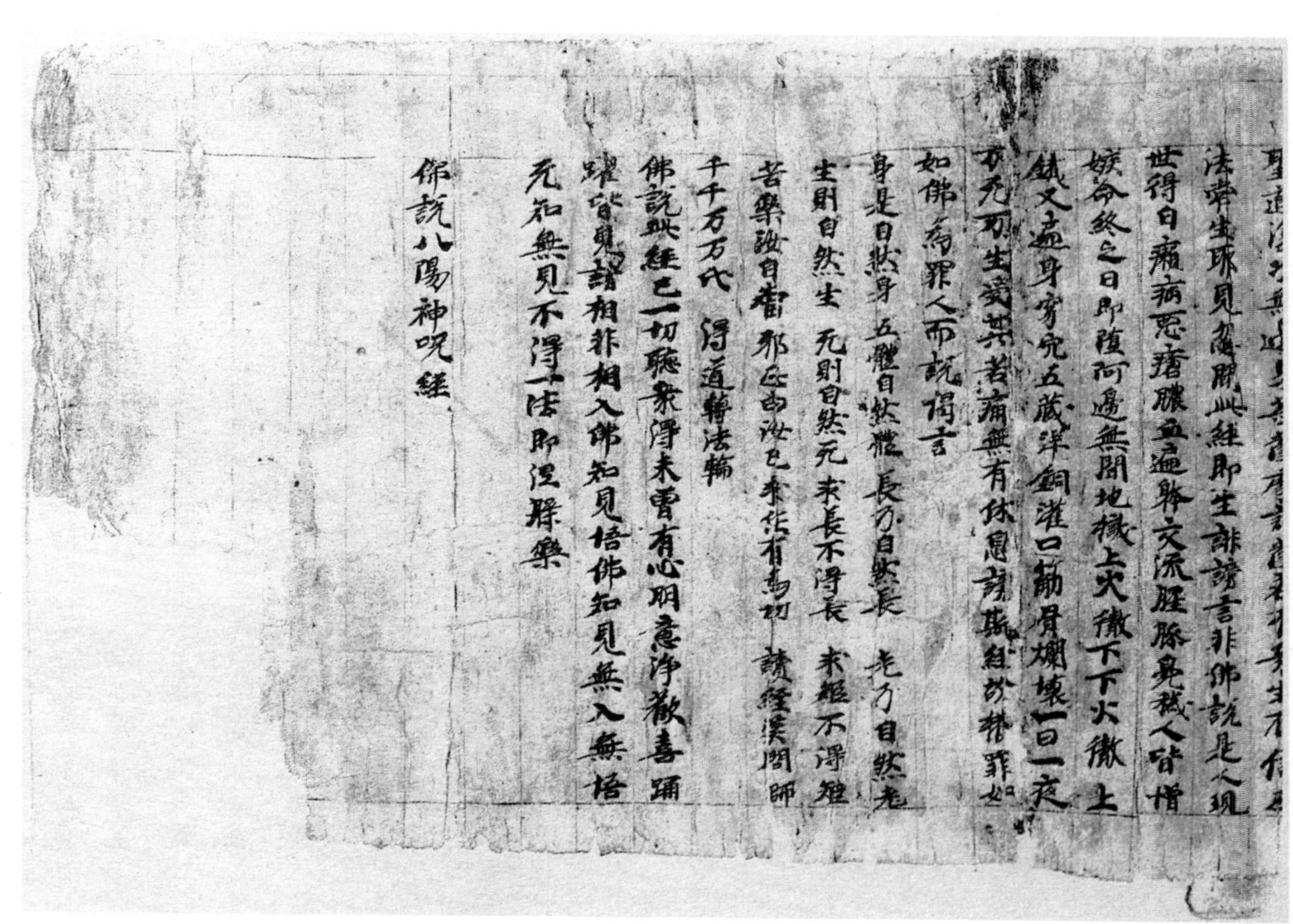
聖道復次無邊身菩薩摩訶薩若有衆生不信正
法常生邪見忽聞此經即生誹謗言非佛說是人現
世得白癩病惡瘡膿血遍體交流腥臊臭穢人皆憎
嫉命終之日即墮阿鼻無間地獄上火徹下下火徹上
鐵叉遍身穿究五藏洋銅灌口筋骨爛壞一日一夜
万死万生受其苦痛無有休息謗斯經故獲罪如
是
如佛爲罪人而說偈言
身是自然身　五體自然長　長乃自然老
生則自然生　死則自然死　求長不得長　求短不得短
苦樂汝自當　邪正由汝己　欲作有爲功　讀經莫問師
千千万万代　得道轉法輪
佛說此經已一切大衆得未曾有心明意淨歡喜踊
躍皆見諸相非相入佛知見悟佛知見無入無悟
无知無見不得一法即涅槃樂
佛說八陽神呪經

BD02061號　天地八陽神咒經　（7–7）

亦行懈怠而懃脩功德亦行亂意而常念定
亦行愚癡而通達世間出世間慧亦行諂偽
而善方便隨諸經義亦行憍慢而於衆生猶
如橋梁亦行諸煩惱而心常清淨亦入於魔
而順佛智慧不隨他教亦入聲聞而為衆生
說未聞法亦入辟支佛而成就大悲教化衆生亦
入貧窮而有寶手功德无盡亦入刑殘而具諸
相好以自莊嚴亦入下賤而生佛種姓中具
諸功德亦入羸劣醜陋而得那羅延身一切衆
生之所樂見亦入老病而永斷病根超越死
畏亦有資生而恒觀无常无所貪著亦有
妻妾婇女而常遠離五欲淤泥現於訥鈍而
成就辯才揔持无失亦入邪濟而以正濟度
諸衆生現遍入諸道而斷其因緣現於涅槃
而不斷生死文殊師利菩薩能如是行於
非道是為通達佛道
於是維摩詰問文殊師利何等為如來種文
殊師利言有身為種无明有愛為種貪恚癡
為種四顛倒為種五蓋為種六入為種七識
處為種八邪法為種九惱處為種十不善道
為種以要言之六十二見及一切煩惱皆是
佛種曰何謂也答曰若見无為入正位者不
能復發阿耨多羅三藐三菩提心譬如高原
陸地不生蓮華卑濕淤泥乃生此華如是見

BD02062 號　維摩詰所說經卷中　（10–1）

為種四顛倒為種五蓋為種六入為種七識
處為種八邪法為種九惱處為種十不善道
為種以要言之六十二見及一切煩惱皆是
佛種曰何謂也答曰若見无為入正位者不
能復發阿耨多羅三藐三菩提心譬如高原
陸地不生蓮華卑濕淤泥乃生此華如是見
无為法入正位者終不復能生於佛法煩惱
泥中乃有衆生起佛法耳又如殖種於空終不
得生糞壤之地乃能滋茂如是入无為正位
者不生佛法起於我見如須彌山猶能發于
阿耨多羅三藐三菩提心生佛法矣是故當
知一切煩惱為如來種譬如不入巨海不能得
无價寶珠如是不入煩惱大海則不能生一
切智寶之心
尒時大迦葉歎言善哉善哉文殊師利快說
此語誠如所言塵勞之儔為如來種我等今
者不復堪任發阿耨多羅三藐三菩提心乃
至五无間罪猶能發意生於佛法而今我等永
不能發譬如根敗之士其於五欲不能復利
如是聲聞諸結斷者於佛法中无所復益永
不志願是故文殊師利凡夫於佛法有反復
而聲聞无也所以者何凡夫聞佛法能起无
上道心不斷三寶正使聲聞終身聞佛法力
无畏等永不能發无上道意尒時會中有菩
薩名普現色身問維摩詰言居士父母妻子親

BD02062 號　維摩詰所說經卷中　（10–2）

而聲聞无世所以者何凡夫聞佛法能起无
上道心不斷三寶正使聲聞終身聞佛法力
无畏等永不能發无上道意尒時會中有菩
薩名普現色身問維摩詰言居士父母妻子親
戚眷屬吏民知識悉為是誰奴婢僮僕象馬
車乘皆何所在於是維摩詰以偈荅曰
智度菩薩母　方便以為父　一切衆導師　无不由是生
法喜以為妻　慈悲心為女　善心誠實男　畢竟空寂舍
弟子衆塵勞　隨意之所轉　道品善知識　由是成正覺
諸度法等侶　四攝為伎女　歌詠誦法言　以此為音樂
總持之園苑　无漏法林樹　覺意淨妙華　解脫智慧果
八解之浴池　定水湛然滿　布以七淨華　浴此无垢人
象馬五通馳　大乘以為車　調御以一心　遊於八正路
相具以嚴容　衆好飾其姿　慚愧之上服　深心為華鬘
富有七財寶　教授以滋息　如所說修行　迴向為大利
四禪為床座　從於淨命生　多聞增智慧　以為自覺音
甘露法之食　解脫味為漿　淨心以澡浴　戒品為塗香
摧滅煩惱賊　勇健无能踰　降伏四種魔　勝幡建道場
雖知无起滅　示彼故有生　悉現諸國土　如日无不現
供養於十方　无量億如來　諸佛及己身　无有分別想
雖知諸佛國　及與衆生空　而常修淨土　教化於群生
諸有衆生類　形聲及威儀　无畏力菩薩　一時能盡現
覺知衆魔事　而示隨其行　以善方便智　隨意皆能現
或示老病死　成就諸群生　了知如幻化　通達无有礙
或現劫盡燒　天地皆洞然　衆人有常想　照令知无常
无數億衆生　俱來請菩薩　一時到其舍

雖知諸佛國　及與衆生空　而常修淨土　教化於群生
諸有衆生類　形聲及威儀　无畏力菩薩　一時能盡現
覺知衆魔事　而示隨其行　以善方便智　隨意皆能現
或示老病死　成就諸群生　了知如幻化　通達无有礙
或現劫盡燒　天地皆洞然　衆人有常想　照令知无常
无數億衆生　俱來請菩薩　一時到其舍　化令向佛道
經書禁呪術　工巧諸妓藝　盡現行此事　饒益諸群生
世間衆道法　悉於中出家　因以解人惑　而不墮邪見
或作日月天　梵王世界主　或時作地水　或復作風火
劫中有疾疫　現作諸藥草　若有服之者　除病消衆毒
劫中有飢饉　現身作飲食　先救彼飢渴　却以法語人
劫中有刀兵　為之起慈悲　化彼諸衆生　令住无諍地
若有大戰陣　立之以等力　菩薩現威勢　降伏使和安
一切國土中　諸有地獄處　輙往到于彼　勉濟諸苦難
一切國土中　畜生相食噉　皆現生於彼　為之作利益
示受於五欲　亦復現行禪　令魔心憒亂　不能得其便
火中生蓮華　是可謂希有　在欲而行禪　希有亦如是
或現作婬女　引諸好色者　先以欲鉤牽　後令入佛智
或為邑中主　或作商人導　國師及大臣　以祐利衆生
諸有貧窮者　現為无盡藏　因以勸導人　令發菩提心
我心憍慢者　為現大力士　消伏諸貢高　令住佛上道
其有恐懼者　居前而慰安　先施以无畏　後令發道心
或現離婬欲　為五通仙人　開導諸群生　令住戒忍慈
見須供事者　現為作僮僕　既悅可其意　乃發以道心
隨彼之所須　得入於佛道　以善方便力　皆能給足之
如是道无量　所行无有崖　智慧无邊際　度脫无數衆

或現離婬欲　為五通仙人　開道諸群生　令住戒忍慈
見須供事者　現為作僮僕　既悅可其意　乃發以道心
隨彼之所須　得入於佛道　以善方便力　皆能給足之
如是道无量　所行无有崖　智慧无邊際　度脫无數衆
假令一切佛　於无數億劫　讚歎其功德　猶尚不能盡
誰聞如是法　不發菩提心　除彼不肖人　癡冥无智者

入不二法門品第九

尒時維摩詰謂衆菩薩言諸仁者云何菩薩
入不二法門各隨所樂說之會中有菩薩名
法自在說言諸仁者生滅為二法本不生今
則无滅得此无生法忍是為入不二法門
德首菩薩曰我我所為二因有我故便有我
所若无有我則无我所是為入不二法門
不眴菩薩曰受不受為二若法不受則不可
得以不可得故无取无捨无作无行是為入
不二法門
德頂菩薩曰垢淨為二見垢實性則无淨相
順於滅相是為入不二法門
善宿菩薩曰是動是念為二不動則无念无
念則无分別通達此者是為入不二法門
善眼菩薩曰一相无相為二若知一相即是
无相亦不取无相入於平等是為入不二法門
妙臂菩薩曰菩薩心聲聞心為二觀心相空
如幻化者无菩薩心无聲聞心是為入不二
法門

BD02062 號　維摩詰所說經卷中　（10–5）

无相亦不取无相入於平等是為入不二法門
妙臂菩薩曰菩薩心聲聞心為二觀心相空
如幻化者无菩薩心无聲聞心是為入不二
法門
弗沙菩薩曰善不善為二若不起善不善入
无相際而通達者是為入不二法門
師子菩薩曰罪福為二若達罪性則與福无
異以金剛慧決了此相无縛无解者是為入
不二法門
師子意菩薩曰有漏无漏為二若得諸法等
則不起漏不漏想不著於相亦不住无相是
為入不二法門
淨解菩薩曰有為无為為二若離一切數則
心如虛空以清淨慧无所礙者是為入不二
法門
那羅延菩薩曰世間出世間為二世間性空
即是出世間於其中不入不出不溢不散是
為入不二法門
善意菩薩曰生死涅槃為二若見生死性則
无生死无縛无解不然不滅如是解者是為入不
二法門
現見菩薩曰盡不盡為二法若究竟盡若不
盡皆是无盡相无盡相即是空空則无有盡
不盡相如是入者是為入不二法門
普首菩薩曰我无我為二我尚不可得非我

BD02062 號　維摩詰所說經卷中　（10–6）

二法門
現見菩薩曰盡不盡為二法若究竟盡若不
盡皆是无盡相无盡相即是空空則无有盡
不盡相如是入者是為入不二法門
普首菩薩曰我无我為二我尚不可得非我
何可得見我實性者不復起二是為入不二
法門
雷天菩薩曰明无明為二无明實性即是明
明亦不可取離一切數於其中平等无二者
是為入不二法門
喜見菩薩曰色色空為二色即是空非色滅
空色性自空如是受想行識識空為二識即
是空非識滅空識性自空於其中而通達者
是為入不二法門
明相菩薩曰四種異空種異為二四種性即是
空種性如前際後際空故中際亦空若能如
是知諸種性者是為入不二法門
妙意菩薩曰眼色為二若知眼性於色不貪
不恚不癡是名寂滅如是耳聲鼻香舌味身
觸意法為二若知意性於法不貪不恚不癡
是名寂滅安住其中是為入不二法門
无盡意菩薩曰布施迴向一切智為二布施
性即是迴向一切知性如是持戒忍辱精進
禪定智慧迴向一切智為二智慧性即是迴
向一切智性於其中入一相者是為入不二法門
深慧菩薩曰是空是无相无作為二空即是

BDC2062 號　維摩詰所說經卷中　（10–7）

性即是迴向一切知性如是持戒忍辱精進
禪定智慧迴向一切智為二智慧性即是迴
向一切智性於其中入一相者是為入不二法門
深慧菩薩曰是空是无相无作為二空即是
无相无相即是无作若空无相无作則无心意
識於一解脫門即是三解脫門者是為入不二
法門
寂根菩薩曰佛法衆為二佛即是法法即是衆
是三寶皆无為相與虛空等一切法亦尒能
隨此行者是為入不二法門
心无礙菩薩曰身身滅為二身即是身滅所
以者何見身實相者不起身見及見滅身身
與滅身无二无分別於其中不驚不懼者是
為入不二法門
上善菩薩曰身口意善為二是三業皆无作
相身无作相即口无作相口无作相即意无作
相是三業无作相即一切法无作相能如是隨
无作慧者是為入不二法門
福田菩薩曰福行罪行不動行為二三行實
性即是空空則无福行无罪行无不動行於此
三行而不起者是為入不二法門
華嚴菩薩曰從我起二為二見我實相者不
起二法若不住二法則无有識无所識者是
為入不二法門
德藏菩薩曰有所得相為二若无所得則无

BD02062 號　維摩詰所說經卷中　（10–8）

華嚴菩薩曰從我起二為二見我實相者不
起二法若不住二法則无有識无所識者是
為入不二法門
德藏菩薩曰有所得相為二若无所得則无
取捨无取捨者是為入不二法門
月上菩薩曰闇與明為二无闇无明則无有
二所以者何如入滅受想定无闇无明一切法亦
復如是於其中平等入者是為入不二法門
寶印手菩薩曰樂涅槃不樂世間為二若不
樂涅槃不猒世間則无有二所以者何若有
縛則有解若本无縛其誰求解无縛无解則
无樂猒是為入不二法門
珠頂王菩薩曰正道耶道為二住正道者則
不分別是耶是正離此二法是為入不二法門
樂實菩薩曰實不實為二實見者尚不見實
何况非實所以者何非肉眼所見慧眼乃能
見而此慧眼无見无不見是為入不二法門
如是諸菩薩各各說已問文殊師利何等是
菩薩入不二法門文殊師利曰如我意者於
一切法无言无說无示无識離諸問荅是為
入不二法門文殊師利問維摩詰言我等
各自說已仁者當說何等是菩薩入不二法門
時維摩詰默然无言文殊師利歎言善哉善
哉乃至无有文字語言是真入不二法門說
是不二法門時於此衆中五千菩薩皆入不二

BD02062 號　維摩詰所說經卷中　（10–9）

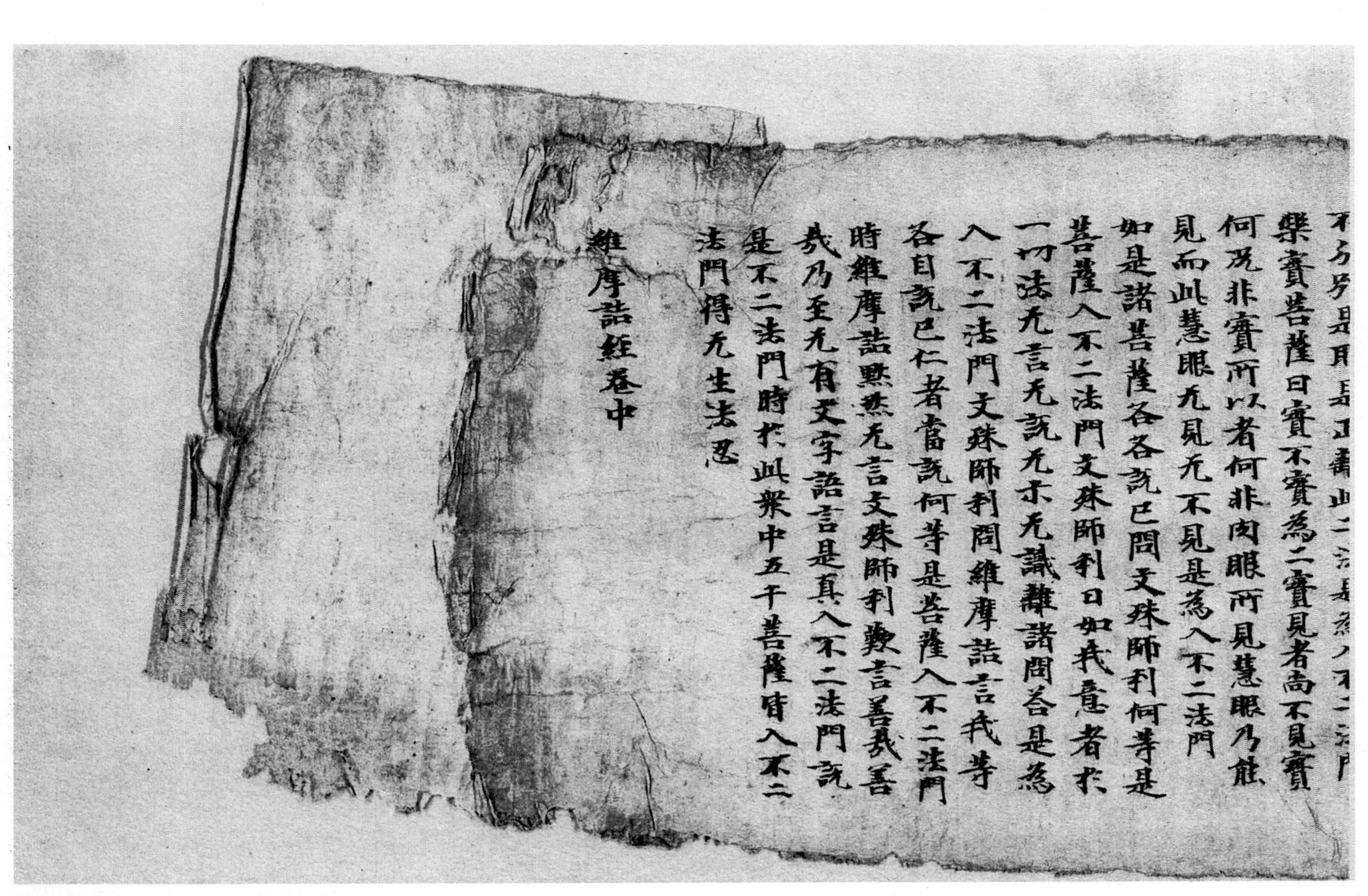
不分別是耶是正離此二法是為入不二法門
樂實菩薩曰實不實為二實見者尚不見實
何况非實所以者何非肉眼所見慧眼乃能
見而此慧眼无見无不見是為入不二法門
如是諸菩薩各各說已問文殊師利何等是
菩薩入不二法門文殊師利曰如我意者於
一切法无言无說无示无識離諸問荅是為
入不二法門文殊師利問維摩詰言我等
各自說已仁者當說何等是菩薩入不二法門
時維摩詰默然无言文殊師利歎言善哉善
哉乃至无有文字語言是真入不二法門說
是不二法門時於此衆中五千菩薩皆入不二
法門得无生法忍

維摩詰經卷中

BD02062 號　維摩詰所說經卷中　（10–10）

大師法宗往於西天取經流分郡主　大悟
大周廣順捌年歲次七月十一日西川善興大寺西院法主

BD02062 號背　大周廣順捌年西川善興寺法宗西天取經記（擬）　（1-1）

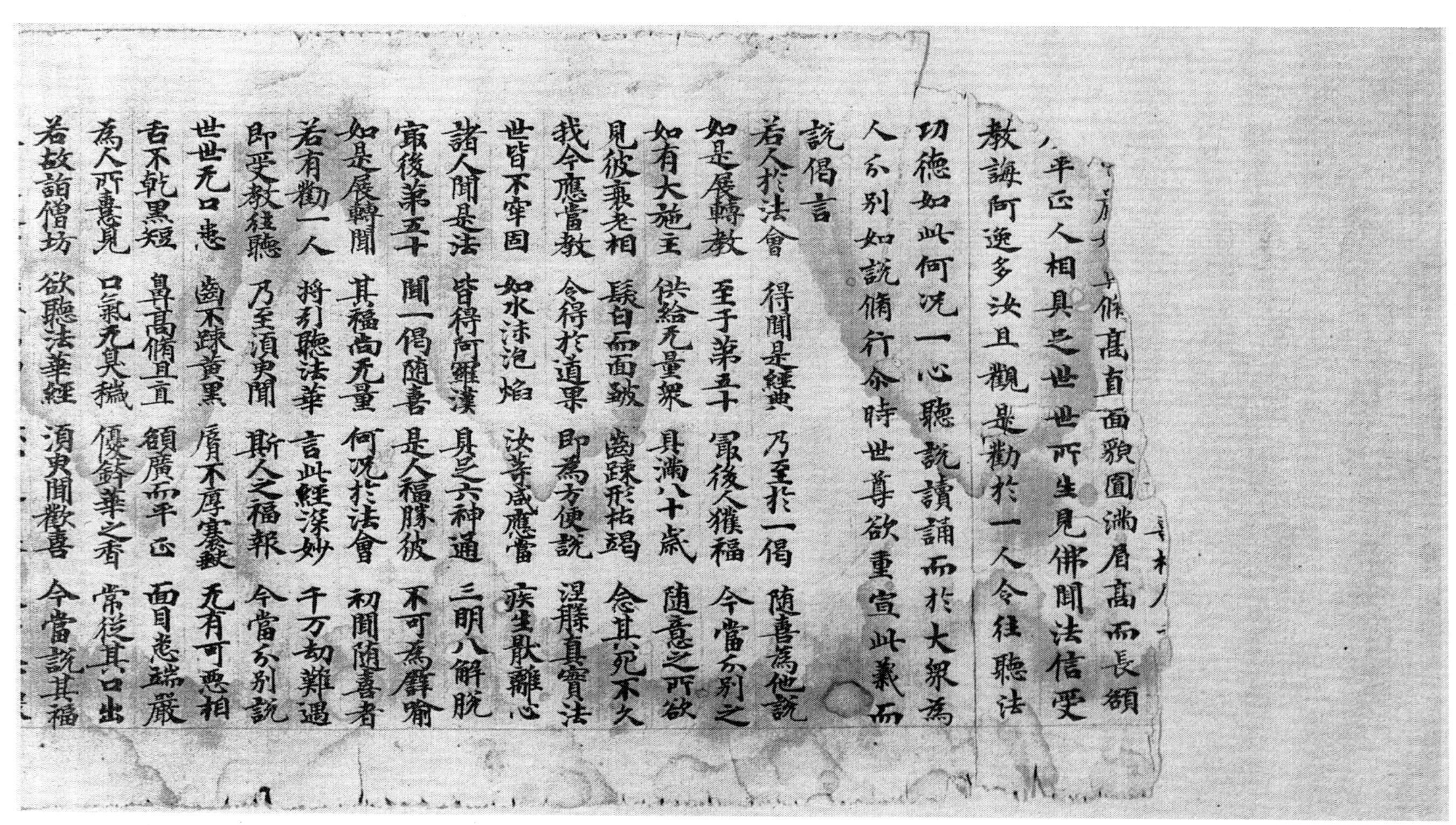
脩高直　面貌圓滿　眉高而長　額
平正人相具足世世所生見佛聞法信受
教誨阿逸多汝且觀是勸於一人令往聽法
功德如此何況一心聽說讀誦而於大眾為
人分別如說脩行尒時世尊欲重宣此義而
說偈言
若人於法會　得聞是經典　乃至於一偈　隨喜為他說
如是展轉教　至于第五十　最後人獲福　今當分別之
如有大施主　供給无量眾　具滿八十歲　隨意之所欲
見彼衰老相　髮白而面皺　齒疏形枯竭　念其死不久
我今應當教　令得於道果　即為方便說　涅槃真實法
世皆不牢固　如水沫泡焰　汝等咸應當　疾生猒離心
諸人聞是法　皆得阿羅漢　具足六神通　三明八解脫
最後第五十　聞一偈隨喜　是人福勝彼　不可為譬喻
如是展轉聞　其福尚无量　何況於法會　初聞隨喜者
若有勸一人　將引聽法華　言此經深妙　千万劫難遇
即受教往聽　乃至須臾聞　斯人之福報　今當分別說
世世无口患　齒不疏黃黑　脣不厚褰缺　无有可惡相
舌不乾黑短　鼻高脩且直　額廣而平正　面目悉端嚴
為人所憙見　口氣无臭穢　優鉢華之香　常從其口出
若故詣僧坊　欲聽法華經　須臾聞歡喜　今當說其福

BD02063 號　妙法蓮華經卷六　（9-1）

即受教往聽　乃至須臾聞　斯人之福報　今當分別說
世世无口患　齒不踈黃黑　脣不厚褰缺　无有可惡相
舌不乾黑短　鼻高脩且直　額廣而平正　面目悉端嚴
為人所憙見　口氣无臭穢　優鉢華之香　常從其口出
若故詣僧坊　欲聽法華經　須臾聞歡喜　今當說其福
後生天人中　得妙象馬車　珎寶之輦轝　及乘天宮殿
若於講法處　勸人坐聽經　是福因緣得　釋梵轉輪座
何況一心聽　解說其義趣　如說而脩行　其福不可限
妙法蓮華經法師功德品第十九
尒時佛告常精進菩薩摩訶薩若善男子善
女人受持是法華經若讀若誦若解說若書
寫是人當得八百眼功德千二百耳功德八
百鼻功德千二百舌功德八百身功德千二
百意功德以是功德莊嚴六根皆令清淨是
善男子善女人父母所生清淨肉眼見於三
千大千世界內外所有山林河海下至阿鼻
地獄上至有頂亦見其中一切衆生及業因
緣果報生處悉見悉知尒時世尊欲重宣此
義而說偈言
若於大衆中　以无所畏心　說是法華經　汝聽其功德
是人得八百　功德殊勝眼　以是莊嚴故　其目甚清淨
父母所生眼　悉見三千界　內外弥樓山　須弥及鐵圍
并諸餘山林　大海江河水　下至阿鼻獄　上至有頂處
其中諸衆生　一切皆悉見　雖未得天眼　肉眼力如是
復次常精進若善男子善女人受持此經若
讀若誦若解說若書寫得千二百耳功德以
是清淨耳聞三千大千世界下至阿鼻地獄

并諸餘山林　大海江河水　下至阿鼻獄　上至有頂處
其中諸衆生　一切皆悉見　雖未得天眼　肉眼力如是
復次常精進若善男子善女人受持此經若
讀若誦若解說若書寫得千二百耳功德以
是清淨耳聞三千大千世界下至阿鼻地獄
上至有頂其中內外種種語言音聲象聲馬
聲牛聲車聲啼哭聲愁歎聲螺聲鼓聲鍾聲
鈴聲咲聲語聲男聲女聲童子聲童女聲法
聲非法聲苦聲樂聲凡夫聲聖人聲喜聲不
喜聲天聲龍聲夜叉聲乾闥婆聲阿脩羅聲
迦樓羅聲緊那羅聲摩睺羅伽聲火聲水聲
風聲地獄聲畜生聲餓鬼聲比丘聲比丘尼
聲聲聞聲辟支佛聲菩薩聲佛聲以要言之
三千大千世界中一切內外所有諸聲雖未
得天耳以父母所生清淨常耳皆悉聞知如
是分別種種音聲而不壞耳根尒時世尊欲
重宣此義而說偈言
父母所生耳　清淨无濁穢　以此常耳聞　三千世界聲
象馬車牛聲　鍾鈴螺鼓聲　琴瑟箜篌聲　簫笛之音聲
清淨好歌聲　聽之而不著　无數種人聲　聞悉能解了
又聞諸天聲　微妙之歌音　及聞男女聲　童男童女聲
山川險谷中　迦陵頻伽聲　命命等諸鳥　悉聞其音聲
地獄衆苦痛　種種楚毒聲　餓鬼飢渴逼　求索飲食聲
諸阿脩羅等　居在大海邊　自共語言時　出于大音聲
如是說法者　安住於此間　遙聞是衆聲　而不壞耳根
十方世界中　禽獸鳴相呼　其說法之人　於此悉聞之
其諸梵天上　光音及遍淨　乃至有頂天　言語之音聲

山川險谷中　迦陵頻伽聲　命命等諸鳥　悉聞其音聲
地獄衆苦痛　種種楚毒聲　餓鬼飢渴逼　求索飲食聲
諸阿脩羅等　居在大海邊　自共語言時　出于大音聲
如是說法者　安住於此間　遥聞是衆聲　而不壞耳根
十方世界中　禽獸鳴相呼　其說法之人　於此悉聞之
其諸梵天上　光音及遍淨　乃至有頂天　言語之音聲
法師住於此　悉皆得聞之　一切比丘衆　及諸比丘尼
若讀誦經典　若為他人說　法師住於此　悉皆得聞之
復有諸菩薩　讀誦於經法　若為他人說　撰集解其義
如是諸音聲　悉皆得聞之　諸佛大聖尊　教化衆生者
於諸大衆中　演說微妙法　持此法華者　悉皆得聞之
三千大千界　内外諸音聲　下至阿鼻獄　上至有頂天
皆聞其音聲　而不壞耳根　其耳聰利故　悉能分別知
持是法華者　雖未得天耳　但用所生耳　功德已如是
復次常精進，若善男子善女人受持是經，若
讀若誦若解說若書寫，成就八百鼻功德，以
是清淨鼻根，聞於三千大千世界上下内外
種種諸香：須曼那華香、闍提華香、末利華香、
瞻蔔華香、波羅羅華香、赤蓮華香、青蓮華香、
白蓮華香、華樹香、菓樹香、栴檀香、沈水香、多
摩羅跋香、多伽羅香，及千万種和香，若末若
丸若塗香，持是經者於此間住，悉能分別。又
復別知衆生之香，象香、馬香、牛羊等香、男香、
女香、童子香、童女香，及草木叢林香，若近若
遠所有諸香，悉皆得聞，分別不錯。持是經者
雖住於此，亦聞天上諸天之香，波利質多羅、
拘鞞陀羅樹香，及曼陀羅華香、摩訶曼陀羅
華香、曼殊沙華香、摩訶曼殊沙華香、栴檀、沈

復別知衆生之香，象香、馬香、牛羊等香、男香、
女香、童子香、童女香，及草木叢林香，若近若
遠所有諸香，悉皆得聞，分別不錯。持是經者
雖住於此，亦聞天上諸天之香，波利質多羅、
拘鞞陀羅樹香，及曼陀羅華香、摩訶曼陀羅
華香、曼殊沙華香、摩訶曼殊沙華香、栴檀、沈
水種種末香、諸雜華香，如是等天香和合所
出之香，无不聞知。又聞諸天身香，釋提桓因
在勝殿上，五欲娛樂嬉戲時香，若在妙法堂
上為忉利諸天說法時香，若於諸園遊戲時
香，及餘天等男女身香，皆悉遥聞。如是展轉
乃至梵世，上至有頂諸天身香，亦皆聞之，并
聞諸天所燒之香，及聲聞香、辟支佛香、菩薩
香、諸佛身香，亦皆遥聞，知其所在。雖聞此香，
然於鼻根不壞不錯。若欲分別為他人說，憶
念不謬。尒時世尊欲重宣此義而說偈言：
是人鼻清淨　於此世界中　若香若臭物　種種悉聞知
須曼那闍提　多摩羅栴檀　沈水及桂香　種種華菓香
及知衆生香　男子女人香　說法者遠住　聞香知所在
大勢轉輪王　小轉輪及子　羣臣諸宮人　聞香知所在
身所著珎寶　及地中寶藏　轉輪王寶女　聞香知所在
諸人嚴身具　衣服及瓔珞　種種所塗香　聞則知其身
諸天若行坐　遊戲及神變　持是法華者　聞香悉能知
諸樹華菓實　及穌油香氣　持經者住此　悉知其所在
諸山深險處　栴檀樹華敷　衆生在中者　聞香皆能知
鐵圍山大海　地中諸衆生　持經者聞香　悉知其所在
阿脩羅男女　及其諸眷屬　鬪諍遊戲時　聞香皆能知
曠野險隘處　師子象虎狼　野牛水牛等　聞香知所在

諸天若行坐　遊戲及神變　持是法華者　聞香悉能知
諸樹華菓實　及穌油香氣　持經者住此　悉知其所在
諸山深險處　栴檀樹華敷　衆生在中者　聞香皆能知
鐵圍山大海　地中諸衆生　持經者聞香　悉知其所在
阿脩羅男女　及其諸眷屬　鬪諍遊戲時　聞香皆能知
曠野險隘處　師子象虎狼　野牛水牛等　聞香知所在
若有懷妊者　未辯其男女　无根及非人　聞香悉能知
以聞香力故　知其初懷妊　成就不成就　安樂產福子
以聞香力故　知男女所念　染欲癡恚心　亦知脩善者
地中衆伏藏　金銀諸珍寶　銅器之所盛　聞香悉能知
種種諸瓔珞　无能識其價　聞香知貴賤　出處及所在
天上諸華等　曼陁曼殊沙　波利質多樹　聞香悉能知
天上諸宮殿　上中下差別　衆寶華莊嚴　聞香悉能知
天園林勝殿　諸觀妙法堂　在中而娛樂　聞香悉能知
諸天若聽法　或受五欲時　來往行坐卧　聞香悉能知
天女所著衣　好華香莊嚴　周旋遊戲時　聞香悉能知
如是展轉上　乃至於梵世　入禪出禪者　聞香悉能知
光音遍淨天　乃至于有頂　初生及退沒　聞香悉能知
諸比丘衆等　於法常精進　若坐若經行　及讀誦經法
或在林樹下　專精而坐禪　持經者聞香　悉知其所在
菩薩志堅固　坐禪若讀誦　或為人說法　聞香悉能知
在在方世尊　一切所恭敬　愍衆而說法　聞香悉能知
衆生在佛前　聞經皆歡喜　如法而脩行　聞香悉能知
雖未得菩薩　无漏法生鼻　而是持經者　先得此鼻相
復次常精進　若善男子善女人受持是經　若
讀若誦若解說若書寫　得千二百舌功德　若
好若醜　若美不美　及諸苦澁物　在其舌根　皆
[illegible]

衆生在佛前　聞經皆歡喜　如法而脩行　聞香悉能知
雖未得菩薩　无漏法生鼻　而是持經者　先得此鼻相
復次常精進　若善男子善女人受持是經　若
讀若誦若解說若書寫　得千二百舌功德　若
好若醜　若美不美　及諸苦澁物　在其舌根　皆
變成上味　如天甘露　无不美者　若以舌根於
大衆中有所演說　出深妙聲　能入其心　皆令
歡喜快樂　又諸天子天女　釋梵諸天　聞是深
妙音聲　有所演說言論次第　皆悉來聽　及諸
龍龍女　夜叉夜叉女　乾闥婆乾闥婆女　阿脩
羅阿脩羅女　迦樓羅迦樓羅女　緊那羅緊那
羅女　摩睺羅伽摩睺羅伽女　為聽法故　皆來
親近恭敬供養　及比丘比丘尼優婆塞優婆
夷　國王王子群臣眷屬　小轉輪王大轉輪王
七寶千子　內外眷屬　乘其宮殿　俱來聽法　以
是菩薩善說法故　婆羅門居士國內人民　盡
其形壽　隨侍供養　又諸聲聞辟支佛菩薩諸
佛常樂見之　是人所在方面　諸佛皆向其處
說法　悉能受持一切佛法　又能出於深妙法
音　尒時世尊欲重宣此義而說偈言
是人舌根淨　終不受惡味　其有所食噉　悉皆成甘露
以深淨妙音　於大衆說法　以諸因緣喻　引導衆生心
聞者皆歡喜　設諸上供養　諸天龍夜叉　及阿脩羅等
皆以恭敬心　而共來聽法　是說法之人　若欲以妙音
遍滿三千界　隨意即能至　大小轉輪王　及千子眷屬
合掌恭敬心　常來聽受法　諸天龍夜叉　羅剎毗舍闍
亦以歡喜心　常樂來供養　梵天王魔王　自在大自在

皆以恭敬心　而共來聽法　是說法之人　若欲以妙音
遍滿三千界　隨意即能至　大小轉輪王　及千子眷屬
合掌恭敬心　常來聽受法　諸天龍夜叉　羅剎毗舍闍
亦以歡喜心　常樂來供養　梵天王魔王　自在大自在
如是諸天眾　常來至其所　諸佛及弟子　聞其說法音
常念而守護　或時為現身

復次常精進若善男子善女人受持是經若讀若誦若解說若書寫得八百身功德得清淨身如淨琉璃眾生憙見其身淨故三千大千世界眾生生時死時上下好醜生善處惡處悉於中現及鐵圍山大鐵圍山彌樓山摩訶彌樓山等諸山及其中眾生悉於中現下至阿鼻地獄上至有頂所有及眾生悉於中現若聲聞辟支佛菩薩諸佛說法皆於身中現其色像尒時世尊欲重宣此義而說偈言

若持法華者　其身甚清淨　如彼淨琉璃　眾生皆憙見
又如淨明鏡　悉見諸色像　菩薩於淨身　皆見世所有
唯獨自明了　餘人所不見　三千世界中　一切諸群萌
天人阿脩羅　地獄鬼畜生　如是諸色像　皆於身中現
諸天等宮殿　乃至於有頂　鐵圍及彌樓　摩訶彌樓山
諸大海水等　皆於身中現　諸佛及聲聞　佛子菩薩等
若獨若在眾　說法悉皆現　雖未得无漏　法性之妙身
以清淨常體　一切於中現

復次常精進若善男子善女人如來滅後受持是經若讀若誦若解說若書寫得千二百意功德以是清淨意根乃至聞一偈一句通達无量无邊之義解是義已能演說一句一

以清淨常體　一切於中現

復次常精進若善男子善女人如來滅後受持是經若讀若誦若解說若書寫得千二百意功德以是清淨意根乃至聞一偈一句通達无量无邊之義解是義已能演說一句一偈至於一月四月乃至一歲諸所說法隨其義趣皆與實相不相違背若說俗間經書治世語言資生業等皆順正法三千大千世界六趣眾生心之所行心所動作心所戲論皆悉知之雖未得无漏智慧而其意根清淨如此是人有所思惟籌量言說皆是佛法无不真實亦是先佛經中所說尒時世尊欲重宣此義而說偈言

是人意清淨　明利无穢濁　以此妙意根　知上中下法
乃至聞一偈　通達无量義　次苐如法說　月四月至歲
是世界內外　一切諸眾生　若天龍及人　夜叉鬼神等
其在六趣中　所念若干種　持法華之報　一時皆悉知
十方无數佛　百福莊嚴相　為眾生說法　悉聞能受持
思惟无量義　說法亦无量　終始不忘錯　以持法華故
悉知諸法相　隨義識次苐　達名字語言　如所知演說
此人有所說　皆是先佛法　以演此法故　於眾无所畏
持法華經者　意根淨若斯　雖未得无漏　先有如是相
是人持此經　安住希有地　為一切眾生　歡喜而愛敬
能[illegible]言　分別而說法　持法華經故

比丘處乃至無住處佛言應往不往如法治 海等諦聽善思念之 佛言攝意聽法若自
知有犯者即應自懺悔 佛言若說戒日一切僧犯罪當詣比丘寺中往清淨比丘所
懺悔已還至住處餘比丘一切從其懺悔若無者當待客比丘若無來者應作自己當
懺悔然後自說戒起罪同犯亦如是佛言若有犯者不得聞戒不得向有犯說戒
不得向有犯者懺悔有犯者不得受他解罪是名二種習人不犯者嘿
然者知諸大德清 佛言忍者嘿然不忍者說於衆中有犯罪
者不自見犯諸比丘式言衛蘭遮者佛言不得强逼僧應說戒 若有他問者亦如是答佛
言如一一切丘相問答不隱藏 如是諸比丘在於衆中乃至三問憶念有罪而不懺悔者
得故妄語罪故妄語者佛說障道法 僧說戒時嘿妄語者突吉羅障道者障禪障
果若彼比丘憶念有罪欲求清淨者應懺悔得安樂 得禪果安樂 諸大得戒
以說戒經序 今問諸大德是中清淨不 如是三問 諸大德是中清淨嘿然故是事如是
持 諸大得是四波羅夷法半月半說戒經中來 一婬戒緣今時世尊在毗舍離時迦
蘭陀村須提那子篤信出家後還本村其母以財勸令捨道至三不從以婦往勸便言我若後
行不淨常懷憂愁諸比丘可責已往白世尊世尊集諸比丘知時儀合問取自言種種可責已告諸
比丘當吉結戒集十句義攝取於僧二令僧歡喜三令僧安樂四令未信者信五已信者令增長
調者調順六慚愧者安樂八斷現在有漏九斷未來有漏十令正法久住故便制戒更有隨結如常說
若比丘 佛言若比丘者名字比丘相似比丘自稱比丘善來比丘著割截衣比丘破結使比丘善來
比丘受大戒白四羯磨如法成就得處所比丘是中比丘若受大戒白四羯磨如法成就得處所住比丘
於中是名比丘義 共比丘 若餘比丘受大戒白四羯磨如法成就得處所住比丘法中是其上比丘
義 同戒 我爲諸弟子結戒已寧死不犯是中共餘比丘一戒等戒是名同戒若不還戒若自癲
狂心亂痛惱癲癇又向如是人前捨戒戒中邊地人見捨不淨想捨戒戲笑捨若天龍鬼神
若睡眠人死人若人若自不語若前人不解知是等不名捨若言我捨佛法和上戒律學
事若言受居家法作淨人優婆塞沙彌外道若種種毀佛法僧乃至學事讚歎家業
如是乃說是名捨戒 戒羸不自悔 佛言若有餘比丘不樂淨行聽捨戒還家若愛欲
家後淨行應在出家受大戒戒有羸不捨戒若愁憂不樂梵行常懷慚愧厭比丘
法意樂在家便言我念父母兄弟姊妹園田家業乃至非沙門釋子是謂戒羸不捨戒有戒

BD02064號　四分律比丘含注戒本

（1–2）

當有[illegible]
力若以言辯辯說誑惑而取 隨不与取法 王法若取五錢若直五錢物應
死彼隨王法罰 若為王 得自在不屬人 王大臣種種大臣輔佐王也 所
捉若殺若縛若驅出國汝癡汝无所知是比丘波羅夷 若方便教人求五
錢得者犯滅五錢偷蘭遮若能教所教相不相應者犯若王王相取五錢若
過者犯重有錢得者犯滅五錢偷蘭遮若能教所教相不相應者 犯有主
相取五錢若過者犯重疑偷蘭无主主想若疑一切偷蘭遮若犯五錢相當
者實吉羅下四衆如僧犯不犯者与相取已有想糞掃想暫取親厚意是
不共住 如上說 三殺人戒緣 佛在毗舍離与諸比丘說不淨觀彼集定覺
歎患身命嘆死勸死有難提比丘受屋衣鉢便斷他命彼竟我己日殺六十人
為諸居士驚疑 佛知此事便說數息觀已諸比丘脩獲果證佛如前
已制戒 若比丘故自手斷 殺者若自殺若教人若遣使殺若往來使
殺若重使殺展轉使殺若求男子殺若教人求持刀人殺若教求持刀人殺若
口說若身現相身口俱現相若遣書若教遣書若坑陷若倚撥若与藥若安
殺具 人命 說勸識 至後識而斷其命 持刀与人 嘆譽死快勸死咄男子
用此惡活為寧死不生作如是思惟種種方便嘆譽死是比丘波羅夷 若比丘如
上教方便死者犯重方便不殺偷蘭若天龍神鬼畜生中有解人語者
心而殺者不共住 四大妄語戒緣 佛在毗舍離時世穀貴乞食難得衆僧
告言當隨同師親友安居諸在婆求河邊安居者便共稱讚得上人法諸信居士咸
食分施与安居竟攝衣持鉢往至佛所為聖慰問二衆發覺呵嘖 若比丘
實無所知 為實所知見自稱言自稱說為信戒施聞智惠辯上人法 人法
人者人陰人戒人上人法者諸法出要成就若得善果自言念在身若正
意若持戒若少欲若不放逸若精進若得定若受若正受若為道若
修若為道慧若見我已入聖智勝法我知是我見是彼於異時若為
時若問若不問欲自清淨故作是說我實不知不見言知言見虛
誑妄語除增上慢 增上慢時為比丘得心自謂得道後便自言諸比丘白佛言
增上慢不是比丘波羅夷 若如是處而向人說前人知者波羅夷 不知
者偷蘭遮若遣手印遣使若如是處而向人說前人若書若作知相
者無不若不能更那畜生而說吉羅若天得道向不獨因意比丘說吉羅
下四衆如前不犯者增上慢業報得不言我得嘆說戲說獨說夢說
世錯說彼 不共住如前 法大德我已說四波羅夷法若比丘犯
一一波羅夷法不得与諸比丘共住如前後亦如是是比丘波羅夷不應共
住今問諸大德是中清淨不如是三說諸大德是中清淨默然故如有是
如是持

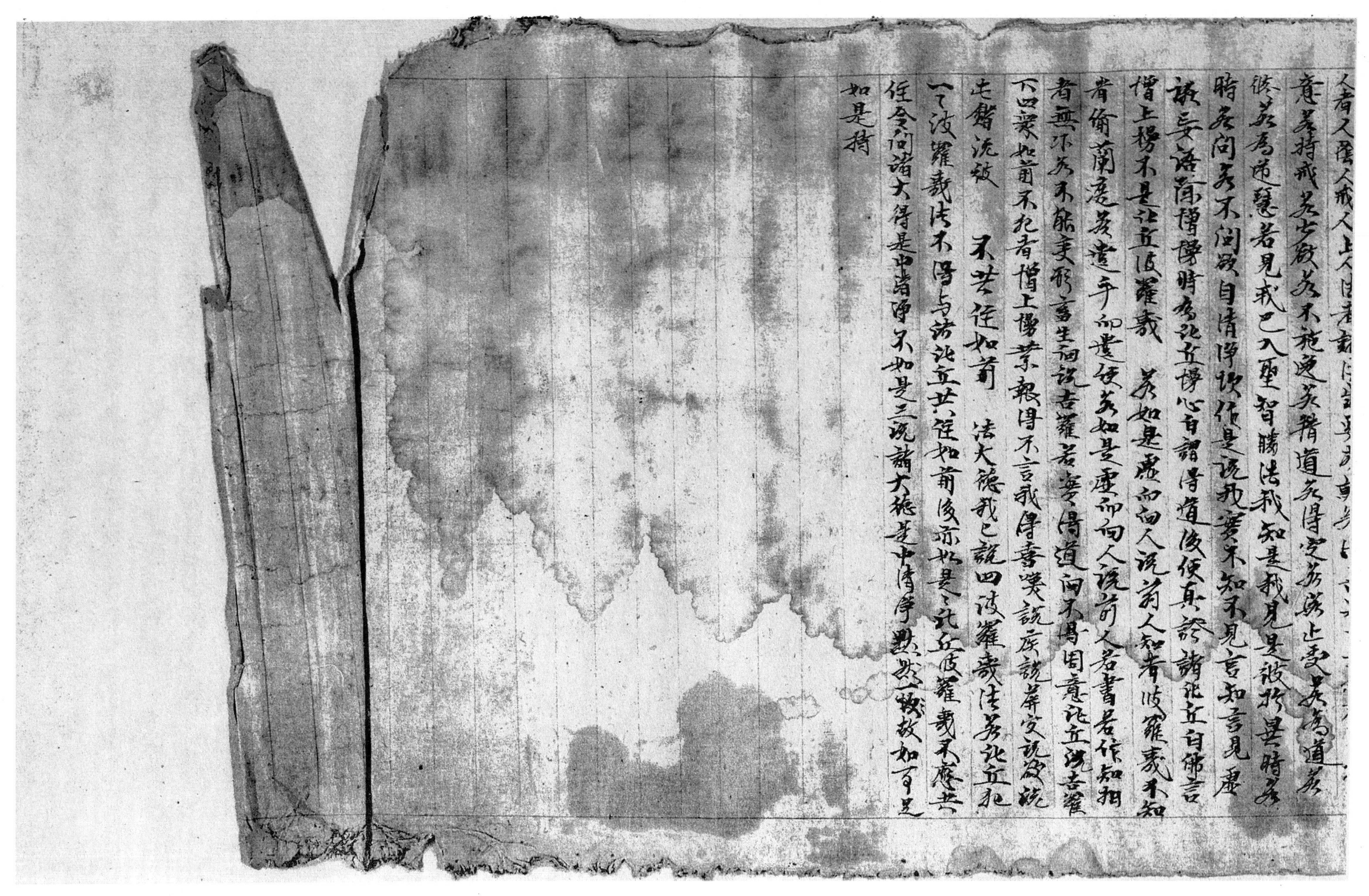

　（4–4）

取衣同行循坐資犯初戒下二准說可知舉此五犯与衆爲緣餘類相
望容有由藉如斯等類名遠方便 二近方便者心怖前事身口業動
造境未成故名進趣如律中所明步步偷蘭是名進趣方便三的緣方便於中
有七一者的緣二者境界三者緣差四者境差五者想心六者疑心七善心息
惣名的緣數故名的緣方便言境界方便者如欲煞人前境入定或及害我時
彼緣界差此進趣擁思不成故曰境界三緣差方便者欲害前人更有異人來
紀事義覺或有緣來差此心不遂煞事者故曰緣差方便四境差方便者
如非人想非人疑乎是也下廣說欲煞王人張人來替者是五想心方便者
起心煞之心緣非人者是六疑心方便者起心煞人人命生疑心爲人爲非人命人難
死緣於兩境疑心煞者從兩境結罪七善心息方便者可知此七方便諸部不
定祇律性惡但五方便謂從境判的无想疑文言黃門想疑磨觸女人亦殘
故處應具七如生非生想疑乎言若依五分不問處性一切俱六謂无疑故以
疑兩緣順有緣本心故使從境判其正罪是以文言是女疑殘非時疑年
不滿疑皆得提罪故想无徵故不問性處心境相應犯不相應輕或蘭者
故人非人想疑蘭女家想黃門想觸蘭者說四分具足七方便棄四持犯此
戒所明不過二種持犯說此二種各有其兩言二犯者者造諸惡作而成犯
名爲作犯於善不脩止而有違名曰止犯對此二過故立兩持者不作斷一
切惡竟離若究竟須明止持以殊作犯若復不興脩一切善心得果不造
之爲欲得果必蕩是故須弁作持以翻止果俱故二種此尋對文說可知若約
身口弁持犯者刹煞攝觸於止持身並應未者收攝此具坐燈不安坐
食等類是身作持離口四過如妄罵不可是口作持 [illegible]
起中由身心及當審觀其意欲以何心不皆是動或身口論言者獨意无持犯故文但言不犯及與犯中
由身口不由心未是故成論十不善業道所明一切業意業大所以然无不結罪者得罪福果後成行異緣
[illegible]

忄果貪欲若究竟須明以狩以対作犯若後不共彌一切善心得果不淨
之者欲得果故落足故須并作狩以斷此果俱校二種此尋對文說可知若約
身口并持犯者刹煞攝牖身心持身如應來者收攝外具燃不安坐
食等鞭是身作持離口四過如妄罵不可善
起中由身心及當審觀其竟故以流心不背是助戒身口論十惡獨意無持犯故文但意不犯及不犯中
由身口不由心不是故戒論十不善業道品門一切業意業大乘所說乃不結罪者得禪福果護戒得果證
此二種持犯義律跡者將從此已下隨文文別釋先說初篇兩種分別第一總相分別第二依
文名名別說先總物類等門分別業不能起要由心不發身口不出三毒故以初四配三毒
成犯之相故殺由心觸畢在貝篇論已所謂身口是以第二辭身口成犯身口之業不過
自作教人業不自成要由他境是以第四犯境究狹犯境雖衆莫過自他為是第五
境有自他境緣雖具無心不成心有昏信所領不同對境差殊犯不犯已故次第六并其對境不同雖心所緣
勉陽已殊及至遂境有差等心有深淺有犯不犯故事錢境同異以下衆任運究竟等對衆結犯
言起由三毒者以不淨行戒作已利已為違故以三起貪成盜殺二戒違損益以
三事起是以三事成妄語一戒為已利已為違與前不同貪癡起成婬三事
為善生云為自樂行非梵行是名從貪為婬息家眷屬名從瞋非所生
母行非梵行名從癡而損悅暢思故並貪心成盜三事起成者貪心起成
可知為盜為家財物及燒埋等瞋起瞋成為盜下煞是名從癡又祇云
摩摩帝等用佛僧物是癡起癡成殺三起成作說可知妄語損利瞋順情故
無瞋以義思成業為小妄語理即通三三身口者經三婬戒身犯非口事
決形交非身不弄故不盜殺戒盜人來離壽殺新相續故身業犯自作
遣使彼此俱弁故口有犯如以物遇所教人盜殺等是妄語口業正犯顯
已得聖稱名利非言不宣故口正犯如作畫相現無有犯限故身無有成
此依戒論身口業作三自作教人位無有三婬戒自重殺輕戒教人為非樂者
前人逼非戒故能殺不重出家之人應勸人善修反更助惡故能殺蘭盜
殺二戒遠通損益自作教人損壞無殊暢思無棄故曰自作教人彼我俱犯妄語
自作正犯教人同不同為遣人稱已得已得聖名利稱及為作自無殊故得同
犯所教人犯輕為直教人自稱名利稱彼於我無潤故得犯蘭此為前篇說
為曰此說論自重教輕初戒是自輕教重尼教僧漏失是自他俱重盜殺
損壞及一切同犯者是自他俱輕罷勸罷是為犯不犯說無有四句可知為結頭
[illegible]

自作正犯殺人同不同者遣人稱己得已得聖名利稱彼為作自无殊故得同
犯所教人犯輕者直教人自稱名利稱彼於我无潤故偈犯蘭此為前篇疏
者回此說論自重教輕前戒是自輕教重尼教僧漏失是自他俱重盜戒
核壞及一切同犯者是自他俱輕若勸是者犯不犯說亦有四句可知者結罪
所以說作亦个四句亦可知問自他能所此說何異答自他者不論所殺七衆
之業但取能殺之業對自作弃者云能所以能殺罪与所殺五衆有罪者
對說彼異品犯壞寬狹住二婬戒說三壞是故名寬餘三為存人壞故狹良以
婬欲之性順情逸因垢心厚重不擇壞之美惡詐渕人畜但法正道暢思无殊故三
趣犯以道想制故又下之三戒事發於外損存前壞趣別報殊僧疲變劣暢
思階降故人犯人犯夷餘趣即結五自他住二不淨行戒自他壞犯如像青等
是下之三戒要存他壞盜以核主故所以重自盜无別核故聖不制●問何盜得
己衣蘭答他依己衣共存一處意取他衣錯得己衣望他衣上壞美得蘭之由己
衣作壞美亦得故云己衣无罪以自施自攝等妨可知然他犯戒故成犯壞讎欲
親知何次自誑●弟六結得系別者望初戒結得俱犯下之三戒如其大得隨
三趣壞重輕結犯者乜專結此之戒各攝壞犯夷差等壞美三戒壞美蘭若
論同趣為異壞單獨並无犯雙獨得犯輕者非情无主攝為異壞單雙俱不犯一
壞既爾者說即无量者其就結弁得隨意存人報不蘭唯王方是者望同趣
結得俱犯夷者非畜為異壞上半單獨壞結得俱无犯下半雙獨故結得並
犯輕者非情无主勿爲異壞結得俱无犯一趣既爾餘非亦然●七錯誤見差
錯誤皆是殊緣不當之隨者逐事曲尋事存雖多者隨名結空住案有別
錯就壞美誤據心緣凡現緣二壞相別歷然及至逐趣成事有殊二壞交涉名之
為者緣此隨彼心想緣妄稱之為誤就四戒配位分為四次弟一以二對婬戒錯誤
俱犯良以遂起因情但得正道暢適不殊不隨餘想是故誤犯交言道錯道
非道物異夷又不蘭三趣縱有交涉但害正道錯互成重弟二以誤對三之戒上俱
重以其誤无兩並得不云无心故誤俱犯交言男相盜殺誑女亦云夷故弟三以
錯對三戒俱不犯以望餘壞本无心故如墮眈數故所以知弟四錯誤對妄語所
稱法錯誤俱不犯欲稱聖而言凡錯稱非壞如僧得上人迷凡謂聖誤心非語故並
不犯●弟八下衆任運如沙弥時殺人煞盜及稱己聖教已受具所殺之人遂本言
殺譏財令斷欺前令解能殺沙弥三住之中任運犯彼罪夷者受戒未壞欲所

錯對三戒俱不犯以望餘境本無心故如睡眠歎故不以知第四錯誤對妄語不
稱法錯誤俱不犯欲稱聖而言凡錯稱非境如曾得上人法言凡謂聖誤心非語故並
不犯○第八下衆任運以彌踈時教人煞盜及稱已聖教已受且不教人遂本言
欲議財命斯欺前令解能教彌踈三往往任運犯彼罪衆為受戒未壞欲不
教事成罪戒俱得以其善因園淨惡業成就故煙元任運可知○問戒能防非
不斷性德何以而言對對制戒答為舉對治而言戒能防非定除細乱惠能斷惑
但由不孤興必因禪定由淨戒此非切歸本故言制戒為斷三毒譬如有人欲正
長江先塞泉原戒亦如是為持戒故能斷三毒乃至菩提亦能就成諸戒因此言
次第者傳律云五年冬分第五半月十二日制此初戒即是有廿七日餘三戒六年
並各分盜第二半月十日謂九月煞第三半月九日即是九月廿四日妄語第四
半月十三日謂有十三日又釋次第謂障道輕重郭其次第持犯對治比丘四
境戒正持作犯言對治者謂離染淨清對初少欲之行對盜慈悲行治
煞實語治妄等是

婬戒第一 從此已下別解初戒於中有四一制戒意
二釋名字三具緣成犯四𨵗緣義此之四為並有通別諸戒例然一制戒意
二通二別言通別者如多論云以說戒故滅得未起非法二滅得以起結網能
和輕重識別滅除對治故以善護得中不分輕重名種三根生十利功德正法久住
制意故四分律言如來出世衆過失謂十種利與諸比丘制戒乃至正法久住
此是通意義說諸戒下天說第二別意婬欲之性躰是雜穢生死根本
為不斷除流輪三有莫能出離障道之原物過於此說為之深寧容不
禁是以聖制二釋名字亦有通別通者戒是通名不淨等是別號言不淨
之行是婬欲之法是所防過戒是能持之行但說行既通戒於雜多奇緣以
障欲法穢過興戒修不淨觀離欲行成能所通舉故名不淨戒三具緣成
犯亦有通別言通者三一是大比丘簡非所被文言若比丘故二制後簡以
其初人故未構故三無重病壞心簡癡狂等此之三義諸戒上下故明了
論云為人壽受大比丘戒為如來已制此戒為人不是癡狂是人既犯此戒乃
至吉羅皆因此說下天不標言別者此具四緣一有正境二有染心三起方便
與四境合為惡遍亦四緣成一正境二惡遍三與境合四為受樂此戒通三
別四七緣成犯 四𨵗緣義一解𨵗通緣全無犯可知並可𨵗初及第三等有
罪即隨方便中𨵗緣方便等無罪可知𨵗第五全無罪次𨵗別緣為𨵗初

論云若人受大比丘戒若如來也制此戒若人不至癡狂是人既犯此戒方
至善羅皆因此說下天不標云別者此且四緣一有染心二起方便
與四境合若為無遍具四緣成一正境二無遍三與境合四者受樂此戒通三
別四七緣成犯 西制緣義一解制通緣全無犯可輕可制初及第三並有
羅即三方便中制緣方便並無羅可知制第二全無羅次制別緣若制初
緣非盜乙相疑得二偷蘭制二三兩緣无犯制第四緣有二偷蘭得破威儀身
未及輕蘭𣲖小衆對手三說擬從身手相及至未成重蘭𣲖大衆應三
乞乙也應一白乙也應三說無遍制緣略說可知制通但一方便制別有四
但五方便從次乙下正明戒本謗戒制開不同如前戒文有其三一略制
二隨制三廣制云略者如此戒最初因須提那比丘起過故制云隨者緣
後因跋闍比丘不樂梵行即便還家仏因隨後云若復者有乞食比丘林中
乞畜起過仏因此人廣制故名為界戒本云開者如前篇因目連開境
上界第二篇漏失開夢中第三篇別食懷徐七五緣等皆隨開乃至善
羅類多可知令并為界戒本者○若比丘共比丘同戒者不還戒乙羸不自
悔犯不淨行乃至共畜生是比丘波羅夷不共住・此為界戒本句有其八
初略并後者釋初句總明受法行次句雜明受法並三同戒者雜明行法同
四不還戒者明淨不捨有戒可犯故五戒不悔者次戒道猶犯位故並六
不淨行等者次懷非第七戒者結罪第八不共住者是治擯也後者釋
所云若比丘者四分律云名字比丘相似比丘自稱比丘乞求比丘著割截衣
比丘破結使比丘善來比丘受戒白四羯磨成就得處所比丘次釋比丘義云
名字比丘者如是通別之義相似比丘者犯重人內懷破戒威儀相似
他持戒故曰相似比丘云字稱比丘者十誦律云謂賊住人比丘自言我是比
丘故曰自稱比丘云乞求比丘者臨於聖教也乞資身離五邪命正命自活
故曰乞求比丘云著割截衣比丘者若著此衣有二離益一毀其細好離
自貪著二不為王賊之所貪奪常有資身受用之益奉修聖教但著
此衣故曰著割截衣比丘云破結使比丘者理解心中如發具戒故曰也云
善來比丘者仏令善來即發具戒故名善來比丘云白四羯磨成就得
處所比丘者若受大戒僧數滿足緣白四羯磨作法成就緣得處所儀
成就界內不別衆緣住比丘法中身無難緣此為四法現前謂僧法界事

此來故曰着割截衣比丘云破結使比丘者理解心中如發具戒故曰出家
善來比丘者佛命善來即成具戒故名善來比丘云白四作法成得
盡形比丘者遂受大戒僧數皆是緣白四羯磨作法成緣得盡形壽
成就界內不別衆緣住比丘法中身無難緣此略四法現前謂僧結界事
此人是戒中名比丘義總通未大故源標此人亦云共比丘者此明受法
共人殊報別所緣義一故曰共比丘律云若共餘比丘受大戒白四羯磨乃至
住比丘法中者是為共比丘義云同戒者離明行住同先漸而同故律
云佛言我為弟子結戒彰教法是同學死不犯是持行同是中四下
解其同義一戒者隨戒體同二戒者禁防義同戒等者名數同是名
同戒義者云不還戒者明淨法不捨有戒可犯故律中如云若有比丘不
樂梵行厭捨戒還家得欲出家得受大戒於中有二明不捨二不捨義
如律廣說前云戒羸不自悔者律云若有比丘常懷愁憂不樂梵行厭
比丘法意破在家者四白差別律云若明前云不淨行者是託壞非故律
云不淨行是婬欲云彼罪義者自行是絕云不共住者是衆法絕多論云
四義故名不住一既壞道法元所任用猶生衆外生非天等信敬心故如
現似法元有增愛淨清共住犯者生衆故三為自道誹謗故四為持戒
者安樂增上善根為破戒者生慚愧心不犯諸惡故是以令彼不共住故
律云不得同一羯磨一同說戒是名不共住六七兩句於下者許犯業不孤起
要由境緣不同有其三種人非人畜此三各五婦人女二形黃門男子
等五境處別二三不同於童女二形及婦女三處於黃門及男子二處此
十五種境各隔有等四句不同復有此等諸境覺睡死壞四種境上各
觸等四句不同復有此等諸境覺睡死壞四種境上各有犯義乃
至適女同此例若廣說共有三千七百四十四句皆是究竟罪
故論云犯有三自有愧心向前境緣有衰觸 陣但入笔
頭緣成大重二若為惡道戒將至前境戒說其身於三時中
及至一時受樂皆成重業是僧故祇律云可最和甚无過女
敗毀近穢美不由女色善現經云寧以男根內毒蛇口不以與緣座
三惡道四分律云義立如是譬如毒蛇三種煞人一者見煞二者觸
煞三者吞煞女人亦爾三種煞人若見女人心發欲於聞聲起染
[illegible]

及至一時受樂皆成重業是以故祇律云可畏甚於過女
敗毀之極莫不由女色善見經云寧以男根內毒蛇口不以此緣墮
三惡道四分律云義立如是譬如毒蛇三種害人一者見害二者
害三者吞噬害女人亦爾三種害人者見女人心發欲於聞聲起染
能滅善法得吉羅罪於觸女人能燒功德犯僧殘罪於苦
犯於重罪問此婬欲法何以難斷答有七種義寧內蛇口不應犯
色一者毒所害但害一身女害多身二毒害報元犯女害得身
三毒人害形女害人心四毒害少數女害不少五毒害得生天女害
害於地獄六毒害猶得聖果女害不證涅槃七毒害以所犯墮
女害墮聖可畏是故寧犯毒蛇莫犯女人今害殷重者此是
犯罪名僧祇云此罪名極惡三念故惡一者退沒故惡由犯此
戒道果元分二者不入二衆僧數三者命終之後定墮地獄故
名極惡四分律云譬如斬人頭不可復起比丘亦爾犯此法者不
復成比丘故名波羅夷如目連問罪報經云犯比丘元慚愧心犯
婬以論犯波羅夷罪如他化自在天壽十六千歲墮泥犁中於
人間數九百廿一億六十千歲就犯之中輕重有三一自作犯無人主元
犯自作之內復有其二道非道差別故殺他有二道俗有異
言犯者有二自睡眠見不覺知二惡通所攝二是元染者是餘語
言如律說

盜戒第二

就前內色起貪割其婬戒此就外財起
貪猶挈生更故次後辨有其四一制戒意通意如前別意者
凡道資財形命之本非此不傷人情實戀著妻深出家所
爲之應撥之濟物今乃非理侵奪損惱不輕過中之重是故聖禁
制二釋名者非理損財故名爲道盜者非戒之是能防盜是所防
舉彼所防以別能防故曰盜戒 第三具緣通緣如上別緣具以五是
有主物盜之損主爲宗故次有主物雖有主轉想及疑亦不成重故
次第二有主想之後意損不盜非捨但得輕愆是以第三此明重物之
雖滿五元心不犯爲是第四故明盜心之雖念盜物未離處損主
未成故次第五離處初緣得三偷蘭初句非人物人主物想
二畜生物人主物想三元主物人主物想初第二緣容有九偷蘭轉想

[illegible]
次第二有主想〻漉囊壞不盜非境但得輕愆是以第三此明重物〻
雖僧五无心不收為是第四故明盜心〻雖念盜物未離處損主
未成故次第五緣處制初緣得三偷蘭初句非人物人主物想
二畜生物人主物想三无主物人主物想制第二緣處有九句蘭轉想
有三疑心有三雙制有三〻合九轉想三者初句作人主物取處至壞
不轉〻作非人物想取隱其後心〻罪但從別心盜人方促故云人主
物非人物想蘭此句既不傳句因然第二句人主物畜生想取第二
人物无主物想取疑心三者實是人主物生疑為人主物為非人物
第二為人主物為畜生物第三為人主物為无主物此三並制次後制
二緣三者第一意欲盜人主物而非人物貨人主物處是制緣非人
物上復生疑心即制第二緣為人物非人物此第一句畜生物類人物處
復生疑心為人物畜生物第二句无主物類人物處復生疑心為人物
此第三句並亦得蘭制第三重物作輕物亦蘭制第四緣无盜心全
无罪制第五緣輕蘭重蘭是等制緣具七方便〻自下正明戒本
因戒因檀尼迦比丘詐宣王教取彼要材故制斯戒今并傳戒
本若比丘若在村落若在閑靜處不與物盜心取隨不與取隨
若為王〻大臣所捉若殺若縛若駈出國汝是賊汝癡汝無
所知是比丘波羅夷不共住 此諸略戒本句有其八初略并後廣
釋略中初一犯人第二物〻所在盜〻之處所三不與者主不捨四盜心取者
盜業盜心也五隨不與取者所盜重物六離處罪七結罪八治擯也下廣
并言若比丘者義如前釋言村落者俗人所居曰村〻有四種一者四周
周垣墻二者柵籬三者籬墻不周四者四周有屋言閑靜處者盜之處
所四律中若地中若地上若乘若擔若空若上若田若船若水居
度關塞不輸稅若取他寄信物若水取若羊牧若園果草木若无
足若二足若四足多足若同財業若要若伺後若守護若邏要
道是物所在盜之處所也想是廿六句前十三就處以明盜物二尋
候下八就所取物以明盜三同財下五邊要以明盜 此等之義如律說
廣明所言不與者主不捨若他物想他所護想有主想非己物非暫用
非同意故云盜心取者賊業賊心取也取有五種割黑心邪心曲戾心惡

果若二果若四果多果若同財業若要若伺後若守護若還要
道是物所在盜之處所也然是廿六句前十三據處以明盜物二寄
信下八據所取物以明盜三因時下五運要以明盜此等之義如律疏
彥明所言不與者主不捨若他物想他所護想有主想非己物非暫用
非同意故言盜心取者賊業賊心取也取有五種謂黑心邪心曲戾心恐
怯心常有盜他物心又五種取決言取恐怯取寄物見便取橋詐取
或依親友強力若言與詞辯誑惑而取者是也隨不與取法者所盜重
物以王法若取五錢若直五錢罪應至死依隨王法盜皆斷重所
言王者得自在不屬人也所言大臣者輔佐王者是所言若捉若縛若
殺若駈乃至天所知者此是俗流罪法言捉者王是祖流法若縛是捉
王流法若駈是頻婆娑羅流法若殺是世王罰法故是賊天所知是呵嘖賊法
所言汝寂汝癡汝無所知者此是犯重之名義如初戒并所言不共住者不得於說
戒受戒羯磨二種僧中共住故此住戒舍輕重比重之中盜是非護故須
重釋但今略標盜之相義如諸部律論明述盜業略有三位一標三寶
物作盜二盜人物三盜非畜物三寶物中有其二種一者自護二者他護
盜非畜物中復有兩種一者非人二者畜生若偷三寶物均二壞得罪一說
守護人傍五錢重罪若天守護均本壞得蘭罪若傍不五四錢重蘭也
下乃至一錢輕蘭盜人物亦亦若盜非人物得蘭盜畜生物者得罪
若作與想取已有想[illegible]釋想皆取想親厚意想取者皆無犯
殺戒第三　一判戒意者取報勝善因不能形心俱是道器但出家
二人應捨四等今反聽急斷捨墮壞違慈損他櫃害道器果中之
甚為此聖堅釋名者五陰法中假立衆生斷於五陰名為殺生此是所防
戒是能防能所通舉名殺生戒　三具緣通緣如上別緣有五一是人前
除趣輕故二是人想疑輕故三者殺心無心不犯故四起方便以無方壞不
可依故非方便加害若命未斷不類果思心不暢亦不成重故須第
五斷命四辨緣若辨初緣三句蘭罪一非人人想二畜生人想三根作
人想初緣辨壞還立若辨第二人想容有六蘭述法想辨當法
想三句文非是一義含三句一人非人想疑若根本迷人作非人想疑
人天罪非人有吉今律文結蘭者據本作人想住疑已得偷蘭跡

可依故躡方便加害若命未斷不稱未畢思心不暢並不成重故須第
五斷命四明緣若闕初緣三句蘭罪一非人人想二畜生人想三機作
人想初緣闕境還立若闕第二人想容有六蘭謂迷法想闕當法
想三句文略是一義含三句一人非人想致若根本迷人作非人想致
人天罪非人有吉今律文結蘭者據本作人想徒致已得偷蘭跡
至人不轉作非人想致者結據心應得吉罪據其後之罪結其前心
故得偷蘭　問若後心无蘭者何故律文人非人想一蘭答轉想當
非人時爲天偷蘭由想當非人故令前心偷蘭不得攬因成果舉
由轉想結前心蘭故云人非人想蘭如三諫捨者三蘭豈可捨善心
有蘭由其捨故前心偷蘭往在因位爲後捨心結前之蘭故云
捨者偷蘭此亦如是二人作畜生想三又作機想問人非人想結前心
蘭者向闕境緣非人人想亦應舉後結前心吉　人解云爲成人家
方便故闕心結前闕境結後以文俱偷蘭故作此解情人非人想有
前心吉生言不亦令釋非人人想亦結前心所以爾者若本殺非人
後心當人可言爲成人方便結後心蘭非人前吉以不應今文
所言本意殺人非人境差人想殺極於本境只與非人境差闕
前殺之業使不成重是殺人方便前生非人之境後起猶是舉其
後境結前心方便以非轉想本與兩殊俱結前心如本殺非人後對
異境非人方便前已得矣即此文是非人境上迷非轉想本吉
罪即趣上五是此結罷亦一切類然　此疑心闕決正心義亦含三謂對人境
向餘三疑是此次雙闕兩緣義亦含三一非人顯人處復生疑爲人非人二畜
生疑三機木疑問疑心已闕何故復須雙闕二緣　答雖可同闕境心異故
須來問異想云何答異境上生疑不同闕初緣疑當非異境別
前闕第二有斯別想故次又闕問疑雖少異莫不闕二何須重
闕解者不出者人情意謂疑對本境可成人方便疑當異境
不成人方便故次雙闕問此得何罪答非人疑蘭爲亦本對疑境
結前心蘭雙闕對異疑亦應結前心結解云此之三疑並結未疑
前蘭疑緣異吉非乘故不論如上說　問想二心疑心疑亦俱懷想不爾

前門第二有斯別義故後天門問疑難少異莫不門二何況重
門解若不出者人情差謂疑對本境有戚人方依疑處異境
不戚人方欲故殺殺門問此得何罪答非人疑人為尔本對疑境
結前心門殺門對異疑無應結前心結解言此之三疑並結未疑
前門疑緣異者非業故不論如上說　門疑二心疑心并殺悲不尔
者解言捉二向故不戚殺如人非想不門境非人之想不少心故何
得戚殺疑心緣兩境對非人故即門境務殺故依門心故得并殺門齊
存心并若單殺俱門境一並想疑並門心一並此並天妨該戒類尔又此
言門境等各取者並可單殺二門者合十九如境差說餘戒並然此等
二門下不復論門三全無罪容根者門四無罪門五輕重二門此等通
別具七方係人趣戲亦餘二數然輕重為初之下正明本戒此曰不淨觀
必來制斷殺業此曰躁故隨結　若比丘故自手斷人命持刀與人嘆
譽死讚勸死咄男子用此惡活為寧死不生作如是心思惟種種方便
嘆譽死決勸死是比丘波羅夷不共住　此明深重戒本句有其六
初略并六句文乃後廣釋文義言略者一第句是犯人第二句自殺業
第三句所害境第四句從持刀下至寧死不活決勸死之來是教殺
業於中文二持刀與人者安殺具殺嘆譽死決口勸死也勸死下是
勸殺二作如是心下總以結為三句第五句結罪第六句治擯此名六并
六句文義所言比丘者義上如是故自手斷者是殺業若自殺若教
殺者遣使殺者往來使殺者展轉使殺者求男子殺者教人求男子
殺者求持刀人殺者教人持刀人殺者身現相者口說者口身俱現相者
殺類者遣書者教遣書坑陷為倚撥為與藥為安殺具及餘方便
殺者皆是殺業所言人命者從初識至後識一念識文云父母胞
人胎之始名初識至從一運是後識中間連持其命壞此一報名殺識
云人者有命報所備其為人為似人殺人者入胎卌九日過是已
後盡名為人所言持刀與人乃至勸死已來是第四教殺業
若起心教害所受教者然後三性之中俱犯重罪受
教殺王使者犯重能無名但得以鼻邊壞差蘭罪若起殺
殺坐立則罪殺受教者立時乃殺能忽無罪依立人鼻邊無殺

人趣之始名初識，至後一運是後識，中間連持是命，壞此一報名殺。戒
云人者，有命報所攝五衆為人。殺人者，入胎卅九日過是已
後盡名為人。所言持刀与人乃至勸死已來，是第四教業。
若起心殺，等以受教者，然以三性之中俱犯重罪。受
教殺王使者犯重，能無名，但得以邊壞若蘭罪。若起殺
殺坐五肘人，受教者五時乃殺，能忽無罪，依五人邊無殺
心故，得生人邊方便。若濫心同犯重，使者亦未犯重，中間但提。
非能教二非所教，業自不作，故展轉使者一切得重，並是能教
所教業成故，餘可類知。言波羅夷義如上，言不共住者類上
可知。今因此夷說三趣，以顯殺義。且約人趣明殺父母，並人非化生。
業，言暗報於父母之遺體，以成已身，兼復鞠育，其恩深重，理應
敬奉報恩，殖福令交。內懷瞋怒，興加逆害，違恩背奉，為過
稍深，故制處逆。殺義如前疏。問：殺父母為知得逆，不知得逆？
答：本心詮之，蘭若對父母，雖可不知，稱本所期，殺生逆罪。故見
日要是父，作非父想，殺不得出家。若本心起不欲殺父，作賊想而
殺父，疑作異想，不知是父，但得夷罪而不犯逆。故《仰論》云：
又非父想殺，得出家，不犯逆。故決方便成逆。問：若父出家成羅
漢，殺父羅漢，為得一逆、二逆？邪經論不同。《十律》、《夏》、《汝》問：以殺父羅漢
漢得夷罪。答：得夷並一逆。又《涅槃經》一者殺父王，二者殺阿羅漢，罪兼二。
重。又《雜寶藏》《夏安陀美王》出家五子，為王後成羅漢，子王欲殺父之比
丘，言殺得無罪。以此等文，斬父命，殺時即殺恩德，殺福田。二
境既別，心緣兩異，故得兩逆。一衆對人境剎，故丈人之，然以其緣異
心兩處，故得二逆。又可一逆，雖可二緣，但不同一，行者已無二命，何得
二罪？但可業思是重，元別二逆。問：若出家埃持根，尼若殺此尼，得
殺父逆不？答：如日若殺女非母非罪漢，而得逆罪，謂父變女人者，是
心斷文證。故知逆罪所以，以斗者根雖為異，人者不殊，若此尼萬背恩
義故。問：若打此尼，得打父罪不？答：但得打尼之罪。若尔，殺此尼時不
得殺父逆？解：打本就位結罪，不望遠恩，打時是女，故結打尼之罪；
殺就遠恩，此父者核據，故得逆罪，而似一。又若當打時，道俗位別。

以斷又證故知逆罪不以生者根雜爲異人者不殊若比丘尼轉時負恩
義故問若打比丘尼得打父罪不答但得打尼之罪若尔殺比丘尼時不
得殺父逆解打本就住結罪不壞違遠見打時是女故結打尼之罪
然就遠恩比父者據據故得逆罪而似父若當打時道路位別
況轉爲女故知就位但得打尼之罪問父變爲畜生殺得何罪答但得
殺畜提罪若尔如殺女人不應得殺父逆解父實變者之亡命終夷比
謂剎那中陰即受畜報故得提罪轉根爲女猶是人根明有逆報是以
非類若父報得通整變非畜作父於殺者且得逆罪以父壞身故若
不知无罪若殺畜生父母但乞犯提以勞不害故又報劣故七十日斯有殺父母
二非若就報類上可知不犯者律云若擲刀丈凡石材木誤著彼身
諸比丘与受戒是人得受戒耶答有謂殺畜生父母者是非人及畜蘭提
命終及狀抱疾人而死或以藥合及以來往出入而死者一切无害心不犯
故依律云過失殺人死与贖論 謂自所見心所不慈共舉重物墮高後死之類之
妄語得過人法戒第四 一制戒意无漏真道聖所證法非是凡夫淨穢
之所能秉心未得故冒假虛誑自下之證惑亂群心欺誑於世梯招名利以
自稱已曉諸因時果中之重故須聖禁 二釋名者言不稱實所以言妄
誑聖得是非凡境故曰過人法比丘是所防戒是能防之行所能通舉
故曰妄語得過人法戒第三具緣通三如上別緣有八一境是人二人於三境
境虛四知境虛五說過人法六自言己得七言辭辨了八前人知解或有
不加誑他心者說戒可尔若八者四闕緣義者若闕初緣究有三蘭
戒有六蘭闕第二緣六蘭第三[illegible]者二[illegible]闕第三緣作[illegible]實或有犯无
戒全无犯闕第四緣增上慢人全是无犯闕第五緣作非過人法者无罪
容得偷蘭闕第六緣作不自言色證或无犯或得蘭罪闕第七狂蘭闕
第八重蘭是中具七方便也下正明戒本初戒初曰婆裘河邊安居比丘
共稱得上人法故仏聞知此戒後回目連緣制隨開此第三?誦戒本者
若比丘實无所知自稱言我得上人法我已入聖[illegible]勝法我知是我見是彼
於異時若問若不問欲自清淨故作是說我實不知不見言知言見
虛狂妄語除增上慢是比丘波羅夷不共住 此消[illegible]戒本文有七句一犯
人二[illegible]重三自稱言己得聖四自言波羅[illegible]

[illegible]法上人法[illegible]諸比丘[illegible]目連[illegible]制隨開比丘[illegible]戒本者

若實無所知自稱言我得上人法我已入聖智勝法我知是我見是彼

於後時若問若不問欲自淨故作是說我實不知不見言知言見

虛狂妄語除增上慢是比丘波羅夷不共住 此謂第四戒本文有十句一犯

人二境界三自稱言已得聖四自言彼於異時非諸妄時無首爲罪

五除開六結罪七結犯 自下廣釋句言若比丘者如上義上如言實無

所知者此解第二句境界實是凡夫無知見法第三句自稱言我得上

人法云我見是已來總是一句統中有二一自言者總稱聖法第二我已入聖

下別句言入聖者謂得生空知勝法者謂得空義知是下得初果已去

統攝句中文復有二初解自稱言文云自稱說有信等五根及辯才有信

者謂稱得理解之信有戒者謂得定道無作非謂五篇不犯若古持戒頭

陁等多云犯蘭殺者謂依正兩報不生少樣或是無貪善根淨者謂淨

惠智惠者思修兩惠辨才者任教說法次解我得上人法者是總句

聖法故曰上人法法二空是上人法文以要也謂除累入等第二我已入聖下別

句雖明聖法初列十四章門自言念在身者正憶念若守持戒若有欲

若不放逸若精進若得定若正受若有道若修若有惠若有見

若得若果次解十四章言念在身者是念身受言正憶念者餘三念

受是自言持戒者八正中正語是業是有欲者四如意足不放逸者不

放逸數精進四正勤支自言得定者有覺有觀三昧初禪無覺有觀

中間禪無覺無觀二禪已去言空三昧者謂若下空與無我二行於應空

數若滅四行於應空是無相三昧若苦下二行集道名四此十行於應空

是無願三昧自言正受者八中爲二總正受者一切有心定對除心亂故

無相者謂二無心定對除亂次四正受是八背捨者謂一內色有相外觀

色內無色相外觀色三淨背捨四空定五識處六不用處七非想處八滅盡定

爲三背貪次四背捨下地謂空處背第四禪識處背空處無所有處背識處非想背不用

處亦八背一切心心數法故皆捨立名八解脫今此四中隨法者是第八滅定

謂滅除廿一心心數法還得廿一非色非心法以補心處故曰隨法正受名於者謂

四空定即四五六七四背捨也除色者爲二背捨謂以不淨觀除色貪故

四不除色者謂第三淨背捨次一除入正受者謂八除入除入者解

BD02065號　四分律戒本疏

BD02065號　四分律戒本疏　（16–15）

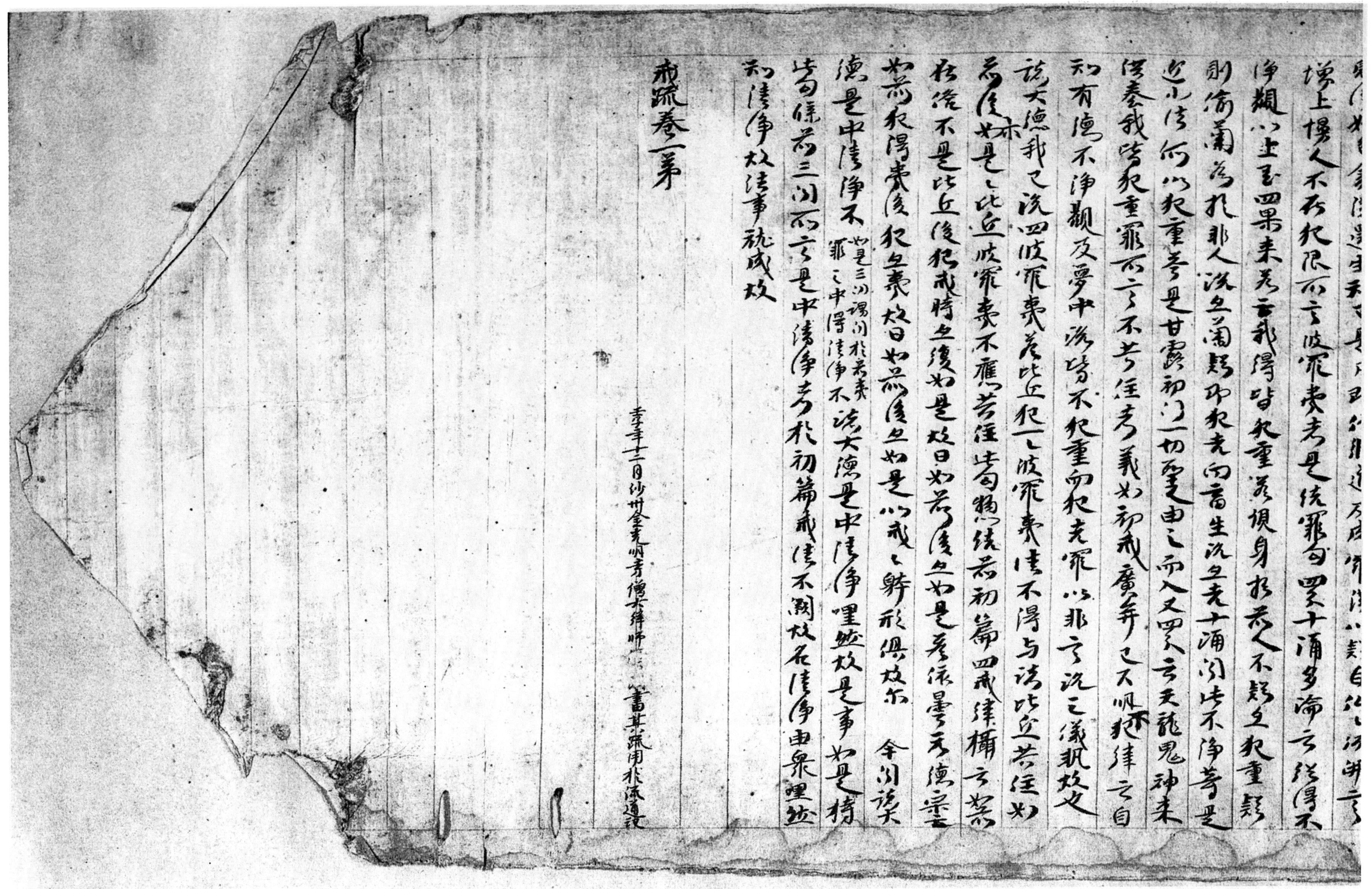

犯不犯四句者　一犯緣俱相應是　二不犯對境禁約是　三亦犯緣闕少相是　亦不犯或持相兼善心惡罪　四非犯下句

非不犯上句　約能所兩箇四句　一自犯他不犯，如盜戒等，但自作，更不作書現相等　二他犯自不犯，如男睡被女行婬得樂，男且不憤

三自他俱犯，二境俱得樂　四自他俱不犯，對語約重輕罪　一自重他輕，尼觸重僧輕　二自輕他重，僧自覆藏輕

教尼覆罪，尼得夷　三自他俱重，僧尼約婬犯　四自他俱輕，僧乘義良輕　教尼乘得尼舍

BD02065號　補充註釋　（1-1）

佛告諸比丘尒時王者則我身
是由提婆達多善知識故令
卅二相八十種好紫磨金色十力四
道力成等正覺廣度衆生皆因
四衆提婆達多却後過无量劫當
供正遍知明行足善逝世間解无上士調
世界名天道時天王佛住世二十中劫
法恒河沙衆生得阿羅漢果无量衆
衆生發无上道心得无生忍至不退轉時
法住世二十中劫全身舍利起七寶塔高
諸天人民悉以雜華末香燒香塗香衣服瓔
伎樂歌頌礼拜供養七寶妙塔无量衆生得阿羅漢无量
衆生悟辟支佛不可思議衆生發菩提心至不退轉佛告
諸比丘未來世中若有善男子善女人聞妙法華經提婆達
多品淨心信敬不生疑惑者不墮地獄餓鬼畜生生十方佛
前所生之處常聞此經若生人天中受勝妙樂若在佛前
蓮華化生於時下方多寶世尊所從菩薩名曰智積
白多寶佛當還本土釋迦牟尼佛告智積曰善男子且待
須臾此有菩薩名文殊師利可與相見論說法可還本土尒
時文殊師利坐千葉蓮華大如車輪俱來菩薩亦坐寶
蓮華從於大海娑竭羅龍宮自然踊出住虛空中詣靈鷲
山從蓮華下至於佛前頭面敬礼二世尊足脩敬已畢往智
積所共相慰問却坐一面智積菩薩問文殊師利仁往龍宮
所化衆生其數幾何文殊師利言其數无量不可稱計非
口所宣非心所測且待須臾自當有證所言未竟无數菩薩

BD02066號　妙法蓮華經（八卷本）卷五　（17-1）

須臾此有菩薩名文殊師利可與相見論說法可還本土尒
時文殊師利坐千葉蓮華大如車輪俱來菩薩亦坐寶
蓮華從於大海娑竭羅龍宮自然踊出住虛空中詣靈鷲
山從蓮華下至於佛前頭面敬礼二世尊足脩敬已畢往智
積所共相慰問却坐一面智積菩薩問文殊師利仁往龍宮
所化衆生其數幾何文殊師利言其數无量不可稱計非
口所宣非心所測且待須臾自當有證所言未竟无數菩薩
坐寶蓮華從海踊出詣靈鷲山住在虛空此諸菩薩皆
是文殊師利之所化度具菩薩行皆共論說六波羅蜜本聲
聞人在虛空中說聲聞行今皆脩行大乘空義文殊師利
謂智積曰於海教化其事如是尒時智積菩薩以偈讚曰
大智德勇健　化度无量衆　今此諸大會　及我皆已見　演暢實相義
開闡一乘法　廣度諸群生　令速成菩提
文殊師利言我於海中唯常宣說妙法華經智積問文殊師
利言此經甚深微妙諸經中寶世所希有頗有衆生勤加
精進脩行此經速得佛不文殊師利言有娑竭羅龍王女年
始八歲智慧利根善知衆生諸根行業得陀羅尼諸佛所說
甚深秘藏悉能受持深入禪定了達諸法於剎那頃發菩
提心得不退轉辯才无礙慈念衆生猶如赤子功德具足心念
口演微妙廣大慈悲仁讓志意和雅能至菩提智積菩薩言
我見釋迦如來於无量劫難行苦行積功累德求菩提道未
曾止息觀三千大千世界乃至无有如芥子許非是菩薩捨
身命處為衆生故然後乃得成菩提道不信此女於須臾頃
便成正覺言論未訖時龍王女忽現於前頭面礼敬却住一
面以偈讚曰
深達罪福相　遍照於十方　微妙淨法身　具相三十二　以八十種好
用莊嚴法身　天人所戴仰　龍神咸恭敬　一切衆生類　无不宗奉者
又聞成菩提　唯佛當證知　我闡大乘教　度脫苦衆生
時舍利弗語龍女言汝謂不久得无上道是事難信所以者
何女身垢穢非是法器云何能得无上菩提佛道懸曠經无
量劫勤苦積行具脩諸度然後乃成又女人身猶有五
障一者不得作

BD02066號　妙法蓮華經（八卷本）卷五　（17-2）

用莊嚴法身 天人所戴仰 龍神咸恭敬 一切衆生類 无不宗奉者
又聞成菩提 唯佛當證知 我闡大乘教 度脫苦衆生
時舍利弗語龍女言汝謂不久得无上道是事難信所以者
何女身垢穢非是法器云何能得无上菩提佛道懸曠經无
量劫勤苦積行具脩諸度然後乃成又女人身猶有五
障一者不得作梵天王二者帝釋三者魔王四者轉輪聖王
五者佛身云何女身速得成佛尒時龍女有一寶珠價直
三千大千世界持以上佛佛即受之龍女謂智積菩薩尊
者舍利弗言我獻寶珠世尊納受是事疾不荅言甚疾
女言以汝神力觀我成佛復速於此當時衆會皆見龍女
忽然之間變成男子具菩薩行即往南方无垢世界坐寶
蓮華成等正覺三十二相八十種好普為十方一切衆生演
說妙法尒時娑婆世界菩薩聲聞天龍八部人與非人皆
遥見彼龍女成佛普為時會人天說法心大歡喜悉遥
敬礼无量衆生聞法解悟得不退轉无量衆生得受道
記无垢世界六反震動娑婆世界三千衆生住不退地三千
衆生發菩提心而得受記智積菩薩及舍利弗等一
切衆會嘿然信受

妙法蓮華經勸持品第十三

尒時藥王菩薩摩訶薩及大樂說菩薩摩訶薩與二万菩薩
眷屬俱皆於佛前作是誓言唯願世尊不以為慮我等於
佛滅後當奉持讀誦說此經典後惡世衆生善根轉少多增
上慢貪利供養增不善根遠離解脫雖難可教化我等當
起大忍力讀誦持說書寫種種供養不惜身命尒時衆中
五百阿羅漢得受記者白佛言世尊我等亦自誓願於異
國土廣說此經復有學无學八千人得受記者從座而起合
掌向佛作是誓言世尊我等亦當於他國土廣說此經所以
者何是娑婆國中人多弊惡懷增上慢功德淺薄瞋濁諂曲
心不實故尒時佛姨母摩訶波闍波提比丘尼學无學比丘尼
六千人俱從座而起一心合掌瞻仰尊顔目不暫捨於時世尊

BD02066號　妙法蓮華經（八卷本）卷五　　（17–3）

國土廣說此經復有學无學八千人得受記者從座而起合
掌向佛作是誓言世尊我等亦當於他國土廣說此經所以
者何是娑婆國中人多弊惡懷增上慢功德淺薄瞋濁諂曲
心不實故尒時佛姨母摩訶波闍波提比丘尼學无學比丘尼
六千人俱從座而起一心合掌瞻仰尊顔目不暫捨於時世尊
告憍曇弥何故憂色而視如来汝心將无謂我不說汝名授
阿耨多羅三藐三菩提記耶憍曇弥我先惣說一切聲聞皆
已授記今汝欲知記者將来之世當六万八千億諸佛法中為
大法師及六千學无學比丘尼俱為法師汝如是漸漸具菩
薩道當得作佛号一切衆生喜見如来應供正遍知明行足
善逝世間解无上士調御丈夫天人師佛世尊憍曇弥是
一切衆生喜見佛及六千菩薩轉次受記得阿耨多羅三
藐三菩提尒時羅睺羅母耶輸陀羅比丘尼作是念世尊
於受記中獨不說我名佛告耶輸陀羅汝於来世百千万
億諸佛法中脩菩薩行為大法師漸具佛道於善國中
當得作佛号具足千万光相如来應供正遍知明行足善
逝世間解无上士調御丈夫天人師佛世尊佛壽无量阿僧
祇劫尒時摩訶波闍波提比丘尼及耶輸陀羅比丘尼并其
眷屬皆大歡喜得未曾有即於佛前而說偈言
世尊導師 安隱天人 我等聞記 心安具足
諸比丘尼說是偈已白佛言世尊我等亦能於他方國土
廣宣此經尒時世尊視八十万億那由他諸菩薩摩訶薩
是諸菩薩皆是阿惟越致轉不退法輪得諸陀羅尼即從
座起至於佛前一心合掌而作是念若世尊告勅我等
持說此經者當如佛教廣宣斯法復作是念佛今嘿然
不見告勅我當云何時諸菩薩敬順佛意并欲自滿本
願便於佛前作師子吼而發誓言世尊我等於如来滅
後周旋往返十方世界能令衆生書寫此經受持讀誦解說
其義如法脩行正憶念皆是佛之威力唯願世尊在於他
方遥見守護即時諸菩薩俱同發聲而說偈言

BD02066號　妙法蓮華經（八卷本）卷五　　（17–4）

於佛前作師子吼而發誓言世尊我等於如來滅
後周旋往返十方世界能令衆生書寫此經受持讀誦解說
其義如法脩行正憶念皆是佛之威力唯願世尊在於他
方遥見守護即時諸菩薩倶同發聲而說偈言
唯願不為慮　佛於滅度後　恐怖惡世中　我等當廣說
有諸无智人　惡口罵詈等　及加刀杖者　我等皆當忍
惡世中比丘　邪智心諂曲　未得謂為得　我慢心充滿
或有阿練若　納衣在空閑　自謂行真道　輕賤人間者
貪著利養故　與白衣說法　為世所恭敬　如六通羅漢
是人懷惡心　常念世俗事　假名阿練若　好出我等過
而作如是言　此諸比丘等　為貪利養故　說外道論議
自作此經典　誑惑世間人　為求名聞故　分別於是經
常在大衆中　欲毀我等故　向國王大臣　婆羅門居士
及餘比丘衆　誹謗說我惡　謂是邪見人　說外道論議
我等敬佛故　悉忍是諸惡　為斯所輕言　汝等皆是佛
如此輕慢言　皆當忍受之　濁劫惡世中　多有諸恐怖
惡鬼入其身　罵詈毀辱我　我等敬信佛　當著忍辱鎧
為說是經故　忍此諸難事　我不愛身命　但惜无上道
我等於來世　護持佛所囑　世尊自當知　濁世惡比丘
不知佛方便　隨宜所說法　惡口而顰蹙　數數見擯出
遠離於塔寺　如是等衆惡　念佛告勑故　皆當忍是事
諸聚落城邑　其有求法者　我皆到其所　說佛所囑法
我是世尊使　處衆无所畏　我當善說法　願佛安隱住
我於世尊前　諸來十方佛　發如是誓言　佛自知我心
妙法蓮華經安樂行品第十四
尒時文殊師利法王子菩薩摩訶薩白佛言世尊是諸菩
薩甚為難有敬順佛故發大誓願於後惡世護持讀
誦是法華經世尊菩薩摩訶薩於後惡世云何能說是
經佛告文殊師利若菩薩摩訶薩於後惡世欲說是經
當安住四法一者安住菩薩行處及親近處能為衆生演
說是經文殊師利云何名菩薩摩訶薩行處若菩薩摩訶

BD02066號　妙法蓮華經（八卷本）卷五　（17–5）

薩甚為難有敬順佛故發大誓願於後惡世護持讀
誦是法華經世尊菩薩摩訶薩於後惡世云何能說是
經佛告文殊師利若菩薩摩訶薩於後惡世欲說是經
當安住四法一者安住菩薩行處及親近處能為衆生演
說是經文殊師利云何名菩薩摩訶薩行處若菩薩摩訶
薩住忍辱地柔和善順而不卒暴心亦不驚又復於法无所
行而觀諸法如實相亦不行不分別是名菩薩摩訶薩行處
云何名菩薩摩訶薩親近處菩薩摩訶薩不親近國王王
子大臣官長不親近諸外道梵志尼揵子等及造世俗文筆
讚詠外書及路伽耶陀逆路伽耶陀者亦不親近諸有兇戲
相扠相撲及那羅等種種變現之戲又不親近旃陀羅及
畜猪羊雞狗畋獵漁捕諸惡律儀如是人等或時來者則
為說法无所悕望又不親近求聲聞比丘比丘尼優婆塞優
婆夷亦不問訊若於房中若經行處若在講堂中不共住
止或時來者隨宜說法无所悕求文殊師利又菩薩摩
訶薩不應於女人身取能生欲想相而為說法亦不樂見
入他家不與小女處女寡女等共語亦復不近五種不男之
人以為親厚不獨入他家若有因緣須獨入時但一心念佛若
為女人說法不露齒笑不現胷臆乃至為法猶不親厚況
復餘事不樂畜年少弟子沙弥小兒亦不樂與同師常好
坐禪在於閑處脩攝其心文殊師利是名初親近處復次
菩薩摩訶薩觀一切法空如實相不顛倒不動不退不轉
如虛空无所有性一切語言道斷不生不出不起无名无相
實无所有无量无邊无礙无障但以因緣有從顛倒生故
說常樂觀如是法相是名菩薩摩訶薩第二親近處尒
時世尊欲重宣此義而說偈言
若有菩薩　於後惡世　无怖畏心　欲說是經　應入行處
及親近處　常離國王　及國王子　大臣官長　兇險戲者
及栴陀羅　外道梵志　亦不親近　增上慢人　貪著小乘
三藏學者　破戒比丘　名字羅漢　及比丘尼　好戲笑者
深著五欲　求現滅度　諸優婆夷　皆勿親近　若是人等
以好心來

BD02066號　妙法蓮華經（八卷本）卷五　（17–6）

及親近處　常離國王　及國王子　大臣官長　兇險戲者
及旃陀羅　外道梵志　亦不親近　增上慢人　貪著小乘
三藏學者　破戒比丘　名字羅漢　及比丘尼　好戲咲者
深著五欲　求現滅度　諸優婆夷　皆勿親近　若是人等
以好心來　到菩薩所　為聞佛道　菩薩則以　无所畏心
不懷希望　而為說法　寡女處女　及諸不男　皆勿親近
以為親厚　亦莫親近　屠兒魁膾　畋獵漁捕　為利煞害
販宍自活　衒賣女色　如是之人　皆勿親近　兇險相撲
種種嬉戲　諸婬女等　盡勿親近　莫獨屏處　為女說法
若說法時　无得戲咲　入里乞食　將一比丘　若无比丘
一心念佛　是則名為　行處近處　以此二處　能安樂說
又復不行　上中下法　有為无為　實不實法　亦不分別
是男是女　不得諸法　不知不見　是則名為　菩薩行處
一切諸法　空无所有　无有常住　亦无起滅　是名智者
所親近處　顛倒分別　諸法有无　是實非實　是生非生
在於閑處　脩攝其心　安住不動　如須弥山　觀一切法
皆无所有　猶如虛空　无有堅固　不生不出　不動不退
常住一相　是名近處　若有比丘　於我滅後　入是行處
及親近處　說斯經典　无有怯弱　菩薩有時　入於靜室
以正憶念　隨義觀法　從禪定起　為諸國王　王子臣民
婆羅門等　開化演暢　說斯經典　其心安隱　无有怯弱
文殊師利　是名菩薩　安住初法　能於後世　說法華經
又文殊師利如來滅後於末法中欲說是經應住安樂
行若口宣說若讀經時不樂說人及經典過亦不輕慢諸
餘法師不說他人好惡長短於聲聞人亦不稱名說其過
惡亦不稱名讚歎其美又亦不生怨嫌之心善脩如是安
樂心故諸有聽者不逆其意有所難問不以小乘法答
但以大乘而為解說令得一切種智尒時世尊欲重宣此
義而說偈言
菩薩常樂　安隱說法　於清淨地　而施床座　以油塗身
澡浴塵穢　著新淨衣　內外俱淨　安處法座　隨問為說
若有比丘　及比丘尼　諸優婆塞　及優婆夷　國王王子

BD02066號　妙法蓮華經（八卷本）卷五　（17–7）

但以大乘而為解說令得一切種智尒時世尊欲重宣此
義而說偈言
菩薩常樂　安隱說法　於清淨地　而施床座　以油塗身
澡浴塵穢　著新淨衣　內外俱淨　安處法座　隨問為說
若有比丘　及比丘尼　諸優婆塞　及優婆夷　國王王子
羣臣士民　以微妙義　和顏為說　若有難問　隨義而答
因緣譬喻　敷演分別　以是方便　皆使發心　漸漸增益
入於佛道　除嬾惰意　及懈怠想　離諸憂惱　慈心說法
晝夜常說　无上道教　以諸因緣　无量譬喻　開示衆生
咸令歡喜　衣服臥具　飲食醫藥　而於其中　无所希望
但一心念　說法因緣　願成佛道　令衆亦尒　是則大利
安樂供養　我滅度後　若有比丘　能演說斯　妙法華經
心无嫉恚　諸惱鄣礙　亦无憂愁　及罵詈者　又无怖畏
加刀杖等　亦无擯出　安住忍故　智者如是　善脩其心
能住安樂　如我上說　其人功德　千万億劫　筭數譬喻
說不能盡
又文殊師利菩薩摩訶薩於後末世法欲滅時受持讀誦
斯經典者无懷嫉妬諂誑之心亦勿輕罵學佛道者求其
長短若比丘比丘尼優婆塞優婆夷求聲聞者求辟支佛者
求菩薩道者无得惱之令其疑悔語其人言汝等去道
甚遠終不能得一切種智所以者何汝是放逸之人於道懈
怠故又亦不應戲論諸法有所諍競當於一切衆生起大
悲想於諸如來起慈父想於諸菩薩起大師想於十方諸
大菩薩常應深心恭敬禮拜於一切衆生平等說法以順法
故不多不少乃至深愛法者亦不為多說文殊師利是菩
薩摩訶薩於後末世法欲滅時有成就是第三安樂行
者說是法時无能惱亂得好同學共讀誦是經亦得大
衆而來聽受聽已能持持已能誦誦已能說說已能書
若使人書供養經卷恭敬尊重讚歎尒時世尊欲重
宣此義而說偈言

BD02066號　妙法蓮華經（八卷本）卷五　（17–8）

薩摩訶薩於後末世法欲滅時有成就是第三安樂行
者說是法時无能惱乱得好同學共讀誦是經亦得大
衆而來聽受聽已能持持已能誦誦已能說說已能書
若使人書供養經卷恭敬尊重讚歎尒時世尊欲重
宣此義而說偈言
若欲說是經　當捨嫉恚慢　諂誑耶偽心　常脩質直行
不輕蔑於人　亦不戲論法　不令他疑悔　云汝不得佛
是佛子說法　常柔和能忍　慈悲於一切　不生懈怠心
十方大菩薩　愍衆故行道　應生恭敬心　是則我大師
於諸佛世尊　生无上父想　破於憍慢心　說法无鄣礙
第三法如是　智者應守護　一心安樂行　无量衆所敬
又文殊師利菩薩摩訶薩於後末世法欲滅時有持是
法華經者於在家出家人中生大慈心於非菩薩人中
生大悲心應作是念如是之人則為大失如來方便隨宜說
法不聞不知不覺不問不信不解其人雖不問不信不解
是經我得阿耨多羅三藐三菩提時隨在何地以神通力
智慧力引之令得住是法中文殊師利是菩薩摩訶薩
於如來滅後有成就此第四法者說是法時无有過失常為
比丘比丘尼優婆塞優婆夷國王王子大臣人民婆羅門居
士等供養恭敬尊重讚歎虛空諸天為聽法故亦常隨
侍若在聚落城邑空閑林中有人來欲難問者諸天晝夜
常為法故而衛護之能令聽者皆得歡喜所以者何此經
是一切過去未來現在諸佛神力所護故文殊師利是法
華經於无量國中乃至名字不可得聞何況得見受持
讀誦文殊師利譬如強力轉輪聖王欲以威勢降伏諸國而
諸小王不順其命時轉輪王起種種兵而往討伐王見兵衆
戰有功者即大歡喜隨功賞賜或與田宅聚落城邑或衣服
嚴身之具或與種種珍寶金銀琉璃車𤦲馬瑙珊瑚虎珀象
馬車乘奴婢人民唯髻中明珠不以與之所以者何獨王頂
上有此一珠若以與之王諸眷屬必大驚怪文殊師利如來
亦復如是以禪定智慧力得法國土王於三界而諸魔王不肯
順伏如來賢聖諸將與之共戰其有功者心亦歡喜於四衆

BD02066號　妙法蓮華經（八卷本）卷五　（17-9）

嚴身之具或與種種珍寶金銀琉璃車𤦲馬瑙珊瑚虎珀象
馬車乘奴婢人民唯髻中明珠不以與之所以者何獨王頂
上有此一珠若以與之王諸眷屬必大驚怪文殊師利如來
亦復如是以禪定智慧力得法國土王於三界而諸魔王不肯
順伏如來賢聖諸將與之共戰其有功者心亦歡喜於四衆
中為說諸經令其心悅賜以禪定解脫无漏根力諸法之財又
復賜與涅槃之城言得滅度引導其心令皆歡喜而不為
說是法華經文殊師利如轉輪王見諸兵衆有大功者心
甚歡喜以此難信之珠久在髻中不妄與人而今與之如來
亦復如是於三界中為大法王以法教化一切衆生見賢聖
軍與五陰魔煩惱魔死魔共戰有大功勳滅三毒出三界
破魔網尒時如來亦大歡喜此法華經能令衆生至一切智
一切世間多怨難信先所未說而今說之文殊師利此法華
經是諸如來第一之說於諸說中最為甚深末後賜與如彼
強力之王久護明珠今乃與之文殊師利此法華經諸佛如
來祕密之藏於諸經中最在其上長夜守護不妄宣
說始於今日乃與汝等而敷演之尒時世尊欲重宣
此義而說偈言
常行忍辱　哀愍一切　乃能演說　佛所說經　後末世時
持此經者　於家出家　及非菩薩　應生慈悲　斯等不聞
不信是經　則為大失　我得佛道　以諸方便　為說此法
令住其中　譬如強力　轉輪之王　兵戰有功　賞賜諸物
象馬車乘　嚴身之具　及諸田宅　聚落城邑　或與衣服
種種珍寶　奴婢財物　歡喜賜與　如有勇健　能為難事
王解髻中　明珠賜之　如來亦尒　為諸法王　忍辱大力
智慧寶藏　以大慈悲　如法化世　見一切人　受諸苦惱
欲求解脫　與諸魔戰　為是衆生　說種種法　以大方便
說此諸經　既知衆生　得其力已　末後乃為　說是法華
如王解髻　明珠與之　此經為尊　衆經中上　我常守護
不妄開示　今正是時　為汝等說　我滅度後　求佛道者
欲得安隱　演說斯經　應當親近　如是四法　讀是經者

BD02066號　妙法蓮華經（八卷本）卷五　（17-10）

說此諸經　既知衆生　得其力已　末後乃為　說是法華
如王解髻　明珠與之　此經為尊　衆經中上　我常守護
不妄開示　今正是時　為汝等說　我滅度後　求佛道者
欲得安隱　演說斯經　應當親近　如是四法　讀是經者
常无憂惱　又无病痛　顏色鮮白　不生貧窮　卑賤醜陋
衆生樂見　如慕賢聖　天諸童子　以為給使　刀杖不加
毒不能害　若人惡罵　口則閉塞　遊行无畏　如師子王
智慧光明　如日之照　若於夢中　但見妙事　見諸如來
坐師子座　諸比丘衆　圍繞說法　又見龍神　阿脩羅等
數如恒沙　恭敬合掌　自見其身　而為說法　又見諸佛
身相金色　放无量光　照於一切　以梵音聲　演說諸法
佛為四衆　說无上法　見身處中　合掌讚佛　聞法歡喜
而為供養　得陁羅尼　證不退智　佛知其心　深入佛道
即為授記　成最正覺　汝善男子　當於來世　得无量智
佛之大道　國土嚴淨　廣大无比　亦有四衆　合掌聽法
又見自身　在山林中　脩習善法　證諸實相　深入禪定
見十方佛
諸佛身金色　百福相莊嚴　聞法為人說　常有是好夢
又夢作國王　捨宮殿眷屬　及上妙五欲　行詣於道場
在菩提樹下　而處師子座　求道過七日　得諸佛之智
成无上道已　起而轉法輪　為四衆說法　經千万億劫
說无漏妙法　度无量衆生　後當入涅槃　如烟盡燈滅
若後惡世中　說是第一法　是人得大利　如上諸功德

妙法蓮華經從地踊出品第十五

尒時他方國土諸來菩薩摩訶薩過八恒河沙數於大衆中
起合掌作礼而白佛言世尊若聽我等於佛滅後在此
娑婆世界勤加精進護持讀誦書寫供養是經典者當於
此土而廣說之尒時佛告諸菩薩摩訶薩衆止善男子不
須汝等護持此經所以者何我娑婆世界自有六万恒河
沙等菩薩摩訶薩一一菩薩各有六万恒河沙眷屬是諸
人等能於我滅後護持讀誦廣說此經佛說是語時娑
婆世界三千大千國土地皆震裂而於其中有无量千万

BD02066號　妙法蓮華經（八卷本）卷五　（17–11）

此土而廣說之尒時佛告諸菩薩摩訶薩衆止善男子不
須汝等護持此經所以者何我娑婆世界自有六万恒河
沙等菩薩摩訶薩一一菩薩各有六万恒河沙眷屬是諸
人等能於我滅後護持讀誦廣說此經佛說是語時娑
婆世界三千大千國土地皆震裂而於其中有无量千万
億菩薩摩訶薩同時踊出是諸菩薩身皆金色三十二相
无量光明先盡在此娑婆世界之下此界虛空中住是諸菩
薩聞釋迦牟尼佛所說音聲從下發來一一菩薩皆是大
衆唱導之首各將六万恒河沙眷屬況將五万四万三万二
万一万恒河等眷屬者況復乃至一恒河沙半恒河沙四分
之一乃至千万億那由他分之一況復千万億那由他眷屬況
復億万眷屬況復千万百万乃至一万況復一千一百乃至
一十況復將五四三二一弟子者況復單己樂遠離行如是等
比无量无邊筭數譬喻所不能及是諸菩薩從地出已各
詣虛空七寶妙塔多寶如來釋迦牟尼佛所到已向二世尊
頭面礼足及至諸寶樹下師子座上佛所亦皆作礼右繞三
迊合掌恭敬以諸菩薩種種讚法而以讚歎住在一面欣樂
瞻仰於二世尊是諸菩薩摩訶薩從初踊出以諸菩薩、
種種讚法而讚於佛如是時間經五十小劫是時釋迦牟尼
佛嘿然而坐及諸四衆亦皆嘿然五十小劫佛神力故令諸
大衆謂如半日尒時四衆亦以佛神力故見諸菩薩遍滿无
量百千万億國土虛空是菩薩衆中有四導師一名上行二
名无邊行三名淨行四名安立行是四菩薩於其衆中最為
上首唱導之師在大衆前各共合掌觀釋迦牟尼佛而問
訊言世尊少病少惱安樂行不所應度者受教易不不
令世尊生疲勞耶尒時四大菩薩而說偈言
世尊安樂　少病少惱　教化衆生　得无疲惓　又諸衆生
受化易不　不令世尊　生疲勞耶
尒時世尊於菩薩大衆中而作是言如是如是諸善男子如
來安樂少病少惱諸衆生等易可[illegible]

BD02066號　妙法蓮華經（八卷本）卷五　（17–12）

令世尊生疲勞耶　尒時四大菩薩而說偈言
世尊安樂　少病少惱　教化衆生　得无疲惓　又諸衆生
受化易不　不令世尊　生勞苦耶
尒時世尊於菩薩大衆中而作是言如是如是諸善男子如
来安樂少病少惱諸衆生等易可化度无有疲勞所以者
何是諸衆生世世已来常受我化亦於過去諸佛供養尊
重種諸善根此諸衆生始見我身聞我所說即皆信受入
如来慧除先脩習學小乘者如是之人我今亦令得聞是
經入於佛慧尒時諸大菩薩而說偈言
善哉善哉　大雄世尊　諸衆生等　易可化度　能問諸佛
甚深智慧　聞已信行　我等隨喜
於時世尊讚歎上首諸大菩薩善哉善哉善男子汝等能
於如来發隨喜心尒時弥勒菩薩及八千恒河沙諸菩薩
衆皆作是念我等從昔已来不見不聞如是大菩薩摩
訶薩衆從地踊出住世尊前合掌供養問訊如来時弥
勒菩薩摩訶薩知八千恒河沙諸菩薩等心之所念并欲
自決所疑合掌向佛以偈問曰
无量千万億　大衆諸菩薩　昔所未曾見　願兩足尊說
是從何所来　以何因緣集　巨身大神通　智慧叵思議
其志念堅固　有大忍辱力　衆生所樂見　為從何所来
一一諸菩薩　所將諸眷屬　其數无有量　如恒河沙等
或有大菩薩　將六万恒沙　如是諸大衆　一心求佛道
是諸大師等　六万恒河沙　俱来供養佛　及護持是經
將五万恒沙　其數過於是　四万及三万　二万至一万
一千一百等　乃至一恒沙　半及三四分　億万分之一
千万那由他　万億諸弟子　乃至於半億　其數復過上
百万至一万　一千及一百　五十與一十　乃至三二一

BD02066號　妙法蓮華經（八卷本）卷五　（17–13）

[illegible]護持是經
將五万恒沙　其數過於是　四万及三万　二万至一万
一千一百等　乃至一恒沙　半及三四分　億万分之一
千万那由他　万億諸弟子　乃至於半億　其數復過上
百万至一万　一千及一百　五十與一十　乃至三二一
單己无眷屬　樂於獨處者　俱来至佛所　其數轉過上
如是諸大衆　若人行籌數　過於恒沙劫　猶不能盡知
是諸大威德　精進菩薩衆　誰為其說法　教化而成就
從誰初發心　稱揚何佛法　受持行誰經　脩習何佛道
如是諸菩薩　神通大智力　四方地震裂　皆從中踊出
世尊我昔来　未曾見是事　願說其所從　國土之名号
我常遊諸國　未曾見是衆　我於此衆中　乃不識一人
忽然從地出　願說其因緣　今此之大會　无量百千億
是諸菩薩等　皆欲知此事　是諸菩薩衆　本末之因緣
无量德世尊　唯願決衆疑
尒時釋迦牟尼佛分身諸佛從无量千万億他方國土来
者在於八方諸寶樹下師子座上結跏趺坐其佛侍者各
各見是菩薩大衆於三千大千世界四方從地踊出住於虛
空各白其佛言世尊此諸无量无邊阿僧祇菩薩大衆
從何所来尒時諸佛各告侍者諸善男子且待須臾有
菩薩摩訶名曰弥勒釋迦牟尼佛之所授記次後作佛
已問斯事佛今答之汝等自當因是得聞尒時釋迦牟尼
佛告弥勒菩薩善哉善哉阿逸多乃能問佛如是大事汝
等當共一心被精進鎧發堅固意如来今欲顯發宣示諸
佛智慧諸佛自在神通之力諸佛師子奮迅之力諸佛
威猛大勢之力尒時世尊欲重宣此義而說偈言
當精進一心　我欲說此事　勿得有疑悔　佛智叵思議　汝今出信力
[illegible]

BD02066號　妙法蓮華經（八卷本）卷五　（17–14）

佛告弥勒菩薩善哉善哉阿逸多乃能問佛如是大事汝
等當共一心被精進鎧發堅固意如来今欲顯發宣示諸
佛智慧諸佛自在神通之力諸佛師子奮迅之力諸佛
威猛大勢之力尒時世尊欲重宣此義而說偈言
當精進一心 我欲說此事 勿得有疑悔 佛智叵思議 汝今出信力
住於忍善中 昔所未聞法 今皆當得聞 我今安慰汝 勿得懷疑懼
佛无不實語 智慧不可量 所得第一法 甚深叵分別 如是今當說
汝等一心聽
尒時世尊說此偈已告弥勒菩薩我今於此大衆宣告汝
等阿逸多是諸大菩薩摩訶薩无量无數阿僧祇從地
踊出汝等昔所未見者我於是娑婆世界得阿耨多羅三
藐三菩提已教化示導是諸菩薩調伏其心令發道意
此諸菩薩皆於是娑婆世界之下此界虛空中住於諸經
典讀誦通利思惟分別正憶念阿逸多是諸善男子等不
樂在衆多有所說常樂靜處勤行精進未曾休息亦不
依止人天而住常樂深智无有鄣礙亦常樂於諸佛之法
一心精進求无上慧尒時世尊欲重宣此義而說偈言
阿逸汝當知 是諸大菩薩 從无數劫來 脩習佛智慧 悉是我所化
令發大道心 此等是我子 依止是世界 常行頭陀事 志樂於靜處
捨大衆憒鬧 不樂多所說 如是諸子等 學習我道法 晝夜常精進
為求佛道故 在娑婆世界 下方空中住 志念力堅固 常勤求智慧
說種種妙法 其心无所畏 我於伽耶城 菩提樹下坐 得成最正覺
轉无上法輪 尒乃教化之 令初發道心 今皆住不退 悉當得成佛
我今說實語 汝等一心信 我從久遠來 教化是等衆
尒時弥勒菩薩摩訶薩及无數諸菩薩等心生疑惑怪未曾
有而作是念云何世尊於少時間教化如是无量无邊阿僧祇
諸大菩薩令住阿耨多羅三藐三菩提即自佛言世尊如来

我今說實語 汝等一心信 我從久遠來 教化是等衆
尒時弥勒菩薩摩訶薩及无數諸菩薩等心生疑惑怪未曾
有而作是念云何世尊於少時間教化如是无量无邊阿僧祇
諸大菩薩令住阿耨多羅三藐三菩提即自佛言世尊如来
為太子時出於釋宮去伽耶城不遠坐於道場得成阿耨多羅
三藐三菩提從是已來始過四十餘年世尊云何於此少時
大作佛事以佛勢力以佛功德教化如是无量大菩薩衆
當成阿耨多羅三藐三菩提世尊此大菩薩衆假使有人於
千万億劫數不能盡不得其邊斯等久遠已來於无量无邊
諸佛所殖諸善根成就菩薩道常脩梵行世尊如此之事
世所難信譬如有人色美髮黑年二十五指百歲人言是我
子其百歲人亦指年少言是我父生育我等是事難信
佛亦如是得道已來其實未久而此大衆諸菩薩等已於
无量千万億劫為佛道故勤行精進善入出住无百千万
億三昧得大神通久脩梵行善能次第習諸善法巧於答
人中之寶一切世間甚為希有今日世尊方云得佛道時初令
發心教化示導令向阿耨多羅三藐三菩提世尊得佛未久
乃能作此大功德事我等雖復信佛隨宜所說佛所出言
未曾虛妄佛所知者皆悉通達然諸新發意菩薩於佛滅
後若聞是語或不信受而起破法罪業因緣唯然世尊願
為解說除我等疑及未來世諸善男子聞此事已亦不生
疑尒時弥勒菩薩欲重宣此義而說偈言
佛昔從釋種 出家近伽耶 坐於菩提樹 尒乃尚未久 此諸佛子等
其數不可量 久已行佛道 住於神通力 善學菩薩道 不染世間法
如蓮華在水 從地而踊出 皆起恭敬心 住於世尊前 是事難思議
云何而可信 佛得道甚近 所成就甚多 願為除衆疑 如實分別說
譬如少壯人 年始二十五 示人百歲子 髮白而面皺 是等我所生

佛昔從釋種　出家近伽耶　坐於菩提樹　尒乃尚未久　此諸佛子等
其數不可量　久已行佛道　住於神通力　善學菩薩道　不染世間法
如蓮華在水　從地而踊出　皆起恭敬心　住於世尊前　是事難思議
云何而可信　佛得道甚近　所成就甚多　願為除衆疑　如實分別說
譬如少壯人　年始二十五　示人百歲子　髮白而面皺　是等我所生
子亦說是父　父少而子老　舉世所不信　世尊亦如是　得道來甚近
是諸菩薩等　志固无怯弱　從无量劫來　而行菩薩道　巧於難問答
其心无所畏　忍辱心決定　端正有威德　十方佛所讚　善能分別說
不樂在人衆　常好在禪定　為求佛道故　於下空中住　我等從佛聞
於此事无疑　願佛為未來　演說令開解　若有於此經　生疑不信者
即當墮惡道　願今為解說　是无量菩薩　云何於少時　教化令發心
而住不退地

妙法蓮華經卷第五

BD02066號　妙法蓮華經（八卷本）卷五　（17–17）

譬如有人父母貧窮資財乏少然彼貧人或
詣王家或大臣舍見其倉庫種種珍財悉皆
盈滿生希有心難遭之想時彼貧人為欲求
財廣設方便策勤无怠所以者何為捨貧窮
受安樂故善男子彼諸衆生亦復如是若見
如來入於涅槃生難遭想乃至憂苦等想復
作是念於无量劫諸佛如來出現於世如烏
曇跋華時乃一現彼諸衆生發希有心起難
遭想若遇如來心生敬信聞說正法生實諦
想所有經典悉皆受持不生毀謗善男子
以是因緣彼佛世尊不久住世速入涅槃善男
子是諸如來以如是等善巧方便成就衆生
尒時四佛說是語已忽然不現
尒時妙幢菩薩摩訶薩與无量百千菩薩
及无量億那庾多百千衆生共往詣鷲峯
山中釋迦牟尼如來正遍知所頂禮佛足在一
面立時妙幢菩薩以如上事具白世尊時四
如來亦詣鷲峯至釋迦牟尼佛所各隨本
方就座而坐告侍者菩薩言善男子汝今可
詣釋迦牟尼佛所為我致問少病少惱起居
輕利安樂行不復作是言善哉善哉釋迦
牟尼如來今可演說金光明經甚深法要為

BD02067號　金光明最勝王經卷一　（6–1）

方就座而坐告侍者善言善男子汝今可
詣釋迦牟尼佛所爲我致問少病少惱起居
輕利安樂行不復作是言善哉釋迦
牟尼如來今可演說金光明經甚深法要爲
欲饒益一切衆生除去飢饉令得安樂我當隨
喜時彼侍者各詣釋迦牟尼佛所頂禮雙足却
住一面俱白佛言彼天人師致問无量少病
少惱起居輕利安樂行不復作是言善哉善
哉釋迦牟尼如來今可演說金光明經甚深
法要爲欲利益一切衆生除去飢饉令得安
樂尒時釋迦牟尼如來應正覺告彼侍
者諸菩薩言善哉善哉彼四如來乃能爲諸衆
生饒益安樂勸請於我宣揚正法尒時世尊而
說頌曰
我常在鷲山　宣說此經寶　成就衆生故　示現般涅槃
凡夫起邪見　不信我所說　爲成就彼故　示現般涅槃
時大會中有婆羅門姓憍陳如名曰法師授記
與无量百千婆羅門衆供養佛已聞世尊說
入般涅槃涕淚交流前禮佛足白言世　尊
若實如來於諸衆生有大慈悲憐愍利益令
得安樂猶如父母餘无等者能與世間作歸
依處如淨滿月以大智慧能爲照明如日初
出普觀衆生愛无偏黨如羅怙羅唯願世尊
施我一願尒時世尊默然而止佛威力故於此
衆中有利車毗童子名一切衆生喜見語婆
羅門憍陳如言大婆羅門汝今從佛欲乞何
願我能與汝婆羅門言童子我欲供養无上
世尊今從如來求請舍利如芥子許何以故我

BD02067號　金光明最勝王經卷一　（6–2）

施我一願尒時世尊默然而止佛威力故於此
衆中有利車毗童子名一切衆生喜見語婆
羅門憍陳如言大婆羅門汝今從佛欲乞何
願我能與汝婆羅門言童子我欲供養无上
世尊今從如來求請舍利如芥子許何以故我
曾聞說若善男子善女人得佛舍　利　如
芥子許恭敬供養是人當生三十三天而爲
帝釋是時童子語婆羅門曰若欲願生三十
三天受勝報者應當至心聽是金光明最勝王
經於諸經中最爲殊勝難解難入聲聞獨
覺所不能知此經能生无量无邊福德果報
乃至成辦无上菩提我今爲汝略說其事婆
羅門言善哉童子此金光明甚深最上難解
難入聲聞獨覺尚不能知何況我等邊鄙之
人智慧微淺而能解了是故我今求佛舍利
如芥子許持還本處置寶函中恭敬供養
命終之後得爲帝釋常受安樂云何汝今不能
爲我從明行足求斯一願作是語已尒時童
子即爲婆羅門而說頌曰
恒河駛流水　可生白蓮華　黃鳥作白形　黑烏變爲赤
假使贍部樹　可生多羅果　朅樹羅枝中　能出菴羅葉
斯等希有物　或容可轉變　世尊之舍利　畢竟不可得
假使用龜毛　織成上妙服　寒時可被着　方求佛舍利
假使蚊蚋足　可使成樓觀　堅固不搖動　方求佛舍利
假使水蛭虫　口中生白齒　長大利如鋒　方求佛舍利
假使持兔角　用成於梯蹬　可昇上天宮　方求佛舍利
鼠緣此梯上　除去阿蘇羅　能障空中月　方求佛舍利
若蠅飲酒醉　周行村邑中　廣造於舍宅　方求佛舍利
若使驢脣色　赤如頻婆果　善作於歌舞　方求佛舍利

BD02067號　金光明最勝王經卷一　（6–3）

假使龜毛[illegible]

假使水蛭虫　口中生白齒　長大利如鋒　方求佛舍利
假使持兔角　用成於梯蹬　可昇上天宮　方求佛舍利
鼠緣此梯上　除去阿蘇羅　能障空中月　方求佛舍利
若蠅飲酒醉　周行村邑中　廣造於舍宅　方求佛舍利
若使驢脣色　赤如頻婆果　善作於歌舞　方求佛舍利
烏与鵂鶹鳥　同共一處遊　彼此相順從　方求佛舍利
假使波羅葉　可成於傘蓋　能遮於大雨　方求佛舍利
假令大船舶　盛滿諸財寶　能令陸地行　方求佛舍利
假使鷦鷯鳥　以觜銜香山　隨處任遊行　方求佛舍利

尒時法師授記婆羅門聞此頌已亦以伽他

至盡未際无有窮盡是如来行四者佛无是念我今往彼城邑聚落王及大臣婆羅門剎帝利薜舍戍達羅等舍從其乞食然由往昔身語意行串習力故任運詣彼為利益事而行乞食是如来行五者如来之身无有飢渴亦无便利羸憊之相雖行乞食而无所食亦无分別然為任運利益有情是有食相是如来行六者佛无是念此諸衆生有上中下隨彼機性而為說法然佛世尊无有分別隨其器量善應機緣為彼說法是如来行七者佛无是念此類有情不恭敬我常於我所出呵罵言不能与彼共為言論彼類有情恭敬於我常於我所共相讚歎我當与彼共為言說然而如来起慈悲心平等无二是如来行八者諸佛如来无有愛憎憍慢貪惜及諸煩惱然而如来常樂寂靜讚歎少欲離諸諠閙是如来行九者如来无有一法不知不善通達於一切處鏡智現前无有分別然而如来見彼有情所作事業隨彼意轉方便誘引令得

BD02067 號　金光明最勝王經卷一　（6–4）

諸佛如来无有愛憎憍慢貪惜及諸煩惱然而如来常樂寂靜讚歎少欲離諸諠閙是如来行九者如来无有一法不知不善通達於一切處鏡智現前无有分別然而如来見彼有情所作事業隨彼意轉方便誘引令得出離是如来行十者如来若見一分有情得富盛時不生歡喜見其衰損不起憂慼然而如来見彼有情修習正行无礙大慈自然救攝若見有情修習邪行无礙大悲自然救攝是如来行善男子如是當知如来應正等覺說有如是无邊正行汝等當知是謂涅槃真實之相或時見有般涅槃者是權方便及留舍利令諸有情恭敬供養皆是如来慈善根力若供養者於未来世遠離八難逢事諸佛遇善知識不失善心福報无邊速當出離不為生死之所纏縛如是妙行汝等勤修勿為放逸

尒時妙幢菩薩聞佛親說不般涅槃及甚深行合掌恭敬白言我今始知如来大師不般涅槃及留舍利普益衆生身心踴悅歎未曾有說是如来壽量品時无量无數无邊衆生皆發无上等等阿耨多羅三藐三菩提心時四如来忽然不現妙幢菩薩礼佛足已從座而起還其本處

金光明最勝王經卷第一

溼入失　謦[illegible]　駛所吏　傅[illegible]　瘂[illegible]　[illegible]　馨[illegible]　鵂[illegible]
蕭[illegible]　鵂[illegible]　鷄[illegible]　[illegible]　[illegible]　[illegible]　荼宅加　蛭[illegible]

BD02067 號　金光明最勝王經卷一　（6–5）

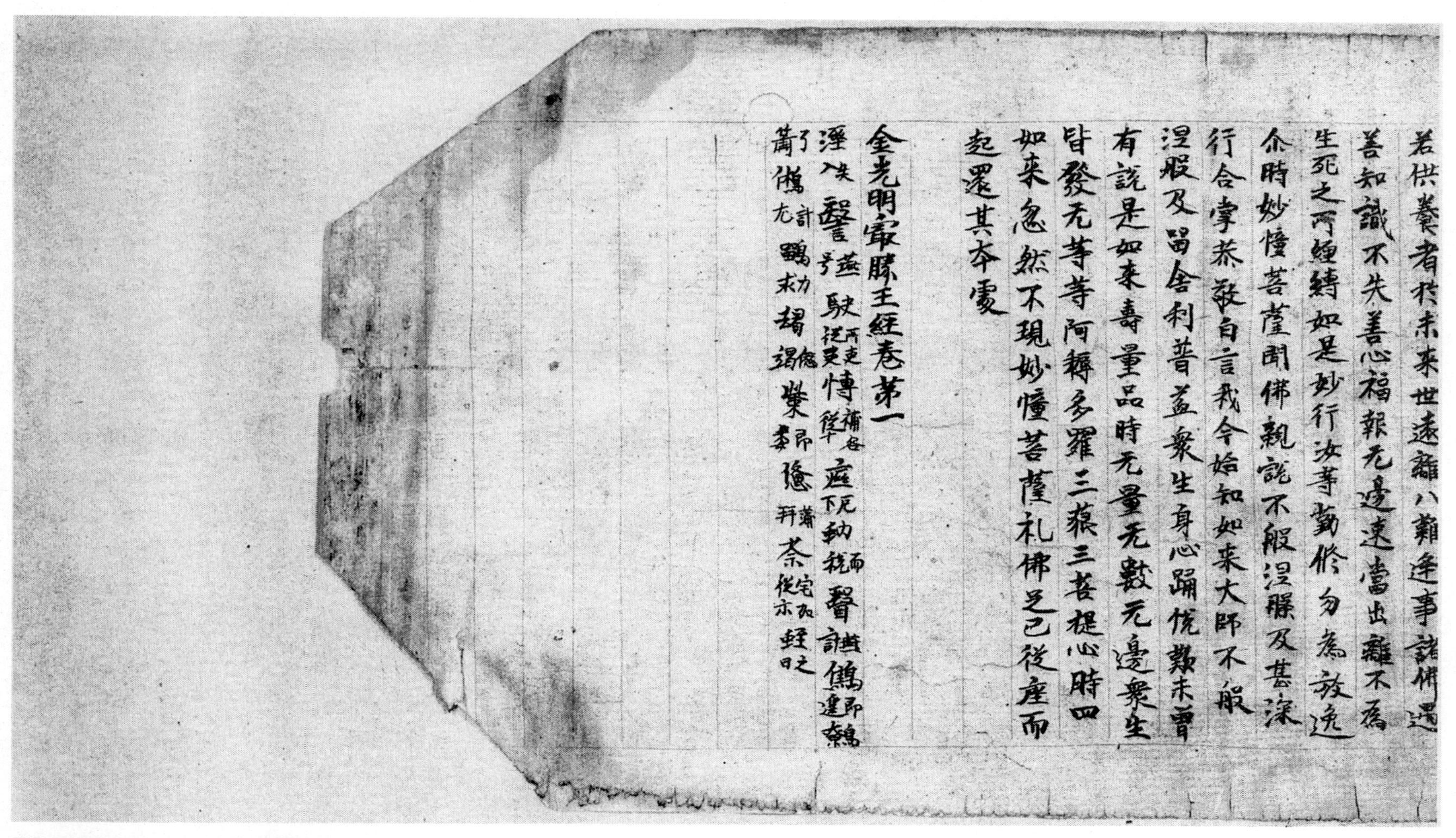
若供養者，於未來世遠離八難，逢事諸佛，遇
善知識，不失善心，福報无邊，速當出離，不爲
生死之所纏縛。如是妙行，汝等勤修，勿爲放逸。
尒時妙幢菩薩聞佛親說不般涅槃及甚深
行，合掌恭敬，白言：我今始知如來大師不般
涅槃及留舍利，普益衆生，身心踊悅，歎未曾
有。說是如來壽量品時，无量无數无邊衆生
皆發无等等阿耨多羅三藐三菩提心。時四
如來忽然不現，妙幢菩薩礼佛足已，從座而
起，還其本處。

金光明最勝王經卷第一

BD02067號　金光明最勝王經卷一　　（6–6）

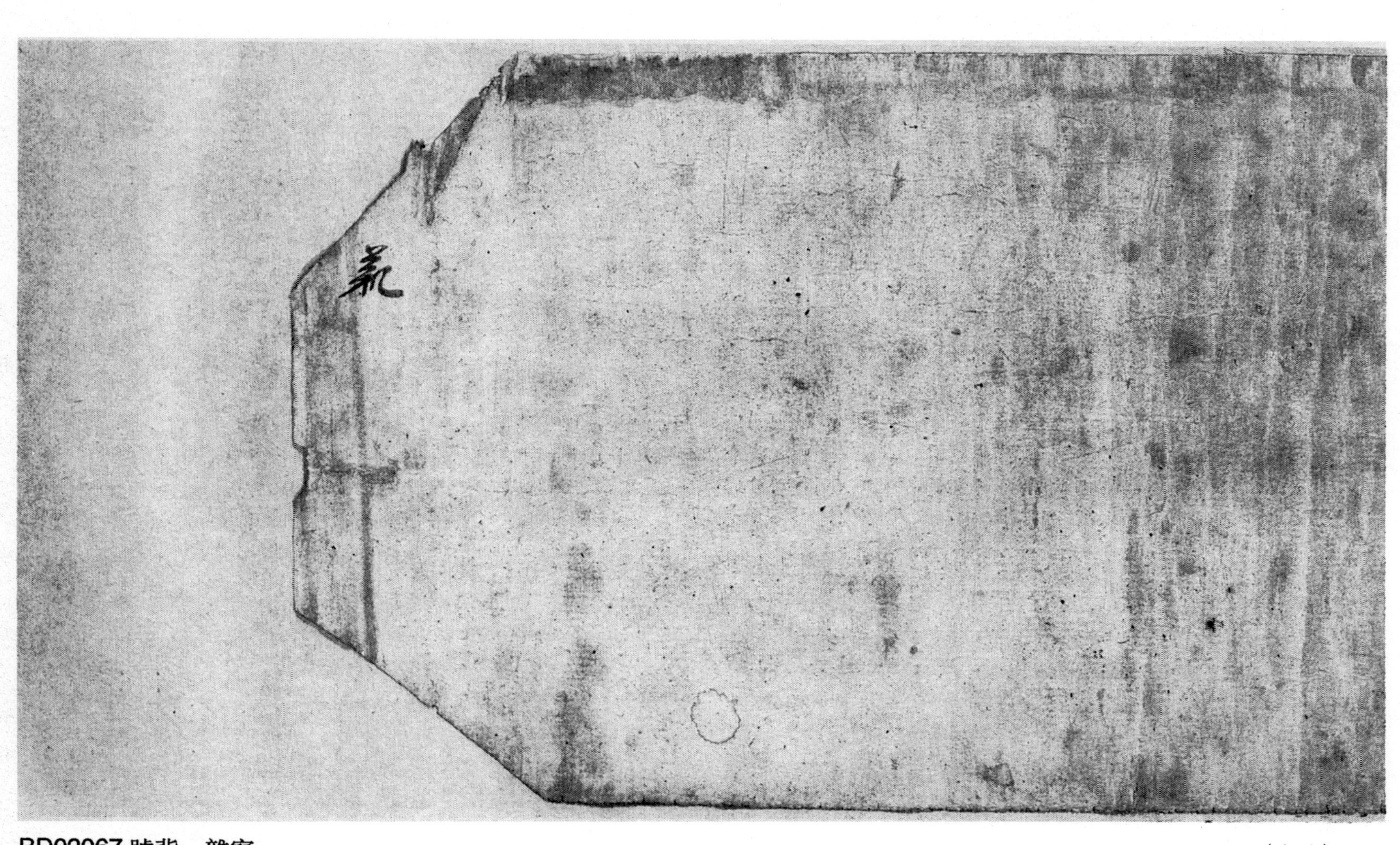

BD02067號背　雜寫　　（1–1）

著　録　凡　例

本目録採用條目式著録法。諸條目意義如下：

1.1　著録編號。用漢語拼音首字“BD”表示，意為“北京圖書館藏敦煌遺書”，簡稱“北敦號”。文獻寫在背面者，標註為“背”。一件遺書上抄有多個文獻者，用數字1、2、3等標示小號。一號中包括幾件遺書，且遺書形態各自獨立者，用字母A、B、C等區别。

1.2　著録分類號。本條記目録暫不分類，該項空缺。

1.3　著録文獻的名稱、卷本、卷次。

1.4　著録千字文編號。

1.5　著録縮微膠卷號。

2.1　著録遺書的總體數據。包括長度、寬度、紙數、正面抄寫總行數與每行字數、背面抄寫總行數與每行字數。如該遺書首尾有殘破，則對殘破部分單獨度量，用加號加在總長度上。凡屬這種情况，長度用括弧標註。

2.2　著録每紙數據。包括每紙長度及抄寫行數或界欄數。

2.3　著録遺書的外觀。包括：（1）裝幀形式。（2）首尾存况。（3）護首、軸、軸頭、天竿、縹帶，經名是書寫還是貼簽，有無經名號，扉頁、扉畫。（4）卷面殘破情况及其位置。（5）尾部情况。（6）有無附加物（蟲繭、油污、綫繩及其他）。（7）有無裱補及其年代。（8）界欄。（9）修整。（10）其他需要交待的問題。

2.4　著録一件遺書抄寫多個文獻的情况。

3.1　著録文獻首部文字與對照本核對的結果。

3.2　著録文獻尾部文字與對照本核對的結果。

3.3　著録録文。

3.4　著録對文獻的説明。

4.1　著録文獻首題。

4.2　著録文獻尾題。

5　著録本文獻與對照本的不同之處。

6.1　著録本遺書首部可與另一遺書綴接的編號。

6.2　著録本遺書尾部可與另一遺書綴接的編號。

7.1　著録題記、題名、勘記等。

7.2　著録印章。

7.3　著録雜寫。

7.4　著録護首及扉頁的内容。

8　著録年代。

9.1　著録字體。如有武周新字、合體字、避諱字等，予以説明。

9.2　著録卷面二次加工的情况。包括句讀、點標、科分、間隔號、行間加行、行間加字、硃筆、墨塗、倒乙、删除、兑廢等。

10　著録敦煌遺書發現後，近現代人所加内容，裝裱、題記、印章等。

11　備註。著録揭裱互見、圖版本出處及其他需要説明的問題。

上述諸條，有則著録，無則空缺。

為避文繁，上述著録中出現的各種參考、對照文獻，暫且不列版本説明。全目結束時，將統一編制本條記目録出現的各種參考書目。

本條記目録為農曆年份標註其公曆紀年時，未經行歲頭年末之换算，請讀者使用時注意自行换算。

條　記　目　錄

BD02001—BD02067

1.1　BD02001 號
1.3　妙法蓮華經卷五
1.4　冬 001
1.5　105:5486
2.1　(539.6+3)×25.5 厘米；12 紙；共 336 行，行 17 字。
2.2　01：45.0，28；　02：45.2，28；　03：45.2，28；
04：45.4，28；　05：45.3，28；　06：45.3，28；
07：45.3，28；　08：45.3，28；　09：45.4，28；
10：45.3，28；　11：45.3，28；　12：41.6+3，28。
2.3　卷軸裝。首脱尾殘。經黄紙。卷首有等距離殘洞及下部殘缺。有烏絲欄。
3.1　首殘→大正 262，9/37C13。
3.2　尾殘→9/42C1。
8　7～8 世紀。唐寫本。
9.1　楷書。
11　圖版：《敦煌寶藏》，92/491B～499B。

1.1　BD02002 號
1.3　大通方廣懺悔滅罪莊嚴成佛經卷上
1.4　冬 002
1.5　277:8220
2.1　307.5×25 厘米；7 紙；共 180 行，行 17 字。
2.2　01：48.0，28；　02：47.5，27；　03：47.5，28；
04：47.5，28；　05：47.5，28；　06：47.5，28；
07：22.0，13。
2.3　卷軸裝。首脱尾殘。經黄紙。有烏絲欄。
3.1　首殘→大正 2871，85/1339A22。
3.2　尾殘→85/1341B3。
6.1　首→BD02111 號。
8　7～8 世紀。唐寫本。
9.1　楷書。
11　圖版：《敦煌寶藏》，109/321A～325A。

1.1　BD02003 號
1.3　十一面神咒心經
1.4　冬 003
1.5　234:7375
2.1　(5.1+390.7)×27 厘米；11 紙；共 201 行，行 17 字。
2.2　01：5.1+11.4，09；　02：40.5，22；　03：40.9，21；
04：40.7，22；　05：40.8，21；　06：41.3，22；
07：41.2，21；　08：40.9，22；　09：40.9，22；
10：41.0，19；　11：11.1，拖尾。
2.3　卷軸裝。首殘尾全。卷面多黴斑，接縫處多有開裂。有烏絲欄。已修整。
3.1　首 3 行下殘→大正 1071，20/152B18～21。
3.2　尾全→20/154C28。
4.2　十一面神咒心經（尾）。
8　7～8 世紀。唐寫本。
9.1　楷書。
11　圖版：《敦煌寶藏》，105/627B～632B。

1.1　BD02004 號
1.3　大般若波羅蜜多經卷一七〇
1.4　冬 004
1.5　084:2429
2.1　79.5×25.3 厘米；2 紙；共 47 行，行 17 字。
2.2　01：47.8，28；　02：31.7，19。
2.3　卷軸裝。首脱尾斷。紙上邊有殘缺。背有古代裱補。有烏絲欄。
3.1　首殘→大正 220，5/914A19。
3.2　尾殘→5/914C8。
8　8～9 世紀。吐蕃統治時期寫本。
9.1　楷書。
11　圖版：《敦煌寶藏》，73/294B～295B。

1.1　BD02005 號

1.3 維摩詰所說經卷下
1.4 冬005
1.5 070:1283
2.1 273×26厘米；7紙；共148行，行17字。
2.2 01：48.5，28； 02：48.0，28； 03：48.0，28；
04：47.5，28； 05：47.5，28； 06：31.5，08；
07：02.0，拖尾。
2.3 卷軸裝。首脫尾全。卷面多黴斑，卷尾上下有蟲繭，接縫處上部有撕裂。拖尾繫有麻繩。有烏絲欄。
3.1 首殘→大正475，14/555C14。
3.2 尾全→14/557B26。
4.2 維摩詰經卷下（尾）。
8 8～9世紀。吐蕃統治時期寫本。
9.1 楷書。
11 圖版：《敦煌寶藏》，66/408A～411A。

1.1 BD02006號
1.3 藥師瑠璃光如來本願功德經
1.4 冬006
1.5 030:0264
2.1 （17.5+566.5）×26厘米；15紙；共292行，行17字。
2.2 01：13.0，06； 02：4.5+37.5，18； 03：42.0，18；
04：42.0，18； 05：42.2，18； 06：42.0，18；
07：42.0，18； 08：42.0，18； 09：42.0，18；
10：41.5，18； 11：38.8，25； 12：39.0，25；
13：39.0，26； 14：38.5，25； 15：38.0，23。
2.3 卷軸裝。首殘尾全。前3紙下部有等距殘缺，卷面上下邊有破損。後5紙字迹與前此各紙不同。有烏絲欄。已修整。
3.1 首8行上下殘→大正450，14/404C26～405A5。
3.2 尾全→14/408B25。
4.2 佛說藥師瑠璃光如來本願功德經（尾）。
8 7～8世紀。唐寫本。
9.1 楷書。
11 圖版：《敦煌寶藏》，57/506B～514B。

1.1 BD02007號
1.3 正法念處經（兑廢稿）卷一三
1.4 冬007
1.5 420:8584
2.1 47×27.6厘米；1紙；共28行，行17字。
2.3 卷軸裝。首尾均脫。上邊殘破。有烏絲欄。
3.1 首殘→大正721，17/72C4。
3.2 尾殘→17/73A4。
8 8世紀。唐寫本。
9.1 楷書。
9.2 有行間加行。上邊有一“兑”字。
11 圖版：《敦煌寶藏》，110/630B～631A。

1.1 BD02008號
1.3 金光明最勝王經卷七
1.4 冬008
1.5 083:1835
2.1 48.8×24.8厘米；2紙；共27行，行17字。
2.2 01：47.5，26； 02：01.3，01。
2.3 卷軸裝。首全尾斷。有護首，有芨芨草天竿。下部殘破嚴重。背有古代裱補，裱補紙上有字，文字粘向內，難以辨讀。有烏絲欄。
3.1 首全→大正665，16/432C13。
3.2 尾殘→16/433A15。
4.1 金光明最勝王經無染著陀羅尼品第十三，七，三藏法師義淨奉制譯（首）。
7.1 護首有勘記“七”。
7.3 卷背古代裱補紙上殘存文獻“□…□永受弟永德同□…□”，與另一字向內之裱補紙上的文字為同一文獻。
8 8～9世紀。吐蕃統治時期寫本。
9.1 楷書。
11 圖版：《敦煌寶藏》，70/277A。

1.1 BD02009號
1.3 四分律（兑廢稿）卷四四
1.4 冬009
1.5 155:6810
2.1 47.5×27厘米；1紙；共29行，行17字。
2.3 卷軸裝。首尾均脫。有烏絲欄。
3.1 首殘→大正1428，22/885C13。
3.2 尾殘→22/886A15。
8 7～8世紀。唐寫本。
9.1 楷書。
9.2 有行間加行。中部上方有“兑”、“脫此一行”等字。
11 圖版：《敦煌寶藏》，102/67B～68A。

1.1 BD02010號
1.3 佛名經（二十卷本）卷一八
1.4 冬010
1.5 062:0595
2.1 （5+961.3）×26.4厘米；22紙；正面共514行，行17字。背有白畫。
2.2 01：5+22，15； 02：46.0，25； 03：46.0，25；
04：46.0，25； 05：46.0，25； 06：46.2，25；
07：44.5，24； 08：45.8，25； 09：46.2，25；
10：46.0，25； 11：46.0，25； 12：46.2，25；
13：46.2，25； 14：46.2，25； 15：46.0，25；
16：46.0，25； 17：46.0，25； 18：46.0，25；
19：46.0，25； 20：46.0，25； 21：44.0，24；
22：22.0，01。

2.3　卷軸裝。首殘尾全。首紙中部横向撕裂，脱落1塊殘片，共7行文字，文可綴接；接縫處有開裂；尾紙上部有撕裂；卷面多油污，有等距離水漬。有燕尾。有烏絲欄。
2.4　本遺書包括2個文獻：（一）《佛名經卷一八》，514行，抄寫在正面，今編為BD02010號。（二）《白畫菩薩手臂》（擬），畫在背面，今編為BD02010號背。
3.4　説明：
本文獻首3行上下殘，尾全。為中國人編纂佛經，未為歷代大藏經所收。
4.2　佛名經卷第十八（尾）。
8　8世紀。吐蕃統治時期寫本。
9.1　楷書。
9.2　有硃筆校加字。
11　圖版：《敦煌寶藏》，60/211B～225A。

1.1　BD02010號背
1.3　白畫菩薩手臂（擬）
1.4　冬010
1.5　062:0595
2.4　本遺書由2個文獻組成，本號為第2個，畫在背面。餘參見BD02010號之第2項、第11項。
3.4　説明：
本文獻為白畫菩薩手臂。
8　9～10世紀。歸義軍時期寫本。

1.1　BD02011號
1.3　演道俗業經
1.4　冬011
1.5　461:8688
2.1　48.2×26.6厘米；1紙；共28行，行17字。
2.3　卷軸裝。首尾均脱。卷首有殘洞。有烏絲欄。
3.1　首殘→大正820，17/836C27。
3.2　尾殘→17/837A25。
8　8世紀。唐寫本。
9.1　楷書。有武周新字“圀”。
11　圖版：《敦煌寶藏》，111/186A～B。

1.1　BD02012號
1.3　不思議功德諸佛所護念經（兑廢稿）卷下
1.4　冬012
1.5　400:8535
2.1　47.5×27.2厘米；1紙；共25行，行17字。
2.3　卷軸裝。首尾均脱。尾有餘空。有烏絲欄。
3.1　首殘→大0445，14/361C18。
3.2　尾闕→14/0362A10。
8　7～8世紀。唐寫本。
9.1　楷書。
9.2　右上方有一“兑”字。
11　圖版：《敦煌寶藏》，110/542B～543A。

1.1　BD02013號
1.3　金剛般若波羅蜜經
1.4　冬013
1.5　094:4114
2.1　(145.5+1.5)×27.5厘米；3紙；共84行，行17字。
2.2　01：49.5，28；　02：49.5，28；　03：46.5+1.5，28。
2.3　卷軸裝。首脱尾殘。通卷破損嚴重。有烏絲欄。已修整。
3.1　首殘→大正235，8/750B23。
3.2　尾殘→8/751B23。
8　9～10世紀。歸義軍時期寫本。
9.1　楷書。
11　圖版：《敦煌寶藏》，82/157B～159A。

1.1　BD02014號
1.3　藥師瑠璃光如來本願功德經
1.4　冬014
1.5　030:0283
2.1　(3+412.5)×25.3，9紙；共239行，行17字。
2.2　01：3+24.5，16；　02：48.5，28；　03：48.5，28；
04：48.5，28；　05：48.5，28；　06：48.5，28；
07：48.5，28；　08：48.5，28；　09：48.5，27。
2.3　卷軸裝。首殘尾脱。經黄紙。第2紙下有撕裂。卷首背有古時裱補。有烏絲欄。已修整。
3.1　首2行上殘→大正450，14/405B25～26。
3.2　尾全→14/408B25。
4.2　藥師琉璃光佛本願功德經（尾）。
8　7～8世紀。唐寫本。
9.1　楷書。
11　圖版：《敦煌寶藏》，57/601A～606B。

1.1　BD02015號A
1.3　大般若波羅蜜多經卷二一九
1.4　冬015
1.5　084:2564
2.1　216×28.1厘米；5紙；共132行，行17字。
2.2　01：43.0，26；　02：42.8，26；　03：42.8，26；
04：42.7，26；　05：44.7，28。
2.3　卷軸裝。首尾均脱。卷首右上殘脱1塊，文可綴接。有烏絲欄。
3.1　首殘→大正220，6/100A13。
3.2　尾殘→6/101C1。
8　9～10世紀。吐蕃統治時期寫本。
9.1　楷書。
11　圖版：《敦煌寶藏》，74/82B～85A。

1.1 BD02015 號 B
1.3 大般若波羅蜜多經卷二三九
1.4 冬 015
1.5 084:2620
2.1 17.2×26.7 厘米；1 紙；共 6 行，行 17 字。
2.3 卷軸裝。首脱尾全。有烏絲欄。
3.1 首殘→大正 220，6/209B28。
3.2 尾全→6/209C4。
4.2 大般若波羅蜜多經卷第二百卌九（尾）。
8 8～9 世紀。吐蕃統治時期寫本。
9.1 楷書。
11 圖版：《敦煌寶藏》，74/257A。

1.1 BD02016 號
1.3 大佛頂如來密因修證了義諸菩薩萬行首楞嚴經卷五
1.4 冬 016
1.5 237:7409
2.1 （6.3＋358）×25 厘米；8 紙；共 202 行，行 17 字。
2.2 01：6.3＋14.4，11； 02：49.9，29； 03：49.7，29；
04：49.5，29； 05：48.6，28； 06：48.7，28；
07：48.7，28； 08：48.5，20。
2.3 卷軸裝。首殘尾全。首紙下有撕損。有烏絲欄。
3.1 首 3 行下殘→大正 945，19/126A8～10。
3.2 尾全→19/128B7。
4.2 大佛頂萬行首楞嚴經卷第五（尾）。
8 8 世紀。唐寫本。
9.1 楷書。
11 圖版：《敦煌寶藏》，106/115B～120A。

1.1 BD02017 號
1.3 瑜伽師地論卷二六
1.4 冬 017
1.5 201:7196
2.1 818.9×27.2 厘米；18 紙；共 495 行，行 17 字。
2.2 01：45.0，26； 02：45.4，28； 03：45.6，28；
04：45.6，28； 05：45.5，28； 06：45.5，28；
07：45.6，28； 08：45.5，28； 09：45.6，28；
10：45.5，28； 11：45.6，28； 12：45.7，28；
13：45.6，28； 14：45.6，28； 15：45.5，28；
16：45.4，28； 17：45.6，28； 18：45.1，21。
2.3 卷軸裝。首尾均全。首紙上下有撕裂、殘損，接縫處有開裂。有烏絲欄。
3.1 首全→大正 1579，30/424A2。
3.2 尾全→30/429C27。
4.1 瑜伽師地論第廿六，彌勒菩薩説，沙門玄奘奉詔譯，/本地分中聲聞地第十三第二瑜伽處之一/（首）。
4.2 瑜伽師地論卷第廿六（尾）。
7.3 卷尾端有題名“福愛”。
8 7～8 世紀。唐寫本。
9.1 楷書。
9.2 有硃筆點標、校改。
11 圖版：《敦煌寶藏》，104/457B～467B。

1.1 BD02018 號
1.3 金剛般若波羅蜜經
1.4 冬 018
1.5 094:3873
2.1 （11.5＋434.9）×27 厘米；11 紙；共 248 行，行 17 字。
2.2 01：11.5＋11.5，14； 02：42.0，25； 03：42.0，25；
04：42.0，25； 05：42.0，25； 06：42.0，25；
07：42.0，25； 08：42.0，25； 09：41.6，25；
10：41.8，25； 11：46.0，09。
2.3 卷軸裝。首殘尾全。卷首有横裂，卷上部油污。有燕尾。有烏絲欄。
3.1 首 7 行下殘→大正 235，8/749B24～C2。
3.2 尾全→8/752C3。
4.2 金剛般若波羅蜜經（尾）。
8 7～8 世紀。唐寫本。
9.1 楷書。
11 圖版：《敦煌寶藏》，81/18B～23B。

1.1 BD02019 號
1.3 大寶積經卷一〇五
1.4 冬 019
1.5 006:0097
2.1 31.8×25.5 厘米；1 紙；共 19 行，行 17 字。
2.3 卷軸裝。首脱尾斷。卷面有破裂及殘洞。有烏絲欄。
3.1 首殘→大正 310，11/587B16。
3.2 尾殘→11/587C7。
8 8～9 世紀。吐蕃統治時期寫本。
9.1 楷書。
11 圖版：《敦煌寶藏》，56/429A。

1.1 BD02020 號
1.3 妙法蓮華經卷二
1.4 冬 020
1.5 105:4755
2.1 （3.5＋835.4）×26.3 厘米；18 紙；共 461 行，行 17 字。
2.2 01：3.5＋43.6，29； 02：47.2，29； 03：47.2，26；
04：47.3，26； 05：47.3，26； 06：47.2，26；
07：47.1，26； 08：47.2，26； 09：47.3，26；
10：47.2，26； 11：47.2，26； 12：47.3，26；
13：47.2，26； 14：47.3，26； 15：47.2，26；
16：47.3，26； 17：47.2，26； 18：36.1，13。

2.3　卷軸裝。首殘尾全。卷尾有原軸，兩端塗黑漆。卷首有殘洞，卷中多黴爛殘洞。通卷上邊焦炙、殘損。有烏絲欄。
3.1　首2行上中殘→大正262，9/12C10～12。
3.2　尾全→9/19A12。
4.2　妙法蓮華經卷第二（尾）。
8　7～8世紀。唐寫本。
9.1　楷書。
11　圖版：《敦煌寶藏》，86/315B～327A。

1.1　BD02021號
1.3　妙法蓮華經卷五
1.4　冬021
1.5　105:5521
2.1　（4+321.6）×27厘米；7紙；共186行，行17字。
2.2　01：4+27.6，18；　02：48.2，28；　03：48.0，28；
04：49.4，28；　05：49.5，28；　06：49.7，28；
07：49.2，28。
2.3　卷軸裝。首殘尾脫。卷面多水漬，下邊殘缺，卷背粘有泥土。有烏絲欄。
3.1　首2行下殘→大正262，9/37A17～19。
3.2　尾殘→9/39C15。
8　9～10世紀。歸義軍時期寫本。
9.1　楷書。
11　圖版：《敦煌寶藏》，92/619B～623B。

1.1　BD02022號
1.3　大般涅槃經（北本）卷四〇
1.4　冬022
1.5　115:6531
2.1　（10+647.9）×26.5厘米；14紙；共398行，行17字。
2.2　01：10+26，22；　02：50.8，31；　03：51.0，31；
04：50.8，31；　05：50.7，31；　06：50.7，31；
07：51.0，31；　08：51.0，31；　09：51.0，31；
10：51.0，31；　11：51.0，31；　12：50.6，31；
13：50.8，31；　14：11.5，04。
2.3　卷軸裝。首殘尾全。尾有原軸，已脫落，兩端塗黑漆。首紙上方殘破，接縫處有開裂。背有古代裱補。卷面有劃界欄針孔，不在欄綫上。有烏絲欄。
3.1　首6行上下殘→大正374，12/599B2～7。
3.2　尾全→12/603C25。
4.2　大般涅槃經卷第卌（尾）。
7.1　尾題後有墨書“十七”，疑為紙數。
8　5～6世紀。南北朝寫本。
9.1　楷書。
9.2　有刮改。
11　圖版：《敦煌寶藏》，100/169A～177A。

1.1　BD02023號
1.3　妙法蓮華經卷五
1.4　冬023
1.5　105:5441
2.1　1093.1×27.4厘米；24紙；共624行，行17字。
2.2　01：46.0，26；　02：48.0，28；　03：48.8，28；
04：48.4，28；　05：26.2，15；　06：23.0，13；
07：48.5，28；　08：48.6，28；　09：48.5，28；
10：48.5，28；　11：48.5，28；　12：48.5，28；
13：48.5，28；　14：48.5，28；　15：49.1，28；
16：49.1，28；　17：49.1，28；　18：49.1，28；
19：49.1，28；　20：49.1，28；　21：49.4，28；
22：49.4，28；　23：49.2，28；　24：22.0，10。
2.3　卷軸裝。首尾均全。卷面有殘洞。第21紙後字跡不同。有烏絲欄。
3.1　首全→大正262，9/37A5。
3.2　尾全→9/46B14。
4.1　妙法蓮華經安樂行品第十四，五（首）
4.2　妙法蓮華經卷第五（尾）。
8　9～10世紀。歸義軍時期寫本。
9.1　楷書。
11　圖版：《敦煌寶藏》，91/511B～525A。

1.1　BD02024號1
1.3　七階佛名經
1.4　冬024
1.5　305:8308
2.1　（7.7+116）×15.3厘米；3紙；共79行，行11～12字。
2.2　01：7.7+34.5，26；　02：41.5，27；　03：40.0，26。
2.3　卷軸裝。首殘尾斷。紙幅較窄，似為便於攜帶而抄寫。
2.4　本遺書包括2個文獻：（一）《七階佛名經》，75行，今編為BD02024號1。（二）《社司轉帖》，4行，今編為BD02024號2。
3.4　說明：
本文獻首4行上中殘，尾缺。未為歷代大藏經所收。
7.1　尾有題記：“大宋乾德叁年歲/次丙寅十二月九日，米法達自誌。/”經查，乾德叁年歲次乙丑，而丙寅年為乾德四年。此處暫按照干支確定寫卷年代。
7.3　卷背有雜寫。
8　966年。歸義軍時期寫本。
9.1　楷書。
11　圖版：《敦煌寶藏》，109/603B～606A。

1.1　BD02024號2
1.3　社司轉帖
1.4　冬024
1.5　305:8308

2.4　本遺書由 2 個文獻組成，本號為第 2 個，4 行。餘參見 BD02024 號 1 之第 2 項、第 11 項。
3.3　錄文：
社司轉帖，右緣年支春坐（座）/
局席，次至孔實進家，人各/
麥一斗、粟二斗、面（麵）二斤、油半［升］，/
幸請諸公等/
（錄文完）
4.1　社司轉帖（首）。
8　10 世紀。歸義軍時期寫本。
9.1　楷書。

1.1　BD02025 號
1.3　大乘百法明門論開宗義記
1.4　冬 025
1.5　205:7230
2.1　191×31 厘米；5 紙；共 119 行，行 20 餘字。
2.2　01：45.0，28；　02：44.5，28；　03：44.5，28；
04：44.5，28；　05：12.5，07。
2.3　卷軸裝。首脫尾斷。首紙有撕裂，通卷有等距離殘洞。有烏絲欄。
3.1　首殘→大正 2810，85/1060B19；
3.2　尾殘→85/1062C6。
8　8～9 世紀。吐蕃統治時期寫本。
9.1　行楷。
9.2　有校改。有重文和刪除符號
11　圖版：《敦煌寶藏》，104/642A～644A。

1.1　BD02026 號
1.3　觀無量壽佛經
1.4　冬 026
1.5　016:0198
2.1　819.9×27.3 厘米；18 紙；共 423 行，行約 18 字。
2.2　01：12.0，護首；　02：49.4，25；　03：49.0，26；
04：49.5，26；　05：50.0，26；　06：49.5，26；
07：49.5，26；　08：48.0，26；　09：50.0，27；
10：50.0，27；　11：50.0，27；　12：50.0，27；
13：50.0，27；　14：50.0，27；　15：50.0，27；
16：50.0，27；　17：50.0，26；　18：13.0，拖尾。
2.3　卷軸裝。首尾均全。有護首。前 11 紙上邊有等距殘損，漸次變小；尾有蟲繭。有烏絲欄。已修整。
3.1　首全→大正 365，12/340C26。
3.2　尾全→12/346B21。
4.1　□□［佛說］無量壽觀經一卷（首）。
4.2　佛說無量壽觀經一卷（尾）。
8　7～8 世紀。唐寫本。
9.1　楷書。
11　圖版：《敦煌寶藏》，57/110A～121A。

1.1　BD02027 號
1.3　大般若波羅蜜多經卷三四七
1.4　冬 027
1.5　084:2941
2.1　47.9×26.9 厘米；1 紙；共 27 行，行 17 字。
2.3　卷軸裝。首尾均脫。卷面有殘洞，邊殘破。尾有餘空。有烏絲欄。
3.1　首殘→大正 220，6/784B11。
3.2　尾殘→6/784C9。
7.3　背面有雜寫“觸受”。
8　8～9 世紀。吐蕃統治時期寫本。
9.1　楷書。
11　圖版：《敦煌寶藏》，75/559B～560A。

1.1　BD02028 號
1.3　金剛般若波羅蜜經
1.4　冬 028
1.5　094:3743
2.1　（4.5+120.3）×25.7 厘米；3 紙；共 74 行，行 17 字。
2.2　01：4.5+25，18；　02：47.5，28；　03：47.8，28。
2.3　卷軸裝。首殘尾脫。經黄紙。卷首殘破嚴重，有殘片脫落，已綴接；尾有蟲繭。有烏絲欄。已修整。
3.1　首 3 行上下殘→大正 235，8/749A28～B2。
3.2　尾殘→8/750A19。
8　7～8 世紀。唐寫本。
9.1　楷書。
11　圖版：《敦煌寶藏》，80/130B～132A。

1.1　BD02029 號
1.3　佛名經（十六卷本）卷一四
1.4　冬 029
1.5　063:0796
2.1　（441.2+4.5）×26.5 厘米；9 紙；共 249 行，行 16 字。
2.2　01：51.0，28；　02：50.8，28；　03：50.8，28；
04：50.6，28；　05：50.7，28；　06：50.7，28；
07：50.7，28；　08：50.4，28；　09：35.5+4.5，25。
2.3　卷軸裝。首脫尾殘。經黄紙。接縫處有開裂，尾紙上下有撕裂，卷背有鳥糞。有烏絲欄。已修整。
3.1　首殘→《七寺古逸經典研究叢書》，3/第 725 頁第 509 行。
3.2　尾 3 行中下殘→《七寺古逸經典研究叢書》，3/第 743 頁第 747 行。
5　尾有“佛說罪業報應教化地獄經”5 行，七寺本無。
8　7～8 世紀。唐寫本。
9.1　楷書。
11　圖版：《敦煌寶藏》，62/337A～342B。

1.1　BD02030 號
1.3　佛名經（十六卷本）卷一四
1.4　冬 030
1.5　063:0783
2.1　（7.5+295.7）×26.5 厘米；6 紙；共 168 行，行 12 字。
2.2　01：7.5+43，28；　02：50.5，28；　03：50.5，28；
　　04：50.5，28；　05：50.6，28；　06：50.6，28。
2.3　卷軸裝。首殘尾脱。經黄紙。卷首下部殘缺，接縫處有開裂，卷首背有鳥糞。有烏絲欄。
3.1　首 4 行下殘→《七寺古逸經典研究叢書》，3/第 692 頁第 82 行～第 85 行。
3.2　尾殘→《七寺古逸經典研究叢書》，3/第 705 頁第 249 行。
8　7～8 世紀。唐寫本。
9.1　楷書。
11　圖版：《敦煌寶藏》，62/283A～287A。

1.1　BD02031 號
1.3　妙法蓮華經卷二
1.4　冬 031
1.5　105:4901
2.1　（8.3+263.3）×24.4 厘米；6 紙；共 168 行，行 17 字。
2.2　01：8.3+36.8，28；　02：45.3，28；　03：45.3，28；
　　04：45.2，28；　05：45.5，28；　06：45.2，28。
2.3　卷軸裝。首尾均殘。經黄紙。卷首殘破嚴重，卷面有撕裂殘損，紙張變色。有烏絲欄。
3.1　首 5 行下中殘→大正 262，9/13A11～16。
3.2　尾殘→9/15B15。
8　7～8 世紀。唐寫本。
9.1　楷書。
11　圖版：《敦煌寶藏》，87/190A～194A。

1.1　BD02032 號
1.3　賢愚經卷一
1.4　冬 032
1.5　422:8597
2.1　（3+55+5）×25.4 厘米；2 紙；共 35 行，行 17 字。
2.2　01：3+31，19；　02：24+5，16。
2.3　卷軸裝。首尾均殘。卷首中部有横向撕裂。背有古代裱補。有烏絲欄。
3.1　首 2 行上中殘→大正 202，4/349C18。
3.2　尾 3 行上下殘→4/350A25～27。
8　5～6 世紀。南北朝寫本。
9.1　隸書。
11　圖版：《敦煌寶藏》，110/657B～658A。

1.1　BD02033 號
1.3　維摩詰所說經卷下
1.4　冬 033
1.5　070:1217
2.1　828×28 厘米；17 紙；共 457 行，行 17 字。
2.2　01：50.0，27；　02：50.0，28；　03：50.0，28；
　　04：50.0，28；　05：50.0，28；　06：50.0，28；
　　07：50.0，28；　08：50.0，28；　09：50.0，28；
　　10：50.0，28；　11：50.0，28；　12：50.0，28；
　　13：50.0，28；　14：50.0，28；　15：50.0，28；
　　16：50.0，28；　17：28.0，10。
2.3　卷軸裝。首尾均全。厚紙。卷上部有等距離水漬，尾紙有殘洞。背有古代裱補。有烏絲欄。
3.1　首全→大正 475，14/552A5。
3.2　尾全→14/557B26。
4.1　香積佛品第十（首）
4.2　維摩詰經卷下（尾）。
7.1　卷首背有經名“維摩結經卷下”。
8　9～10 世紀。歸義軍時期寫本。
9.1　楷書。
9.2　有行間校加字。有刮改。
11　圖版：《敦煌寶藏》，66/46A～56B。

1.1　BD02034 號
1.3　妙法蓮華經卷二
1.4　冬 034
1.5　105:4738
2.1　（8.8+909）×25.1 厘米；21 紙；共 541 行，行 17 字。
2.2　01：01.6，01；　02：7.2+39.5，28；　03：46.4，28；
　　04：46.4，28；　05：46.6，28；　06：46.5，28；
　　07：46.7，28；　08：46.7，28；　09：46.6，28；
　　10：46.8，28；　11：46.7，28；　12：46.7，28；
　　13：46.6，28；　14：46.7，28；　15：46.6，28；
　　16：46.8，28；　17：46.8，28；　18：46.7，28；
　　19：46.7，28；　20：46.6，28；　21：29.9，08。
2.3　卷軸裝。首殘尾全。尾有原軸，鑲棕色蓮蓬形軸頭。卷前部多有殘損及等距殘洞，上部有等距離水漬並染紅，後半卷上部多黴爛。有烏絲欄。
3.1　首 5 行上下殘→大正 262，9/11B21～25。
3.2　尾全→9/19A12。
4.2　妙法蓮華經卷第二（尾）。
8　7～8 世紀。唐寫本。
9.1　楷書。
11　圖版：《敦煌寶藏》，86/116B～128B。

1.1　BD02035 號
1.3　合部金光明經卷四
1.4　冬 035
1.5　082:1430

2.1 (12.5+464.7)×26.5 厘米；12 紙；共 270 行，行 17 字。
2.2 01：12.5+25，22； 02：42.8，25； 03：43.0，25；
04：42.8，25； 05：43.0，25； 06：43.0，25；
07：43.0，25； 08：42.8，25； 09：42.7，25；
10：42.8，25； 11：40.5，23； 12：13.3，拖尾。
2.3 卷軸裝。首殘尾全。有燕尾。有烏絲欄。
3.1 首 7 行上下殘→大正 664，16/378B7～15。
3.2 尾全→16/381C29。
8 7～8 世紀。唐寫本。
9.1 楷書。
11 圖版：《敦煌寶藏》，67/495B～501B。

1.1 BD02036 號
1.3 金剛般若波羅蜜經
1.4 冬 036
1.5 094：4126
2.1 (12+312)×26.3 厘米；7 紙；共 170 行，行 17 字。
2.2 01：12+38，29； 02：50.0，29； 03：50.0，28；
04：50.0，28； 05：50.0，28； 06：50.0，27；
07：24.0，01。
2.3 卷軸裝。首殘尾全。卷面多水漬、黴斑。有烏絲欄。
3.1 首 7 行上殘→大正 235，8/750B20～26。
3.2 尾全→8/752C3。
4.2 金剛般若波羅蜜經（尾）。
8 9～10 世紀。歸義軍時期寫本。
9.1 楷書。
11 圖版：《敦煌寶藏》，82/173B～177B。

1.1 BD02037 號
1.3 未曾有因緣經卷上
1.4 冬 037
1.5 421：8596
2.1 (9.5+828+2)×25 厘米；19 紙；共 500 行，行 17 字。
2.2 01：09.5，06； 02：47.0，28； 03：47.5，28；
04：47.5，28； 05：47.0，28； 06：47.0，28；
07：47.0，28； 08：47.5，28； 09：47.5，28；
10：47.5，28； 11：48.0，28； 12：48.0，28；
13：48.0，28； 14：48.0，28； 15：48.0，28；
16：48.0，28； 17：48.0，28； 18：48.0，28；
19：18.5+2，18。
2.3 卷軸裝。首尾均殘。經黄打紙。首紙殘缺，第 2、3 紙中部有等距離殘洞，第 6 紙中下部有殘裂。有烏絲欄。
3.1 首 6 行上中殘→大正 754，17/575C12～17。
3.2 尾 1 行中下殘→17/581C15。
5 與《大正藏》本相比，分卷不同。本號結尾相當於卷下首部。另外，由於本號首尾均殘，故需考慮本號有上下兩卷合抄本的可能。在此暫按卷上著錄。
8 7～8 世紀。唐寫本。
9.1 楷書。
9.2 有硃筆行間加行，文字延至下邊橫寫。有硃筆校加字。有刮改。
11 圖版：《敦煌寶藏》，110/645A～657A。

1.1 BD02038 號
1.3 金剛般若波羅蜜經
1.4 冬 038
1.5 094：4096
2.1 314.3×24.5 厘米；7 紙；共 174 行，行 17 字。
2.2 01：48.5，28； 02：48.5，28； 03：48.5，28；
04：48.5，28； 05：48.3，28； 06：48.5，28；
07：23.5，06。
2.3 卷軸裝。首脱尾全。經黄紙。首紙下部有橫裂。有燕尾。有烏絲欄。已修整。
3.1 首殘→大正 235，8/750B19。
3.2 尾全→8/752C3。
4.2 金剛般若波羅蜜經（尾）。
8 7～8 世紀。唐寫本。
9.1 楷書。
9.2 有刮改。
11 圖版：《敦煌寶藏》，82/111A～115A。

1.1 BD02039 號
1.3 妙法蓮華經（八卷本）卷七
1.4 冬 039
1.5 105：5843
2.1 454×26 厘米；9 紙；共 235 行，行 17 字。
2.2 01：50.5，27； 02：50.5，27； 03：50.5，27；
04：50.5，27； 05：50.5，27； 06：50.5，27；
07：50.5，27； 08：50.5，27； 09：50.0，19。
2.3 卷軸裝。首脱尾全。經黄紙。接縫處有開裂，第 3、4 紙接縫處斷爲兩截。有燕尾。有烏絲欄。
3.1 首殘→大正 262，9/53C7。
3.2 尾全→9/56C1。
4.2 妙法蓮華經卷第七（尾）。
5 與《大正藏》本對照，分卷不同，相當於《大正藏》卷六藥王菩薩本事品第二十三起至卷七妙音菩薩品第二十四。為八卷本。
8 7～8 世紀。唐寫本。
9.1 楷書。
11 圖版：《敦煌寶藏》，95/344B～350B。

1.1 BD02040 號
1.3 維摩詰所說經卷上
1.4 冬 040

1.5　070:0983
2.1　397.5×26 厘米；9 紙；共 220 行，行 17 字。
2.2　01：50.0，28；　02：50.0，28；　03：50.0，28；
04：50.0，28；　05：48.0，28；　06：48.5，28；
07：48.0，28；　08：42.0，24；　09：11.0，拖尾。
2.3　卷轴装。首脱尾全。經黄打紙。卷面有火灼殘洞。背有古代裱補。有燕尾。有烏絲欄。
3.1　首殘→大正 475，14/541B16。
3.2　尾全→14/544A19。
4.2　維摩詰經卷上（尾）。
6.1　首→BD02139 號。
8　7~8 世紀。唐寫本。
9.1　楷書。
11　圖版：《敦煌寶藏》，64/255B~260B。

1.1　BD02041 號
1.3　妙法蓮華經卷三
1.4　冬 041
1.5　105:5106
2.1　(14+599.3)×28.1 厘米；15 紙；共 347 行，行 19 字。
2.2　01：14+12.7，15；　02：41.8，24；　03：42.1，24；
04：42.0，24；　05：41.8，24；　06：42.0，24；
07：42.1，24；　08：42.0，24；　09：42.0，24；
10：42.0，24；　11：41.9，24；　12：41.9，24；
13：41.7，24；　14：41.7，24；　15：41.6，20。
2.3　卷轴装。首殘尾全。卷首上下殘損嚴重。背有古代裱補。有烏絲欄。
3.1　首 8 行上下殘→大正 262，9/21C5~15。
3.2　尾全→9/27B9。
4.2　妙法蓮華經卷第三（尾）。
8　9~10 世紀。歸義軍時期寫本。
9.1　楷書。
9.2　有行間校加字。
11　圖版：《敦煌寶藏》，89/19B~27A。

1.1　BD02042 號
1.3　妙法蓮華經卷五
1.4　冬 042
1.5　105:5543
2.1　(36.5+86)×26 厘米；3 紙；共 70 行，行 17 字。
2.2　01：36.5+6.5，25；　02：49.0，28；　03：30.5，17。
2.3　卷轴装。首尾均殘。經黄紙。首紙下部殘缺一大塊。有古代裱補。有烏絲欄。
3.1　首 21 行下殘→大正 262，9/37B12~C9。
3.2　尾殘→9/38B12。
8　7~8 世紀。唐寫本。
9.1　楷書。
11　圖版：《敦煌寶藏》，92/658B~660A。

1.1　BD02043 號
1.3　維摩詰所說經卷下
1.4　冬 043
1.5　070:1284
2.1　253×26 厘米；6 紙；共 141 行，行 17 字。
2.2　01：48.5，28；　02：48.5，28；　03：48.5，28；
04：48.5，28；　05：48.5，28；　06：10.5，01。
2.3　卷轴装。首脱尾全。第 3 紙上邊有撕裂，第 5 紙中間有殘洞，卷尾有蟲繭。有烏絲欄。
3.1　首殘→大正 475，14/555C23。
3.2　尾全→14/557B26。
4.2　維摩詰經卷下（尾）。
6.1　首→BD01951 號。
8　9~10 世紀。吐蕃統治時期寫本。
9.1　楷書。
11　圖版：《敦煌寶藏》，66/411B~414B。

1.1　BD02044 號
1.3　無量壽宗要經
1.4　冬 044
1.5　275:7737
2.1　182×31 厘米；4 紙；共 128 行，行 30 餘字。
2.2　01：45.0，31；　02：46.0，34；　03：46.5，34；
04：44.5，29。
2.3　卷轴装。首尾均全。首紙上下邊殘缺，卷面有殘裂，接縫處有開裂。有烏絲欄。
3.1　首全→大正 936，19/82A3。
3.2　尾全→19/84C29。
4.1　大乘無量壽經（首）。
4.2　佛說無量壽宗要經（尾）。
7.1　卷首背下部有寺院題名“金”字，爲敦煌金光明寺簡稱。卷尾有題記“張略沒藏寫”。
8　8~9 世紀。吐蕃統治時期寫本。
9.1　楷書。
11　圖版：《敦煌寶藏》，107/466A~468A。

1.1　BD02045 號
1.3　賢護菩薩所問經卷三
1.4　冬 045
1.5　023:0234
2.1　(18+682.5)×25.5 厘米；16 紙；共 404 行，行 17 字。
2.2　01：04.0，護首；　02：14+30，26；　03：47.0，28；
04：47.0，28；　05：47.0，28；　06：47.0，28；
07：47.0，28；　08：47.0，28；　09：47.0，28；

10：47.0，28；　11：47.0，28；　12：47.0，28；
13：47.0，28；　14：46.5，28；　15：47.0，28；
16：42.0，14。
2.3　卷軸裝。首殘尾全。尾有原軸，兩端塗棕色漆。卷首殘缺破爛，接縫處有開裂，通卷有水漬，紙變色。背有古代裱補。有烏絲欄。已修整。
3.1　首8行下殘→大正416，13/881B15～25。
3.2　尾全→13/886A13。
4.1　大方等大集經賢護分觀察品□…□（首）
4.2　堅（賢）護菩薩所問經卷第三（尾）。
5　與《大正藏》本對照，尾多音義2行。
7.3　第2紙背裱補紙上寫"□…□經一部"。
8　8～9世紀。吐蕃統治時期寫本。
9.1　楷書。
11　圖版：《敦煌寶藏》，57/344A～353B。

1.1　BD02046號
1.3　佛名經（十六卷本）卷二
1.4　冬046
1.5　063:0604
2.1　769.5×31.3厘米；16紙；共367行，行21字。
2.2　01：47.0，22；　02：48.0，23；　03：48.0，23；
04：48.0，23；　05：48.0，23；　06：48.2，23；
07：48.2，23；　08：48.0，23；　09：48.2，23；
10：48.2，23；　11：48.2，23；　12：48.3，23；
13：48.3，23；　14：48.3，23；　15：48.3，23；
16：48.3，23。
2.3　卷軸裝。首全尾脫。卷首上部撕裂，下部殘缺破損。背有多處古代裱補，裱補紙背有字。有烏絲欄。已修整。
3.1　首全→《七寺古逸經典研究叢書》，3/第64頁第1行。
3.2　尾殘→《七寺古逸經典研究叢書》，3/第93頁第380行。
4.1　佛説佛名經卷第二（首）。
8　9～10世紀。歸義軍時期寫本。
9.1　楷書。
11　從該號上揭下古代裱補紙17塊，今編爲BD16021號、BD16022號、BD16023號、BD16024號、BD16025號、BD16026號、BD16027號。
圖版：《敦煌寶藏》，60/288A～297A。

1.1　BD02047號
1.3　金光明最勝王經卷一
1.4　冬047
1.5　083:1486
2.1　（152.7+1）×25.5厘米；4紙；共93行，行17字。
2.2　01：46.7，28；　02：46.5，28；　03：46.5，28；
04：13+1，09。
2.3　卷軸裝。首脫尾殘。後2紙破碎嚴重。背有古代裱補。有烏絲欄。已修整。
3.1　首脫→大正665，16/406B22。
3.2　尾行下殘→16/407C15。
8　8～9世紀。吐蕃統治時期寫本。
9.1　楷書。
11　圖版：《敦煌寶藏》，68/86A～88A。

1.1　BD02048號
1.3　大乘入楞伽經卷二
1.4　冬048
1.5　038:0345
2.1　（8.5+731.4）×25厘米；16紙；共424行，行17字。
2.2　01：8.5+10.5，10；　02：47.7，28；　03：48.0，28；
04：48.2，28；　05：48.3，28；　06：48.3，28；
07：48.2，28；　08：48.6，28；　09：48.0，28；
10：48.3，28；　11：48.5，28；　12：48.3，28；
13：48.5，28；　14：48.0，28；　15：48.0，28；
16：46.0，22。
2.3　卷軸裝。首殘尾全。卷面有黴斑，通卷殘碎嚴重。有烏絲欄。已修整。
3.1　首4行殘→大正672，16/595A3～10。
3.2　尾全→16/600B14。
4.2　大乘入楞伽經卷第二（尾）。
8　8世紀。唐寫本。
9.1　楷書。
11　從該號上揭下古代裱補紙1塊，今編爲BD16014號。
圖版：《敦煌寶藏》，58/214B～225A。
從本卷斷下2小殘片，修整時粘於卷首。

1.1　BD02049號
1.3　維摩詰所説經卷中
1.4　冬049
1.5　070:1139
2.1　657.5×25厘米；16紙；共412行，行17字。
2.2　01：33.5，21；　02：45.0，28；　03：43.5，28；
04：44.0，28；　05：44.0，28；　06：44.0，28；
07：44.0，28；　08：44.0，28；　09：44.0，28；
10：44.0，28；　11：44.0，28；　12：45.0，28；
13：44.0，28；　14：44.0，28；　15：44.0，27；
16：06.5，拖尾。
2.3　卷軸裝。首殘尾全。卷面油污，紙張變硬，卷中多處破裂，接縫處有開裂。有烏絲欄。
3.1　首殘→大正475，14/546B8。
3.2　尾全→14/551C27。
4.2　維摩詰經卷中（尾）。
8　8～9世紀。吐蕃統治時期寫本。
9.1　楷書。

11　圖版：《敦煌寶藏》，65/430B～439B。

1.1　BD02050 號
1.3　妙法蓮華經卷六
1.4　冬 050
1.5　105:5739
2.1　955.5×25.5 厘米；19 紙；共 519 行，行 17 字。
2.2　01：50.7，28；　02：50.6，28；　03：50.6，28；
04：50.8，28；　05：50.7，28；　06：50.7，28；
07：50.8，28；　08：50.7，28；　09：50.8，28；
10：50.8，28；　11：50.9，28；　12：50.7，28；
13：50.8，28；　14：50.7，28；　15：50.8，28；
16：51.0，28；　17：51.0，28；　18：50.7，28；
19：41.7，15。
2.3　卷軸裝。首脱尾全。經黄紙。接縫處有開裂，尾紙後部上下邊有撕裂。有烏絲欄。
3.1　首殘→大正 262，9/47C9。
3.2　尾全→9/55A9。
4.2　妙法蓮華經卷第六（尾）。
8　7～8 世紀。唐寫本。
9.1　隸楷。
11　圖版：《敦煌寶藏》，94/544B～557B。

1.1　BD02051 號
1.3　佛名經（十六卷本）卷四
1.4　冬 051
1.5　063:0631
2.1　1080.2×25.3 厘米；22 紙；共 613 行，行 17 字。
2.2　01：50.5，29；　02：47.0，27；　03：49.0，28；
04：49.0，28；　05：49.0，28；　06：49.2，29；
07：49.0，28；　08：49.0，28；　09：49.2，27；
10：49.2，27；　11：49.2，28；　12：49.2，28；
13：49.4，28；　14：49.4，28；　15：49.4，28；
16：47.5，27；　17：49.4，28；　18：49.4，28；
19：49.4，28；　20：49.4，28；　21：49.4，28；
22：49.0，27。
2.3　卷軸裝。首脱尾全。經黄打紙。首紙與後邊紙質、字迹不同，係歸義軍時期後補。背有古代裱補。有烏絲欄。
3.1　首殘→《七寺古逸經典研究叢書》，3/第 168 頁第 28 行。
3.2　尾全→《七寺古逸經典研究叢書》，3/第 215 頁第 641 行。
4.2　佛名經卷第四（尾）。
5　與七寺本對照，文字略有不同。
8　7～8 世紀。唐寫本。
9.1　楷書。
9.2　有硃筆校改字。
11　圖版：《敦煌寶藏》，60/512A～526B。

1.1　BD02052 號
1.3　大般若波羅蜜多經卷一九九
1.4　冬 052
1.5　084:2500
2.1　569.9×26 厘米；12 紙；共 330 行，行 17 字。
2.2　01：47.8，28；　02：47.4，28；　03：47.4，28；
04：47.6，28；　05：47.4，28；　06：47.4，28；
07：47.5，28；　08：47.4，28；　09：47.5，28；
10：47.7，28；　11：47.5，28；　12：47.3，22。
2.3　卷軸裝。首脱尾全。前 4 紙下邊殘缺。有烏絲欄。
3.1　首殘→大正 220，5/1066B2。
3.2　尾全→5/1070A10。
4.2　大般若波羅蜜多經卷第一百九十九（尾）。
7.3　卷尾背端有“壹闡”二字。
8　8～9 世紀。吐蕃統治時期寫本。
9.1　楷書。
9.2　有刮改。
11　圖版：《敦煌寶藏》，73/508A～515B。

1.1　BD02053 號
1.3　金剛般若波羅蜜經
1.4　冬 053
1.5　094:3504
2.1　（3.7+532.4）×25 厘米；12 紙；共 307 行，行 17 字。
2.2　01：3.7+43.8，28；　02：44.0，28；　03：44.0，28；
04：49.8，28；　05：50.2，28；　06：50.3，28；
07：50.0，28；　08：49.8，28；　09：50.2，28；
10：44.0，28；　11：44.0，27；　12：12.3，拖尾。
2.3　卷軸裝。首殘尾全。前半卷為經黄紙。有護首，下殘。卷面多水漬，變色。第 4、5 紙有破洞，接縫處有開裂，第 6、7 紙相接處斷爲兩截。背有古代裱補。有烏絲欄。已修整。
3.1　首全→大正 235，8/748C17。
3.2　尾全→8/752C3。
4.1　金剛般若波羅蜜經（首）
4.2　金剛般若波羅蜜經（尾）。
8　8～9 世紀。吐蕃統治時期寫本。
9.1　楷書。
11　圖版：《敦煌寶藏》，78/336B～343B。

1.1　BD02054 號
1.3　妙法蓮華經卷七
1.4　冬 054
1.5　105:5892
2.1　（213+22.5）×25 厘米；5 紙；共 129 行，行 17 字。
2.2　01：40.0，22；　02：50.5，28；　03：51.0，28；
04：51.0，28；　05：20.5+22.5，23。
2.3　卷軸裝。首尾均殘。首紙下邊有撕裂，卷面有等距殘洞，

卷尾上部殘破嚴重，接縫處有開裂。背有古代裱補。有烏絲欄。
3.1　首斷→大正262，9/56B24。
3.2　尾12行上殘→9/58A28～B13。
8　7～8世紀。唐寫本。
9.1　楷書。
11　圖版：《敦煌寶藏》，95/645B～648B。

1.1　BD02055號
1.3　佛名經（十六卷本）卷二
1.4　冬055
1.5　063:0610
2.1　（690.7+1.5）×25.4厘米；14紙；共392行，行17字。
2.2　01：48.5，28；　02：49.5，28；　03：49.5，28；
04：49.5，28；　05：49.5，28；　06：49.5，28；
07：49.5，28；　08：49.5，28；　09：49.5，28；
10：49.5，28；　11：49.5，28；　12：49.6，28；
13：49.6，28；　14：48+1.5，28。
2.3　卷軸裝。首脱尾殘。經黄紙。第1至3紙中下部等距離撕裂殘損，第4至8紙下部等距離殘裂。有烏絲欄。已修整。
3.1　首殘→《七寺古逸經典研究叢書》，3/第66頁第26行。
3.2　尾1行上殘→《七寺古逸經典研究叢書》，3/第96頁第426行。
5　與七寺本相比，“次禮十二部尊經大藏法輪”一段前，佛名差錯較多。佛名計數的位置也不同。
8　7～8世紀。唐寫本。
9.1　楷書。
9.2　有硃筆校改。
11　圖版：《敦煌寶藏》，60/330B～340A。

1.1　BD02056號
1.3　佛名經（二十卷本）卷二
1.4　冬056
1.5　062:0552
2.1　873.5×26.1厘米；19紙；共482行，行17字。
2.2　01：47.5，26；　02：47.5，27；　03：47.5，27；
04：47.5，27；　05：48.0，27；　06：48.0，27；
07：48.0，27；　08：47.5，27；　09：48.0，27；
10：47.5，27；　11：47.5，27；　12：48.0，27；
13：48.0，27；　14：47.5，27；　15：47.5，27；
16：44.5，25；　17：48.0，27；　18：48.0，26；
19：17.5，拖尾。
2.3　卷軸裝。首尾均全。首紙上下有撕裂，卷面污穢、有水漬。背有古代裱補。有烏絲欄。
3.4　説明：
本文獻首尾均全。未為歷代大藏經所收。
4.1　佛説佛名經卷第二（首）
4.2　佛名經卷第二（尾）。
8　9～10世紀。歸義軍時期寫本。
9.1　楷書。
11　圖版：《敦煌寶藏》，60/18A～30A。

1.1　BD02057號
1.3　妙法蓮華經卷一
1.4　冬057
1.5　105:4596
2.1　（17.3+311.3）×25.8厘米；7紙；共176行，行17字。
2.2　01：17.3+13.4，16；　02：46.5，25；　03：50.3，27；
04：50.3，27；　05：50.3，27；　06：50.4，27；
07：50.1，27。
2.3　卷軸裝。首殘尾脱。接縫處多有開裂，第1、2紙接縫處碎斷爲2截。卷面油污變色，第3紙上下有破裂，尾紙有2處殘洞。有烏絲欄。已修整。
3.1　首9行下殘→大正262，9/5A16～B3。
3.2　尾殘→9/8A9。
8　8世紀。唐寫本。
9.1　楷書。
11　圖版：《敦煌寶藏》，85/35B～39B。

1.1　BD02058號
1.3　無量壽宗要經
1.4　冬058
1.5　275:7986
2.1　（6.5+146）×31厘米；4紙；共108行，行30餘字。
2.2　01：6.5+30，26；　02：46.0，34；　03：46.0，34；
04：24.0，14。
2.3　卷軸裝。首殘尾全。卷首殘破嚴重，尾紙下邊撕裂。有烏絲欄。
3.1　首5行上下殘→大正936，19/82A13～21。
3.2　尾全→19/84C29。
4.2　佛説無量壽經（尾）。
7.1　尾題後有題名“張張”。
8　8～9世紀。吐蕃統治時期寫本。
9.1　行楷。
11　圖版：《敦煌寶藏》，108/445A～446B。

1.1　BD02059號
1.3　大般若波羅蜜多經卷四一
1.4　冬059
1.5　084:2107
2.1　（8.7+774.5）×25.2厘米；17紙；共444行，行17字。
2.2　01：8.7+39.7，28；　02：48.0，28；　03：48.0，28；
04：48.3，28；　05：48.2，28；　06：48.4，28；
07：48.3，28；　08：48.2，28；　09：48.2，28；
10：48.3，28；　11：48.2，28；　12：48.4，28；

13：48.3，28；　14：48.2，28；　15：48.3，28；
16：47.5，24；　17：11.0，拖尾。
2.3　卷軸裝。首殘尾全。首紙有殘洞，卷尾下邊有撕裂。有燕尾。有烏絲欄。
3.1　首5行下殘→大正220，5/228C25～229A1。
3.2　尾全→5/234A8。
4.2　大般若波羅蜜多經卷第卌一（尾）。
7.1　第1紙背面有勘記“第卌一”、“五”，爲本文獻所屬袟次；寺院題名“龍”，爲敦煌龍興寺簡稱。第16紙背有題名“法堅”2字。
8　8～9世紀。吐蕃統治時期寫本。
9.1　楷書。
11　圖版：《敦煌寶藏》，71/671B～681B。

1.1　BD02060號
1.3　金剛般若波羅蜜經
1.4　冬060
1.5　094:4045
2.1　345.4×27.2厘米；8紙；共183行，行17字。
2.2　01：43.5，24；　02：43.5，25；　03：43.0，24；
04：42.7，24；　05：43.0，24；　06：43.7，24；
07：43.5，24；　08：42.5，14。
2.3　卷軸裝。首脱尾全。卷面有殘洞。首紙有殘裂。背有古代裱補。有燕尾。有烏絲欄。
3.1　首殘→大正235，8/750A29。
3.2　尾全→8/752C3。
4.2　金剛般若波羅蜜經（尾）。
8　9～10世紀。歸義軍時期寫本。
9.1　楷書。
9.2　有行間校加字。
11　圖版：《敦煌寶藏》，81/601B～605B。

1.1　BD02061號
1.3　天地八陽神咒經
1.4　冬061
1.5　256:7630
2.1　（5+220.5）×25.2厘米；5紙；共132行，行21～23字。
2.2　01：5+34.6，24；　02：46.4，28；　03：47.0，28；
04：46.7，28；　05：45.8+7，24；
2.3　卷軸裝。首尾均殘。有烏絲欄。已修整，配裝《趙城金藏》木軸。
3.1　首3行中上殘→大正2897，85/1423A5～8。
3.2　尾全→85/1425B3。
4.2　佛說八陽神咒經（尾）。
5　與《大正藏》本對照，卷尾缺文，參大正85/1425B1～B2。
8　9～10世紀。歸義軍時期寫本。
9.1　楷書。
11　從該件背揭下古代裱補紙共44塊，今編爲BD16255號、BD16256號、BD16257號、BD16258號、BD16259號、BD16260號、BD16261號、BD16262號、BD16263號、BD16264號、BD16265號、BD16266號。
圖版：《敦煌寶藏》，107/163A～167B。

1.1　BD02062號
1.3　維摩詰所說經卷中
1.4　冬062
1.5　070:1192
2.1　342.5×27厘米；7紙；正面192行，行17字。背面2行，行字不等。
2.2　01：49.5，28；　02：49.0，28；　03：49.0，28；
04：49.0，28；　05：49.0，28；　06：49.0，28；
07：48.0，24。
2.3　卷軸裝。首脱尾全。首紙有殘裂，卷中上邊有殘缺。背有古代裱補。有烏絲欄。
2.4　本遺書包括2個文獻：（一）《維摩詰所說經卷中》，192行，抄寫在正面，今編為BD02062號。（二）《大周廣順捌年西川善興寺法宗西天取經記》（擬），2行，抄寫在卷背古代裱補紙上，今編為BD02062號背。
3.1　首殘→大正475，14/549A10。
3.2　尾全→14/551C27。
4.2　維摩詰經卷中（尾）。
8　9～10世紀。歸義軍時期寫本。
9.1　楷書。
11　圖版：《敦煌寶藏》，65/629B～634B。

1.1　BD02062號背
1.3　大周廣順捌年西川善興寺法宗西天取經記（擬）
1.4　冬062
1.5　070:1192
2.4　本遺書由2個文獻組成，本號為第2個，2行，從左向右書寫在卷背古代裱補紙上。餘參見BD02062號之第2項、第11項。
3.3　錄文：
大周廣順捌年歲次七月十一日，西川善興大寺西院法主/
大師法宗，往於西天取經，流爲郡主大傳。/
（錄文完）
8　958年。歸義軍時期寫本。
9.1　楷書。

1.1　BD02063號
1.3　妙法蓮華經卷六
1.4　冬063
1.5　105:5706
2.1　（4.4+317.2+6）厘米；8紙；共194行，行17字。
2.2　01：4.4+2.2，3；　02：46.5，28；　03：46.5，28；
04：46.5，28；　05：46.5，28；　06：46.5，28；

07：46.5，28；　08：36 +6，23。
2.3　卷轴装。首尾均殘。經黄紙。卷面有水漬，卷尾有蟲繭。有烏絲欄。
3.1　首2行上殘→大正262，9/47A18～19。
3.2　尾行中殘→9/50B21～22。
8　7～8世紀。唐寫本。
9.1　楷書。
11　圖版：《敦煌寶藏》，94/358B～362B。

1.1　BD02064號
1.3　四分律比丘含注戒本
1.4　冬064
1.5　165:7004
2.1　130.5×30.5厘米；3紙；共80行，行27字。
2.2　01：43.5，32；　02：43.5，32；　03：43.5，16。
2.3　卷轴装。首脫尾殘。卷首下方撕裂，卷面有殘洞，多水漬。卷尾經文未抄完。有烏絲欄。
3.1　首殘，第7行→大正1806，40/430B9。
3.2　尾缺→40/432B9。
3.4　說明：
本文獻首行至第7行“不得強逼僧，應說戒”，沒有找到相應的出處。又，本文獻雖為《四分律比丘含注戒本》，但多省略、撮略文意，並非逐字抄寫。關於本文獻，還可參見《敦煌寫本〈比丘含注戒本〉釋文》。
8　8～9世紀。吐蕃統治時期寫本。
9.1　楷書。
9.2　有行間校加字。
11　圖版：《敦煌寶藏》，103/354A～355B。

1.1　BD02065號
1.3　四分律戒本疏
1.4　冬065
1.5　169:7033
2.1　599.7×29.8厘米；14紙；共446行，行27字。
2.2　01：45.0，35；　02：45.0，35；　03：45.0，35；
04：45.0，35；　05：44.0，35；　06：45.0，35；
07：45.0，35；　08：45.0，35；　09：45.0，35；
10：45.0，35；　11：45.0，35；　12：45.0，35；
13：44.7，26；　14：16.0，拖尾。
2.3　卷轴装。首脫尾全。卷尾上下有三個蟲繭。有燕尾。有烏絲欄。
3.4　說明：
本文獻首殘尾全。未為我國歷代大藏經所收。本號首殘，BD02112號尾殘。兩號相綴，恰為完璧。
4.2　戒疏卷一第（第一）（尾）
6.1　首→BD02112號。
7.1　卷尾有題記：“壬子年十二月沙州金光明寺僧大律師□□書其疏，用於流通記。”題記中的名字被刮去。
8　892年。歸義軍時期寫本。
9.1　楷書。
9.2　前半卷有硃筆點標、點刪、科分、倒乙符號；有硃筆校改，行间校加字，行间加行。後半卷有墨笔倒乙、行間校加字。紙背有補充註釋4行。
11　圖版：《敦煌寶藏》，103/557A～564B。

1.1　BD02066號
1.3　妙法蓮華經（八卷本）卷五
1.4　冬066
1.5　105:5404
2.1　（17.7+615.7）×28厘米；15紙；共408行，行22～23字。
2.2　01：17.7+26，30；　02：45.0，31；　03：45.0，30；
04：44.0，30；　05：44.3，31；　06：44.5，31；
07：44.2，30；　08：43.0，30；　09：43.3，30；
10：39.5，28；　11：41.7，25；　12：44.2，26；
13：44.0，26；　14：42.0，25；　15：25.0，05。
2.3　卷轴装。首殘尾全。卷首上下殘缺嚴重。有烏絲欄。
3.1　首12行下殘→大正262，9/34C25～35A12。
3.2　尾全→9/42A28。
4.2　妙法蓮華經卷第五（尾）。
5　與《大正藏》本對照，分卷不同，相當於卷四提婆達多品第十二前部開始至卷五從地踴出品第十五全文。為八卷本。
8　9～10世紀。歸義軍時期寫本。
9.1　楷書。
9.2　有刮改。
11　圖版：《敦煌寶藏》，91/380A～379A。

1.1　BD02067號
1.3　金光明最勝王經卷一
1.4　冬067
1.5　083:1479
2.1　193.4×25.3厘米；5紙；共115行，行17字。
2.2　01：30.4，19；　02：43.5，28；　03：42.0，28；
04：36.0，23；　05：41.5，17。
2.3　卷轴装。首殘尾全。全卷斷成3截，多處殘裂。有燕尾。有烏絲欄。
3.1　首殘→大正665，16/405B21。
3.2　尾全→16/408A28。
4.2　金光明最勝王經卷第一（尾）。
5　與《大正藏》本對照，有缺文（參見大正665，16/406B29～407C16）。尾附音釋。
7.3　卷尾背部有雜寫。
8　8～9世紀。吐蕃統治時期寫本。
9.1　楷書。
11　圖版：《敦煌寶藏》，68/57A～59A。

新舊編號對照表

一、千字文號與北敦號、縮微膠卷號對照表

千字文號	北敦號	縮微膠卷號
冬 001	BD02001 號	105: 5486
冬 002	BD02002 號	277: 8220
冬 003	BD02003 號	234: 7375
冬 004	BD02004 號	084: 2429
冬 005	BD02005 號	070: 1283
冬 006	BD02006 號	030: 0264
冬 007	BD02007 號	420: 8584
冬 008	BD02008 號	083: 1835
冬 009	BD02009 號	155: 6810
冬 010	BD02010 號	062: 0595
冬 010	BD02010 號背	062: 0595
冬 011	BD02011 號	461: 8688
冬 012	BD02012 號	400: 8535
冬 013	BD02013 號	094: 4114
冬 014	BD02014 號	030: 0283
冬 015	BD02015 號 A	084: 2564
冬 015	BD02015 號 B	084: 2620
冬 016	BD02016 號	237: 7409
冬 017	BD02017 號	201: 7196
冬 018	BD02018 號	094: 3873
冬 019	BD02019 號	006: 0097
冬 020	BD02020 號	105: 4755
冬 021	BD02021 號	105: 5521
冬 022	BD02022 號	115: 6531
冬 023	BD02023 號	105: 5441
冬 024	BD02024 號 1	305: 8308
冬 024	BD02024 號 2	305: 8308
冬 025	BD02025 號	205: 7230
冬 026	BD02026 號	016: 0198
冬 027	BD02027 號	084: 2941
冬 028	BD02028 號	094: 3743
冬 029	BD02029 號	063: 0796
冬 030	BD02030 號	063: 0783
冬 031	BD02031 號	105: 4901
冬 032	BD02032 號	422: 8597
冬 033	BD02033 號	070: 1217
冬 034	BD02034 號	105: 4738
冬 035	BD02035 號	082: 1430
冬 036	BD02036 號	094: 4126
冬 037	BD02037 號	421: 8596
冬 038	BD02038 號	094: 4096
冬 039	BD02039 號	105: 5843
冬 040	BD02040 號	070: 0983
冬 041	BD02041 號	105: 5106
冬 042	BD02042 號	105: 5543
冬 043	BD02043 號	070: 1284
冬 044	BD02044 號	275: 7737
冬 045	BD02045 號	023: 0234
冬 046	BD02046 號	063: 0604
冬 047	BD02047 號	083: 1486
冬 048	BD02048 號	038: 0345
冬 049	BD02049 號	070: 1139
冬 050	BD02050 號	105: 5739
冬 051	BD02051 號	063: 0631
冬 052	BD02052 號	084: 2500
冬 053	BD02053 號	094: 3504
冬 054	BD02054 號	105: 5892
冬 055	BD02055 號	063: 0610
冬 056	BD02056 號	062: 0552
冬 057	BD02057 號	105: 4596
冬 058	BD02058 號	275: 7986
冬 059	BD02059 號	084: 2107
冬 060	BD02060 號	094: 4045
冬 061	BD02061 號	256: 7630
冬 062	BD02062 號	070: 1192
冬 062	BD02062 號背	070: 1192
冬 063	BD02063 號	105: 5706
冬 064	BD02064 號	165: 7004

冬 065	BD02065 號	169：7033
冬 066	BD02066 號	105：5404
冬 067	BD02067 號	083：1479

二、縮微膠卷號與北敦號、千字文號對照表

縮微膠卷號	北敦號	千字文號
006：0097	BD02019 號	冬 019
016：0198	BD02026 號	冬 026
023：0234	BD02045 號	冬 045
030：0264	BD02006 號	冬 006
030：0283	BD02014 號	冬 014
038：0345	BD02048 號	冬 048
062：0552	BD02056 號	冬 056
062：0595	BD02010 號	冬 010
062：0595	BD02010 號背	冬 010
063：0604	BD02046 號	冬 046
063：0610	BD02055 號	冬 055
063：0631	BD02051 號	冬 051
063：0783	BD02030 號	冬 030
063：0796	BD02029 號	冬 029
070：0983	BD02040 號	冬 040
070：1139	BD02049 號	冬 049
070：1192	BD02062 號	冬 062
070：1192	BD02062 號背	冬 062
070：1217	BD02033 號	冬 033
070：1283	BD02005 號	冬 005
070：1284	BD02043 號	冬 043
082：1430	BD02035 號	冬 035
083：1479	BD02067 號	冬 067
083：1486	BD02047 號	冬 047
083：1835	BD02008 號	冬 008
084：2107	BD02059 號	冬 059
084：2429	BD02004 號	冬 004
084：2500	BD02052 號	冬 052
084：2564	BD02015 號 A	冬 015
084：2620	BD02015 號 B	冬 015
084：2941	BD02027 號	冬 027
094：3504	BD02053 號	冬 053
094：3743	BD02028 號	冬 028
094：3873	BD02018 號	冬 018
094：4045	BD02060 號	冬 060
094：4096	BD02038 號	冬 038
094：4114	BD02013 號	冬 013
094：4126	BD02036 號	冬 036
105：4596	BD02057 號	冬 057
105：4738	BD02034 號	冬 034
105：4755	BD02020 號	冬 020
105：4901	BD02031 號	冬 031
105：5106	BD02041 號	冬 041
105：5404	BD02066 號	冬 066
105：5441	BD02023 號	冬 023
105：5486	BD02001 號	冬 001
105：5521	BD02021 號	冬 021
105：5543	BD02042 號	冬 042
105：5706	BD02063 號	冬 063
105：5739	BD02050 號	冬 050
105：5843	BD02039 號	冬 039
105：5892	BD02054 號	冬 054
115：6531	BD02022 號	冬 022
155：6810	BD02009 號	冬 009
165：7004	BD02064 號	冬 064
169：7033	BD02065 號	冬 065
201：7196	BD02017 號	冬 017
205：7230	BD02025 號	冬 025
234：7375	BD02003 號	冬 003
237：7409	BD02016 號	冬 016
256：7630	BD02061 號	冬 061
275：7737	BD02044 號	冬 044
275：7986	BD02058 號	冬 058
277：8220	BD02002 號	冬 002
305：8308	BD02024 號 1	冬 024
305：8308	BD02024 號 2	冬 024
400：8535	BD02012 號	冬 012
420：8584	BD02007 號	冬 007
421：8596	BD02037 號	冬 037
422：8597	BD02032 號	冬 032
461：8688	BD02011 號	冬 011